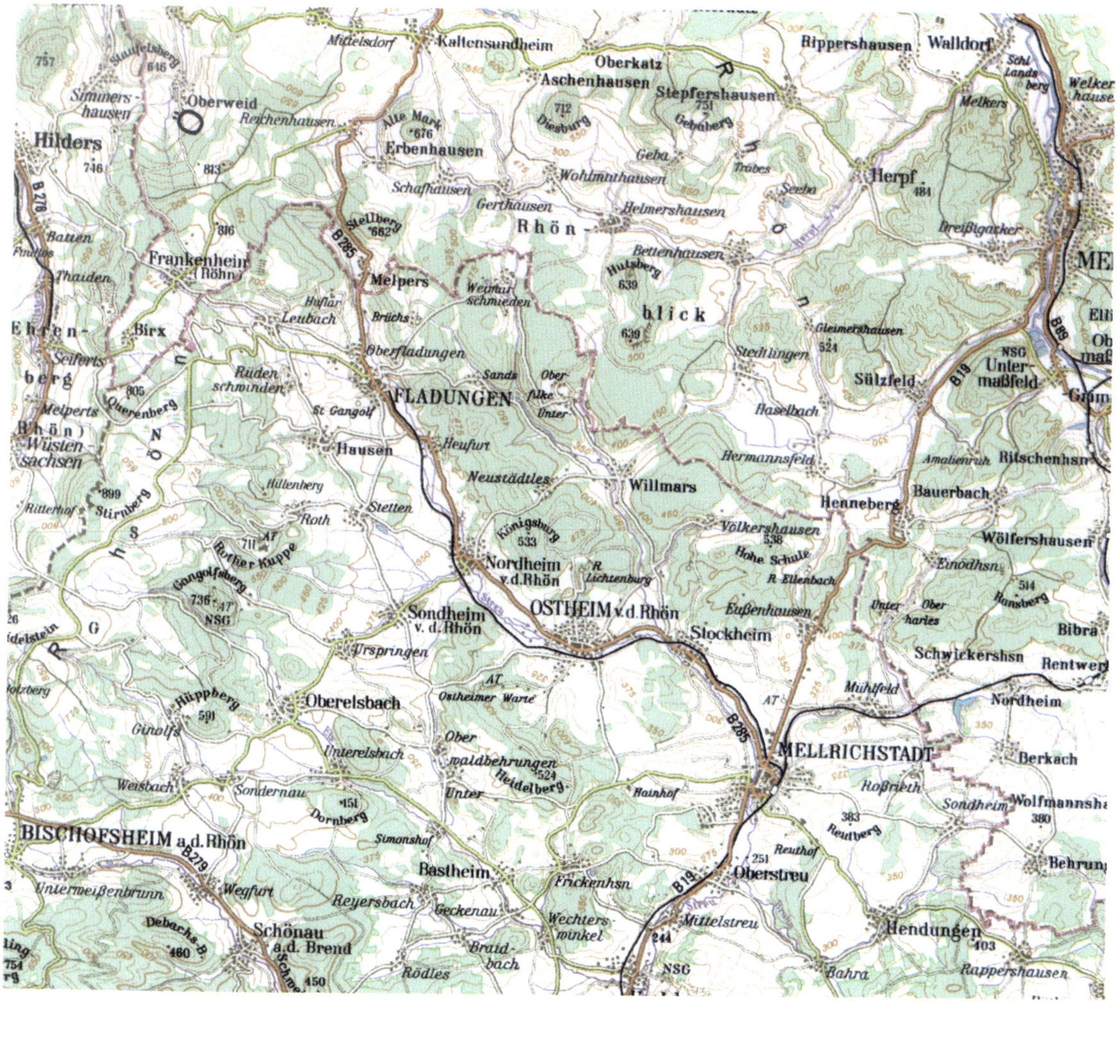
Mittelsdorf
Kaltensundheim
Rippershausen
Walldorf
Oberkatz
Aschenhausen
Stepfershausen
Oberweid
Reichenhausen
Hilders
Erbenhausen
Schafhausen
Gerthausen
Wohlmuthausen
Helmershausen
Herpf
Frankenheim
Melpers
Bettenhausen
Leubach
Oberfladungen
FLADUNGEN
Sülzfeld
Hausen
Heufurt
Neustädtles
Willmars
Hermannsfeld
Henneberg
Bauerbach
Stetten
Roth
Nordheim v.d.Rhön
Sondheim v. d. Rhön
OSTHEIM v.d.Rhön
Stockheim
Urspringen
Oberelsbach
MELLRICHSTADT
Unterelsbach
BISCHOFSHEIM a.d.Rhön
Bastheim
Oberstreu
Schönau a.d. Brend
Hendungen
Rappershausen
Rhön-blick
Wölfershausen
Nordheim
Berkach

Gerhard Schätzlein

Reinhold Albert

Hans-Jürgen Salier

GRENZERFAHRUNGEN
Bezirk Suhl – Bayern/Hessen
Zur Zeit der Wende

Verlag Frankenschwelle KG
Hildburghausen – 2005

SCHRIFTENREIHE DES VEREINS FÜR
HEIMATGESCHICHTE IM GRABFELD E. V., BAND 22

Titelbild: Poppenhausen, Krs. Hildburghausen (DDR) besucht
Gleismuthhausen (Bundesrepublik).
Foto: Willi Beetz

4. Umschlagseite: (oben) Siggi Scuß
(unten) Christoph, Baldrich

ISBN 3-86180-096-9

1. Auflage 2005

© Gerhard Schätzlein
Reinhold Albert
Hans-Jürgen Salier

Herstellung: Verlag Frankenschwelle KG, Verlagsleiter Hans-Jürgen Salier/
Druckhaus Offizin Hildburghausen GmbH
Geschwister-Scholl-Straße 26
98646 Hildburghausen

Inhaltsverzeichnis

VORWORT

Den dritten Band der „Grenzerfahrungen" entlassen die Autoren mit einem lachenden und einem weinenden Auge in die Öffentlichkeit – lachend, weil sie es geschafft haben, eine Vielzahl interessanter Vorfälle und Geschehnisse in das allgemeine Bewusstsein zurückzuholen, weinend, weil die Fülle des Materials viele weitere interessante Vorgänge aus dem Buch ausschließt. Auch so umfasst der vorliegende Band über 724 Seiten, prall gefüllt mit Fakten, Ereignissen und Berichten.

Wie auch in den bisherigen Bänden ist es die Absicht der Autoren, die Jahre 1989, 1990 und all die Geschehnisse, die zur so genannten „Wende" führten, möglichst facettenreich zu beleuchten. Die atemberaubende und dramatische Entwicklung ließ uns allen in den zurückliegenden eineinhalb Jahrzehnten keine Zeit, das Geschehen zu analysieren und sich immer der Tragweite der Ereignisse bewusst zu werden. Im Band III wie auch im folgenden Band IV soll das nachgeholt werden.

Ziel des Buches

Nach 15 Jahren fällt es auch denen, die die Zeit erlebten, zunehmend schwer, sich vorzustellen, wie das alles damals war, ganz abgesehen von denen, die zu jung waren und die Zeit, in der es die DDR gab, nur vom Hörensagen oder von DDR-verklärenden Darstellungen kennen. Nur so ist es verständlich, dass 20 von 100 Bürgern unserer heutigen Bundesrepublik sich die Mauer wieder zurückwünschen, denn „nichts vergoldet die Vergangenheit so sehr wie ein schlechtes Gedächtnis" (John Steinbeck). Diesem Vergessen und Verdrängen durch Fakten entgegenzuwirken, ist unser Ziel.

Dazu gehört die Darstellung der Situation der Bevölkerung besonders im Grenzgebiet des ehemaligen Bezirkes Suhl ebenso, wie die Beleuchtung besonderer Vorkommnisse im „westlichen Vorfeld", wie das Grenzgebiet der Bundesrepublik bei der Staatssicherheit bezeichnet wurde, also jenseits der Grenzsperren. Wir spürten den vielfachen Versuchen von DDR-Bürgern nach, dem „Vaterland der Werktätigen" den Rücken zu kehren: Ihren Versuchen, die Grenzsperranlagen zur Bundesrepublik Deutschland zu überwinden, die Ausreise durch Botschaftsbesetzungen zu erpressen, im Ausland den „Eisernen Vorhang" zu überwinden oder mit Hartnäckigkeit und Leidensfähigkeit Ausreiseanträge zu stellen und diese allen Beschwernissen zum Trotz durchzuhalten, all dies als Reaktion auf die menschenrechtswidrigen Verweigerungen von Ausreisefreiheit durch das DDR-System.

Zur Geschichte der DDR und der „Wende" gehörten jedoch auch die „bewaffneten Organe" und ihre Mitglieder, die versuchten, den auseinander brechenden und auseinander triftenden Staat und seine Bürger zusammenzuhalten, wie es ihr Dienstauftrag und ihre Aufgabe war. Auch sie sind Bestandteil der DDR-Wirklichkeit. Ihr Wirken ohne Häme, aber auch ohne Verklärung und Rechthaberei darzustellen, ist, wie auch bisher, unser besonderes Anliegen.

Doch nicht nur die Leser, auch die Autoren lernen aus den Fakten und Unterlagen, die sie in reicher Fülle ausbreiten. Das beruht auch darauf, dass immer mehr Leser zu Mitarbeitern werden. Sie helfen mit, die Reihe „Grenzerfahrungen" zu einem bleibenden Nachschlagewerk über eine Zeit zu machen, in der unser Vaterland durch eine tödliche Grenze geteilt war und zwei verschiedene Gesellschaftssysteme zwei deutsche Staaten beherrschten.

Wenn „Geschichte schreiben eine Art" ist, „sich das Vergangene vom Hals zu schaffen", dann wünschen wir diese Bewältigung dessen, was gewesen ist, nicht nur für uns, sondern auch für unsere Leser.

Wir sehen unsere Aufgabe nicht darin, Schuldige festzustellen oder Helden hervorzuheben. An dem Vorhaben, Schuldige an den Todesfällen und Verletzungen an den Grenzen der DDR herauszufinden, sind bereits die Gerichte weitgehend gescheitert. Helden der Wende wurden zuhauf emporgehoben und bei den ersten Wahlen – spätestens nach der Wiedervereinigung – abserviert oder ins Glied zurückgedrängt. Vielmehr sollten wir uns ein Beispiel daran nehmen, wie Südafrika seine weitaus furchtbarere Vergangenheit überwindet und alle Kraft auf die Bewältigung der Gegenwart verwendet.

Umfang des Buches

Der vorliegende Band umfasst weitgehend Ereignisse der Jahre 1989 bis 1990, die Zeitleiste bis zum Tag der Deutschen Einheit, dem 3. Oktober 1990. Zur vollständigen Darstellung des Sachverhalts war es jedoch in einzelnen Abschnitten notwendig, auch Fakten und Geschichten aus früheren Jahren aufzurollen. Wie bereits im zweiten Band umfasst das Arbeitsgebiet des Buches im Osten den Bezirk Suhl mit seinen Grenzkreisen Bad Salzungen, Meiningen, Hildburghausen, Sonneberg und Neuhaus am Rennweg, ohne die übrigen Kreise besonders bei den Ereignissen, die zur Wende führten, wegzulassen; im Wesentlichen den Bereich der Kreise Bad Hersfeld-Rotenburg (teilweise), Fulda, Rhön-Grabfeld, Haßberge, Coburg und Kronach (teilweise). Dieses Gebiet, ein gutes Viertel der laut DDR-Handbuch (Ausgabe 79) 1.393 km langen Grenze der DDR zur Bundesrepublik, war mit ca. 380 km, von denen etwa 90 km auf die Grenze nach Hessen entfiel, der „Eckpfeiler" im Sperrsystem des DDR-Staates.

Wir hatten uns vorgenommen, den dritten Band nicht über 500 Seiten stark werden zu lassen, es waren ja nur knapp zwei Jahre zu behandeln. Doch die Vielzahl der bearbeiteten Themen, die Fülle der archivalischen Quellen und viele der aus dieser Zeit noch vorhandenen Zeitzeugen, wie auch die in manchen Bereichen vorhandene Überfülle an fotografischen Zeugnissen überrollten uns förmlich, so dass wir trotz beträchtlicher Kürzungen auf diese Seitenzahl kamen. Trotz alledem fanden nicht alle vorgesehenen und bearbeiteten Themen Platz im Band.

Leider konnten wir das Agieren und das Schicksal einiger Vordenker und Vor"kämpfer" der Wende nicht, wie es bereits konzipiert war, in diesem Band aufzeigen. Es muss in den 4. Band verschoben werden, wie auch eine ausführliche Auseinandersetzung mit dem Ministerium für Staatssicherheit, seinen Dienststellen und Mitarbeitern. Verschoben wurde leider noch einmal die Arbeit der Grenzkommission.

Dank für Mithilfe und Unterstützung

Allen, die bei uns angerufen oder uns geschrieben haben, die uns mit Hinweisen, Kritik, Erzählungen und Informationen unterstützt haben, danken wir ganz herzlich.

Ganz besonders danken wir für ihre kenntnisreiche und weitgehende Hilfe und Unterstützung, für die Unterlagen, Fotos und Materialien den folgenden Frauen und Männern im Bewusstsein, dass die Liste sicher noch erweitert werden müsste:

o Christoph Baldrich, Eisfeld, für seine Beiträge

o Willi Beetz, Seßlach-Dietersdorf, für Fotos und Textmaterial;

o Robert Brendel, München, für seine Pressesammlung, Hinweise, Unterstützung, Fotos;

o Detlef Deutsch, Bad Neustadt, für Hinweise, Informationen;

o Karl-Heinz Dörsmann, Meiningen, für Texte, Hinweise, Informationen;

o Hanns Friedrich, Bad Königshofen, für Texte;

o Hans Gliem, Fuldatal, für Literatur, Broschüren, Hinweise, Fotos;

o Harald Hentschel für seinen Beitrag im Buch sowie Fotos;

o Christine Halbig-Hölzer, Hendungen-Rappershausen, für Fotos und Texte;

o Ewald und Erna Jäger, Schwickershausen;

o Reinhard Kilian, Dörfles-Esbach, für Texte, Fotos, Hinweise, Informationen;

o Reiner Krebs, Coburg, für Fotos;

o Heiko und Diana Krieg, Jüchsen;

o Heinz Kühn, Bayreuth, für seine Fotosammlung mit Inhaltsverzeichnis;

o Frank Meixner, Stedtlingen, für Informationen;

o Manfred Reuter, Rentweinsdorf, für Fotos;

o Erwin Ritter, Nüdlingen, für Fotos, Texte, Unterstützung in jeder Hinsicht;

o Gerhard Scheidl, Mellrichstadt, für Fotos und Hinweise;

o Gerhard Schmidt, Ermershausen, für Fotos, Texte und Hinweise;

o Rudi Schott, Sachsenbrunn, für Informationen;

o Heinz Schubert, Berlin, für seinen Beitrag;

o Wilhelm Stehling, Marburg, für Texte;
o Hans-Dieter Wolf, Bad Neustadt, für Fotos, Informationen, Texte;
o Jürgen und Anita Zimmermann, Meiningen, für aktive Mitarbeit, Texte, Fotos;
o Eduard Zingel, Lautertal-Neukirchen, für seine Pressesammlung, Bücher, Informationen.

Erst durch sie alle konnte der Inhalt unseres Buches „Grenzerfahrungen" von so vielen Seiten beleuchtet werden.

Quellen

Neben den unverzichtbaren Informationen aus Gesprächen und Interviews, von denen viele allerdings erst im Band III zu Wort kommen, stammen die gesammelten Daten im Wesentlichen aus folgenden Quellen.

1. Aus dem Deutschen Archiv – Militärarchiv Freiburg –, wohin die Archivunterlagen der Grenztruppen der DDR und der einstigen Deutschen Grenzpolizei im Frühjahr 2000 verbracht wurden. Hier wurden die Chronik der Grenztruppen ausgewertet sowie nahezu vollständig die Tagesmeldungen der Grenztruppen und der Grenzpolizei der DDR. Besonders danken wir Albrecht Kästner für Hinweise, Informationen, Unterstützung;

2. Aus Unterlagen des Bundesgrenzschutzes. Hier wurden besonders die monatlichen Grenzlageberichte und in Einzelfällen Befragungen ausgewertet. Die Unterlagen stammen aus verschiedenen Quellen: Aus einzelnen Standorten (GSA) von Coburg, Oerlenbach über Fulda bis Hünfeld, besonders jedoch vom GSK Mitte in Fuldatal, dessen Pressestelle, hier besonders dem Leiter, Dieter Teifke, sind wir in ganz besonderem Maß zu Dank verpflichtet. (Quellenangabe in der Zeitleiste: GSK M oder BGS Coburg)

3. Aus Unterlagen des bzw. der Bundesbeauftragten für die Unterlagen des Staatssicherheitsdienstes der ehemaligen Deutschen Demokratischen Republik. Neben karteimäßig erfassten Meldungen (Grenzkartei) des MfS, die jedoch nur bis 1974 reichen, konnte dank eines Forschungsauftrags für den Landkreis Rhön-Grabfeld, dem wir für sein Vertrauen danken, ein größerer Teil an Unterlagen zum Thema Flucht § 213 StGB der DDR erschlossen werden. Wir danken den Damen und Herren der „Gauck- bzw. Birthlerbehörde" für die gewährte Beratung, Hilfe und Unterstützung, insbesondere Rainer Jahn, Dr. Thomas Sünder, Marianne Aschenbach und Doris Günther.

4. Aus dem Staatsarchiv Meiningen, Dr. Norbert Moczarski, sind wir für seine Hinweise und fundierte Hilfe zu Dank verpflichtet.

5. Aus dem Kreisarchiv Meiningen erfuhren wir durch die Leiterin, Angelika Hoyer, kompetente Unterstützung (Die Quelle ist in den Fußnoten mit „Kreisarchiv Meiningen" angegeben.

Gedruckte Literatur

Die verwendete Literatur entnehmen Sie bitte den Fußnoten, das Literatur- und Quellenverzeichnis musste in den Band IV verschoben werden.

Verwendet wurde eine Vielzahl von Ausschnitten westlicher Printmedien zum Thema Grenze. Für den vorliegenden Band wurden auch DDR-Zeitungen und die Zeitungen in Thüringen nach der Wende ausgewertet. Den Redaktionen danken wir sehr herzlich, vor allem „Freies Wort".

Zeitleiste

Die Zeitleiste versucht, wie auch in den vorhergehenden Bänden, Ereignisse an der Grenze des Bezirks Suhl zu Bayern und Hessen zeitlich zu erfassen. Zusätzlich wurden in diesem Band viele zeitlich einordenbaren Ereignisse der denkwürdigen Jahre, insbesondere die Demonstrationen, ausführlich gewürdigt.

Abkürzungen, Glossar

Abkürzungen und das nahezu fertige Glossar fielen wegen der Materialfülle vorläufig dem „Rotstift" zum Opfer. In Bezug auf die Abkürzungen wird auf das Verzeichnis im Band II ab S. 604 bzw. auf den in Vorbereitung befindlichen Band IV verwiesen.

Band IV

Der vierte Band der Grenzerfahrungen soll die Zeitleiste einerseits über die Zeit nach 1990 hinausweisen, andererseits die Lücken, besonders der Zeit bis 1972, auffüllen. Die Geschichte der Grenzkommission ab 1972 soll – wie erwähnt – im 4. Band Platz finden.

Bitte um Mithilfe

Für die unter anderen geplanten Abschnitte bitten wir Sie um Ihre Mithilfe:

Wer über die nachfolgenden Themen etwas weiß oder gar Unterlagen zur Verfügung stellen kann, bitten wir dringend, sich mit uns in Verbindung zu setzen. Unsere Adressen bzw. elektronische Kontaktmöglichkeiten sind im Kapitel Persönliche Angaben zu den Autoren genannt.

Die Hinterlassenschaft des MfS

Schwieriger Neubeginn

Projekte Deutsche Einheit

Straßenlücken

Zusammenbruch der alten DDR-Wirtschaft

Ausverkauf durch die Treuhand

Ausgeschmiert und abgezockt – Miese Tricks aus dem Westen

Auflösung Grenzpolizei

Abzug der GZD

Abzug BGS

Auflösung der Grenztruppen der DDR

Rückbau der Grenzsperranlagen

Grenzerprozesse

Wiedergutmachung

Geben Sie uns auch Nachricht, wenn Sie einen Vorfall aus früheren Jahren im Bereich der Grenze in den bisherigen Bänden nicht gefunden haben.

Um Verständnis bitten wir für die Zeitverzögerung des von vielen mit Ungeduld erwarteten Buches. Der Umfang wird sie verständlich machen.

Wir bedanken uns beim Verlag und bei den Mitarbeitern des Druckhauses Offizin Hildburghausen GmbH, die die Herausgabe des Bandes begleiteten.

Leben im Grenzgebiet Ost

LAGE UND STIMMUNG DER BEVÖLKERUNG BESONDERS IM GRENZGEBIET

Alltag an der Grenze

Im Grenzgebiet der DDR zur Bundesrepublik hatten sich die Bewohner meist noch mehr als im Landesinneren mit dem Regime arrangiert. Man akzeptierte die vermehrten Schwierigkeiten mit den Passierscheinen und Kontrollen, man nahm hin, dass man nur sehr schwer Verwandte zu sich einladen konnte, schon gar keine aus dem Westen oder dem Ausland. Oft widerwillig, aber doch pflichtgemäß, war man als freiwilliger Helfer der Grenztruppen wie der Polizei tätig. Man hatte eines gelernt: Frei reden konnte man nur in den eigenen vier Wänden. Sonst war die Devise: Nur nicht auffallen. Das befremdete die meisten Besucher sofort: Kam man durch ein Dorf, so war oft kein Mensch auf der Straße zu sehen oder gar als Ansprechpartner zu finden. Nur die Fenstergardinen bewegten sich.

Ein nicht eben spektakuläres und auch nicht ungewöhnliches Beispiel für das Leben im Grenzgebiet ist die Geschichte der Familie Jäger aus Schwickershausen im Kreis Meiningen. Sie zeigt ein Leben mit vielen Klippen, auf die man nicht auffahren durfte, und mit Ausweichmanövern, mit denen fast jeder versuchte, mit dem Leben in der DDR und besonders im Grenzgebiet zurechtzukommen.

Ein „unsicherer Kandidat"

Zweieinhalb Jahre war Ewald Jäger bei den Agrarfliegern als Flugzeug-Organisator beim ACZ (Agro-Chemisches Zentrum) für Dünger- und Pflanzenschutz in Wolfmannshausen. Die zwei Flugzeuge wurden Tag und Nacht bewacht. Lothar H. aus Hildburghausen war Pilot der Agrarflieger, gleichzeitig jedoch Stasi-Mitarbeiter.

Bis 1982 galt Jäger als linientreu, bis er in einer Elternversammlung der POS in Schwickershausen aus der Rolle fiel. Die Versammlung war größtenteils eine Werbung für den Offiziersdienst in der

NVA. 10 Jahre mindestens sollten sich die Kinder verpflichten. Da platzte Ewald Jäger doch der Kragen: „Seid Ihr denn noch normal!", brüllte er, „ich wollte etwas über mein Kind erfahren und jetzt wird nur über die NVA geredet. In dem Scheiß-Militärstaat möchte ich auch kein Kind mehr sein!"

Dieser Ausbruch blieb nicht ohne Folgen. Jäger wurde umgehend zum Sturm-Pionier-Regiment in Storkow zu 12 Wochen Reservedienst einberufen. Danach verlor er seine Arbeitsstelle. Als „unsicherer Kandidat" durfte er nicht mehr bei den Agrarfliegern bleiben. Sein Betriebsleiter delegierte ihn jedoch zum Sägewerk in Rentwertshausen, einer BHG (Bäuerliche Handelsgenossenschaft). Diese „Verbannung" hatte letztlich auch ihre guten Seiten, denn dadurch kam er eher an Bauholz und Bretter und konnte so von 1983 bis 1986 in Eigenleistung sein Haus bauen.

Westkontakte und Folgen

Erna Jäger hatte Westverwandtschaft. Ihre Mutter stammte aus dem Egerland und die meisten Verwandten wohnten in Bayern. Der Kontakt zu ihnen war jedoch nicht sehr eng.

Doch Ewald Jäger hatte um 1976 beim Pilzesuchen einen Luftballon gefunden. Die Absender des Ballons waren aus Langenschwarz. Frau Erna beantwortete die Karte. Daraus entwickelte sich ein Briefkontakt und es ergaben sich gemeinsame Treffen in Oberhof und in Goldlauter in einem Bungalow der Verwandtschaft. Kontakte aus dem Luftballonfund ergaben sich auch mit einer Familie in Hünfeld.

Jägers hatten angegeben, dass die Mutter der Luftballonbekanntschaft von Hünfeld eine Schwester der Mutter von Erna sei. Zum 85. Geburtstag der Mutter bekam Erna deshalb 1987 die Genehmigung zu einem Besuch in Langenschwarz. Der Pass war bereits ausgestellt und lag im Schloss Römhild bei der Polizei zur Abholung bereit. Frau Jäger konnte an diesem Tag nicht hinkommen. Doch am Abend kam Sigruns Mann. Sigrun war eine

Bekannte aus Schwickershausen, die dort bei der Polizei arbeitete, und sagte, der Pass sei wieder abgeholt worden. Für Erna Jäger brach eine Welt zusammen. Hatte die Stasi von der Falschangabe Wind bekommen? Erna war nicht bereit, aufzugeben. Sie fuhr nach Suhl zur BdVP. Bei der obersten Volkspolizistin weinte Erna so lange, bis diese Frau sagte: „Sie holen jetzt in Meiningen Ihren Pass und können am selben Tag fahren." Das klappte auch, obwohl Frau Jäger Angst hatte, sie würde noch an der Grenze aus dem Bus herausgeholt. Nach ihrem Besuch brauchte sie einige Tage, sich wieder an die DDR-Realität zu gewöhnen.

Sie hatte Anfang 1986 bereits aushilfsweise die Poststelle in Schwickershausen versehen und ihr war versprochen worden, sie würde die Stelle im Sommer fest bekommen. Deshalb hatte sie ihren bisherigen Arbeitsplatz gekündigt. Doch als sie dann bei der Postbehörde vorsprach, taten die, als wüssten sie von nichts. Verzweifelt suchte sie Kontakt zu ihrem Schulkameraden, der bei der Stasi war. Der traf sie im Kinderkaufhaus in der Umkleidekabine, weil niemand wissen sollte, dass sie sich kannten. Er sagte ihr, wegen der Westkontakte könne sie die Stelle nicht bekommen. Sie müsse eine Erklärung schreiben, dass sie diese Kontakte abbricht. Nur dann habe sie noch Aussicht auf die Stelle. Das lehnte Erna Jäger ab. Darauf sollte sie überhaupt keine Arbeit mehr bekommen. Doch dann wurde sie vom Genossen Henneberger vom ZBEACZ (Zwischenbetriebliche Einrichtung Agro-Chemisches Zentrum) in Wolfmannshausen eingestellt, wo sie bis zur Wende blieb. Erst danach erfuhr sie, dass ein Nachbar sie wegen der Westkontakte angeschwärzt hatte.

DIE UNGEWÖHNLICHE LEBENSGESCHICHTE DES HELMUT HEIM AUS EISHAUSEN – DAS SPIESSRUTENLAUFEN EINES TÜCHTIGEN FAMILIENVATERS, DER SICH ÜBER MISSSTÄNDE BEI DER DDR-STAATSFÜHRUNG BESCHWERTE

Draußen weht ein laues Vorfrühlingslüftchen, als wir uns Anfang März 2001 in seinem Wohnzimmer in Eishausen, nunmehr Gemeindeteil von Straufhain, Kreis Hildburghausen, gegenübersitzen. Helmut Heim ist 57 Jahre alt, verheiratet und hat zwei Kinder. Der Eishäuser stellt sich als „Mann mit fünf Berufen" vor. Er sei Werkzeugmacher, Flugzeugmechaniker, Kraftfahrzeug-Schlosser, Lackierer und Imker. Mittlerweile aber ist er nach einem Schlaganfall Invalidenrentner - geschuldet der Aufregung um seinen „Fall". Und genau aus diesem Grund sitzen wir zusammen.

Helmut Heim rief mich vor einigen Monaten an und berichtete, dass seine Geschichte unbedingt in die „Grenzerfahrungen Bayern – Thüringen" gehöre. Übel habe man ihm mitgespielt. Dokumentiert sei dies in seiner über 200-seitigen Stasiakte, die er 1996 erstmals einsah.

Und nun beginnt Helmut Heim zu erzählen: Geboren sei er im Kriegsjahr 1944 als uneheliches Kind. Der Ehemann seiner Mutter sei 1939 eingezogen worden. Nach der Vernichtung Belgrads durch die Deutschen im April 1941 wurden nahezu sämtliche serbischen Soldaten als Zwangsarbeiter nach Nazi-Deutschland deportiert. Acht von ihnen kamen nach Eishausen. Sie halfen mit, dass wegen fehlender Arbeitskräfte in der Landwirtschaft die bäuerlichen Betriebe weiter produzieren konnten, denn nahezu alle tauglichen Männer mussten Kriegsdienst leisten. So erhielt auch sein Großvater Max Berger, der 1936 bei einem Unfall einen Arm verloren hatte, zur Unterstützung einen Serben mit Namen Kostin Radiwoye Dimitrijevic.

Es entspann sich eine Liebschaft zwischen ihm und seiner Mutter, aus der Helmut Heim hervorging. Sich mit Zwangsarbeitern einzulassen, war verboten und unter strenge Strafe gestellt, so dass seine Mutter wider besseren Wissens behaupten sollte, sie sei vergewaltigt worden. Doch sie weigerte sich mit Unterstützung ihres Vaters standhaft dagegen, so Helmut Heim stolz.

Nach dem Krieg kehrte sein Stiefvater Arno Heim wohlbehalten zurück und führte fortan mit seiner Frau ein glückliches Familienleben. Helmut wurde von seinem Stiefvater neben seinen Geschwistern, dem im Krieg 1942 geborenen Bruder und der 1949 geborenen Schwester, gleichrangig behandelt, stellt er rückblickend dankbar fest. Jeder wusste, dass sein „Vater" sein „Stiefvater" war – nur, wie es halt auf dem Dorf so üblich war, er nicht. Erst um 1960 erfuhr Helmut Heim „hinten herum" die Wahrheit über seine Identität und auch den Namen seines Vaters. Diesen schrieb er auf einen kleinen Zettel, den er seitdem stets im Geldbeutel bei sich trug.

Auf dem Sterbebett erleichterte sich dann 1984 seine Mutter und gestand ihm, dass der serbische Zwangsarbeiter sein Vater sei. Helmut Heim nahm nach dieser Bestätigung auf Umwegen schließlich Kontakt mit seinem leiblichen Vater in Jugoslawien auf, der ihn schließlich im August 1988 nach Überwindung der damals üblichen Hürden in Eishausen besuchte. Der Gegenbesuch von Veronika und Helmut Heim in Jugoslawien fand dann im Februar 1989 statt. Diese „Vorgeschichte" müsse man wissen, so Helmut Heim, um das Folgende verstehen zu können.

Helmut Heim war ein tüchtiger und strebsamer Schüler und wurde mit einem guten Schulabschluss nach zehn Jahren Schulbesuch aus der Polytechnischen Oberschule in Themar entlassen. Zunächst erlernte er den Beruf des Werkzeugmachers, ging dann 1963 zur Armee und ließ sich dort bei den Luftstreitkräften der NVA zum Flugzeugmechaniker für Elektro- und Geräteausrüstung ausbilden. Er strebte nach weiterer Qualifikation – sein Wunschtraum war es, Pilot zu werden. Mehrfach stellte Heim entsprechende Anträge, bestand jeweils die Flugtauglichkeitsprüfungen glänzend und wurde stets abgelehnt. Lange konnte er sich hierauf keinen rechten Reim bilden. Heute weiß er aus seinen bei der DDR-Staatssicherheit geführten Akten, warum sein Gesuch immer abschlägig beschieden wurde. Einziger Grund war, dass sein Vater aus dem Ausland, noch dazu aus dem von den sozialistischen Bruderländern mit Argwohn beäugten nunmehrigen Jugoslawien Josip Broz Titos stammte.

Willkürlich der beruflichen Perspektiven beraubt

Von 1966 bis 1972 war Helmut Heim bei der Gesellschaft für Sport und Technik in Gera als Flugzeugmechaniker. Während dieser Zeit verlobte er sich mit Veronika Wieber aus seiner Heimatgemeinde Eishausen. Das Paar suchte lange Zeit eine Wohnung in Gera, um eine Familie gründen zu können. Doch alle Bemühungen waren vergeblich und auch sein Lebenstraum, Pilot zu werden, ließ sich nach wie vor nicht erfüllen, wie Helmut Heim resigniert feststellen musste. Schließlich protestierte er mit weiteren zwei Kollegen offiziell gegen die Nichtberücksichtigung, die die drei Männer als Schikane betrachteten. Folge ihrer berechtigten Eingabe war, dass sie künftig als „Sicherheitsrisiko" bei der GST in Gera galten und ihnen mehr oder weniger aufgetragen wurde, zu kündigen.

So kehrte Helmut Heim, seiner beruflichen Perspektive beraubt, in seine weltabgelegene Heimatgemeinde im Grenzsperrgebiet zwischen Rodach und Hildburghausen zurück und heiratete seine Veronika. Das Paar zog zunächst in das Haus der

Der Vater von Helmut Heim – der Serbe Raivoje, der am 1. Mai 1941 als Zwangsarbeiter nach Eishausen kam und bei der Familie Berger eingesetzt wurde.

Helmut Heim (3. v. l.) im Kreis seiner Kameraden in Cottbus im April 1966 mit von links Bernd Trinks, Eberhard Becker, Helmut Heim, Hans-Jürgen Dreschl, Dieter Würziger, Peter Voigt und Rainer Kimmer.

Schwiegermutter in Eishausen. Helmut Heim bekam einen Arbeitsplatz bei der Kfz-Produktionsgenossenschaft des Handwerks „Wartburg" in Schleusingen.

Der strebsame junge Mann wollte nun mit seiner Frau ein Eigenheim bauen. Zwar erhielt die Familie Heim eine Baugenehmigung in Eishausen, jedoch ohne Zuteilung eines Baukontingents, d. h., dass ihnen staatlicherseits keinerlei Baumaterial zugeteilt wurde. Dies hatte zwei Gründe: Zum einen gab es keine Neubaugenehmigung im Sperrgebiet (die Familie sollte in ein zugeteiltes Wohngebiet nach Heldburg oder nach Hildburghausen bauen, was sie ablehnte) und zum anderen war Helmut Heim in der Kfz-Branche tätig, und da gab es nach „sozialistischer Lebenserfahrung" genügend Möglichkeiten im Wege des Tauschhandels an Baumaterial zu kommen.

Helmut Heim und seine Ehefrau Veronika sammelten also nun von 1971 bis 1975 Baumaterial für den Rohbau ihres Häuschens. 1976 wurde der Rohbau erstellt und Weihnachten 1979 erfolgte voller Stolz und Freude der Einzug der jungen Familie (1971

wurde Sohn Marko, 1972 Sohn Sandro geboren) in das neue Heim.

Mittlerweile hatte sich auch die berufliche Perspektive Helmut Heims geändert.

Er hatte einen Lehrgang in Leipzig als Flugzeugmechaniker absolviert und war seit 1977 bei der Interflug, Abteilung Agrarflug, Staffel Erfurt-ACZ in Wolfmannshausen (Kreis Meiningen), als Stationsmechaniker tätig. Die Agrarfluggesellschaft betreute das Gebiet von der Rhön bis in die Sonneberger Gegend. Auch in Wolfmannshausen hatte sich Heim erneut mehrfach für die Ausbildung als Pilot gemeldet, doch wiederum vergeblich. Er durfte weiterhin nur einen Schein zum Führen von Segelflugzeugen besitzen, den er 1964 nach vier Jahren Mitgliedschaft in einer Flugsportgruppe in Zella-Mehlis erworben hatte. Seit 1971 lag dieser Flugschein sowieso „auf Eis", nachdem ein Suhler Ingenieur mit seinem Segelflugzeug in den Westen geflüchtet war. Folge war, dass nur noch Instrukteure ihren Flugschein behalten durften. 1970 wurde der Flugplatz auf dem Dolmar geschlossen, 1972 der unter militärischer Regie angelegte Flugplatz in Goldlauter eröffnet.

Eines der Sprühflugzeuge der Agrarflug Wolfmannshausen 1981/82.

Helmut Heim berichtet, dass in Wolfmannshausen zwei Z-37-Maschinen eingesetzt waren. Die Besatzung bestand stets aus einem Piloten und einem Mechaniker. Um das Flugzeug ordentlich bedienen zu können, waren fünf Schlüssel erforderlich, von denen drei der Mechaniker und zwei der Pilot hatte. Es war also eine gewisse Gewähr gegeben, dass keiner „auf dumme Gedanken" kam und die Flucht in den Westen wagte. Er als Mechaniker habe jedoch während des Flugbetriebs oder der Flugvorbereitung wiederholt die Möglichkeit besessen, an alle fünf Schlüssel zu gelangen. In diesem Zusammenhang ist erwähnenswert, dass das Fluggelände von Familienangehörigen nicht betreten werden durfte, damit evtl. Fluchtpläne von vornherein ausgeschlossen werden konnten.

Dass Helmut Heim wegen seiner Tätigkeit unter ständiger Beobachtung der Staatssicherheit stand, war ihm eigentlich von Beginn an klar. Stets wurde sein Familienleben durchleuchtet. Dem Paar wurde eine vorbildliche Ehe bescheinigt.

Ja, selbst der SED war Helmut Heim 1972 beigetreten. Er erhoffte sich dadurch, da er damals, wie er sagt, nach seiner mehr oder weniger erzwungenen Kündigung in Gera praktisch bei Null beginnen

musste, ein gewisses Schutzschild gegen staatliche Repressalien und erinnerte sich dabei insbesondere an seinen Großvater Max Berger. Dieser mutige Mann hatte 1945 beim Einmarsch der Amerikaner in Eishausen dafür gesorgt, dass auf dem Kirchturm eine weiße Fahne gehisst wurde, um so die Aufgabe zu signalisieren. Während damals Eishausen verschont blieb, gab es im benachbarten Steinfeld Tote und hohen Sachschaden, nachdem fliehende deutsche Truppenteile, die nicht auf Max Bergers dringenden Rat hörten, zu kapitulieren, einen US-Panzer mit einer Panzerfaust beschossen hatten. Bergers Tat wurde bis zu seinem Tod 1962 nie gewürdigt, bedauert Helmut Heim.

Max Berger trat vor dem Krieg der SPD bei und hielt ihr auch nach 1945 die Treue. Bei der Zwangsvereinigung von KPD und SPD zur SED am 21./22.4.1946 wurde Berger automatisch SED-Mitglied. Der couragierte Mann ließ sich nie einschüchtern, und dass er letztendlich nicht in Buchenwald landete, hatte er, ist sich Helmut Heim sicher, ausschließlich seiner SED-Mitgliedschaft zu verdanken.

Heim zeigt einen Zeitungsausschnitt aus dem Freien Wort vom 20. Januar 1955. Unter der

Überschrift: „Wir kennen Adenauer besser, Genosse Berger", wird dessen Verhalten, die Politik des westdeutschen Bundeskanzlers Konrad Adenauer zu verteidigen, öffentlich scharf gerügt. So wird von der „erfolgreichen Arbeit" eines Agitatorenkollektivs des VEB Feintechnik Eisfeld in Eishausen berichtet. Und weiter heißt es: „Bei dem Genossen Max Berger war deren Arbeit aber nicht von Erfolg gekrönt. Abgesehen davon, dass er noch von der ‚guten alten Zeit' schwärmte, als er noch Besitzer war und Leute beschäftigte', vertrat er folgenden Standpunkt: ‚Die drüben wollen auch keinen Krieg, und Adenauer ist ein gebildeter Mann. Ich kenne ihn nämlich von früher, als er Bürgermeister von Köln war.'" Adenauer würde, so der Pressebericht, eine „Einigung Deutschlands auf demokratischer Grundlage wie der Teufel das Weihwasser scheuen". Dass diese Wiedervereinigung unter kommunistischer Herrschaft erfolgen sollte, war natürlich selbstverständlich. Zum Schluss des Zeitungsbeitrags ist zu lesen: „Im übrigen wird es notwendig sein, dass sich die Parteileitung noch einmal ernsthaft mit dem Genossen Max Berger auseinandersetzt, um ihn von seiner falschen und gefährlichen Meinung abzubringen, denn sie ist – man kann es nicht anders bezeichnen – Wasser auf die Mühlen der Kriegstreiber!"

Nun, Max Berger hielt auch künftig mit seiner Meinung nicht hinter dem Berg und nur sein SED-Parteibuch dürfte ihn vor der Verhaftung bewahrt haben.

Auch Industriemeister durfte Heim nicht werden

Bei der Agrarflug wollte sich Helmut Heim, nachdem er feststellte, dass sich sein Lebenstraum, Pilot zu werden, niemals erfüllen ließ, weiter qualifizieren und zum Industriemeister ausbilden lassen. Doch auch dies wurde ihm verwehrt mit der Begründung, wenn er Meister werde, würde er die Arbeitsstelle wechseln und so dem Agrarflug verloren gehen.

Der Anfang vom Ende seiner erfolgreichen beruflichen Tätigkeit war 1987 gekommen und endete im Juni 1989 mit der Entlassung in die Arbeitslosigkeit. Was war geschehen? In Eishausen machte sich allgemein Unmut breit über das Wirken eines hohen Gemeindevertreters sowie eines Polizeioffiziers, die, wie sich nach 1989 herausstellte, eifrige Mitarbeiter bei der Staatssicherheit waren. Es wurde ein Beschwerdeschreiben an den DDR-Staatsrat verfasst, das Helmut Heim als Erster von etwa 15 Eishäusern, darunter weitere SED-Parteimitglieder, unterschrieb und somit als „Rädelsführer" galt, was er, so Helmut Heim, mit Sicherheit nicht war.

Jetzt setzte ein Kesseltreiben ungeahnten Ausmaßes gegen den tüchtigen Handwerker ein, wie die Stasiakten dokumentieren. Ein ganzes Rudel inoffizieller Stasi-Mitarbeiter wurde auf den Mann angesetzt, angefangen von seinen Arbeitskollegen in Wolfmannshausen über zahlreiche Eishäuser, ja sogar bis in die eigene Verwandtschaft hinein – und nur, weil er offenkundige Missstände, die jedem bekannt waren, mit anderen anprangerte. Plötzlich wurde er von einem der besten Mitarbeiter zum schlechtesten, wurde ständig zum Rapport vorgeladen und musste sich wegen Nichtigkeiten rechtfertigen.

Helmut Heim erkennt rückblickend an, dass die meisten Stasi-Spitzel, die wohl meist zur Mitarbeit gedrängt, ja erpresst wurden, wirklich nur das Nötigste berichteten, damit sie ihre Ruhe hatten. Bei zweien aber fehlt Helmut Heim jegliches Verständnis. Sie logen, erfanden gewissenlos Geschichten und hatten eindeutig das Ziel, ihn und seine Familie zu vernichten. Nicht ein einziger der Spitzel, die bei der Staatssicherheit über ihn Berichte verfassten und die er mittlerweile alle kennt, sei nach 1989 zu ihm gekommen und hätte sich mit ihm darüber unterhalten, geschweige denn, sich entschuldigt. Eine Entschuldigung habe er ja insbesondere von den GMS Segler und Werner Lesser auch gar nicht erwartet – nur darüber hätte man schon einmal gemeinsam reden können, stellt er verbittert fest.

Widmen wir uns nun diesen brisanten Unterlagen, die Helmut Heim 1996 in der Außenstelle Suhl des Bundesbeauftragen für die Unterlagen des Staatssicherheitdienstes der ehemaligen Deutschen Demokratischen Republik einsah. Schon vor der Eingabe an den Staatsrat 1987 wurde seine Person von der

Die Familie Heim 1985 vor ihrem Eigenheim in Eishausen, und zwar v. l. Helmut, Marko, Veronika und Sandro.

Ich erkläre hiermit, dass ich persönlich sowie alle in meinem Haushalt lebenden Verwandten und Angehörigen keine aktiven persönlichen oder postalischen Verbindungen zu Bürgern und Institutionen nichtsozialistischer Länder (einschließlich Westberlin) unterhalten und nicht gewollte Verbindungen dieser Art vom Vorsitzenden des BV der GST ohne Aufforderung schriftlich bekannt gegeben werden.

Bei der DDR-Staatssicherheit wurde zu Beginn des Jahres 1988 eine Operative Personen Kontrolle (OPK) ‚Mechaniker' in Sachen Helmut Heim angelegt. Am 22. Januar 1988 verfasste die Stasi-Kreisdienststelle (KD) Meiningen einen „Einleitungsbericht". Hierin wird festgestellt, es lägen operativ-bedeutsame Anhaltspunkte vor, die das Anlegen einer OPK gemäß der Richtlinie 1/81 des Genossen Minister Mielke („Ich liebe Euch doch alle!") rechtfertigen. Hierin heißt es, Helmut Heim lehne im Wohn- und Freizeitbereich gesellschaftliche Tätigkeit ab und verfolge überwiegend die Sendungen westlicher Massenmedien (Heim erzählt, dass er hauptsächlich Bayern 1 höre und hier insbesondere den sogen. „DDR-Report", den er mitunter sogar auf Tonband mitschnitt). In individuellen Gesprächen käme zunehmend eine schwankende Haltung zur Politik der Partei- und Staatsführung zum Ausdruck, wird festgestellt.

Ausgerechnet derjenige GMS mit dem Stasi-Decknamen Werner Lesser, über den er und andere sich bei der Staatsführung beschwerten, berichtete ausführlichst und wie Heim voll Bitterkeit vermerkt, wissentlich falsch über ihn und sein familiäres Umfeld.

Weiter heißt es im „Eröffnungsbericht": „*Seit 1987 verdichteten sich inoffizielle Hinweise, dass H. während des Flugbetriebes Reparaturen an privaten Pkw durchführt und es dadurch bezüglich der Sicherheit auf dem Grundflugplatz und den Arbeitsflugplätzen zu Pflichtverletzungen kam.*" Gleichlaufend mit der Anhäufung der Probleme im Arbeitsbereich sei durch die Stasi-Kreisdienststelle Hildburghausen im Wohn- und Freizeitbereich eine negative Entwicklung des Heim seit 1986 festgestellt worden. Er hätte es in der letzten Zeit mehrfach abgelehnt, gesellschaftliche Aufgaben zu übernehmen. Obwohl er Mitglied der SED sei,

DDR-Staatssicherheit besonders unter die Lupe genommen, war er doch in unmittelbarer Grenznähe tätig und es für ihn ein leichtes gewesen, in die Bundesrepublik zu flüchten. In den Stasi-Unterlagen befindet sich auch eine dienstliche Beurteilung vom 5. Mai 1987 durch die INTERFLUG, Betrieb Agrarflug, Erfurt. Sein Vorgesetzter bescheinigte Helmut Heim: „*Er ist bemüht, und das lassen die bei ihm durchgeführten Anleitungen und Kontrollen erkennen, seine Arbeitsaufgaben gewissenhaft und zuverlässig zu erfüllen. Seine Einstellung zur Arbeit, seine Arbeitsmoral und Einsatzbereitschaft sind mit gut einzuordnen. Seine Arbeitsaufgaben erfüllt er in guter Qualität und Quantität. ...*"

Gewähr für sein Verbleiben in der DDR bot neben seiner Arbeitszufriedenheit insbesondere sein glückliches Familienleben und der Besitz eines Eigenheims in Eishausen. Voraussetzung für seine Mitarbeit in Wolfmannshausen war auch die nachfolgende unterschriftliche Erklärung in seinem Personalbogen:

werde im Wohnort eingeschätzt, dass er sich nicht klar und offen zur Politik der Partei bekenne und nur aus Vorteilsgründen SED-Mitglied wurde. In individuellen Gesprächen stellte Heim laut inoffiziellen Quellen der KD Hildburghausen die westlichen Lebensverhältnisse als Vorbild hin. Es werde sichtbar, dass er jeglicher Auseinandersetzung mit feindlichen Ideologien aus dem Weg gehe, was u. a. dadurch zum Ausdruck komme, dass seine Kinder die Christenlehre besuchten und an der Konfirmation teilnahmen. Auch in seiner Tätigkeit als Freiwilliger Helfer der Grenztruppen der DDR werde eine negative Einstellung sichtbar. Er bleibe oft unbegründet der Dienstdurchführung fern bzw. finde fadenscheinige Hinderungsgründe. Ausgehend von dieser Persönlichkeitseinschätzung sei Heim durch die Kreisdienststelle Hildburghausen der Staatssicherheit 1987 als Ausbildungskader – Flugsport der GST nicht bestätigt worden.

SED-Parteimitgliedschaft nur noch Schutzschild

Helmut Heim hielt nie mit seiner Meinung hinter dem Berg. So sprach er sich während einer Grenzhelferversammlung als Einziger gegen die Auflassung der Sportanlage auf dem Kühberg bei Eishausen aus. Von dort aus konnten Besucher mit dem Fernglas das Grenzgebiet sowie Rodach und das Coburger Land sehr genau einsehen, was den Genossen nicht passte. In mehreren Parteiversammlungen, Privatgesprächen oder Vorsprachen zum Zwecke der Genehmigung von Passierscheinen trug Heim das Problem „Erleichterungen für Besucher im Sperrgebiet" vor. Im Frühjahr 1988 stellte ihm dann auch ein Flugzeugführer in gemütlicher Runde nach einigen Glas Bier die Frage, warum er nicht aus der SED austrete. Er habe doch eine ganz andere Meinung als die Partei. An diesem Tag sei ihm klar geworden, dass die SED für ihn, wie schon für seinen Großvater Max Berger, nur noch ein „Schutzschild" sei.

Als Zielstellung der künftigen Arbeit gegen Heim wurde von der DDR-Staatssicherheit u. a. festgelegt, offizielle und inoffizielle Beweise zur Nichteinhaltung dienstlicher Bestimmungen zu erlangen. Auf Heim wurde an seiner Arbeitsstelle angesetzt

der IMS (Inoffizieller Mitarbeiter der DDR-Staatssicherheit in Schlüsselposition) „René Wolf", die GMS (Gesellschaftlicher Mitarbeiter der Staatssicherheit) „Segler" und Werner Lesser sowie weitere vier IM der KD Hildburghausen im Wohn- und Freizeitbereich seiner Heimatgemeinde. Ein Verwandter Heims gar meldete an die Staatssicherheit, dass dieser stets nur den „Goldenen Mittelweg" suche und überwiegend „materiell" eingestellt sei. Dass Helmut Heim und seiner Ehefrau im Übrigen nichts anderes übrig blieb, als „materiell" eingestellt zu sein, unterstreicht die Tatsache, dass sie sich ihr Eigenheim in Eishausen bauen mussten, ohne auch nur einen einzigen Pfennig Kredit eingeräumt bekommen zu haben, also nebenbei tüchtig malochen mussten, um ihr Ziel zu erreichen.

Doch nicht nur Helmut Heim sollte bespitzelt werden, sondern auch seine Ehefrau. Weiter wurde der IMS „Eberhard Esche" der Abt. XIX der Bezirksverwaltung Suhl im Arbeits- und Wohnbereich des Heim mit dem Ziel des Herstellens vertraulicher Beziehungen und der Aufklärung seiner tatsächlichen politischen Einstellung sowie des Umfangs seiner Feierabendtätigkeit beauftragt.

Am 31. Mai 1988 wurde von der KD Meiningen ein Sachstandsbericht zur OPK „Mechaniker" erstellt. Hierin wird festgestellt, dass Helmut Heim während seiner Arbeitszeit private Reparaturen durchführe. Auch sei er unentschuldigt vom Dienst ferngeblieben (Anmerkung: Helmut Heim verspürte schlicht und einfach keine Lust, an einer SED-Aufklärungsversammlung teilzunehmen und blieb ihr fern). Lächerliche angebliche Pflichtverletzungen werden aufgezählt, die sich nahezu jeder DDR-Bürger im real-existierenden Sozialismus herausnahm:

- Während der Fahrt nach Erfurt sucht H. auf der Strecke liegende Kfz-Läden bzw. Werkstätten auf, um Pkw-Ersatzteile zu besorgen, welche er in Feierabendtätigkeit verarbeitet.

Aufgeführt sind auch erfundene bzw. provozierte angebliche Pflichtverletzungen. So ist in den Stasiakten u. a. vermerkt:

- Am 28.3.1988 nach Beendigung des Flugbetriebes beging er einen Verstoß gegen die Verschlusssicherheit. Er vergaß, die Bürotür sowie den Seiteneingang der Flugzeughalle zu verschließen.

- Am 30.3.1988 vergaß er die Alarmanlage der Flugzeughalle einzuschalten.

Es hätte ja ein Unbefugter eindringen und das Flugzeug zur Flucht in den Westen nutzen können, so die Befürchtung. Der Operative Mitarbeiter sowie der Leiter der Stasi-Kreisdienststelle kamen in dem Schriftstück zu dem Schluss, dass die vorliegenden Hinweise verdeutlichen, dass Heim durch pflichtwidriges Verhalten die Ordnung und Sicherheit im Bereich Agrarflug gröblichst vernachlässige und dadurch teilweise Gefahrensituationen entstünden.

Beim Lesen der Unterlagen drängt sich der Verdacht auf, dass mit Gewalt etwas gesucht werden sollte, um Heim ans sprichwörtliche Messer zu liefern. Doch Helmut Heim roch die Lunte und tappte nicht in die von „guten Freunden" und Arbeitskollegen gestellten Fallen. Und so wurde am 2. März 1989 ein Abschlussbericht zur OPK „Mechaniker" durch die Kreisdienststelle Meiningen erstellt. Hieraus geht hervor, dass bei Helmut Heim eine Wandlung zum Positiven stattgefunden hätte, so dass die Einstellung der OPK angeregt werde.

Im Mai 1989 musste Helmut Heim aus familiären Gründen seine Arbeitsstelle kündigen. Er hatte diese Entwicklung vorausgesehen und bereits im März 1988 einen Antrag auf Selbstständigkeit gestellt, um sich eine weitere Existenzgrundlage zu schaffen. Denn mit dem im Februar 1988 aufgenommenen Kontakt zu seinem leiblichen Vater passte Helmut Heim in keine Kaderakte mehr und beantragte im März 1988 beim Rat des Kreises die Selbstständigkeit, die nach langem Genehmigungsverfahren noch im Februar 1990 (!) abgelehnt wurde.

BERICHTE AUS DEN KREISDIENSTSTELLEN DES MFS ÜBER LAGE UND STIMMUNG IM GRENZGEBIET

Die Lage und Stimmung der Bevölkerung im Grenzgebiet war dem MfS so wichtig, dass jede Kreisdienststelle darüber monatlich Bericht erstatten musste.[1] Verantwortlich war dafür die AKG (die Auswertungs- und Kontrollgruppe), eine mit Befehl 6/78 gebildete Diensteinheit, die als Funktionalorgan des Leiters einer Kreis- oder Bezirksdienststelle im MfS tätig war und die vorherige AIG ersetzte. Von den Berichten sind für diese Darstellung u. a. die Punkte

- III. Entwicklung der politisch-operativen Lage im Grenzgebiet und grenznahen Raum des Verantwortungsbereichs
- Angriffe auf die Staatsgrenze vom Territorium der DDR aus Handlungen des ungesetzlichen Verlassens der DDR über die Staatsgrenze
- Durch DDR-Bürger verursachte Grenzzwischenfälle
- Erscheinungen der Feindtätigkeit und operativrelevanten Straftaten der allgemeinen Kriminalität im Grenzgebiet und grenznahen Raum

o Jugendliche, Jungerwachsene
o Kirchen
- 3. Intelligenz, Handwerk und
- Wirksamkeit der politisch-operativen Arbeit im Grenzgebiet und grenznahen Raum
- 4.1. Erscheinungen der Feindtätigkeit im Grenzgebiet
- 4.2. Entwicklung der allgemeinen Kriminalität
- 4.3. Gewährleistung der Sicherheit und Ordnung im Grenzgebiet
- 4.4. Politisch-ideologische und operativbedeutsame Aspekte der Reaktion der Bevölkerung im Grenzgebiet

von Bedeutung.

Ihr Wissen schöpften die Staatsschützer des MfS aus inoffiziellen Quellen (IM, GI, IMB, IMS, GMS ...) der Kreisdienststellen, der Unterabteilung Aufklärung (Abteilung 2000) bei den Grenzregimentern, der einzelnen Abteilungen der Bezirksverwaltung, aus Berichten der DVP und der Grenztruppen sowie aus eigenen offiziellen Erkenntnissen.

Die Bilder auf diesen Seiten sind in einer 1982 erstellten „Bilddokumentation besonders ausgewählter baufälliger und renovierungsbedürftiger Objekte in den Gemeinden des Grenzgebietes" enthalten, dessen Grundlage ein „Protokoll der Bezirksleitung der SED vom Monat November 1982" war. Die Dokumentation mit 92 Aufnahmen erwarb Robert Weigand aus Alsleben nach der Grenzöffnung. „Baufällige Scheune – Unzweckmäßiges Anbringen von Sichtagitation an dieser unansehnlichen Stelle der Gemeinde." lautet der Begleittext zu diesem in Eicha bei Römhild entstandenen Foto.

Ein großer Teil der Berichte drehte sich um die Versorgung der Bevölkerung. Der SED-Führung und dem MfS waren klar, dass nicht nur die Liebe, sondern auch die Ruhe im Grenzgebiet durch den Magen geht.[2] Deshalb gab es immer wieder Anordnungen, in der Versorgung das Grenzgebiet vorrangig zu beliefern, was nicht immer klappte.[3]

- Im Zusammenhang mit dem Empfang der Kosmonauten in der DDR war unter der Bevölkerung des Schwerpunktbereiches Vacha/Oberzella folgender Vers verbreitet: „Keinen Nagel für die Laube, für den Trabant keine Schraube, fürs Klosett kein Papier, aber einen Kosmonauten haben wir."[4]

- Anfang 1979 wurde unter der Bevölkerung im Grenzgebiet und grenznahen Raum verstärkt über Lücken und Mängel in der Versorgung mit Herrenunterwäsche, Bettwäsche, Kinderbekleidung, Spirituosen, Ersatzteile diskutiert. Es wird allgemein festgestellt, daß 30 Jahre

nach der Gründung der DDR solche Schwierigkeiten nicht mehr auftreten dürften.[5]

- Im April 1979 wurden im Grenzgebiet Meiningen vereinzelte Diskussionen über Versorgungsprobleme, wie Mangel an preisgünstiger Bettwäsche, Kinderuntertrikotagen, Fleischwaren, hochwertigen Konsumgütern und Brennstoffen geführt. Der Nachsatz zeigt auf, warum sich das MfS so für die Versorgungsdiskussion interessierte: „Eine bestimmte Tendenz, die auf eine gezielte Feindtätigkeit aus diesem Personenkreis hinweist, ist nicht zu erkennen."[6]

- Im Mittelpunkt der Diskussionen der Grenzbevölkerung stehen im Mai 1979 nach wie vor Versorgungsprobleme sowie Fragen einer angeblichen Preissteigerung in der DDR nach dem 30. Jahrestag. Es zeigt sich, dass Teile der Grenzbevölkerung den Einfluss der westlichen Massenmedien, insbesondere Westfernsehen unterliegen und bestimmte Zweifel an der Wei-

„Streufdorf – Dieses Schandfleck befindet sich gegenüber Hs.-Nr. 99 – Einsturzgefahr", lautet die Beschreibung dieser Aufnahme. Es handelt sich übrigens um die mittlerweile vorbildlich restaurierte Kirchenburg aus dem 14. Jahrhundert.

terführung der stabilen Preispolitik in der DDR liegen.[7]

- Im September 1979 wurden wiederum Versorgungsprobleme heiß diskutiert. Die Diskussionen über angebliche Teuerungen nach dem 30. Jahrestage der DDR verebbten, insbesondere nach der begrüßten Rentenerhöhung. Verstärkt wurden in Unterbreizbach unter den Einwohnern Diskussionen geführt, die die tatsächlich vorhandene ungenügende Bereitstellung von Trinkwasser beinhaltete. Voraussichtlich ist die Ursache eine übermäßige Entnahme durch den VEB Kalibetrieb Unterbreizbach. Die Verantwortlichen vereinbarten Maßnahmen, nach denen die Bevölkerung ab 4.10.1979 ausreichend in der Menge mit Wasser versorgt werden kann. Eine endgültige Lösung kann jedoch erst 1980 erfolgen.[8]
- „Im Grenzgebiet wird die ungenügende Versorgung mit Därmen für die Hausschlachtungen bemängelt. Demzufolge werden diese über Verwandte aus der BRD bezogen", wird im November 1980 gemeldet.[9]
- Auf dem Gebiet der Versorgung mit bestimmten Warensortimenten sind die bekannten Mängeldiskussionen noch nicht abgeflacht, wobei im Preisvergleich bei einzelnen Waren von indirekten Preiserhöhungen gesprochen wird.
- Im Berichtszeitraum wurden durch die Bevölkerung von Unterbreizbach wiederholt Beschwerden wegen Verschmutzungen der Umwelt durch den VEB Kalibetrieb geführt. Diese wird durch die Umstellung des Heizwerkes auf Braunkohle hervorgerufen und kann erst in der Folgezeit abgestellt werden. Durch Einzelpersonen wurde eine Unterschriftensammlung und Eingabe an den Staatsrat angedroht. Durch offensive politisch-ideologische Maßnahmen wurde Klarheit geschaffen und persönliche Konsequenzen angedroht.[10]

Wie wenig Aufmerksamkeit man grenznahen DDR-Ortschaften im Sperrgebiet zukommen ließ, unterstreicht diese 1982 in Käßlitz gefertigte Aufnahme.

- Lage im Juni 1981: Die Versorgung der Bevölkerung mit Waren des täglichen Bedarfs, Grundnahrungsmittel und Gemüse ist gewährleistet. Mängeldiskussionen werden weiterhin hinsichtlich vorhandener Lücken in der Versorgung mit hochwertigen Industriewaren, insbesondere Kühltruhen- und Kühlschränke sowie Kfz-Ersatzteile geführt.[11]

- In der Ortschaft Dermbach gab es im Juli 1981 negative Diskussionen über die mangelhafte Gaststättenversorgung in der Urlaubssaison. Die Hälfte der Gaststättenkapazität war geschlossen. Gaststätte „Marktschänke" wegen Krankheit, HOG „Klause" wegen Urlaub, HOG „Deutsches Haus" nur halbtags geöffnet wegen Arbeitskräftemangel. Obwohl die Situation bekannt war, wurde dem Objektleiter Baumbach von der HOG „Klause" Urlaub gewährt. Dieses stieß bei Teilen der Bevölkerung auf Unverständnis und wurde nur mit den guten Beziehungen von Baumbach zum HOG-Kreisbetrieb erklärt, zumal seitens des HO-Kreisbetriebes dem B. auch finanzielle Vorteile in der Lohnberechnung gewährt worden sein sollen.[12]

- In verschiedenen Grenzortschaften des Kreises Meiningen mangelte die Versorgung mit Fleischwaren, Gemüse und Obst und das im August 1981. „Einzelerscheinungen mit negativem Charakter" wertete das die Kreisdienststelle des MfS.[13]

- Die Versorgung der Grenzbevölkerung mit Grundnahrungsmitteln und Waren des täglichen Bedarfs wurde im wesentlichen gewährleistet. Bemängelt wird allgemein das ungenügende Angebot an Winterschuhen.[14]

- Auch im Bereich Meiningen wurde die Klage laut, dass seit dem Herbst keine oder nur selten Winterschuhe in allen Größen erhältlich sind. Dies trifft auch für Schokoladenerzeugnisse und Südfrüchte zu.[15]

- Ausgehend von den Veröffentlichungen und Darlegungen zur Krise im Kapitalismus kann festgestellt werden, dass uns in der DDR die Krise mehr gepackt hat als den Kapitalismus, mit dieser Meinung in Erscheinung getretene KK erfasste geb. 1925, wh. Eisfeld Angestellter, VEB Zeiss Eisfeld begründete diese mit auftretenden Problemen im Dienstleistungs-

„Massenhausen – An diesem unansehnlichen Gebäude ist unsere Staatsflagge (Pfeil) angebracht, was soll das ???" kritisierte der Dokumentarist 1982. Vier Jahre später wurde das ehemalige Rittergut bei Eishausen (heutige Gemeinde Straufhain) aus grenztaktischen Gesichtspunkten gesprengt.

Zu DDR-Zeiten dem Untergang geweiht – Schloss Hellingen im Heldburger Unterland, das um 1515 errichtet wurde.

bereich. Er gelangte zu der Auffassung, daß er sich so den Sozialismus nicht vorgestellt habe.[16]

Insgesamt war zwar in den 70er Jahren mit der Versorgung im Grenzgebiet nicht alles im Lot, doch dies wurde dabei noch nicht der Regierung oder dem System angelastet. Noch konnten SED und Staat glaubhaft machen, dass Mängel und Probleme an den Fehlern einzelner liegen, nicht am System.

DIE GLAUBWÜRDIGKEITSKRISE

In den 80er Jahren ändert sich nach den Berichten der Staatssicherheit so langsam die Einstellung zu ökonomischen- und Versorgungsproblemen. Die Bürger fangen an, an der Fähigkeit der Funktionäre zu zweifeln oder sie flüchten sich in Ironie und Sarkasmus, wie die nachfolgenden Beispiele zeigen:

Auf PID (politisch-ideologische Diversion) führt die Staatssicherheit zurück, daß Bürger im April 1983 darüber klagen (das MfS bezeichnet dies als „*Einzelmeinung*"), *daß nach wie vor Versorgungslücken, insbesondere bei Fleisch und Fleischerzeugnissen sowie einer ganzen Reihe Waren des täglichen Bedarfs, vorhanden sind.*[17]

Zwar ist richtig, dass die Bürger ihre Informationen vorwiegend aus den Westmedien beziehen. Was die Stasi ignoriert, ist, dass die Ostmedien sehr vielen nicht mehr glaubhaft sind.

Selbstverständlich wurde unter der Bevölkerung des DDR-Sperrgebiets der Ausbau der Grenzsicherungsanlagen diskutiert. Die Aufnahme zeigt die DDR-Grenze zwischen Tremersdorf und Görsdorf im Sommer 1989.
Foto: Sammlung Rainer Krebs

So äußerte beispielsweise ein durch mehrfache Kontaktaktivitäten zu BRD-Personen in Erscheinung getretener Bewohner des politisch-operativen Schwerpunktbereiches Eisfeld – Veilsdorf, ein 57-jähriger Buchhalter aus Eisfeld, ausgehend von ökonomischen und betrieblichen Problemen im Mai 1983 Unklarheiten zur Richtigkeit unserer Wirtschaftspolitik und negiert die Durchsetzung einer weitsichtigen Planung der Volkswirtschaft in der DDR. Er vertrat dabei die Meinung:

„.... Wir leben von der Hand in den Mund. Zur Zeit erfolgt eine mangelhafte Versorgung der Bevölkerung – überall treten Materialprobleme auf. Die Situation spitzt sich weiter zu. Einige Kilometer weiter geht es geordneter zu (gemeint BRD). " [18]

Eine im Grenzgebiet wohnhafte und in der OPK „Kontakt" erfasste Person offenbarte ihren Standpunkt zur neuen Leistungsbewertung in der Volkswirtschaft (Abrechnung Nettoproduktion) und zu den Vorkommnissen in Jena:

... In unserem Betrieb geht es genau wie in unserem Staat abwärts. Mit der monatlichen Abrechnung der Nettoproduktion legen die Wirtschaftsfunktionäre die Karten auf den Tisch. Seit Bestehen der DDR wurde zur Frage der Planerfüllung nur gelogen und manipuliert.

Wenn die so weitermachen, ergeht es ihnen analog wie in Polen. Die Jugendlichen aus Jena wurden aus diesem Grund abgeschoben. Das ist freie Demokratie, die Volksherrschaft im Ostblock heißen soll. [19]

In der Zeit vom 8. – 10.6.1987 kam es unter der Bevölkerung des Kreises Hildburghausen zu verstärkten Diskussionen über die Vorfälle in Ost-Berlin mit Tumulten Jugendlicher, Sprechchören nach „Freiheit" und „Nieder mit der Mauer" sowie zahlreichen Festnahmen durch die DVP. Die DDR-Medien berichteten zu langsam und wesentlich später als die Medien der BRD. Eine Rentnerin aus Masserberg: „Die DDR meldet jetzt, es waren Hirngespinste, aber die Bilder von den Festnahmen waren doch zu sehen. So etwas kann man uns doch ehrlich sagen. "

Im Frühjahr 1989 wurde im Heldburger Unterland der in der Regel 500 m hinter der eigentlichen Grenze verlaufende Grenzsignal- oder Hinterlandsicherungszaun (GSSZ) erneuert. Das Foto entstand in der Nähe der südlichsten Gemeinde der DDR – Käßlitz.
Foto: Gerhard Schmidt

Ein Arbeiter aus Hildburghausen, bereits negativ aufgefallen: „... Ich begrüße, daß die Jugendlichen aufgemuckt haben und riefen, die Mauer muß weg. Es ist der Beweis dafür, daß die Jugend anders ist, als sie sich Erich wünscht."

Ein Arbeiter aus Hildburghausen: „... Es sind noch viel zu wenig, die sich gegen all das auflehnen. Sollen sie doch den Leuten mehr Freiheiten lassen. Wenn jeder das machen könnte, wozu er Lust hat, brauchten wir nicht auf die Barrikaden zu gehen."[20]

Immer mehr bekommen die Bürger den Eindruck, dass sie offensichtlich „belogen und manipuliert" werden. Es ist klar, dass so die Kluft zwischen den Regierenden und den Regierten immer größer wurde.

Im Januar 1984 monierten die Bürger:

Das Angebot von Zigaretten der mittleren Preisklasse – 3,20 M bis 4,00 M – liegt im Januar 1984 weit unter dem Durchschnitt sonstiger zeitweiliger aufgetretener Engpässe. Es kann nicht an den Importen liegen, da ja Zigaretten der unteren und oberen Preisklasse auch vorhanden sind, sondern resultiert aus der Unfähigkeit verantwortlicher Funktionäre, die den Bezirk Suhl, wie auch in anderen Fragen der Versorgung, ausklammern. Dabei wird hauptsächlich die Meinung vertreten, dass die gute Arbeit der Werktätigen nicht in der richtigen Relation zum Warenangebot insgesamt steht. In den Zeitungen würde man sich an die statistischen Zahlen und Werte klammern, die nicht mit der Realität übereinstimmen. Im Raum Behrungen, Wolfmannshausen und Westenfeld kam es zu Diskussionen hinsichtlich der schlechten Brotqualität aus dem Backwarenkombinat Hildburghausen, die bereits mehrfach beanstandet wurde, aber keine Änderung des Zustandes eingetreten ist.[21]

Juli 87 Kreis Hildburghausen:

Ein Arbeiter aus Eishausen meint: „Die ökonomische Leistungskraft der DDR stimmt optimistisch. Warum widerspiegelt sich dieses nicht im Handel, besonders im Angebot von hochmodischer Bekleidung und von Ersatzteilen."

Bürger aus Hildburghausen, Eisfeld, Themar und aus Gemeinden des Urlaubergebiets: „Auf sozialpolitischem Gebiet sind wir Spitze, aber im Angebot an Frischgemüse hängen wir mächtig durch!"

Ein Angehöriger der DVP: „... Was nutzt mir die 4. Tagung des ZK und die veröffentlichten Erfolgsziffern, wenn man doch vieles nicht bekommt. Die Leute sind unzufrieden über das zum Teil ungenügende Warenangebot in allen 3 Angebotsklassen. Der Trend der Preisentwicklung geht eindeutig nach oben und da macht so manche Geldbörse nicht mehr mit.

Man kann doch hinhören, wo man will, überall offene oder versteckte Kritiken und Unzufriedenheiten unter der Bevölkerung. Wohnungsbauprogramm, Frieden und voller Einsatz für Abrüstung schön und gut, aber zur Zufriedenheit der Menschen gehöre auch der sichtbare Fortschritt im Warenangebot und stabile Preise. Von Grundnahrungsmitteln alleine – das ist keine volle Befriedigung der Bedürfnisse der Menschen.

Im VEB Porzellanwerk Eisfeld hört man: „... Wir haben jetzt in der Republik fast wieder das Nachkriegsniveau erreicht. Es wird nicht mehr lange dauern, und es werden wieder Marken zum Bezug bestimmter Waren eingeführt. Wie soll man es sonst anders werten, wenn für ein gesellschaftliches Ereignis, wie die Schuleinführung, nur an einem Tag mit Kleidung versorgt werden kann."

Stimmung und Lage der Bevölkerung im Grenzgebiet in den 70er und 80er Jahren

Im Grenzgebiet musste die Bevölkerung sehen, wie sie mit den Einschränkungen zurechtkam, die die Grenzordnung der DDR mit sich brachte. Deshalb drehen sich Berichte des MfS weitgehend um Beschwerden über die Einschränkungen und um andere Probleme in diesem Zusammenhang:

In der Gemeinde Birx wurde noch einmal verstärkt die Passierscheinfrage aufgeworfen, da nach Ansichten einiger Bürger große Unterschiede im Genehmigungsverfahren gemacht würden.

Verstöße gegen die Grenzordnung wurden wiederum aus dem Raum Milz bekannt, wonach sich Jugendliche aus dem Kreis Hildburghausen unberechtigter Weise zu Veranstaltungen in Milz und Hindfeld aufhielten.[22]

In der KAP Kaltensundheim wurde bisher noch nicht die Schlüsselordnung durchgesetzt, so daß es wiederholt vorkam, daß Feldbaubrigadiere die Schlüssel für die Schlagbäume in den Fluren des *500-m-Gebietes ständig bei sich tragen und nicht nach Beendigung der Feldarbeiten abgeben.*[23]

Bei der Überprüfung der Kandidaten für die Kommunalwahlen 1979 aus dem Grenzgebiet und grenznahen Raum am 06.11.78 stellte sich heraus, dass der Bürgermeister von Hermannsfeld aktive Westverbindungen zu Verwandten aus Westberlin über dritte Personen in Meiningen unterhält.

Die Bevölkerung im Grenzgebiet des Bezirks Suhl hatte sich äußerlich dem sozialistischen Regime angepasst.

Im Mittelpunkt standen die Diskussionen um die Vorbereitung und Durchführung der Wahlen am 14.06.1981. Im Grenzgebiet wurde bis auf eine Person (Michael Krug) eine 100-%ige Wahlbeteiligung erreicht. Der operativ-interessierende Gemeindeverband Geisa hat mit einer 100-%igen Wahlbeteiligung abgeschlossen.

In der Grenzbevölkerung wurden mitunter Rufe nach einer Abschaffung der Kontrollposten der Volkspolizei am Beginn der Sperrzone laut. Die Aufnahme zeigt die Volkspolizei-Kontrollstelle zwischen Frankenheim und Reichenhausen in der Rhön.
Foto: Erwin Ritter

Nicht im Sinne der Machthaber verlief 1983 die 1200-Jahrfeier in Milz im Grabfeld. So begehrten insbesondere die „Milzer Dorfmusikanten" auf. Das Foto zeigt das damals aufgelegte Festprogramm.
Foto: Sammlung Reinhold Albert

Diskussionen im Zusammenhang mit den Grenzsicherungsanlagen

Unter der Belegschaft der VEB Brauerei Kaltennordhein traten Diskussionen auf, daß am 15.03.78 im ZDF eine Sendung über den Grenzausbau in Vacha, Andenhausen und Stedtlingen ausgestrahlt wurde. Man hätte die dortigen Sperranlagen und die Handlungen der Grenztruppen gezeigt.
Einige Kollegen wollen die Sendung persönlich gesehen haben. Es wurde die Frage aufgeworfen, ob der große materielle Aufwand überhaupt notwendig sei?
Durch den pioniertechnischen Ausbau der Grenzsicherungsanlagen traten für die Gemeinde Oberweid Schwierigkeiten in der Wasserversorgung auf.

Durch den VEB WAB (Wasserbau) machte sich der kurzfristige Einsatz mehrerer Arbeitskräfte feindwärts der Sperranlagen erforderlich, um eine Quellfassung der Streuquelle Melpers vorzunehmen.[24]

Im Zusammenhang mit dem Bau des Grenzsignalzaunes im Bereich der Borscher Schlucht bis Reinhardts treten unter der Bevölkerung von Unterbreizbach, Wenigentaft, Geisa und Spahl vereinzelt folgende Diskussionen auf:

Die Baumaßnahmen würden deshalb durchgeführt, da vorgesehen sei, daß einige Ortschaften aus dem Grenzgebiet und Wenigentaft aus dem Schutzstreifen herausgelöst werden sollen.[25]

Auch Verbindungen zu Kontaktpartnern aus der Bundesrepublik wurden durch den Staatssicherheitsdienst nicht nur intensiv beobachtet, sondern auch zersetzt

Zwei Mädchen aus Queienfeld, Z. und M., arbeiteten 1978 als Köchinnen in der Gaststätte „Kaluga" in Suhl. Mit einer weiteren Kollegin hatten sie Beziehungen zu drei Bundesbürgern angeknüpft. Die Mädchen aus Queienfeld hielten die Kontakte brieflich aufrecht und vereinbarten ein Treffen für März 1978 in Suhl. Die Staatssicherheit veranlasste dazu zwar die Ablehnung der gestellten Einreiseanträge, konnte aber eine Genehmigung über das Reisebüro nicht verhindern. Außerdem war für Juli 1978 ein gemeinsamer Urlaub in Ungarn geplant, wie die Stasi aus der Briefüberwachung erfuhr. So weit sollte es aber nicht kommen: *„Bis zur Einreise der BRD-Bürger werden Maßnahmen zur Zersetzung der Liebesverhältnisse eingeleitet"*, schrieb Leutnant Hinske als AG-Leiter Grenzsicherung der Kreisdienststelle Meiningen.[26] Allerdings war diese Zersetzung auch im März 1978 immer noch nicht gelungen, die Mädchen hatten sich in Suhl mit ihren Westfreunden getroffen, obwohl sie nicht an die Möglichkeit einer Heirat glaubten und sie hielten am gemeinsamen Ungarnurlaub fest.[27]

5. Juli 1978. Anträge der Z. und der M. auf ein Visum für Ungarn, die dort ihre Freunde aus der BRD treffen wollten, wurden auf Rat der Stasi durch Absprache mit dem Mitarbeiter Linie VI abgelehnt, weil die Gefahr des ungesetzlichen Verlassens über das sozialistische Ausland bestand. Auch eine legendierte Aussprache eines Mitarbeiters der AG Grenzsicherung konnte M. nicht davon abhalten, die Beziehung aufrechtzuerhalten
Im September des Jahres hofften die Mädchen sogar, ihre Freunde dazu bewegen zu können, in die DDR zu übersiedeln und eine Wohnung im elterlichen Haus im grenznahen Queienfeld beziehen zu können.

In anderen Fällen wurden auffällige Personen aus dem Grenzgebiet hinausexpediert

Die Familie NN bildet durch asoziale Verhaltensweisen, Verstoß gegen die Grenzordnung und kriminelle Handlungen des Sohnes eine Gefährdung in Richtung Staatsgrenze. Die eingeleiteten Erziehungsmaßnahmen bleiben ohne Erfolg.

Ziel: Prüfen der Wohnsitzveränderung auf der Grundlage des Ministerratsbeschlusses.

Am 14.11.79 wurde auf der Grundlage des Ministerratsbeschlusses vom 18.04.73 die Wohnsitzverlegung der gefährdeten Familie aus Vacha, OT Busengraben, insgesamt 6 Personen realisiert. Die Wohnsitzveränderung erfolgte ohne Vorkommnisse und Zwischenfälle. Seitens der Grenzbevölkerung wurden keine negativen Reaktionen bekannt.

Entsprechend des Ministerratsbeschlusses vom 18.04.1973, dass Personen, von denen Straftaten gegen die Ordnung und Sicherheit zu erwarten sind, aus dem Grenzgebiet verwiesen werden können, überprüfte die Kreisdienststelle Meiningen der Staatssicherheit im März 1978 Familien aus Bauerbach, aus Nordheim und zwei Familien aus Frankenheim.

Ärger mit dem Grenzregime

Durch IM in Schlüsselpositionen wurden im Juni 1980 Kontrollen in landwirtschaftlichen Betrieben und Einrichtungen durchgeführt mit dem Ziel der Einschätzung des Standes der Wirksamkeit bezüglich der Sicherheit abgestellter schwerer Technik.

Im Ergebnis dessen wurden eine Reihe Mängel sichtbar, die auf Verantwortungslosigkeit und fahrlässiges Handeln eingesetzter staatlicher Leiter schließen lassen.
Nach wie vor gibt es Erscheinungen, daß ganze Garagenkomplexe mit darin befindlicher fahrbereiter schwerer Technik in der

Nacht nicht abgeschlossen sind oder schwere Traktoren auf öffentlichen Straßen und Plätzen sowohl innerhalb als auch außerhalb geschlossener Ortschaften abgestellt werden, ohne daß die entsprechenden Vorgesetzten davon Kenntnis haben (LPG Pflanzenproduktion Römhild, Jüchsen).

Eine weitere Tendenz entwickelte sich mit Beginn der Feldarbeiten im 5-km-Sperrgebiet im Bereich Grabfeld, wo durch die verantwortlichen Mitarbeiter für Feldbau die Schlüssel für die Schlagbäume bei den Bürgermeistern empfangen und über Wochen nicht mehr abgegeben werden. Während dieser Zeit ist ein ungehinderter Zugang unbefugter Personen mit Kfz in das Sperrgebiet möglich. Auf entsprechende Hinweise durch die Bürgermeister an die zuständigen ABV erfolgten bisher keine Reaktionen. [28]

Weitere meldenswerte Vorkommnisse

Ein Mann aus Vacha, Technologe im VEB Kabelwerk Vacha, parteilos, äußerte gegenüber einer Quelle, dass sich unsere Gewerkschaften ein Beispiel an Solidarnosc nehmen sollten. Wörtlich: *„Wenn wir nicht im Schlepptau der SED wären, könnte es bei uns viel besser sein."* [29]

Im April 1983 konnte die Stasi-KD Meiningen eine Reihe operativ-bedeutsamer Hinweise erarbeiten, aus denen hervorgeht, dass nach wie vor mit Hilfe der PID (Politisch-ideologische Diversion) Wirkungen, insbesondere auf die Bewohner des Grenzgebiets, erzielt werden.

So werden u. a. solche Argumentationen als Einzelmeinungen geführt,

- dass die vorhandenen Kontrollstellen der DVP vor dem Grenzgebiet abgerissen werden sollten, da sie ohnehin nicht besetzt sind,
- dass man endlich die Sperrzone aufheben und den BRD-Bürgern Gelegenheit geben sollte, ihre Verwandten im Grenzgebiet zu besuchen,
- dass sich seit Inkrafttreten des neuen Grenzgesetzes und der Direktive zur Arbeit im Grenzgebiet keinerlei positive Veränderungen zu-

gunsten der Grenzbevölkerung ergeben hätten,

- dass die Bewohner erst wieder an Maidemonstrationen teilnehmen, wenn die SU etwas für die Abrüstung unternimmt. [30]

Vom 20. bis 26.6.1983 fand in Milz, Kreis Meiningen, die 1200-Jahr-Feier, kombiniert mit den Tagen der sozialistischen Landwirtschaft, statt. Dabei stellten gerade Leute, die „als Konzentrationspunkt für Kontakte und Verbindungen zu BRD-Bürgern" bekannt waren, Anträge und Eingaben, die Einreise nach Milz, das im Grenzgebiet lag, für die Feier für alle Besucher, auch für Bundesbürger, zu genehmigen. Inoffiziell wurde berichtet, dass die Folkloregruppe „Milzer Dorfmusikanten" unter der Leitung von F. es ablehnte, zur Eröffnung der Festtage die Nationalhymne der DDR zu spielen, da sie angeblich nicht zum Repertoire der Gruppe gehört und sie lediglich die thüringisch-fränkische Blasmusik pflegen, wobei sie größeren Wert auf „fränkisch" legen. Der Leiter F. selbst bezeichnete sich und seine Gruppe als Nachfolger des Ernst Mosch aus der BRD mit seinen „Original Egerländern". F. wird als Unsicherheitsfaktor im Grenzgebiet bezeichnet. Die Gäste seines Schaukonzerts begrüßte er: „Ich begrüße alle Milzer mit und ohne Passierschein und alle, die keinen bekommen haben. Das zeugt von der guten Politik unseres Staates, dass wir nach außen und innen so gut abgeschirmt werden." [31]

Mehrfach wurden Diskussionen im Schwerpunktbereich Eisfeld - Veilsdorf und im Grenzgebiet (Raum Heldburg) zur unkontinuierlichen Versorgung mit Frischgemüse und über das unzureichende Angebot mit Fleischwaren festgestellt. Die hierzu erarbeiteten Informationen tragen feststellenden und vergleichenden Charakter. Angesprochen wurden insbesondere Niveauunterschiede in der Versorgung des Kreises Hildburghausen gegenüber anderen Städten der Republik.

Diesbezügliche Meinungsäußerungen (Einzelmeinungen) beinhalten:

- Die sollen erst die Versorgung in Ordnung bringen, dann können sie auch mit Sonderleistungen kommen.
- Die denken wohl, wir pflanzen Gemüse

Wegen der Parteinahme großer Teile der evangelischen Kirche und ihrer Pfarrer war das Verhältnis zwischen der regierenden SED und der evangelischen Kirche von Misstrauen und Spannungen geprägt. Doch die Bevölkerung ließ ihre Pfarrer nicht im Stich. So wurde Anfang der siebziger Jahre in Schweickershausen im Heldburger Unterland die Kirche mit eigener Hände Arbeit und eigenen Geldmitteln renoviert. Die Bevölkerung wollte nicht hinnehmen, dass daraus ein Lagerhaus wird. Die Aufnahme entstand bei der Wiedereinweihung im Dezember 1974.
Foto: Sammlung Reinhold Albert

in Blumentöpfen an. Von der Arbeit wird man nicht satt, man kann sie aber unter solchen Umständen schneller satt bekommen.
(Diskussionen von Arbeiterinnen im VEB Zeiss Eisfeld)
Arbeiter des VEB Carl Zeiss Eisfeld diskutierten ausgehend vom Plananlauf 1984:
... Wir schaffen jetzt schon das Geplante nicht und sollen uns für 1984 für höhere Plankennziffern verpflichten. Das geht doch wieder nur auf Kosten der Norm und damit über unsere Knochen.
Vom Besuch des Generalsekretärs in der BRD erwartet sich die Bevölkerung Rei-

seerleichterungen, auch für die ständige Ausreise.[32]

Aufbegehren in der Bevölkerung

Lange Zeit war in der Bevölkerung die Wahl- und Unterschriftsverweigerung der einzige Weg, ihr Nichteinverständnis mit der Politik der DDR zu zeigen:
Die Unterschriftensammlung zur Willenserklärung der DDR erfolgte im Grenzgebiet und grenznahen Raum des Kreises Bad Salzungen ohne Vorkomm-

nisse und Zwischenfälle. Von den im Kreis wohnhaften 103 Unterschriftenverweigerern waren 18 im Grenzgebiet und 17 im grenznahen Raum wohnhaft. Im Grenzgebiet befanden sich unter den Verweigerern 4 Pfarrer und kirchliche Angestellte, die den Schwerpunkt bildeten. Konkrete Erklärungen gaben sie nicht ab. Sie versuchten, kirchliche Motive unterschiedlichen Inhalts in den Mittelpunkt zu stellen, schreibt die Kreisdienststelle Bad Salzungen im November 1979[33]

Einmal platzt jedoch selbst den angepasstesten Bürgern der Kragen. So gab es am 18. März 1987 eine Unterschriftensammlung gegen den Bürgermeister von Eishausen wegen Verwendung gesellschaftlichen Eigentums für private Zwecke, Ziel war die Abberufung.[34]

Die Staatssicherheit untersuchte den Vorfall unter der „OPK Opponent SLK 5128", nicht jedoch die missbräuchliche Verwendung, sondern die Unterschriftensammlung.[35]

Der Fall hatte schon seit zwei Jahren geschwelt und die Stasi-Kreisdienststelle hatte es gewusst. Bereits am 19. März 1987 informierte der Leiter der KD den 1. Sekretär der SED-Kreisleitung, dass hinter den Angriffen auf den Bürgermeister auch ein Parteischüler steckte, der dem Bürgermeister unter anderem kriminelle Handlungen, wie die Verwendung gesellschaftlichen Eigentums für private Zwecke, unterstellte. Am 24. März hatte es schon eine Beratung in der SED-Kreisleitung gegeben, an der der 1. und 2. Sekretär, der Vorsitzende der KPKK (Kreisparteikontrollkommission), der Stellvertreter des Leiters der Kreisdienststelle, der Leiter des VPKA, der 1. Stellvertreter des Rates des Kreises und der Bürgermeister teilnahmen.

Dabei wurden folgende Maßnahmen festgelegt.

1. Information zum Sachverhalt an die Bezirksleitung

2. Untersuchung der Vorgänge in Eishausen zur Feststellung der Mängel und Schwächen der Führungs- und Leitungstätigkeit des Bürgermeisters und Ortsparteisekretärs sowie der Feststellung der Rolle der Mitglieder der SED bei der Unterschriftensammlung. Der Staatsapparat wurde einbezogen, damit Ruhe und Ordnung im Grenzgebiet gewährleistet werden.

Die Partei hatte den Parteisekretär zu einer Stellungnahme aufgefordert, die MfS-Kreisdienststelle einen IMS eingesetzt.

Am 26. März 1987 warfen Mitglieder der NPDP-Ortsgruppe Themar der Bürgermeisterin Unfähigkeit, Interesselosigkeit und Nichtrealisierung von Wahlversprechen vor, wie nicht angebrachtes Sicherheitsgeländer an der Oberen Mühle, Renovierung der Gaststätte „Drei Rosen", Überholung der Zufahrtsstraße zu den Dienstleistungseinrichtungen und Missstände in der ärztlichen Betreuung. Die Staatssicherheit hatte bereits vorher von der geplanten Unterschriftenaktion gehört.[36]

Friedliche Privatleute nehmen sich auch kein Blatt mehr vor den Mund:

Bei dem Antrag Manfred Eckerts aus Stepfershausen auf Einsicht seiner Stasiakte wurde vorerst nur eine Karteikarte mit folgenden Eintragungen gefunden:

261082 Information „Hecht"/Gen. Viehrig („Hecht" war Schmied von Beruf, dann bei der Stasi, anschließend Parteisekretär in der Gebäudewirtschaft Meiningen)
Eckert führte negative Diskussion zur Versorgung mit Ersatzteilen und Benzin. U. a. äußerte er: „Der Höhlein, die fette Sau, soll einmal herkommen, damit er sieht, was los ist."

Auch vor den Symbolen des Staates hatten „Rowdies" keine Achtung mehr:

02.05.1989   Mißachtung staatlicher Symbole: Am 29.04.1989 in den frühen Morgenstunden wurden am Dienstgebäude des Haltepunktes Schwallungen zwei kleinere und eine größere Staatsflaggen der DDR entfernt. 70 m entfernt auf dem Gleiskörper hatte man versucht, die größere Flagge (60 x 100 cm) zu verbrennen. Trotz Einsatzes eines Schäferhundes wurden keine konkreten Erfolge erzielt. Am 21.5. wurde eine Flagge in Meiningen, Saarbrückener Str. - Ecke Kirchbrunnen sichergestellt. Sie hing über einem Verkehrsschild.[37]

Die Kirchen unter Beobachtung

Religion war schon seit Karl Marx „Opium für das Volk". Nicht nur deshalb, sondern auch wegen der Parteinahme großer Teile der evangelischen Kirche und ihrer Pfarrer war das Verhältnis zwischen der regierenden SED und der evangelischen Kirche von Misstrauen und Spannungen geprägt. Ein kurzer Blick in die Chronik:

21.04.1953 Die Evangelische Kirche protestiert gegen den Kirchenkampf der SED gegen das Vorgehen der Regierung gegen die „Junge Gemeinde" und die evangelische Studentengemeinde.

28.04.1953 Das MdI der DDR bezeichnet die „Junge Gemeinde" als illegal.

17.11.1974 Hirtenbrief der katholischen Bischöfe in der DDR gegen das staatliche Erziehungsmonopol.

18.08.1976 Selbstverbrennung des evangelischen Pfarrers Oskar Brüsewitz vor der Michaeliskirche in Zeitz. Der Geistliche hatte sich mit Benzin übergossen und angezündet, um gegen das repressive System der DDR und die enge Bindung der Kirche an das Regime zu protestieren.

06.03.1978 Treffen zwischen Erich Honecker und dem Vorstand der Konferenz der Evangelischen Kirchenleitungen in der DDR, Leitung: Bischof Albrecht Schönherr.

01.09.1978 An den Schulen der DDR wurde der obligatorische Wehrkundeunterricht eingeführt.

17.09.1978 Selbstverbrennung des evangelischen Pfarrers Rolf Günther in Falkenstein/Vogtland.

10/80 Zu den Aktivitäten der Kirche ist einzuschätzen, dass besonders die Pfarrer der Stadt Steinach und aus Mengersgereuth-Hämmern in Erscheinung traten. So nutzte der Pfarrer aus Steinach die Predigt am 23.11.1980, die von ca. 200 Bürgern vorwiegend jungen Leuten besucht wurde, um gegen die sozialistische Entwicklung in der DDR und gegen die Regierung zu hetzen. Die

Predigt stand unter dem Deckmantel: „Gott – Leben – Sterben" und hatte folgenden wesentlichen Inhalt:

- Wir alle müssen sterben, dann geht es uns besser als jetzt.
- In unseren unsicheren und wirren Zeiten, die wir durchleben müssen, gibt es keine Zukunft.
- Die Menschen werden von einigen „hin- und hergerissen".[38]

10.04.1981 Matthias Domaschk, Mitglied der Jungen Gemeinde in Jena, wurde festgenommen und starb wenig später unter ungeklärten Umständen in der Untersuchungshaftanstalt des MfS in Gera.

25.01.1982 Der „Berliner Appell – Frieden schaffen ohne Waffen" wurde auf Initiative von Pfarrer Rainer Eppelmann veröffentlicht, der daraufhin kurzzeitig verhaftet wurde.

24.02.1982 Kirchliche Vertreter bekräftigten Engagement für den Frieden.
Am 24.02.1982 trafen auf Schloss Landsberg der Stellvertreter des Vorsitzenden des Rates, Gerhard Sommer, Bezirkssekretärin der Nationalen Front, Edith Juditzki, und der Bezirksvorsitzende der CDU, Bernhard Schniebe, zu einem freimütigen Gespräch über Probleme der Gegenwart und beiderseitig interessierende Fragen mit kirchenleitenden Amtsträgern der Ev.-Luth. Kirche in Thüringen und der Ev.-Luth. Kirche der Kirchenprovinz Sachsen zusammen. Daran nahm der Visitator für Südthüringen, Oberkirchenrat Dietrich von Frommanshausen, Kreiskirchenrätin Margit Engwicht, Dekan Kirchenrat Alfred Schreiber und die Superintendenten im Bezirk Suhl teil. Im Verlauf der offenen Aussprache bekräftigten die kirchlichen Vertreter mit Nachdruck, dass das Eintreten der Kirche für den Frieden Priorität habe und fortgesetzt werde. ... Die Kirche nehme ihre eigenständige Verantwor-

tung für den Weltfrieden mit den ihr eigenen Möglichkeiten wahr. Besonders wichtig seien auch weltweite zwischenkirchliche Gespräche im Interesse einer besseren Verständigung unter den Völkern und des Abbaus von gegenseitigem Misstrauen und Angst.[39]

Besonders an der Grenze, aber auch im Landesinnern, standen alle Kirchengemeinschaften, neben der evangelischen und katholischen Kirche auch die kirchliche Gemeinschaft der Zeugen Jehovas, unter aufmerksamer Beobachtung durch die Staatssicherheit. Einige Berichte darüber seien hier aufgeführt:

August 1977: Die Aktivitäten des Pfarrers aus Haina hinsichtlich seiner Verbindungen zu Kirchenkreisen in der BRD sind unter politisch-operativen Gesichtspunkten zu betrachten. Ein Pfarrer aus der BRD will an den Konfirmationsstunden in Exdorf teilnehmen, wo gemeinsame Erfahrungsaustausche durchgeführt werden sollen. Von den Teilnehmern der Konfirmation 1977 wurden Bilder (Fotos) in die BRD versandt, dafür erhielt der Pfarrer pro Teilnehmer 50,- DM (West) zur Durchführung einer Exkursion.[40]

Im Mai 1978 stellte die KD Bad Salzungen im Grenzgebiet und grenznahen Raum eine Zunahme der Aktivitäten der Kirche beider Konfessionen fest. Dabei hob sie besonders die Priesterweihe von Pfarrer Bruno Heller, Spahl, hervor, weil sie deutlich zeigte, dass die Bevölkerung in ihrer Mehrheit dort noch immer am Glauben hing. „Es wird eingeschätzt, daß im Zusammenhang mit der Priesterweihe des Heller, Bruno in Spahl durch die katholische Kirche des Dekanates Geisa bestimmte Aktivitäten ausgelöst wurden. Heller wurde am 01.04.1978 in Erfurt durch Bischof Aufderbeck zum Priester geweiht."

Am 01.04.1978 wurde der Neupriester Heller von Jugendlichen und Erwachsenen mit 35 Krädern und Mopeds von Geismar nach Spahl begleitet. An der sich anschließenden Prozession nahmen ca. 120 gläubige Bürger teil.

Am 02.04.1978 wurde Heller von 7 Pfarrern des Dekanates Geisa und drei weiterer Pfarrern des Bezirkes Erfurt, davon Pfarrer Knapp, der vor einigen Jahren in Geisa Pfarrer war, vom Elternhaus abgeholt.
Durch dichtes Spalier von Bürgern des Ortes Spahl und den umliegenden Orten, die zur Kirchgemeinde gehören, begab sich dieser Zug zur Kirche. Am Gottesdienst, der anschließend stattfand, nahmen ca. 500 Bürger teil. Der Gottesdienst wurde durch eine Lautsprecheranlage nach draußen übertragen.

Für die gläubigen Bürger, die nicht ins Grenzgebiet einreisen konnten, wurde aus diesem Anlaß am 08.04.1978 um 10.00 Uhr in Dermbach ein Festgottesdienst gehalten. An diesem nahmen die Pfarrer des Dekanates Geisa und 3 Pfarrer aus dem Gebiet Erfurt teil.
Des weiteren waren 12 PKW mit ca. 40 Personen aus der BRD, Verwandte der Familie Heller aus Fulda und Umgebung auf Tagesaufenthalt eingereist, um an dem Festgottesdienst teilzunehmen. Die Kirche war zum Gottesdienst voll besetzt.

Es ist weiterhin zu verzeichnen, daß der Einfluß der Kirche in Dermbach zugenommen hat. Beide Pfarrer bemühen sich verstärkt, die Jugend an die Kirche zu binden. Sie finden dabei bei einem Großteil der Eltern Unterstützung. Ein Ausdruck dafür ist, daß wohl alle Jugendlichen am 09.04.1973 an der Jugendweihe teilgenommen haben, jedoch nur ein geringer Teil die Jugendweihe feierten. Die übrigen Jugendlichen werden die Konfirmation feiern. Angeblich haben einige Eltern die Jugendlichen nur an der Jugendweihe teilnehmen lassen, um bei einer Nichtteilnahme die zu erwartenden Schwierigkeiten in der beruflichen Entwicklung der Jugendlichen zu vermeiden.[41]

In der Zeit vom 02.04. bis 06.04.1979 weilte eine Gruppe von Jungpfarrern zur Landwoche in der Rhön in der Ortschaft Dermbach. Insgesamt 9 Jungpfarrer und 2 weibliche Kirchenangehörige. Die Betreuung erfolgte durch Pfarrer Hofmann. Die Übernachtungen erfolgten in vorbereiteten Privatquartieren in Dermbach und Oberalba. Der Einsatz erfolgte in der gesamten Superintendentur Dermbach unter der Bezeichnung: „Durchführung von wissenschaftlich-theologischer Studien unter der Landbevölkerung". Neben der Teilnahme an Kirchenveranstaltungen führten die Jungpfarrer individuelle Gespräche mit gläubigen Bürgern, insbesondere Genossenschaftsbauern. Sie interessierten sich für Fragen und Probleme der Entwicklung in den LPG's. So wurde anschließend von ihnen bemängelt, daß der Standort für die Milchviehanlage in Dermbach verkehrt gewählt wurde, weil der Staat mit Gewalt dieses Projekt durchsetzen wollte. Jetzt würden die Milchleistungen nicht kommen. Die Verantwortlichen seien jetzt froh, daß noch Privatkühe vorhanden sind, um den Milchbedarf für das Emmentaler Käsewerk Bad Salzungen abdecken zu können.[42]

Von Pfarrern des Grenzgebietes im Kreis Meiningen, besonders aus Haina und Römhild, so die KD Meiningen, wird jede Gelegenheit genutzt, persönliche Gespräche mit historisch und kunstgeschichtlich interessierten Leuten aus bürgerlich-intellektuellen Kreisen der DDR sowie BRD-Bürgern zu führen. Der Pfarrer von Römhild vermittelt außerdem Adressen bedürftiger Bürger in die BRD, die dann von privaten Absendern Pakete erhalten.

In Zusammenarbeit mit der Abt. KK wird z.Z. über die Grenzgemeinde Schleid eine Analyse mit der Festlegung von Maßnahmen zur Zurückdrängung des Einflusses der katholischen Kirche gefertigt.[43]

Am 07.09.1978 wurde aus Hermannsfeld gemeldet: Pfarrer Rüttinger in Hermannsfeld fängt die Kinder der 1. und 2. Klasse vom Schulbus ab und erzählt ihnen einfache, leicht faßbare Märchen christlichen Inhalts. Progressive und fortschrittliche Eltern führen Beschwerde und verbieten sich weitere Aktivitäten.[44]

Im August 1983 wurde bekannt, dass der evangelische Pfarrer des Städtchens Ummerstadt, Harald Färber, im Juli 1983 eine Zusammenkunft mehrerer Ummerstädter Bürger mit Pfarrer Rainer Axmann aus Weitramsdorf (Nachbargemeinde im Landkreis Coburg zu Ummerstadt) und weiteren acht eingereisten Bewohnern organisierte. Die Aufnahme Ummerstadts entstand im August 1990.
Foto: Reinhold Albert

Mai 1980: Die seit längerem ausgelösten Aktivitäten der evangelischen Kirche Römhild, insbesondere durch Pfarrer ... lassen erkennen, daß sie zunehmend daran interessiert sind, bisher progressiv in Erscheinung getretene Personen für die Mitarbeit in der neu gegründeten „Jungen Gemeinde" zu gewinnen und bereits einige dem MfS bekannte Jugendliche einbezogen haben.[45]

Im Monat Juli 81 organisierte der Pfarrer von Frankenheim am 19.7.81 ein Treffen mit den Pfarrern aus Kaltensundheim und Kaltennordheim, Bürgern aus der DDR und 8 Bürgern aus der BRD in den Räumen der Kirche in Kaltensundheim. Teilnehmerkreis und Themen sollen durch geeignete inoffizielle Maßnahmen erarbeitet werden.[46]

Am 07. und 08.08.1981 wurde durch die Pfarrer in den katholischen Kirchen des Bereiches Geisa und im grenznahen Raum der gemeinsame Hirtenbrief der katholischen Bischöfe der DDR zur österlichen Bußzeit 1981 verlesen, der das christliche Verhalten in der sozialistischen Gesellschaft in Bezug auf die kommunistischen Erziehungsziele und der Jugendweihe zum Inhalt hatte. Durch ältere Gottesdienstbesucher wurde der Hirtenbrief begrüßt. Jugendliche/Jungerwachsene nahmen diesen mit Zurückhaltung auf. Es wurden bisher keine operativ-bedeutsamen Reaktionen bekannt. Vom Inhalt her stand das Festhalten an alte kirchliche Traditionen sowie Tendenzen gegen die Jugendweihe im Mittelpunkt des Hirtenbriefes.[47]

März 82: Pfarrer Langlotz aus Wohlmuthhausen ist besonders aktiv.
Aktiv sind die Pfarrer aus Römhild, Milz, Queienfeld, Behrungen, Wohlmuthhausen, Bettenhausen, Gerthausen, Kaltensundheim, Oberweid und Frankenheim. Von diesen Pfarrern werden alle Mittel und Möglichkeiten genutzt, ihren Einfluß auszudehnen und offensiv unter Kindern, Jugendlichen, Jungerwachsenen und älteren Bürgern wirksam zu werden.
Selbst in den eigenen Reihen der Pfarrer werden Auseinandersetzungen geführt, wenn nachweislich kein Zugang an Besucherzahlen von religiösen Veranstaltungen und

Kulthandlungen nachgewiesen wird. So befassten sich die Kirchenvorstände und Gemeindepfarrer von Helmershausen, Bettenhausen, Wohlmuthhausen und Gerthausen mit den passiven Verhaltensweisen des Pfarrers von Helmershausen und stellten die Forderung, ihn wegen Inaktivität abzulösen.

In Frankenheim gründete der Pfarrer eine Jugendtanzkapelle, die insbesondere im Rahmen kirchlicher Veranstaltungen und Höhepunkte zum Einsatz gelangen soll. Besonders aktiv betätigt sich der Pfarrer Langlotz aus Wohlmuthhausen. Er konzentrierte sich auf Kinder der Klassen 1 - 4, indem er einen hohen Anteil für den Religionsunterricht gewinnen konnte und bezieht gleichzeitig deren Eltern mit ein. In regelmäßigen Abständen veranstaltet er Elternabende, wo neben kleinen Gottesdiensten Kirchen- Volks- und Heimatlieder gesungen werden. Gleichzeitig erteilt der Pfarrer Gitarrenunterricht für interessierte Bürger. Bisher ist zu verzeichnen, dass durch diese Tätigkeit die Kirchenvorstände von Schafhausen, Gerthausen, Wohlmuthhausen Helmershausen und Bettenhausen durch ihn aktiviert werden, die ihrerseits solche Forderungen zur verstärkten Einbeziehung von Kindern und Jugendlichen an den jeweiligen Pfarrer richten. Pfarrer Langlotz versucht derzeitig, seine Ehefrau als Erzieherin in den Kindergarten von Wohlmuthhausen zu lancieren.

In Queienfeld gibt es zur Zeit eine neue Gruppe der Jungen Gemeinde unter Leitung des Pfarrers Bock. Hier werden Elemente pazifistischer Grundeinstellungen und Haltungen sichtbar, die sich insbesondere gegen den aktiven Wehrdienst richten und den sogenannten „sozialen Friedensdienst" als Alternative entgegensetzen.
Treibende Kraft ist der Pfarrer selbst, der unter anderem Ärmelabzeichen mit den bekannten Symbolen und Texten verteilt. Die Ortschaft Queienfeld entwickelte sich seit 1980 immer mehr zu einem Konzentrationspunkt der Kontakttätigkeit mit BRD-Bürgern, wobei der Pfarrer Bock einen wesentlichen Anteil besitzt, indem er in seinen Predigten immer wieder auf die Pflege zwischenmenschlicher Beziehungen

hinweist, aber auch selbst in der Öffentlichkeit demonstriert.[48]

Oktober 1983: Pfarrer Bock, Queienfeld, muß zu den Kräften des politischen Klerikalismus und als Vertreter des Pazifismus eingeordnet werden.

Ende 1981 erkannte das MfS auch im Grenzgebiet erste Ansätze zur Politisierung der Kirche:

Aufgrund analytischer Verarbeitung von inoffiziellen Hinweisen kann die Schlußfolgerung abgeleitet werden, daß derzeitig Kirchenkreise, insbesondere aus den Gemeinden Frankenheim, Kaltensundheim, Bettenhausen, Berkach und Milz, intensiv um Kontakte zu Jugendlichen bemüht sind. Unter Einbeziehung der Kirchenvorstände, hauptsächlich in Kaltensundheim und Queienfeld, soll eine breitere Wirksamkeit erzielt werden. Dazu wird eingeschätzt, daß die betreffenden Pfarrer selbst intensive Kontakte zu BRD-Bürgern besitzen und bei deren Einreisen häufig Mitglieder der Kirchenvorstände anwesend sind.
Aktivitäten hinsichtlich der Popularisierung sogenannter „Friedensdienste" wurden nach außen hin noch nicht bekannt, da nur von den Pfarrern ausgewählte Personenkreise für diese Zusammenkünfte in Frage kommen. Von IM, die bisher noch nicht offensiv eingesetzt werden konnten, aber Kenner der Gepflogenheiten sowie der Persönlichkeiten der Beteiligten sind, wird eingeschätzt, daß diese Personenkategorien künftig mehr beachtet werden müssen, hauptsächlich ihre Verbindungen und Kontakte, die auch außerhalb des Wohnbereiches zustande kommen."[49]
Unter dem Gesichtspunkt der richtigen Einordnung der politisch-operativen Arbeit in die Gesamtaufgabenstellung erfolgte die Konzentration ausgewählter IM aus dem Bestand der AGS auf Aktivitäten der Kirche im Grenzgebiet. Im Ergebnis der eingeleiteten Maßnahmen konnte herausgearbeitet werden, daß derzeitig die Pfarrer der Grenzgemeinden Milz und Frankenheim am aktivsten in Erscheinung treten. Das äußert sich einerseits darin, daß 1982 ein sichtbarer Anstieg von Teilnehmerzahlen an Konfirmationen zu verzeichnen ist und andererseits bereits

unter Kindern im Schul- und Vorschulalter erhebliche Potenzen vorhanden sind. Anzeichen einer Tätigkeit in pazifistischer Richtung wurden nicht bekannt. Der Pfarrer aus Frankenheim tritt in seinem Wohnort auch nicht mit der von ihm gegründeten Musikformation auf, sondern vermeidet eine offene Konfrontation mit den staatlichen und gesellschaftlichen Kräften des Ortes, indem er die kirchlichen Veranstaltungen außerhalb des Grenzgebietes mit der Musikgruppe belebt.
Oktober 1982: Die seit Jahresbeginn erfolgten Aktivitäten der Kirche werden zielstrebig fortgesetzt, wobei eine politische Untergrundtätigkeit nicht zu verkennen ist. Beispiel: Evangelisationswoche vom 20. bis 26.9.82 in Römhild. Bereits ab 15.9. verstärkte Werbekampagne, durch Bürger von Römhild unterstützt. Einladungen zu den Veranstaltungen wurden „in provokatorischer Weise" in Briefkästen von Mitgliedern der SED, Angehörigen der Grenztruppen und Funktionären gelegt.
Pfarrer Zehner aus Oberweid wandte sich, wie inoffiziell bekannt wurde, beschwerdeführend an das Landeskirchenamt der evangelischen Kirche in Eisenach, weil ihm für eine Reihe von Personen die Passierscheine zum Besuch eines Gemeindeabends im Rahmen des Jahresfestes des Gustav-Adolf-Werkes verweigert wurden. Pfarrer Zehner ließ die Veranstaltungen in Unter- und Oberweid ausfallen mit dem Hinweis: „Fällt wegen Passierscheinverweigerung aus". Auch zur Einweihung der renovierten Kirche in Oberweid gab es „analoge Verhaltensweisen". Im darauf folgenden Gottesdienst nahm Zehner dazu Stellung und endete mit den Worten: „So erfahren wir hier vor Ort das Verhältnis von Staat und Kirche."[50]

Dezember 1982: Pfarrer Boelter aus Frankenheim machte in einer Predigt in den letzten Dezembertagen 1982 negative Äußerung zur 5. Tagung, indem er die getroffenen Einschätzungen hinsichtlich der politischen und ökonomischen Entwicklung der DDR anzweifelte, in diesem Zusammenhang zielgerichtete Fragen stellte, deren Beantwortung er den anwesenden Personen überließ.

Der Pfarrer entwickelt sich derzeit immer mehr in Richtung politischer Klerikalismus. Sein Auftreten und sein Verhalten gegenüber der Politik von Partei und Staatsführung wirkt provozierend und herausfordernd.

Zur vorbeugenden Verhinderung des weiteren Wirksamwerdens wurde der GMS „Wagner" (Schlüsselposition) beauftragt, im Gespräch mit dem Pfarrer diesem den Standpunkt der Partei zu den genannten Erscheinungen klar zu machen und ihn gleichzeitig auf mögliche Konsequenzen hinzuweisen. Pfarrer Bölter versuchte sich zu entschuldigen, indem er vorgab, seine Fragen seien nicht richtig verstanden worden. Es ist nicht zu erwarten, dass sich Bölter bei seinem Dienstvorgesetzten beschwert. [51]

November 1983: Die Aktivitäten der Kirche in Frankenheim und Kaltensundheim sind weiter rückläufig. Offensichtlich finden die Pfarrer nicht den notwendigen Anklang unter der Jugend und dem größten Teil der Bevölkerung. Die im Verlauf der Bearbeitung der OPK „Orgel" durchgeführten Maßnahmen zur Zersetzung der vom Pfarrer von Frankenheim geleiteten Musikformation sind auch ursächlich dafür, daß nur noch wenig und daß teilweise mit nur halber Besetzung Auftritte in der Kirche erfolgen. [52]

Durch Pfarrer Dr. Bock der Ortschaft Queienfeld wird eine kirchliche Kulthandlung für den 05.05.1984 auf dem örtlichen Festplatz vorbereitet. Es werden für diesen Tag ca. 1.000 Teilnehmer erwartet, u.a. 12 Gäste aus der BRD. Diese Veranstaltung wurde durch die staatlichen Organe genehmigt.

Inzwischen nehmen die Vorbereitungen solche Tendenzen an, daß der Pfarrer seine engsten Kirchenmitglieder beauftragt, unter den Einwohnern Quartiergeber für die Unterbringung überörtlich angereister Gäste zu werben sowie Bürger zu finden, die bereit sind, Einreiseanträge für die BRD-Bürger aus der Stadt Echterdingen/Raum Stuttgart zu stellen. Pfarrer Bock reiste im Januar 1984 in dringenden Familienangelegenheiten in die BRD, traf sich aber überwiegend (lt. Hinweisen der Abteilung M) mit Pfarrern aus dem Raum Stuttgart, die ihm Anregungen zur Durchführung solcher massenwirksamer Veranstaltungen gaben und sagten ihm personelle Unterstützung durch aktive Gemeindemitglieder (Das sind jene, für die bereits Einreiseanträge gestellt wurden) zu. [53]

Wie aus den Berichten zu ersehen ist, versuchte der Staatssicherheitsdienst, über jede Aktivität im kirchlichen Bereich informiert zu sein. Kirchliche Aktivitäten empfand die SED als Angriff. Wie Beispiele zeigen, versuchte das MfS im Auftrag ihres Auftraggebers, der SED, solche Aktivitäten zu zersetzen. Auch Bürgermeister und Parteisekretäre versuchten, in dieser Hinsicht den Einfluss der Kirche zu beschneiden. Nach außen hin blieb jedoch der Burgfrieden gewahrt. Man „vermeidet eine offene Konfrontation mit den staatlichen und gesellschaftlichen Kräften des Ortes", die Pfarrer „geben sich nach außen hin bevölkerungsverbunden, tolerieren die Politik der Partei und des Staates und tauschen sich in ‚Dienstberatungen' über das weitere taktische Vorgehen aus". Die Pfarrer flüchten sich in ihren Beurteilungen staatlichen Handelns in Ironie und Sarkasmus, wie Pfarrer Boelter in Oberweid: „So erfahren wir hier vor Ort das Verhältnis von Staat und Kirche."

Doch gerade hier erfahren wir auch, wie schnell ein Pfarrer diszipliniert wurde: „Zur vorbeugenden Verhinderung des weiteren Wirksamwerdens wurde der GMS „Wagner" (Schlüsselposition) beauftragt, im Gespräch mit dem Pfarrer diesem den Standpunkt der Partei zu den genannten Erscheinungen klarzumachen und ihn gleichzeitig auf mögliche Konsequenzen hinzuweisen". Dabei hatte Pfarrer Boelter im Gottesdienst nur einige „zielgerichtete" Fragen zur ökonomischen und politischen Entwicklung in der DDR gestellt. Wir wissen nicht, auf welche Konsequenzen GMS „Wagner", allem Anschein nach der Parteisekretär oder der Bürgermeister, den Pfarrer hinwies. Zum Repertoire der Konsequenzen gehörte jedenfalls der politische Druck auf die kirchlichen Anhänger, wobei auch üble Gerüchte über den Pfarrer nicht unüblich waren, die Beschwerde bei den Vorgesetzten und die Forderung nach Ablösung des Pfarrers. Das geschah im März 1983.

Doch schon im März 1982 wurden Elemente pazifistischer Grundeinstellungen und Haltungen sichtbar, die sich insbesondere gegen den aktiven Wehrdienst richten und den so genannten „sozialen Friedensdienst" als Alternative entgegensetzten. Treibende Kraft war oft der Pfarrer selbst, der wie in Queienfeld unter anderem Ärmelabzeichen mit den bekannten Symbolen und Texten verteilt. In anderen Gemeinden schotteten sich die Jugendgruppen vor einer Infiltration durch Außenstehende ab. Der Staatssicherheit gelang es vielfach nicht, ihre Spitzel in diesen Gruppen zu platzieren. Ein belebendes Element waren die Kontakte der thüringischen zur württembergischen Landeskirche und deren Kirchgemeinden untereinander. Diese Kontakte, die vielfach noch heute weiter bestehen, gaben Anregungen, finanzielle, technische und logistische Unterstützung und stärkten die Widerstandskraft der Pfarrer und der Kirchgemeinden.

Eines wird jedoch klar: Die Kirche, die in einen Dornröschenschlaf verfallen, sich abgefunden hatte, so langsam zu verkümmern, die unter dem Druck von SED, Staat und Staatssicherheit immer wieder nachgegeben hatte, ist aufgewacht. Junge Leute versuchen neue Wege, um auch die Jugend zu erreichen, die Kirche trat aus ihrem Ghetto wieder heraus, wie auch aus den folgenden Beispielen deutlich wird:

Im März 1983 zeichnete sich ab, daß einzelne Pfarrer des Kreises ihre Aktivitäten, die kirchliche Basis zu erweitern, fortsetzen. So wurden beispielsweise durch den evangelischen Pfarrer Altenfelder von Bedheim (grenznaher Raum) in der Ortschaft Simmershausen an alle Familien gedruckte Einladungen zu Veranstaltungen während der Bibelwoche vom 17. - 20.04.1983 ausgegeben. Gleichzeitig wurde eine kirchliche Broschüre „Befreit durch Christus" mit überreicht. Selbst Mitglieder der SED und Angehörige bewaffneter Organe wurden in dieser Form durch Altenfelder konfrontiert.

In der Ortschaft Veilsdorf (pol.-op. Schwerpunktbereich) führte der Pfarrer Koch am 17.04.1983 einen im Vergleich zu sonstigen „kirchlichen" Veranstaltungen gut besuchten Gottesdienst zur Martin-Luther-Ehrung durch. Neben 60 älteren Bürgern waren etwa 10 Schüler in der Kirche anwesend. Durch die musikalische Umrahmung des Gottesdienstes durch einen Posaunenchor und nachfolgenden Auftritt vor der Kirche gab es auf Grund des ausgewählten Repertoires einen regen Zuspruch.[54]

Im Mai 1983 fanden eine Reihe größerer kirchlicher Veranstaltungen im Verantwortungsbereich statt. So erfolgte am 08.05.1983 in der Kirche Eisfeld ein Kirchenchortreffen, wobei Chöre aus den umliegenden Ortschaften vor ca. 200 Kirchenbesuchern auftraten.[55]

Im August 1983 wurde bekannt, daß der evangelische Pfarrer der Grenzortschaft Ummerstadt, Harald Färber, im Juli 1983 eine Zusammenkunft mehrerer Ummerstädter Bürger mit dem BRD-Pfarrer Axmann aus Weitramsdorf (westliches Grenzvorfeld - gegenüber der Ortschaft Ummerstadt) und weiterer 8 eingereisten Bewohnern dieser BRD-Ortschaft außerhalb des Kreisgebietes organisierte.
Der Personenkreis führte eine Thüringer-Wald-Fahrt mit Aufenthalten in Frauenwald und Oberhof durch.
Seitens der BRD-Bürger wurden kleine Geschenke (Biergläser und Schokoladenerzeugnisse) an die DDR-Partner verteilt.[56]

Durch den Vikar der Grenzortschaft Hellingen, Zorn, Wolf-Wylko, werden seit Übernahme seiner Tätigkeit in der vorgenannten Gemeinde verstärkt Aktivitäten unternommen, besonders unter Jugendlichen/Jungerwachsenen den Einfluß der Kirche auszuweiten. Dabei nutzt er Jugend- und Sportveranstaltungen, um mit Jugendlichen ins Gespräch zu kommen und sie für eine konfessionelle Betätigung zu gewinnen. Durch sein jugendgemäßes Auftreten und Verhalten findet er schnell Kontakt und konnte bereits Teilerfolge erzielen.[57]

Der seit 1982 in Veilsdorf (pol.-op. Schwerpunktbereich) eingesetzte evangelische Pfarrer Koch versucht, durch die unterschiedlichsten Methoden die Kirchenarbeit zu aktivieren. Dabei konzentrierte er sich besonders auf die Gewinnung von Schülern und Jugendlichen und versuchte, sich durch energisches Auftreten bei diesen durchzusetzen. So drohte er solchen Schülern, die nicht regelmäßig die kirchlichen Veranstaltungen besuchten, sie nicht zu konfirmieren. Gegenüber jüngeren Bürgern bezeichnete er zurückliegende Jugendweiheveranstaltungen als Faschingstreiben. Seit der Übernahme des evangelischen Pfarramtes in Veilsdorf konzentrierte sich Koch auf die Schaffung aktiver Verbindungen und Kontakte in die BRD.

So führte seine aufgenommene Verbindung zum evangelischen Pfarramt Münsingen dazu, daß er jetzt über eine sogenannte Patengemeinde in der BRD verfügt, wobei sein Verbindungspartner der Pfarrer der evangelischen Kirche Hessen-Nassau, Ronald Lommel, wohnhaft in Gemünden ist. Außer diesem reiste u.a. der Vikar im Pfarramt Elsa, wohnhaft in Rodach, öfter zu Koch.

Der in der Grenzortschaft Ummerstadt eingesetzte evangelische Pfarrer Harald Färber, wh. Ummerstadt, Colberger Str. 9, unternahm Anfang 1984 aktive Bemühungen, um breite Teile der Bevölkerung kirchlich zu binden und das geistig-kulturelle Leben im Territorium mit zu gestalten. Seit Ende 1983 führte er regelmäßig 14-tägig Familienabende für junge Ehepaare durch, die regen Zuspruch fanden. Bei diesen Veranstaltungen nahmen neben religiösen Problemen Diskussionen über politische und kulturelle Fragen sowie Ereignisse im Territorium einen breiten Raum ein. Es wurden alkoholische Getränke, Kaffee und Kuchen verabreicht. Seit der Auflösung des Volkschores in Ummerstadt arbeitete Färber intensiv an der weiteren Formierung des Kirchenchores.

Der gewachsene Zuspruch der Kirche kam u.a. auch in der Teilnahme an Arbeitseinsätzen zum Ausdruck. Dem Aufruf des Parteisekretärs zur Teilnahme der Bevölkerung an einem .Einsatz zur Beseitigung von Schneebruchschäden in der Forstwirtschaft kamen in einem Fall lediglich 3 Personen nach, wobei sich an den zum gleichen Zeitpunkt durchgeführten Renovierungsarbeiten an der Kirche 20 Personen beteiligten. Der 1. Sekretär der SED-Kreisleitung wurde über die Aktivitäten des Färber informiert.[58]

DIE WEITERE ENTWICKLUNG IN DEN KIRCHEN

Der 05./06.09.1987 war ein kleiner aber wichtiger Wendepunkt der DDR-Geschichte. Das erste Mal wurde eine nichtoffizielle Demonstration von unabhängigen Friedensgruppen in Ostberlin geduldet.

Minister Erich Mielke hatte sein Schlüsselressort auf die Kirchen angesetzt: die mit der Bekämpfung von „politisch-ideologischer Diversion" (Pid) wie „politischer Untergrundtätigkeit" (Put) befasste Hauptabteilung XX.
Deren Abteilung 4 – hausintern „HA XX/4" – führte, unterstützt von den zuständigen Referaten der Bezirksverwaltungen, den Kirchenkampf mit durchschlagendem Erfolg: Um Aufsehen zu vermeiden, bevorzugten die HA XX/4-Oberen das gepflegte Informationsgespräch mit einflussreichen Kirchenmännern. Geld floss in der Regel nicht, wenn Insider beim MfS über Synodenbeschlüsse und Personalien plauderten oder Verhaltensmaßregeln von der „Firma" empfingen. Zum Mittel der Erpressung griffen die Stasi-Offiziere bei hochrangigen Kirchenmännern nur selten.

Zu Dutzenden wurden nach der Friedlichen Revolution Kirchenräte und Pastoren als IM entlarvt. In der thüringischen Landessynode wurden fünf Stasi-Informanten enttarnt.[59]

Für den Bezirk von großer Bedeutung war Martin Kirchner, der bereits 1970 als Leiter des Kreiskirchenamtes Gera als IM „Küster" für das MfS arbeitete, später als IM „Körner" alias „Franke" alias „Hesselbarth" (Decknamenänderung). 1986 wurde Martin Kirchner Oberkirchenrat und Stellvertreter von Bischof Leich. In dieser Eigenschaft wurde er zum Prellbock zwischen Staat und Kirche im Bezirk, der in vielen Fällen vermitteln und schlichten musste, unter anderem auch bei der Kirchenbesetzung in Eisfeld (s. dort, Bd. 4). Zudem war Kirchner eines der führenden Mitglieder der Thüringer CDU und Mitverfasser des „Briefes aus Weimar", mit dem die Wende auch bei der Ost-CDU angestoßen wurde.[60] Erst im September 2003 wurde die IM-Tätigkeit des früheren Superintendenten des Kirchenkreises Vacha, Raatz, offenbar, der von 1963 bis 1989 als IM tätig gewesen war. 25 Pfarrern der Thüringer Landeskirche wurde bisher eine Zusammenarbeit mit der Stasi nachgewiesen.[61]

Trotz dieser Unterwanderung – die Kirchen ließen sich nicht so ohne Weiteres am kurzen Zügel führen, besonders nicht die Jugend-, Umwelt- und sonstigen Gruppen, die schon seit längerem unter dem Dach der Kirche tätig wurden.

AKTIVITÄTEN DER KIRCHE, KIRCHLICHER GRUPPEN UND UMWELTGRUPPEN UNTER GEHEIMDIENSTLICHER BEOBACHTUNG

Der Staatssicherheit missfiel am 19. Januar 1987, dass der Hildburghäuser Superintendent Dr. Wulff-Woesten „seine Bemühungen zur Übergabe von Geschenken an die durch das Brandvorkommnis vom 11.01.1987 in der Rosa-Luxemburg-Str. 28 geschädigten Familien fortsetzt. Bisher wurden drei Familien bekannt, die durch Vertreter der evangelischen Kirche aufgesucht wurden. Neben materiellen und finanziellen Zuwendungen wurde bei den Gesprächen ein persönliches Schreiben von Dr. Wulff-Woesten übergeben."[62]

Im Februar 1987 begannen kirchliche Gruppen aus ihrem Ghetto herauszukommen und – vorsichtig zwar und im Ton moderat und immer mit einer Prise Humor – die Öffentlichkeit zu suchen, wohl wissend, dass am Ende auch der Konflikt mit der Obrigkeit stehen würde.

Der Gesprächskreis für Frieden und Ökologie der Kreiskirchengemeinde Meiningen unter Leitung des Kreisjugendwarts Ulrich Töpfer sandte am 09.02.1987 eine Eingabe an den Rat des Kreises, Abt. Handel und Versorgung, in der sie ihre Enttäuschung über die mangelnde Vielfalt, die Frische der Produkte und die mangelnde Verkaufskultur der neu eröffneten HO-Fix zum Ausdruck brachten. Der Gesprächskreis schrieb weiter:

```
Auf die große Bedeutung der Vitaminspen-
der in der Winterzeit für die Erhaltung
der Gesundheit der Menschen brauchen wir
Sie sicher nicht hinzuweisen. Aber sicher
auf die Vergiftungsgefahren, die das
Angebot der HO-Fruchthalle in sich ber-
gen. Was hier an verschimmelten Naturpro-
dukten angeboten wird, ist reif für das
Guinessbuch der Rekorde. Das einzig sau-
bere im Angebot der Fruchthalle ist der
Inhalt der Einweckgläser. Durch den glä-
sernen Schutz lässt sich zum Glück daran
nichts beschmutzen. Ansonsten entspricht
das Angebot eher den Interessen futtersu-
chender Schweinezüchter. Aber selbst die
dürfen bei so manchen Produkten um die
Gesundheit ihrer Tiere besorgt sein. Es
ist nicht nur der große Mangel an vita-
minspendenden Produkten, sondern auch die
schlechte Qualität, in der das Wenige
angeboten wird, worin in der HO-Frucht-
halle schon jahrelang große Kontinuität
bewiesen wird. Selbst Eingaben in der
vergangenen Zeit konnten dort keinen von
diesem so bewährten Kurs abbringen. Wir
```

empfehlen das Angebot der Fruchthalle auf Schimmelkäseprodukte umzustellen. Da kämen die Erfahrungen des dortigen Verkaufsstellenkollektivs so richtig zum Tragen.

Bei aller Geduld und trotz einer großen Portion Humor, mit der man die beiden beschriebenen Verkaufsstellen betreten muss, bitten wir doch um eine Stellungnahme der entsprechenden verantwortlichen Leiter. Uns interessiert natürlich auch Ihre Ansicht sehr[63].

Am 12. Januar 1993 erzählte Uli Töpfer über die Reaktion auf das Schreiben:

Einmal haben wir zur Faschingszeit eine Eingabe geschrieben. Da gings um die schlechte Gemüseversorgung hier in der Stadt Meiningen, bzw. das wenige wurde immer in einem saumäßigen Zustand angeboten. Da mußte ich dann antanzen bei der HO-Leitung, da saßen 8 Frauen, ein Mann: Rat des Kreises Abt. Inneres, Abt. Versorgung, Konsum-Absatzleiter, Konsum-Sicherheitsleiter, HO-Leiterin, die haben das alles heruntergespielt, es war schon schlimm, als sie mir anhand ihrer Bücher nachweisen wollten, wie vielfältig ihr Angebot ist. Da gab es Prioritäten in der Versorgung: Erst die sowjetischen Streitkräfte, dann die Berliner und dann Kinderkrippen, Kindergärten, dann die Schichtarbeiter und das Sperrgebiet. Aus einem banalen Akt wurde so ein Staatsakt.

2. Dezember 1987 – Eingabe des „Gesprächskreises für Frieden und Ökologie" Meiningen an den Staatsratsvorsitzenden Honecker und den Staatssekretär für Kirchenfragen, Dr. Klaus Gysi

Mutiger geworden, wagte sich der Gesprächskreis an weiterreichende Eingaben und zeigte Flagge dabei:

In seiner Eingabe an den Staatsratsvorsitzenden Honecker und den Staatssekretär für Kirchenfragen, Gysi, sprach der Gesprächskreis für Frieden und Ökologie der Kirchgemeinde Meiningen die

Ereignisse der letzten Tage in den Räumen der Berliner Zionskirche und mit Mitgliedern der unabhängigen Friedensbewegung der DDR an.

Unseres Wissens handelte es sich bei der Herstellung dieser „staatsfeindlichen Schriften" um die „Umweltblätter" der Umweltbibliothek der Zionskirche, die dem innerkirchlichen Dienstgebrauch dienen und von denen kirchliche Verantwortliche durchaus Kenntnis haben. Es ist deshalb unverantwortlich, eine derartige vorverurteilende Meldung in die Zeitung zu setzen.

Wer bestimmt eigentlich, was staatsfeindliche Schriften sind? Ist jeder Kritiker zugleich ein Feind des Staates?

Wie soll es weitergehen, wenn geäußerte Kritik, verbal oder in Schriftform, als staatsfeindlich eingeordnet wird?

Wir haben schon im April 1986 in einer Wortmeldung zum 11. Parteitag der SED unsere Betroffenheit darüber zum Ausdruck gebracht, daß geäußerte Kritik schnell als Staatsfeindlichkeit abgetan und so behandelt wird. Die Ereignisse in Berlin belegen, daß trotz aller Fortschritte im internationalen Bereich diese Betroffenheit weiterhin für die DDR aktuell ist. Wir wünschen deshalb:

- die Dialogbereitschaft gegenüber den unterschiedlichsten Friedensgruppen auch in der DDR,
- eine Kultur des politischen Streites und des Dialogs über ideologische Grenzen hinaus in der DDR,
- die allseitige Praktizierung der verfassungsmäßig garantierten und als elementares Menschenrecht anerkannten Freiheit der Meinungsäußerung und der Presse,
- Abbau der Feindbilder gegenüber unabhängiger Friedensgruppen,
- Absage an die Praxis der unterstellten Staatsfeindlichkeit bei geäußerter Kritik,
- Einstellung jeglicher Repressionen gegen politisch Engagierte.

Gleichzeitig erklären wir uns solidarisch mit unseren Berliner Friedensfreunden und werden ihrer in unseren Friedensgebeten gedenken.

Nachdem keine Antwort kam, schickte der Gesprächskreis am 27. Januar 1988 ein zweites Schreiben nach:

```
... mit einer schnellen Freilassung der
Inhaftierten und zur Einstellung der
Ermittlungsverfahren sind allerdings die
Probleme, die wir in unserer Eingabe
ansprachen, nicht gelöst. Im Gegenteil
zeigen die erneuten Verhaftungen und Ver-
urteilungen Berliner Friedensfreunde im
Zusammenhang mit einer öffentlichen
Kampfdemonstration aus Anlaß der Ermor-
dung von Karl Liebknecht und Rosa Luxem-
burg, daß ein offener Dialog mit Anders-
denkenden nach wie vor nur auf das Aus-
land beschränkt bleibt und im eigenen
Land verleugnet wird und, daß man auf die
„altbewährte Methode" zurückgreift, um
mit Kritikern im eigenen Land fertig zu
werden. Wie viele Menschen sollen noch
inhaftiert und durch Sicherheitsorgane
verhört werden, ehe Bürger der DDR ver-
fassungsmäßig garantierte und von Staats-
vertretern öffentlich und wiederholt
geäußerte Grundrechte wahrnehmen können?
Mit den inhaftierten Berliner Freunden,
die die DDR nicht verlassen wollen, haben
wir oft zusammengearbeitet und ihren Ein-
satz für demokratische Veränderungen und
die Wahrnehmung staatsbürgerlicher Rechte
in der DDR geteilt.
Genauso nahmen wir auch Anteil an dem,
was ihnen jetzt widerfahren ist. Wir
sehen ihr Ringen um Veränderungen nicht
als staatsfeindlich und gegen die sozia-
listische Gesellschaft gerichtet an,
sonst hätten sie, wie so viele in diesen
Tagen, den Weg in die westliche „Frei-
heit" wählen können.
Deshalb erklären wir uns solidarisch mit
ihnen und möchten, daß die Ermittlungs-
verfahren eingestellt werden.
            Gesprächskreis für Frieden und
            Ökologie
            Der Kirchgemeinde Meiningen i.A.
            gez. Ulrich Töpfer
```

So tasteten sich die Jugend- und Umweltgruppen der Kirche mit kleinen Schritten immer weiter in den Ungehorsam.

LAGE DER JUGEND

In den Grenzberichten der AKG, der Auswertungs- und Kontrollgruppe des MfS, stand im Abschnitt *3. Erscheinungen der Feindtätigkeit und operativ relevanten Straftaten der allgemeinen Kriminalität im Grenzgebiet und grenznahen Raum"*, an vorderster Stelle der Unterabschnitt *„3.1 Jugendliche, Jungerwachsene.*

Trotz eines allseits gelobten Schulsystems, trotz einer sozialistischen Erziehung, die bereits in der Kinderkrippe begann und neben der Schule im Freizeitbereich durch Junge Pioniere und FDJ fortgesetzt wurde, hatten SED und Staatssicherheit nie das Gefühl, die Jugend voll im Griff zu haben.

Während am 7. Oktober 1977 bei Ausschreitungen auf dem Ostberliner Alexanderplatz drei Menschen, davon zwei Volkspolizisten, getötet und 200 verletzt wurden, fielen Jugendliche im Grenzgebiet eher dadurch auf, dass wie in Frankenheim mehrfach festgestellt wurde, *sich junge Mädchen in den Abend- und Nachtstunden bei den Posten der Grenztruppen aufhalten und diese von ihrem Dienst ablenken*[64], dass sie *„über die Stränge schlugen"*, wobei Alkohol-Exzesse sehr oft eine Rolle spielten.

```
Am 06.08.1977 fand eine Disko-Veranstal-
tung in Unterweid statt, an der Jugendli-
che aus den umliegenden Ortschaften des
Grenzgebietes teilnahmen. Da die Heim-
fahrt nicht gesichert war, wollten einige
Jugendlichen im Saal übernachten. Von
seiten des Veranstalters wurde auch
Zustimmung erteilt, es fand sich jedoch
niemand, der eine ständige Wache über-
nahm. So verließ der größte Teil zu Fuß
nach Frankenheim, Oberweid und Melpers
die Veranstaltung, und drei Jugendliche
aus Frankenheim übernachteten in einem
Zelt auf dem Grundstück des Angehörigen
```

Junge Pioniere und die Mitglieder der FDJ marschierten bei den Aufmärschen zu DDR-Zeiten stets an der Spitze. Die Aufnahme entstand in Westhausen (Kreis Hildburghausen) anlässlich eines Aufmarsches am „Kampftag der Arbeiterklasse", dem 1. Mai.
Sammlung: Reinhold Albert

der Grenztruppen, Major Thorwart, in Unterweid. Gegen 01.00 Uhr des 07.08.1977 benutzte einer der dort übernachtenden Jugendlichen unberechtigt ein auf dem Grundstück unverschlossen abgestelltes Krad und fuhr damit in Richtung Staatsgrenze - Straße nach Dippach/BRD. Infolge starken Alkoholgenusses hatte er das Krad in einer Kurve nicht mehr in Gewalt und fuhr gegen einen auf der Straße befindlichen Schlagbaum. Durch Angehörige der Grenztruppen wurde das Krad gegen 05.00 Uhr gefunden und Grenzalarm ausgelöst. Durch eingeleitete Fahndungsmaßnahmen konnte der Täter ermittelt werden, dieser gab jedoch nicht zu, die DDR verlassen zu wollen. Acht Tage später fiel dieser Jugendliche erneut in Frankenheim unter Alkoholeinfluß mit dem Entschluß, die DDR zu verlassen, an. Die Eltern erstatteten Anzeige, der Jugendliche wurde in das Jugenddurchgangsheim Schmiedefeld eingewiesen[65].

Im März 1978 häuften sich besonders in der Kreisstadt Meiningen die Fälle, wo Jugendliche in Gruppen durch Straftaten die innere Ordnung und Sicherheit gefährden und das Zusammenleben unserer Bürger beeinträchtigen.
Ihre Verhaltensweisen richteten sich in erster Linie gegen die Volkspolizei und andere Schutz- und Sicherheitsorgane.

So versuchten am 2.3.1978 vier Jugendliche auf dem Bahnhof Meiningen einen von

der Trapo vorläufig festgenommenen Jugendlichen zu befreien und drangen unter Beschimpfungen und Verleumdungen in das Revier der Trapo ein. Aufgeputscht durch ihren Mißerfolg beschädigten diese Jugendlichen einen auf dem Bahnhofsvorplatz geparkten Funkstreifenwagen der DVP und schlugen im Goethepark grundlos auf einen Bürger ein. In der Anton-Ulrich-Straße wurden drei Jugendliche durch eine FstW-Besatzung daran gehindert, vor einem Laden gestapeltes Leergut zu entwenden. Entgegen der Aufforderung, den alten Zustand herzustellen, schlugen die Jugendlichen auf die Volkspolizisten ein und schädigten einen an seiner Gesundheit.[66]

Wie Staat und Partei die Jugend gerne sähen, zeigt die nachfolgende Notiz von 1982:
Eine positive Entwicklung in der Arbeit mit der Jugend nahmen die Grenzgemeinden Frankenheim, Henneberg und Schwickershausen. In diesen Ortschaften bestehen unter Einfluß der OPO (Orts-Partei-Organisation) starke FDJ-Kollektive, die maßgeblich das Geschehen unter der Jugend bestimmen.[67]

Neben den gerade im Grenzgebiet besonders geförderten Jugendclubs, der von den meisten Jugendlichen gern besucht wurde, man konnte dort Filme sehen, sein Bier trinken, Musik hören, war jedoch immer unter Aufsicht – gab es aber auch hier Jugendliche, die sich nicht in das staatliche Korsett

Junge Pioniere zu DDR-Zeiten in Streufdorf (Kreis Hildburghausen). Insbesondere die westliche Musik fand bei den Jugendlichen in der DDR starken Anklang.
Sammlung: Reinhold Albert

Campingfest junger Leute in Eisenach 1980.
Sammlung: Gerhard Schätzlein

einzwängen lassen wollten. Um auch diese Jugendlichen, wenn schon nicht unter Kontrolle, so doch unter Beobachtung halten zu können, versuchte das MfS Informanten unter diesen Gruppen anzuwerben.

So erfolgte im Dezember 1978 die „Werbung eines jugendlichen IM im Alter von 16 Jahren aus einer negativen Gruppierung der Stadt Vacha mit dem Ziel der Bearbeitung negativ-dekadenter Jugendlicher"[68]. Auch in Kaltennordheim wurden „negativ-dekadente" Jugendliche stasi-auffällig. Im Juli 1981 suchte das MfS unter diesen Jugendlichen einen Informanten.[69]

Allgemein vermeldete die Staatssicherheit Anfang 1979 *„eine steigende Tendenz rowdyhafter Handlungen Jugendlicher während und nach Tanzveranstaltungen."*[70]

Als Beispiele führte die KD Meiningen auf, dass Jugendliche aus Behrungen die für den Privatverkehr gesperrte alte Ortsverbindungsstraße Behrungen - Wolfmannshausen benutzten, um zu Tanzveranstaltungen nach Wolfmannshausen zu kommen. Dabei umgingen sie den Beobachtungspunkt der Grenzaufklärer.

Als in Bettenhausen eine Tanzveranstaltung zugunsten eines Auftritts des sowjetischen Nora-Ensembles abgesagt wurde, kam es durch Jugendliche zu Beschimpfungen der Mitglieder des Ensembles „Okkupanten raus!" und ähnlich und durch Störung des Auftritts durch Lärm, so daß der ABV gerufen werden mußte, um die Ruhe wieder herzustellen.

Der Alkoholgenuss von Jugendlichen unter 16 Jahren und der Alkoholmissbrauch durch Jugendliche war im gesamten Grenzgebiet weit verbreitet und wurde für vielfältige Erscheinungen der allgemeinen Kriminalität und des Rowdytums verantwortlich gemacht, besonders in Haina, Westenfeld, Wolfmannshausen, Ritschenhausen, Neubrunn, Jüchsen und Exdorf.

Ein 17-Jähriger aus Stedtlingen zerschlug, wie „inoffiziell" gemeldet wurde, volltrunken, nach einer Auseinandersetzung mit seinen Eltern im März 1979 die gesamte Kücheneinrichtung und demolierte sämtliche Wohnungstüren.[71]

Am 30.04.1979 gegen 15.20 Uhr kam es zu einem Brand in einem Holzschuppen der LPG „Pflanzenproduktion" Kaltennordheim, ca. 500 m entfernt von der 8. Grenzkompanie-Andenhausen. Der Holzschuppen ist an einem Weideoffenstall angebaut, der als Aufenthaltsraum durch die Tierpfleger genutzt wurde. Es entstand ein Sachschaden von ca. 250,- Mark. Als Brandverursacher wurden 4 Schüler aus der Ortschaft Andenhausen ermittelt, die am 30.04.1979 vormittags den Holzschuppen aufgesucht und im Schuppen ein Feuer entzündet hatten. Sie versuchten, Kartoffeln und 2 Hähnchenkeulen zu braten. Anschließend haben sie das Feuer gelöscht. Unbemerkt war Glut unter die Dielenbretter gefallen, die begünstigt durch die starke Windentwicklung zum Brand führten.[72]

Über die Jugendlichen insgesamt kommt das MfS 1979 zu nachfolgendem Urteil:
Der größte Teil der Jugendlichen und Jungerwachsenen besucht alle Disko- und Jugendtanzveranstaltungen sowohl im Wohnort als auch überörtlich. Dabei werden Strecken bis zu 20 km mit dem Linien-KOM, Moped, Motorrard, Fahrrad und zu Fuß zurückgelegt. Grundsätzlich kennen sich die Jugendlichen aus den verschiedenen Ortschaften untereinander, die dem gleichen POS-Bereich angehören. So treffen sich beispielsweise in Reichenhausen Jugendliche aus dem POS-Bereich Frankenheim, Bettenhausen, Helmershausen, Kaltensundheim und Herpf, so daß der dort konzentrierte Personenkreis aus insgesamt 15 bis 18 Ortschaften kommt. Hinzu kommen noch einzelne Jugendliche aus der Kreis-

Geburtstagsfeier in Dillstädt 1980.

stadt, die Anhänger bestimmter Musikformationen sind. Das erklärt die Verbindungen von Personen aus dem Grenzgebiet und dem übrigen Territorium untereinander. Die stattfindenden Veranstaltungen werden außerdem genutzt für

- Meinungsaustausch
- Allgemeine Kommunikation
- Nachrichtenübermittlung aus negativ-dekadenten Kreisen
- Bildung von Konzentrationen und Gruppierungen
- Aufnahme neuer Verbindungen
- Kontakte zu eingereisten Jugendlichen/Jungerwachsenen aus der BRD
- Angriffe auf die Staatsgrenze

Analog trifft dieses Beispiel auf die Bereiche Bettenhausen und Römhild zu und gewinnt mit zunehmender wärmerer Jahreszeit politisch-operative Bedeutung in der vorbeugenden Verhinderung ungesetzlicher Grenzübertritte.
Gegenwärtig zeichnen sich eine Reihe personeller Schwerpunkte aus den POS-Bereichen Helmershausen, Bettenhausen und Römhild ab. Das betrifft besonders Schüler der 9. und 10. Klassen, die in keiner Weise eine positive Lernhaltung besitzen, dem Unterricht fernbleiben und von denen Disziplinverstöße begangen werden. Die politisch-ideologische Einstellung äußert sich in der Nachahmung negativ-dekadenter Lebensweise, Verherrlichung der westlichen Verhältnisse, Verunglimpfung sozialistischer Errungenschaften und Führen von Diskussionen über die Versorgungsproblematik.[73]

Probleme traten 1982 in den Grenzortschaften Milz, Mendhausen, Behrungen, Bauerbach und Einödhausen auf.
In der letztgenannten Ortschaft feierte eine Gruppe Jugendlicher ein sogenanntes Klassentreffen im Kulturraum des Rates der Gemeinde, von dem weder der Bürgermeister noch der ABV einschließlich FDJ-Leitung Kenntnis hatten. Infolge übermäßigen Alkoholkonsums wurde durch zwei Jugendliche ein Mädchen vergewaltigt, welches erst später durch eine Streife der Grenztruppen aufgefunden wurde. Durch sofort eingeleitete Untersuchungsmaßnah-

men konnten wenig später die Täter ermittelt werden.
In den Befragungen konnte herausgearbeitet werden, daß eine sinnvolle, den heutigen Bedingungen entsprechende Jugendarbeit nicht gewährleistet ist. Gleichgültigkeit und Interesselosigkeit gegenüber den Problemen der Jugendlichen setzten hierbei Maßstäbe für begünstigende Umstände und Bedingungen zur Beeinträchtigung der Sicherheit im Grenzgebiet.[74]

Eine positive Entwicklung in der Arbeit mit der Jugend nahmen die Grenzgemeinden Frankenheim, Henneberg und Schwickershausen. In diesen Ortschaften bestanden unter Einfluss der OPO (Orts-Partei-Organisation) starke FDJ-Kollektive, die maßgeblich das Geschehen unter der Jugend bestimmten.[75]

In das offizielle Bild passten auch nicht zwei 12-jährige Mädchen aus Milz. Sie wollten sich nicht mit dem Faktum der Grenzsperranlagen abfinden. In der Absicht, Kontakte mit gleichaltrigen Schülern aus der Bundesrepublik aufzunehmen, legten sie im August 1983 eine Flaschenpost in die Milz.
Dem Charakter der in der Flaschenpost befindlichen Schriftstücke ist zu entnehmen, daß diese Schülerinnen durch westliche Rundfunksendungen zu dieser Aktion motiviert wurden. Auf jeweils einer DIN A 4-Seite berichteten sie zur eigenen Person sowie über die wesentlichsten Einrichtungen des Ortes, wie Schule, Kaufhalle, Kulturhaus, Rat der Gemeinde usw. sowie der Aufforderung zur Rückantwort. Aufklärer der Grenztruppen stellten die Flaschen sicher und übergaben sie mit Inhalt der DE. In Milz unterhalten etwa 70 % der Familien Kontakte mit dem Westen postalisch und persönlich, teilweise auch durch Ballonaktionen.

Aus dieser Meldung erfahren wir, dass die Jugend, wie auch der Rest der Grenzbevölkerung, westliche Rundfunk- und Fernsehsendungen regelmäßig konsumiert und dass ein Drittel der Grenzbevölkerung, was nicht nur für Milz zutreffen dürfte, Westkontakte unterhielt. Die auch für Schwickershausen bezeugten Erfolge von Ballonaktionen trotz strikter Verbote zeigen, dass die Jugend und die Grenzbevölkerung insgesamt zwar zwangsläufig nicht aufmuckte, aber doch deshalb nicht obrigkeitsgläubig war.

Ein ganz schlimmes Beispiel aus Sicht der Stasi gab ausgerechnet der Sohn eines ABV ab:

Im Zusammenhang mit der Gewinnung von Jugendlichen/Jungerwachsenen für eine längere Dienstzeit in den Reihen der bewaffneten Kräfte hatte dieser 1981 eine schriftliche Erklärung, als SaZ (Soldat auf Zeit) zu dienen, abgegeben. Nun auf einmal war der junge Mann, Werkzeugmacher-Lehrling im VEB Porzellanwerk Veilsdorf, nicht mehr bereit, länger zu dienen. Als Begründung gab er an:

-   Er könne nicht ständig unter Befehls- und Weisungszwang leben, hat angeblich Schwierigkeiten, sich unterzuordnen.
-   Er will ein freier Mensch sein.

-   Freunde hätten ihm abgeraten, länger zu dienen.

Der Vater, der Angehörige der DVP, Genosse, bezieht dazu ebenfalls eine indifferente Haltung. Von ihm ist zur Gewinnung als SaZ keine offensive Überzeugungsarbeit ausgegangen.[76]

Dass Jugendliche nicht mit den amtlich verordneten Scheuklappen durchs Leben laufen, wird an der nachfolgenden Meldung deutlich:

Im vergangenen Jahr weilten die Schüler der 8. und 9. Klasse der POS Hellingen (Grenzgebiet) in der Jugendherberge in Eckartsberga. Zum gleichen Zeitpunkt hielt sich dort eine Schülergruppe aus der BRD (Raum Coburg) auf. Gegenwärtig zeichnet sich im Ergebnis dieses Kontaktes ab, daß etwa 80 % der Schüler dieser beiden Klassen Briefkontakte zu Schülern der BRD knüpften.

Mehrfach traten Fragen auf: „Warum dürfen wir denn nicht in die BRD, Frankreich oder Italien fahren?"[77]

TEILE DER JUGEND TRIFTEN AUS DEM RUDER

Wo die SED die Jugend haben wollte, führte Dr. Neundorf, Kreisschulrat und Mitglied des Rates des Kreises Meiningen, am 29. März 1998 aus:

Aus der langfristigen Orientierung des

Generalsekretärs des ZK de SED auf der 7. Tagung zur weiteren Gestaltung der entwickelten sozialistischen Gesellschaft in unserer Republik und den von der Kreisleitung der SED beschlossenen Aufga-

Auf der Habichtsburg fand 1975 eine Fete statt, bei der, wie stets ein Inoffizieller Mitarbeiter der DDR-Staatssicherheit anwesend war.
Sammlung: Gerhard Schätzlein

ben zur Vorbereitung des XII. Parteitags in unserem Kreis ergeben sich höhere Anforderungen und Maßstäbe an die Vorbereitung junger Kader auf ein Hochschulstudium.

Zu ihrer Durchsetzung werden folgende Maßnahmen festgelegt:

1. In der EOS ist die Arbeit des Pädagogenkollektivs stärker auf die Herausbildung eines festen sozialistischen Klassenstandpunktes bei jedem Schüler zu richten.

Der Kreisschulrat nimmt persönlich Einfluß darauf, daß durch tiefes Eindringen in die marxistisch-leninistische Theorie, umfassende Aneignungen der Politik der SED sowie offensive klassenmäßige Auseinandersetzung mit den politischen Tagesfragen das Niveau der politisch pädagogischen Arbeit der Pädagogen weiter qualifiziert wird.

Es ist zu sichern, daß die Lehrer gemeinsam mit allen Erziehungsträgern den Schülern die Grundfragen unserer Zeit tiefgründig erklären, Widersprüche der gesellschaftlichen Entwicklung verständlich erläutern und ihnen sozialistische Weltanschauung und Moral vorleben.

Für die Bewertung erreichter Erziehungsergebnisse sind an der EOS Treue der Schüler zum sozialistischen Vaterland, hohe persönliche Leistungen zur Stärkung und Verteidigung der DDR, klassenmäßige Haltungen zum Imperialismus sowie feste Freundschaft zur Sowjetunion und den anderen sozialistischen Staaten als entscheidendes Kriterium konsequent durchzusetzen.

4. Schwerpunkte der Berufsbildung/Berufsberatung bilden die Sicherung des Nachwuchses für Offiziere, Pädagogen und technische Wissenschaftler[78]

Stimmungen und Meinungen der Jugendlichen

Die meisten Jugendlichen hatten jedoch ganz anderes im Sinn, als „Treue zum sozialistischen Vaterland" und „klassenmäßige Haltung zum Imperialismus". Einige Beispiele:

Lehrlinge des RAW haben im Rahmen der „Propagandatage der Jugend" kritisiert, daß ihre Ausbildung keinen Spaß macht, weil

- nur an alten Maschinen ausgebildet wird,
- keine planmäßige Lehrproduktion vorhanden ist,
- eine schlechte Versorgung mit Schulbüchern erfolgt.

Jugendliche aus Melpers kritisierten die schlechte Versorgung mit jugendgemäßer Bekleidung. In der Diskussion wurde u.a. zum Ausdruck gebracht, daß beim Besuch des Gen. Horst Sindermann in Kaltensundheim zuviel Aufwand betrieben wurde. In einem Treffen des 1. Sekretärs der SED-Kreisleitung, Gen. Pechauf, mit Jugendlichen stand ebenfalls die Rede des Gen. E. Honecker und das „FDJ-Aufgebot DDR 40" im Mittelpunkt. In der Diskussion brachten Jugendliche zum Ausdruck, „wo bleibt die Umgestaltung bei uns" (nach dem Beispiel UdSSR) und kritisierten u.a. die Versorgung bzw. das z.T. schlechte Angebot im Handel.[79]

Reinhard Wilk kommentiert: Jugend zeigt sich kritisch, spricht Mängel offen an, Vergleiche werden offener geführt, Besucher der BRD aus der DDR wollen soziale Sicherheit der DDR und Warenüberangebot der BRD.

Die Jugendarbeit der FDJ war teilweise erstarrt

Die Sekretärin einer SED-Organisation in Hildburghausen war unmittelbar vor der geplanten Kreisdelegiertenkonferenz der FDJ für einen Tag zur FDJ-Kreisleitung zur Vorbereitung der Konferenz abgestellt worden. Was sie dabei erlebte, berichtete die Kreisdienststelle am 22. Januar 1987 dem 1. Sekretär der SED-Kreisleitung, Herbert Lindenlaub:

Obwohl 7.00 Uhr Arbeitsbeginn ist, traf der überwiegende Teil der Mitarbeiter erst gegen 7.30 Uhr am Arbeitsplatz ein. Nach dem Eintreffen wurde das erste Früh-

stück eingenommen, wobei mehrere männliche Mitarbeiter mitgebrachtes Bier tranken. Bis gegen 9 Uhr wurden Privatgespräche geführt und anschließend das zweite Frühstück eingenommen.
Anschließend habe sich die Sekretärin nach der Scheibmaschine erkundigt und erst nach ihrer Anfrage eine völlig verdreckte und ohne gründliche Reinigung nicht benutzbare Maschine erhalten. Bis zu diesem Zeitpunkt hatte sie noch keinerlei Auftrag für Schreibarbeiten. Nach der Reinigung der Maschine erkundigte sie sich nach Scheibarbeiten und erhielt kleinere Aufträge, die jedoch nichts mit der geplanten Kreisdelegiertenkonferenz zu tun hatten.
Da der überwiegende Teil der Mitarbeiter im Laufe des Vormittags keinerlei produktive Arbeit leistete und sie diesen Arbeitsstil als verwerflich einschätzte, tätigte sie einen Telefonanruf an ihre eigentliche Arbeitsstelle mit der Bitte, sie fingiert von der FDJ-Kreisleitung abberufen zu lassen, da sie es dort nicht mehr aushalten würde.[80]

Andererseits sympathisierten Teile der FDJ mit neuen Ideen

Die Hildburghäuser FDJ-Sekretärin Antje Niedzwetzky organisierte am 13. Februar 1987 einen Auftritt der Berufsrockgruppe „Pasch" aus Erfurt im Saal der Gaststätte „Zur Linde" in Veilsdorf, mit, wie sich die MfS-Kreisdienststelle mokiert, Duldung und Unterstützung der örtlichen Organe und das noch im grenznahen Raum. An der Veranstaltung nahmen ca. 300 Jugendliche/Jungerwachsene teil. Überwiegend handelte es sich um solche mit negativ-dekadentem Erscheinungsbild. Dabei hatte die FDJ-Sekretärin bereits in der Vergangenheit Auftritte von „Klappstuhl" und „Freigang" organisiert und plante konkret weitere Veranstaltungen.
Das MfS mahnte: Zur künftigen Verhinderung solcher Personenkonzentrationen im grenznahen Raum müsste der Auftritt solcher Formationen künftig wegfallen. Durch den Bürgermeister und Parteisekretär sollte ein solcher Einfluss ausgeübt

werden, dass es durch die FDJ-Kreisleitung gar nicht erst zur Beantragung solcher Veranstaltungen kommt oder wenigstens die Veranstaltungen außerhalb des grenznahen Raumes verlegt werden.[81]

Der Karneval 1988/89 unter Kontrolle

Der Karneval, in Thüringen nur in wenigen Orten traditionell gewachsen, hatte sich bis in die 80er Jahre immer mehr in eine Institution verwandelt, wo vor allem die Jugend ziemlich unzensiert „die Sau herauslassen" konnte.
Für die Behörden wurde der Karneval mehr und mehr zu einer nervenaufreibenden und schweißtreibenden „Ochsentour". Sie mussten das fast Unvereinbare versuchen, einerseits der Jugend das Gefühl zu geben, auch einmal ungestraft über die Stränge schlagen zu dürfen, andererseits aber doch alles unter Kontrolle zu behalten. Der Humor hatte möglichst immer sozialistischer Humor zu bleiben.

Über den Verlauf der letzten Karnevalssession unter DDR-Regime gibt ein Bericht für den Rat des Kreises Meiningen Auskunft:
Im Januar und Februar 1989 wurden im Kreis Meiningen von 26 registrierten Karnevalsklubs 102 Veranstaltungen, vorwiegend mit Programmen durchgeführt, wobei Veranstaltungen von Betrieben, Jugendklubs, Gaststätten u. a. nicht erfasst waren.
Die Zahl der Teilnehmer wurde auf 30.000 bis 40.000 geschätzt. 10.000 bis 12.000 Besucher kamen zu den Karnevalsumzügen in Wasungen und Jüchsen.

In Verwirklichung der entsprechenden Beschlüsse der SED-Bezirks- und Kreisleitung, des Rates des Bezirks und Kreises wurde die Vorbereitung und Durchführung der Saison stabsmäßig und komplex geleitet durch die Kreisarbeitsgruppe „Karneval" unter Leitung des 1. Stellvertreters des Vorsitzenden, Hennig.
Von den Schutz- und Sicherheitsorganen wurden gesonderte Maßnahmen zur Gewährleistung von Sicherheit und Ordnung festgelegt. Die verantwortlichen Leitungskader und Kulturfunktionäre, wie

die Bürgermeister, Vorsitzende der Dorfklubs und der Karnevalsklubs wurden beauftragt, ihre politische Verantwortung voll wahrzunehmen.

Dabei hat sich die Mehrzahl der Bürgermeister zu wenig persönlich engagiert. Beispielhaft war die Leitungstätigkeit in Wasungen entwickelt, dagegen war die Wirksamkeit des Bürgermeisters in Jüchsen hinsichtlich der politischen Vorbereitung des Lichtmessumzugs nicht ausreichend.

Insgesamt wurden die inhaltlichen Vorgaben,
- dass ein höherer ideologischer Gehalt den Charakter der Veranstaltungen bestimmen muss,
- dass die Auseinandersetzung mit kleinbürgerlichen Denk- und Verhaltensweisen geführt werden muss,
- dass eine inhaltliche Abgrenzung vom Karneval in der BRD erfolgen muss,
- dass die karnevalistische Tradition als kulturelles Erbe unserer sozialistischen Kulturpolitik gepflegt wird,

kaum umgesetzt.

Es wird behauptet, dass mit der Umsetzung der offiziell gegebenen Orientierung die Leute nicht zum Lachen zu bringen seien. Es mehren sich die Beispiele, dass formal die Karnevalisten ihr Einverständnis mit vorgeschlagenen Veränderungen von Texten geben, aber sich in der Veranstaltung nicht daran halten, sondern eigenmächtig kritikwürdige Ergänzungen einfügen.

In Wasungen war der Karneval seit Jahren wieder vorwiegend für die Wasunger Bürger und durch eine saubere Atmosphäre gekennzeichnet.

Auch in diesem Jahr widerspiegelte sich sehr spärlich die erfolgreiche sozialistische Entwicklung und die auf das Wohl des Volkes gerichtete Politik. Es erfolgte keine Auseinandersetzung mit den Verhältnissen des Kapitalismus.

Es dominierten wieder kommunale Probleme, die kritisch dargestellt wurden. Vereinzelt gab es Wortbeiträge, die sich versteckt oder zweideutig gegen die Politik unseres Staates richteten. Verbreitet waren kritische Aussagen zum neuen „Wartburg" und zum Verschwinden der Zeitschrift „sputnik". Kritische Beiträge zur Versorgung, vor allem mit Südfrüchten und zur Frage der Dienstleistungen,

wie Berufsverkehr und Straßenbeleuchtung, spielten fast überall eine Rolle.

Politisch unvertretbar waren einzelne Wortbeiträge in Unterweid und Bettenhausen.

Weitere Beispiele:
- Fragen des Reiseverkehrs und des Verhaltens der DDR-Rentner im Westen
- Kritik an Schließzeiten des Handels und der Gaststätten und an der wenig freundlichen Bedienung dort.
- Allgemeiner Vergleich in der Versorgungslage Berlin – Bezirk Suhl
- Kritik an innerstädtischer Rekonstruktion in Meiningen („kein Haus wird fertig"), insbesondere der „Sächsische Hof"
- Jetzt „finden" auch die Genossen plötzlich Verwandte im Westen
- Im Handel fehlt die Konkurrenz

Beim hoch gelobten Wasunger Karnevalsumzug wurden kritisch angesprochen:
- Der neue Wartburg und sein zu hoher Preis
- Zu lange Wartezeiten bei Pkw-Bestellung
- Qualität der Schokolade (Was wird da reingemixt?)
- Gastronomie in Wasungen

Dagegen waren Ordnung und Sicherheit jederzeit gewährleistet. Gegenüber den Vorjahren reisten wesentlich weniger unerwünschte Gäste an. In Meiningen waren für die Kasernierte VP extra Unterkünfte bereitgestellt worden Unter Leitung der Abt. Inneres waren gemeinsam mit dem VPKA der Kreisdienststelle des MfS und den Bürgermeistern der Schwerpunktorte bestimmte Personengruppen vorgeladen, belehrt und personenbezogen mit Auflagen zur Meldepflicht versehen worden. Deshalb besuchte beispielsweise von 18 ausgewählten Meiningern keiner den Wasunger Karneval. Auf allen Hauptstrecken der Deutschen Reichsbahn wurden Plakate über den Ausverkauf aller Veranstaltungen ausgehängt, die Transportpolizei nahm zahlreiche Rückweisungen vor. Außerdem waren die Hauseigentümer, die in den Vorjahren illegale Übernachtungen geduldet hatten, erfasst und „belehrt" worden, so dass kaum mehr illegale Übernachtungen zu verzeichnen waren.[82]

Was die Staatssicherheit unternommen hatte, um die Karnevalsveranstaltungen unter Kontrolle zu halten, beschrieb Generalmajor Lange in einer Meldung an den Bezirk:

Zeitweilig hohe Konzentrationen negativ-dekadenter Jugendlicher aus mehreren Bezirken der DDR gab es in der Vergangenheit während der Schwerpunktveranstaltungen
- Wasunger Karneval
- Breitunger Rocksommer.

Im Ergebnis eingeleiteter Maßnahmen wurde der ursprüngliche Charakter dieser Veranstaltungen wieder hergestellt und die überörtliche Anreise negativ-dekadenter Jugendlicher weiter reduziert.

Zum Wasunger Karneval 1989 wurden
- keine Übernachtungsquartiere für überörtlich Angereiste gestellt,
- zahlreiche negativ-dekadente Personen durch die DVP/Trapo zurückgewiesen,
- negativ-dekadente Jugendliche, die nicht im Besitz von Eintrittskarten waren - und sich gewaltsam Zutritt zu Veranstaltungsobjekten verschaffen wollten, durch einen konzentrierten Kräfteeinsatz der DVP von Wasungen ferngehalten.

Diese Maßnahmen bewirkten, daß die meisten überörtlich angereisten negativ-dekadenten Personen vorzeitig Wasungen verließen, da „es sich nicht mehr lohnt, nach Wasungen zu kommen". [83]

Vergleich Wasunger Karneval	Februar 1988	Februar 1989
angereiste negativ-dekadente Jugendliche	700	354
zurückgewiesene Jugendliche	375	205
Ermittlungsverfahren	8	5
Ordnungsstrafverfahren	16	4
Ordnungsgeld	36	12
Vergleich Breitunger Rocksommer	Juli 1987	Juli 1988
Zuschauer insgesamt	3.500	1.000
davon negativ-dekadente Jugendliche	500	50

Ausgangsmaterial „Fremdenlegion" [84]

1978 kam eine „negativ-dekadente" Gruppierung von Jungerwachsenen aus Dermbach ins Visier der Staatssicherheit. Nach inoffiziellen Hinweisen würden die Jugendlichen den Nazismus verherrlichen.

1973 und 1974 habe G., ein Angehöriger dieser Gruppierung, gemeinsam mit dem Jugendlichen Sch. den Versuch unternommen, die DDR im Bereich Kohlbachstal ungesetzlich zu verlassen. G. habe die Absicht noch nicht aufgegeben und suche nach günstigen Bedingungen.

Auch aus diesem Grund wurde ein Angehöriger der faschistoiden Gruppierung durch das MfS kontaktiert und geworben.

Faschistische Äußerungen bei den Grenztruppen

Wie bereits in Band zwei ausgeführt wurde, kam es auch bei den Grenztruppen zu faschistischen, extremistischen Äußerungen und Aktionen: Schon damals wurde vermutet, dass dies nur der Ausfluss faschistisch extremistischer Tendenzen in der Bevölkerung sei.

Nicht erst seit der Wende hatten es farbige Besucher der (Ex-)DDR nicht leicht:

Am 30. Juni 1989 um 22.45 Uhr stieg eine Gruppe Jugendlicher am Haltepunkt Gebersdorf b. Gräfenthal in den Personenzug P 6923. Unter diesen befanden sich auch drei afrikanische Bürger, die in der Schule von Piesau untergebracht waren. Bereits auf dem Haltepunkt Gebersdorf kam es zu tätlichen Auseinandersetzungen zwischen den Jugendlichen, die sich im Zug fortsetzten und darin ihren Höhepunkt fanden, dass ein Bürger aus Schmiedefeld mit einer Weinflasche am Kopf verletzt wurde. Zwei Personenzugwagen wurden bei den Auseinandersetzungen verunreinigt und die Zwischentüren beschädigt. [85]

Solche Gruppierungen waren sehr bald im Visier der Staatssicherheit.

... negativ dekadent ...

Am 1. März 1989 listete die AKG Suhl für die SED des Bezirks ihre Erkenntnisse über diese Gruppen auf: [86]

INFORMATION über

Erscheinungsformen gesellschaftswidrigen
Auftretens und Verhaltens negativ-dekadenter Jugendlicher im Bezirk
Das Auftreten negativ-dekadenter Jugendlicher in der Öffentlichkeit wurde
zurückgedrängt.
Gegenwärtig gibt es folgende negativ-
dekadente Jugendliche mit gesellschaftswidrigen Verhaltensweisen:

- 13 Anhänger der Skinheadbewegung im
  Kreis Bad Salzungen
- 10 Träger faschistischen Gedankengutes
  (Schmalkalden 5, Sonneberg 4, Ilmenau 1)
- ca. 20 Punks, v.a. in Meiningen, Suhl,
  Bad Salzungen
- ca. 75 Heavy-Metal-Fans in allen Kreisen
- 9 „Satansanbeter" im Kreis Bad Salzungen.

Damit ist der Kreis Bad Salzungen der
Schwerpunkt.
Im Vergleich zum Vorjahr wurde im Ergebnis eingeleiteter Maßnahmen erreicht, daß
- die Aktivitäten der negativ-dekadenten
Jugendlichen unter Kontrolle stehen
- Sofortmaßnahmen zur
strafrechtlichen/ordnungsrechtlichen Ahn-
dung von Gesetzesverletzungen realisiert
wurden
- sich keine festen Organisationsformen
herausbilden konnten
- seit Herbst 1988 ein zahlenmäßiger
Rückgang derartiger negativ-dekadenter
Jugendlicher sichtbar ist.
Seit dem 1.1.1988 wurden 13 Vorkommnisse
unter Beteiligung von 30 derartigen negativ-dekadenten Jugendlichen bearbeitet.
Es wurden insgesamt
EV gem. § 213 StGB gegen   2 Personen
EV gem. §§ 215/218 StGB gegen 22 Personen
EV gem. § 220 StGB gegen   8 Personen
OSV   zu   4 Personen
eingeleitet.
Die einzelnen Richtungen sind wie folgt
einzuschätzen:

Anhänger der Skinheadbewegung und Träger faschistischen Gedankengutes

Nach bisherigen Erkenntnissen liegt bei
diesen Personen außer der Beeinflussung
durch westliche Medien keine nachweisli-
che unmittelbare Einflußnahme aus dem
Ausland vor. Es konnte festgestellt werden, daß Veröffentlichungen zum Auftreten
von Skinheads sowohl in den Medien der
BRD als auch der DDR undifferenziert zu
deren Glorifizierung mißbraucht und zur
eigenen Motivierung genutzt werden.
Zu beachten ist die Tatsache, daß äußere
Erkennungsmerkmale (militante Kleidung
u.a.) teilweise an Bedeutung verlieren,
ohne daß die gesellschaftspolitische
Relevanz des vertretenen faschistischen
Gedankengutes rückläufig ist.
Sich herausbildende Organisationsformen
unter Anhängern der Skinheadbewegung in
Bad Salzungen und Sonneberg wurden im
Ergebnis strafprozessualer und spezifi-
scher Maßnahmen zerschlagen.
Im Februar 1989 wurden gegen 2 Wortführer
der Jungerwachsenen mit faschistischem
Gedankengut Ermittlungsverfahren mit Haft
gem. §§ 214, 215, 220 StGB eingeleitet.
Die bekannten Träger faschistischen
Gedankengutes im Kreis Schmalkalden, die
auch Verbindungen zu Skinheads in anderen
Bezirken unterhalten, wurden durch spezifische Maßnahmen verunsichert. Eine Verletzung von Straftatbeständen konnte bisher nicht nachgewiesen werden.
Insgesamt ist einzuschätzen, daß in der
Wirksamkeit gesellschaftlicher Kräfte zur
Zurückdrängung faschistischer Erscheinungen noch Reserven liegen. Strafprozessua-
le und polizeiliche Maßnahmen haben vor
allem zum Ergebnis, daß die Träger
faschistischen Gedankengutes zur Einhaltung der Gesetzlichkeit gezwungen werden.

Punks

Die Anzahl der Punks hat sich rückläufig
entwickelt (von 55 Anfang 1987 auf 20
Anfang 1989).
Sie gehen zum Teil keiner geregelten
Arbeit nach, konsumieren gemeinsam oft
größere Mengen Alkohol, „leben auf Pump"
und sind insgesamt als dekadente, unorga-
nisierte, sporadische zum Teil mit geringer Bildung ausgestattete Menschen einzuordnen, die wegen der genannten Eigen-
schaften von den Skins verachtet und
teilweise bekämpft werden.
Die Punks sind weitgehend von anderen
Jugendlichen isoliert und vor allem in

den Städten Suhl, Meiningen und Bad Salzungen wohnhaft.

Heavy-Metal-Fans

Die Anzahl der negativen Heavy-Metal-Fans ist ebenfalls leicht rückläufig (von 110 1987 auf 75 1989).
Festgestellte Kontakte in die BRD sind darauf ausgerichtet, Informationen aus der westlichen „Heavyszene" (Foto- und Textmaterial insbesondere aus der Zeitschrift „Metal-Hammer" oder Schallplatten) zu erlangen.
Die Heavy-Metal-Fans haben keine besonderen Organisationsformen. Konzentrationspunkte sind Disko- und Tanzveranstaltungen mit einem entsprechenden Musikangebot.
Unter Alkoholeinwirkung neigen negative Heavy-Metal-Fans zu Straftaten insbesondere in Richtung Rowdytum.

Satansanbeter

Die in der Vergangenheit mit Grabschändungen in Erscheinung getretenen Jugendlichen waren durch Auffassungen der sogenannten Gruftis motiviert, ohne daß es eine ausgeprägte „Gruftibewegung" gegeben hat. Bei den angefallenen Jugendlichen handelte es sich um Personen mit begrenzten intellektuellen Fähigkeiten. Zu beachten sind die neu in Erscheinung getretenen „Satansanbeter", die gemeinsam okkultistische Handlungen vornehmen und an mystische Fähigkeiten glauben. Eine Öffentlichkeitswirksamkeit der 9 im Kreis Bad Salzungen wohnhaften „Satansanbeter" ist bisher nicht feststellbar.

JUGEND IN DER INNEREN EMIGRATION

Über Jugendbewegungen, die weitgehend nicht von der Staatssicherheit erreicht wurden, berichtet Jürgen Zimmermann aus Meiningen:

Als Mitte der 60er Jahre in der westlichen Welt der Beat aufkam und Millionen junger Leute begeisterte, machte dieser Trend auch um die DDR keinen Bogen.

Viele Jugendliche wollten genau so aussehen wie ihre Altersgenossen im Westen. Die Medien, Schulen, Eltern und das ganze öffentliche Leben empörten sich dagegen. Besonders die ältere Generation verstand die Welt nicht mehr. Diese Generation in Ost und West sah den Untergang der alten Ordnung. Uns Jugendliche interessierte das überhaupt nicht. Wir wollten nicht so sein wie die Alten und uns nicht anpassen. Wer die längsten Haare trug, war der King. Vorbilder waren die Rolling Stones oder die Beatles und nicht die Partei und Politik. Darauf reagierte der Staat sauer. Die Jugend, die den westlichen „Spleens" nachrannte, war unbeliebt. Ulbricht hat gesagt: „Müssen wir jeden Dreck aus dem Westen kopieren, mit dem Yeah, Yeah, Yeah und so, sollte man doch Schluß machen."

In so einer Kleinstadt wie Meiningen und dazu noch Grenzstadt fiel man natürlich noch mal so sehr auf mit Beatlook und langen Haaren. In den Jahren 1965 – 1968 machten Staat- und Parteihäscher besonders Jagd auf „Gammler und Beatfans". Es kam vor, dass junge Leute, die keinen sozialistischen Einheits-Haarschnitt trugen, auf „Staatskosten" einfach zum Friseur gebracht wurden. Mit neuem sozialistischem Einheits-Haarschnitt waren sie wieder die netten Jungs von nebenan.

Einer der Meininger „Beatpioniere", Gerold V. und Freunde, konnten ein Lied singen von den Mühen, die Haarpracht zu verstecken oder sich gar vor der Willkür der „Gammler- und Haarstandgerichte" regelrecht in Sicherheit zu bringen. Einmal musste der Bruder von „Gerold" V. ihn und sein Kumpel in einem Schrank verstecken, weil der ABV danach trachtete, sie zum Friseur zu bringen. So war die Beat-Haartracht wieder mal gerettet.

Abends beim Treffen in den Kneipen, erzählte man sich die Story und alle lachten. Gerold V. erzählte „Als ich von der Kneipe nach Hause wollte, verfolgten mich ABV und Sportlehrer, die Scheren blitzten im Mondeslicht und ich entkam wiederum." Alle lachten. Das waren Storys zum Schmunzeln, wenn man sie nicht noch mal erwähnen würde, wären sie längst vergessen.

Der Ärger mit den Haaren und der Musik zog sich ungefähr bis 1970 hin. Auch als Schüler hatte man in diesem Outfit nur Ärger. Bei der Zeugnisausgabe erwartete man einen ordentlichen Haarschnitt.

Der sozialistische Mensch, vom Staat verordnet, sollte kein „Gammler" westlicher Prägung sein. Sicherlich aus heutiger Sicht lächerlich, aber so war das eben.

Meiningen und seine Jugend

In diesem Buch über deutsch-deutsche Geschichte soll einer Erscheinung Aufmerksamkeit geschenkt werden, nämlich der Jugendbewegung in der DDR und speziell in meiner Stadt Meiningen.

Gerade in Grenznähe hatten es viele Jugendliche schwerer als die Jugendlichen, die im Inneren der DDR wohnten. Die Freiheiten waren begrenzt, die Observierung durch den Staat war intensiv, gerade deswegen sollte hier auf eine Gruppe eingegangen werden, die trotz Grenznähe und Kleinstadtidylle ausgebrochen war und sich ihre eigene kleine Freiheit nahm.

Viele Bürger aus den alten Bundesländern glaubten oft, so etwas sei kaum oder überhaupt nicht möglich gewesen. Der Staat, so nahmen viele an, sei immer und überall gewesen. Sicher war das auch fast immer so, aber es gab eben auch Nischen.

Ich gehörte selbst so einer Gruppe an. Jugendcliquen gab es viele, aber viele Jugendliche passten sich an. Wieder andere legten sich mit dem System an. Wir dagegen kooperierten nicht und opponierten nicht. Das war für uns der beste Weg, nicht anzuecken. Diese Gruppen formierten sich Ende der sechziger Jahre und Anfang der siebziger Jahre. Beatbewegung!

Der Fixpunkt dieser Jugendgruppen war die Beat- und Rockmusik, die fast auf alle Jugendlichen magisch wirkte, zum Ärgernis der Führung der Partei und DDR. Denn die Partei konnte alles ertragen, nur nicht wenn Bürger und Jugendliche sich ihre eigene Kultur schufen. Der Jugendliche, so die Vorstellung der Partei, war anpassungsfähig, scherte nicht aus, trug keine langen Haare und hatte einen festen Standpunkt zum Staat und zur Partei. Diese Werte aus Staates Sicht bedeuteten uns nichts. Wir wollten unseren eigenen Spaß haben. Acht Stunden Arbeit war damals, heute unvorstellbar, Pflicht, und nach unseren Pflichten flüchteten wir in unsere Welt, die von Musik und Hippietum geprägt war. Im Volksjargon hießen solche Gruppen, Gammler oder Hippies, wir wollten uns einfach abheben vom Spießertum. Die vielen Gruppen, die es gab, unterschieden sich durch ihre bizarren Erscheinungsbilder. Ihre Klamotten, heute Outfit, waren wohl das wichtigste Prädikat. Jeansanzug (Levis) und Parker waren die absoluten Merkmale. Jede andere Jugendbewegung erkannte daran: „Aha, das sind welche von uns."

Die Gruppen waren meist so lange schon zusammen, dass es schwer war, als Neuer dazu zu stoßen. Deshalb war es für Spitzel schwierig, an solche Gruppen heranzukommen, denn der Staat unterließ nichts, um gerade solche Gruppen zu observieren. Hier vermutete er demonstratives Auftreten gegen den Staat.

In Meiningen war das Ärgernis die „Voigt-Gruppe", wie sie im Stasijargon genannt wurde. Denn in so einer verschlafenen kleinen Grenzstadt wie Meiningen wollte man Gammlertum und Hippies am liebsten nicht dulden.

Nach Pflichterfüllung für den Sozialismus, nach der Arbeit, trafen wir uns täglich in Kneipen oder irgendwo auf einer Fete. Der Fuggerhof und Lindenhof waren damals 1972 bis 1974 die beliebten Kneipen der Hippietreffpunkte. Dies war immer die Anlaufstelle und der Treff. Die Wochenenden waren geprägt von Musik und Happiness. Es gab zahlreiche DDR-Bands, die gute Rockmusik von Westgruppen nachspielten. Unter den Jugendgruppen breitete sich so etwas wie ein Lauffeuer aus, wo solche Bands spielten. Der größte Rocktempel war damals das Volkshaus in Meiningen. Fast jedes Wochenende und in der Woche waren Veranstaltungen. In den Jahren 1971 bis 1973 spielten oft prominente DDR-Gruppen wie Elektra, Modern Soul usw. Diese Bands spielten die Musik von Westgruppen, wie von Chicago oder Collosseum, recht gut nach. Das war damals so der absolute Tipp. Das Kulturhaus Kraftwerk in Breitungen und der Tanzsaal in der Gaststätte „Zur Linde" in Obermaßfeld waren weitere beliebte Beatschuppen. Wenn am Wochenende was angesagt war, pilgerten Fans und Hippies zu Hunderten zu diesen Orten, ein regelrechtes Schamanentreffen war das. Von der ganzen umliegenden Gegend trampten die Leute her. Man sah nur Jeans, Parka und lange Haare. Die Musik, die gespielt wurde, musste progressiv sein, meist Musik von britischen Undergroundbands, wie King Crimson, Deep Purple, Doors und Led Zeppelin usw. Der Sound und die Hymne der Meininger „Gammler-Gruppe" war Grand Funk Railroad, eine US-Heavy-Band.

Die Medien spielten eine große Rolle, Ostsender konnte und wollte man nicht hören. Wir hörten meistens „Club 16" von Bayern 2, Sendezeit täglich von 16 bis 17 Uhr. Eben gerade diese Sendung eine Stunde Rock, war für viele die einzige Möglichkeit, Musik fürs Tonband aufzunehmen, das war das Fundament der Bewegung. Club 16 war die Sendung in den Siebzigern für die Jugendlichen, sie war progressiv, exotisch und kam täglich. Die Musik war für uns eine der wichtigsten Grundlagen, ähnlich wie im Westen zur „Flower Power Zeit":

Wir organisierten auch oft Feten, kleine Open Airs Meetings, um die Gegend bei Dreißigacker. Solche Feten haben wir vorher mit dem lokalen Förster abgesprochen, er war ein Bekannter. Von anderen Gegenden kamen Hippies aus Dresden, Berlin und Gotha. Bei solchen Anlässen wurden meistens die Behörden unruhig, wegen der Grenznähe. Ebenso fuhren wir zu Riesenfeten nach Dresden, mit allem Drum und Dran. Viele Hippies aus allen Bezirken der DDR trafen sich dort. Wir feierten dort, wie unsere Altersgenossen im Westen, mit Weibern, Alkohol und Rock. Das äußerliche Bild hob sich vom westlichen Rockspektakel kaum ab, doch es wurden keine Drogen außer Alkohol konsumiert. Einer dieser Hauptorganisatoren von großen Rocktreffen, so stellte sich nach der Wende raus, war ein IM-Mitarbeiter gewesen. Ein weiteres großes Treffen war auch jedes Jahr im Herbst der berühmte Zwiebelmarkt in Weimar. Die Meininger trafen sich dort mit vielen anderen Gruppen aus der DDR. Bei den Konzerten von bekannten DDR-Rockgruppen, hatte die Stasi immer alles im Visier.

Der Wasunger Karneval bot sich immer für solche Treffen an. Wenn dieses Datum nahte, wurden die Behörden unruhig, wie später aus Unterlagen der „Gauckbehörde" zu lesen war. Von überall her kamen junge Leute nach Wasungen. Auch viele Rockergruppen, die wir kannten. In Wasungen gab es auch Hippies. Da die Staatsbehörden keine Hippietreffen in Wasungen wollten, musste Transportpolizei den Anreisenden schon den Weg ab Oberhof und Suhl versperren. Oftmals stiegen die Jugendlichen jedoch vorher aus und trampten oder gingen zu Fuß durch den Wald nach Wasungen. Wir besorgten ihnen in Meiningen eine Adresse zum Schlafen, denn das musste jeder angeben, der zu Besuch in Grenznähe kam.

Erst spät in den Achtzigern wurde es liberaler. Wo die Meininger „Gammler" aufkreuzten, war immer Aktion angesagt. Uns kannte man fast überall. Einmal im Sommer 1974 war ein Open Air auf der Kreinburg bei Merkers. Ein riesiges Spektakel von Rock und Besäufnis. Alle möglichen Hippietruppen trafen sich dort unweit der Grenze. Das war sehr gewagt, derartiges wurde nie wieder organisiert. Später erfuhren wir wiederum, dass solche Treffen möglicherweise von IMs organisiert worden waren, um subversive Infos zu erhalten. Dabei waren die meisten dieser Gruppen für die Stasi von wenig Bedeutung, wie man in den Unterlagen von einem IM „Funk" entnehmen konnte. IM Funk war selber von 1972 bis 1985 in die Gruppe integriert und lieferte ab und zu Spitzelberichte. Die Stasi erkannte, dass diese Gruppe ohne politische Heimat war und damit wurden wir für den „Denunziantenservice" uninteressant. Wir liefen nur unserem Spaß nach, bis auf wenige, die später Ausreiseanträge stellten und in den Achtzigern in den Westen gingen.

1974 war das Schicksalsjahr der Gruppe. Die DDR-Justiz brachte im StGB der DDR einen neuen Paragraphen ein, § 48. Der besagte ab sofort, dass unbeliebte Personen, die wegen aus heutiger Sicht Bagatelldelikten begannen, ohne großes Federlesen in Haft zu nehmen waren. Auf dem § 48 basierten Haftstrafen bis zu zehn Wochen „Knast". Das Urteil wurde im Schnellgerichtverfahren verkündigt. Der Angeklagte konnte Beschwerde einreichen, meist war die Zeit der Strafe schon verbüßt, ehe die Beschwerde wirksam wurde. Drei Kumpels wurden wegen Schlägerei, die kaum der Rede wert war, auf ein paar Wochen verknackt. Das Lächerliche war, nach Absitzen der Strafe durften diese

Kumpels auf Grund des § 48 nicht mehr mit uns sprechen. Wir trafen uns heimlich, immer auf der Hut vor Spitzeln. Aber nach einigen Wochen ließ der Druck nach. Der Exekutivgewalt war es nur darauf angekommen, gegen Leute, die unbequem waren, endlich mal ein Exempel zu statuieren, eine so genannte Warnung für weitere Rockergruppen, die aus diesen Keimen aufstiegen. Heute wäre es für Rechtsstaatlichkeit und Demokratie undenkbar. Der Staat hatte auch noch andere Mittel, uns zu disziplinieren: Nach und nach wurden viele zur Armee einberufen. Eineinhalbes Jahr, eine lange Zeit. Danach war es meistens nichts mehr so wie es vordem gewesen war. Einige heirateten, die Zeit tat ein Übriges.

Weltfestspiele

Als in Ostberlin im Jahre 1973 die 10. Weltfestspiele begannen und die DDR sich weltoffener zeigte, da wollte man der Welt zeigen, wie tolerant man sei.

Im Land selbst bemühten sich die staatlichen Stellen, unliebsamen Jugendlichen und „Gammler-Typen" die Einreise nach Berlin zu verbieten. Auch in Meiningen gab es Leute, die unterschreiben mussten, dass sie während der Zeit der Weltfestspiele Berlin nicht betreten. Das waren Personen, die aus staatlicher Sicht nicht der sozialistischen Parteilinie entsprachen. „Hippies, Gammler und Rockergruppen" waren dort unerwünscht, so der DDR-Parteijargon.

Die Ursachen waren, ähnlich wie im Westen bei den 68ern, Widersprüche in der Gesellschaft, Verlogenheit und Spießertum. Wir wollten nicht wie die Alten sein. Diese Generation verachteten wir.

Die meisten kamen aus unterschiedlichen sozialen Verhältnissen. Die einen kamen aus der Arbeiterklasse und andere kamen aus wirtschaftlich besser dastehenden Familien, wo die Eltern höhere Positionen innehatten.

Der Zusammenhalt war immer der Geist der 68er, vor allem die Musik und das anstößige lange Haar als Opus. Die aus den besseren sozialen Verhältnissen kamen, gaben sich genauso demonstrativ gegen die Verlogenheit der Gesellschaft. Soziale Herkunft oder Bildung spielten kaum eine Rolle, alle hatte in der Kindheit irgendein Erlebnis, was sie später so werden ließ. Die Verachtung des Alltagsspießers, der sich anpasste und unfähig war, Kritik zu üben oder zu feige war, ja diese Leute verachteten wir. Viele gründeten später selbst Familien und fanden ins „bürgerliche" Leben zurück. Aber Anpasser oder Spießer sind wir alle nicht geworden. Heute, nach fast 30 Jahren liest man solche Storys mit einem Schmunzeln. Wir aber nahmen es damals sehr ernst. In jeder Generation gibt es Aussteiger, heute wie gestern.

Wir waren für hiesige Kleinstadtverhältnisse schon ziemliche wilde Rebellen. Denn man musste sich vorstellen, die Organe und ihre fleißigen Helfer wollten das ja um jeden Preis unterbinden. Trotzdem organisierten wir immer wieder Treffs, Feten und luden Leute ein. Oftmals streuten wir auch falsche Gerüchte aus, wo irgendwo was los ist. Dadurch hatten wir unsere Ruhe, nicht bespitzelt zu werden. Ab und zu wurde mal einer zur Kripo bestellt, die wollten dann wissen, wo wieder am Wochenende ein großes Hippietreffen war. Aber wir haben auch diese Zeit vorbei ziehen lassen. Heute können junge Leute tun, was sie wollen, sie können feiern und verreisen und werden nicht mehr bespitzelt. Wenn man heute mit Jugendlichen redet, die so alt sind wie wir damals, merkt man oft, dass für sie Demokratie eine Selbstverständlichkeit ist.

Die Hauptabteilung I beim Kommando Grenztruppen Unterabteilung Grenzsicherheit Suhl legte am 18. März 1987 und am 2. September 1988 einen Bericht zum Stand der politisch-operativen Abwehrarbeit zur Sicherung der Staatsgrenze und des Grenzgebietes im Bezirk Suhl vor, der hier ausschnittsweise zitiert wird.

Schwerpunktbereiche

Es sind weitere Anstrengungen auf allen Gebieten erforderlich, um die politisch-operative Abwehrarbeit vor allem in den Schwerpunktbereichen zu aktivieren. Die Schwerpunktbereiche Vacha/Oberzella, Kreis Bad Salzungen, und Eisfeld/Bockstadt/Herbartswind, Kreis Hildburghausen, haben sich auch 1987 bestätigt. Bedeutsam ist, daß erneut Personen aus dem politisch-operativen Schwerpunktbereich Neuhaus-Schierschnitz, Kreis Sonneberg, wegen vollendetem ungesetzlichem Grenzübertritt operativ in Erscheinung getreten sind. Durch die KD Sonneberg wurden im Zusammenhang mit den erfolgten Angriffen auf die Staatsgrenze der DDR durch den verstärkten IM-/GMS-Einsatz die als grenzgefährdet unter Kontrolle stehenden Personen operativ eingeschätzt und gemeinsame Maßnahmen zur Erhöhung der Wirksamkeit der Kontrolle mit den Partnern des Zusammenwirkens festgelegt. Die Herausarbeitung von Ursachen und begünstigenden Bedingungen für das ungesetzliche Verlassen der DDR, vor allem durch Jugendliche/Jungerwachsene, stellte für alle Grenz-Kreisdienststellen einen weiteren Schwerpunkt dar. So erfolgte beispielsweise durch die KD Bad Salzungen eine Einschätzung der Wirksamkeit der PID unter der Grenzbevölkerung sowie durch die KD Sonneberg eine Beurteilung der Qualität der Jugendarbeit im politisch-operativen Schwerpunktbereich Neuhaus-Schierschnitz. Im vergangenen Jahr erfolgten Grenzdurchbrüche von Personen aus dem Raum Geisa, Kreis Bad Salzungen. Die im Rahmen der gegnerischen Kontaktpolitik/Kontakttätigkeit wirkende PID sowie das aktive Wirken der katholischen Kirche machten es erforderlich, den Bereich Geisa als politisch-operativen Schwerpunktbereich neu festzulegen. Der bisher bearbeitete Schwerpunktbereich Römhild der KD Meiningen konnte durch die größtenteils beseitigten Umstände aus der vorrangigen Bearbeitung herausgenommen werden. Vor allem die verschärften Aktivitäten der gegnerischen Kontaktpolitik/Kontakttätigkeit führten jedoch dazu, daß der Bereich Helmershausen/Gerthausen/Wohlmuthhausen, Kreis Meiningen, zum politisch-operativen Schwerpunktbereich bestimmt wurde.

Operative Vorgänge und Operative Personenkontrollen

Der gegenwärtige Stand der Bearbeitung von OV entsprechend § 213 StGB sowie anderer feindlich-negativer Aktivitäten im Grenzgebiet ist noch ungenügend. Die durch die Grenz-Kreisdienststellen bearbeiteten 6 OV im Grenzgebiet wurden fast alle erst nach vollendeten ungesetzlichen Grenzübertritten zur Feststellung und Kontrolle von Rückverbindungen sowie Verhinderung einer evtl. Inspirierung zu weiteren ungesetzlichen Grenzübertritten eingeleitet. Auch bei Operativen Personenkontrollen konnten keine operativ bedeutsamen Informationen getroffen werden. Vorhandene Niveauunterschiede zwischen den einzelnen Grenz-Kreisdienststellen, welche sich im Umfang (z. B. Hildburghausen – 6 OPK und Bad Salzungen – 2 OPK) und Qualität der operativen Materialien zeigen, müssen weiter abgebaut werden. Der Hauptgrund für die mangelnde Aufklärung ist das Fehlen von IM zwischen 18 und 25 Jahren. Obwohl die Vorbereitungshandlungen von vier jungen Leuten aus Geisa über einen längeren Zeitraum hinweg erfolgten und viele Personen beteiligt waren, wurde der Sachverhalt erst bekannt, nachdem ein

An der Wegesperre Oberfladungen – Melpers am 17.9.1989 – Noch war an der Grenze im Westen nichts von den grundlegenden Veränderungen in der DDR zu spüren.
Sammlung: Detlef Deutsch

Jugendlicher beim Versuch, das vordere Sperrelement der Grenzsicherungsanlagen zu überwinden, durch die GT festgenommen wurde und die Einleitung eines EV erfolgte.

Staatliche und betriebliche Organe in der Kritik

Die Arbeit mit den gegenwärtig insgesamt rund 530 als grenzgefährdet erfaßten Personen muß weiter qualifiziert werden, um eine ständige Kontrolle und Einschätzung dieser Personen zu gewährleisten. Im Grenzgebiet des Bezirkes Suhl sind gegenwärtig ca. 30 grenzgefährdete Personen wohnhaft. Ihnen gilt die ganze Aufmerksamkeit, damit rechtzeitig Konfliktsituationen und damit verbundene Entschlußfassungen zu ungesetzlichen Grenzübertritten

erkannt und vorbeugend verhindert werden können. Der Einfluß auf die verantwortlichen staatlichen Organe (Abt, Inneres, Amt für Arbeit, Kreisgericht) muß dahingehend verstärkt werden, damit diese ihrer Verantwortung besser nachkommen und Beauflagungen gegenüber grenzgefährdeten Personen strenger kontrollieren und durchsetzen.
Am Beispiel der grenzgefährdeten Personen aus Döhlau, Grenzgebiet Kreis Sonneberg, zeigte sich, daß durch verantwortungsloses Handeln von staatlichen und betrieblichen Leitern das angestrebte Erziehungsziel nicht erreichbar wurde.
Aus dem dargelegten Stand der politisch-operativen Abwehrarbeit zur Sicherung der Staatsgrenze und des Grenzgebietes wurden vom 1. Stellvertreter, Gen. Oberst Storch, Schlußfolgerungen für die weitere politisch-operative Arbeit der Referate Grenzsicherung der Grenzkreisdienststel-

len gezogen und entsprechende Aufgaben gestellt. Danach ist die Qualität der politisch-operativen Arbeit generell weiter zu verbessern und vor allem die Erarbeitung von operativen Ersthinweisen gemäß § 213 StGB zu erhöhen. Vorrangig muß dazu eine konkrete Beauftragung/Instruierung der IM/GMS, insbesondere unter operativ-interessanten Personenkreisen, erfolgen. Darüber hinaus muß der Einsatz von IM/GMS noch zielgerichteter ausgerichtet werden.

- auf die spezifischen Hauptangriffsrichtungen feindlicher Kräfte;
- zu Hinweisen über grenzgefährdete Personen;
- zur Klärung „Wer ist Wer?" im Grenzgebiet;
- zur Feststellung von Mängeln und Schwächen im Grenzsicherungssystem;
- zur Aufdeckung und vorbeugenden Verhinderung von Verstößen gegen die Grenzordnung.

Der Forderung, die operative Basis im Grenzgebiet vor allem in den territorialen politisch-operativen Schwerpunktbereichen und unter den operativ interessanten Personenkreisen Jugendlicher/Jungerwachsener zur vorbeugenden Verhinderung ungesetzlicher Grenzübertritte bedeutend zu erhöhen, konnte bisher durch die Grenz-KD nicht entscheidend entsprochen werden.
In den KD Bad Salzungen und Sonneberg sind erhöhte Anstrengungen zu unternehmen, um in jeder Ortschaft des Grenzgebietes inoffiziell verankert zu sein.
Durch den Leiter der KD Bad Salzungen wurde dazu eine Ergänzung des Jahresplanes vorgenommen, um bis zum Ende des Jahres den Hauptanteil der erforderlichen Werbungen/Berufungen zu realisieren.

Waren die Mitarbeiter zu bequem?

Generell ist in allen Grenz-KD die Qualität der Arbeit mit IM/GMS zu verbessern. Das betrifft vor allem Personen, zu denen Hinweise gemäß § 213 StGB vorliegen oder zu erwarten sind.

Von den insgesamt vorhandenen 13 linienspezifischen OV der Grenz-KD werden nur 3 im Grenzgebiet bearbeitet, während es zur Leitungsberatung am 20.03.87 noch 6 OV waren.
Die zur Zeit bearbeiteten 3 OV im Grenzgebiet laufen in der KD Sonneberg.
Eine rückläufige Tendenz ist auch in der OPK-Arbeit zu verzeichnen. Während im Vorjahr noch 17 OPK im Grenzgebiet liefen, sind es zum gegenwärtigen Zeitpunkt nur noch 6 OPK im Grenzgebiet mit dem Ziel der vorbeugenden Verhinderung ungesetzlicher Grenzübertritte.
Fortschritte wurden in der KD Bad Salzungen erreicht, durch die mehrere Jugendliche/Jungerwachsene (4) in den territorialen politisch-operativen Schwerpunktbereichen im Grenzgebiet unter Operativer Personenkontrolle stehen. Die anderen Grenz-KD führen ihre OPK überwiegend in den Kreisstädten und dem grenznahen Raum. Zur weiteren Qualifizierung dieses Prozesses wurde durch den Leiter der KD Bad Salzungen festgelegt, daß jeder Mitarbeiter des Referates Grenzsicherung 3 - 5 OPK zu bearbeiten hat.
Die territorialen politisch-operativen Schwerpunktbereiche der Grenz-KD haben sich bestätigt, nicht zuletzt durch aus diesen Bereichen vorgetragene Angriffe auf die Staatsgrenze der DDR.
Durch die Grenz-KD werden immer mehr FIM-Systeme zur weiteren Durchdringung der territorialen Schwerpunktbereiche genutzt mit dem Ziel, operative Kräfte zur Erarbeitung perspektivvoller Ausgangsmaterialien freizusetzen.
In den Grenz-KD sind insgesamt 309 Personen als grenzgefährdet erfaßt. Im Zusammenwirken mit der DVP und unter Nutzung der IM-Basis wird die Kontrolle dieser Personen gewährleistet.
Zunehmende Bedeutung erhält die op. Abwehrarbeit der Grenz-KD zur Klärung der Frage „Wer ist Wer?", besonders auch unter den bestätigten Arbeitskräften im Schutzstreifen und dem vorgelagerten Territorium der DDR mit dem Ziel, ungesetzliche Grenzübertritte, vor allem auf spektakuläre Art und Weise zu verhindern[87]

Wirtschaftliche Lage

KRISE DER DDR-WIRTSCHAFT

Die Gesamtlage in der DDR wirkte sich immer auch auf das Gebiet des Bezirks Suhl aus. In die allgemeinen Feststellungen zur wirtschaftlichen Lage werden deshalb Anzeichen für die Auswirkung auf das zu untersuchende Gebiet eingestreut: Die Weltwirtschaftskrise und die Funktionsschwäche des eigenen ökonomischen Systems hemmten das Bestreben der SED-Führung, eine ökonomische Konsolidierung der DDR zu erreichen.[1]

Unter der Bevölkerung des Grenzgebietes gab es im Oktober 1981 im Wesentlichen folgende Diskussionen:

- *ungenügende Weihnachtsversorgung, besonders Schokoladen-Waren;*
- *Mängel im Angebot an Schuh- und Lederwaren.[2]*
Mai 1981:
- *Versorgung der Grenzbevölkerung*
- *Engpässe in der Bereitstellung von jahreszeitlichem Gemüse*
- *Bedarf an Bettwäsche, Schuhen, Kakao-Erzeugnissen sowie Spirituosen kann nicht voll abgedeckt werden.*
- *Zu den Sicherungsmaßnahmen an der Staatsgrenze sind keine negativen Diskussionen aufgetreten.[3]*

Vor allem 1982 zeigten sich wieder Krisensymptome, erst 1983/84 gelangen einige Schritte zu mehr Stabilität. So erhöhte sich nach offiziellen DDR-Angaben das Nationaleinkommen 1981 wie geplant um fünf Prozent, 1982 statt der geplanten 4,8 nur um drei Prozent, 1983 stieg es um 4,4 Prozent (geplant 4,2). Nach der Statistik wuchsen auch die industrielle Warenproduktion und die Arbeitsproduktivität zwischen drei und fast sechs Prozent, der Außenhandelsumsatz um 15 Prozent. Die Zahlen waren, wie sich später erwies, „geschönt", sie ließen aber den Trend erkennen.

Nach Engpässen bei der Versorgung der Bevölkerung, die bedenklich und oft geradezu bedrohlich waren, verbesserte sich die Lebenslage erst 1984

wieder. Die DDR hatte die Importe gedrosselt und ihre Exporte erhöht, um die große Auslandsverschuldung abzubauen. Tatsächlich betrug die Nettoverschuldung im westlichen Ausland 1981 über zehn Milliarden Dollar. Damit stand die DDR-Wirtschaft vor dem Kollaps. Die Verschuldung sank 1983 auf 6,7 Milliarden Dollar, nicht zuletzt westdeutsche Kredite ermöglichten eine gewisse Konsolidierung.

Trotzdem wurde die Rede des Generalsekretärs des ZK der SED vor den 1. Sekretären der SED-Kreisleitungen mit Skepsis aufgenommen. *Die dazu geführten Diskussionen bezogen sich vorrangig auf Fragen im Zusammenhang der für 1984 vorgesehenen Agrarpreisreform. Unter Bewohnern des Grenzgebietes – Genossenschaftsbauern der LPG „Zuchtzentrum" Linden und LPG „Bundschuh" Westhausen – wurden besonders solche Meinungen geäußert, wie:*

Bei guter Wirtschaftsführung würden die LPG auch nach Inkrafttreten der neuen Agrarpreise ein gutes Betriebsergebnis erreichen. Demgegenüber sei bei Ertrags- und Produktionsausfällen eine LPG ohne staatliche Hilfe nicht mehr in der Lage, Löhne auszuzahlen. Im Zusammenhang mit den neuen Agrarpreisen ab 1984 wird auch der im Vergleich zu anderen Ländern äußerst niedrige Brotpreis in der DDR angesprochen.

Da dieser niedrige Preis bisher dazu führte, daß Brot im größeren Umfang zur Fütterung von Schweinen und Kaninchen in der individuellen Hauswirtschaft verwendet wurde, rechnet man damit, daß die neuen, wesentlich höheren Aufkaufspreise von Kaninchen geradezu einen Anreiz geben, künftig noch mehr Brot zur Fütterung einzusetzen. Dies würde dadurch begünstigt, daß die Preise für Futtergetreide wesentlich erhöht wurden.

In Anbetracht der zu erwartenden Situation gäbe es nur einen Ausweg, künftig den Brotpreis dem des Getreides anzupassen.

Unter Handwerkern der Gemeinde Veilsdorf (SPB) wird sogar eine mögliche Rationierung des Brotes (Zuteilung) in Erwägung gezogen.[4]

Der Chef der Statistik im Kreis Bad Salzungen kleidete eine Tatsache in eine Frage: *„Oder wie würden Sie Zahlen kommentieren, daß in einigen Orten des Kreises die individuelle Produktion von Kaninchenfleisch um fast das Doppelte gestiegen ist und sich in diesen Orten gleichzeitig der Verkauf von Brot verdreifachte?“[5]*

Im Bereich Ummerstadt traten im Mai 1983 im Zusammenhang der ab 1984 erfolgenden Agrarpreisreform unter Genossenschaftsbauern Diskussionen auf, die darauf hinausliefen, daß die Agrarpreisreform Inflation sei – kein Staat könnte die Agrarpreise so heben, ohne die Verbraucherpreise bei Nahrungsgütern zu erhöhen.[6]

Zugleich war mit der Drosselung der Importe und der Erhöhung der Exporte die Wirtschaft mit großen ökonomischen Problemen für die binnen-ländische Entwicklung verbunden. Sie ging zu Lasten der gegenwärtigen und zukünftigen Wachstumschancen und zu Lasten des privaten Verbrauchs, der seit Beginn der achtziger Jahre zurückgegangen ist.

Der Devisenmangel der DDR bestimmte die Exportplanung in den Sozialistischen und Nichtsozialistischen Wirtschaftsbereich (SW/NSW). Zuerst kam die Exportplanerfüllung. Bei Übererfüllung konnten die Betriebe mit Devisen neue Maschinen u.a. kaufen. Oft deckten jedoch die Erlöse kaum die Gestehungskosten, denn den Preis haben die Westdeutschen diktiert.

Das Werk Themar hat Küchen produziert und den Leuten ins Haus gebracht. Dafür war die Losgröße festgelegt. Kam ein Auftrag von Quelle, wurde die Auslieferung für DDR-Bürger gestoppt.

In Trusetal wurden Schlittschuhe produziert. Für den Westen wurden weniger für die Beschichtung gefordert, als in der DDR vorgeschrieben war,

In der DDR erhielten sich insbesondere bäuerliche Handwerkstechniken aus guter aller Zeit, wie z. B. das Backen im Dorfbackofen. Die Aufnahme entstand 1991 in Rieth im Heldburger Unterland.
Foto: Reinhold Albert

Sage und schreibe 16 Jahre musste man mitunter auf einen Pkw-Trabant warten. Hatte man diesen erhalten, stellte man sofort wieder einen neuen Antrag. Die Aufnahme DDR-Autos entstand auf einem Parkplatz in Bayreuth im November 1989.
Foto: Heinz Kühn

„damit sie schneller rosten", wie im Betrieb kolportiert wurde. Der Betrieb weigerte sich, die Beschichtung zu ändern und bekam den Auftrag nicht.[7]

Der Staat versuchte, den Wirtschaftsalltag der Bevölkerung durch flexiblere Praktiken erträglicher zu machen. Durch Einschaltung privater Handwerker und Händler sollten akute Schwierigkeiten überwunden werden.

Der Fachbereich Örtliche Versorgungswirtschaft beim Rat des Kreises Meiningen berichtete am 22.03.1989[8]

Nachdem gerade im Bereich Reparatur und Dienstleistungen noch erheblicher Nachholbedarf bestand sollten es private Handwerksbetriebe richten. Unter der Losung „Hohe Leistungen zum Wohle des Volkes und für den Frieden – Alles für die Verwirklichung der Beschlüsse des XI. Parteitages der SED – Vorwärts zum 40. Jahrestag der Republik" listet der Fachbereich Örtliche Versorgungswirtschaft beim Rat des Kreises am 22.3.1989 seinen Beitrag zur bedarfsgerechten Versorgung der Bevölkerung in diesen Bereichen auf. ...

Unser Ziel besteht darin, das erreichte Niveau besser auszubauen, die Wartezeiten zu reduzieren, kundenfreundliche Öffnungszeiten überall durchzusetzen ...

Folgende Handwerksbetriebe wurden 1989 neu zugelassen:

Meiningen	2 Bäcker
	2 Schuhmacher
	1 Schirmreparaturwerkstatt einschließlich Reparatur von Kinderschirmen
	5 Fleischer
	1 Klempnerinstallateur (Übernahme)
	Eröffnung einer Pachttoilette
Wasungen	1 Heißmangelservice
	1 Service für Versehrtenfahrzeuge
Schafhausen	1 Bauschlosser
Belrieth	1 Korbmacher (Übernahme)
Obermaßfeld	1 Möbeltischler (Übernahme)
Bettenhausen	1 Schuhmacher (Übernahme)

Für 1990 waren weitere 9 Handwerksbetriebe zur Eröffnung vorbereitet.

Egon Krenz versicherte im März 1984, dass die Partei die „Versorgung der Bevölkerung als eine erstrangige politische Aufgabe" sehe und daher auch die „kleinen Gaststätten und Geschäfte" gefördert würden. Er verwies außerdem darauf, dass die Versorgung mit langlebigen Wirtschaftsgütern kontinuierlich steige. Mitte der achtziger Jahre gab es in der DDR fast so viele Pkw wie in der

Bundesrepublik Ende der sechziger Jahre (45 je 100 Haushalte). Doch deren ungenügender Standard sowie überlange Lieferfristen, fehlende Ersatzteile oder zu wenig Reparaturwerkstätten schufen Verärgerung, und der „Trabi" und andere Zweitakter verschlimmerten auch die Umweltbelastung.

Die Notwendigkeit für den Besitz eines Autos war in der DDR anders als in der Bundesrepublik und heute. Die Leute kamen mit öffentlichen Verkehrsmitteln viel günstiger weiter, da sie sehr billig und auf den Arbeitsbeginn der einzelnen Betriebe abgestimmt waren. Sie fuhren meist auch dann mit dem öffentlichen Verkehrsmittel zur Arbeit, wenn sie ein Auto besaßen. Ein Auto stellte für die DDR-Bürger einen ungeheuren Wert dar, der nicht einfach auf der Straße verkommen durfte. Deshalb wurden überall in der DDR meist im Anschluss an Neubaugebiete Garagen über Garagen gebaut, die an den unmöglichsten Stellen auch heute noch die Gegend verunzieren.

Hatte man einen Antrag auf Zuteilung eines neuen Pkw gestellt, so musste man auf die Zuteilung schon 10 bis 15 oder mehr Jahre warten. Doch in der Praxis lief das oft anders ab.

Ein Offizier der Grenztruppen erzählte, auf ein neues Auto habe er wie alle anderen 10 Jahre warten müssen. Dass er es bereits nach 6 Monaten erhielt, war nicht seinen exzellenten Beziehungen zu verdanken, auch nicht seinem Beruf oder den Verbindungen zur Stasi, sondern dem Kinderreichtum seiner Schwiegermutter: Die DDR als sozialer Staat bevorzugte kinderreiche Familien, besonders wenn es, wie im Fall der Schwiegermutter, 12 Kinder waren. So beantragte die Schwiegermutter Anfang 1980 den Pkw und war schon im Juni stolze Besitzerin eines Trabi. Dass sie das Fahrzeug dem Schwiegersohn zum Fahren überließ, ging ja niemand etwas an.

So gab es noch einige weitere „Schlupflöcher und Winkelzüge", um an den begehrten fahrbaren Untersatz zu gelangen.

Bernd Langbein hatte 12 Jahre seinen Trabant gefahren, schon lange einen Lada bestellt und hätte 16 Jahre auf eine Zuteilung warten müssen, da kam der Betriebsdirektor einmal vorbei. Bernd klagte ihm sein Leid, er brauche für den Betrieb ein größeres Auto, der Betriebsdirektor setzte einen

Brief auf und nach 14 Tagen hatte Bernd einen Lada. Später stellte sich heraus, dass der Direktor bei der Stasi war.

Hatte man einen Pkw erhalten, stellte man sofort wieder einen neuen Antrag. Des Weiteren liefen noch Anträge auf die Frau, die Kinder, die Großeltern usw.

Nach Erhalt eines Pkw verkaufte man den alten. In „Freies Wort" gab es folgende Verkaufsanzeigen in der Zeit vom

01.03.73 – 08.03.73	6 Pkw;
04.01.84 – 13.08.84	21 Pkw;
02.04.85 – 09.04.85	96 Pkw.

In den Anzeigen mussten die Preise angegeben werden. Sie waren jedoch reine Luftnummern.

Selbst Fahrzeugbriefe wurden verkauft. 1978 betrug in Meiningen der Bestand an Pkw je 100 Haushalte 33 Fahrzeuge.[9] Der relativ hohe Bestand an Pkw lässt allerdings noch keine Schlüsse auf die private Motorisierung zu, weil ein großer Teil davon den gesellschaftlichen Organisationen und VEB gehörte. Auch Mietwagen und Taxis waren in diesen Zahlen enthalten. 1977 waren fast 2 1/2 Millionen Pkw in der DDR zugelassen. Nachdem die Karosserie des Trabant praktisch nicht alterte und jeder zweite DDR-Bürger bei vorhandenen Ersatzteilen sein Fahrzeug selbst reparieren konnte, wurden nur wenige Fahrzeuge verschrottet. Doch wurden dadurch erheblich mehr Ersatzteile gebraucht als heute. Dies führte zu einem enormen Ersatzteilmangel. Doch auch Werkstätten waren überlastet und hatten zudem viel zu wenig Ersatzteile.

Zeitweise gab es den Saporoshez (russisches Modell, im Volksmund „Stalins letzte Rache" genannt) ohne längere Wartezeiten. Das Fahrzeug war nicht sonderlich gefragt, doch die Bürger, die einen besaßen, waren meist begeistert.

Übrigens war die Trabantkarosserie nicht aus Pappe, sondern aus verschiedenen Lagen Gewebe, getränkt mit Kunstharz. Deshalb war sie leicht entzündbar und brannte.[10]

Nur der DDR-Mensch wusste von der Mühe und der Zeit, um den Traum, einen eigenen Wagen zu besitzen, zu verwirklichen. Auf einen Trabant, normale Ausführung, musste man mitunter eine ca. 10- bis 15-jährige Wartefrist in Kauf nehmen. Das konnte Nerven kosten, vom Wartburg 353 oder dem Letzten der Wartburgserie ganz zu schweigen. Die Preise für diese Fahrzeuge, gemessen am normalen DDR-Lohn, waren alles andere als erfreulich. Freude brachten allerdings auch die Preise auf dem Schwarzmarkt für neue und gebrauchte Autos. Für den Wartburg oder einen Trabant neuen Baujahres legte man astronomische Summen hin. Spekulanten und Autohändler verdienten ein Vermögen. Der Staat schaute weg. Was tat man nicht alles, um das heiß begehrte Stück Luxus früher zu bekommen als innerhalb der Wartefrist. Der Mercedes in der DDR war der „Lada 2107", eine Fiatlizenz aus der Sowjetunion. Diese Fahrzeuge waren sehr begehrt und für den Normalbürger unbezahlbar, für einfache Arbeiter oftmals nur ein Traum. Auf Automärkten konnte man die unerreichbaren „Luxuskarossen" bestaunen. Bis zu 30.000 DDR-Mark und mehr musste man schon hinlegen. Wo Automärkte stattfanden, wurde durch Mundpropaganda publik gemacht. Wer sich dafür interessierte, erfuhr auch davon. In Dermbach in der Rhön war der so genannte Taubenmarkt. Im Frühjahr und im Herbst entwickelte er sich mit seiner Fortdauer immer mehr zum Automarkt. Von überall her kamen Käufer und Verkäufer.

Die begehrtesten Modelle waren Wartburg, Trabant oder Lada, auf Automärkten dicht umlagert. Interessenten warfen Briefumschläge durch die Scheibe der Fahrzeuge mit ihrem jeweiligen Angebot. Wer die höchste Summe bot, war der Glückliche. Viele konnten allerdings bei den Geboten nicht mithalten. So blieb für viele das ersehnte Auto unerreichbar.

Anders war es für Leute, die Beziehungen in den Westen hatten. „GENEX" war das Zauberwort. GENEX war eine von der DDR-Regierung in der Bundesrepublik installierte Handelseinrichtung. Die DDR-Bürger, die Verwandtschaft oder betuchte Freunde mit ausreichend Geld im Westen hatten, konnten über Katalog Produkte aus der DDR, die sonst schwer zu erhalten waren, für DM bestellen. Diese Möglichkeit schuf sich die DDR, um ihr Devisendefizit zu kompensieren. Wer über ein gutes Westkonto verfügte oder eine „reiche Oma" im Westen hatte, für den war es oftmals die halbe Miete. Der Volksmund machte darüber Witze. Oft hatten die Trabis oder Wartburgs, die über GENEX bezogen wurden, als Kennzeichen

„OP". Jeder wusste, dass das wieder ein GENEX-Fahrzeug ist. Schmunzelnd sagten die Leute „OP – Opa hat bezahlt".

Ganz groß im Vorteil waren Leute, die in der DDR nebenbei Autohandel betrieben und noch gleichzeitig GENEX-Beziehungen hatten. Die Trabis und Wartburgs waren ja im Westen relativ billig zu haben. Im Osten konnten die Autos mit bis zu dem dreifachen Gewinn auf dem Automarkt verhökert werden. Über GENEX konnte man fast alle begehrten Dinge haben. Stereo-Anlage, Waschmaschine, Teppiche, Kühlschränke usw. waren zwar DDR-Produkte, aber weitaus billiger als in der DDR zu erhalten. Farbfernseher waren der Renner. Sie kosteten in der DDR bis zu 7.000 Mark und waren unter katastrophalen Bedingungen zu erwerben. Bei dem Gerücht, es gäbe Farbfernseher, stellten sich die Leute schon zu nachtschlafender Zeit vor das Geschäft, um dann bei den Ersten zu sein.

Maßnahmen zur Verbesserung der Versorgung der Bevölkerung mit Service und Instandhaltungsleistungen an Pkw und Krädern 1989

Ein Bericht an den Rat des Kreises Meiningen Ende 1988 gibt ein möglicherweise auch geschöntes Bild über die für die Bevölkerung besonders wichtige Lage im Reparatur- und Servicebereich von Kraftfahrzeugen. Wie wichtig für die Autobesitzer der fahrbare Untersatz war, auch wenn er nur selten zur Fahrt an die Arbeit genutzt wurde, zeigt sich jetzt noch an den vielen Garagenanlagen, die in der DDR-Zeit in die Städte gepflastert wurden, nur um das wertvolle Gefährt unter ein Dach zu bekommen.

I. Erreichte Ergebnisse 1988
Die Werktätigen der genossenschaftlichen und privaten Kfz-Instandhaltungsbetriebe des Kreises Meiningen bemühten sich, die staatlichen und kommunalen Vorgaben zu erfüllen.
In den beiden PGH11 und 11 privaten Handwerksbetrieben wurden die Plan-Wettbewerbsziele klar abgesteckt, neue Initiativen zur Verbesserung des

Kundendienstes, Rationalisierung der Instandhaltungsprozesse oder Erweiterung des Serviceangebotes ausgelöst. So wurde in der PGH Motor durch den Bau von 10 Karosserietransportwagen der körperliche Aufwand beim Transport von Karossen gesenkt, die Kundendienstbereiche wurden erweitert und umgestaltet, in der PGH Auto-Licht wurden die Werkstattkapazitäten für die Batterieregenerierung erweitert und Arbeitsplätze um- bzw. neu gestaltet.

Nachdem die Leistungen für die Bevölkerung in den letzten drei Jahren um jeweils mehr als 10 % gesteigert wurden, kam der Bedarf für gesellschaftliche Bedarfsträger ins Hintertreffen. Nachteilig wirkten sich die angespannte Ersatzteilsituation sowie die Arbeitskräfte-Fluktuation aus.

Möglich waren die bisherigen Steigerungsraten auch durch die Kapazitätserweiterungen in der Karosserieabteilung und der Waschanlage der PGH Motor.

Die schwerpunktmäßige Unterstützung der KIB (Kraftfahrzeug-Instandsetzungs-Betriebe, d. Verf.) in der Sicherung des Arbeitskräfteplanes durch gezielte Lenkungsmaßnahmen oder Rückgewinnungsgespräche brachten nur wenig Erfolg. Die 23 geführten Rückgewinnungsgespräche führten zu keinem Ergebnis, wogegen 12 AK (Arbeitskräfte, d. Verf.) durch Lenkungsmaßnahmen zugeführt werden konnten.

Gegenwärtig bestehen auf Grund fehlender Arbeitskräfte keine Voraussetzungen, die Schichtarbeit einzuführen.[12]

Wie unterschiedlich Statistik gelesen werden kann, sagt der Leiter der Staatlichen Zentralverwaltung für Statistik des Kreises Bad Salzungen, Hans Georg Fischer, gegenüber Landolf Scherzer 1986:

Entsprechend den Leistungsabrechnungen in den Autowerkstätten stiegen die Dienstleistungen für Kfz-Reparaturen in den letzten fünf Jahren im Kreis auf 150 Prozent. Aber damit ist noch nicht gesagt, ob wirklich mehr Autos repariert wurden oder ob nur die einzelnen Reparaturen (die Autos werden immer älter) teurer waren.[13]

II. Maßnahmen zur Verbesserung der Versorgung der Bevölkerung mit KI-Leistungen[14] 1989

Grundlage ist die Konzeption zur Entwicklung der KI-Leistungen bis 1990 im Kreis.

Initiativen der Werktätigen sind für eine zunehmende Deckung des Bedarfes der Bevölkerung wirksam zu machen.

* durch Steigerung der Arbeitsproduktivität
* durch enges Zusammenwirken mit dem Verkehrskombinat Suhl

Verbesserung der Technologie, der Produktionsorganisation und Qualität auch im genossenschaftlichen und privaten Handwerk

* durch Nutzung des Messeexponates Messingreibbeschichtung für Trabantmotoren
* Erweiterung der Dacia-Karosserieinstandsetzung im KIB Meiningen
* Bau von 10 weiteren Transportwagen für Karosserien in der PGH Motor
* Einsatz des auf der MMM 1988 vorgestellten Zweirad-Prüfstandes bei der PGH Auto-Licht
* Beschleunigung des Einsatzes der Mikro-Rechentechnik im VEB KIB Mgn.[15]

Bei der Ausstattung mit Fernsehgeräten und Waschmaschinen war die Differenz zwischen beiden deutschen Staaten zwar zahlenmäßig nicht mehr groß, aber auch hier bestanden erhebliche Qualitätsunterschiede, hinzu kamen völlig überhöhte Preise in der DDR.

Im Vergleich mit den übrigen kommunistisch regierten Staaten blieb die DDR an der Spitze: auf je 100 Einwohner gerechnet waren in der DDR fast doppelt so viele Kühlschränke oder Fernseher vorhanden als in der UdSSR oder Bulgarien. Auch wenn sich der Abstand seit 1960 verringert hatte, lag die DDR bei der Ausrüstung mit langlebigen Wirtschaftsgütern im Ostblock wie bisher vorn. Insbesondere aber wollte die DDR durch ihr Wohnungsbauprogramm den Lebensstandard gegenüber den anderen RGW-Staaten verbessern. Bei der Übergabe der zweimillionsten Neubauwohnung seit dem Beginn des Wohnungsbauprogramms 1971 durch Erich Honecker im Februar 1984 und dann der „dreimillionsten" Wohnung im Oktober 1988 wurde das zwar als ein Erfolg im Bemühen um stärkeren Konsens gewertet. Tatsächlich waren diese Zahlenangaben aber gefälscht, statt wie behauptet drei Millionen wurden nur etwa zwei Millionen Neubauwohnungen geschaffen. Zugleich verfiel die Substanz der Altbauten. In den Städten und Dörfern wurde nicht nur der Erhalt, sondern

Die Übergabe der „dreimillionsten" Wohnung im Oktober 1988 wurde von der DDR-Staatsführung als großer Erfolg gewertet. Tatsächlich waren diese Zahlenangaben aber gefälscht. Statt wie behauptet drei Millionen wurden nur etwa zwei Millionen Neubauwohnungen geschaffen. Die Aufnahme zeigt die Aufrichtung des „Weißen Hauses" in Westhausen 1985.
Foto: Sammlung Reinhold Albert

Zugleich verfiel die Substanz der Altbauten. In den Städten und Dörfern wurde nicht nur der Erhalt, sondern auch die Sanierung völlig vernachlässigt. Insbesondere im Grenzsperrgebiet legte man darauf von staatlicher Seite keinen gesteigerten Wert. Im Bild leer stehende Wohnhäuser (Nr. 19, 20 und 21) in Käßlitz 1982.
Foto: Sammlung Reinhold Albert

Wie marode die Bausubstanz in vielen Straßenzügen war, unterstreichen diese beiden Aufnahmen, die um 1970 in Meiningen fotografiert wurden. Links ist das Frommesche Haus, rechts die Mauergasse zu sehen.
Foto: Sammlung Gerhard Schätzlein

auch die Sanierung völlig vernachlässigt, sie wurden ruiniert.

Am 27. Oktober 1989, also noch vor der Grenzöffnung, fertigten fünf führende Wirtschaftsfachleute der DDR, Gerhard Schürer, Gerhard Beil, Alexander Schalck-Golodkowski, Ernst Höfner und Arno Donda, für SED-Verhältnisse eine schonungslose, ungeschminkte Analyse der ökonomischen Lage der DDR mit Schlussfolgerungen.[16]

Infolge der Konzentration der Mittel auf den Wohnungsneubau wurden dringendste Reparaturmaßnahmen nicht durchgeführt und in solchen Städten wie Leipzig, und besonders in Mittelstädten wie Görlitz u.a. gibt es Tausende von Wohnungen, die nicht mehr bewohnbar sind.

Erst mit der Wende wurde dieser Sachverhalt auch im Bezirk Suhl offen angesprochen. Vorher gab es kein offizielles Papier, das den Verfall der alten Bausubstanz verdeutlichte. Am 29. März 1998 hatte Dr. Neundorf, Kreisschulrat und Mitglied des Rates des Kreises, noch ausgeführt:

Im Interesse der Sicherung und Verbesserung der Lern- und Arbeitsbedingungen an der EOS ist durch die planmäßige Realisierung von Instandsetzungs- und Instandhaltungsmaßnahmen die Funktionsfähigkeit weiter zu erhöhen. Die Fortführung der Maßnahmen zur Gestaltung der Außenfassade ist 1989 zu gewährleisten, die 1990 abzuschließen ist. Die Rekonstruktion der Sanitäranlage ist dringlich. Nach 1990 ist mit der planmäßigen Rekonstruktion des Außenbereichs zu beginnen.

Nur zwischen den Zeilen erfährt man, dass die Außenfassade der EOS schon seit Jahren nicht fertig wurde und dass die Sanitäranlagen völlig marode waren, jedoch 1989 keine Aussicht auf Renovierung haben, noch weniger die Außenanlagen.

Genauso schlimm sah es mit der seit Jahren laufenden Rekonstruktion des Sächsischen Hofes in Meiningen aus. Er wurde und wurde nicht fertig.

Für 1989 legte der Kreis Meiningen, wie auch in den Jahren zuvor, ständig steigende Planzahlen vor[17]:

Die Bauproduktion im Kreis wird im Jahr 1989 insgesamt 235 Mio M betragen, das ist ein Zuwachs gegenüber 1988 von 6 % und gegenüber 1985 von 21 %.

Bei den Baureparaturen an Wohngebäuden (einschließlich Leistungen der Bevölkerung) wird der Zuwachs 7 % bzw. 43 % betragen.

Das kreisgeleitete Bauwesen steigert 1989 gegenüber 1985 die Bauproduktion insgesamt um 4 %, darunter die Baureparaturen an Wohngebäuden um – 5 % Bauproduktion für die Modernisierung von Wohnungen um 9 %.

Von den volkseigenen Betrieben im Verantwortungsbereich des Ministeriums für Bauwesen wird auch 1989 die Arbeitsproduktivität schneller gesteigert als die Nettoproduktion.

Zuwachs zum Vorjahr in %

	1986	1987	1988	vorauss. 1989
Nettoproduktion	7,5	7,7	11,7	2,5
Arbeitsproduktivität	7,8	8,7	11,4	3,5

Gegenüber 1985 wird der Zuwachs bei der Nettoproduktion 32 % und bei der Arbeitsproduktivität 35 % betragen.[18]

Erst nach der Wende kam heraus, dass die Planzahlen ein einziger großer Bluff gewesen waren. Wie groß die Rückstände waren und wie wenig vollmundige Erfolgsmeldungen eingehalten wurden, zeigt ein Schreiben des amtierenden Vorsitzenden im Auftrag des Kreistags des Kreises Meiningen an Ministerpräsident Modrow vom 21. Dezember 1989:

Ausgehend von der heutigen Kreistagssitzung, der vorliegenden Einschätzung der aktuellen Situation in der Kreisstadt und den Zielstellungen zum Planentwurf 1990 sehen wir uns zur Sicherung einer weiteren dynamischen Entwicklung in der Kreisstadt zu diesem außergewöhnlichen Schritt veranlaßt.

Am 11.12.1989 wurden durch den Rat des Bezirkes Orientierungskennziffern zum Planentwurf 1990 an den Rat des Kreises Meiningen übergeben. In einer Schulung der Abgeordneten am 13.12.1989 wurden wir darüber informiert.

Die Abweichung zum ursprünglichen Planentwurf 1990, der den Ständigen Kommissionen des Kreistages im Monat August für die Öffentlichkeitsarbeit übergeben wurde, beträgt einschließlich der eingetretenen Rückstände durch den VEB WBK Suhl mehr als 250 WE im 1. Bauabschnitt der Innenstadt.

Ein 2. Bauabschnitt mit weiteren 200 WE bzw. ein entsprechendes Äquivalent dazu soll erst gar nicht mehr begonnen werden. Demgegenüber stehen zur

In jedem Betrieb musste man den Volkswirtschaftsplan erfüllen, nach Möglichkeit gar übererfüllen. Das war im Bereich Landwirtschaft wegen der Witterungseinflüsse nicht so leicht möglich. Moderne Maschinen erleichterten insbesondere nach 1970 die Erntearbeiten. Die Aufnahme entstand 1975 im Heldburger Unterland.
Sammlung: Reinhold Albert

Zeit 1.410 wohnungssuchende Familien in der Kreisstadt, darunter 747 Familien ohne eigenen Wohnraum.

Die Rückstände des VEB WBK Suhl sind erheblich. Von den ursprünglich für 1989 geplanten 197 WE des 1. Bauabschnittes der Innenstadt wird nicht eine WE übergeben. ... Wir Abgeordneten sind empört, daß der inzwischen inhaftierte Direktor des WBK Suhl sich noch im September diesen Jahres vor den Kreistagsabgeordneten rechtfertigte, was wir heute als fadenscheinige Lügen einschätzen müssen.

Wir haben uns über Jahre im Rahmen unserer Öffentlichkeitsarbeit trotz jährlicher Planfortschreibungen vor die Beschlüsse des Rates des Bezirkes gestellt und werden mit den nunmehr vorliegenden Orientierungen zum Plan 1990 vor den Bürgern unglaubwürdig. Hinzu kommt, daß die von den Abgeordneten und Ständigen Kommissionen bereits in den Vorjahren geäußerten Bedenken zur Lösung der Wohnungsfrage durch die Vertreter des Rates des Bezirkes und des VEB WBK Suhl ständig mit dem Vorwand einer kompletten Realisierung aller geplanten WE im Jahre 1990 ausgeräumt wurden.[19]

Für den Wohnungsbau hatte der Staat allein 1980 zehn Prozent des Nationaleinkommens aufgewendet. Doch die Menschen verglichen ihre Lebensverhältnisse mit denen in der Bundesrepublik und konstatierten erhebliche Gefälle. Höhere Löhne und Renten im Westen bedeuteten auch größere Kaufkraft. Der Abstand der DDR zur Bundesrepublik war für die Konsumenten im Osten ein Ärgernis, blieb es doch für die DDR-Bürger bei qualitativ schlechteren Waren, schmalem Sortiment und vor allem einem ständig mangelhaften Angebot.

Im Gegensatz zu den optimistischen Zielvorgaben des auf dem XI. Parteitag der SED 1986 beschlossenen Fünfjahrplans 1986 bis 1990 stagnierte die Wirtschaft, die Ausrüstung war veraltet, die ökologische Katastrophe weitete sich aus, und der technologische Rückstand wurde dramatisch. Das Kommunikationsnetz war ebenso lückenhaft und das Verkehrswesen unzulänglich, auch dadurch wurde die allgemeine Situation verschlechtert. Noch immer gab es keine stabile und ausreichende Versorgung mit Elektroenergie. Das Zurückbleiben der DDR auf dem Gebiet der Mikroelektronik war trotz gegenteiliger Propaganda offensichtlich.

Für den Bezirk Suhl geben die gesammelten Zitate, Berichte und Aussagen ein recht umfassendes Bild über den Zustand der Wirtschaft.

Einer der Gesprächspartner brachte das Hauptproblem der Wirtschaftsmisere der DDR auf den Punkt:

Wenn etwas nicht in Ordnung bei uns war, dann wurde das auf den Fehler eines Einzelnen oder einer Gruppe geschoben. Ich habe das lange Zeit auch so gesehen. Erst sehr spät wurde mir klar, daß der Hauptfehler im politischen System der DDR lag.

Es lag nicht allein am sozialistischen Plansystem. Michael Krug, der DDR-Wirtschaft bis zum Diplom studiert hatte, ist heute noch der Meinung, dass die Planwirtschaft ein effektives Steuerungsinstrument der Wirtschaft war, was bei der heutigen wirtschaftlichen Globalentwicklung nicht ganz von der Hand zu weisen ist. Er ist der Überzeugung, dass die Fehler durch die unsinnigen politischen Vorgaben in das Plansystem hineingetragen wurden. Doch auch der beste Plan ging zu DDR-Zeiten nicht von den Bedürfnissen und Wünschen der Bürger aus. So wurden oft genug Waren nach Plan produziert, die niemand brauchte oder die niemand gefielen. Neue Produkte konnten nicht von heute auf morgen eingeführt werden, es brauchte Jahre, bis Pläne geändert wurden. Reinhard Wilk beschreibt die Erstellung eines Planes so: *Der Plan vom Vorjahr wurde abgeschrieben und um einige Prozente nach oben verändert. Was im Ergebnis des Vorjahres nicht gepaßt hatte, wurde passend gemacht.* Michael Krug beschreibt, wie das zu machen war:

Hatte man in einem Bereich ein Minus, konnte man das mit einem Plus in einem anderen Bereich wieder ausgleichen. Die Folge: Der Plan war erfüllt, die Prämien konnten gezahlt werden, auch wenn in wichtigen Bereichen große Lücken entstanden."

Aus dieser Praxis heraus ist das Lesen von Plan- und Ergebniszahlen der DDR-Wirtschaft so weitgehend ineffektiv.

Landolf Scherzer legte den Finger auf die Wunden der DDR-Entwicklung

Über fast alle Bereiche der wirtschaftlichen Negativentwicklung waren nicht nur die Herren vom MfS und von der Partei-, Kreis-, Bezirks- und Staatsleitung informiert. Spätestens seit Landolf Scherzers Buch „Der Erste" waren sie Allgemeingut geworden. Landolf Scherzer, ein überaus bekannter Schriftsteller der DDR aus Thüringen, hatte 1984 den Kunstpreis des FDGB für Literatur erhalten, 1986 den Heinrich-Heine-Preis, war zu DDR-Zei-

ten Vorsitzender des Aktivs Literarische Publizistik im Schriftstellerverband und Vorsitzender des Schriftstellerverbands im Bezirk Suhl gewesen. 1988 hatte er „Der Erste" veröffentlicht, das Buch war in „Freies Wort" vorab (teil-)veröffentlicht worden und hatte wie eine Bombe eingeschlagen. Scherzer beschreibt hier vier Wochen der Arbeit des 1. Sekretärs der SED-Kreisleitung, Hans-Dieter Fritschler. Überraschend offen mit Ventilwirkung werden hier die Defizite und Mangelerscheinungen der DDR-Wirtschaft des Jahres 1986 dargestellt.

So lässt er den Leiter der Staatlichen Zentralverwaltung für Statistik, Kreisstelle Bad Salzungen, erklären:

Beispielsweise lassen wir uns von allen Betrieben regelmäßig auch den Krankenstand und die Ausfallstunden melden. Und in diesem Monat mußten wir dem Kreisarzt sagen: Kümmert euch um das Glaswerk in Dermbach, dort ist der Krankenstand fast doppelt so hoch wie in anderen Betrieben der Gegend! Dort hat man seit vielen Jahren die Technologie kaum verändert, nach wie vor Knochenarbeit. Der Grund ist aus den Statistiken über die Investitionen ablesbar. Fast alle Gelder für Investitionen in der Glasindustrie mußte das Ministerium – zumindest im Bezirk Suhl – in die neuen Ilmenauer Werke stecken. Also konnten wir hier im Kreis mahnen und mahnen, und es änderte sich nichts.

Noch klarer wird das Desaster der DDR-Wirtschaft in den Beobachtungen und Beschwerden der Bevölkerung.

Über Probleme in den Betrieben berichtet der ehemalige Betriebsleiter Bernd Langbein aus Sonneberg. Seine Darstellung wird durch weitere Berichte und Unterlagen ergänzt, besonders durch Karl-Heinz Dörsmann, der als Betriebsrevisor intimen Einblick in den Betriebsablauf kontrollierter Betriebe hatte.

Der Betrieb im Sozialismus

Bernd Langbein schilderte:

Für mich als Betriebsleiter kamen nach der Arbeitszeit die Versammlungen: Gewerkschaft, Betriebsdirektor, Gewerkschaftssekretär, Parteisekretär, Vertrauensleuteversammlung, Parteiwahl und anderes mehr, alles bis auf die Kampfgruppen nach der Arbeitszeit. Es stand einem oft bis zum Hals.

Karl-Heinz Dörsmann ergänzte:

Versammlungsunwesen: Es gab davon: Gewerkschaft, Partei, DSF, Produktionsversammlung (Produktionsberatungen). Davon waren am meisten die Angestellten und Leitungskader betroffen. Von den Produktionsarbeitern wurden sie nur dann besucht, wenn es um die Verteilung der Prämien ging. Natürlich sollten alle Versammlungen nach der Arbeit stattfinden. Dies konnte aber schon wegen der Fahrpläne des Bus- und Zugverkehrs nicht eingehalten werden, die ja genau auf die Arbeitszeiten der Betriebe abgestimmt waren.

Langbein fuhr fort:

Zu den Parteiwahlen im Gesamtbetrieb waren einmal etwa 100 Genossen mit Freibier abgefüllt worden, so dass jeder mehrere Bier intus hatte. Da wurde nun über alles hergezogen, so dass man beschloss: Kein Bier mehr zur Parteiversammlung.

Positiv war der Zusammenhalt innerhalb der Belegschaft. Wenn beispielsweise vom Kombinat ein Befehl zu Sonderschichten (Subbotnik), manchmal aber auch zur Planerfüllung kam, gab es keine Probleme, da zogen fast alle Mitarbeiter an einem Strang. Während der Arbeitszeit durfte dafür doch einmal jemand einkaufen gehen.

Während der Sonderschichten wurde regelmäßig aus der Kombinatsleitung telefonisch angefragt, wie viele Leute in der Schicht arbeiteten. Langbein zählte auch die Heimarbeiter mit und kam so auf 70 %. Tatsächlich kamen meist so um die 30 %. Die Kombinatsleitung war zufrieden. Das Ergebnis wurde dann an die Kreisleitung und Bezirksleitung weitergemeldet.

In den meisten Fällen wurde die Mehrarbeit jedoch schon bezahlt. Oft gab es ein Frühstück oder es wurde eine Prämie ausgezahlt.

Jeder Betriebsteil hatte einen Paten, einen leitenden Mann im Hauptbetrieb. Diese Leute kamen meist nur, wenn es Probleme in der Planerfüllung gab. Wenn man sie jedoch brauchte, waren sie nicht zu bekommen.

Der Betrieb selbst war meist Pate von Kindergärten und Schulen.

Langbeins Betrieb war in einer Schule in Blechhammer Pate. Er unterstützte die Klasse mit einem kleinen Geldbetrag, die Schüler kamen zur Betriebsbesichtigung, ein Produktionseinsatz wurde gesteuert und eine Prämie dafür gezahlt. Zum Frauentag am 8. März bastelten die Schüler kleine Gaben für die Frauen im Betrieb. Da wurden die Frauen geehrt und ausgezeichnet, so u. a. als Aktivist. Um ausgezeichnet zu werden, musste man gewisse Kriterien erfüllen: möglichst SED-Mitglied sein, Sondereinsätze geleistet haben, aktiv in der Gemeinde gewesen sein, Mitglied in der DSF sein, und allgemein ein gutes Ansehen haben. Zum ersten Mai bekam man ein Kontingent an Auszeichnungen mit Geldprämien.

Einer, SED-Mitglied, hatte beispielsweise mehrmals sein Parteidokument verloren, wurde deshalb aus der SED geworfen und konnte trotz bester Arbeit kein Aktivist mehr werden.

Beitragszahlungen gingen an die SED, Gewerkschaft, DSF, Spenden für Kuba, Angola u. a.

Planerfüllung, Einsparung, Rationalisierung

In jedem Betrieb musste man zur Erfüllung des Volkswirtschaftsplanes die Bereiche Plan-Wissenschaft und Technik (PWT) und Neuererwesen erfüllen und überfüllen. Ohne dies war der Produktionsplan nicht zu erreichen. Dazu musste man Einsparungen bringen, z. B. 100 TM im gesamten Betriebsbereich. Das konnten Zeit-, Material- und Energieeinsparungen sein. Da wurde beispielsweise ein Waggon mit 500 Säcken Granulat entladen. Beim Transport gingen 10 Säcke kaputt. Das Neuererwesen machte den Vorschlag, Granulat zusammenzukehren und über Siebe wieder in die Produktion zu bringen.

So kam aus Thermoplastmaschinen ein Schlauch heraus, der sich manchmal klumpte und weggeworfen wurde. Dabei kamen oft 5 kg in den Abfall à 25 Mark. Das wurde nun wieder verwertet.

Einsparung war auch, keinen regulären, sondern Abfallstoffe zu benutzen. Aus nichts musste man etwas machen, doch manchmal kam auch „Mist" heraus.

Materialmangel, deshalb unfreiwillige Arbeitspausen

Bernd Langbein berichtete weiter:

Ende der 70er Jahre wurde die wirtschaftliche Lage in den Betrieben zusehends schlechter. Nun wurden die Reserven in den Betriebsteilen weitgehend aufgelöst. Alles wurde bilanziert. Was nicht zum Produktionsauftrag gehörte, wurde abgeholt. Die staatlich zugeteilten Ressourcen reichten jedoch oft nicht aus. Um die Produktionsaufgaben weiterführen zu können, versuchte man, sich innerhalb der Betriebsteile auszuhelfen: Gib mir das, dann bekommst du dies. In der Thermoplaststrecke, in der Folie oder im Plüsch brauchte man Rohstoffe aus dem Ausland. Jeder Auftrag aus den westlichen Ländern musste unbedingt produziert werden, ganz gleich, ob es sich rentierte oder nicht. Die Bezahlung lief über die Abteilung Außenhandel in Berlin.

Wenn Maschinen gekauft werden mussten, ging das über viele Organe mit Rentabilitätsberechnung und viele Formulare. Brauchte man ein großes Ersatzteil, so stand eine Maschine manchmal ein Jahr, bis man das Ersatzteil heranbrachte. Wo das machbar war, versuchten deshalb die eigenen Leute, selbst Lösungen zu finden. Da ging das Wandern innerhalb der DDR an, ob das nun Pneumatik- oder Hydraulikteile waren oder nur eine Schraube.

Mit einem Sack Spielzeug im Kofferraum klapperte ich die diversen Betriebe ab, um nur Beilegscheiben zu bekommen. Dann wieder gab es keine Verpackungskartons.

Bei dem Betriebsteil in Steinach wurden Rennautos produziert. Dazu waren 4 mm starke Achsen nötig, die in einem Betrieb in Rauenstein brüniert werden mussten. Bernd nahm wieder einmal einen Sack voll Spielwaren mit – auch die Fahrer profitierten davon – und holte selbst die brünierten Achsen ab. Er konnte auf diese Weise immer seine Pläne erfüllen. Einmal suchte der Hauptbetrieb Achsen, sie waren jedoch nirgendwo aufzutreiben. Nur ich hatte noch welche gehortet. So war das mit vielen anderen Dingen. Alles war kontingentiert, alles war Mangelware.

Auch Peter Wolf aus Helmershausen erzählte, dass man immer „*Geschenke dabei haben musste, wenn man eine neue Landmaschine zu beschaffen hatte, sonst konnte man sehr lange auf Zuteilung warten*".

Energie- und Materialmangel, deshalb konnte der Betrieb zu manchen Zeiten nur eingeschränkt arbeiten

Nächstes Problem: Ein Stromkontingent in Kilowatt. Man konnte deshalb in Spitzenzeiten beispielsweise nur 3 von 8 Maschinen laufen lassen. Das wurde streng überwacht und man wurde „zitiert", wenn man seine Zuteilung überschritt. Weil Bernd einen Fertigungs-Engpass hatte und alle Maschinen benötigte, sagte er gegenüber dem Parteisekretär: „*Schaltet eure Lichter an der Grenze aus, dann haben wir genug Strom.*" Das hatte zum Glück keine Konsequenzen.

1988/89 wurde es immer schlimmer. Irgendwann schien es, als ginge es gar nicht mehr weiter, es war das wirtschaftliche Chaos. Im Betrieb gab es keine Farbe, keine Dachpappe. Doch Stillstand durfte es nicht geben und es ging immer weiter trotz immer größerer Engpässe, die zu Konfrontationen mit den staatlichen Leitern führte.

Die Leute mussten trotzdem hart arbeiten. Doch wenn es gerade einmal einen raren Artikel im Konsum oder in der HO gab, waren die Leute im Betrieb nicht zu halten. Zum größten Teil arbeiteten sie jedoch ihre Zeit nach.

Wolfgang Paulisch erzählte, dass es bei ihm in einem Baubetrieb nur ein bestimmtes Kontingent an Dieseltreibstoff gab. War der verbraucht, dann standen eben alle Baumaschinen still.

Genauso war auch das Bauholz rationiert. Wenn das Plansoll verbraucht war, konnte nichts mehr gebaut werden.

Ersatzteilmangel – Neubeschaffungen waren fast unmöglich

In manchen Bereichen war die Lage so dramatisch, dass der Leiter der Bezirksverwaltung Suhl des MfS nicht umhin konnte, am 20. Januar 1989 den

Vorsitzenden des Rates des Kreises und den 1. Sekretär der SED aufzuschrecken:

Die Gefährdung der Planerfüllung im Straßenbau des Bezirkes

Am 24.10.1988 wurde im Bereich der Bezirksdirektion Straßenwesen Suhl/Sitz Meiningen ein Schwarzdeckenfertiger – SSF 3, Baujahr 1978 – durch eine Havarie so stark beschädigt, daß eine Instandsetzung unmöglich war. Die Ursache war der Riß einer der stark verschlissenen Antriebsketten, in dessen Folge die Antriebsachse und das Getriebegehäuse zerstört wurden.

Rücksprachen mit dem VEB Baumaschinen Gattersleben/Sitz Aschersleben und anderen Bezirksdirektionen Straßenwesen brachten kein Ergebnis, da die Ersatzteillieferungen bereits seit 1980 eingestellt waren.

Zum Einbau von bituminösem Mischgut steht der Bezirksdirektion Straßenwesen Suhl zur Zeit ein Schwarzdeckenfertiger S 400, Baujahr 1980, und ein Verteiler „Linnhoff", Baujahr 1966, zur Verfügung, welche ebenfalls stark verschlissen sind.

Bereits 1987 wurde durch die Bezirksdirektion Straßenwesen Suhl/Sitz Meiningen das Ministerium für Verkehrswesen über die angespannte Situation bei Schwarzdeckenfertigern informiert und darum gebeten, auf die Lieferung von neuen Schwarzdeckenfertigern vom Typ S 400 und S 600 Einfluß zu nehmen.

Darauf, sowie auf persönliche Absprachen zwischen dem Direktor der Bezirksdirektion Straßenwesen und dem Direktor des VEB Baumaschinen Gattersleben, gab es bisher keine positiven Reaktionen.

Am 25.10.1988 wurde der stellvertretende Vorsitzende für Verkehrs- und Nachrichtenwesen beim Rat des Bezirkes Suhl, Gen. Dr. Schmidt, durch den Direktor der Bezirksdirektion Straßenwesen, Gen. Hess, schriftlich über die Situation informiert und um Hilfe gebeten. Auch diese Bemühungen führten bis zum heutigen Tag nicht zum Erfolg.

Da im Bereich der Bezirksdirektion Straßenwesen Suhl/Sitz Meiningen nur der o.g. Schwarzdeckenfertiger und Verteiler zum qualitätsgerechten Einbau von bituminösem Mischgut zur Verfügung stehen und keine Lieferung eines neuen Schwarzdeckenfertigers abzusehen ist, wird es 1989 zur ernsthaften Gefährdung der Erfüllung der Planaufgaben im Bereich Straßenbau des Bezirkes Suhl kommen.[20]

Auch im Kleinen gab es immer wieder Ersatzteilmängel, wie die „Ständige Kommission Versorgung der Bevölkerung" in der Kreistagssitzung des Kreises Meiningen vom 23.03.1988 mitteilt:

Bei den operativen Kontrollen der ständigen Kommission wurde unter anderem das Haus der Elektrodienste, der Haushaltsgeräteservice der PGH „Autolicht", der RFT-Service und die Flüssiggas Versorgung in Wasungen unter die sprichwörtliche Lupe genommen.

... Geräte, die durch das Haus der Elektrodienste angenommen werden, jedoch in anderen Betrieben zur Reparatur kommen, haben gegenwärtig eine durchschnittliche Wartezeit von 14 Arbeitstagen.

Um diese hohen Wartezeiten abzubauen, haben sich die Kollektive im Haus der Elektrodienste Gedanken gemacht, wie zum Beispiel Kältemaschinen in Meiningen selbst zu reparieren wären. Alle Bemühungen waren vergebens.

Der Hersteller und der VEB Haushaltselektrik Suhl lassen zu den vorhandenen Service-Werkstätten, zum Beispiel in Suhl, keine weiteren Vertragswerkstätten zu.

Hier genannte Gründe sind vor allem immer wieder in den Vordergrund gerückte Probleme der Ersatzteillieferung.

Die ständige Kommission stellt hier die Frage: Kann man alles, was uns nicht so recht zu gelingen scheint, immer wieder mit dem leidigen Ersatzteilproblem reinwaschen wollen?

Nicht zufriedenstellend bezeichnen die Kollegen der PGH „Elektro" und „Autolicht" gleichermaßen die Tatsache, daß es für Waschvoll- und Halbautomaten seit 2 Monaten keine Temperaturfühler, Steuergeräte und Lagereinsätze gibt.

Eine mündliche Eingabe eines Bürgers aus Wahns, der seinen Halbautomat Anfang Februar zur Reparatur brachte und ihn noch immer nicht zurück hat, kann also nur so beantwortet werden „Bitte haben Sie Verständnis, bitte haben Sie Geduld."[21]

Kollege Wittmann vom PGH Elektro Meiningen ergänzte in der gleichen Sitzung:

Vieles ist noch nicht in unserem Sinn. Es ärgert uns maßlos, wenn wir wegen fehlender Ersatzteile unsere Kunden von Woche zu Woche vertrösten müssen. Vertragswerkstätten sind doch eigentlich

dazu da, einem Erzeugnis seine Gebrauchstaug-
lichkeit zu erhalten und durch guten Kundendienst
beim Nutzer die Gewißheit zu vermitteln, er habe
das richtige Erzeugnis vom richtigen Hersteller
gekauft. Durch sehr guten Kundendienst erlangt
ein Hersteller also Ansehen, auch wenn sein herge-
stelltes Gerät einmal nicht so gelungen ist. Von der
Ersatzteilbereitstellung abgeleitet, scheinen die
Haushaltsgerätehersteller keinen Wert auf die Meinung ihrer Kunden zu legen.

Reinhard Wilk, damaliger Stellvertreter des Rates
des Kreises, ergänzt dazu aus heutiger Sicht: Unzulänglichkeiten in der Planung und Durchführung von
Dienstleistungen wurden immer deutlicher. Ersatzteile wurden Mangelware, da die Planung neuer
Maschinen und Geräte im Vordergrund stand.

Die 5 Wirtschaftsweisen kamen am 27. Oktober
1989 zum Schluss:
Die Feststellung, daß wir über ein funktionierendes
System der Leitung und Planung verfügen, hält
einer strengen Prüfung nicht stand. Es entwickelte
sich ein übermäßiger Planungs- und Verwaltungs-
aufwand. Die Selbständigkeit der Kombinate und
wirtschaftlichen Einheiten sowie der Territorien
wurde eingeschränkt. Die vorgegebene Strategie,
daß die Kombinate alles selbst machen sollten,
führte zu bedeutenden Effektivitätsverlusten.
Dadurch trat u.a. eine Tendenz der Kostener-
höhung ein, wodurch die internationale Wettbewerbsfähigkeit abnahm. Das bestehende System
der Planung und Leitung hat sich hinsichtlich der
notwendigen Entwicklung der Produktion der
„1000 kleinen Dinge" sowie der effektiven Leitung
und Planung der Klein- und Mittelbetriebe nicht
bewährt, da ökonomische und Preis-Markt-Rege-
lungen ausblieben. Im Vergleich der Arbeitsproduktivität liegt die DDR gegenwärtig um 40 % hinter der BRD zurück.[22]

Fertigungsmängel häufen sich. Haupt-grund alte und verschlissene Fertigungsanlagen

01.04.1987. Unbefriedigendes Angebot an Farb-
fernsehern. Auslieferungslager überfüllt. Jedoch

alle mit Materialfehlern, die erst ausgebessert werden müssen. Eine Disponentin im Kreisbetrieb für
Landtechnik verglich das DDR-Warenangebot mit
dem der BRD und sagt: Hier ist alles Mist und
Dreck, die Menschen sind 5. Klasse. Und: Die
mußten eine große Mauer bauen, sonst wäre hier
alles leer.[23]

Die „5 Wirtschaftsweisen" konstatieren 1989:
Der Verschleißgrad der Ausrüstungen in der Industrie hat sich von 47,1 % 1975 auf 53,8 % 1988
erhöht, im Bauwesen von 49 % auf 67 %, im Verkehrswesen von 48,4 % auf 52,1 % und in der
Land-, Forst- und Nahrungsgüterwirtschaft von
50,2 % auf 61,3 %. In bestimmten Bereichen der
Volkswirtschaft sind die Ausrüstungen so verschlissen, woraus sich ein überhöhter und ökonomisch
uneffektiver Instandhaltungs- und Reparaturbedarf
ergibt.[24]

Modernisierungsbedarf in der DDR-Bauindustrie 12. Mai 1988[25]

Das jährliche Investitionsvolumen für das Bauwe-
sen verringerte sich in den 80er Jahren auf etwa die
Hälfte des im Zeitraum 1975/76 realisierten
Umfangs, wobei vor allem 1981 – 1983 rund ein
Jahresinvestitionsvolumen für Aufgaben der Ener-
gieumstellung von Heizöl auf Braunkohlenstaub
eingesetzt worden sind. Demzufolge wurden
Erweiterungsinvestitionen nur noch für solche
Erzeugnisse vorgenommen, wo der Bedarf nicht
gedeckt werden konnte. Ein beträchtlicher Teil der
Kapazitäten, etwa ein Drittel des Rationalisierungs-
mittelbaus des Bauwesens muss für die Eigenferti-
gung von Ersatzteilen und die Regenerierung von
Verschleißteilen eingesetzt werden. In den verga-
genen 7 Jahren ist die Bereitstellung neuer Baumaschinen und Fahrzeuge wesentlich reduziert
worden. Damit stieg der Anteil von vollständig
abgeschriebenen und nur noch bedingt reparatur-
fähigen Ausrüstungen erheblich an.

Bestand und Auslastung produktivitätsbestimmender Maschinengruppen

Maschinengruppe	Bestand insgesamt	darunter nicht mehr modernisierungsfähig		Auslastung Leistungs-normativ **	1987 Ist*)	Ist [%]
		1979 [%]	1987 [%]			
Turmdrehkrane	907	35,2	36,0	11,9	12,6	105,9
Mobildrehkrane	275	62,9	86,4	8,7	9,1	104,6
Autodrehkrane	1980	39,8	92,3	8,1	8,6	106,2
Bagger 0,6 -2,0 m³	1950	20,0	91,1	7,5	8,0	106,7
Planierraupen	1349	41,0	90,5	7,1	7,5	105,6
Lader T 174	2421	17,1	82,0	6,3	7,0	111,1
Mischanlagen	301	22,5	74,0	8,8	8,9	101,1
Transportbeton-fahrzeuge	979	20,6	44,9	8,0	8,5	106,3
Zugmaschinen und Sattelzugmaschinen	1902	21,6	34,1	9,4	10,0	106,4
Tieflader und Plattenanhänger	1159	18,7	73,0	8,8	9,6	109,1
LKW-Kipper	7280	30,0	65,1	8,4	9,9	107,1
Gabelstapler	5075	18,7	60,0	-	-	-

*) [Einsatz-] Stunden/Arbeitstag

Produktivitätshinderungsgründe

Von den vielen Ursachen, die die Produktivität in den Betrieben verhinderten, seien nur einige aufgeführt, welche die Zahl der Mitarbeiter aufblähten und effektives Arbeiten behinderten:

o Es gab viele, zu viele Leiter in einem Betrieb: Dem Betriebsdirektor waren der Produktionsdirektor, der technische Direktor, der Direktor für Absatz, der ökonomische Direktor und der Hauptbuchhalter unterstellt. Dann gab es noch die PWT-Leiter und BfN-Leiter, Leiter für Ratiobau, Leiter für Werkzeugbau, den Baubeauftragten, die Betriebsteilleiter, die Meister und Technologen. Die wichtigsten staatlichen Leiter waren der Parteisekretär, BGL-Sekretär, Kampfgruppenkommandeure. Diese hatten teilweise auch eine Sekretärin zur Verfügung.

Karl-Heinz Dörsmann ergänzte: Grundsätzlich gab es einen Betriebsleiter, Hauptbuchhalter und Parteisekretär. Größere Betriebe und Kombinate hatten noch diverse Direktoren für Produktion, Absatz, Technik und eine Abteilung Ökonomie mit Direktoren. Großkombinate hatten sogar einen ZK-Beauftragten. Es gab Stellenpläne und Funktionspläne für die einzelnen Mitarbeiter. Dass damit übertrieben wurde, besonders in mittleren Betrieben, ist eine feststehende Tatsache gewesen.

o Es gab ja außerdem einen verzweigten Kontrollapparat. Banken, Staatsbank, Industrie-Banken, natürlich ein übergeordnetes Organ, wie Stadt-, Kreis-, Bezirksgeleitete Betriebe. Außerdem die ABI Kreis- und Bezirks-ABI. Diese Dienststelle suchte sich für ihre Kontrollen bestimmte Leute aus. Die Staatliche Finanzverwaltung war für alle Industriebetriebe, Forstwirtschaft, Handel und Versorgung tätig. Für PGH gab es eine gesonderte Revisionsgruppe. Sie führte gleichzeitig für diese

Betriebe gegen Bezahlung Dienstleistungen aus. Dass alle diese Institutionen eng mit der Stasi zusammenarbeiteten, war selbstverständlich. Sicher waren in jedem Betriebsteil einige Betriebsangehörige auch Mitarbeiter der Stasi, doch Langbein merkte in seinem Team nichts davon. Er wusste jedoch, dass einige Betriebsdirektoren der staatlichen Leitung Stasizuträger waren.

o Es gingen viele in die Kampfgruppen, weil sie nach 25-jähriger Zugehörigkeit mehr Rente bekamen. In Bernd Langbeins Betriebsteil waren 4 Mann in der Kampfgruppe. Außerdem bestanden noch eine Parteigruppe und eine Gewerkschaftsgruppe. Nun waren zwei Staplerfahrer in der Kampfgruppe. Wenn diese Übung hatten, konnte der Waggon nicht entladen werden bzw. es musste mit der Hand geschehen – die sozialistischen Aufgaben standen im Vordergrund.

o Hatte ein Genosse eine leitende Funktion, so kam er auf die Parteischule, war ein Jahr weg. Seine Arbeit musste von anderen übernommen werden.

Zu viele Freistellungen für betriebsfremde Arbeiten – Freistellungen im sozialen Bereich

In jedem Betrieb gab es den K- und S-Fonds (Kultur- und Sozialfonds). Er wurde durch die Betriebsgewerkschaft verwaltet. In diesen Fonds wurden 1,5 % der Lohnsumme des Betriebes eingezahlt. Dies klingt nicht viel, aber bei einem Betrieb mit 1.000 Personen kamen bei einem Durchschnittslohn von 1.000 M monatlich 15.000 M, jährlich 180.000 M zusammen. Damit wurden kulturelle Projekte unterstützt, wie eine Laienspielgruppe, ein Orchester oder eine Laienspielgruppe oder auch soziale Projekte, in erster Linie Ferienaktionen. Kinderferienlager eines jeden Betriebs waren u. a. an der Ostsee, in der Regel Baracken. Für die Arbeitskräfte und ihre Familien boten die Betriebe Ferienbungalows oder auch hotelähnliche Anlagen an, die auch für Schulungen genutzt wurden. So hatte das Gesundheitswesen Ferienplätze auf Schloss Landsberg, die Handwerkskammer solche auf Schloss Altenstein b. Liebenstein, das RAW hatte ein Ferienlager in Bansin, in Oberhof und in Hohenfelden bei Erfurt, die BGH eines in Mellensee, Kreis Zos-

sen. Das Wohnungsbaukombinat Suhl hatte in einer ehemaligen Gaststätte in Ehrenthal Schulungsräume und Ferienräume, daneben eine Baracke für Kinderferienlager. Ferienobjekte hatte Kali Werra in Amönenhof, Pico hatte zwei Bungalows, die Finanzrevision einen in Goldlauta. Aus dem K- und S-Fonds wurden jedoch nur die Materialkosten für den Bau solcher Urlaubsanlagen und deren Unterhaltung bezahlt. Die Arbeitsleistung wurde durch die Betriebsangehörigen geleistet – während der normalen Arbeitszeit.[26] Mit dieser Feststellung sollen die Vorteile dieser Einrichtungen für die Betriebsangehörigen nicht geschmälert werden. Zu Recht trauert man heute den sozialen und kulturellen Einrichtungen der DDR nach. Doch wurde dadurch die internationale Wettbewerbsfähigkeit so geschmälert, dass die DDR ihre Produkte teilweise unterhalb der Gestehungskosten verkaufen musste.

In wichtigen Teilbereichen Arbeitskräftemangel

Der Arbeitsmarkt war praktisch leergefegt, die Arbeitsvermittlung bestand hauptsächlich darin, intensiv für einen militärischen Beruf zu werben. So steht in einem Bericht an den Rat des Kreises Meiningen Ende 1988 zur Situation im Reparatur- und Servicebereich von Kraftfahrzeugen: *Gegenwärtig bestehen auf Grund fehlender AK (Arbeitskräfte) keine Voraussetzungen, die Schichtarbeit einzuführen.*[27]

Wirtschaftlich geschulte Ex-DDR-Bürger sehen einen direkten Zusammenhang zwischen einem ständigen Arbeitskräftemangel und dem Fehlen einer funktionierenden Ersatzteilwirtschaft. Sie argumentieren: Weil es in vielen Bereichen keine oder nur sehr spät Ersatzteile gab, musste mit sehr viel Arbeitsaufwand eigener Ersatz geschaffen werden. Diese Arbeitskräfte wurden der Produktion entzogen. So geschah es auch im Straßenbau: In Ritschenhausen war die Bitumenfertigung für den Bezirk, die Technik war verschlissen. Deshalb musste die eigene Brigade die Ersatzteile herstellen, obwohl dies wirtschaftlich sicher nicht sinnvoll war.[28]

Schlamperei und Schlendrian im Betrieb

In vielen anderen Bereichen gab es einen Arbeitskräfteüberschuss im Verhältnis zur vorhandenen Arbeit.

Dies führte dazu, dass sich ein Arbeitstempo einschlich, das durchaus ausreichte, die vorhandene Arbeit zu erfüllen, doch in keiner Weise mit dem Arbeitstempo in westlichen Betrieben konkurrieren konnte. Das Prinzip, jedem einen Arbeitsplatz zu verschaffen, führte dazu, dass Leute einen Arbeitsplatz erhielten, die gar nicht bereit waren, ordentlich zu arbeiten. Dies drückte schließlich die Moral der übrigen Mitarbeiter, die sich sagten: Was soll ich mich plagen, wenn andere Mitarbeiter ihr Geld auch ohne Leistung erhalten?

So diskutierten am 3. April 1987 Angestellte im Rat der Stadt Themar über Arbeitsdisziplin und Alkohol. Bereits um 9 Uhr säßen Arbeiter während der Arbeitszeit angetrunken in der Bahnhofsgaststätte. Es würde nichts dagegen unternommen, *„der alte Trott geht weiter".*[29]

Dem Chef des VEB Weberei wurde in einem Stasibericht vom 26. Mai 1987 Schlamperei im Umgang mit volkseigenem Gut vorgeworfen.

In Veilsdorf wurde unter den Mitgliedern der Zivilverteidigung diskutiert, dass größere Mengen Äpfel an das Vieh verfüttert wurden, obwohl man sie noch hätte verkaufen können.

Die KD schreibt dazu: Diese beispielhaft angeführten Probleme wurden durch uns nicht überprüft. Auf Grund der erkannten Breite der Diskussion dazu wird durch uns auf diese Dinge aufmerksam gemacht.

In Eisfeld gab es eine Produktionsanlage für Rasierklingen. Doch die dort hergestellten Rasierklingen waren von Anfang an stumpf. Karl-Heinz Dörsmann als Revisor fragte in den 70er Jahren: *„Könnt ihr denn die Rasierklingen nicht besser schärfen?"* Darauf antwortete der Bandführer: *„Das ginge schon, man bräuchte nur das Band anders einzustellen. Allerdings braucht dann die Herstellung etwas mehr Zeit und die Rasierklingen sind dadurch teurer in der Herstellung."* Dörsmann brachte das im Revisionsbericht und trat damit prompt ins Fettnäpfchen, weil Ulbricht gefordert hatte: Nichts darf teurer werden. Und so blieben die Rasierklingen auf dem alten Qualitätsstand.

Der Begriff des „Volkseigentums" wurde in vielen Betrieben überinterpretiert

Im gebräuchlichen Rahmen war in den LPG und anderswo der Einsatz von genossenschaftlichen Maschinen und Geräten für den privaten Einsatz. So nutzte der Feuerwehrmann Ingo B. am 1. August 1989 das Feuerwehrfahrzeug des Kreises Ilmenau zu einem spektakulären Grenzdurchbruch. Vielfach wurden jedoch auch Produkte des eigenen Betriebes als Tauschobjekte für privat zu erhaltende Leistungen eingesetzt.

So brachte eine Lehrerin aus Steinbach-Langenbach zu ihrem Besuch bei einer bayerischen Grundschule ganz selbstverständlich eine größere Auswahl an Gartengeräten mit. Ihr Mann sei in einem Betrieb beschäftigt, der solche Waren herstellt.

Wie einfallsreich die öffentliche Hand betrogen wurde, zeigt ein Vorfall, den das Transportpolizeiamt Suhl am 16. Juni 1988 rapportierte, der jedoch schon im November 1987 passiert war:

Damals wurde ein leerer Güterwagen von Steinbach-Hallenberg nach Immelborn „verfügt". Im Kieswerk Immelborn wurde der Wagen mit Kies beladen und als Irrläufer bezettelt zurück nach Steinbach-Hallenberg geschickt. Für diesen Transport wurden keine Frachtkosten berechnet. Im Kieswerk liegen keine Unterlagen über die Berechnung von 25 t Kies vor.[30]

Ökologie wurde in der DDR klein geschrieben

In der Stadt Themar traten Ende 1987 zunehmend Diskussionen über den geplanten Bau einer Werkhalle im VEB Baumaterialienkombinat Suhl, Sitz Themar, zur Produktion eines bituminösen Dachanstrichstoffes auf. Mit der Produktionsaufnahme werden hier den Diskussionen zufolge die unmöglichsten Umweltbelastungen erwartet.[31]

Besonders schlimm war der Einsatz von Rohbraunkohle zu Heizzwecken. Am 21. Dezember 1989 schrieb der amtierende Vorsitzende Seidl im Auftrag des Kreistags des Kreises Meiningen an Ministerpräsident Modrow:

Als örtliche Volksvertretung wenden wir uns mit einem weiteren Problem an Sie.

Die Belastung der Umwelt, besonders der Siedlungszentren Meiningen, Wasungen, Römhild und Obermaßfeld, hat auf Grund der Ablösung von hochwertigen Brennstoffen und des Einsatzes von Rohbraunkohle unvertretbare Zustände angenommen.

Wir bitten Sie deshalb, zur Reduzierung der Umweltbelastung die staatlichen Einsatzbestimmun-

gen (den Einsatz von Rohbraunkohle) für alle Heizungsanlagen dieser Siedlungszentren, die nicht über Entstaubungs- und Entschwefelungsanlagen verfügen, aufzuheben. Die dadurch abzulösende Rohbraunkohle beläuft sich auf ca. 80.000 t.[32]

Mit dem Vorsitzenden der CDU-Ortsgruppe Eisfeld, Dr. Axthelm, wurde auf Grund seines Schreibens vom 14. Dezember 1984: *„Protest gegen die Arbeit des Rates auf dem Gebiet des Umweltschutzes"* durch das örtliche Organ der Stadt Eisfeld am 27.1.1985 eine Aussprache geführt.

A. bemerkte während der Aussprache u. a. Folgendes:

... Ich war im Erzgebirge und an der tschechischen Grenze und habe gesehen, was Waldsterben bedeutet. Da braucht mir keiner etwas vorzumachen.

Dazu hätte es nicht kommen brauchen, wenn man von verantwortlicher Seite umweltbewußter an die Dinge herangehen würde. Im eigenen Verantwortungsbereich muß man die Ursachen verändern, ehe man von anderen Ländern in der Welt dieses erwartet. In vielen Ländern ist man schon wach geworden, und über die Massen der Bevölkerung wird Druck auf die Regierungen ausgeübt, einschneidende Maßnahmen hinsichtlich des Umweltschutzes einzuleiten ...

Seit diesem Brief wurde Dr. Axthelm überwacht.

Prestigeobjekte bekamen absoluten Vorrang, wie die Arbeiten in der „Hauptstadt der DDR"

Viele Bekannte erzählen, dass sämtliche Pläne über den Haufen geworfen wurden, wenn „Prestigeobjekte" vorrangig gebaut werden mussten. So mussten jahrelang aus fast allen Betrieben Arbeitskräfte abgezogen werden, um am „Aufbau der Hauptstadt der DDR" zu arbeiten. Auf dem X. Parlament der FDJ, 1. – 5. Juni 1976, wurde vorgeschlagen, mit einer FDJ-Initiative Berlin wichtige Vorhaben beim weiteren Ausbau der Hauptstadt als Zentrales Jugendobjekt zu übernehmen. Von 1976 bis 1981 erbrachten 865 Jugendbrigaden für 6,75 Mrd. Mark Leistungen. Der Abzug von Arbeitskräften für die Hauptstadt der Republik zog sich wie ein roter Faden durch die ganze Zeit der DDR. Auch Hilmar Wagner war über ein Jahr nach Berlin abgeordnet, wie viele andere junge Leute des Bezirks.

Ein weiteres Projekt, für das junge Leute gesucht und aus den Betrieben abgezogen wurden, war der Ausbau der Trasse, der Gasleitung vom Ural bis in die DDR, ein FDJ-Jugendprojekt. Aus der gesamten Republik wurden dazu FDJ-Mitglieder zusammengezogen.

Das Kernkraftwerk Nord bei Greifswald sollte die Energieversorgung in der ganzen DDR verbessern. Das Bauvorhaben „KKW Nord" wurde zum „Werk der Jugend der ganzen Republik", d. h. zum zentralen Jugendobjekt der FDJ, deklariert. In den eigenen Reihen warb die FDJ die Arbeitskräfte, die zusammen mit sowjetischen Fachleuten den „Energiegiganten", das bis dahin größte von der Sowjetunion exportierte Atomkraftwerk, errichten sollten.

Beharren auf Eigenentwicklung in der Mikroelektronik führte zu gigantischen Fehlinvestitionen

Das Zurückbleiben der DDR auf dem Gebiet der Mikroelektronik war trotz gegenteiliger Propaganda offensichtlich, und die großen (und teuren) Anstrengungen 1987/88 bei der Speicher-Chip-Produktion zeigten keinen Einfluss auf die insgesamt mangelhafte Qualität der Produktion. Unbekümmert von der Realität behauptete Honecker 1987 auf die Frage finnischer Journalisten, ob die DDR den Zug der internationalen technologischen Entwicklung nicht verpasse: *„Wir können ihn nicht verpassen, wir sitzen im Zug drin."* 1989/90 zeigte dann das Desaster der DDR-Wirtschaft, dass sie den Anschluss schon längst verloren hatte.[33] Gerade die Firma Robotron profitierte davon. Neben Rechnern für die Industrie entwickelte sie auch brauchbare Personalcomputer, den PC 1715. Der große Nachteil: Die Geräte hatten kaum Software, man konnte mit ihnen mehr oder weniger nur schreiben und rechnen. Das Schlimmste: Sie waren mit dem Weltstandard nicht kompatibel. Um Ergebnisse aus dem DDR-Rechner zu übertragen, musste man sie ausdrucken und in den West-Rechner wieder per Hand eingeben.

Nach der Wende wurden die Rechner von Robotron wie „Sauerbier" feilgeboten. Die Landesregierungen empfahlen den Gemeinden den Kauf solcher Anlagen, die nun wesentlich günstiger zu erhalten waren als vergleichbare Westware. Doch bald standen diese Computer unbenutzt in einer Ecke. Wenig später wurden sie als Schrott entsorgt.

Jeder Betrieb hatte seine eigene Lösung

In fast jeder Hinsicht sah sich ein DDR-Betrieb gezwungen, autark zu werden. Nachdem weder die Ersatzteilversorgung noch die Reparaturdienste klappten, sah sich der Betrieb gezwungen, eigene Lösungen zu suchen, sowohl in der Fertigung von eigenen Ersatzteilen als auch mit sonstigen Unterhaltungs- und Reparaturarbeiten. Deshalb hielt jeder größere Betrieb seine eigenen Elektriker, Maurer, Werkzeugmacher vor. Diese Posten waren sehr beliebt, weil sie nicht an starre Normen gebunden werden konnten. Das Panoramahotel in Oberhof z. B. hatte vielleicht auch deshalb mehr Bauhandwerker als die Gebäudewirtschaft.

In jeder Beziehung, vom Formular bis zur Software, gab es oft Werkslösungen, die in der Erstellung sehr aufwändig waren, weil jeder Betrieb alles neu erfinden musste, was jedoch mit anderen Lösungen nicht kompatibel war, schon gar nicht mit West-Standards.

Die Erfolgslüge: Es gab nur eine Richtung – aufwärts

Ein Schreiben von vielen, ein Bericht von vielen:

Rat des Kreises Meiningen   28.06.89
Fachorgan Landwirtschaft
Stellvertreter des Leiters und
Leiter FO, Wilk

Maßnahmen zur Vorbereitung und Durchführung der Getreide- und Hackfruchternte sowie der Herbstarbeiten 1989 im Kreis Meiningen
Auf der Grundlage der auf der 7. Tagung der SED getroffenen Aussagen zum Stand der sozialistischen Landwirtschaft der DDR und der auf dem zentralen Seminar der Land-, Forst- und Nahrungsgüterwirtschaft durch den Genossen Krolikowski dargelegten weiteren Entwicklungsrichtung ist die Produktion in den LPG weiter zu stabilisieren und zu erhöhen.
...
Das 40. Jahr des Bestehens unserer Republik soll zum besten Produktionsjahr in der Landwirtschaft werden.

So wie hier klangen alle politischen Planvorgaben und Entwicklungsprognosen. Überall durfte es nur aufwärts gehen, unabhängig von den äußeren Umständen. 1989 prognostizierte der Rat des Kreises Meiningen:[34]

Das 40. Jahr des Bestehens der Republik 1989 sollte laut DDR-Propaganda zum besten Produktionsjahr in der Landwirtschaft werden. Überall durfte es nur aufwärts gehen, unabhängig von den äußeren Umständen. Bei der Grünfutterernte in den LPG halfen moderne selbstfahrende Mähhäcksler, wie auf dieser Aufnahme im Schatten der Heldburg zu sehen ist. Doch nicht in allen Wirtschaftsbereichen kamen solche modernen Hilfsmittel zum Einsatz.
Sammlung: Reinhold Albert

3. Leistungszuwachs in der Industrie

Die geplante Nettoproduktion wird 1989 im Bereich der Industrieministerien voraussichtlich mit 101 % erfüllt. Der damit gegenüber 1988 erreichte Zuwachs von 7 % wird höher sein als in den Vorjahren.

Der gegenüber 1985 zu erwartende Zuwachs von mehr als 25 % wird zu 90 %, darunter 1989 vollständig, durch die Steigerung der Arbeitsproduktivität realisiert.

Steigerung zum Vorjahr um %

	1986	1987	1988	vorauss. 1989
Nettoproduktion	4,8	4,6	6,5	7,4
Arbeitsproduktivität	4,2	4,1	5,1	7,5

Insgesamt wächst die Arbeitsproduktivität 1989 gegenüber 1985 um 23 %, während sich die Arbeitskräftezahl um 2,5 % erhöht.

Die industrielle Warenproduktion aller Betriebe des Kreises beträgt 1989 voraussichtlich 1.421 Mio M. Mit einem Zuwachs von ca. 3,4 % gegenüber 1988 verringert sich das Wachstumstempo gegenüber dem Vorjahr.

Gegenüber 1985 wird der Gesamtzuwachs 13 % betragen, das entspricht einem jährlichen Durchschnitt von 2,5 %.

Um die Planziele zu erreichen, wurde, wie beim Wohnungsbau, getrickst und geschönt.

Die wirtschaftliche Schieflage

Erkennbare Folgen für den Niedergang der DDR-Wirtschaft waren 1989 der rasante Wertverfall der auf dem internationalen Markt immer weiter überalterten DDR-Produkte und einer damit verbundenen verschlechterten Versorgungslage innerhalb der DDR. Mittlerweile mussten die Menschen bis zu 18 Jahre auf einen neuen Pkw warten. Ein Telefon hatten die meisten zwar beantragt, der Anschluss ließ oft viele Jahre auf sich warten, ausgenommen waren Teilnehmer in exponierten Stellungen. Viele warteten oft ebenso vergeblich wie auf den Tag, an dem endlich Bananen oder andere Südfrüchte in den Kaufhallen lagen. Zu dieser schlechten Versorgungslage kam auch noch die

schlechte Lebensqualität vieler Bürger. Auch bemühte sich die SED mit dem Bau von Neubauwohnungen in „moderner Plattenbauweise" darum, den Wohnungsmangel in den Griff zu kriegen, dafür versäumte man aber die konsequente Instandsetzung und Modernisierung von Altbausubstanzen.[35]

Ökonomische Entwicklung in den Betrieben und Engpässe von 1972 – 1989

Jürgen Zimmermann aus Meiningen erzählte über seine Erfahrungen in Betrieben der DDR:

Wenn man heute glaubt, dass die DDR nur zu Grunde ging, weil die Bevölkerung auf der Straße Druck machte, der irrt. Die ökonomische Lage der letzten Dekade der 80er Jahre bereitete das Ende vor, nicht zuletzt auch mit verursacht durch die ökonomische Lage der Sowjetunion.

Hier soll noch mal kurz darauf eingegangen werden. Für viele ist die Vergangenheit schon wieder längst vergessen im Alltagsstress der heutigen Zeit. Nach dem VIII. Parteitag der SED 1971, in den Jahren 1972 und 1973 schlichen sich hier und da schon kleine Mängel ein. Fühlbar wurde es in Betrieben, die oft von Verschleißteilen abhängig waren, so etwas konnte man schon ab 1974 beobachten. Im Reparatursektor und in der Energieversorgung wurden die Abstände Jahr um Jahr weniger, wo man sich sorglos mit Ersatzteilen bedienen konnte. Die Zeit der Improvisation stand in den Startlöchern, die nun zum wichtigsten Instrument der zweiten Hälfte der siebziger und achtziger Jahre werden sollte. Mit Slogans wie „Aus 3 mach 1" oder „Aus jeder Stunde Arbeitszeit und jedem Gramm Material ..." versuchte man die ökonomischen Lücken zu stopfen und Schludereien entgegen zu wirken.

Die schlechte Disziplin und der Schlendrian wurden weitere Probleme. Ende der 70er und durch die gesamten 80er Jahre wurde dieses Phänomen zur lästigen Dauerbegleitung. Betriebsleiter und Führungskräfte bekamen die Erscheinungen trotz Belehrungen und Disziplinarmaßnahmen nur zögernd oder gar nicht in den Griff. Alkoholvergehen

Nahezu in jeder Ortschaft, war sie noch so klein, wie z. B. im nur 120 Einwohner zählenden Dörfchen Albingshausen, das im Heldburger Unterland hart an der Grenze zu Bayern liegt, existierte eine Konsumverkaufsstelle. Karin Oestreicher betreute sie bis zu ihrer Schließung 1990.
Foto: Reinhold Albert

und nachlässiges Arbeiten waren in nicht wenigen Betrieben auf der Tagesordnung. Die mittlerweile nachwachsende jüngere Generation war weit entfernt von den Werten und Ordnungsvorstellungen der älteren Kollegen.

In der zweiten Hälfte der achtziger Jahre wurde die wirtschaftliche Lage bedrohlicher.

Die Sowjetunion war der Hauptversorger mit wichtigen Rohstoffen. Bereits in den Jahren 1965 und 1966 bekam die DDR schon einmal wirtschaftliche Probleme, als die Sowjetunion die ausgehandelten Erdöllieferungen zurücksetzte. So musste die DDR wieder auf heimische Energieträger zurückgreifen. Diese Probleme sollten sich in den 80er Jahren wiederholen, besonders in der letzten Hälfte des Jahrzehnts. Die weltpolitische Lage veränderte sich dramatisch, der Ost-West-Konflikt zwischen USA und Sowjetunion nahm für das sozialistische Lager ernsthafte Formen an. Die Politik des Wettrüstens

trat in die heiße Phase ein. Das machte sich in der DDR außerordentlich bemerkbar, bedingt durch die nicht mehr erfüllbaren Lieferungen mit wichtigen Rohstoffen, wie Stahl und Erdöl aus der Sowjetunion. Die DDR war gezwungen, in einigen wichtigen Wirtschaftszweigen ihre Möglichkeiten mit Material und Energieträgern massiv umzustellen.

In den Energieversorgungsbetrieben, dem Herzstück der Wirtschaft, und in vielen anderen Bereichen sah man gewaltige Probleme auf sich zukommen. So sah man sich gezwungen im Bezirk Suhl, die Energieversorgung mit Fernwärme und Elektroenergie in den Betrieben umzustellen. In den Jahren 1987, 1988 und 1989 lief das große Projekt „ETU", Energieträgerumstellung an. Die ausbleibenden Öllieferungen aus der SU, die weltmarktbedingt nun auch an die SU in Dollars gezahlt werden sollten, wurden zum Energieträger- und Devisenproblem. Man besann sich heimischer Energieträger, Braunkohle war das neue Zauberwort. Heizwerke und Kraftwerke mussten umgerüstet werden. Das war wiederum mit großen Problemen und Anstrengungen verbunden. Das neue Energieproblem setzte, wie immer in der DDR, Improvisationstalente frei. So begann man, Ende 1988 auf Grund von Kraftstoffdefiziten bei Lkw eine längst vergessene aber hilfreiche Kraftstoffalternative in die Tat umzusetzen. Man baute vereinzelt wieder Holzvergaser in Lkw ein und rationierte streng den Verbrauch von Benzin- und Dieselkraftstoff für die Betriebsfahrzeuge.

Auch bei der Fernwärmeversorgung wurden die aus alten Tagen bekannten Hausmittelchen wieder eingeführt. Vom RAW Meiningen ausgediente Dampflokkessel dienten als Wärmeversorgung. Die Braunkohle hatte jetzt „freie Fahrt". Ein großes Rohbraunkohlenkraftwerk wurde 1988/89 fertig.

Die Abteilung XVIII regierte in die Betriebe hinein

Die **konspirative Unternehmensberatung**: Vier Tage vor Weihnachten 1985 erreichte den regierenden Bezirksfürsten der SED, Albrecht, in seiner Parteizentrale an der Suhler Wilhelm-Pieck-Straße wieder mal eine Tatarenmeldung aus dem Wirtschaftsleben. Die Geheimen berichten schriftlich über ihre „Kontrollen zur vorbeugenden Verhinderung von Havarien und Störungen an überwachungspflichtigen Kesselanlagen im Bezirk". Die konspirativ tätigen Allroundexperten hatten sich 284 von 498 Kesselanlagen vorgenommen und den „sicherheitstechnischen Zustand", das „technologische Regime" sowie „die fachliche Eignung der eingesetzten Kesselwärter" überprüft.

Das Ergebnis war niederschmetternd: 1.645 Verstöße gegen Sicherheitsvorschriften, gegen Bestimmungen des Arbeits-, Brand- und Havarieschutzes. Elf Kombinate und 68 volkseigene Betriebe waren betroffen, darunter einige Renommierbetriebe des Bezirks, etwa das VEB Kombinat Sportgeräte Schmalkalden und das Werk Meiningen des VEB Robotron-Elektronik Zella-Mehlis, aber auch die Nougat- und Marzipanfabrik Schmalkalden. Eine Analyse der „schwerwiegenden Mängel und Missstände" lieferte die Stasi gleich mit: Die „Kontroll-

pflicht der verantwortlichen Leiter" werde „ungenügend wahrgenommen".

Die Dienstanweisung 1/82 (VVS MfS 0008-19/82) des Stasi-Chefs Erich Mielke liefert den Geheimdienstlern die Legitimation, sich in sämtliche Wirtschaftsabläufe einzumischen. Die Stasi sollte nun, laut Ukas, von oben, die „staatlichen und wirtschaftsleitenden Organe unterstützen", und zwar in „allen volkswirtschaftlichen Bereichen". Die SED-Spitze befahl den Sturmtrupp der Partei zur Krisenbewältigung der Planbürokratie.

Für alles fühlten sich die Generalisten von der Stasi kompetent: für die Mängel bei der „Teilmontage des Bodenstaubsaugers 05/06" im VEB Elektroinstallation Sonneberg, für die Gründe der „Aberkennung des Gütezeichens ‚Q' bei der Mokick-Reihe S 51", für die Probleme, die im Hartmetallwerk Immelborn auftreten, bei der Produktion der „Wendeplatte für die Holzbearbeitung mit einer Koerzitivfeldstärke von 250 bis 270 Öhrstedt" oder die „Reifensituation im VE Verkehrskombinat Suhl".

Einmal schlug die Stasi vor, fast die komplette Führungsriege des VEB Fahrzeug- und Jagdwaffenwerk Suhl (FaJaS) zu feuern.

Am 20. Oktober 1988 verlangte der Geheimdienst deshalb *„den Neubau eines weiteren Heizwerkes und die Erneuerung von Abschnitten der Fernwärmeleitung der Stadt Suhl"*. Schon für den Winter 1989 könne man nur „hoffen, dass keine extremen Witterungsbedingungen" eintreten.

So ähnlich musste ein Mitarbeiter des Kalibetriebes Werra in Merkers gedacht haben, als er einen Sicherheitsbericht vor sich liegen sah, nach dem die dreizehn mit gefährlichem Ammoniak gefüllten Druckbehälter des Betriebs nur noch „die Festigkeit gebrannten Tons" besitzen. Der Mann wusste, dass sein Betriebsdirektor nur machtlos mit den Schultern zucken kann, und wendete sich direkt an die „Burg" in Suhl. In nur drei Jahren, für DDR-Verhältnisse rekordverdächtig, waren neue Druckbehälter installiert. Im März 1989 rappelte es neben dem Betrieb im Gestein. Die Stasi jubelte. Sofort wurde nach Berlin gekabelt: Durch beharrliche Arbeit sei eine große Katastrophe verhindert worden.[36]

Die Arbeit der Staatssicherheit in der für die Wirtschaft zuständigen Abteilung XVIII wurde auch im Abschnitt „Staatssicherheit im Bezirk Suhl" behandelt.

Eine ungewöhnliche Zucht betrieb Dietmar Arnold in Rieth bis 1991. Er hielt rund 150 Nutria (im Bild), deren Felle besonders begehrt waren. Der Staat subventionierte derartige Initiativen. Die Aufnahme entstand im Juli 1990.
Foto: Reinhold Albert

Die Krise in der Versorgung der Bevölkerung

Dass die Bürger mit der Versorgungslage unzufrieden waren, meldete die Staatssicherheit in ihren Monatsberichten regelmäßig an die Obrigkeit der Kreise, Bezirke und von dort weiter nach oben. Teils wurden diese Mängelberichte dadurch abgeschwächt, dass die Beschwerden als Einzelmeinungen oder die Meinung von Bürgern gekennzeichnet wurden, die bereits als „negativ" aufgefallen waren. Diese Stimmen sind im Abschnitt „Leben im Grenzgebiet Ost" aufgeführt.

Der tägliche Mangel-Ärger

Bis zuletzt ging es, wenn man den Presse- und Fernsehmeldungen Glauben schenkte, immer weiter aufwärts, doch im täglichen Leben wurden die Leute immer unzufriedener, alles war kontingentiert, ob Fernseher, Gefriertruhe oder Waschmaschine. Man musste sehr gute Beziehungen haben, wenn man vorzeitig an kontingentierte Güter kommen wollte. Wenn am Donnerstag Lieferung von Fernsehern war, standen die Leute schon von Mittwochabend vor der Tür an. Von den 30 bekamen die ersten 5 einen, 5 Fernseher gingen hinten rum zu guten Freunden, der Rest ging leer aus.

Da gab es zwar die Arbeiter- und Bauerninspektion, die solche Sachen kontrollierte. Kam es heraus, wurden die Verkäufer bestraft. Schwierig war es auch mit der Baustoffversorgung: Nach Fliesen musste man sich lange anstellen. Wollte man im Sommer bauen, so war es ratsam, im Winter Zement gekauft zu haben, denn im Sommer war ohne Beziehungen Zement nicht zu erhalten.[37]

Um dem Mangel in vielen Dingen abzuhelfen, installierte man in den 70er Jahren An- und Verkaufsläden, die von der Bevölkerung gerne angenommen wurden. „Fliegende Händler", besonders aus Polen, brachten bestimmte Industriegüter in die DDR, zum Beispiel elektrische Heizgeräte. Zum Teil kauften sie aber ihre Waren in Berlin.

Die unzähligen von Partei und Staatsführung herausgegebenen Gesetze, Verordnungen und Anregungen zur Beseitigung der vielfältigen Mängelerscheinungen auf allen Gebieten der Volkswirtschaft hatten teilweise keinen großen Nutzen und sind aus heutiger Sicht zum Teil lächerlich.

Die Drei-Klassen-Läden

Die **Exquisitläden** führten meist hochwertige Textilien oft aus dem westlichen Ausland oder aus DDR-Produktion für das westliche Ausland und unterschieden sich von Läden mit Normalangebot durch „exquisite" Preise. Sie wurden schon in den 60er Jahren installiert.

Die **„Delikat"-Läden** entstanden in den 80er Jahren. Sie führten Genussmittel und Delikatessen auch teils aus westlicher Produktion, vor allem aber aus der Gestattungsproduktion. Im Volksmund hießen sie „Fress-Ex".

„Intershops" entstanden in den 60er Jahren für DDR-Bürger, die zu westlicher Währung Zugang hatten.

In den späten 70er Jahren gab es Forum-Schecks. Hatte man westliche Währung, zahlte man diese auf der Bank ein und erhielt dafür Forum-Schecks, mit denen man in Intershop-Läden einkaufen konnte. Dies geschah, damit die Regierung an Devisen kam.

Ein Beispiel, wie in der Bevölkerung über diese „Klasseneinteilung" gedacht wurde:

Inoffiziell wurden Hinweise über negative Diskussionen des stellv. Gruppenpostenleiters des Gruppenpostens I Eisfeld, Peter H., wohnhaft in Birkenfeld, zu politischen Grundfragen und zur Preispolitik erarbeitet. H. brachte u. a. zum Ausdruck:

„.... Würde Marx noch einmal aufstehen und sehen, wie seine Lehren angewandt werden, er würde sich sofort wieder ins Grab legen."

Nach der Darstellung des H. ist bei uns alles sehr teuer. Vor allem würde sich das unterschiedliche Preisniveau in den Läden (Normalläden, Delikat- und Exquisitläden) negativ in den Diskussionen der Bevölkerung auswirken. Er selbst findet die Preise in den Delikatläden zu hoch. Auf den Hinweis der Quelle, dass er doch einen guten Verdienst habe und auch in den Delikatläden einkaufen könne, entgegnete er sinngemäß – „.... diese Art der Warenabsetzung ist nicht in Ordnung, aber leider zur Verkaufsmethode im Sozialismus geworden.[38]

Rudolf Jadamowitz betrieb seit Mitte der fünfziger Jahre bis 1991 die einzige Autoreparaturwerkstatt in Römhild. Er hatte bis zu sechs Personen beschäftigt. Zu DDR-Zeiten betrug die Wartezeit für Reparaturen bis zu sechs Wochen. Die Aufnahme zeigt seinen letzten verbliebenen Mitarbeiter Hartmut Scheerschmidt 1991 bei der Reparatur eines Pkw-Trabant.
Foto: Reinhold Albert

Der Ärger mit den Öffnungszeiten und dem Service

Landolf Scherzer schrieb 1988:

Nach Kontrollen über Öffnungszeiten in Salzunger Geschäften und Wartezeiten bei Dienstleistungen ergab sich am vergangenen Donnerstag: Um 12 Uhr hatte das Schuhgeschäft geschlossen, um 12.15 Uhr das Haushaltswarengeschäft und um 16 Uhr der Spielzeugladen. Um 12 Uhr hing vor dem Foto-Optik-Laden ein Schild: „Bis 15 Uhr wegen Warenannahme geschlossen". Um 15 Uhr wurde das Schild abgenommen und durch ein neues ersetzt: „Bis 18 Uhr wegen Warenannahme geschlossen". Am Freitag in der DLK39-Annahmestelle Bad Salzungen-Allendorf: Einen Reißverschluss in eine Tasche nähen 6 Wochen. Einen 5-Liter-Elektro-Boiler reparieren 2 bis 3 Monate. Einen Kunden, der seinen Boiler nicht, wie man riet, wieder mit nach Hause nehmen wollte, fragte die Kollegin: „Haben Sie überhaupt einen Karton zum Verpacken mit?"

Der Text stamme natürlich nicht vom DLK Bad Salzungen, sagte HDF (der Erste Sekretär). Im Bericht, den das DLK für die bevorstehende Sekretariatssitzung der Kreisleitung ausgearbeitet hatte, ständen andere Zahlen, zum Beispiel 103 Dienstleistungsarten und Zusatzleistungen, in fünf Jahren 155 Prozent Steigerung der Arbeiten für die Bevölkerung, Wartezeiten von fünf bis zwanzig Tagen ...

Nein, meint der Erste, es gäbe natürlich keine zwei Wahrheiten – eine für die Berichte und eine für den Alltag –, aber wenn man nicht zur Ehrlichkeit gezwungen werde ... [40]

Der Gesprächskreis für Frieden und Ökologie der Kreiskirchengemeinde Meiningen beschwerte sich in einer Eingabe vom 9. Februar 1987 an den Rat des Kreises Abt. Handel und Versorgung:

Aber nicht nur das Angebot der HO-Fix ist Anlaß zur Kritik; die ganze Verkaufskultur läßt sehr zu wünschen übrig. Der Absicht, Käse zu kaufen, steht die Aussicht auf ein zweimaliges Schlangestehen hindernd im Wege. Erst ist es die Schlange am Käseverkaufsstand, die einen zur Ruhe zwingt und dann die Schlange an der Kasse. Glückliche Zeiten, wenn die zweite Kasse ausnahmsweise einmal geöffnet ist. Jedenfalls ist das selten in Verkaufsspitzenzeiten der Fall. Am schlimmsten steht es um den, der auch noch seine leeren Milchflaschen zurückgeben will. Da muß man schon eine der raren Verkaufspausen am Käsestand erwischen. Es empfiehlt sich also nicht, mit mehreren Anliegen gleichzeitig die HO-Fix betreten zu wollen, wie etwa Flaschen abgeben, Scheibenkäse kaufen und bezahlen wollen. Das ist nach einem angefüllten Arbeitstag eine Zerreißprobe für die Nerven, die sicher nicht jeder besteht.[41]

„Schattenwirtschaft" in der DDR – Handel von Hand zu Hand unter der Bevölkerung

Jürgen Zimmermann: Ein kurzes Kapitel soll beschreiben, wie Handel von Hand zu Hand unter der Bevölkerung funktionierte.

„Hilfst du mir, so helfe ich dir, beschaffst du mir, beschaffe ich dir."

Die Engpässe in der DDR mit Material aller Art waren nur durch ungeahnte Talente in Sachen Beschaffung zu kompensieren. „Beziehung" war eine der wichtigsten Vokabel im DDR-Deutsch geworden. Wer keine hatte, diese so genannten „Beziehungen", musste einen unerschütterlichen Optimismus haben. Die Häuslebauer oder Datschenbesitzer (Garten und Bungalows) mussten mit diesen Beziehungen reichlich beschenkt sein, sonst lief meistens nur sehr wenig oder gar nichts. Alles war in der DDR vom lieben Staat geregelt, wer und wann Zement und Steine bekam, wie viel Baumaterial er zugeteilt und wann er es bekam, was man für einen Haustyp bauen durfte, mit Kniestock oder nicht. Da war es natürlich von großem Vorteil, wenn man wichtige Leute kannte. Hatte man Beziehungen, bekam man schon frühzeitiger einen

Lkw oder Bagger. So kam es auch oft vor, dass man sich untereinander mit Tauschgeschäften half. Wenn ein Bürger Zugang zu Baumaschinen hatte, hob er am Wochenende für den Kumpel die Baugrube aus, Gegenleistung dafür war z. B. Holz für den Dachstuhl oder Elektromaterial für die Installation. Dieser Naturalienhandel zog sich auch in die Betriebe hinein.

Das typische DDR-Schlagwort war „Privatpfusch". In den Betrieben hatte der Privatpfusch immer Vorrang. Unter dem Slogan „Privat geht vor Katastrophe" wurde alles gebaut, was die DDR auf dem Markt nicht zu bieten hatte. Hollywoodschaukeln, Bratwurstroste, Zaunfelder, Tore, Kleinfahrzeuge mit Hänger, alles, was schwer oder gar nicht zu bekommen war. Dabei war auch die gegenseitige Hilfe unter den Kollegen gefragt: Ich besorge dir Material, kannst du mir was schweißen, oder ich besorge Balken und Bretter und du schweißt mir eine neue Auspuffanlage am Trabi, so lief das eben. Es entwickelte sich eine regelrechte Solidarität bei der Kooperierung des „Privatpfusches", jeder kannte ja irgendwo jemanden. Wenn es überhand nahm, schritt man oft von der Betriebsleitung ein, aber es taten sich immer wieder neue Wege auf.

Episoden zum Thema Privatpfusch

In einem Betrieb wurde es zum Schutze des Volkseigentums noch einmal ausdrücklich verboten, Material zu entwenden. Phantasie war gefragt, um begehrte Dinge aus dem Betrieb zu schmuggeln. Man baute einen kleinen Wagen aus Rohrmaterial, das man aus dem Betrieb entwendet hatte. Die Kollegen füllten den Wagen mit Holzspänen, die sie von der Tischlerei bekamen und fuhren zum Feierabend ganz legal beim Pförtner vorbei. Der schaute und fragte. Der Kollege sagte: „Es sind nur Holzspäne." So brachte er seine Rohre unerkannt aus dem Betrieb. Der Phantasie waren eben keine Grenzen gesetzt.

Das RAW Meiningen war ein Betrieb mit reichlich vielen verlockenden Materialien. Auch dort gab es Meisterstücke beim Ausschmuggeln von Material. Hollywoodschaukeln waren begehrte Objekte für Freizeit und Co. Nach Fertigstellung dieser selbst gebauten Reliquien ging es um das Herausschaffen aus dem Betrieb. Man verstaute einfach die gefertigten Dinge auf einer zur Probefahrt bereitstehen-

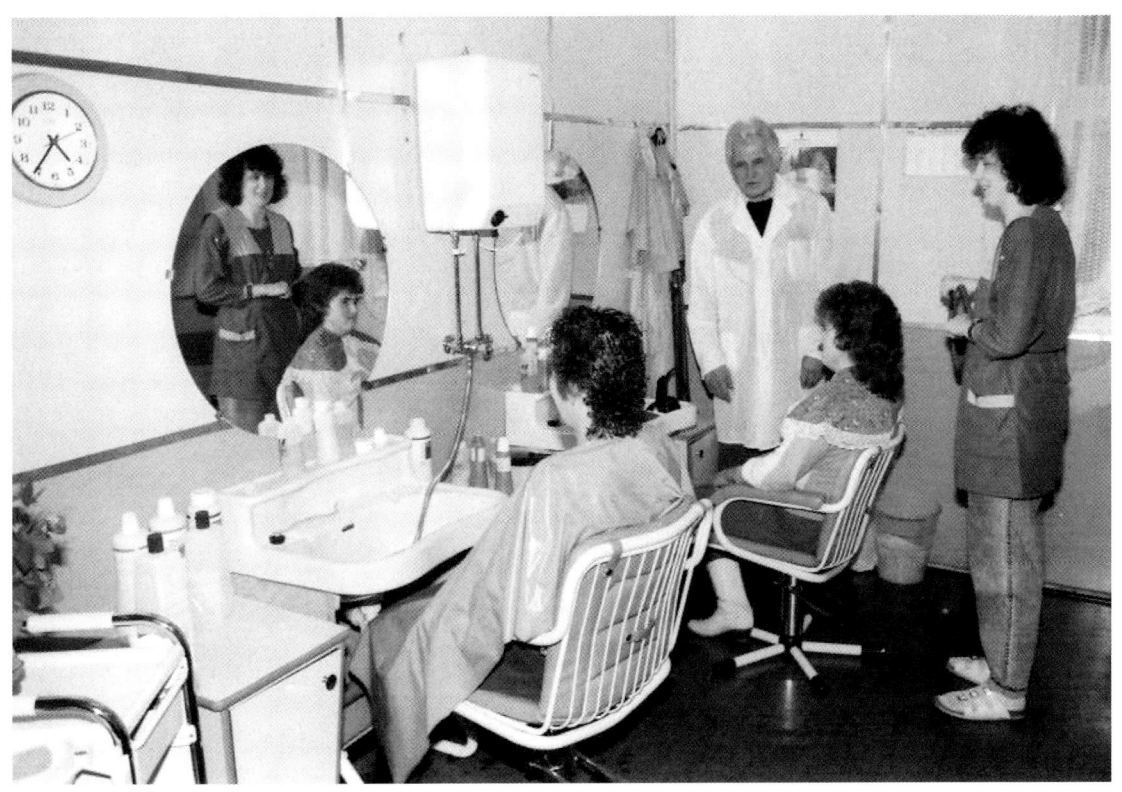

Willi Weber betrieb zu DDR-Zeiten zusammen mit seiner Tochter Silvia Büttner in Rieth einen Friseurladen.
Foto: Reinhold Albert

den Lokomotive. Bei einem verabredeten Ort lud man die begehrten Objekte wieder ab. So hatte man problemlos die beliebten Dinge unbemerkt aus dem Betrieb geschafft.

Wie man sich so durchschlagen musste – Privater Hausbau war nur unter großen Schwierigkeiten möglich

Manfred Eckert aus Stepfershausen erzählte:

Meine Frau und ich wohnten erst in einer kleinen Wohnung in Stepfershausen, wollten aber immer ein eigenes Haus bauen. Der damalige Bürgermeister verwies mich an Privatleute. Der Besitzer eines 1500-m²-Grundstücks (Arme-Leuts-Gärten), Arthur Rudolf, lebte in Huntsville/Alabama und war einer der Stellvertreter des Wernher von Braun. Nachdem er angeschrieben worden war, erhielt ich innerhalb von vier Wochen zustimmende Rückantwort.

Von der Gemeinde kam Zustimmung. Das Grundstück wurde 1964 taxiert 60 Pf/m². 5 Jahre musste ich handeln, um Steine betteln, Bretter, Dachlatten, halbe Steine tauschen – es gab ja nichts – in den Plan mit staatlicher Förderung kam ich nicht. – Du kannst bauen, musst dir aber das Material selber besorgen, hieß es. Vom BGH Oberhof hatte ich mit viel Mühe 8.000 Biberschwänze erhalten. Eines Tages kamen Männer im Auftrag des Staatsanwaltes und überprüften das Material. Diese, die Arbeiter- und Bauern-Inspektion, kamen auf Anschwärzung aus dem Dorf, die Ziegel wurden weggeholt, das Geld zurückgezahlt. Ich stand wieder ohne Ziegel da. Die Baugenehmigung wurde ja erst erteilt, wenn das gesamte Material da war. Da kam Hugo Kleffel zu mir, LPG-Vorsitzender von Stepfershausen, früher Verwalter auf dem Gut in Schmerbach und bot mir an, seine Scheune in Schmerbach zu kaufen, die im Zug der Bodenreform gebaut worden war. Die Scheune war ein Fachwerkbau, mit Ziegel ausgemauert, 14 x 16 m groß. Die Scheune kostete 6.000 Ost-Mark ohne die Abrisskosten. Im Oktober 1968, an einem Samstag, ging es mit Bier, Schnaps und Brotzeit mit 15 Mann zum Abriss.

Allerdings gab es auch beim privaten Hausbau Ausnahmen, wie es eben die Ausnahmen waren, die den Normalbürger ärgerten. Karl-Heinz Dörsmann führte aus:

Hervorzuheben ist die besondere Behandlung von Auslandskadern, Fachärzten und Personen, die als „nützlich" eingestuft waren. Dieser Personenkreis bekam alles, beispielsweise auch Bauplätze für ihr Eigenheim, das sogar größer als die Norm für Normalbürger gebaut werden konnte. Die notwendigen Bauplätze wurden „einfachen" Bürgern unter Berufung auf das Aufbaugesetz für 3,50 M/m² „abgezockt". Bei kleinen Funktionären war man nicht so großzügig, da wachte der Volkszorn.

Herr Albrecht, der 1. Sekretär der Bezirkleitung der SED, und der Ratsvorsitzende Zimmermann hatten sich in Suhl Eigenheime bauen wollen. Während der Bauzeit spielten Kinder auf der Baustelle. Die Stasi nahm sie mit.

Eine alte Suhler Genossin beschwerte sich beim ZK über diese Selbstherrlichkeit. Die Herren bezogen die Gebäude nicht, es kamen kinderreiche Familien in die Häuser, so wurde jedenfalls zur DDR-Zeit erzählt.[42]

Bernd Langbein erzählte, wie er zu einem Urlaubsplatz kam:

In der Mode-, der Bekleidungs- und Spielwarenindustrie gab es attraktive Urlaubsplätze nur für Schichtarbeiter.

Langbein musste zu Hause bleiben, bis ihm der Kragen platzte: „Wenn ich jetzt keinen Urlaubsplatz bekomme, trete ich aus der Gewerkschaft aus", schimpfte er. Erst dann klappte es mit dem Urlaubsplatz.

Wer keine Beziehungen hatte, musste „schmieren"

G. ist nicht vorbestraft, er wurde lediglich ein paarmal darauf hingewiesen, dass er mit seinem vorlauten Mundwerk etwas vorsichtiger sein müsse. G. hatte an einigen Stellen darüber Beschwerde geführt, dass man mit Geld erst gut schmieren muss, um an Waren heranzukommen, zum Beispiel

musste er beim Kauf einer Badewanne, die ca. 263 Mark kostete, zusätzlich 100 Mark Schmiergeld zahlen.[43]

Aktuelle Tendenzen und Erscheinungen im Gebrauchtwarenhandel – 4. April 1989

Die Not macht erfinderisch, sagt das Sprichwort. Das traf auch für die Führung der DDR zu. Nachdem die Versorgung der Bürger wegbrach, sich erhebliche Lücken in der Versorgung auftaten, galten auf einmal auch ideologische Vorbehalte nichts. Jetzt sollten auf einmal die Privaten, vorher verfemt und durch höhere Besteuerung benachteiligt, die Lücken füllen.

Gleiches galt für den Gebrauchtwarenhandel, der immer mehr die Lücken in der Versorgung füllte. Der Staatssicherheitsdienst berichtete darüber:

Die Geschäfte des Gebrauchtwarenhandels finden unter der Bevölkerung des Bezirkes einen großen Zuspruch. Sie stellen eine sinnvolle Ergänzung des sozialistischen Einzelhandels dar, indem sie den Austausch gebrauchter Waren im Bürger-Bürger-Verhältnis organisieren.

Mit der Zielstellung der Erwirtschaftung eines hohen Umsatzes und Gewinns entwickelten sich die Geschäfte des An- und Verkaufs bis 1987 aber auch zum „Hauptumschlagplatz" ungesetzlich in die DDR eingeführter Waren. In diesem Zusammenhang wurde der eigentliche Gebrauchtwarenhandel vernachlässigt und die Geschäfte „spezialisierten" sich vorrangig auf den An- und Verkauf von ungesetzlich aus dem NSA und sozialistischen Ländern, insbesondere der VR Polen, eingeführter Waren, wie z.B. Computer- und Rechentechnik, Heimelektronik sowie Zubehör, Modebekleidung, Modeschmuck und Werbeartikel. Dabei wurde die Anordnung über die allgemeinen Bedingungen beim An- und Verkauf gebrauchter Konsumgüter vom 20.10.1986 aufs Gröblichste mißachtet.[44]

Die Unzufriedenheit wird immer größer

Im Herbst 1989 wurde die Unzufriedenheit unter der Bevölkerung immer größer, wie das MfS aus dem gesamten Bezirk meldete:

Arbeiter und Angestellte aus den VEB Kombinat EGS, WfTG Ilmenau, WKS Schmalkalden, StFB Schmalkalden, Stanz- und Ziehteile Schmalkalden, Thuringia Sonneberg sehen die sich verschlechternde Versorgungslage, ungenügende Angebote in den Verkaufsstellen, Warenverlagerungen in Exquisit- und Delikatläden, extrem lange Wartezeiten bei Pkw, fehlende Ersatzteile und unzureichende Investitionen in der Wirtschaft entgegenhalten.

So würde täglich in den Zeitungen über Fortschritte bei Kfz-Reparaturen berichtet, aber Tatsache sei, daß z.B. ein im September 1989 zur großen Durchsicht im VEB Kfz-Instandhaltung Suhl angemeldeter Trabant erst am 20. Oktober 1990, Punkt 6.00 Uhr, dem entsprechenden Meister vorgestellt werden könne. Die so „abgefertigten" Kraftfahrer sprechen von einer einmaligen Krönung der DDR-Dienstleistungen.[45]

Auch in wirtschaftlicher Hinsicht war die Zeit reif für eine Änderung.

Eine ganze Reihe überlieferter bäuerlicher Tätigkeiten haben sich im ehemaligen DDR-Grenzsperrgebiet erhalten, so z. B. das Bierbrauen. Die Aufnahme entstand in Albingshausen im Heldburger Unterland.
Foto: Reinhold Albert

1. Januar 1989

Jens T., 21, Facharbeiter aus Bautzen, wurde um 02.50 Uhr von eingesetzten Grenzposten im Schutzstreifen bei Hönbach, Krs. Sonneberg, festgenommen. Er war mit der Reichsbahn nach Sonneberg angereist und beabsichtigte, die Grenzsperranlagen zu überwinden.
(GT-TM 017184)

F., 25, aus Hohndorf, Krs. Greiz, versuchte, im Krs. Sonneberg in den Westen zu gelangen. Um 02.29 Uhr wurde er festgenommen.
(GT-TM 017184)

3. Januar 1989

Bernd N., 27, Ost-Berlin, wurde wegen versuchten Diebstahls festgenommen. Bei den Ermittlungen gab N. zu, einen Grenzdurchbruch im Raum Dorndorf, Krs. Bad Salzungen, geplant zu haben.
(GT-TM 017184)

4. Januar 1989

Steffen H., 24, wurde um 21.30 Uhr von der Volkspolizei außerhalb des Sperrgebietes bei Dorndorf, Krs. Bad Salzungen, aufgegriffen. Er beabsichtigte, die Grenze im Raum Vacha zu durchbrechen.
(GT-TM 017184)

Ronny H., 22, wurde um 11.15 Uhr im Raum Saalfeld aufgegriffen. Er beabsichtigte, bei Eisfeld, Krs. Hildburghausen, die Grenze zu überwinden.
(GT-TM 017184)

Helmut W., 44, Suhl, KOM-Fahrer im VEB Kraftverkehr Suhl, kam von einer Privatreise vom 26.12.1988 - 04.01.1989 aus der Bundesrepublik nicht wieder zurück.
(BGK 89, BStU)

8. Januar 1989

Ein weiß-blauer Grenzpfahl lag um 16.30 Uhr bei Mendhausen, Krs. Meiningen, 4 m auf DDR-Seite. Dies wurde dokumentiert und der Pfahl auf bayerisches Gebiet zurückgelegt sowie Meldung

Besuchsreisen ins westliche Ausland als Überdruckventil

REISEN AUS DER DDR IN DIE BUNDESREPUBLIK DEUTSCHLAND

Nach den Sperrmaßnahmen der DDR seit dem 13. August 1961 war es zunächst allen Bewohnern der DDR verwehrt, in die Bundesrepublik Deutschland zu reisen. Seit dem 2. November 1964 durften Personen im Rentenalter einmal im Jahr bis zur Dauer von 4 Wochen ihre Verwandten im Bundesgebiet oder in Berlin (West) besuchen. Bei Todesfällen oder in Fällen schwerer Erkrankung eines Angehörigen konnte dem gleichen Personenkreis eine zusätzliche Reiseerlaubnis gewährt werden. Als Personen im Rentenalter galten Frauen von Vollendung des 60. Lebensjahres und Männer von Vollendung des 65. Lebensjahres an. Den Altersrentnern gleichgestellt waren Invaliden- und Unfallvollrentner. Mit dem Inkrafttreten des Verkehrsvertrages am 17. Oktober 1972 wurden die Reisemöglichkeiten insofern verbessert, als nunmehr die Ausreise ein- oder mehrmals im Jahr bis zur Dauer von 30 Tagen – in dringenden Fällen auch mit dem Pkw – genehmigt werden kann. Bis zum Jahre 1972 machten im Durchschnitt jährlich etwa eine Million Rentner aus der DDR von dieser Besuchsmöglichkeit Gebrauch. Inzwischen liegt die Zahl dieser Reisen bei rd. 1,3 Mill. Nach der Anordnung der DDR-Regierung über Regelungen im Reiseverkehr von Bürgern der DDR vom 17.10.1972, die am selben Tage wie der Verkehrsvertrag in Kraft getreten ist, haben erstmals außer Rentnern auch nahe Verwandte jeden Alters, und zwar Großeltern, Eltern, Kinder und Geschwister, die Möglichkeit, in dringenden Familienangelegenheiten in das Bundesgebiet und nach Berlin-West zu reisen. Als dringende Familienangelegenheiten wurden Geburten, Eheschließungen, lebensgefährliche Erkrankungen und Sterbefälle angesehen. Die Ausreise konnte ein- oder mehrmals bis zu einer Dauer von insgesamt 30 Tagen im Jahr, und zwar in dringenden Fällen auch mit dem Pkw, genehmigt werden.

Mit dem Inkrafttreten des Grundlagenvertrages am 1. Juni 1973 konnten auch in der DDR wohnende Halbgeschwister (dieselbe Mutter) in dringenden Familienangelegenheiten die Ausreisegenehmigung erhalten. Die „dringenden Familienangelegenheiten" wurden auf silberne und goldene Hochzeiten ausgedehnt. Auch 60-, 65- und 70-jährige Ehejubiläen wurden als dringende Familienangelegenheiten anerkannt.[1]

Am 9. Februar 1986 erweiterte die DDR die Reisemöglichkeiten in dringenden Familienangelegenheiten. Das wirkte sich sofort, wie weiter unten ausgeführt wird, in einer Zunahme der Genehmigungen aus.

Am 14. Dezember 1988 wurden im Gesetzblatt und in verschiedenen Zeitungen der DDR neue, ab 1. Januar 1989 geltende Regelungen für „Reisen von Bürgern der DDR nach dem Ausland", zur Wohnsitznahme von Ausländern in der DDR und „zur Eheschließung von DDR-Bürgern mit Ausländern" veröffentlicht.[2]

Die Reiseverordnung regelte neben Dienst-, Touristen- und Privatreisen auch „ständige Ausreisen", also Übersiedlungen in den Westen. Den DDR-Bürgern wurde weiter kein generelles Recht auf Westreisen zugestanden; die Zahl der Reiseanlässe und der Kreis derjenigen Verwandten, die besucht werden durften, wurden aber erweitert. Nach der neuen Verordnung konnten Großeltern, Eltern, Kinder und Geschwister (einschließlich Stiefeltern, Stiefkindern und Halbgeschwistern) unterhalb des Rentenalters Anträge auf Westreisen anlässlich von Geburten, Taufen, Namensgebungen, Einschulungen, Jugendweihen, Konfirmationen und Erstkommunionen, standesamtlichen Eheschließungen und kirchlichen Trauungen stellen, Letzteres auch bei den 25., 50., 60., 65. und 70. Jahrestagen von Eheschließungen und kirchlichen Trauungen. Ein weiterer Anlass für einen Reiseantrag konnte der 50., 60., 65. und ab 70. jeder weitere Geburtstag sein. Auch kirchliche Amtseinführungen, lebensgefährliche Erkrankungen, Pflegebedürftigkeit, Sterbefälle und Beerdigungen wurden als Grund für eine Westreise anerkannt. Reisen durften DDR-Bürger von nun an auch beantragen, wenn sie Verwandte entfernteren Grades besuchen wollten, wie etwa Tanten, Onkel, Cousins, Cousinen, Neffen, Nichten, Schwäger, Schwägerinnen, Schwiegereltern und Schwiegerkinder. In der Praxis waren solche Besuche auch ohne die nun vorliegenden Rechtsgrundlagen schon häufig genehmigt worden.

Die DDR-Nachrichtenagentur ADN meldete und die DDR-Presse veröffentlichte am 30./31. März 1989, dass die Verordnung über Reisen von Bürgern der DDR nach dem Ausland mit Wirkung vom 1. April 1989 in Kraft tritt. Sie führte noch einmal alle Anlässe auf, aufgrund derer Anträge gestellt werden können und wies darauf hin, dass die Erste Durchführungsbestimmung am 28. März 1989 im Gesetzblatt der DDR veröffentlicht wurde.

Die Bürger, die Verwandte in der BRD hatten, konnten jubeln. Tatsächlich gab es nur wenige DDR-Bürger mit Westverwandtschaft, die nicht in der Bundesrepublik auf Besuch gewesen wären. Doch besonders bei den Bürgern ohne Westverwandtschaft, aber auch in den Reihen der jetzt Begünstigten gab es Stimmen, die von dem neuen Gesetz enttäuscht waren, mit einigem Recht:

... Die vorliegenden Bestimmungen waren Kann-Bestimmungen. Gründe, nach denen Reisen oder Ausreisen nicht genehmigt werden konnten, wurden auch aufgeführt: z.B. der Schutz der nationalen Sicherheit und der öffentlichen Ordnung, der Geheimnisschutz und die Ableistung des Wehrdienstes. Eine Ablehnung konnte erfolgen, wenn „im Zusammenhang mit der Antragstellung Handlungen gegen die Rechtsordnung der DDR begangen oder ausschließliche

erstattet. Die bayerischen Behörden wurden über den Grenzinformationspunkt (GIP) informiert.
(GT-TM 017184)

10. Januar 1989

Zwei zunächst unbekannte Personen überwanden um 15 Uhr bei Heinersdorf, Krs. Sonneberg, den Grenzsignalzaun mit der Leiter eines in der Nähe befindlichen Jagdhochsitzes. Dabei wurde Alarm ausgelöst. Die Grenzverletzer rannten ca. 1.000 m bis zum vorderen Zaun, überstiegen ihn an einer Betonsäule und gelangten in den Westen. Nachdem ihr Pkw in Sonneberg aufgefunden wurde, konnten ihre Namen ermittelt werden. Es handelte sich um den 27-jährigen Jens L. aus Teichel, Krs. Rudolstadt, und den 24-jährigen Henryk M. aus Rudolstadt.
(GT-TM 017184)

René H., 19, aus dem Krs. Gotha fuhr mit der Bahn bis Merkers und versuchte, sich den Grenzsperranlagen zu nähern. Er beabsichtigte, sie im Raum Vacha, Krs. Bad Salzungen, zu überqueren, wurde aber um 01.50 Uhr von Kräften der DVP an der Werra bei Vacha festgenommen.
(GT-TM 017184)

11. Januar 1989

Henry K., 28, Sonneberg, löste um 22.47 Uhr am Signalzaun bei Hönbach, Krs. Sonneberg, Alarm aus und wurde von Grenztruppen am Kolonnenweg festgenommen. Er führte Strickleitern mit sich.
(GT-TM 017184)

Henry K., 29, Sonneberg, Handwerker beim Rat der Stadt Sonneberg, wurde von Grenztruppen-Angehörigen im Schutzstreifen bei Sonneberg-Oberlind festgenommen.
(BKG 89, BStU)

13. Januar 1989

Um 15.18 Uhr wurde von den Grenztruppen ein angebliches Beschießen eines eingesetzten Grenzpostens von einem Angehörigen des Grenzzolldienstes gemeldet. Das Geschehen soll sich an der ehemaligen Ortsverbindungsstraße Sichelreuth – Schwärzdorf, ca. 2.000 m westlich Rot-

heul, Krs. Sonneberg, zugetragen haben.
(GT-TM 017184)

15. Januar 1989

Harry F., 43, Arbeiter in der VEB Kloster-brauerei Bad Salzungen, wurde um 23.55 Uhr auf dem Bahnhof Bad Salzungen von der Transportpolizei aufgegriffen. Er beabsichtigte, im Raum Vacha die DDR-Staatsgrenze zu durchbrechen.
(GT-TM 017184, BKG 89, BStU)

16. Januar 1989

Gegen 21.05 Uhr wurde der vorbestrafte 34-jährige Bernd (in anderen Quellen Frank) H. aus Ilmenau, Arbeiter im Werk für Technisches Glas Ilmenau, beim versuchten Grenzübertritt an der GÜST Henneberg – Eußenhausen von der Personenkontrolleinheit (PKE) festgenommen.
(GT-TM 017184, BKG 89, BStU)

17. Januar 1989

In der Leipziger Innenstadt demonstrierten ca. 500 Bürger für freie Meinungsäußerung, Versammlungs- und Pressefreiheit sowie Einhaltung der Menschenrechte, 80 Personen wurden festgenommen und auf 4 Polizei-Lkw abtransportiert. In Vorbereitung der Demonstration wurden 11 Personen verhaftet.

Auf der F 19 bei Sülzfeld, Krs. Meiningen, wurde Sandro L., 19, Baufacharbeiter des VEB STK Suhl, aus Untermaßfeld, Krs. Meiningen, von einem DDR-Grenzposten aufgegriffen. Der junge Mann wollte die Grenze durchbrechen, um zu seinen Eltern nach Schweinfurt zu gelangen.
(GT-TM 017184)

Heiko R., 17, Zella-Mehlis, wurde nach Kontrolle während der Fahrt nach Meiningen um 17.05 Uhr auf dem Bahnhofsvorplatz in Meiningen gefasst. Er beabsichtigte, im Raum Henneberg die Grenze zur Bundesrepublik zu durchbrechen.
(GT-TM 017184, BKG 89, BStU)

Ein Messtrupp des Produktionsbereiches Staatsgrenzmarkierung der DDR stellte ein Schild „Halt, hier Grenze, Bundesgrenzschutz" bei Stedtlingen im Krs.

Zuständigkeiten der staatlichen Organe der DDR mißachtet werden" oder „Privatreisen oder ständige Ausreisen zu Bürgern der DDR erfolgen sollen, die sich entgegen den Rechtsvorschriften der DDR im Ausland aufhalten".[3]

In der Tat wurde jede Besuchsreise ins „NSA" penibel durch die DVP und das MfS überprüft.

Eine Reisegenehmigung wurde unter anderem im Rahmen des Antrags-, Prüfungs- und Entscheidungsverfahrens versagt:

* wenn ein Verwandter aus der DDR in ein nichtsozialistisches Land geflüchtet war (14 f.)

* wenn der Antragsteller Geheimnisträger oder Staatsdiener war, auch Lehrer fielen darunter (14 a)

* wenn der Antragsteller in der Vergangenheit wegen des § 213 (ungesetzlicher Grenzübertritt) aufgefallen war

* wenn der DVP bekannt wurde oder durch einen IM über das MfS gemeldet wurde, dass der Antragsteller unter Umständen im Westen bleiben könnte. (14 d)

Die Angst, dass ein West-Besucher nicht mehr zurückkehren könnte, war riesengroß. Deshalb durfte in der Regel nur ein Familienmitglied in den Westen reisen. Der Rest der Familie musste in der DDR bleiben, als Geisel sozusagen. Allerdings wurde diese Maßregel seit 1986 nicht mehr strikt eingehalten. Besonders, wenn große Familienfeste anstanden, durften auch Familien fahren. Als „Geiselersatz" wurde teilweise gewertet:

* eine gute berufliche Stellung

* gute finanzielle und materielle Verhältnisse

Die Besucher der DDR aus dem Bezirk Suhl passierten in der Regel den Grenzübergang Rottenbach – Eisfeld, der am 21.6.1973 eröffnet wurde. Die Aufnahme entstand kurz vor deren Abbruch zu Beginn der neunziger Jahre des 20. Jahrhunderts
Foto: Willi Betz

* die Übernahme öffentlicher Aufgaben

Der restriktiven Auslegung der Reiseverordnung war es sicher zu verdanken, dass wesentlich weniger als 1 Prozent der Westreisenden im Bezirk Suhl im Westen blieb, 1988 fast nur 1 Promille, nämlich 0,13 Prozent. Selbst in der ersten Hälfte 1989 waren es nur 0,37 % im Bezirk Suhl gewesen.

Über die Zahl der Ablehnungen meldete das MfS:

```
Im I. Halbjahr 1989 haben im Bezirk 25.600 Bürger bei
den zuständigen Dienststellen der DVP - Paß- und Mel-
dewesen - Anträge auf Privatreisen in das nichtsozia-
listische Ausland und nach Berlin (West) gestellt. Das
waren ca. 3.000 Anträge weniger als im I. Halbjahr
1988.
Von diesen beantragten Reisen konnten 5.500 nicht ent-
gegengenommen werden, da die in der Reiseverordnung
festgelegten Voraussetzungen nicht vorlagen.
Seit Inkrafttreten der 1. Durchführungsbestimmung zur
Verordnung über Reisen von Bürgern der DDR nach dem
Ausland vom 14.3.1989 hat sich die Anzahl der nicht
entgegengenommenen Anträge spürbar verringert. 434 Ge-
nehmigungen für Reisen mußten aus den unterschiedlich-
sten Gründen versagt werden.
Im Vergleich dazu wurden im I. Halbjahr 1988 bei
annähernd gleicher Zahl von Antragstellungen fast
4.000 Reisen versagt.⁴
```

Das MfS berichtete weiter:

```
Die Schwerpunktmonate des ungesetzlichen Grenzüber-
trittes durch Nichtrückkehr von Privatreisen waren
Juli mit 20 und August 29 Personen.
Die Kreise
* Suhl mit            23 Personen
* Ilmenau mit         21 Personen
* Bad Salzungen mit   18 Personen
sind die territorialen Schwerpunkte.
Zunehmend ist die Tendenz, daß Ehepaare/Familien (17)
genehmigte Privatreisen zum ungesetzlichen Verlassen
der DDR mißbrauchen.
Die Altersstruktur ist wie folgt:
über 40 Jahre 59 Personen = 52,2 %
bis 40 Jahre  46 Personen = 41,1 %
Unter den Personen befanden sich 10 Hochschul- und
13 Fachschulkader.
Im Rahmen des Antrags-, Prüfungs- und Entscheidungs-
verfahrens lagen keine Hinweise über einen geplanten
Mißbrauch der Privatreisen vor. Alle Personen lebten
in sehr guten finanziellen und materiellen Verhältnis-
sen.
```

Aus den Meldungen des MfS wird ersichtlich, warum es dem DDR-Staat so wichtig war, auch diese wenigen Bürger zu behalten: Es waren nicht Penner, Streuner, Herumtreiber oder „Asoziale" wie dies im DDR-Jargon hieß, sondern sie lebten meist „in sehr guten finanziellen und materiellen Verhältnissen". Es waren zu einem

Meiningen fest, das 30 cm auf dem Hoheitsgebiet der DDR lag. Es wurde auf die Grenzlinie zurückgebracht.
(GT-TM 017184)

21. Januar 1989
Rainer G., 22, beabsichtigte, um 21.30 Uhr die Staatsgrenze im Raum Henneberg, Krs. Meiningen, zu durchbrechen. Er wurde von der Volkspolizei in Meiningen kontrolliert und überführt.
(GT-TM 017184)

Um 02.43 Uhr wurden Jens R., 22, und Thomas H., 24, aus Zeitz 1.100 m westlich Unterlind, Krs. Sonneberg, von einem DDR-Grenzposten auf Höhe des Kolonnenweges festgenommen. Sie hatten um 02.31 Uhr den Grenzsignalzaun beim Übersteigen ausgelöst.
(GT-TM 017184)

Robby O., 24, Zeitz, wurde um 03.40 Uhr im Stadtgebiet von Sonneberg aufgegriffen, nachdem er mit R. und H., die wenige Tage zuvor beim versuchten Grenzdurchbruch gefasst wurden, angereist war.
(GT-TM 017184)

22. Januar 1989
Die Ärztin Dr. Brigitte M., 33, Bad Liebenstein, kam von einer Besuchsreise vom 11. – 22.01.1989 in die Bundesrepublik nicht wieder zurück.
(BKG 89, BStU)

23. Januar 1989
Grenzposten mit Suchhund fahndeten nach Mario M., 20, und Andre L., 20, Ost-Berlin, nachdem sie um 08.47 Uhr den Grenzsignalzaun bei Oberzella, Krs. Bad Salzungen, ausgelöst hatten. 70 m vor der Grenze wurden sie festgenommen. Zum Alarm kam es bereits um 23.19 Uhr, und die Fahndung blieb zunächst ohne Erfolg. Es wurden aus fünf benachbarten Kompanien rund 250 Grenzsoldaten mit 22 Schutzhunden alarmiert, die den betreffenden Abschnitt abriegelten.
(GT-TM 017184)

23. Januar bis 18. Februar 1989
Auf Grundlage des Befehls Nr. 104/88 des Ministers für Nationale Verteidigung

und der AO-Nr. 30/88 wurden 200 Offiziersschüler der OHS Suhl in Staatlichen Forstwirtschaftsbetrieben des Bezirks zur Aufarbeitung von Bruchholz eingesetzt. Technik: 7 W 50, 1 LO 2000 A.
(GT-TM 017184)

26. Januar 1989
Über den Grenzinformationspunkt Eußenhausen wurde an die gegenüberliegende Stelle in Henneberg durchgesagt, dass bei Holzfällerarbeiten Äste auf DDR-Gebiet gefallen waren. Es wurde um Genehmigung ersucht, diese am 03.02.1989 zurückzuholen.
(GT-TM 017184)

27. Januar 1989
Mike F., 15, aus dem Krs. Ilmenau wurde um 18.15 Uhr nach Auslösen des Signalzauns bei Untersuhl, Krs. Mühlhausen (Bezirk Erfurt), von DDR-Grenzsoldaten gefasst.
(GT-TM 017184)

Mike F., 16, Schüler aus Geraberg, Krs. Ilmenau, wurde von der Transportpolizei festgenommen, weil er ungesetzlich die DDR verlassen wollte.
(BKG 89, BStU)

28. Januar 1989
Steffen W., 14, aus dem Krs. Arnstadt (Bezirk Erfurt) wurde um 11.00 Uhr in Suhl in einem Keller festgenommen. Er wollte im Bereich Meiningen die Grenze überwinden.
(GT-TM 017184)

29. Januar 1989
Im Laufe des Vormittags verunglückte auf der Straße Mitwitz – Wörlsdorf ein Pkw. Der Fahrer beging Unfallflucht. Deshalb erfolgte eine Durchsage am Grenzübergang Rottenbach – Eisfeld über den GIP an die DDR-Stelle, denn bei dem Unfall wurde ein Verkehrszeichen auf DDR-Gebiet geschleudert. Da auf diesem Lackanhaftungen vermutet wurden, bat man um Rückgabe. Um 13.50 Uhr wurde das Schild von DDR-Seite auf der Grenzlinie abgelegt und um 14.22 Uhr von zwei Angehörigen der Bayerischen Grenzpolizei aufgenommen.
(GT-TM 017184)

großen Prozentsatz „Hochschul- und Fachschulkader". Ihr Weggang brachte, wie der mancher Aus- und Übersiedler, das Gefüge der DDR-Wirtschaft empfindlich durcheinander. Dies galt besonders für die Hauptbereiche Industrie, Gesundheitswesen und Volksbildung.

```
Vom 1.1. bis 28.8.1988 wurden im Bezirk Suhl 28.308
Reisen genehmigt, 38 Bürger, 0,13 % kehrten nicht in
die DDR zurück, im selben Zeitraum 1989 wurden ca.
30.000 Privatreisen genehmigt, von den Reisenden kehr-
ten 0,37 % nicht zurück.
```

Am 19. September konstatierte das MfS:

```
Seit dem 1.1.89 wurden von mehr als 30.000 genehmigten
Privatreisen in das NSA 130 (0,4 %) zur ungesetzlichen
Nichtrückkehr in die DDR mißbraucht.
Weitere 3 Bürger verblieben bei Touristenreisen und
ein Gastdozent sowie ein Betriebsdirektor unter Aus-
nutzung einer Dienstreise im NSA.
Seit Juli 89 ist die Tendenz der Nichtrückkehrer von
Privatreisen stark ansteigend (Juli - 22. August - 33,
seit 1.9.89 - 19).
Territoriale Schwerpunkte sind die Kreise Ilmenau und
Suhl mit je 24 Personen und Bad Salzungen mit 21 Per-
sonen.[5]
```

Trotzdem stiegen die Reisen aus der DDR in schwindelnde Höhen: Bei Fahrten in dringenden Familienangelegenheiten kam es zu einem überdurchschnittlichen Anstieg. DDR-weit stieg die Zahl der Genehmigungen von 40.000 Personen 1980 auf 66.000 im Jahr 1985. 1986 waren es bereits 573.000 Reisen, 1987 sogar 1.200.000 und insgesamt durften in diesem Jahr sogar 5 Millionen Bürger ausreisen.[6]

Von der Leiterin des Pass- und Meldewesens der BDVP Suhl wurden als Beispiel folgende Zahlen über Reiseanträge für den Bezirk Suhl genannt:

- vom 01.01.1989 bis 31.10.1989:

69.000 Anträge, davon 31.000 von Rentnern 808 Anträge abgelehnt, davon vom 01.07. bis 31.10.1989 mit Begründung abgelehnt:

a)   74 Ablehnungen durch MfS

b)   177 Ablehnungen durch VP, z. B. weil noch kein Wehrdienst geleistet wurde,

7.747 Anträge wurden nicht entgegengenommen, weil die Voraussetzungen für die Antragstellung nicht gegeben waren.

177 Personen kehrten von Reisen nicht zurück.[7]

Ob sich die DDR aus SED-Sicht mit den zunehmenden Reisegenehmigungen einen guten Dienst erwies, bleibt fraglich. Die Reaktionen der durch das MfS abgeschöpften Bürger hätten allen Anlass zur Besorgnis geben müssen.

Wie DDR-Bürger nach ihrem Westbesuch die beiden deutschen Staaten beurteilten

Am 5. Januar 1989 meldete der Leiter der BV Suhl an die Parteispitze in Suhl:

Reaktionen und Meinungsäußerungen von Bürgern des Bezirkes nach Besuchsaufenthalten in der BRD sind differenziert und in der Regel abhängig davon, ob es sich bei den durchgeführten Reisen um Erstbesuche oder mehrfache Aufenthalte handelt.

Nach Erstbesuchen werden vor allem die beeindruckenden visuellen Wahrnehmungen als Reiseerlebnisse wiedergegeben, ohne gesellschaftliche Zusammenhänge zu beurteilen. Dabei wird überwiegend eingeschätzt, daß die Fülle des Warenangebots, die Verkaufskultur und die Sauberkeit in den Städten und Gemeinden sowie Verkehrseinrichtungen überwältigend seien.

In der DDR würden „nicht nur 100 Dinge des täglichen Bedarfes fehlen, sondern 1000 und mehr".

Grundtenor der Meinungsäußerungen bildet immer wieder
- ein unvergleichbares Warenangebot und die Warenpräsentation in allen Geschäften,
- hervorragende Bedienung und angenehme Kundenberatung in den Läden, keine Schlangen,
- einmalige Sauberkeit in Städten und Gemeinden
- vorbildliche Straßen und Verkehrsmittel

Fragen der sozialen Sicherheit in der DDR werden in den Hintergrund gedrängt und Argumente unserer Partei- und Staatsführung belächelt und negiert.

Bezogen auf die Arbeitslosigkeit in der BRD vertreten Bürger die Auffassung, daß diese durch die Medien der DDR überspitzt dargestellt würde. Die Stellenangebote in der BRD-Presse ließen nur einen Schluß zu: Wer arbeiten wolle, der finde auch Arbeit.

Dafür sind folgende Einzelmeinungen charakteristisch: Ein Mitarbeiter im Bereich Forschung und Entwicklung im VEB Labortechnik Ilmenau (SED) äußerte sich beeindruckt über die vorgefundene Sauberkeit und den gebotenen Service. Er stellte fest, daß im Bereich Dienstleistungen in der BRD selbst bei Kleinigkeiten der „Kunde König" sei. Die DDR dagegen habe auf diesem Sektor erheblichen Nachholbedarf.

Der Gruppenleiter im VEB Henneberg-Porzellan Ilmenau hob hervor, daß die Läden wie ein Lichtermeer gestrahlt hätten. Die Schaufenstergestaltung in Ilmenau sei im Vergleich damit „trostlos".

Ein Invalidenrentner aus Meiningen äußerte: „Seitdem ich als Invalidenrentner in die BRD reisen darf, weiß ich erst, was die DDR für ein armer Staat ist. Freilich, die Arbeitslosigkeit in der BRD ist keine schöne Sache, aber wie es gegenwärtig mit unserer Wirtschaft und dem Warenangebot aussieht, kann es auch nicht mehr so weiter gehen. Schlechter als in der DDR sieht es

31. Januar 1989

Von einer Privatreise in die Bundesrepublik in der Zeit vom 22. – 31.01.1989 kehrte die Sonneberger Familie L., Joachim, 47, Lokführer der DR Sonneberg, Ehefrau Karin, 39, Verkäuferin im HO-Kreisbetrieb Sonneberg, und Tochter Yvonne, 22, Altenpflegerin im Caritas-Altersheim Unterlind, nicht wieder in die DDR zurück. Karin L. war 1964 aus der Bundesrepublik in ihre Heimatstadt Sonneberg zurückgekehrt, nachdem sie die DDR illegal verlassen hatte.

1. Februar 1989

Um 02.50 Uhr wurde am Bahnhof Ilmenau Kurt J., 23, aus Desden von der Transportpolizei festgenommen. Er wollte bei Sonneberg über die Grenze. (GT-TM 017184)

3. Februar 1989

Auf Hinweis eines Freiwilligen Helfers der Grenztruppen wurde um 8 Uhr Klaus-Arnold R., 35, aus Gotha nördlich der Sperrzone, 2 km nordöstlich Stressenhausens, Krs. Hildburghausen, gefasst. Er war bis Reurieth mit dem Pkw gefahren und dann zu Fuß in das Sperrgebiet eingedrungen. Im Raum Eishausen wollte er die Grenze überwinden. Er führte Familienstammbuch, Bibel, Arbeitshandschuhe und dunkle Kleidung mit. (GT-TM 017184)

Februar 1989
Ein US-Soldat flüchtete in die DDR

Im Februar 1989 setzte sich ein US-Soldat vom 11th ACR in Fulda mit Geheimunterlagen in einem Jeep der US-Army ab. Aufgrund einer großangelegten Grenzfahndung wurde der Jeep nahe der Autobahnabfahrt Obersuhl entdeckt. Vermutlich begab sich der Soldat an der offenen Stelle im Metallgitterzaun an der Bahnlinie in die DDR. Nach ca. zwei Wochen wurde er über Österreich abgeschoben und wurde von einem US-Militärgericht zu einer langjährigen Haftstrafe verurteilt. (Album der BGS-Abt. Bad Hersfeld von Hans-Karl Gliem)

5. Februar 1989
Chris Gueffroy – Letztes Todesopfer an der Berliner Mauer

In der Nacht zum 06.02.1989 starb der 22-jährige Ostberliner Kellner im Kugelhagel der DDR-Grenzer, als er versuchte, nach Westberlin zu flüchten. Er war das letzte der 78 Todesopfer an der Berliner Mauer.

Vermutlich zwischen 21.00 und 24.00 Uhr durchbrach Karl-Heinz Z., 37, aus Sichelreuth, Krs. Sonneberg, Einrichter im VEB EKS Sonneberg, Betriebsteil II, Abt. Zündkerze Neuhaus-Schierschnitz, 1.600 m südlich der Ortschaft Sichelreuth, ca. 100 m nördlich der Grenzsäule 2359 die Grenze. Der Flüchtling überwand den Grenzsignalsicherungszaun II ohne Auslösung am Sperrwerk der Föritz, indem er das Türschloss mit einem Bolzenschneider öffnete. Der Grenzdurchbruch wurde nur dadurch bekannt, weil Z. am 06.02.1989 gegen 01.15 Uhr bei einem Bürger in Sichelreuth anrief und ihn informierte, dass er in Mitwitz; Bundesrepublik, wohlbehalten angekommen sei.
(GT-TM 017184)

Vater und Sohn M. aus dem Krs. Neuhaus/Rwg. sowie eine unbekannte Person versuchten um 21.00 Uhr, die Sperranlagen im Bereich des Wassersperrwerks des Flusslaufes Föritz zu durchbrechen. Die Aktion misslang. Ermittelt wurde das von einer Spezialkommission der Bezirksverwaltung des MfS Suhl.
(GT-TM 017184)

Um 03.06 Uhr vollführte der Unteroffizier vom Dienst der 2. Grenzkompanie Behrungen des GR 9, Meiningen, Heiko S., 19, einen fahrlässigen Schusswaffengebrauch beim Entladen einer Waffe nach der Wachaufführung. Er wurde disziplinarisch zur Rechenschaft gezogen.
(GT-TM 017184)

7. Februar 1989
Rainer W., 32, und Bernd R., 33, Leipzig, wurden um 15.10 Uhr von der Volkspolizei am nördlichen Ortsrand von Stedtlingen, Krs. Meiningen, festgenommen. Sie

noch in Rumänien, Polen, ja sogar in der Sowjetunion aus.

Besonders in der Sowjetunion wurden ja die begangenen Fehler jahrelang unter den Tisch gekehrt, deshalb hat es auch Michail Gorbatschow gegenwärtig so schwer. Ich glaube, es wird nicht mehr lange dauern, und auch in der DDR wird man darüber sprechen können, warum wir jahrelang auf der Stelle treten. Es ist beschämend für die DDR, daß noch so viele DDR-Bürger unbedingt in die BRD ausreisen möchten."

Eine Rentnerin aus Suhl, SED-Mitglied, äußerte: „Mich ärgert maßlos bei Besuchen meiner Verwandten in der BRD, daß uns deren Wirtschaft und vor allem das Warenangebot haushoch überlegen sind. Unser Sozialismus in der DDR muß attraktiver für unsere Menschen gemacht werden: das Gerede vieler unserer Funktionäre wird nicht mehr ernst genommen. Der Sozialismus wird bei uns in der DDR danach beurteilt, was sich die Menschen für das Geld kaufen können."

Ein Mann aus Breitungen:
„Ich kam als ‚Bettler' und wurde mit einer für mich unvorstellbaren Welt konfrontiert. Es ist für mich unbegreiflich, warum der Arbeiter in einem Arbeiter- und-Bauern-Staat wesentlich schlechter als der Arbeiter im Ausbeuterstaat lebt. Wo sind denn die Vorzüge des Sozialismus? Wieso hat der Kapitalismus eine so ungeheure Leistungskraft?"

Ein Ingenieur im Forschungszentrum der Werkzeugindustrie im VEB WKS:
Es wäre angebracht, wenn in unserer Volkswirtschaft einige Methoden des kapitalistischen Wirtschaftssystems von uns übernommen würden. Ich hätte nichts dagegen, wenn bei uns die Faulenzer auch auf der Straße liegen würden wie in der BRD.
Unsere Leitungskader werden danach entlohnt, wie es ihnen am besten gelingt, nicht erbrachte Leistungen als Erfolge nach oben abzurechnen. Die Ausstrahlungskraft der DDR existiert nur auf dem Papier und lebt nur in Diskussionsbeiträgen."

Der Gruppenleiter Preise im VEB Wema Zella-Mehlis, äußerte, daß er aus der SED ausgetreten sei, weil er in der Partei nicht mehr die Wahrheit sagen dürfe. Derjenige, der persönlich die BRD besucht habe, bekäme zwangsläufig mit, daß wir hier belogen würden.

Jemand aus Steinbach-Hallenberg:
„Man scheint sich in unserer Partei- und Staatsführung nicht im klaren darüber zu sein, was unsere Bürger bei Reisen in die BRD empfinden. Man darf nicht darüber nachdenken, sonst könnte man als DDR-Bürger die Hoff-

nung verlieren. Das schlimmste ist jedoch, daß sich der DDR-Bürger in der BRD erniedrigen muß. Die paar Pfennige Reisegeld machen ihn abhängig, und wer Partei für die DDR ergreift, wird in der BRD nicht nur ausgelacht, sondern auch verachtet."

Der Gruppenleiter Technologie im VEB WKS:
„Ich wurde aus der SED ausgeschlossen, weil ich in einer Parteiversammlung die Meinung vertreten habe, daß wir uns die Ordnung und Disziplin der kapitalistischen Betriebe in der BRD zum Vorbild nehmen sollten. Es hat unseren Funktionären nicht gepaßt, daß ich meine BRD-Reise ehrlich in der Parteigruppe ausgewertet habe. Ich habe mich nicht an die Vorgabe gehalten und habe nicht ‚mitgeheuchelt'."

Ein Ehepaar, beide Mitglieder der SED, bewertete das reichhaltige Warenangebot in der BRD positiv. Beide brachten zum Ausdruck, daß bestimmte Dinge, die in der BRD besser seien als in der DDR, ihre Ursache in der fehlenden Eigeninitiative der DDR-Bürger hätten.

Großen Eindruck hinterläßt auch bei den Bürgern des Bezirkes der gepflegte Zustand der Häuser und Gebäude in der BRD. Reaktionen darauf sind, daß in der BRD offensichtlich mehr für die Werterhaltung und Instandhaltung getan werde als im Bezirk Suhl.

Ein zweiter Grenzübergang im DDR-Bezirk Suhl zur Bundesrepublik Deutschland befand sich an der B 19 zwischen Henneberg und Eußenhausen und wurde ebenfalls 1973 eröffnet. Diese Luftaufnahme der DDR-Grenzabfertigungsanlagen entstand 1990.
Foto: Hanns Friedrich

beabsichtigten, dort die Grenze zu überwinden.
(GT-TM 017184)

8. Februar 1989
Kerstin F. und Susanne W., beide 16, lösten um 13.15 Uhr bei Hönbach, Krs. Sonneberg, den Signalzaun aus. Sie wurden von zur Abriegelung eingesetzten Grenzposten ca. 2 km nordwestlich von Hönbach auf dem Kolonnenweg gefasst. Die Annäherung an die Grenze erfolgte mit Fahrrädern aus dem Stadtgebiet Sonneberg entlang der F 89 bis zum Waldgebiet Isaak. Dort lösten sie den GSSZ beim Übersteigen ohne Hilfsmittel um 12.31 Uhr aus und setzten die Bewegung in südwestliche Richtung fort.
(GT-TM 017184)

11. Februar 1989
An der Ortsverbindungsstraße Veilsdorf – Eishausen, Krs. Hildburghausen, stellte ein Grenzaufklärer um 15.18 Uhr im Sperrgebiet Henry L., 26, Krs. Oranienburg. Das Eindringen in die Sperrzone geschah zu Fuß unter Umgehung des Sperrzonenkontrollpostens der Volkspolizei bei Sophienthal. L. führte eine Landkarte, einen Seitenschneider sowie Seil und Haken mit sich. Er beabsichtigte, im Raum Hetschbach die Grenze zu überwinden. Der Fähnrich, der die Festnahme initiierte, wurde für die Auszeichnung Medaille für vorbildlichen Grenzdienst vorgeschlagen.
(GT-TM 017184)

14. Februar 1989
Jens W., 25, und Frank S., Leipzig, wurden um 04.44 Uhr nach Auslösung des Signalzauns um 02.37 Uhr 900 m südöstlich Schichtshöhns, Krs. Sonneberg, von einem DDR-Grenzposten gefasst. Sie waren mit ihrem Pkw bis Sonneberg angereist.
(GT-TM 017184)

18. Februar 1989
Dieter G., 24, Ost-Berlin, wurde um 17.10 Uhr im Zug Saalfeld – Sonneberg von der Transportpolizei aufgegriffen. Er wollte zu seinen Verwandten nach Düsseldorf. Seit 1988 war er Antragsteller auf

die Ausreise aus der DDR in die Bundesrepublik.
(GT-TM 017184)

19. Februar 1989
Um 19.40 Uhr überwanden Tino T. und
Thomas B., beide 23, Dresden, den Signalzaun bei Behrungen, Krs. Meiningen,
und rannten in hohem Tempo 600 m bis
zum vorderen Sperrelement. Der eingesetzte Grenzposten zur Überprüfung der
Dauerauslösung des GSSZ II stellte um
19.46 Uhr einen Angriff auf die Staatsgrenze fest und nahm die Verfolgung auf.
Die Grenzverletzer näherten sich, vermutlich aus der Ortslage Behrungen kommend, dem GSSZ. Diesen überstiegen sie
unter Zuhilfenahme von drei gerollten
Streckmetallmatten. Das Streckmetall
diente zuvor dem Schutz von Bäumen
gegen Wildverbiss. Sie überschritten den
6-m-Kontrollstreifen, überstiegen das
vordere Sperrelement, wobei sie die obere
Platte beim Abspringen beschädigten und
vollzogen den Grenzdurchbruch. Am
27.02.1989 wurde die Identität der zwei
Personen ermittelt.
(GT-TM 017184, SZ, Sammlung Brendel,
21.02.1989)

20. Februar 1989
Im Bereich Schleid, Krs. Bad Salzungen,
wurde widerrechtlich von westlicher Seite
Bauschutt an der Grenze abgelagert. Die
DDR forderte über den Grenzinformati-
onspunkt unverzügliche Beseitigung.
(GT-TM 017184)

1. März 1989
Im Abschnitt Pomezi wurde von Grenztruppen der ČSSR das Ehepaar K., Dirk,
28, und Martina, 23, aus Schmalkalden
bei der Grenzüberwindung zur Bundesrepublik gestellt. Er arbeitete als Produktionsarbeiter und sie als Betriebskranken-
schwester im VEB FER Brotterode.
(BKG 89, BStU)

Das Ehepaar P., Karl, 50, und Frigga, 49,
aus Themar, Krs. Hildburghausen, kehrte
von einer Privatreise vom 20.02. –
01.03.1989 aus der Bundesrepublik nicht
wieder zurück. Er war stellvertretender
Abteilungsleiter im VEB Dienstleistungs-

Man bekomme eben auch zu jeder Zeit alle Materialien,
die man dazu benötigt.

Meist ohne Kommentar werden die Reisemöglichkeiten in
der BRD hervorgehoben, da sie wesentlich besser als in
der DDR seien.
Bürger des Bezirkes, die sich mehrmals in der BRD aufhielten, nehmen im Allgemeinen eine kritischere Wertung der gesamtgesellschaftlichen Verhältnisse des
Besuchslandes vor.

Von diesen Bürgern werden nach der Reise die Errungenschaften der DDR auf sozialem Gebiet und hinsichtlich
der gesellschaftlichen Geborgenheit und Sicherheit
anerkannt. Es wird übereinstimmend zum Ausdruck
gebracht, daß es in der DDR keine Existenzangst, keine
Wohnungsnot oder Angst um den Arbeitsplatz gibt. Es
werden die Errungenschaften auf dem Gebiet des Gesundheitswesens, des Bildungswesens und der Subventionspolitik, insbesondere zu den Mieten, den Fahrpreisen, zu
den niedrigen Preisen der Grundnahrungsmittel, bei
Dienstleistungen, bei Energie und ähnlichem hervorgehoben. Es wird betont, daß es in der DDR kein soziales
Elend wie Arbeitslosigkeit, Slums, Prostitution und
anderes gibt. Diese Feststellungen werden in unter-
schiedlichem Umfang und Breite geführt.

In diesen Meinungsäußerungen werden soziale Probleme
der BRD erkannt. So wird zum Ausdruck gebracht, daß
die BRD eine Konsumgesellschaft ist, in der das Geld
regiert. Für den BRD-Bürger drehe sich alles um das
Geld und jeder sei sich selbst der Nächste. Aus dieser
Einstellung resultiere eine gewisse Kälte in den zwi-
schenmenschlichen Beziehungen. Der BRD-Bürger kümmere
sich nicht um Politik, nur dann, wenn es ihn selbst
betreffe. Diese Einstellung stößt auf Ablehnung bei
DDR-Bürgern.
Durch die Bürger wird zum Ausdruck gebracht, daß durch
diese Situation einerseits in der BRD auf die Menschen
ein hoher Leistungsdruck wirke, aber daraus auch eine
bessere Einstellung zur Arbeit, d.h. zur Auslastung der
Arbeitszeit und höheren Arbeitsintensität und Sparsam-
keit auf allen Gebieten resultiere und andererseits ein
großes soziales Gefälle entstanden sei. Die im einzelnen erkannten Probleme der sozialen Not, wie Arbeitslosigkeit, Wohnungssuche u.a., werden abgelehnt.

Die überwiegende Zahl der Bürger bringt jedoch auch
zum Ausdruck, daß derjenige in der BRD gut lebe, der
etwas leiste. In Einzelfällen wird im Vergleich mit
der DDR geäußert, daß bei uns leider auch der gut
leben könne, der nichts oder wenig leiste.
Insgesamt wird jedoch zu den gesellschaftlichen und
sozialen Problemen unterstrichen, daß man diese

zwischen der DDR und der BRD nicht vergleichen könne, da es zwei verschiedene Welten seien. In den Diskussionen ist aber dann doch festzustellen, daß verglichen wird. Oft geschieht dies auf Kosten der DDR, d.h., es werden solche Bereiche ausgewählt, in denen die BRD günstig abschneidet und andererseits solche, in denen die DDR in ein ungünstiges Licht gerückt wird. Besonders stark werden Vergleiche mit solchen Bereichen angestellt, mit denen die DDR-Bürger während ihres Aufenthaltes direkt in Berührung kommen und deshalb den größten Eindruck hinterlassen.

So brachte ein Tischler im VEB Welton Meiningen zum Ausdruck, daß er zwar sehr vom Angebot, Sauberkeit und den Dienstleistungen in der BRD beeindruckt sei, er aber dennoch real bestehende Probleme erkenne. Eine solch gesicherte Existenz, wie er derzeit in der DDR habe, sei in der BRD nur sehr schwer erreichbar.

Ein Genosse vom Bereich Wissenschaft des VEB WfTG Ilmenau zeigte sich beeindruckt vom Warenangebot und von der Preisgestaltung in der BRD. Demgegenüber stellte er fest, daß man überall unterschwellig die Angst um den Arbeitsplatz und die Sicherung des hohen Lebensstandards spüre. Schockierend für ihn sei seine Begegnung mit Bettlern gewesen.

In Bezug auf die Arbeitsdisziplin in der BRD äußerte er, daß wir uns daran ein Beispiel nehmen könnten. Von 8 Stunden real nur 6 Stunden arbeiten wie bei uns, kann sich in der BRD niemand leisten.
Der Leiter eines Kulturhauses möchte nicht in der BRD leben, wo er tägliche Angst um seinen Arbeitsplatz haben müsse. Monatsverdienste in der BRD von 3000,- DM seien zwar keine Seltenheit, aber nach Abzug von Mieten und Nebenkosten bleiben auch nur 1.200,- DM zum Leben. Arzt- und Apothekenkosten und die Angst, durch Krankheit den Arbeitsplatz zu verlieren, schaffe bei vielen BRD-Bürgern Unzufriedenheit.

Vielfach werde der Urlaub durch die Unternehmer diktiert. Z.B. machten private Händler teilweise gar keinen Urlaub, um ihre Kundschaft nicht zu verlieren.

Die Inhaberin des privaten Schmiedehandwerkbetriebes schilderte, daß es in der BRD keinerlei Material- oder Ersatzteilprobleme gebe, sie aber und ihre Familienangehörigen trotzdem nicht in der BRD leben möchten, da besonders die kleineren Handwerksbetriebe dort in ständiger Existenzangst lebten.

Die Sektorenleiterin für Erwachsenenqualifizierung im VEB EKS würdigte besonders die Leistungen der DDR im Rahmen der Sozialpolitik. Ihr seien im Gespräch mit

kombinat Hildburghausen, sie arbeitete als Krankenschwester im Bezirkskrankenhaus Hildburghausen.
(BKG 89, BStU)

5. März 1989
Regina S., 45, Bad Salzungen, Leistungsrechnerin bei der VEB Gebäudewirtschaft Bad Salzungen, reiste vom 24.02. – 05.03.1989 in die Bundesrepublik. Von dort kehrte sie nicht wieder zurück.
(BKG 89, BStU9

6. März 1989
Zwei Bäume, die bei Eußenhausen auf DDR-Gebiet bei Holzfällerarbeiten fielen, sollten von Waldbauern geborgen werden.
(GT-TM 017185, GIP-Meldung der Bundesrepublik)

8. März 1989
Um 07.00 Uhr wurde ein „provokatorischer Anschlag" gegen die Grenzschutzanlagen 2.600 m nordwestlich Mendhausen, Krs. Meiningen, festgestellt. Vermutlich in der Nacht vom 07. auf den 08.03.1989 betraten zwei Täter 50 m tief das DDR-Gebiet und beschädigten den Sperrzaun sowie eine Grenzmeldenetz-Sprechstelle. Der nächste Grenzposten war ca. 1.000 m entfernt. Es erfolgte der Einsatz einer Untersuchungskommission unter Führung des K-GR-9 im Zusammenwirken mit der Spezialkommission der BV des MfS Suhl.
(GT-TM 017185)

Von einer Privatreise in die Bundesrepublik vom 27.02. – 08.03.1989 kehrte Thomas W., 30, Rudolstadt, Werkzeugmacher im VEB Röhrenwerk Rudolstadt, nicht wieder zurück.
(BKG 89, BStU)

9. März 1989
Siegfried G., 22, aus Neuhaus überschritt 3.500 südöstlich von Neuenbau, Krs. Sonneberg, unbemerkt den Grenzsignalzaun und den Grenzzaun jeweils ohne Hilfsmittel. Begünstigend für den Grenzdurchbruch wirkten sich das Überwinden des GSSZ ohne Auslösung aus und dass der nächste Grenzposten sich 1 km entfernt aufhielt. Es waren keine zusätz-

lichen Warnmittel eingesetzt. Mehrere befohlene Kontrollen stellten eindeutige Anzeichen des Angriffes auf die Staatsgrenze nicht fest. Die Sperranlagen sollten verstärkt werden, lautete das Ergebnis des Untersuchungsberichts.
(GT-TM 017185)

Stefan G., 32, aus Neuhaus/Rwg., Einrichter beim VEB Glaswerk Ernstthal, gelang, im Raum Sonneberg die Grenze zur Bundesrepublik zu durchbrechen. Am 18.03.1989 kehrte er wieder in die DDR zurück.
(BKG 89, BStU)

10. März 1989
Bei Meliorationsarbeiten zwischen den Sperrelementen 500 m südlich von Adelhausen, Krs. Hildburghausen, wurde eine Granate aus dem 2. Weltkrieg gefunden.
(GT-TM 017185)

12. März 1989
Von einer Besuchsreise vom 01. – 12.03.1989 in die Bundesrepublik kehrte Rolf E. 41, Bad Salzungen, Konstrukteur im VEB Leuchtstoffwerk Bad Liebenstein, nicht zurück.
(BKG 89, BStU)

13. März 1989
Von einer Besuchsreise vom 11. – 13.03.1989 in die Bundesrepublik kehrte Kerstin P., 24, Themar, Krs. Hildburghausen, Lehrerin an der Betriebsberufsschule „Fritz Sattler" Themar, nicht wieder in die DDR zurück.
(BKG 89, BStU)

Die Pharmazie-Ingenieurin der Staatlichen Mohren-Apotheke Bad Salzungen, Roswitha S., aus Borsch, 26, Krs. Bad Salzungen, reiste privat vom 01. – 13.03.1989 in die Bundesrepublik. Sie kam nicht wieder zurück.
(BKG 89, BStU)

Infolge einer Gewinnungssprengung kam es um 14.03 Uhr im Kalischacht Ernst Thälmann Merkers zu einem Gebirgsschlag. Dieser hatte einen großflächigen Erdstoß zur Folge, der eine Stärke von 5,5 der Richter-Skala erreichte. Angehörige

Verwandten in Nürnberg diese Errungenschaften nochmals deutlich bewußt geworden. Im Mittelpunkt der Diskussionen ihrer Verwandtschaft hätte der bevorstehende finanzielle Mehraufwand für die medizinische Betreuung gestanden, da diese Personen ständig auf Medikamente angewiesen seien und sie sich jetzt gewaltig einschränken müßten.[8]

Was weniger schön war und sicher auch nicht zur Zufriedenheit der Bürger mit ihrem Staat beitrug, war die Behandlung an der Grenze. Als Beispiel sei der Brief einer DDR-Familie angeführt:

Dessau, den 23.06.1988

Liebe Edeltrud, lieber Ernst!
Wir sind wieder in Dessau gelandet, gegen 23 Uhr brachte uns die Taxe vor unser Haus. Wir hatten ein „sagenhaftes" Zonengrenzerlebnis ...
Ja, es war so schön bei Euch, Ihr habt uns nicht einmal fühlen lassen, dass wir Euch lästig geworden sind, alles hat so erlebnisreich geklappt, dass wir lange davon zehren können. Wir sind Euch wirklich so dankbar dafür.
Die Heimreise begann so prima, wir bekamen gleich im 2. Abteil jeder einen Sitzplatz und hatten 4 nette Mitreisende, aber an der Grenze waren wir das Kontrollopfer. 3 Kontrolleure waren schon durch, alles verlief harmlos, bis eine Polizistin vom Zoll kam und ihr wahrscheinlich unser gut verpackter Karton nicht gefiel. „Bitte öffnen Sie dieses Paket", hieß es. Wir wollten es nicht und begründeten es damit, dass das Papier drumherum verklebt sei und machten Angaben zum Inhalt, es half jedoch nichts. Wir bekommen ein Taschenmesser in die Hand und der Bindfaden wurde kurz und kleingeschnitten, das Papier beseitigt und alles musste offen herausgelegt werden. Die anderen 4 Mitreisenden mussten das Abteil verlassen, die Armlehnen wurden hochgeklappt und Stück für Stück präsentiert. Franz war kreidebleich und ich habe gezittert und war einem Herzkollaps nahe. Es lagen die beschmutzten Schlüpfer zwischen dem Bohnenkaffee, die Haus- und Straßenschuhe zwischen den Heringsbüchsen, die Hemden, Taschentücher zwischen Schokolade, ein wahres Chaos. Nicht dessen genug, nun hieß es: „Öffnen Sie Ihren Koffer". Vor Aufregung fand ich erst den kleinen Kofferschlüssel nicht, da sagte Franz, sehen Sie nicht, dass meine Frau am Ende ist, ihre Antwort darauf. Da braucht man sich doch nicht aufregen. Jedes Kleidungsstück musste herausgenommen werden, im Abteil lag alles durcheinander. Als letztes musste auch die Reisetasche geleert werden, die Apfelsinen und Bananen lagen mit den Rollmöpsen und Sandaletten, Kulturbeutel durcheinander. So etwas haben wir noch nicht erlebt. Zum Glück hatte ich Rock, 2 Jacken auf meiner Zollerklärung stehen, nun wurden wir nach Geld

befragt: Ja, sagte ich, ich schenke es Ihnen, es sind 7 Kupferpfen-
nige, die ich am Kiosk nicht mehr umsetzten konnte. Bernhards
Segelzeitung und die Motorradzeitung hat man uns belassen, die
5 bunten Zeitungen wurden beschlagnahmt und wir bekamen eine
Quittung dafür. Ich füge sie Euch bei. Nach einer Stunde war die
Prozedur beendet und wir begannen wieder mit dem Einpacken.
Tasche und Koffer konnten mit zitternden Händen wieder verpackt
werden, aber der Karton. Was nun machen?? Kein Papier, kein
Bindfaden nur Stückchen, und noch dazu, es war kein Originalkar-
ton. Das untere Teil war „Obst aus Mainfranken" und der Deckel
war aus Holland und etwas kleiner als die untere Hälfte. Franz zog
seinen Gürtel von der Niethose, aber er reichte nicht für den
Umfang, mit Bindfadenstückchen haben wir vom letzten Loch aus
versucht, die Schnalle zu erreichen. Es war katastrophal! In Leipzig
wollte ich eine neue Tasche oder Koffer kaufen, aber der Zug hatte
Verspätung und alle Läden, einschließlich der im Bahnhof, hatten
geschlossen. Wir bewegten uns, in Dessau angekommen 5-m-weise
vorwärts, mal rutschte Franz die Hose, mal trug er den Karton. Die
Wut war so nachhaltig, dass Franz und ich gestern solche
Beschwerden hatten, kaum zu beschreiben. Wir kamen uns wie Ver-
brecher vor. Nun fragt man sich, warum muss das so sein?? Wir
haben so an Ernst seine Worte denken müssen, weil wir bei der Hin-
reise keinerlei Schwierigkeiten hatten, waren wir froh auf die Heim-
reise gestimmt, und haben mit solch einem Zwischenfall überhaupt
nicht gerechnet. Na, hoffentlich kommen die 2 Pakete gut an. Meine
Schrift wird schon unleserlich, ich muss zum Schluss kommen, bin
noch erregt!!
Meine Lieben, ich schreibe Euch bald mal wieder, wenn ich mich
besser fühle, war heute erst beim Arzt.
Euch, meine liebe Edeltrud und lieber Ernst, grüßen wir recht herz-
lich und bedanken uns noch vielmals
Eure Friedel und Franz.[9]

Im Juli 1989 informierte Stasi-Chef Lange erneut nach 1983 die
Bezirksleitung der SED darüber, wie die Bürger nach ihren
Besuchsreisen reagieren. Er führte aus:

Reaktionen von Bürgern nach Besuchen im Westen im I. Halbjahr 1989[10]

```
Seit Inkrafttreten der 1. Durchführungsbestimmung zur
Verordnung über Reisen von Bürgern der DDR nach dem
Ausland vom 14.3.1989 hat sich die Anzahl der nicht
entgegengenommenen Anträge im Bezirk spürbar verrin-
gert. 434 Genehmigungen für Reisen mußten aus den
unterschiedlichsten Gründen versagt werden.
```

der Grenztruppen kamen nicht zu
Schaden. Durch die Erschütterung wurde
die Wirksamkeit der pionier-, signal- und
nachrichtentechnischen Anlagen nicht
beeinträchtigt. An und in Gebäuden der
Grenztruppen wurden vorrangig Risse
festgestellt.
(GT-TM 017185)

14. März 1989
Volkmar W., 22, aus dem Krs. Greiz,
Bezirk Gera, wurde um 14.10 Uhr in
Gefell, Krs. Sonneberg, von der Volkspo-
lizei auf seinem Kleinkraftrad kontrolliert
und festgenommen. Er beabsichtigte, im
Raum Hirschberg die Grenzsperranlagen
zu durchbrechen.
(GT-TM 017185)

Silvio K., 24, löste um 23.55 Uhr ca. 1 km
südlich von Linden, Krs. Hildburghausen,
beim Übersteigen den Signalzaun aus und
wurde von alarmierten Grenzposten auf
dem Kolonnenweg gefasst.
(GT-TM 017185)

16. März 1989
Thomas C., 20, Leipzig, wurde gegen
15.40 Uhr auf dem Bahnhof Meiningen
von der Transportpolizei kontrolliert und
festgesetzt. Er wollte die Grenze im
Bereich Meiningen durchbrechen.
(GT-TM 017185)

18. März 1989
Christine G., 47, Neuhaus/Rwg. arbeitete
als Medizinisch-Technische Assistentin
im Kreiskrankenhaus Neuhaus. Sie reiste
vom 06.02 – 18.03.1989 zu Besuch in die
Bundesrepublik und kehrte nicht wieder
zurück.
(BKG 89, BStU)

19. März 1989
Andreas S., 27, West-Berlin, wurde um
17.50 Uhr von Grenzposten 1.600 m südwestlich Klings, Krs. Bad Salzungen, auf
dem Kolonnenweg gestellt und festgenommen. Der Grenzverletzer hatte bereits
das vordere Sperrelement ohne Hilfsmittel überwunden.
(GT-TM 017185)

Dr. Odo T., 34, aus Ilmenau, wissenschaftlicher Mitarbeiter der Akademie der Wissenschaften der DDR und SED-Mitglied, kehrte von einer Privatreise vom 10. – 19.03.1989 in die Bundesrepublik nicht wieder zurück.
(BKG 89, BStU)

22. März 1989
Rudolf N., 48, Ilmenau, Maurer in der AWG, kam vom Besuch in die Bundesrepublik in der Zeit vom 11. – 22.03.1989 nicht wieder zurück.
(BKG 89, BStU)

25. März 1989
Grenzposten mit Schutzhund wollten um 16.50 Uhr 900 m südöstlich von Hermannsfeld, Krs. Meiningen, René S., 22, Leipzig, kontrollieren. Er flüchtete und wurde festgenommen. Er war mit der Bahn nach Meiningen gereist und dann zu Fuß in Richtung des Festnahmeorts in der Sperrzone gelaufen.
(GT-TM 017185)

26. März 1989
Im Raum Boltenhagen, Krs. Grevesmühlen, versuchten Hagen N., 37, Ilmenau, und Ina, 32, die Grenze zur Bundesrepublik zu durchbrechen. Von Kräften der Grenztruppen wurden sie festgenommen. Er war Antragsteller auf ständige Ausreise und ging keiner Arbeit nach.
(BKG 89, BStU, OPK „Aussteiger" KD Ilmenau)

27. März und 1. April 1989
Durch Windbruch umgestürzte Bäume sollten vom DDR-Gebiet bei Eußenhausen – Henneberg zurückgeholt werden. Hierzu wollten fünf zivile Arbeitskräfte das DDR-Gebiet betreten, lautete eine Nachricht über GIP am Grenzübergang Eußenhausen – Henneberg.
(GT-TM 017185)

27. März 1989
Peter R., 20, und Ronald K., 19, wurden um 11.25 Uhr im Zug zwischen Zella-Mehlis und Suhl festgenommen. Sie wollten im Raum Meiningen die Grenze durchbrechen.
(GT-TM 017185)

Der Grenzübergang Rottenbach – Eisfeld mit der Stadt Eisfeld im Hintergrund zu DDR-Zeiten.

Im Vergleich dazu wurden im I. Halbjahr 1988 bei annähernd gleicher Zahl von Antragstellungen fast 4.000 Reisen versagt. Insgesamt mißbrauchten im Halbjahr 198   66 Personen eine genehmigte Reise zur ungesetzlichen Nichtrückkehr in die DDR.
Die durchgeführten Überprüfungen nach Bekanntwerden der Nichtrückkehr bestätigten, daß keine Versagungsgründe entsprechend der Reiseverordnung vorlagen und zum überwiegenden Teil der Entschluß zur Nichtrückkehr in der BRD/Berlin (West) gefaßt wurde.
Vorliegenden Erkenntnissen zufolge liegen die Ursachen und Motive für die zunehmende Reisetätigkeit vor allem darin begründet:
- Neugier und Erwartung auf die gesellschaftlichen Verhältnisse in imperialistischen Staaten und die Meinung, sich selbst ein reales Bild von den Lebensverhältnissen in der BRD machen zu können. In diesem Zusammenhang üben die elektronischen Medien der BRD mit den Klischees von Freiheit und Wohlstand sowie mit den gezielt verbreiteten „Differenzierungen zur DDR" einen entscheidenden Einfluß aus.
- Das unter den verschiedensten Schichten der Bevölkerung ausgeprägte Geltungsbedürfnis, in bezug auf „Westreisen" mitreden zu können und über Devisen zu verfügen, ist ein wesentliches Motiv der Reisen. Speziell unter medizinischen Fachkräften ist die Realisierung privater Besuchsreisen in die BRD bzw. nach Berlin (West) bereits zu einer „Prestigefrage" geworden.
Unverkennbar ist das Bestreben, in den Besitz von Valuta zu gelangen, um im Intershop Waren zu erwer-

ben, die im Angebot des Handels der DDR nicht vorhanden oder nur schwer zu beschaffen bzw. sehr teuer sind.
- Auslösender Faktor für die Reisetätigkeit ist weiterhin die Vielzahl der im In- und Ausland geknüpften Kontakte zu Bürgern aus dem NSA. In mehreren Fällen konnte in diesem Zusammenhang nachgewiesen werden, daß zum Erschleichen von Privatreisen Verwandtschaftsverhältnisse „konstruiert" wurden.
- Alters- und Invalidenrentner der Grenzkreise führen verstärkt Reisen in das westliche Grenzvorfeld durch. Vorrangig geht es hierbei darum, durch das „Begrüßungsgeld" zusätzliche finanzielle Mittel zu erlangen, um Einkäufe zu tätigen.

Klassenbewußte Arbeiter und Angestellte, die sowohl Erstreisen durchführten, als auch mehrmalig sich im westlichen Ausland aufhielten, schätzen die gesellschaftliche Situation oft real ein und heben die soziale Sicherheit und Geborgenheit in der DDR hervor. Aktuelle Probleme der BRD wie zum Beispiel Arbeitslosigkeit, zunehmende Verunsicherung durch Kriminalität und Drogenmißbrauch, das beängstigende Anwachsen der neonazistischen Kräfte und das Abwehren von realen Abrüstungsschritten werden von ihnen real eingeschätzt.

Im Gegensatz dazu verherrlichen Jungerwachsene und politisch ungefestigte Bürger die Verhältnisse in der BRD und führen in ihren Arbeitskollektiven öffentlich Polemik z.B. über das beeindruckende Warenangebot, die Ordnung und Sauberkeit in den Städten und Gemeinden sowie umfangreiche Dienstleistungen.

Die Reaktionen und Meinungsäußerungen von Bürgern des Bezirkes nach Besuchsaufenthalten in der BRD bzw. in Berlin (West) sind differenziert und in der Regel abhängig davon, ob es sich um Erstreisen bzw. Folgereisen handelte.

Erstreisen in die BRD bzw. nach Berlin (West) dienen vor allem der Festigung verwandtschaftlicher Beziehungen und dem Kennenlernen der Wohn- und Lebensbedingungen der BRD-Verwandten. Folgereisen sind vor allem auf die Erweiterung des Bekannten- und Verbindungskreises im NSA, das Kennenlernen von Sehenswürdigkeiten in der gesamten BRD bis hin zu mißbräuchlichen touristischen Aufenthalten in Drittländern und auf die gezielte Befriedigung materieller Bedürfnisse ausgerichtet.

Nach Erstreisen werden überwiegend die beeindruckenden visuellen Wahrnehmungen als Reiseerlebnisse wiedergegeben, ohne gesellschaftliche Zusammenhänge zu beurteilen.

Arbeiter und Angestellte der VEB „Werra Möbel" Meiningen, FAJAS, Krankenschwestern des Bezirkskrankenhauses Suhl, Genossenschaftsbauern der LPG Heßberg und Marisfeld schätzten nach Erstbesuchen in der BRD überwiegend ein, daß die Fülle des Warenangebotes, die Ver-

Uwe K., 17, Stützerbach, Krs. Ilmenau, Lehrling im VEB MZW Labortechnik Ilmenau, fuhr mit der Bahn in Richtung Bezirk Gera und beabsichtigte, um 19.35 Uhr im Raum Plauen die Grenze zu durchbrechen. Er wurde auf dem Hauptbahnhof in Gera von der Transportpolizei kontrolliert und festgenommen.
(GT-TM 017185, BKG 89, BStU)

29. März 1989

Das Hoheitsgebiet der DDR wurde um 14.00 Uhr bei Forstarbeiten im Bereich Dermbach, Krs. Bad Salzungen, widerrechtlich in einer Tiefe von 3 m und einer Breite von 30 m befahren.
(GT-TM 017185)

31. März 1989

Um 13.07 Uhr übten 14 US-Soldaten, die mit 2 Hubschraubern eingeflogen waren, ca. 1.300 m nordwestlich Geismar unmittelbar an der Grenze.
(GT-TM 017185)

1. April 1989
Fahnenfluchten

Der Nachrichtenunteroffizier der DDR-Grenztruppen, Olaf J., flüchtete am 01.04.1989 500 m südlich von Emstadt, Krs. Sonneberg. Er war zusammen mit einem Unterfeldwebel zur Beseitigung einer Störung im Grenzmeldenetz am Beobachtungsturm Görsdorf eingesetzt. Um 19.35 Uhr meldete er die Beseitigung des Fehlers und gleichzeitig eine noch notwendige Entstörung von Nebengeräuschen im Grenzmeldenetz. Dazu fuhren Olaf J. und der Unterfeldwebel ca. 4 km den Kolonnenweg entlang. Gegen 20.05 Uhr täuschte J. einen Defekt am Krad vor, um sich nach dessen Behebung unter dem Vorwand einer Probefahrt von seinem Posten zu trennen. Er fuhr ca. 300 m, stellte Krad und Maschinenpistole auf dem Kolonnenweg ab, überwand das vordere Sperrelement und vollzog unter Mitnahme eines Seitengewehrs die Fahnenflucht. Der Posten meldete um 20.26 Uhr das Verschwinden des Unteroffiziers.
(GT-TM 017185)

Gegen 01.00 Uhr begingen 2 Mitglieder der Alarmgruppe der 3. Grenzkompanie Geisa des Grenzregiments 3, Dermbach, im Abschnitt westlich Wiesenfeld vom Beobachtungsturm der ehemaligen Führungsstelle Fahnenflucht: Mathias G., 20, Dresden, und Thomas S., 24, Berlin-Lichtenberg, verheiratet, ein Kind.

Am 02.04.1989 berichtete die Untersuchungskommission der Staatssicherheit, der Alarmgruppenführer der DDR-Grenztruppen Matthias G. hätte am 01.04.1989 die befohlene Postenzusammensetzung verändert und die als Posten in einem Grenzwachturm bei Wiesenfeld, Krs. Bad Salzungen, eingesetzten Soldaten B. und M. zur „Einnahme der Ruhe" befohlen. In dieser Zeit hätten G. und der Soldat Thomas S. die Schlösser aus allen Waffen entfernt. Durch Umwicklung der elektronischen Türsicherung wurde eine Anzeige der Türöffnung beim Kommandeur Grenzsicherung verhindert. Der Grenzzaun wurde mit Hilfe von drei Mantelriemen sowie einem MPi-Trageriemen überklettert. Begünstigend für die Fahnenflucht wirkte sich das sorglose Verhalten der Posten aus, heißt es im Untersuchungsbericht. Die Grenzposten konnten das „Militärverbrechen" nicht verhindern. (GT-TM 017185)

6. April 1989

Mittels einer 5-mm-KK-Waffe wurde am 06.04.1989 bei Hönbach, Krs. Sonneberg, eine Grenzsäule beschossen. Das Ministerium für Staatssicherheit stellte bei seiner eingehenden Untersuchung fest, dass dieser Anschlag vom Westen aus erfolgt sein müsste. (GT-TM 017185)

Helga H., 53, Meiningen, Hilfskraft im VEB Backwaren Suhl Sitz Meiningen, blieb nach einer Besuchsreise vom 28.03. – 06.04 in der Bundesrepublik. (BKG 89, BStU)

9. April 1989

Die Brüder Andreas, 24, und Marko U., 18, aus dem Krs. Gotha wurden am 09.04.1989, 01.20 Uhr, auf der F 89 ca. 1 km nördlich Dorndorf, Krs. Bad Salzun-

kaufskultur, die Sauberkeit in den Städten und Gemeinden sowie in den Verkehrseinrichtungen überwältigend seien. Die Kaufhäuser und Supermärkte würden für DDR-Bürger wie ein „Traum- und Märchenland" erscheinen, das man einfach selbst gesehen haben müsse.

Die erdrückende Fülle und Qualität des Warenangebots in allen Preisklassen und Sortimenten sowie die uneingeschränkten lukrativen Reisemöglichkeiten für BRD-Bürger hinterlassen nachhaltige Wirkungen.

Nach Erstbesuchen spielen Fragen der Gebrechen des kapitalistischen Gesellschaftssystems eine untergeordnete Rolle. Solche Erscheinungen wie zum Beispiel sehr hohe Preise im Dienstleistungsgewerbe, bei Verkehrsmitteln im innerstädtischen Verkehr sowie in Gaststätten werden nicht vordergründig in durchgeführten Vergleichen einbezogen.

Fragen der sozialen Sicherheit in der DDR werden in den Hintergrund gedrängt, und das BRD-Problem Nr. 1, die Arbeitslosigkeit, wird von vielen erstmals gereisten DDR-Bürgern als „nicht so ernst" bewertet.

Angehörige der medizinischen Intelligenz schilderten oft, überschwenglich lukrative Stellenangebote in der BRD und zogen Vergleiche mit den am BKH Suhl gegenwärtig bestehenden Entwicklungschancen. Die in der BRD bestehenden sozialen Probleme werden in den Gesprächen durch Hervorhebung der hohen Verdienste und des hohen Lebensstandards der Ärzte und des mittleren medizinischen Personals in der BRD, der gute technische und materielle Ausstattungsgrad, die Sauberkeit, Arbeitsdisziplin und Ordnung in den Kliniken in den Hintergrund gedrängt.

Einen nicht unwesentlichen Einfluß auf diese Meinungsbildung haben Kontakte zu ehemaligen Mitarbeitern des BKH, die in der BRD leben. Diese glorifizieren ihre Lebensverhältnisse in der BRD.

Bürger des Bezirkes, die sich mehrmals in der BRD aufhielten, nehmen im allgemeinen eine kritischere Wertung der gesamtgesellschaftlichen Verhältnisse des Besuchslandes vor. Von diesen Bürgern werden nach der Reise die Errungenschaften der DDR auf sozialem Gebiet und hinsichtlich der gesellschaftlichen Sicherheit und Geborgenheit anerkannt.

Meinungen, wie „in die BRD fahren, die Verwandten besuchen, sich einige materielle Wünsche erfüllen – ja –, aber in der BRD für immer leben – nein –", sind typisch.

In den Meinungsäußerungen werden vielfach soziale Probleme der BRD erkannt. So wird zum Ausdruck gebracht, daß die BRD vordergründig eine Konsumgesellschaft ist, in der das Geld regiert. Für den BRD-Bürger drehe sich alles um das Geld, mit jedem Pfennig müsse er rechnen, und deshalb sei sich in der BRD auch jeder selbst der Nächste.

Arbeiter und Angestellte sowie Angehörige der technischen Intelligenz sind auch nach mehrmaligen Reisen in das NSA von der Warenbereitstellung, der Verkaufskultur und dem Service in den Handelseinrichtungen der BRD beeindruckt. Im Vergleich mit der DDR wird jedoch die Meinung geäußert, daß diese „Schaufensterffekte" durchaus auch in der DDR wirksam werden könnten, wenn in der DDR nicht für die Planerfüllung, sondern wie in der BRD für die Bevölkerung produziert, die Arbeitszeit konsequenter ausgelastet würde und in allen Wirtschaftsbereichen die Effektivität im Mittelpunkt stünde.

Von Auslandsdienstreisenden und Kraftfahrern im grenzüberschreitenden Verkehr wird die Auffassung vertreten, daß

- in der Wirtschaft der BRD und in den Arbeitsprozessen eine höhere Disziplin herrsche,
- die Arbeitsintensität und Arbeitsproduktivität bedeutend höher als in der DDR wäre,
- die Bezahlung nur für nachweislich erbrachte Leistungen erfolge,
- der Krankenstand wesentlich niedriger als in DDR-Betrieben sei und
- es Erscheinungen des privaten Einkaufens während der Arbeitszeit nicht gibt, weil die Waren durchgängig bis zu den Ladenschließzeiten im Angebot seien.

Die Mehrheit der Bürger, die wesentlich konkreter als Besuchsreisende mit dem harten BRD-Alltag und den skrupellosen kapitalistischen Geschäftspraktiken konfrontiert wird und schneller und realer die sozialen Verhältnisse in der BRD kennenlernt, nimmt zwar alle Vergünstigungen der Auslandsaufenthalte in Anspruch, zieht aber ein Leben in der DDR vor. Die soziale Sicherheit in der DDR möchte sie nicht gegen ein ständiges Leben in der BRD eintauschen.

In Gesprächen mit BRD-Bürgern vermeidet der überwiegende Teil der Reisenden eine offensive Auseinandersetzung mit gegnerischen Argumenten und Angriffen gegen die sozialen Verhältnisse und die sozialistische Gesellschaftsstrategie. Eine progressive Darlegung unserer Friedenspolitik bzw. der Vorzüge des Sozialismus wird unterlassen, um u.a. eine Konfrontation mit den BRD-Verwandten, die ein Versagen von etwaigen Unterstützungen nach sich ziehen könnte, auszuweichen. Es wurde wiederholt deutlich, daß DDR-Bürger bei Auseinandersetzungen den Gegenargumenten wie Verletzung der Menschenrechte in der DDR und Nichtgewähren von persönlicher Freiheit in der DDR nicht gewachsen sind und in die Defensive gedrängt werden.

Bürger aller Schichten, die Privatreisen in die BRD durchführen können, sind der Meinung, daß der Umtausch von 15,- DM zu wenig ist. Dadurch sei man auf Unterstützung der BRD-Verwandten und auf das „Begrüßungs-

gen, von einem Posten der DDR-Grenztruppen kontrolliert. Sie führten einen Bolzenschneider sowie Pfeffer mit und beabsichtigten, die Staatsgrenze im Bereich Vacha zu durchbrechen.
(GT-TM 017185)

10. April 1989

Stabsfeldwebel L. gab um 21.30 Uhr Nähe Forschengereuth, Krs. Sonneberg, einen Warnschuss ab, da ein sich nähernder Bürger nach Anruf die Flucht ergriff. Die Entfernung zur Staatsgrenze betrug 3 km. Ralf D. aus Hüttengrund, Krs. Sonneberg, wurde daraufhin festgenommen.
(GT-TM 017185)

11. April 1989

Im Steinbach, Krs. Sonneberg, wurde ein provisorisches Wehr 1 m auf dem Hoheitsgebiet der DDR von einem unbekannten Bürger der Bundesrepublik errichtet. Über den Grenzinformationspunkt Ludwigsstadt – Probstzella protestierten DDR-Stellen dagegen.
(GT-TM 017185)

14. April 1989

Bei landwirtschaftlichen Arbeiten wurde das DDR-Gebiet bei Wenigentaft, Krs. Bad Salzungen, betreten bzw. befahren. Der Verursacher war unbekannt.
(GT-TM 017185)

25. April 1989

Äste von umgesägten Bäumen lagen bei Mendhausen, Krs. Meiningen, bis zu 5 m auf DDR-Gebiet.
(GT-TM 017185)

26. April 1989

Silvio M., 20, Vacha, Krs. Bad Salzungen, warf um 02.40 Uhr seinen Rucksack über den Signalzaun in der Nähe seiner Heimatgemeinde. Dabei wurde Alarm ausgelöst. 20 Minuten später wurde er von einem Grenzposten festgenommen.
(GT-TM 017185)

Von einer Reise in die BRD vom 17. – 26.04.1989 war der Arzt Friedjörg K., 41, aus Stadtlengsfeld, Krs. Bad Salzungen, nicht wieder zurückgekommen.
(BKG 89, BStU)

30. April 1989

Erneut versuchte Waltraud K., 35, aus Erfurt um 00.40 Uhr die Flucht in die Bundesrepublik und wurde nach Auslösung des Signalzauns bei Schwickershausen, Krs. Meiningen, wiederum gefasst. Sie war bereits viermal wegen versuchter Republikflucht vorbestraft.
(GT-TM 017185)

Günter S., 41, Ilmenau, Mechaniker in der Firma Horst Mittelbach in Ilmenau, besuchte vom 19. – 30.04.1989 in der Bundesrepublik seine Verwandtschaft und kam nicht wieder zurück.
(BKG 89, BStU)

Wolfgang T., 45, aus Suhl arbeitete als Abteilungsleiter der Materialwirtschaft beim VEB FaJaS Suhl. Er verreiste vom 20. – 29.04.1989 in die Bundesrepublik und kehrte nicht wieder zurück.
(BKG 89, BStU)

Im Zeitraum vom 19. – 30.04.1989 bekam Bernd L., 42, Ilmenau, Ingenieur für Forschung und Entwicklung im VEB Werk für Technisches Glas Ilmenau, von den staatlichen Organen eine Besuchsreise in die Bundesrepublik genehmigt. Diese Chance nutzte er und blieb im Westen.
(BKG 89, BStU)

1. Mai 1989

Das Brüderpaar Frank und Holger B. aus dem Krs. Freital löste um 05.26 Uhr, 450 m östlich Heinersdorf, Krs. Sonneberg, den Signalzaun aus und wurde wenig später am Kolonnenweg von einem Posten der DDR-Grenztruppen festgenommen. Die Brüder führten etwa 100.000 Mark Bargeld mit.
(GT-TM 017186)

Roy M., 23, Jena wurde um 00.05 Uhr im Bahnhof Heiligenstadt von der Volkspolizei aufgegriffen. Er hatte vor, bei Freienhagen die Grenze zu durchbrechen. – Am 03.05.1989 wurde bekannt, dass der am 01.05.1989 gegen 00.05 Uhr gemeinsam mit Roy M. festgenommene Otto Q., 20, Jena, beabsichtigte, die Grenze im Bereich Sonneberg zu überwinden.
(GT-TM 017186)

geld" angewiesen. In Einzelfällen wurde bekannt, daß DDR-Bürger, die mehrmals in die BRD reisen, Kurzzeitarbeiten annehmen und ambulante Straßen-Verkäufe tätigen, um in Besitz von Valuta-Zahlungsmitteln zu gelangen.

Progressive Bürger vertreten die Auffassung, daß die bisherige ideologische Arbeit in bezug auf die neue Reiseverordnung und die Entwicklung der Reisetätigkeit breiter Bevölkerungskreise nicht die angestrebte Wirksamkeit erreicht habe. Selbst staatliche Leiter und Mitglieder der Partei würden den Anforderungen der politisch-ideologischen Arbeit im Arbeits-, Wohn- und Freizeitbereich nicht umfassend gerecht.

Aufgrund des persönlichen Eindrucks der Reisenden könne man nicht überzeugend argumentieren und sei in die Defensive gedrängt.

Im direkten Vergleich mit der BRD werde die positive Bilanz der DDR angezweifelt, besonders hinsichtlich der unkontinuierlichen und nicht ausreichenden Bereitstellung von Konsumgütern in allen Preisklassen sowie der prekären und sich weiter verschärfenden Situation bei Kfz-Reparaturleistungen.

Vorrangig wird die Arbeit der Massenmedien der DDR bemängelt, in denen überwiegend nur die zu verallgemeinerten positiven Ergebnisse und Erscheinungen dargestellt und offensichtliche Mängel und Probleme nicht offen angesprochen würden. Es gäbe in der DDR noch zu viele „Tabu-Zonen", und angestrebte Veränderungen würden sich nur schleppend umsetzen.

Es wäre erforderlich, die Attraktivität des Sozialismus auf ökonomischem Gebiet wirksamer zu gestalten. Dazu gehörten in erster Linie die konsequente Durchsetzung des sozialistischen Leistungsprinzips, von Disziplin, Ordnung und Sicherheit und materielle Verantwortlichkeit bei subjektiv verursachten Schäden, die Erhöhung des Angebots an gefragten Konsumgütern, die Schaffung niveauvoller und flexibler Service- und Dienstleistungen.

Betrachtet man die „Reisepolitik" der DDR-Regierung im Nachhinein, dann muss man sagen, dass der allergrößte Teil der Besucher der Bundesrepublik zu potentiellen und bei passender Gelegenheit zu aktiven Gegnern der herrschenden SED-Regierung wurde. Die DDR wäre nur durch eine rigorose Sparpolitik mit Entbehrungen und Einschnitten in das soziale Netz wirtschaftlich zu retten gewesen, doch die Bevölkerung war angesichts der Alternative Bundesrepublik nicht mehr bereit, einen Weg mit Blut, Schweiß und Tränen zu gehen.

Man hatte lange genug verzichtet, jetzt wollte man auch endlich das genießen, was im Westen zum Standard gehörte.

Allerdings – welche Alternative hatte die SED-Führung überhaupt? Alle nicht reisen lassen? Unmöglich! Die Stimmung wäre noch schlechter geworden.

Allen die Möglichkeit zu geben, nach Belieben in den Westen zu reisen, wäre, wie das Beispiel Ungarn zeigte, eine reale Alternative gewesen, doch dazu konnte sich die ideologisch verknöcherte Altherrenführung nicht aufschwingen.

Zwei Aufnahmen von sog. „Toten Briefkästen" (TBK) in einem Baum sowie einer Bahnunterführung. Bei den TBK handelt es sich um konspirativ angelegte Verstecke, die der Übermittlung von Informationen, Dokumenten, finanziellen und technischen Mitteln dienten, ohne dass sich die Benutzer des Versteckes (operativer Mitarbeiter und IM) begegneten. Die Toten Briefkästen waren auch ein Mittel im Verbindungswesen im und nach dem Operationsgebiet (BRD, Westberlin, kapitalistisches Ausland). Sie waren den zu übermittelnden Materialien und der Bewegungsmöglichkeit ihrer Nutzer angepaßt und boten in der Regel günstige Möglichkeiten der Kontrolle. Zur Absicherung wurden Sicherheitszeichen (Vor- und Nachzeichen) angebracht.
Fotos: Kopie BStU

2. Mai 1989
In der Ungarischen Volksrepublik begann der Abbau des Grenzzauns zur Republik Österreich. Einige DDR-Bürger nutzten diese Gelegenheit und flohen über Ungarn nach Österreich.

Nach Durchführung „grenztaktischer Handlungen" im Zusammenwirken mit der Volkspolizei und dem Abschnittsbevollmächtigen von Hellingen, Krs. Hildburghausen, wurde Steffen S., 22, 2.000 m südwestlich Hellingens festgenommen. Er hatte die Staatsgrenze zwischen Maroldsweisach-Ermershausen und Hellingen von West nach Ost überschritten, überwand den einreihigen Metallgitterzaun und löste am Grenzsignalzaun Alarm aus. S. war ursprünglich Angehöriger der 3. Grenzkompanie Oerlsdorf und beging am 26.07.1988 Fahnenflucht aus dem Grenzdienst.
(GT-TM 017186)

6. Mai 1989
Bei der DDR-Grenzabfertigung am Grenzübergang Eußenhausen – Henneberg erlitt der Rudolf Hutterer, 65, Ostheim vor der Rhön, Lkrs. Rhön-Grabfeld, einen Herzanfall und verstarb.
(GT-TM 017186)

9. Mai 1989
Bei dem Versuch, die DDR im Bezirk Rostock illegal zu verlassen, wurde der Jens P., 23, Themar, Krs. Hildburghausen, festgenommen. Er hatte einen Abschluss als Bergbautechnologe mit Abitur, arbeitete jedoch als Hausmeister in der Betriebsberufsschule „Fritz Sattler" Themar.
(BKG 89, BStU)

Vom 30.04. – 09.05.1989 reiste Gabriele S., 29, aus Erfurt zu Besuch in die Bundesrepublik. Als freischaffende Musikerzieherin war sie damals in Meiningen tätig. Die junge Frau blieb im Westen.
(BKG 89, BStU)

10. Mai 1989
Die Pförtnerin Marianne K., 41, beschäftigt im Pionierhaus „Bruno Kühn" Oberhof, konnte vom 03. – 10.05.1989 ihre

Verwandtschaft in der Bundesrepublik besuchen und kehrte nicht wieder zurück. (BKG 89, BStU)

11. Mai 1989
Georg H., 45, Neumarkt/Oberpfalz überschritt um 07.30 Uhr die Grenze 500 m westlich Andenhausen, Krs. Bad Salzungen, überkletterte die ehemalige MS-66, bewegte sich weiter in Richtung Grenzsignalzaun und wurde an einem Tor von einem Grenzposten, der zur Überprüfung eingesetzt war, festgenommen. H. wurde an das MfS Suhl übergeben. (GT-TM 017186)

Alexander H., 23, Karl-Marx-Stadt, wurde um 09.15 Uhr auf dem Busbahnhof Sonneberg von der Volkspolizei kontrolliert und festgenommen. Da er keine Möglichkeit zur Bearbeitung seines Ausreiseantrags sah, hatte er sich entschlossen, die DDR „ungesetzlich" nahe Sonneberg zu verlassen. (GT-TM 017186)

14. Mai 1989
Ein Grenzaufklärer der DDR-Grenztruppen fand um 14.30 Uhr bei Oberzella, Krs. Bad Salzungen, einen Sprengkörper des Typs SM-70. Die Fundstelle war ca. 100 m vom vorderen Sperrelement entfernt. Die Fundstelle wäre „vom Gegner" nicht einsehbar, hieß es in der Meldung. Die Mine wurde am 18.05.1989 gesprengt. (GT-TM 017186)

Karin D., Lichtenhain, Krs. Neuhaus/Rwg., Facharbeiterin für EDV, war in der Bauschlosserei ihres Ehemannes als mithelfende Ehefrau beschäftigt. Vom 05. – 14.05.1989 reiste sie ohne ihren Ehemann zu Besuch ihrer Verwandtschaft in die Bundesrepublik und kam nicht wieder zurück. (BKG 89, BStU)

Der Familie G. aus Frauenwald, Krs. Ilmenau, Karl-Heinz, 37, Ehefrau Christine, 34, mit ihren Kindern Matthias, 14, Ronny, 13, und Marcel, 6, gelang der Grenzübertritt ČSSR – Bundesrepublik. Das Ehepaar arbeitete als Zivilbeschäftigte

Der Staatssicherheitsdienst der DDR

STAATSSICHERHEITSDIENST UND SED – DIE ROLLE DER STAATSSICHERHEIT IM MACHTGEFÜGE DER DDR

Das MfS gehörte zu den 36 Ministerien, die als vollziehend-verfügende Organe des Staatsapparates der DDR wirksam und dem Ministerrat unterstellt waren. Gemeinsam mit dem Ministerium des Innern und dem Ministerium für Nationale Verteidigung unterstand es aber zugleich dem Nationalen Verteidigungsrat der DDR. In der Vereinigung der 3 Funktionen Generalsekretär der SED, Staatsratsvorsitzender und Vorsitzender des Nationalen Verteidigungsrates in einer Person wurde die Machtkonzentration sowie mögliche Hinwendung zur Diktatur einer Partei und auch einer Person deutlich. Die Diktatur des Proletariats konnte, getragen von den kollektiven Organen Staatsrat, Ministerrat und über den Nationalen Verteidigungsrat, zu einer Diktatur eines Einzelnen umfunktioniert werden, wie sie Stalin praktizierte.

Die entscheidende Schlüsselfunktion jedoch lag bei der SED-Führung und der marxistisch-leninistischen Partei. Dies begann bei der Volkskammer, die in ihrer Zusammensetzung immer über eine absolute Mehrheit der SED verfügte, ging weiter über den Ministerrat der DDR, das Oberste Gericht der DDR, die Generalstaatsanwaltschaft der DDR bis zum Nationalen Verteidigungsrat der DDR. Die höchsten Staatsgremien der DDR waren entweder mit absoluter Mehrheit oder gar zu 100 % durch Genossen oder mit SED-hörigen Personen in den Blockparteien besetzt. Analog setzte sich das auf den Ebenen der Bezirke, Kreise, Städte und Gemeinden fort. Die Volkskammer, eigentlich oberstes gesetzgebendes Organ der DDR, hatte nach langfristigen Arbeitsplänen zu arbeiten, „die nach Bestätigung des Politbüros des ZK der SED vom Präsidium der Volkskammer beschlossen wurden". Das Prinzip der doppelten Unterstellung enthielt die Möglichkeit, „direkte" staatliche Entscheidungen zu treffen und das Gremium Volksvertretung zu umgehen. Es passte durchaus in die Entwicklung und Ausrichtung der Gesellschaft, dass die Tätigkeit der Organe der Staatssicherheit zwar auf der Grundlage des Gesetzes über die Bildung eines Ministeriums für Staatssicherheit vom 8. Februar 1950 organisiert wurde. Aufbauend auf diesem Gesetz wurde aber die Arbeit des MfS mehr und mehr auf der Grundlage von durch den zuständigen Minister erlassenen dienstlichen Weisungen und Befehlen organisiert. Das Ministerium für Staatssicherheit und seine Organe wurden immer mehr zu einem Machtinstrument zur Sicherung der nachgeordneten Parteiorgane der SED. Deshalb war die Mitgliedschaft in der SED auch die unabdingbare Voraussetzung für den Dienst in den Organen der Staatssicherheit.[1]

In der Praxis fühlte sich der Staatssicherheitsdienst als Schild und Schwert der Partei in der SED verantwortlich. Aus diesem Selbstverständnis heraus musste jeder, der eine abweichende Meinung äußerte, nicht nur ein Gegner der SED, sondern ein Feind der DDR sein und somit überwacht oder auf den „rechten Weg" gelenkt werden. Das MfS war für diese Aufgaben der ideale Erfüllungsgehilfe.

Seine Gefährlichkeit lag in der Bündelung umfassender Kompetenzen als politische Geheimpolizei, als Untersuchungsbehörde bei so genannten Staatsverbrechen und anderen politischen Delikten sowie als geheimer Nachrichtendienst, ohne dass sein Wirken gesetzlich definiert oder parlamentarisch kontrolliert worden wäre. Gerade die Verbindung von Abwehr- und Sicherheitsdienst im Innern der DDR mit der offensiven Aufklärung nach außen war es, die der Führung der SED die Instrumentalisierung des MfS zu ihrem Herrschaftszweck so ungemein genützt hat.[2]

Dabei hatten die SED und ihre Vertreter durchaus aktiv in die Arbeit des MfS hineinregiert, zum Beispiel über die Einsatzleitungen:

Einsatzleitungen

Strukturell waren Staatspartei und Staatssicherheit der DDR zusätzlich durch die dem Nationalen Verteidigungsrat unterstellten Einsatzleitungen miteinander vernetzt – in der Zentralen Einsatzleitung, in den Bezirkseinsatzleitungen, in den Kreiseinsatzleitungen. Auf jeder Ebene führten die Einsatzleitungen Verwaltung, Staatssicherheit, Volkspolizei und Nationale Volksarmee unter Führung des jeweils zuständigen Parteichefs zusammen. Vorsitzender des Nationalen Verteidigungsrates war mithin der Erste Sekretär/Generalsekretär des ZK der SED, Vorsitzender der Bezirkseinsatzleitung war jeweils der 1. Sekretär der Bezirksleitung der SED, Vorsitzender der Kreiseinsatzleitung war jeweils der 1. Sekretär der Kreisleitung der SED.

Die Tätigkeit der Einsatzleitungen waren keineswegs auf Ausnahmesituationen in Zeiten inneren Notstands oder internationaler Spannungen beschränkt. Vielmehr traten die Einsatzleitungen aller Ebenen auch in normalen Zeiten plan- und regelmäßig zusammen, um Fragen der militärischen, vor allem aber der inneren Sicherheit zu beraten und in ihren Zuständigkeitsbereich fallende Entscheidungen zu treffen.

Für die Beziehungen von SED und MfS waren diese Zusammenhänge deshalb so erheblich, weil die Parteichefs jeweils auf ihrer Ebene als Vorsitzende der Einsatzleitungen durchaus weisungsbefugt auch gegenüber der Staatssicherheit waren, unabhängig davon, dass normalerweise der bürokratische Apparat der SED sich nicht in die „politisch-operative Arbeit" der Staatssicherheit einzumischen pflegte. Der Chef der Staatssicherheit, egal auf welcher Ebene, war

im NVA-Ferienheim Frauenwald, er als Former und sie als Facharbeiterin für Schreibtechnik. Beide waren Mitglieder der SED.
(BKG 89, BStU)

Rainer E., 28, Elgersburg, Krs. Ilmenau, Kraftfahrer im Werk für Technisches Glas Ilmenau, beabsichtigte, über die Staatsgrenze der ČSSR im Raum Cheb (Eger) in die Bundesrepublik zu flüchten und wurde von Sicherheitsorganen der ČSSR festgenommen.
(BKG 89, BStU)

Von einer Privatreise vom 02. – 14.05. 1989 in die Bundesrepublik kehrte die Meiningerin Ursula W., 56, Pförtnerin der Betriebswache des VEB Spielzeug-Elektrik Meiningen, nicht wieder zurück. Ihr Ehemann Helmut floh am 24.05.1989 mit seiner Kehrmaschine über die GÜST Meiningen.
(BKG 89, BStU)

15. Mai 1989
In Meiningen gab es eine Aussprache über innerstädtische Baumaßnahmen mit der Gruppe Alt-Meiningen darf nicht sterben.

17. Mai 1989
Udo M., 27, Dermbach, Elektromonteur im VEB Haushaltsgerätewerk Suhl, kam von einer Privatreise vom 09. – 17.05.1989 in die Bundesrepublik nicht zurück.
(BKG 89, BStU)

19. Mai 1989
Jens B., 30, Ilmenau, arbeitete als Fotograf im Fotogeschäft „Rembrandt" in Ilmenau, er befand sich im Mai 1989 in Ungarn. Dort versuchte er, am 19.05.1989 über die Staatsgrenze Österreich zu erreichen. Dabei wurde er von ungarischen Sicherheitsorganen gestellt.
(BKG 89, BStU)

Von einer Privatreise vom 19. – 30.05. 1989 in die Bundesrepublik kam Roland L., 45, Krs. Suhl-Land, Kundendienstleiter im VEB Robotron, Werk II in Meiningen, nicht wieder in die DDR zurück.
(BKG 89, BStU)

21. Mai 1989
Diplom-Ingenieur Axel D., Ilmenau, beschäftigt als Entwicklungs-Ingenieur im VEB Thermometerwerk Geraberg, verreiste vom 15. – 21.05.1989 in die Bundesrepublik. Von den staatlichen Organen der DDR wurde er als Nichtrückkehrer registriert.
(BKG 89, BStU)

Von einem Verwandtenbesuch vom 12. – 21.05.1989 in die Bundesrepublik kam die Meiningerin Ursula H., 37, Sachbearbeiterin im VEB Kraftfahrzeuginstandhaltung Suhl, nicht wieder in die DDR zurück.
(BKG 89, BStU)

22. Mai 1989
Wolfgang M., 39, Schmalkalden, arbeitete als Gruppenleiter der Materialwirtschaft im VEB Schmalkaldener Kranbau. Vom 17. – 22.05.1989 konnte er seine Verwandtschaft in der Bundesrepublik besuchen und kehrte nicht wieder zurück.
(BKG 89, BStU)

24. Mai 1989
In der Zeit vom 13. – 24.05.1989 fuhren Karl-Heinz L., 39, Ilmenau, und seine Ehefrau Helga, 38, zu Besuch in die Bundesrepublik. Er arbeitete als Kfz-Schlosser im Handelstransport Ilmenau und sie als Auswäscherin im VEB Ilmkristall Ilmenau. Beide blieben in der Bundesrepublik.
(BKG 89, BStU)

Berufskraftfahrer Helmut W., 63, Meiningen, beschäftigt in der Stadtwirtschaft Meiningen, floh trotz Bewachung durch 2 Grenzposten mit einem Kehrfahrzeug. In der Nähe der Grenze gab er in einem unbewachten Augenblick Vollgas und fuhr unbeschadet in die Bundesrepublik. Der Grund war, dass seine Frau Ursula bei einer Besuchsreise vom 02. – 14.05.

daher in wichtigen Entscheidungen – auch operativen Entscheidungen – an unmittelbare Weisungen des Parteichefs gebunden.[3]

In seinem Bericht vor der zeitweiligen Kommission „Amtsmissbrauch und Korruption" des Bezirkstages Suhl sagte Generalmajor Gerhard Lange über den Einfluss der SED auf den Staatssicherheitsdienst:

Ich will mich nicht mit Befehlsnotstand oder ähnlichem rechtfertigen. Unter Bezugnahme auf das Parteistatut zur Notwendigkeit der Wahrung der Einheit und Geschlossenheit der Partei und im Vertrauen auf die Parteiführung waren ich und durch die ideologische Erziehung auch die Mitarbeiter des ehemaligen Ministeriums für Staatssicherheit zu lange von der Notwendigkeit der Unterordnung und der Richtigkeit der Befehle und Weisungen überzeugt, obwohl berechtigte Vorbehalte und Zweifel unter fast allen Mitarbeitern aufkamen.[4]

AUS DER GESCHICHTE DES MFS[5]

28. Dezember 1948
Beschluss des Politbüros der KPdSU zur Bildung des MfS-Vorläufers „Hauptverwaltung zum Schutz der Volkswirtschaft".

24. Januar 1950
Das SED-Politbüro beschloss die Bildung des Ministeriums für Staatssicherheit.

26. Januar 1950
Die DDR-Regierung verabschiedete einen „Beschluß über die Abwehr von Sabotage" und empfahl ebenfalls die Bildung des MfS.

8. Februar 1950

Gesetz zur Bildung des MfS
*§ 1 Die bisher dem Ministerium des Innern unterstellte Hauptverwaltung zum Schutze der Volkswirtschaft wird zu einem selbständigen Ministerium für Staatssicherheit umgebildet. Das Gesetz vom 7. Oktober 1949 über die Provisorische Regierung der Deutschen Demokratischen Republik (GBl. S. 2)70 wird entsprechend geändert.
§ 2 Dieses Gesetz tritt mit seiner Verkündung in Kraft. [...]*[6]

16. Februar 1950
Wilhelm Zaisser wurde zum Minister für Staatssicherheit, Erich Mielke, zum Staatssekretär ernannt.

1. März 1951

Das zentrale sowjetische Untersuchungsgefängnis in Berlin-Hohenschönhausen wurde dem Ministerium für Staatssicherheit übergeben und als zentrales Untersuchungsgefängnis des MfS weitergeführt.

16. Juni 1951

In Potsdam-Eiche wurde die Schule des MfS für die politische Schulung und die Ausbildung der Mitarbeiter in der operativen Arbeit eröffnet.

16. August 1951

Auf Beschluss des KPdSU-Politbüros: Gründung des Außenpolitischen Nachrichtendienstes (APN) unter der Tarnbezeichnung „Institut für wirtschaftswissenschaftliche Forschung beim Ministerium für Auswärtige Angelegenheiten".

13.5.1952

Die Deutsche Grenzpolizei (DGP) wurde dem MfS unterstellt.

23. Juli 1952

Als Folge der administrativen Neugliederung der DDR (Auflösung der Länder, Schaffung von 14 Bezirken und 217 Kreisen) wurden die MfS-Landesverwaltungen aufgelöst und in Bezirksverwaltungen umgewandelt sowie zusätzliche Kreisdienststellen geschaffen. Die „Verwaltung Groß-Berlin" sowie die 1951 gegründete Objektverwaltung „Wismut" blieben darüber hinaus bestehen.

1. August 1952

Die Transportpolizei wurde dem MfS unterstellt.

18. bis 23. Juli 1953

Entlassung von Wilhelm Zaisser als Minister des MfS.
Neuer Chef der Staatssicherheit wurde Ernst Wollweber. Eingliederung des MfS als Staatssekretariat für Staatssicherheit (StfS) in das MdI. Der Außenpolitische Nachrichtendienst (APN) wurde als Hauptabteilung XV in den Staatssicherheitsdienst eingegliedert.

24. bis 26. Juli 1953

Tagung des ZK der SED, Zaisser und Herrnstadt wurden aus dem ZK ausgeschlossen. Walter Ulbricht wurde zum Ersten Sekretär (bisher Generalsekretär) des ZK gewählt.

23. September 1953

In einem Politbüro-Beschluss wurden die Aufgaben der Staatssicherheit definiert. Die bereits seit 1950 wahrgenommenen Aufgaben wurden im Wesentlichen bestätigt.

1989 im Westen geblieben war. W. konnte trotzdem weiter die Straße an der GÜST Meiningen säubern.
(BKG 89, BStU)

Zwischen 15.29 und 20 Uhr verletzte eine unbekannte männliche Person das Hoheitsgebiet der DDR, und zwar 1.500 m südwestlich Hennebergs, Krs. Meiningen. Der Mann legte sich „feindwärts" des Grenzzauns auf den Boden. Nach wiederholten Zurückweisungen verließ er gegen 20 Uhr das Hoheitsgebiet der DDR und wurde von zwei Angehörigen der Grenzpolizei sowie des Zollgrenzdienstes, die sich seit 18 Uhr vor Ort aufhielten, in Gewahrsam genommen.
(GT-TM 017186)

25. Mai 1989

Die Meiningerin Ingrid S., 45, hatte eine Nebenwohnung in Erfurt. Dort arbeitete sie als Krankenschwester im Katholischen Krankenhaus Erfurt. Von ihrer Besuchsreise in die Bundesrepublik im Zeitraum vom 12. – 25.05.1989 kehrte sie nicht wieder zurück.
(BKG 89, BStU)

26. Mai 1989

500 m südlich von Almerswind, Krs. Sonneberg, floh der Grenzsoldat Dirk H., 33, Leipzig, gegen 12.45 Uhr aus dem Grenzdienst heraus in den Westen. Er war von 11 – 19 Uhr mit seinem Posten zur Sicherung des südlichen Ortsrands von Almerswind eingesetzt. Gegen 12.30 Uhr entfernte sich der Posten ohne Waffe zur Verrichtung der Notdurft. Bei seiner Rückkehr stellte er gegen 12.50 Uhr das Fehlen des Postenführers fest. Die Ermittlungen ergaben, dass H. die befehlswidrige Postenentfernung ausnutzte, seine MPi teilweise auseinander genommen zurückließ, die Waffe des Postens bis zum vorderen Sperrelement mitführte und die Fahnenflucht unter Überwindung der Sperranlagen vollzog.
(GT-TM 017186)

28. Mai 1989

Zwei Grenzaufklärer der DDR-Grenztruppen nahmen gegen 19.30 Uhr Peter-Willi S., 35, und Volkmar H., 37, Karl-

Marx-Stadt (heute: Chemnitz), in der Sperrzone, 1.200 m östlich von Vacha, Krs. Bad Salzungen, fest.
(GT-TM 017186)

29. Mai 1989
Am westlichen Ortsrand von Bauerbach, Krs. Meiningen, wurde gegen 18.30 Uhr Anett B., 19, Erfurt von der Volkspolizei kontrolliert und festgenommen. Sie wollte im Raum Henneberg illegal über die Grenze.
(GT-TM 017186)

Nach Hinweis aus der Bevölkerung wurde Matthias O., 26, Meiningen, Bauarbeiter in der ZBO Meiningen, Sitz Obermaßfeld, um 06.15 Uhr 1.500 m südöstlich von Schwickershausen, Krs. Meiningen, von einem Grenzaufklärer festgenommen. Der Flüchtling führte persönliche Dokumente mit.
(GT-TM 017186, BKG 89, BStU)

30. Mai 1989
Mario N., 20, aus dem Krs. Weimar wurde gegen 14 Uhr in Bad Salzungen von der Volkspolizei aufgegriffen und gab die Absicht zu, im Bereich Bad Salzungens die Grenze zu durchbrechen. Hierfür hatte er sich ein Luftgewehr gekauft, das er bei seiner Flucht benutzen wollte.
(GT-TM 017186)

Bernd K., 44, Oberhof, Krs. Suhl-Land, Physiotherapeut in der Rheumaklinik Etzelbach, kehrte von einer Besuchsreise vom 20. – 30.05.1989 in die Bundesrepublik nicht wieder zurück.
(BKG 89, BStU)

Nach Auslösung des Signalzauns um 21.44 Uhr bei Lichtenhain, Krs. Neuhaus/Rwg., bewegte sich Burghardt W., 33, Krs. Saalfeld, parallel zum Zaun und wurde um 23.15 Uhr von den alarmierten Grenzposten festgenommen.
(GT-TM 017186)

Mai 1989
Der Grenzübergang Eisfeld – Rottenbach hatte einen ersten Höchstand im Reiseverkehr zwischen den beiden deutschen Staaten. 7.500 Bundesbürger und

1. Mai 1956
Die Hauptabteilung XV des MfS wurde in Hauptverwaltung A (HV A) umbenannt. Leiter blieb Markus Wolf.

15. Februar 1957
Die Inneren Truppen des MfS (Hauptverwaltung Innere Sicherheit) wurden in das MdI eingegliedert. Das Wachregiment Berlin blieb der einzige militärische Verband des MfS.

1. März 1957
Die Grenzpolizei wurde wieder dem MdI unterstellt.

15. September 1961
Die Deutsche Grenzpolizei wurde in Grenztruppen der DDR umbenannt und dem Ministerium für Nationale Verteidigung unterstellt. Der Nachrichtendienst der Deutschen Grenzpolizei, die „operative Grenzaufklärung", wurde in die Hauptabteilung I des MfS eingegliedert.

1. Juni 1962
Die Sabotageeinheit der NVA (Verwaltung 15) wurde in das MfS eingegliedert.

21. Januar 1964
Befehl zur Ausbildung von militärischen Einzelkämpfern im MfS (Funker, Taucher, Fallschirmspringer, Sprengspezialisten).

29. Juni 1965
Der MfS-Hochschule Potsdam-Eiche wurde offiziell der Status einer „Hochschule für die juristische Ausbildung" verliehen.

1. Juni 1967
Erlass der MfS-Mobilmachungsdirektive 1/67, die u. a. die Planung von Isolierungslagern für Regimegegner vorsah.

15. Dezember 1967
Verleihung des Ehrennamens „Feliks E. Dzierzynski" an das Wachregiment des MfS.

11. Juni 1968
Die Juristische Hochschule des MfS erhielt offiziell das Promotionsrecht.

30. Juli 1969
Der nationale Verteidigungsrat bestätigte das geheime Statut des MfS.

30. Juli 1969

Statut des MfS

§ 1 (1) Das Ministerium für Staatssicherheit (MfS) ist ein Organ des Ministerrates. Es gewährleistet als Sicherheits- und Rechtspflegeorgan die staatliche Sicherheit und den Schutz der Deutschen Demokratischen Republik. [...]

§ 2 Die Hauptaufgaben des MfS zum Schutze der Souveränität, bei der allseitigen politischen, militärischen, ökonomischen und kulturellen Stärkung der Deutschen Demokratischen Republik, der Sicherung der sozialistischen Errungenschaften und der Staatsgrenze mit spezifischen Mitteln und Methoden bestehen darin:

* feindliche Agenturen zu zerschlagen, Geheimdienstzentralen zu zersetzen und andere politisch-operative Maßnahmen gegen die Zentren des Feindes durchzuführen und ihre geheimen subversiven Pläne und Absichten, ihre konspirative Tätigkeit insbesondere gegen die Deutsche Demokratische Republik und andere sozialistische Länder offensiv aufzudecken;

* durch rechtzeitige Aufdeckung geplanter militärischer Anschläge und Provokationen gegen die Deutsche Demokratische Republik und andere sozialistische Länder dazu beizutragen, Überraschungshandlungen zu verhindern;

* entsprechend den übertragenen Aufgaben alle erforderlichen Maßnahmen für den Verteidigungszustand vorzubereiten und durchzusetzen;

* Straftaten, insbesondere gegen die Souveränität der Deutschen Demokratischen Republik, den Frieden, die Menschlichkeit und Menschenrechte sowie gegen die Deutsche Demokratische Republik aufzudecken, zu untersuchen und vorbeugende Maßnahmen auf diesem Gebiet zu treffen;

* die zuständigen Partei- und Staatsorgane rechtzeitig und umfassend über feindliche Pläne, Absichten und das gegnerische Potential sowie über Mängel und Ungesetzlichkeiten zu informieren;

* die staatliche Sicherheit in der Nationalen Volksarmee und den bewaffneten Organen zu gewährleisten;

* in Zusammenwirken mit den staatlichen Organen, insbesondere dem Ministerium für Nationale Verteidigung und dem Ministerium des Innern die Staatsgrenze mit spezifischen Mitteln und Methoden zu schützen und unter

  Einbeziehung der Organe der Zollverwaltung der Deutschen Demokratischen Republik den grenzüberschreitenden Verkehr zu sichern. [...]

§ 8 (1) Der Minister leitet das MfS nach dem Prinzip der Einzelleitung. Er ist persönlich für die gesamte Tätigkeit des MfS verantwortlich und der Volkskammer, dem Staatsrat, dem Nationalen Verteidigungsrat und dem Ministerrat rechenschaftspflichtig.[7]

4.000 DDR-Bürger wurden gezählt, die den Übergang im Monat passierten. Die DDR-Behörden genehmigten ihren Bürgern des Öfteren, mit dem Pkw in den Westen zu reisen. Vorher war das nur Geschäftsleuten ermöglicht worden. Im Mai wurden auch sechs Übersiedler registriert, darunter drei junge Frauen, denen man zuvor in der DDR die Eheschließung mit einem Bundesbürger genehmigt hatte. Eine 21-jährige Sonnebergerin durfte sogar zu ihrem Verlobten ins Coburger Land.
(Freies Wort, 16.11.2000)

1. Juni 1989

In Bad Schandau, am Grenzübergang zur ČSSR, wurde von der Personenkontrolleinheit Marko O., 19, aus Steinbach-Hallenberg, Krs. Schmalkalden, festgenommen. Er hatte versucht, die DDR ungesetzlich über die ČSSR zu verlassen.
(BKG 89, BStU)

Wegen Vorbereitung für einen illegalen Grenzübertritt ČSSR – Bundesrepublik wurden im Juni 1989 die vorbestraften Lehrlinge Olaf N., 18, Jörg R., 18, und Mike T., 19, Lackierer beim VEB FaJaS Suhl, von der DVP am Wohnort Suhl festgenommen.
(BKG 89, BStU)

Von der DVP wurde Thomas H., 16, Schmalkalden, Maurerlehrling im VEB Schwerspat Trusetal, wegen versuchten ungesetzlichen Grenzübertritts im Raum Eisenach festgenommen.
(BKG 89, BStU)

6. Juni 1989

Steffen P., 29, Suhl, und Markus M., 22, Schmalkalden wurden von Sicherheitsorganen der ČSSR festgenommen, weil sie die ČSSR-Grenze zur Bundesrepublik überwinden wollten. Beide arbeiteten im Bezirkskrankenhaus Suhl, P. als Hausmeister in der Kinderklinik und M. als Orthopädiemechaniker.
(BKG 89, BStU)

Im Raum Eicha, Krs. Hildburghausen, überwand die Familie B. aus Eicha, Frank-Peter, 26, Ehefrau Kerstin, 27, und

Sohn Daniel, 5, die Grenzanlagen zur Bundesrepublik. Er war beschäftigt als Hausmeister in der LPG „Friedrich Engels" Römhild, sie war Mitarbeiterin der Betriebsplanung im VEB Landtechnischer Anlagenbau Suhl, Sitz Westenfeld. (BKG 89, BStU)

Um 21.45 Uhr gelang der Familie B., Ehepaar und 1 Kind aus Eicha, Krs. Hildburghausen, und dem Ehepaar Sch. aus Hildburghausen die Flucht über die Grenzsperranlagen zwischen Milz und Breitensee. Die Personen fuhren an den Signalzaun GSSZ II, überwanden ihn mit einer auf ihrem Pkw Trabant konstruierten Plattform, überstiegen den vorderen Zaun und erreichten kurz vor Eintreffen der DDR-Grenztruppen-Alarmgruppe das Bundesgebiet. (GT-TM 017187)

7. Juni 1989
Nach einem Besuch in der Bundesrepublik vom 29.05. – 07.06.1989 reiste der Sonneberger Verkaufsstellenleiter Jörg W., 31, nicht wieder in die DDR ein. (BKG 89, BStU)

Silvia H., 33, aus Heldburg, Krs. Hildburghausen, Molkereifacharbeiterin im VEB Milchwirtschaft Suhl, Betriebsteil Heldburg, reiste am 27.05.1989 zu Besuch ihrer Verwandtschaft in die Bundesrepublik und blieb im Westen. (BKG 89, BStU)

9. Juni 1989
Ende Mai 1989 schien es, als wollte sich eine Entspannung an der innerdeutschen Grenze einstellen. Auf DDR-Seite wurde gegenüber der Gebrannten Brücke zwischen Sonneberg und Neustadt b. Coburg der runde Wachturm überraschend abgebrochen. Ein ziviles Arbeitskommando hatte im Morgengrauen des 31. Mai unter Bewachung von DDR-Grenzsoldaten die vorgefertigten Betonteile abgebaut und ins Hinterland abtransportiert. Die Freude auf eine mögliche Entspannung währte aber nur kurz, denn bereits am 9. Juni 1989 entstand ein neuer, diesmal viereckiger Turm am alten Standort.

4. November 1970
Die Fachschule des MfS wurde eröffnet.

1. Januar 1971
Bildung der Hauptabteilung VI im MfS durch Zusammenlegen von Einheiten der Passkontrollen und der „Sicherung des Reiseverkehrs".

6. Mai 1971
Im MfS wurde zur Absicherung von Großereignissen der „Zentrale Operativstab" (ZOS) gebildet.

1. Juli 1971
Neugründung der Abteilung III im MfS, ab 1985 Hauptabteilung III, zuständig für die Funkspionage.

1. August 1975
Befehl zur Bildung der Zentralen Koordinierungsgruppe (ZKG) im MfS zur Bekämpfung von Westfluchten und Ausreiseanträgen.

10. April 1981
Matthias Domaschk, Mitglied der Jungen Gemeinde in Jena, wurde festgenommen und starb wenig später in der Untersuchungshaftanstalt Gera des MfS unter ungeklärten Umständen.

26. Juni 1981
Hinrichtung des MfS-Hauptmanns Werner Teske wegen Fluchtvorbereitung in den Westen (letztes Todesurteil der DDR-Justiz).

5. März 1987
Der stellvertretende Minister und Leiter der Hauptverwaltung A im MfS, Generaloberst Markus Wolf, schied aus dem aktiven Dienst aus. Nachfolger wurde Generalleutnant Werner Großmann.

7./8. Oktober 1989
In Ostberlin kam es im Zusammenhang mit Demonstrationen gegen die Feiern zum 40. Jahrestag der DDR zu zahlreichen Übergriffen von Polizei und Staatssicherheit.

21. Oktober 1989
Auf zentralen Dienstbesprechungen im MfS und im MdI wurde der Sicherheitsapparat auf die „Wende" verpflichtet.

6. November 1989

Erich Mielke gab an die Dienststellen des MfS in den Bezirken die Weisung, brisantes dienstliches Material zu vernichten oder auszulagern.

13. November 1989

Letzter Auftritt Erich Mielkes vor der Volkskammer.

17. November 1989

Die Volkskammer wählte einen neuen Ministerrat. Das MfS wurde in Amt für Nationale Sicherheit (AfNS) umbenannt, neuer Leiter wurde Generalleutnant Wolfgang Schwanitz, der Stellvertreter Mielkes.

29. November 1989

Der Leiter des AfNS, Schwanitz, setzte eine große Zahl dienstlicher Bestimmungen und Weisungen außer Kraft.

3. Dezember 1989

Erich Mielke wurde aus der SED ausgeschlossen.

4./5. Dezember 1989

Bürgerinitiativen und aufgebrachte Bürger, die die Vernichtung von Beweismaterial befürchteten, begannen mit der Besetzung von Bezirksämtern und Kreisdienststellen der Staatssicherheit.

4./5. Dezember 1989

Das Kollegium des AfNS trat zurück.

Allein im Bezirk Suhl waren 1989 ca. 1.700 hauptamtliche Mitarbeiter damit beschäftigt, das Staatsgebiet zu überwachen. Nach amtlicher Definition sollte das Ministerium und seine Mitarbeiter „die Abwehr und Bekämpfung konterrevolutionärer Anschläge auf die sozialistische Staats- und Gesellschaftsordnung der DDR" organisieren. „Hinzu kamen über 460 Kreisdienststellenmitarbeiter im Bezirk, außerdem noch Soldaten des Wachregiments, die Offiziere im besonderen Einsatz (OiB) und Hauptamtliche IM."[8]

Die Struktur der Bezirksverwaltung Suhl

Struktur und Tätigkeit des MfS waren seit seiner Gründung am Vorbild der sowjetischen „Tschekisten" orientiert. Instrukteure, später als Berater bezeichnet, waren bis in die sechziger Jahre hinein im Apparat des MfS unmittelbar tätig.[9] Die 1989 vorgefundene Struktur der Bezirksverwaltung Suhl ist das Ergebnis vieler an die Notwendigkeiten angepasster Veränderungen.

Susanne P., 27, Schleusingen, hatte eine Nebenwohnung in Dresden, dort arbeitete sie an der Medizinischen Akademie als Facharbeiter für Bibliothekswesen. In der Zeit vom 27.05. – 09.06.1989 unternahm sie eine Reise zu Verwandten in die Bundesrepublik, von der sie nicht wieder zurückkam.
(BKG 89, BStU)

10. Juni 1989

Jürgen S., 27, Krs. Saalfeld, beabsichtigte, bei Spechtsbrunn, Krs. Neuhaus/Rwg., über die Grenze zu flüchten. Er wurde gegen 3 Uhr von der Volkspolizei in Lichte festgenommen.
(GT-TM 017187)

Juni 1989

Mirko L., 20, aus Nordheim/Grabfeld floh beim Schwimmbad Behrungen in Richtung Sondheim über die Grenze. Nach der Wende kehrte L. zurück.
(Doris Günther, GT-TM 017187)

11. Juni 1989

Vom 04. – 11.06.1989 verlebte Corina G., 24, Ilmenau, Kellnerin beim FDGB-Feriendienst Schmiedefeld, mit ihrem Sohn Toni, 2, ihren Urlaub in Ungarn. Von dieser Reise kam sie nicht wieder in die DDR zurück.
(BKG 89, BStU)

12. Juni 1989

Von einer Privatreise in die Bundesrepublik vom 02. – 12.06.1989 kehrte Klaus B., 30, Schmalkalden, nicht wieder in die DDR zurück. Er hatte als Einrichter im VEB Hartmetallwerk Immelborn gearbeitet.
(BKG 89, BStU)

16. Juni 1989

Der selbstständige Klempnermeister Jörn T., 43, aus Floh, Krs. Schmalkalden, kam von seiner Privatreise in die Bundesrepublik vom 03. bis 16.06.1989 nicht wieder zurück.
(BKG 89, BStU)

17. Juni 1989

Maik L., 18, Potsdam, wurde um 17.10 Uhr von der Transportpolizei im Zug

Struktur der Bezirksverwaltung Suhl des MfS

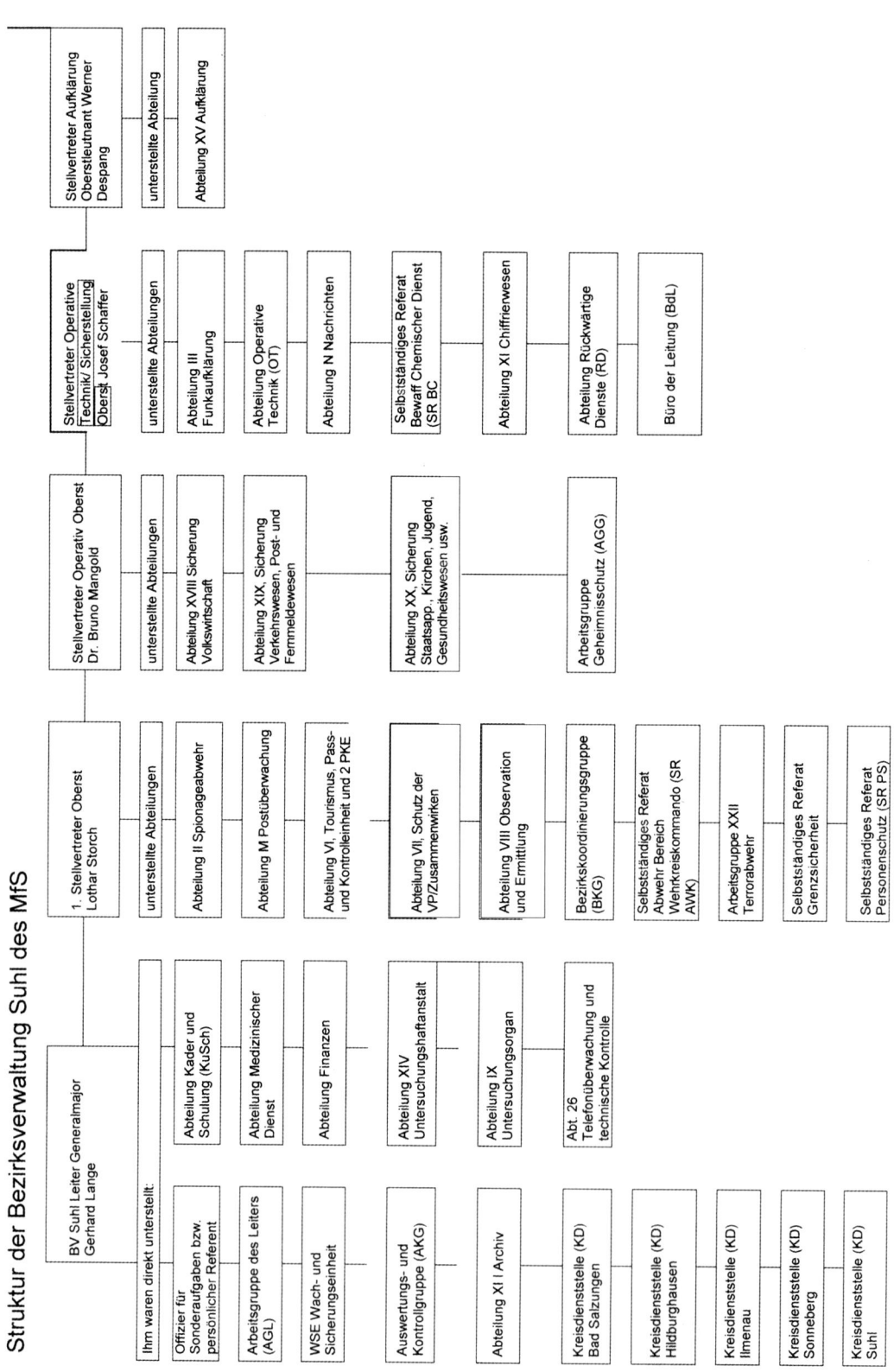

Stellvertreter Aufklärung Oberstleuthant Werner Despang
- unterstellte Abteilung
- Abteilung XV Aufklärung

Stellvertreter Operative Technik/ Sicherstellung Oberst Josef Schaffer
- unterstellte Abteilungen
- Abteilung III Funkaufklärung
- Abteilung Operative Technik (OT)
- Abteilung N Nachrichten
- Selbstständiges Referat Bewaff Chemischer Dienst (SR BC
- Abteilung XI Chiffrierwesen
- Abteilung Rückwärtige Dienste (RD)
- Büro der Leitung (BdL)

Stellvertreter Operativ Oberst Dr. Bruno Mangold
- unterstellte Abteilungen
- Abteilung XVIII Sicherung Volkswirtschaft
- Abteilung XIX, Sicherung Verkehrswesen, Post- und Fernmeldewesen
- Abteilung XX, Sicherung Staatsapp., Kirchen, Jugend, Gesundheitswesen usw.
- Arbeitsgruppe Geheimnisschutz (AGG)

1. Stellvertreter Oberst Lothar Storch
- unterstellte Abteilungen
- Abteilung II Spionageabwehr
- Abteilung M Postüberwachung
- Abteilung VI, Tourismus, Pass- und Kontrolleinheit und 2 PKE
- Abteilung VII, Schutz der VP/Zusammenwirken
- Abteilung VIII Observation und Ermittlung
- Bezirkskoordinierungsgruppe (BKG)
- Selbstständiges Referat Abwehr Bereich Wehrkreiskommando (SR AWK)
- Arbeitsgruppe XXII Terrorabwehr
- Selbstständiges Referat Grenzsicherheit
- Selbstständiges Referat Personenschutz (SR PS)

BV Suhl Leiter Generalmajor Gerhard Lange

Ihm waren direkt unterstellt:
- Offizier für Sonderaufgaben bzw. persönlicher Referent
- Arbeitsgruppe des Leiters (AGL)
- WSE Wach- und Sicherungseinheit
- Auswertungs- und Kontrollgruppe (AKG)
- Abteilung XI I Archiv
- Kreisdienststelle (KD) Bad Salzungen
- Kreisdienststelle (KD) Hildburghausen
- Kreisdienststelle (KD) Ilmenau
- Kreisdienststelle (KD) Sonneberg
- Kreisdienststelle (KD) Suhl

- Abteilung Kader und Schulung (KuSch)
- Abteilung Medizinischer Dienst
- Abteilung Finanzen
- Abteilung XIV Untersuchungshaftanstalt
- Abteilung IX Untersuchungsorgan
- Abt. 26 Telefonüberwachung und technische Kontrolle

Die Leiter der BV

Die Lebensläufe der Leiter der Bezirksverwaltung Suhl haben eines gemeinsam: den bedingungslosen Einsatz für die DDR, in erster Linie für die alles beherrschende SED bzw. vorher für die KPD.[10]

Die Leiter der Bezirksverwaltung und ihre Biografien

Roscher, Ludwig – Leiter der Bezirksverwaltung Suhl 1952
12.07.1905 – 26.08.1989

Geboren in Bertsdorf, Kreis Zittau, Vater: Textilarbeiter; Volksschule; 1920 – 1927 Lehre und Arbeit als Stellmacher; 1927 – 1945 Imprägnierer; 1932 KPD; 1937/38 Verhaftung wegen Vorbereitung zum Hochverrat, acht Monate Gefängnis.

1945/46 KPD/SED; 1945 Einstellung bei der Polizei Bertsdorf; 1947 Kreisamt Zittau, zuletzt Leiter der Schutzpolizei; 1949 Einstellung bei der Verwaltung zum Schutz der Volkswirtschaft Sachsen (ab Februar 1950 Länderverwaltung Sachsen des MfS), Leiter der KD Zittau; 1952 Leiter der BV Suhl; 1953 Oberstleutnant; 1954 1. Stellvertreter Operativ des Leiters der BV Karl-Marx-Stadt; 1959 Stellvertreter Administrativ; 1965 Entlassung, Rentner; 1985 Vaterländischer Verdienstorden in Gold.

Kreusel, Karl – Leiter der Bezirksverwaltung Suhl 1954
06.10.1911 – 14.06.1996

Geboren in Buchholz, Kreis Annaberg. Vater: Arbeiter; Volksschule; 1925 – 1930 Lehre und Arbeit als Maurer; 1928 KPD; 1930 arbeitslos; 1935/36 Haft; 1936 – 1940 Arbeit als Maurer; 1940 – 1945 Wehrmacht.

1945 Org.-Leiter beim KPD-Kreisvorstand Stollberg; August 1945 Einstellung bei der Polizei, Leiter der Kripo Oelsnitz/Vogtland; 1949 Einstellung bei der Verwaltung zum Schutz der Volkswirtschaft Sachsen (ab Februar 1950 Länderverwaltung Sachsen des MfS), KD Oelsnitz; 1951 Leiter der Abteilung V (Kirchen, Untergrund) der Länderverwaltung Sachsen; 1952 Leiter der KD Marienberg, BV Chemnitz; Dezember 1952 Leiter der Abteilung V der BV Chemnitz (ab 05.05.1953 BV Karl-Marx-Stadt); 1953 Stellvertreter Operativ, 1954 Leiter der BV Suhl; 1955/56 wegen Krankheit nicht im Dienst; 1956 Stellvertreter Operativ des Leiters der BV Leipzig; 1959 Oberstleutnant; 1962 Stellvertreter Operativ des Leiters der BV Gera; 1965 aus gesundheitlichen Gründen entlassen, Rentner.

Grünler, Kurt - Leiter der Bezirksverwaltung Suhl 1955 – 1960
15.08.1906 – 28.07.1985

Geboren in Leipzig-Lindenau. Vater: Eisendreher; höhere Bürgerschule; 1920 – 1923 Lehre als Elektriker; 1923 – 1930 Arbeit als Elektriker und Hilfsarbeiter, zeitweilig auf Wanderschaft; 1928

Saalfeld – Sonneberg aufgegriffen. Er wollte bei Sonneberg über die Grenze.
(GT-TM 017187)

Für die Zeit vom 09. bis 17.06.1989 wurde Ingrid S., 44, aus Suhl, Friseurin im Frisiersalon des Centrum-Warenhauses Suhl, ein Privatreise in die Bundesrepublik genehmigt, sie kehrte nicht wieder zurück.
(BKG 89, BStU)

18. Juni 1989
Zwischen dem 17. und 18.06.1989 gelang es Silke B., 27, Sonneberg, Montiererin im VEB Piko Sonneberg, die Grenzanlagen zur Bundesrepublik zu überwinden. Die Übertrittsstelle konnte nicht ermittelt werden.
(BKG 89, BStU)

19. Juni 1989
Der Fotograf Stefan H., 29, betrieb in Meiningen ein Fotolabor. Von seiner Privatreise vom 14. – 19.06.1989 in die Bundesrepublik kam er nicht wieder zurück.
(BKG 89, BStU)

Ralf J., 45, Meiningen, Hausmeister der Kinderkrippe in der Berliner Straße, kehrte von seinem Besuch vom 09. – 19.06.1989 in der Bundesrepublik nicht zurück.
(BKG 89, BStU)

20. Juni 1989
Im Zug zwischen Herlasgrün und Plauen wurde Klaus W., 20, Meiningen, Hilfsarbeiter im VEB Getränkekombinat Meiningen, von der Transportpolizei festgenommen. Er wollte in die ČSSR einzureisen, um von dort aus illegal die Bundesrepublik zu erreichen.
(BKG 89, BStU)

Maik G., 26, Jena, wurde gegen 17 Uhr am Ortseingang von Dorndorf, Krs. Bad Salzungen, von der Volkspolizei kontrolliert und festgenommen. Er wollte im dortigen Bereich in die Bundesrepublik flüchten.
(GT-TM 017187)

Der 44-jährige Oberstleutnant P. des Grenzregiments Meiningen nahm um 20.30 Uhr in Blechhammer, Krs. Sonneberg, mit einem Dienst-Pkw einer jungen Frau die Vorfahrt. Sie war mit einem Fahrrad unterwegs, wurde herabgeschleudert und schwer verletzt.
(GT-TM 017187)

21. Juni 1989
Karl K., 27, Lkrs. Coburg, durchbrach um 00.14 Uhr in alkoholisiertem Zustand mit seinem BMW, mit überhöhter Geschwindigkeit fahrend, die Halbschranke der Vorkontrolle der Passkontrolleinheit am Übergang Rottenbach – Eisfeld. Zur Verhinderung des Grenzdurchbruchs löste man GÜST-Alarm aus und schloss vorübergehend die Sperranlagen. Das Fahrzeug wurde von den eingesetzten Sicherungskräften auf Höhe der Kontrollpassage im Bereich der Grenzübergangsstelle zum Stehen gebracht.
(GT-TM 017187)

Zwischen 16.45 Uhr und 17.22 Uhr wurde eine Luftraumverletzung durch ein einmotoriges Flugzeug, Typ Cessna, ab Hellingen, Krs. Hildburghausen, bis in den Raum Eisenach, festgestellt. Das Flugzeug flog in einer Höhe von 1,5 km und wurde von 2 Hubschraubern verfolgt. Der Ausflug aus dem DDR-Territorium erfolgte 1.200 m nordwestlich von Wartha, Krs. Eisenach, Bezirk Erfurt.
(GT-TM 017187)

22. Juni 1989
Maik K., 23, Suhl, Fleischer im VEB Fleischkombinat Suhl, wollte von Ungarn aus über Österreich illegal die Bundesrepublik erreichen. Die Volkspolizei nahm den Mann wegen Vorbereitungshandlungen eines ungesetzlichen Grenzübertritts fest.
(BKG 89, BStU)

23. Juni 1989
Nach Auslösung eines Grenzalarms um 16.28 Uhr begab sich der Grenzsoldat Uwe F., 20, Sonneberg, mit seinem Postenführer zum Ladeplatz der Grenzkompanie Heinersdorf. In der Eile der Handlungen verwechselte er die Reihen-

KPD; 1930 – 1933 arbeitslos; 1933 Emigration nach Dänemark, 1934 Schweden, 1936 Sowjetunion; 1937 – 1939 Interbrigadist im Spanischen Bürgerkrieg; 1939 Internierung in Frankreich; 1940 – 1945 Gefängnis und KZ Buchenwald.
1945/46 KPD/SED; 1945 Sekretär des Antifa-Blocks in Altränstedt; 1945 – 1947 dort Amtsvorsteher; 1947 Einstellung bei der VP, Leiter der K 5 (politische Polizei) in Magdeburg; September 1949 Leiter der Verwaltung zum Schutz der Volkswirtschaft Mecklenburg; 1950 Stellvertreter Operativ des Leiters der Verwaltung zum Schutz der Volkswirtschaft Sachsen-Anhalt (ab Februar 1950 Länderverwaltung Sachsen-Anhalt des MfS); 1952 Leiter der BV Frankfurt/Oder; 1953 Oberstleutnant; 1954/55 Bezirksparteischule Frankfurt/Oder; 1955 Leiter der BV Suhl; 1960 aus gesundheitlichen Gründen beurlaubt; 1961 Versetzung zur Abteilung XII (Zentrale Auskunft/Speicher), MfS Berlin; 1964 Entlassung, Rentner; 1971 Vaterländischer Verdienstorden in Gold.

Richter, Kurt - Leiter der Bezirksverwaltung Suhl. 1960 – 1974
13.09.1921 – 24.10.1981
Geboren in Gera. Vater: Bahnhilfsarbeiter, Mutter Hausfrau. Volksschule; 1936 – 1940 Lehre und Arbeit als Maschinenschlosser; 1940 Reichsarbeitsdienst, dann Wehrmacht; April 1945 amerikanische Gefangenschaft, dann Flucht, Rückkehr nach Gera.
1945/46 KPD/SED; 1945 Einstellung bei der Polizei Gera; 1947/48 Besuch der Höheren Polizeischule Berlin; 1948/49 Lehrer an der Landespolizeischule Erfurt; 1949 Stellvertreter Operativ des Leiters des VPKA Rudolstadt; 1950 Besuch der Landesparteischule Bad Blankenburg; 1951 Mitarbeiter in der Abteilung Politkultur der Landespolizeibehörde Thüringen in Weimar, dann Einstellung beim MfS, KD Greiz; 1952 Leiter der KD Greiz, dann Stellvertreter Politkultur des Leiters bzw. 1. Sekretär der SED-Kreisleitung der BV Suhl; 1954 Stellvertreter Operativ des Leiters der BV Suhl; 1959/60 Besuch der Parteihochschule; 1960 Leiter der BV Suhl und Mitglied der SED-Bezirksleitung Suhl; 1962 – 1968 Fernstudium an der Juristischen Hochschule Potsdam-Eiche, Dipl.-Jurist; 1969 Oberst; 1974 Freistellung; 1975 Entlassung, Rentner.

Pommer, Heinz – Leiter der Bezirksverwaltung Suhl. 1975 – 1981
24.03.1929 Leiter des Büros der Zentralen Leitung der SV (Sportvereinigung) Dynamo
24.03.1929 in Gera geboren. Vater: Heizer, Mutter: Hausfrau. Volksschule; 1943 – 1946 Ausbildung und Arbeit als Bauschlosser; 1947 Bau- und Transportarbeiter; 1948 Einstellung bei der VP, Inspektion Thüringen/Ost; 1948 SED; 1949/50 Besuch der VP-Schule für Kriminalistik; 1951 Einstellung beim MfS, KD Gera, dann Abteilung IX (Untersuchungsorgan) der Länderverwaltung Thüringen; 1952 stellvertretender Abteilungsleiter, 1954 Leiter der

Abteilung IX der BV Leipzig; 1960 – 1963 Fernstudium an der Deutschen Akademie für Staat und Recht (DASR) Potsdam, 1964 - 1966 an der Humboldt-Universität Berlin, Dipl.-Jurist; 1964 Stellvertreter Operativ des Leiters der BV Leipzig; 1973 Promotion zum Dr. jur. an der Juristischen Hochschule Potsdam-Eiche; 1975 Offizier für Sonderaufgaben, dann Leiter der BV Suhl; 1980 Generalmajor; 1981 Offizier für Sonderaufgaben; 1982 Leiter des Büros der Zentralen Leitung der SV Dynamo Berlin; November 1989 von seiner Funktion entbunden; Januar 1990 Entlassung, Rentner.

Lange, Gerhard – Leiter der Bezirksverwaltung Suhl. 1981 – 1989
20.01.1935 – 30.01.1990
Geboren in Magdeburg. Vater: Ofensetzer, Mutter: Hausfrau; 1953 Abitur; 1953 – 1957 Jura-Studium an der Martin-Luther-Universität Halle-Wittenberg, Dipl.-Jurist; 1954 SED; 1957 wissenschaftlicher Assistent an der Martin-Luther-Universität; 1959 Einstellung beim MfS, BV Halle, Abteilung IX (Untersuchungsorgan); 1969 Stellvertreter Operativ des Leiters der BV Halle; 1973/74 Delegierung zur Parteihochschule; 1981 Leiter der BV Suhl; 1982 Mitglied der SED-Bezirksleitung Suhl; 1983 Generalmajor; 1989 Entlassung; 1990 Selbstmord.

ERLÄUTERUNGEN ZU EINIGEN ABTEILUNGEN

Der Staatssicherheitsdienst bei den Grenztruppen – die Untergliederungen der Hauptabteilung I

Die Hauptaufgabe der HA I und ihrer Untergliederungen war unter anderem

- Abwehrarbeit in den Führungsorganen, Truppen und Einrichtungen der Nationalen Volksarmee (NVA) und der Grenztruppen der DDR zur Gewährleistung ihrer funktionellen und personellen Sicherheit
- Arbeit im und nach dem Operationsgebiet zur Erkundung der Truppen, Stäbe und Einrichtungen der Bundeswehr, des Bundesgrenzschutzes, des Zollgrenzdienstes bzw. der Bayerischen Grenzpolizei, der Grenzüberwachung und von Objekten der NATO-Armeen.

Der Leiter des Verantwortungsbereichs Grenztruppen, Oberst Nieter, hatte seinen Sitz in Pätz bei Potsdam beim Kommando der Grenztruppen. Die Arbeit war in 3 Bereiche gegliedert, die dann auch beim Grenzkommando Süd und bei den Grenzregimentern anzutreffen waren:

folge der Ladetätigkeit. Er führte erst das Magazin in die Waffe ein und überprüfte anschließend ihre Sicherheit. Beim Entspannen der Waffe löste sich ein Schuss, ohne Personen- oder Sachschaden zu verursachen.
(GT-TM 017187)

24. Juni 1989
Um 02.23 Uhr wurden Günter P., 29, seine Lebensgefährtin Michaela G., 25, und deren Kind, 3, aus Schonungen, Krs. Schweinfurt, 3.000 m südlich von Stedtlingen, Krs. Meiningen, vom Kommandeur des II. Grenzbataillons festgenommen. Den vorangegangenen mehrmaligen Zurückweisungen vom DDR-Gebiet wurde nicht Folge geleistet. Nach der Festnahme erfolgte die Zuführung zur Einheit und die Übergabe an die zuständigen Organe des MfS.
(GT-TM 017187)

26. Juni 1989
Gemeinsam mit ihrem Ehemann war Brigitte G., 51, Ilmenau, vom 17. – 26.06.1989 zu Besuch in der Bundesrepublik. Sie arbeitete als Verkäuferin in der Kaufhalle Am Stollen und er war Invalidenrentner. Beide kamen nicht wieder in die DDR zurück.
(BKG 89, BStU)

28. Juni 1989
Auf dem Weg zum Bahnhof Suhl wurde das Suhler Ehepaar K., Konrad, 35, Hausmeister im Bezirkskrankenhaus Suhl, und Maritta, 34, Sekretärin im VEB FaJaS Suhl, festgenommen. Es bestand der Verdacht, dass die Eheleute über Ungarn illegal Österreich erreichen wollten, um von da aus in die Bundesrepublik zu gelangen. Sie hatten ein Visum für Ungarn erhalten.
(BKG 89, BStU)

29. Juni 1989
Stefan G., 32, Neuhaus/Rwg., Einrichter beim VEB Behälterglas Ernstthal, Thomas S., 26, Landmaschinenschlosser im Kreisbetrieb für Landtechnik, und Beatrice S., 27, Krankenschwester im Kreiskrankenhaus Hildburghausen, beide wohnhaft in Hildburghausen, versuchten, bei Blechhammer, Krs. Sonneberg, die

Sperranlagen zu überwinden. Sie wurde dabei von einem Posten der DDR-Grenztruppen gestellt.
(BKG 89, BStU)

30. Juni 1989
Im Zeitraum vom 26. – 30.06.1989 durfte Thomas L., 28, Gehren, Krs. Ilmenau, Elektriker beim VEB Flussspatbetrieb Ilmenau, Sitz Gehren, in die Bundesrepublik reisen. Er kehrte nicht in die DDR zurück.
(BKG 89, BStU)

Von einer Reise in die Bundesrepublik vom 17. – 30.06.1989 kam Christel S., 47, Gehren, Krs. Ilmenau, Scharniererin im VEB Spielwaren Großbreitenbach, Betriebsteil Gehren, nicht wieder in die DDR zurück.
(BKG 89, BStU)

3. Juli 1989
3.200 m nordwestlich von Kaltenwestheim, Krs. Meiningen, überwand gegen 04.30 Uhr Robby J., 27, Krs. Stollberg im Erzgebirge, die Sperranlagen. Der Mann näherte sich aus der Ortslage Kaltenwestheim entlang dem Bachlauf der Lütte dem hinteren Sperrelement, durchschnitt am GSSZ-II mit einem Bolzenschneider 13 Drähte und überwand mit Hilfe von vier selbst gefertigten Haken den Zaun. Dieser löste um 04.21 Uhr aus (Feld 256). Der Mann bewegte sich in hohem Tempo in gerader Richtung zum 450 m entfernten vorderen Sperrzaun und überstieg ihn mit Hilfe eines weiteren Hakens. Um 04.30 Uhr erfolgte der Grenzdurchbruch. Der ortskundige J. war 1985/86 in Dermbach bei den Grenztruppen stationiert gewesen.
(GT-TM 017188)

4. Juli 1989
Der Baufacharbeiter Jürgen K., 30, Stedtlingen, Krs. Meiningen, arbeitete bei der Gebäudewirtschaft Meiningen. In der Zeit vom 24.06. – 04.07.1989 wurde ihm eine Reise in die Bundesrepublik genehmigt, von der er nicht wieder zurückkam.
(BKG 89, BStU)

Unterabteilung „Abwehr" (Abt. 2000)
Als am 15.09.1961 die Deutsche Grenzpolizei in Grenztruppen der DDR umbenannt und dem Ministerium für Nationale Verteidigung unterstellt wurde, verblieb der Nachrichtendienst der Deutschen Grenzpolizei, die „operative Grenzaufklärung", bei der Staatssicherheit und wurde mit den Unterabteilungen „Abwehr" und „Aufklärung" in die Hauptabteilung I des MfS eingegliedert. Diese UA wurden vom Kommando der Grenztruppen in Pätz aus geführt. Leiter des Bereichs Abwehr in Pätz war Oberst Ernst Wartmann.

Vorgesetzte Behörde der UA Abwehr Dermbach war die UA Abwehr beim Grenzkommando Süd in Erfurt. Leiter dieser UA Abwehr beim GK Süd war Oberstleutnant Beinarowitz, als sein Mitarbeiter ist Major Heinicke bekannt. Er meldete eine Flucht nördlich Vacha am 16.09.1989 an die BKG, die Bezirkskoordinierungsgruppe (s. dort).

Leitende Mitarbeiter im Grenzregiment 3 waren die Majore Nordheim und Franz.

Leiter der UA Abwehr, Meiningen, war Major Lange, einer der Mitarbeiter im GR 15 war Hauptmann Dühring.

Auf Kreisebene fertigten daneben die Arbeitsgruppen Grenzsicherung der Abteilung VII die monatlichen Berichte über die Lage im Grenzgebiet.[11]

Die hauptamtlichen Mitarbeiter des MfS waren in der Truppe als Abteilung 2000 bekannt. Ein hauptamtlicher Mitarbeiter war für eine oder mehrere Grenzkompanien zuständig. Er war u. a. Führungsoffizier für eine große Zahl von IM innerhalb der Truppe, die teilweise schon in der Ausbildung auf ihre Aufgabe vorbereitet wurden. Der Mitarbeiter des MfS unterlag nicht der Weisungsbefugnis des Kommandeurs, sah es wohl aber als seine Aufgabe an, diesem Ratschläge zu erteilen. Weitgehender noch waren seine Möglichkeiten in Personalangelegenheiten. Er bestimmte die Zusammensetzung der Grenzstreifen, da er durch regelmäßige Rücksprache mit den Führungskräften sowie den Führungs-IM (IM, der im Auftrag des MfS andere IM führt und steuert) innerhalb der Grenztruppen weitgehend Bescheid über die Stimmung in der Truppe, aber auch über jeden einzelnen Soldaten wusste. In enger Zusammenarbeit mit den Kommandeuren und dem Politoffizier war es seine Aufgabe, Fluchtbestrebungen im Keim zu ersticken.

Abteilung I
Unterabteilung „Aufklärung" (Abt. 2000)
Neben der Unterabteilung Abwehr gab es noch die Unterabteilung Aufklärung, auch sie mit dem Befehlsstrang ebenfalls vom Kommando Grenze über das Grenzkommando Süd zu den Grenzregimentern. Diese UA untersuchte im Sommer 1978 zwei Sprengstoffanschläge auf die Grenzanlagen. Angehörige der Abt. 2000 des MfS, ausnahmslos in Uniformen der DDR-Grenztruppen, waren für

Schleusungen an der grünen Grenze im Bezirk Suhl zuständig. Leiter dieser Unterabteilung in Pätz war 1989 OSL Grimm.

Mitarbeiter 1963 waren u. a. Major Müller, UA Meiningen, Hptm. Gruber und Hptm. Görmer, OPG (Operativgruppe Aufklärung) Hildburghausen.

Leiter des Bereichs Aufklärung beim Kommando der Grenztruppen in Pätz war 1977 OSL Scheffel. Leiter der Abt. I UA Aufklärung beim Grenzkommando Süd in Erfurt war 1978 Oberst Wartmann, Leiter dieser Unterabteilung beim GR 3 war ebenfalls 1978 Oberstleutnant Hitscher, als operative Mitarbeiter erscheinen die Hauptleute Schultheiß, Benecken, Meyfarth, und Oberleutnant Heymel.

1983 war Oberstleutnant Barnikol, Leiter der Unterabteilung Aufklärung beim Grenzregiment 9, aktiv bei der Anwerbung und Führung des „Ermittlers" im Westen, „Hans Scholz". Einer seiner Mitarbeiter war Oberleutnant Schmidt. Leiter der Abteilung Aufklärung war Oberstleutnant Hunscha.

Am 20. Mai 1973, um 14.45 Uhr, wurde ein Mitarbeiter MfS/Aufklärung des Grenzregiments 15 Sonneberg bei der Arbeit an der Minensperre durch eine Mine schwer verletzt. Das Bein wurde ihm oberhalb vom Knie abgerissen.[12]

Abteilung „Grenzsicherheit" seit 1986

Beim Kommando der Grenztruppen in Pätz war eine „Abteilung Grenzsicherheit" tätig, die der Unterabteilungen Grenzsicherheit in Schwerin, Erfurt, Suhl, Gera und Karl-Marx-Stadt (Chemnitz) nachgeordnet war. Ihre Aufgabe war „Erhöhung der Wirksamkeit des MfS bei der Sicherung der Grenze zur Bundesrepublik Deutschland durch Einflussnahme auf das einheitlich geführte, tief gestaffelte System der Grenzsicherung auf der Grundlage des Befehls 2/86 – u. a. durch Einsatz von Grenzbeauftragten, Koordinierung der an der Sicherung der Grenze beteiligten Kräfte.[13]

Bis 1986 litt die Effektivität der Grenzsicherung darunter, dass allzu viele Köche an dieser Aufgabe arbeiteten. In den Kreisdienststellen, bei der Abteilung VII der Bezirksverwaltung, bei den Grenztruppen mit den Unterabteilungen Abwehr und Aufklärung, der Abteilung 2000, bei den Grenzsicherungsreferaten der DVP und der Transportpolizei, jeder kochte seine Suppe für sich. Zwar war ein Zusammenwirken vorgeschrieben, doch der Druck dazu war noch nicht ausreichend. So entschlossen sich Partei und Staat zu einem gewaltigen Schritt nach vorn:

Sie schufen das Amt des Grenzbeauftragten, der all die Organe zu koordinieren hatte. So wurde der Referatsleiter Grenzsicherheit der Abteilung VII in Suhl 1986 Grenzbeauftragter für den Kreis Bad Salzungen im Rang eines Oberstleutnants. Noch wichtiger als bisher schon wurde nun die vorbeugende Arbeit genommen. Die inoffizielle Arbeit wurde nun für die Vorbeugung ernster genommen.

5. Juli 1989

Die Anästhesieschwester im Kreiskrankenhaus Schmalkalden, Gabriele N., 29, aus Pappenheim (heute: Kleinschmalkalden), Krs. Schmalkalden, kehrte von einer Besuchsreise vom 22.06. – 05.07.1989 in die Bundesrepublik nicht wieder zurück.
(BKG 89, BStU)

Von Sicherheitsorganen der ČSSR wurde Frank W., 25, Sonneberg, in Hrenko beim versuchten illegalen Verlassen der DDR über die ČSSR festgenommen. Er war Telefonmechaniker bei der Firma Schindhelm in Sonneberg.
(BKG 89, BStU)

In Sonnefeld entfernte sich unbemerkt ein Turnierpferd bei einer Reitveranstaltung und wechselte bei Fürth am Berg in die DDR. In den Morgenstunden wurde es friedlich grasend im „Niemandsland" des Grenzstreifens gesichtet. Da das Pferd weder durch Lockrufe seines Besitzers noch durch Steinwürfe auf bayerisches Gebiet zurückkam, öffneten zwei DDR-Grenzsoldaten ein Tor im Metallgitterzaun und führten das Tier zur Grenzlinie, um es dort seinem Besitzer zu übergeben.
(Freies Wort, 16.11.2000)

Der Unteroffizier Winfried N. aus Zwickau wurde um 23.30 Uhr am Stadtrand von Sonneberg beim Versuch des Eindringens in den Schutzstreifen von der Volkspolizei festgenommen. Er wollte hier über die Grenze in den Westen flüchten.
(GT-TM 017188)

7. Juli 1989

Die Eheleute K., Herbert, 37, und Martina, 34, wohnhaft in Neustadt/Rstg., Krs. Ilmenau, kehrten von der genehmigten Privatreise vom 30.06. – 07.07.1989 nicht zurück. Er war selbstständiger Maurermeister mit eigenem Baugeschäft, und sie arbeitete als Sachbearbeiterin im VEB Kombinat Schnittholz Gehren, Betriebsteil Neustadt/Rstg.
(BKG 89, BStU)

8. Juli 1989

Klaus A., 32, Ost-Berlin, löste am 07.07.1989 550 m südlich Henneberg, Krs. Meiningen, um 22.26 Uhr den Signalzaun aus. Nachdem er bemerkte, dass nach ihm gefahndet wurde, kehrte er wieder über den Zaun zurück und löste ihn um 23.03 Uhr erneut aus. In Henneberg wurde er dann kurz nach Mitternacht von der Volkspolizei festgenommen.
(GT-TM 017188)

Das Marisfelder Flurstück Teufelsloch, Krs. Suhl-Land, war als Deponie des Kreises und der Stadt Suhl vorgesehen. Die Bürger protestierten. In der Marisfelder Kirche fand ein Umweltgottesdienst statt, eine Bürgerinitiative wurde gegründet. – 1992 wurde das Teufelsloch vom Thüringer Umweltministerium als Naturschutzgebiet anerkannt.

9. Juli 1989

Vom 01. – 09.07.1989 war Henryk P., 32, Schmalkalden, Maschinenarbeiter im VEB Werkzeugkombinat Schmalkalden, zu Besuch in der Bundesrepublik. Er kehrte nicht wieder zurück.
(BKG 89, BStU)

10. Juli 1989

Von einer Privatreise in die Bundesrepublik vom 01. – 10.07.1989 kam Elisabeth P., 48, aus Geraberg, Krs. Ilmenau, nicht wieder zurück. Sie arbeitete als Lohnbuchhalterin beim Staatlichen Forstwirtschaftsbetrieb Ilmenau.
BKG 89, BStU)

Die Suhler Jutta S., 42, Gabriele, 22, André C., 23, und Georg-Friedrich A., 47, versuchten, in der ČSSR, die Staatsgrenze zur Bundesrepublik zu überwinden. Dabei wurden sie von tschechoslowakischen Sicherheitsorganen gestellt. Jutta S. arbeitete als Kantinenleiterin, Andre C. als Rundfunk- und Fernsehmechaniker und Georg-Friedrich A. als Funkmechaniker im Industrievertrieb RFT Suhl, Gabriele C. war Sachbearbeiterin im Fleischkombinat Suhl.
(BKG 89, BStU)

Auf diesem Gebiet gab es für die Mitarbeiter des MfS neben gelungenen Fluchten, die man nicht verhindern konnte, auch „Erfolgserlebnisse". Einige Beispiele seien hier angeführt:

OV „Arzt"

F., ein Facharzt für Innere Medizin in Bad Salzungen, 33, war 1983 vom MfS verdächtigt worden, Vorbereitungen zum ungesetzlichen Verlassen der DDR zu treffen, aufgestachelt durch intensive Rückverbindungen zu der 1979 aus der DDR ausgeschleusten Schwester. Zur Durchsetzung der Rückgewinnungsmaßnahmen wurde zielstrebig durch den IMS „Pittich" eine Bewährungssituation für F. geschaffen, indem er im August 1983 zum kommissarischen Oberarzt und am 01.10.1983 zum Oberarzt und kommissarischen Abteilungsleiter ernannt wurde. Die Verantwortung für ein Kollektiv und das Fehlen negativer Einflüsse verbunden mit konkreten Forderungen seitens der eingesetzten IM/GMS hat bei F. zu einer spürbaren Veränderung in der politischen Grundhaltung geführt. Durch gezielte operative Maßnahmen mit IM in Schlüsselposition wurde die vorhandene Konfliktsituation im Arbeitsbereich beseitigt. Die durch das MfS geschaffene Bewährungssituation im 2. Halbjahr 1983, verbunden mit einer klaren beruflichen Perspektive, hat zu einer positiven politischen Haltung bei dem Verdächtigen geführt. Die Zielstellung des OV wurde erreicht.[14]

OV „Aufklärer"

Seit Juni 1988 wurde ein 18-jähriger Mann aus Neuhaus/Rwg. von Mitarbeitern der KD Neuhaus überwacht. Er hatte bei einer Tanzveranstaltung in Neuhaus ein 17-jähriges Mädchen aus der Bundesrepublik kennen und lieben gelernt. Das Mädchen reiste in der Folge mehrmals nach Neuhaus bzw. Scheibe-Alsbach ein, traf sich mit ihrem Freund und verlobte sich mit ihm.

In Briefen äußerte der junge Mann mehrmals, dass er „abhauen" wolle, um bei der Verlobten zu sein. Das MfS wurde bei dem Vater vorstellig, der als Reserveoffizier und für eine Funktion innerhalb des Staatsapparates vorgesehen war. Im Ergebnis der Aussprachen konnte erreicht werden, dass das bestehende Liebesverhältnis zersetzt wurde. Durch Briefüberwachung konnte die Staatssicherheit feststellen, dass die Briefverbindung beendet wurde. Trotzdem wurde der junge Mann weiterhin durch zwei IM überwacht.[15]

Einen kleinen Geburtsfehler hatte der Befehl 2/86 aber doch: Mit diesem Befehl waren die Grenzbeauftragten, wie bisher die Abteilung 2000 auch, bei den Grenzregimentern angebunden. Doch die Bezirke und auch die Bezirksverwaltungen befürchteten einen Verlust ihres Einflusses. So schrieb der Leiter der BV Suhl des MfS 1988:

Die Informationsbeziehungen zwischen den Grenztruppen der DDR und dem MfS sind durch operative Einflußnahme über die HA I/UA Grenzsicherheit sowie die bestehenden Informationsbeziehungen zu überprüfen und sich aus der operativen Praxis ergebende Präzisierungen vorzuschlagen.

Durch derartige Einflussnahmen kam es allerdings erst 1989 zu dem Kompromiss, dass nach der Abteilung Grenzsicherheit in Pätz nun die Bezirksverwaltungen mit Unterabteilungen zwischengeschaltet, die Grenzbeauftragten nun bei den Kreisen angesiedelt wurden, statt bei den Regimentern. Dies hatte zur Folge, dass bei Vorfällen des Grenzregiments 3 in Frankenheim oder Stedtlingen, also im Kreis Meiningen, der Grenzbeauftragte von Bad Salzungen und von Meiningen eingeschaltet wurde.

Die erste Zeit residierte der Grenzbeauftragte des GR 3 in Geisa, bis die Räume in der Bahnhofstraße in Dermbach fertig waren. Schreibkräfte gab es nicht, jeder der vier Mitarbeiter musste seine Berichte allein schreiben. Der Grenzbeauftragte beim Grenzregiment 9 hatte von Anfang an ein Büro in der dortigen Kaserne.

Der Grenzbeauftragte hatte in seiner Dienstanweisung den Auftrag zur Zusammenarbeit mit der Abteilung Abwehr und der Abteilung Aufklärung zum Zusammenwirken mit allen anderen Organen, auch den Landkreisen.

Der Druck zur Zusammenarbeit war schon institutionell sehr groß. Das zeigte sich schon darin, dass dieser Posten mit der Planstelle für einen Oberstleutnant ausgestattet war, dem drei Majore beigeordnet waren, die der Leiter nach Schwerpunktaufgaben einsetzen konnte. Auch konnte der Grenzbeauftragte von allen anderen Organen Berichte anfordern und Akten einsehen. Umgekehrt war dies nicht möglich. Andererseits wurde der Druck auf die Grenze im Lauf der Jahre 1988 und 1989 immer stärker, so dass das ursprüngliche Konzept, durch Zusammenwirken aller Kräfte schon im Vorfeld einen Grenzübertritt zu verhindern, nicht mehr voll zu verwirklichen war.

Die Wirksamkeit der staatlichen Organe und gesellschaftlichen Kräfte konnte in den einzelnen Grenzkreisen erhöht werden, ist jedoch in ihrer Qualität differenziert einzuschätzen. Gemeinsam mit den Mitarbeitern für Grenzfragen der Räte der Kreise verstehen es die GBA/MA und die Grenz-KD in ihren Verantwortungsbereichen immer besser, Einfluß auf eine hohe Ordnung und Sicherheit sowie auf das grenzbezogene Denken und Handeln der Bewohner von Grenzortschaften zu nehmen. Durch den Leiter der UA Grenzsicherheit Suhl wurde im Rahmen der Abgeordnetentätigkeit als Vorsitzender des Grenzsicherheitsaktivs der Ständigen Kommission Innere Angelegenheiten/Sozialistische Rechtspflege des Bezirkstages Suhl Einfluß auf die jeweils zuständigen Stellvertreter für Land-, Forst- und Nahrungsgüterwirtschaft sowie Handel und Versorgung des

700 m nordwestlich von Unterbreizbach, Krs. Bad Salzungen, überstieg am 10.07.1989 gegen 00.30 Uhr Lutz L., 28, Krs. Bad Salzungen, den Grenzsignalzaun und lief bis zum Wassersperrwerk der Ulster. Die einsatzbereite und elektronisch gesicherte Wassersperre wurde durch Untertauchen unter Ausnutzung einer Ausspülung im Flussbett überwunden. Die weitere Annäherung bis zum 130 m entfernten Wassersperrwerk wurde vermutlich ebenfalls durchtaucht und der Grenzdurchbruch vollzogen.
(GT-TM 017188)

11. Juli 1989

Im Zeitraum vom 02. – 11.07.1989 waren Kerstin, 29, und Ernst M., 46, Bad Salzungen, in die Bundesrepublik verreist. Sie war Pharmazie-Ingenieurin in der Staatlichen Apotheke und er Leiter der Mohrenapotheke in Bad Salzungen. Beide kamen nicht wieder in die DDR zurück.
(BKG 89, BStU)

Das Ehepaar S. aus Dorndorf, Krs. Bad Salzungen, Hagen, 49, Kraftfahrer im BMK Erfurt, Betriebsteil Unterbreizbach, und Renate, 43, selbstständige Friseurmeisterin, kamen von ihrer Privatreise vom 28.06. – 11.07.1989 in die Bundesrepublik nicht wieder zurück.
(BKG 89, BStU)

Die Männer G., 34, Erfurt und S., 45, Kühnhausen b. Erfurt wurden von der Transportpolizei im Zug Saalfeld – Sonneberg festgenommen.
(GT-TM 017188)

14. Juli 1989

Werner E., 44, Krs. Sonneberg, wurde bereits am 18.06.1989 am Sportplatz in Sonneberg unter Verdacht des ungesetzlichen Grenzübertritts von der Volkspolizei festgenommen und am 19.06.1989 wieder entlassen. Am 12.07.1989 erhielt der Rat des Kreises Sonneberg einen Brief von E. mit der Bestätigung seines Vorhabens.
(GT-TM 017188)

Kerstin K., 28, Sonneberg, Friseurin bei der PGH „Fortschritt" Sonneberg, gelang

es, in ihrem Urlaub vom 01. – 14.07.1989 in Ungarn über Österreich in die Bundesrepublik zu flüchten.
(BKG 89, BStU)

15. Juli 1989
Zwischen den Ortschaften Lanz und Ferbitz im Krs. Ludwigslust wurde von Kräften der Grenztruppen am 15.07.1989 Detlef F., 20, Suhl, Koch in der „Schützenklause" in Suhl, festgenommen. Er wollte die DDR illegal verlassen.
(BKG 89, BStU)

Seit 1984 ging Hans-Christian Z., 41, Gehlberg, Krs. Suhl-Land, keiner Arbeit mehr nach. Vom 06. – 15.07.1989 reiste er in die Bundesrepublik. Er kehrte nicht wieder zurück.
(BKG 89, BStU)

Klaus-Dieter S., 41, Lothar H., 42, und Marita H., 22, Erfurt wurden um 14.39 Uhr, ca. 2.000 m südwestlich von Henneberg, Krs. Meiningen, auf dem Kolonnenweg unmittelbar am vorderen Sperrzaun von DDR-Grenztruppen festgenommen. Sie hatten um 12.30 Uhr den Grenzsignalzaun I ausgelöst, woraufhin 23 Grenzposten zur Abriegelung eingesetzt wurden.
(GT-TM 017188)

17. Juli 1989
Nach Norwegen verreisten vom 04. – 17.07.1989 Ilona, 34, und Franz S., 54, Lauscha, Krs. Neuhaus/Rwg. Beide arbeiteten als Maschinenbediener im VEB Thüringer Glasschmuck Lauscha. Sie kamen nicht wieder zurück.
(BKG 89, BStU)

18. Juli 1989
Wegen versuchten ungesetzlichen Grenzübertritts wurde am 18.07.1989 auf der Transitstrecke Berlin – Hirschberg von Kräften der DVP Silvia W., 25, Lauscha, Krs. Neuhaus/Rwg. festgenommen. Sie arbeitete als Veredlerin im VEB Thüringer Glasschmuck Lauscha.
(BKG 89, BStU)

Jens B., 24, Sünna, Krs. Bad Salzungen, Kraftfahrer in der LPG Sünna, durch-

Vorsitzenden des Rates des Bezirkes Suhl genommen, um dringend notwendige Veränderungen im oben angeführten Sinn zu veranlassen. [16]

Die Grenzfragen waren für den Staatssicherheitsdienst im Bezirk Suhl von ganz besonderer Bedeutung. Die mehrere hundert Kilometer lange Grenze meist in waldreichem, schwer zu überwachendem Gelände an den Grenzkreisen Bad Salzungen, Meiningen, Hildburghausen, Sonneberg und Neuhaus war das Hauptproblem. 1988 musste der Chef der BV Suhl, Generalmajor Lange, feststellen: *„Der enorme Druck auf die Staatsgrenze geht einher mit gewachsener Aggressivität und Risikobereitschaft der Täter."* 1989 stellte der Grenzbeauftragte während einer gemeinsamen Besprechung zum 1. Sekretär der SED des Kreises Bad Salzungen, Hans-Dieter, Fritschler fest: *„Ich glaube, dass wir im Begriff sind, die Kontrolle zu verlieren."* Damals tat Fritschler dies noch als „Schwarzseherei" ab, obwohl er in seinem Innersten dem Grenzbeauftragten wahrscheinlich Recht geben musste.

Die Mitarbeiter der Abteilung Grenzsicherheit nach der Neugliederung 1989:

11 31 00	Traut, Guenther	55	Grenzbeauftragter Bezirk
	Matschosz, Klaus	54	Stv. Grenzbeauftragter Bezirk
	Laudage, Juergen,	50	Oberstleutnant, GR 3, Grenzbeauftragter, Bad Salzungen, Sitz in Dermbach
	Heusinn, Horst	53	Mitarbeiter: GR 3
	Koenig, Norbert	37	Mitarbeiter: GR 3
	Boese, Jürgen	39	Mitarbeiter: GR 3
	Hinske, Klaus	52	Major, Grenzbeauftragter GR 9
	Graf, Johann	50	GR 9, Major, von der Abwehr gekommen, MA GR 3, Meiningen
	Unger, Karlheinz,	44	Major, GR 9, Meiningen, von der VI, GÜST
	Hanf, Harald,		GR 9, Major, von einer Panzereinheit aus Schwerin
	Stammberger, Gerhard		Grenzbeauftragter GR 15
			Mitarbeiter GR 15
			Mitarbeiter GR 15
			Mitarbeiter GR 15

Abwehr beim Wehrbereichskommando
Das selbstständige Referat Abwehr beim WBK (Wehrbereichskommando) war dienstlich dem 1. Stellvertreter, Oberst Lothar Storch, unterstellt. Die „Abwehroffiziere Wehrkreiskommando" des MfS

setzten in den Musterungskommissionen ihre Vorstellungen zur Rekrutierung der Grenzsoldaten durch, sie veranlassten die Sicherheitsüberprüfungen gemäß der MfS-Richtlinie 1/82. Grundlage für diese Maßnahmen war eine MfS-Dienstanweisung 7/84 zur politisch-operativen Sicherung der Wehrkommandos der NVA vom 9. Oktober 1984 (VVS-Nr. 0008 – 96/84) und eine „1. Durchführungsbestimmung zur Dienstanweisung 7/84: Die politisch-operative Sicherung der personellen Auffüllung der NVA, der Grenztruppen der DDR und der kasernierten Einheiten des MdI" vom 9. Oktober 1984 (VVS-Nr. 0008 97/84)17. Eine weitere Aufgabe der MfS-Mitarbeiter beim Wehrkreiskommando war die Gewinnung von IM. So warb die „HAI/Abw. Süd, Ref. GAE", einen jungen Mann aus Sebnitz nicht nur für den Einsatz bei den Grenztruppen, sondern auch gleich unter dem Namen „Steffen" als IMS.[18]

Leiter dieses Referats:

11 1 0 Scheerschmidt, Eberhard 39 selbstständiges Referat
                                                           Abwehr WBK

Abteilung II, Spionageabwehr

Die Abteilung II war dienstlich dem 1. Stellvertreter, Oberst Lothar Storch, unterstellt. Letzter Leiter dieser Abteilung war Oberstleutnant Horst Liborius, 46, sein Stellvertreter Wolfgang Hanf, geboren am 18.02.1947. Weitere namentlich bekannte Mitarbeiter: Hauptmann Stefan Heß, der am 17.10.1989 in einen Verkehrsunfall verwickelt war und Gefreiter Scheffel, der am 03.02.1989 als Schreibkraft für die AKG eingesetzt war. Insgesamt hatte die Abteilung 42 Planstellen, von denen bei der Auflösung 40 besetzt waren. Über die Arbeit dieser Abteilung gab der Leiter der BV, Gerhard Lange, in seinem Bericht vor der zeitweiligen Kommission des Bezirkstages Suhl die folgenden Kurzskizzen:

```
Die Abteilung II war beauftragt mit den Aufgaben zur
Spionageabwehr in politischen, ökonomischen und
militärischen Bereichen. Sie war verantwortlich für
die Aufklärung der von Geheimdiensten ausgehenden
Aktivitäten gegen den Bezirk und die Entlarvung von
Agenturen dieser Geheimdienste. Sie trug auch Verant-
wortung für die Gewährleistung der inneren Sicherheit
unter Angehörigen und ehemaligen Angehörigen des ehe-
maligen MfS.[19]
```

Beispiele für die Tätigkeit der Abteilung II
Mitarbeiter der Abteilung II hatten 1968 nach dem illegalen Verlassen des IM „Klaus" die Überwachungsakte OP 1 74/68 angelegt. Die Abt. II bewirkte 1985, dass ein Mann aus Gleichamberg mit Westkontakten mit seiner Baubrigade vom Gleichberg wegversetzt

brach die Grenzanlagen zur Bundesrepublik. Der Grenzübertritt erfolgte im Raum Pferdsdorf im Krs. Bad Salzungen.
(BKG 89, BStU)

Um 05.05 Uhr wurde ein Grenzdurchbruch 1.500 m nordwestlich Pferdsdorf, Krs. Bad Salzungen, festgestellt. Um 01.46 Uhr erfolgte die GSSZ-II-Auslösung ca. 1.200 m nordwestlich von Pferdsdorf. Um 02.07 Uhr wurden beidseitig nach unten gebogene Abweiser am GSSZ sowie Fußspuren einer Person auf dem K 2 festgestellt. Um 05.05 Uhr wurden Spuren auf dem K 6 und 2 Haken am GZ I entdeckt. Wie sich später herausstellte, geschah der Grenzübertritt von Jens B., 24, Krs. Bad Salzungen, um 01.50 Uhr.
(GT-TM 017188)

Sylvia W., 25, Krs. Neuhaus/Rwg., wurde um 09.55 Uhr am Sperrzonen-Kontrollpunkt Blintendorf, Krs. Schleiz im Bezirk Gera, festgenommen. Sie war mit ihrem Krad unterwegs und wollte in diesem Bereich die sog. Staatsgrenze durchbrechen.
(GT-TM 017188)

19. Juli 1989
Rolf T., 52, Suhl, Bäcker beim VEB Backwaren Suhl, und seine Ehefrau Friedel, 50, Hausfrau, kamen von einer genehmigten Reise vom 10. – 19.07.1989 in die Bundesrepublik nicht wieder zurück.
(BKG 89, BStU)

Im Gaststättenkomplex „Kaluga" in Suhl arbeitete Ellen H., 23, Sonneberg. Sie besaß in Suhl eine Nebenwohnung. Vom 10. – 19.07.1989 reiste sie in die Bundesrepublik und kehrte nicht wieder zurück.
(BKG 89, BStU)

Von einer Privatreise vom 10. – 19.07.1989 in die Bundesrepublik kam Dieter T., 52, Suhl, Arbeitsökonom beim VEB Robotron Zella-Mehlis, nicht zurück.
(BKG 89, BStU)

22. Juli 1989

Ehepaar W., Rudi, 53, und Elfriede, 51, Stadtlengsfeld, Krs. Bad Salzungen, kehrte von einer Privatreise vom 12. – 22.07.1989 in die Bundesrepublik nicht zurück. Beide waren in Stadtlengsfeld beschäftigt, er als Kraftfahrer bei der Landambulanz und sie als Sachbearbeiterin beim Konsum-Backwaren.

(BKG 89, BStU)

24. Juli 1989

In der Ungarischen Volksrepublik wurde der Schießbefehl bei Grenzübertritten aufgehoben.

27. Juli 1989

Uwe S., 29, Wichtshausen, Krs. Suhl-Land, wurde gegen 01.30 Uhr im Bahnhof Eisfeld von einem Grenzaufklärer der DDR-Grenztruppen festgenommen. Er war im Besitz eines Passierscheins für die Sperrzone und wollte bei Steudach in die Bundesrepublik flüchten.

(GT-TM 017188)

Um 13.34 Uhr erfolgte die Festnahme von Frank F., 18, Mendhausen, Krs. Meiningen, von Kräften der Diensthundestaffel der 2. GK ca. 1.700 m nördlich Mendhausen. Die Festnahme erfolgte nach Auslösung des einsatzbereiten GSSZ II um 13.29 Uhr und durch grenztaktische Handlungen. F. wurde in einer S-Rollensperre festgenommen. Er hatte einen Handwagen mit Brettern und zwei Rollen Fußbodenbelag zur Überwindung der Sperranlagen mitgeführt.

(GT-TM 017188)

Bei dem Versuch, die Grenze im Raum Dermbach zur Bundesrepublik zu überwinden, wurden am 27.07.1989 der vorbestrafte Günter S., 48, Schmalkalden und der Hagen K., 38, Bad Salzungen von der DVP festgenommen. Beide gingen zur Zeit keiner Arbeit nach.

(BKG 89, BStU)

Von der Besuchsreise in die Bundesrepublik im Zeitraum vom 16. – 27.07.1989 kehrte der Diplom-Chemiker Rudolf R., 39, Ilmenau, Laborleiter beim VEB Henneberg-Porzellan Ilmenau, nicht zurück.

(BKG 89, BStU)

wurde. Als für den 02.10.1989 der 2. Sekretär und Konsul der britischen Botschaft in der DDR, Alan Weeks, ein Zimmer im Suhler Hotel „Thüringen-Tourist" gebucht hatte, übernahm die Abt. II in Abstimmung mit der HA II/9 in Berlin die Sicherungs- und Kontrollmaßnahmen. Am 09.10.1989 hielt sich ein Redakteur des Bayerischen Rundfunks, Adolf Schlier, im Hotel „Thüringen-Tourist" in Suhl auf. Er traf an diesem Tag in Dermbach mit den „Saaletal-Musikanten" zusammen. Die Beobachtung und Absicherung übernahm die Abt. II in Abstimmung mit der Abt. VI und der KD Bad Salzungen.

Abteilung M, Postkontrolle

Dem Leiter der Abteilung II, Horst Liborius, unterstand direkt die Abteilung M. Diese Abteilung realisierte Fahndungen im internationalen Postverkehr hinsichtlich der Aufklärungsmöglichkeiten geheimdienstlicher Verbindungen im Rahmen der Spionageabwehr.

Aufgabenstellung:

- [überwiegend auftragsgebundene] Kontrolle und Auswertung von internationalen und nationalen Postsendungen (Brief- und Paketsendungen, Telegrammverkehr)
- Feststellen von geheimdienstlichen und anderen subversiven Verbindungen sowie Ermittlung von Hinweisen auf die Vorbereitung und Realisierung von weiteren Verratshandlungen
- Verhinderung des Verbreitens von Materialien mit „staatsfeindlichem Inhalt"
- Erarbeitung und Zusammenführung von bedeutsamen Informationen über Einstellungen, Verhaltensweisen, Kontakte und Verbindungen von Personen und Sachverhalten, die für die operative Arbeit des MfS von Bedeutung sind bzw. sein können
- Führung umfangreicher Schriftenspeicher und spezieller Adressenkarteien
- Führung von IM sowie Arbeit mit OibE und HIM

Die Abteilung M unterhielt in besonders wichtigen Postämtern eigene Diensträume.[20]

Wenn die Abt. XX in der Wendezeit alle kirchlichen Gruppen und Personen überwachte, die im Neuen Forum und anderen Gruppen tätig waren, setzte sie dazu die Abteilung M ein, um den gesamten Briefverkehr zu überwachen. Allerdings waren nicht allein Angehörige des MfS mit der Postüberwachung betraut: Wie ein Schreiben des Postamts Hildburghausen – Postsonderfragen – zeigt, gab es anscheinend bei jedem Postamt eine Abteilung für Postsonderfragen, das im Auftrag des MfS Sendungen bestimmter vom MfS angegebener Personen überwachte, alle Sendungen an das MfS meldete und verdächtige Sendungen beschlagnahmte. Beim

Postamt Hildburghausen war Inspektor H. für diese Arbeit zuständig. In dem vorliegenden Fall stellte die Abt. IX der BV fest, dass der Inhalt des Briefes keine Beschlagnahme begründet, andererseits auch nicht geöffnet in die BRD geschickt werden kann. Also wurde er wieder an die Absenderin zurückgesandt.

11 51 0 Sommer, Martin 59 Abteilung M Leiter, Oberstleutnant
         Specht,
         Hans-Peter   46   Stellvertreter 1989

Die Abteilung III, Funk/Technik

Die Abteilung III, Funk/Technik, war dem Stellvertreter Operative Technik/Sicherstellung, Oberst Josef Schaffer, unterstellt. Leiter dieser Abteilung war Albert Mueller, geb. am 03.01.1940. „Die Abteilung III war im Wesentlichen dem MfS direkt unterstellt. Sie beschäftigte sich mit Fragen der elektronischen Funkaufklärung."[21]

Die Aufgaben der Abt. III im Bezirk waren im Wesentlichen mit denen der HA II identisch:

„Diensteinheit des funkelektronischen Kampfes" (ELOKA) mit den Schwerpunkten Funkaufklärung und Informationsgewinnung (I), Funkabwehr (F), wissenschaftlich-technische Entwicklung, materiell-technische Sicherstellung und Service der technischen Geräte und Anlagen (T) sowie rückwärtige Sicherstellung (S)

- Kontrolle und Überwachung von Funknetzen und Nachrichtenverbindungen 4er NATO-Staaten und anderer nicht-sozialistischer Länder zur Analysierung der Funklage in Westeuropa, in den USA und in potentiellen Krisengebieten, zur Früherkennung möglicher militärischer und anderer Überraschungsmomente (Frühwarnfunktion) und zur Gewinnung von Informationen entsprechend vorgegebener Informationsschwerpunkte
- Kontrolle und Überwachung des Äthers im UKW- und Kurzwellenbereich auf dem Territorium der DDR zur Gewährleistung der Funkhoheit der DDR (Feststellung und Lokalisierung nichtgenehmigter Funkaussendungen), zur Feststellung, Ortung und Analysierung geheimdienstlicher Agentenfunksendungen vom und in das Territorium der DDR und mit ihr verbündeter Staaten sowie zur Erkennung, Lokalisierung und Liquidierung automatischer funkelektronischer Spionagemittel (Sonden, Sensoren) westlicher Geheimdienste auf dem Territorium der DDR und mit ihr verbündeter Staaten
- Erkennung von Lücken und Schwachstellen in den Funk- und Nachrichtenverbindungen der NATO und anderer interessierender Staaten
- Gewährleistung von Sicherheit und Geheimhaltung in den Nachrichtenverbindungen der DDR einschließlich der Abwehr

Kräfte der Grenztruppen nahmen am 27.07.1989 Steffen F., 19, Mendhausen, Krs. Meiningen, Mechaniker beim VEB Robotron Meiningen, fest. Von seinem Heimatort aus wollte er die Grenze zur Bundesrepublik überwinden.
(BKG 89, BStU)

Von einer Privatreise vom 17. – 27.07.1989 in die Bundesrepublik kam Rudi M., 39, aus Breitungen, Krs. Bad Salzungen, Kraftfahrer beim Kraftwerk Breitungen, nicht zurück.
(BKG 89, BStU)

Angehörige der Grenztruppen nahmen am 27.07.1989 Uwe S., 29, aus Wichtshausen, Krs. Suhl-Land, Patronenfräser beim VEB FaJaS Suhl, fest. Er wollte im Raum Eisfeld in die Bundesrepublik flüchten.
(BKG 89, BStU)

Das Ehepaar B., Karl-Josef, 44, und Maria, 41, aus Vacha, Krs. Bad Salzungen, kehrte von einer Privatreise vom 14. – 27.07.1989 in die Bundesrepublik nicht zurück. Er arbeitete als Fahrdienstleiter bei der Deutschen Reichsbahn Merkers und sie als Fahrkartenverkäuferin im Bahnhof Merkers.
(BKG 89, BStU)

28. Juli 1980
Nahezu die Hälfte des Eisernen Vorhangs war in Ungarn gefallen, u. a. wurden Signalanlagen abgebaut und das Sperrgebiet ab 01.08. abgeschafft.

28. Juli 1989
Im Zeitraum von 24. – 28.07.1989 wurde dem Ehepaar D., Manfred, 40, und Marion, 35, aus Zella-Mehlis, Krs. Suhl-Land, eine Privatreise in die Bundesrepublik genehmigt und kehrten nicht wieder zurück. Beide arbeiteten im Sportstättenbetrieb Oberhof, er als Gaststättenleiter und sie als Kellnerin.
(BKG 89, BStU)

29. Juli 1989
Von einer Privatreise vom 20. – 29.07.1989 in die Bundesrepublik kehrten Werner P., 47, aus Suhl, Auslandsmonteur

beim VEB Thuringia Sonneberg, und seine Tochter Marion, 25, Pharmazie-Ingenieurin in der Apotheke an der Poliklinik Hildburghausen, nicht wieder zurück.
(BKG 89, BStU)

30. Juli 1989
Während des Urlaubs in Ungarn vom 10. – 30.07.1989 flüchteten die 25-jährigen Suhler Ina und Andreas F. über Österreich in die Bundesrepublik. Beide arbeiteten als Laborassistenten im Bezirkskrankenhaus Suhl.
(BKG 89, BStU)

Ilona B., 50, aus Meiningen, Angestellte beim VEB Wasserversorgung Meiningen, kehrte von einer Privatreise in die Bundesrepublik vom 20. – 30.07.1989 nicht zurück.
(BKG 89, BStU)

31. Juli 1989
Die Bayerische Grenzpolizei stellte in ihrem Monatsbericht für den Grenzübergang Rottenbach fest, dass immer mehr ungarische Staatsbürger, die in Thüringen ihren Urlaub verbrachten, über die Grenze kamen, um in Coburg einzukaufen. Überhaupt hatte sich der Grenzverkehr mit 21.000 Reisenden erheblich gesteigert. Acht Deutsche aus der DDR meldeten sich im Berichtszeitraum als Übersiedler, darunter befanden sich zwei Ehepaare mit drei Kindern. 16 Reisende, davon elf Ausländer, wurden von den DDR-Grenzposten in Eisfeld wegen mangelhafter Reisepapiere oder fehlender Visa wieder nach Bayern zurückgeschickt.
(Freies Wort, 16.11.2000)

Mit ihrem Sohn Moritz, 9, verbrachte Regina K., 36, aus Ilmenau, Technologin beim VEB Mikroelektronik Ilmenau, ihren Urlaub vom 07. – 31.07.1989 in Ungarn. Es gelang ihnen, über die Staatsgrenze zu Österreich in die Bundesrepublik zu gelangen.
(BKG 89, BStU)

Von einer Privatreise in die Bundesrepublik vom 25. – 31.07.1989 kehrte Christine S. , 53, Meiningen, Angestellte im

Neuartige mobile Radaranlage der DDR-Staatssicherheit bei Frankenheim/Rhön, aufgenommen 1985.

elektronischer Angriffe von Geheimdiensten gegen Nachrichtenverbindungen der DDR

Führung von IM und Arbeit mit OibE sowohl in der DDR als auch im Operationsgebiet

* Speziell auf die Richtfunkstrecken der Bundespost geeicht waren die High-Tech-Horchposten, die entlang der Grenze zum Bundesgebiet aufgereiht waren. Fast jedes zweite bundesdeutsche Ferngespräch wurde über diese Verbindungen abgewickelt, die zumeist über DDR-Gebiet liefen. Im Bezirk Suhl lagen die wichtigen Abhörposten Eisenacher Haus (Kondor) und Frankenheim (Blitz). Für die Funkstrecken vom Bundesgebiet nach West-Berlin waren Stationen im DDR-Hinterland zuständig.
* Selbst Glasfaserkabel der Bundespost, berichtete das ARD-Fernsehmagazin „Panorama", seien leicht abzuhören gewesen. So war die Glasfaserverbindung zwischen dem Bundesgebiet und West-Berlin jeweils an den alle 18 Kilometer nötigen Verstärkerpunkten für die Ostler mühelos zu manipulieren. Ein Telekom-Sprecher: „Wie das geht, wussten die natürlich."[22]

Unklar ist, ob die Abhörposten auf dem Ellenbogen und bei Frankenheim durch die Abteilung III der BV Suhl oder von der Hauptabteilung III direkt betrieben wurden. Die Dienstobjekte „Frankenheim" und „Eisenacher Haus" waren jedenfalls im Besitz der Bezirksverwaltung, wie die Aufstellung der Objekte im Kreis Meiningen ausweist.

11 03 00	Mueller, Albert,	49	Abteilung III, Leiter	Oberstleutnant
	Gradl, Reinhard	43		Stellvertreter
	Huettner, Jochen	44		

Abteilung VI, Passkontrolle/Reiseverkehr

Die Abteilung VI, Passkontrolle/Reiseverkehr war dem 1. Stellvertreter des Leiters der BV, Lothar Storch, dienstlich unterstellt. Auch für die Überwachung der Interhotels war diese Abteilung zuständig. Gerhard Lange schrieb Ende 1989:
Die Abteilung VI war verantwortlich für die Kontrolle des Reiseverkehrs, der Sicherung von Aufenthalten bedeutsamer Reisegruppen und Persönlichkeiten aus dem NSA im Bezirk sowie für die ordnungsgemäße Passkontrolle an den GÜST des Bezirkes. Eingeschlossen in diese Aufgabenstellung war die Sicherung touristischer Zentren.

Die Aufgaben im Einzelnen:
- Passkontrolle: Sicherung, Kontrolle und Überwachung des Ein- und Ausreiseverkehrs sowie des Transitverkehrs
- Datenerfassung und zentrale Speicherführung sowie Recherche zum Reiseverkehr
- Fahndungsprozessführung im grenzüberschreitenden Reiseverkehr
- Verhinderung von Missbrauchshandlungen im grenzüberschreitenden Reiseverkehr
- operative Maßnahmen im und nach dem Operationsgebiet [vor allem Aufklärung der Grenzübergangsstellen der Bundesrepublik Deutschland und in Berlin-West]
- Aufklärung spionageverdächtiger Personen
- Observierung/„Betreuung" im Rahmen des Polittourismus sowie Sicherung von Objekten und Einrichtungen des Reiseverkehrs und Tourismus
- Abwehrarbeit unter Angehörigen der Zollverwaltung der DDR
- Führung von IM und Arbeit mit OibE (vor allem im Bereich der Zollverwaltung der DDR)[23]

Leiter war 1985 Oberstleutnant Knespel. Referatsleiter 2 war Major Theo Recknagel, operative Mitarbeiter waren Oberleutnant Günter Recknagel, der 1985 Führungsoffizier (FO) für IM „Klaus" gewesen war, und Haberland, der auch als FO für IM „Klaus" auftauchte. Als Schreibkraft für die AKG fand Oberfeldwebel Lösch am 20.09. und 25.10.1989 Erwähnung.

HO-Kreisbetrieb Meiningen, nicht zurück.
(BKG 89, BStU)

Sommer 1989
(Anmerkung: Exakte zeitliche Daten waren bei den nachfolgenden Fällen nicht zu ermitteln.)

In die Bundesrepublik Deutschland flüchteten über Drittstaaten:
- Dieter S., Bad Salzungen, 37, selbstständiger Taxifahrer, und seine Lebensgefährtin Cornelia K., 23, Trusetal, Krs. Schmalkalden, Sachbearbeiterin im VEB Kraftverkehr Schmalkalden, über die UVR. (BKG 89, BStU);
- Toralf D., 22, Suhl, Dateneinleser beim VEB FaJaS Suhl, über die UVR (BKG 89, BStU);
- Andreas K., 22, Suhl, selbstständiger Karosseriebauer in Suhl, über die UVR (BKG 89, BStU);
- Andreas O., 25, Meiningen, Facharbeiter für Qualitätskontrolle im VEB Elektrogerätewerk Suhl, über die UVR (BKG 89, BStU);
- Familie S., Schmalkalden, Helmut, 35, Leiter der Gaststätte „Ehrental" Schmalkalden, Ehefrau Sieglinde, 32, Kellnerin in gleicher Gaststätte, und Sohn Marko, 9, über die UVR (BKG 89, BStU);
- Susanne W., 21, Crock, Krs. Hildburghausen, stomatologische Schwester in der Landambulanz Eisfeld, über die UVR (BKG 89, BStU);
- Familie H., Diedorf, Krs. Bad Salzungen, Rainer, 32, Ingenieur-Gruppenleiter im VEB Rhönkunst Empfertshausen, Ehefrau Evelyn, 32, juristische Mitarbeiterin im VEB Alfiwerk Fischbach, Kinder Lars, 8, und Jörg, 7, beide Schüler, über die UVR (BKG 89, BStU);
- Christian W., 23, Student der Ingenieurschule für Wasserwirtschaft Magdeburg, und Stephan W., 19, Facharbeiter für Holztechnik mit Abitur, beide wohnhaft in Biberschlag, Krs. Hildburghausen, über die UVR (BKG 89, BStU);
- Die Meininger Klaus E., 25, Kraftfahrer beim VEB Getränkekombinat Meiningen, und Angelika E., geborene K., 31, Krankenschwester am Bezirkskranken-

haus Meiningen, Diana K., 10, Schülerin, und Steve K., 5, über die UVR (BKG 89, BStU)
- Gudrun E., 30, Zella-Mehlis, Sprechstundenschwester der Poliklinik Zella-Mehlis, über die UVR (BKG 89, BStU);
- Ehepaar A., Ilmenau, Hans-Joachim, 33, Schlosser beim VEB Thermos Langewiesen, Ehefrau Martina, 28, Krippenerzieherin in Ritzbühl und Tochter Anna-Maria, 5, Flucht über die UVR (BKG 89, BStU);
- Ehepaar F., Suhl, Bernhard, 41, Deponiewart im VEB Stadtwirtschaft Suhl, Ehefrau Evelyn, 34, Bearbeiterin für Statistik im FaJaS Suhl, sowie Christian und Marco, 8, über die UVR (BKG 89, BStU);
- Udo P., 25, Mittelschmalkalden, Rechnerbediener beim VEB Kombinat Sportgeräte Schmalkalden, über die UVR (BKG 89, BStU);
- Sabine R., 18, Hildburghausen, Sachbearbeiterin beim ACZ Hildburghausen, über die ČSSR (BKG 89, BStU);
- Familie S., Bad Liebenstein, Fritz, 46, Bauingenieur-Bauleiter der Handwerkskammer des Bezirkes Suhl, Ehefrau Barbara, 46, Lehrerin an der POS Steinbach, Tochter Stefanie, 15, über die UVR (BKG 89, BStU);
- Lutz W., 23, Hildburghausen, Landmaschinen- und Traktorenschlosser beim WBK Suhl – Teilnehmer der FDJ-Initiative Berlin, über die CSSR (BKG 89, BStU);
- Ingo S., 49, Einsatzleiter Personenverkehr beim Kraftverkehr Schmalkalden, und Jörg S., 23, Elektriker im VEB Kaltwalzwerk Bad Salzungen, beide wohnhaft in Bad Salzungen, über die ČSSR (BKG 89, BStU);
- Petra J., 37, Spechtsbrunn, Krs. Neuhaus/Rwg., Sachbearbeiterin beim StFB Sonneberg, sowie ihre Kinder, Schüler Alexander und Michael, 16, über die ČSSR (BKG 89, BStU);
- Frank M., 25, aus Rotterode, Krs. Schmalkalden, Ofensetzer bei der Firma Wulfert, Steinbach-Hallenberg, über die UVR (BKG 89, BStU);
- Ina R., 22, Suhl, Sekretärin beim BMK Zella-Mehlis, über die UVR (BKG 89, BStU);

Ein weiterer Bereich, in dem das MfS versuchte, Angriffe auf die Grenze zu unterbinden, waren Untersuchungen und Überwachungen im westlichen Grenzvorfeld. Personen und Einrichtungen, von denen angenommen wurde, dass sie der Grenze oder der DDR Schaden zufügen könnten, wurden auch im Grenzbereich der Bundesrepublik einer OPK (operative Personenkontrolle) unterzogen oder als Feindobjekt (FO) überwacht und überprüft. Derartige Objekte waren u. a.:

Grenzinformationsstellen, sonstige Grenzeinrichtungen, wie der Bayernturm in Sternberg/Zimmerau, Verbände und Gruppen, die Verbindungen zur DDR suchten oder aufrecht erhielten, z. B. der AIK (Arbeitskreis für innerdeutsche Kontakte) in Bad Neustadt, Heimatverbände und -vereine, in denen sich vorwiegend Flüchtlinge aus der DDR zusammenfanden, z. B. die Bundeslandsmannschaft Thüringen e.V., Kirchen und kirchliche Verbände, die Gemeinden in der DDR betreuten, Einrichtungen der politischen Bildung, wie die Heimvolkshochschule Sambachshof, Einzelpersonen, die auf irgendeine Weise in das Visier der Stasi gekommen waren.

Dazu bediente sich die Staatssicherheit folgender Möglichkeiten: Im Westen öffentlich zugängliche Quellen wurden gezielt benutzt, Personen aus dem Umfeld wurden abgeschöpft, auf die betreffende Person bzw. das Objekt wurden IM angesetzt. Die Arbeit dieser IM kann auch als Spionage bezeichnet werden.

Im Bereich des Bezirks Suhl waren 1989 116 IM im westlichen Grenzvorfeld eingesetzt, davon waren 12 IM dort wohnhaft.

Häufige Informanten waren Rentner, die nach ihren Besuchen im Westen entweder abgeschöpft wurden, ohne dass sie dies genau wussten oder die vorher genau auf irgendein Objekt angesetzt und gezielt instruiert wurden.

Ein wichtiger Bereich geheimdienstlicher Tätigkeit des MfS fand an den Grenzübergängen durch die Abt. VI (Passkontrolle, Tourismus) statt. Wenn eine Person, die unter OPK stand, oder eine andere, für die Staatssicherheit interessante Person einreiste, wurde sofort per Fernschreiben der zuständige Sachbearbeiter informiert. Die betreffende Person wurde durch einen Mitarbeiter der PKE (Passkontrolleinheit) in ein Gespräch verwickelt, das aufgezeichnet und ausgewertet wurde. Genauso wurden die Gespräche und Untersuchungsergebnisse des Grenzzollamts an die Stasi weitergemeldet. Auch innerhalb des DDR-Gebiets unterlagen diese Personen einer Überwachung. Jeder Kontakt mit DDR-Bürgern wurde ausgewertet, unter Umständen mit negativen Konsequenzen.

Beispiele für die Arbeit der Abteilung

Im Januar 1975 sprach Oberstleutnant Storch, der operative Diensthabende des MfS, im Zusammenhang mit der Suche nach Weinhold, mit dem Leiter der Abt. VI wegen einer unbekannten Person, die sich im GÜST-Bereich

Eisfeld aufhalten könnte. Im OV „Angler" kam 1980 neben IM und Abt. M auch die Abt. VI/PZF zum Einsatz, die Abt. VI auch beim OV „Natter". Bei der Hauptabteilung VI/AGV wurden 1985 Recherchen zu BRD-Bürgern aus den Ortschaften Bad Königshofen, Althausen, Aub, Merkershausen, Sulzfeld, Leinach, Laubhügel eingeleitet. (OPK „Haßberg") Auch die GÜST Eußenhausen wurde 1985 durch die Abt. VI, Günter Recknagel, bearbeitet. Diplom-Ingenieur B. in Ostfildern versprach am 24.10.1989 einer kirchlichen Gruppe das Mitbringen eines Vervielfältigungsgeräts oder Computers mit Schnelldrucker. Eine Information darüber ging an die Abt. VI, an die KD Meiningen, außerdem wurden IM eingesetzt. Am 09.10.1989 hielt sich ein Redakteur des Bayerischen Rundfunks, Adolf Schlier, im Hotel „Thüringen Tourist" in Suhl auf. Er traf an diesem Tag in Dermbach mit den „Saaletal-Musikanten" zusammen. Die Beobachtung und Absicherung übernahm die Abt. II in Abstimmung mit der Abt. VI und der KD Bad Salzungen.

Hochrangige Mitarbeiter 1989:

11 06 00 Knespel, Herbert 52 Leiter der VI   Oberstleutnant
           Schmidt, Walter 50 Stellvertreter VI

Die Passkontrolleinheiten in Henneberg/Meiningen und Eisfeld – Bericht eines Mitarbeiters der PKE

Dem Leiter der Abteilung VI waren die beiden PKE-Abteilungen in Meiningen und Eisfeld unterstellt. Die Leiter der Passkontrolleinheiten waren 1989

11 06 20 Beck, Reinhard   44 Abteilung VI/PKE Leiter
                               Meiningen
           Krannich, Hartmut 47 PKE Eisfeld   Leiter, Major

Ein Mitarbeiter der PKE in Eisfeld berichtet über seine Arbeit

Der 1960 geborene und in B. aufgewachsene N. ging in Eisfeld 10 Jahre zur Schule, lernte in Dessau Maschinenbau, obwohl er sich lieber mit Pferden beschäftigt hätte. Zwei Jahre Lehre, danach bis Mai im Jagdwaffenwerk und vom 05.05.1980 bei den Grenztruppen. Dort diente er für die Zeit seines Grundwehrdienstes 1 1/2 Jahre. 1980, noch vor seinem Dienstantritt bei den Grenztruppen, hatte N. geheiratet. Durch seinen Schwiegervater, der MfS-Mitarbeiter war, kam N. anschließend an seine Grenzdienstzeit zur PKE. Erst wurden fürs Wachregiment Leute gesucht, diese wurden eventuell angesprochen. Schon bei den Grenztruppen war N. wie andere auch durch die Abteilung 2000 durchleuchtet worden, wahrscheinlich hatte sich auch der Schwiegervater für ihn verbürgt, denn

- Sylvia B, 26, Schmalkalden, Abteilungsleiterin der Materialwirtschaft/Industrie- und Kraftwerksrohrleitungen Bitterfeld, über die UVR (BKG 89, BStU);
- Torsten S., 18, Immelborn, Krs. Bad Salzungen, Schüler der EOS, über die UVR (BKG 89, BStU);
- Todor K., 19, Ilmenau, Elektronikfacharbeiter beim VEB Nachrichtenelektronik Arnstadt, über die UVR (BKG 89, BStU);
- Familie des Dr. Dietrich W., 38, Suhl, Arzt in der Inneren Medizin, und Dr. Karin W. 39, Ärztin in der Pathologie, beide tätig im Bezirkskrankenhaus Suhl, sowie ihre Kinder, Christian, 13, und Burkhardt, 9, über die UVR (BKG 89, BStU);
- Ronald W., 22, Suhl, Kellner in der „Mocca-Milch-Eisbar" Suhl, über die UVR (BKG 89, BStU);
- Familie W., Ilmenau, Henning, 37, Forstarbeiter beim StFB Ilmenau, Ehefrau Mechthild, 27, Technologin im VEB Rationalisierung Technisches Glas, Söhne Mathias, 13, und Markus, 15, über die UVR (BKG 89, BStU);
- Martin P., Weilar, Krs. Bad Salzungen (erfasst bei BV Leipzig, Abt. XX/4), über die UVR (BKG 89, BStU);
- Gunther S., 26, vorbestraft, Bad Salzungen, Kraftfahrer im VEB Molkerei und Emmentaler Käsewerk Bad Salzungen, über die UVR (BKG 89, BStU);
- Ulrich W., 35, Heizer beim StFB Suhl, seine geschiedene Ehefrau Gudrun, 35, Stenosachbearbeiterin im VEB FaJaS Suhl, die Kinder Jana, 15, und Markus, 10, wohnhaft in Suhl, über die UVR (BKG 89, BStU);
- Marina M., 29, Suhl, Kellnerin und Wirtschaftsgehilfin bei der Volkssolidarität Zella-Mehlis, Tochter Isabella, 5, über die UVR (BKG 89, BStU);
- Jürgen H., 26, Student an der TU Dresden, und Sybille H., 24, Diplom-Ingenieur-Ökonomin und Forschungsstudentin an der TU Dresden, beide wohnhaft in Sonneberg, über die UVR (BKG 89, BStU);
- Familie B., Schnett, Krs. Hildburghausen, Silko, 25, Klempner im VEB Bau Hildburghausen, Ehefrau Kerstin, 27,

Gaststättenleiterin im FDGB-Erholungsheim „Kaluga" Schnett, Sohn, 3, über die UVR in den Westen (BKG 89, BStU);

- Regina E., 38, Sachbearbeiterin beim VEB Spielzeuginstitut Sonneberg, und Jürgen K., 33, Dachdecker beim VEB Gebäudewirtschaft Sonneberg, beide wohnhaft in Sonneberg, über die UVR (BKG 89, BStU);
- Familie S., Meiningen, Frank, 34, Bereichsleiter bei der PGH Klempner Meiningen, Ehefrau Karin, 34, Zahnärztin im Bezirkskrankenhaus Meiningen, und Tochter Carolin, 8, über die UVR (BKG 89, BStU);
- Claudia D., 21, Bad Salzungen, Facharbeiterin für Qualitätskontrolle im VEB Kaltwalzwerk Bad Salzungen, über die UVR (BKG 89, BStU);
- Familie F., Suhl, Hans, 36, Werkzeugschleifer beim FaJaS Suhl, Ehefrau Evelyn, 32, Disponentin beim VEB Baustoffversorgung Suhl, die Söhne Nico, 13, und Michael, 7, über die UVR (BKG 89, BStU);
- Fred F., 32, Schnett, Krs. Hildburghausen, Kraftfahrer der Landambulanz Schönbrunn, und Ehefrau Viola, 28, Kellnerin beim FDGB-Feriendienst Masserberg mit ihrem Sohn Michael, 2, über die UVR (BKG 89, BStU);
- Steffen R., 23, Hildburghausen, Ratio-Schlosser im Kreisbetrieb für Landtechnik Hildburghausen, über die UVR (BKG 89, BStU);
- Uwe G., 20, Sonneberg, Techniker beim Thüringer Unterhaltungsorchester Sonneberg, über die UVR (BKG 89, BStU);
- Familie H. Zella-Mehlis, Horst, 39, Betriebsleiter beim VEB ORSTA Pneumatik Suhl, Ehefrau Christina, 44, Arbeitsgruppenleiterin im Kreisrehabilitations-Zentrum Suhl, und Sohn Ronny, 11, über die UVR (BKG 89, BStU);
- Andreas G., 28, Stressenhausen, Krs. Hildburghausen, Baufacharbeiter beim VEB (K) Bau Hildburghausen, Ehefrau Martina, 29, aus Hildburghausen, Sekretärin in der Kreisgesundheitseinrichtung Hildburghausen, ihre Kinder Susanne, 10, und Antonia S., 6, aus erster Ehe, über die UVR (BKG 89, BStU);

N. hatte einmal bei seinen Schwiegereltern geäußert, er würde gern zum Zoll gehen. Zwei Wochen später wurde er durch die Stasi angesprochen. Es waren zwei Hauptleute von der PKE. Nachdem N. sowieso nicht beim Jagdwaffenwerk weiter arbeiten wollte, ging er auf das Angebot ein. Ihn lockte auch die gute Bezahlung. Er wurde als Unteroffizier eingestellt und erhielt ein Anfangsgehalt von 900 M, das sich auch bald steigerte. Ohne weitere Schulung wurde N. gleich an der GÜST eingesetzt.

In der ersten Woche beschäftigte er sich allerdings nur mit Akten, Dienstvorschriften, Abläufen. Später durfte er bei Vorkontrollen aktiv werden und wurde dann auch in der Visaabteilung eingesetzt. Verantwortlich wurde er später mit einem Kollegen im Vorkontrollbereich Ausreise eingesetzt.

N. schaute sich die Pässe an, ob diese zur Ausreise berechtigten und überprüfte die Fahndungsliste. Für seine Arbeit hatte er zwei Telefone. Eines war für die ganze GÜST, das andere ging zum Codierer.

War der Vorkontrolle etwas verdächtig, dann wurde der Mann weitergeschickt und der Zoll verständigt mit Extra-Nummer beim Zoll und die Fahndung. Das Durchsuchen der Fahndungsliste erfolgte manuell. 6.000 – 8.000 Namen waren im Fahndungskasten, der dienstags und donnerstags ausgetauscht wurde.

Die Busfahrer wurden erst bei der „Vorkontrolle Einreise" überprüft, fuhren 200 m zur Servicestation und mussten bei der „Vorkontrolle Ausreise" wieder überprüft werden.

Dann kam N. zur „Vorkontrolle Einreise". Hier musste er erst lernen, welche Dokumente zur Einreise berechtigten. Er prüfte also als Erstes, ob der Pass gültig, verlängert und unterschrieben war. Bei BRD-Bürgern mussten auch die Berechtigungsscheine gültig vorliegen. Dann wurden die Dokumente in eine Ledermappe gesteckt und dazu geschrieben und die Anzahl der Erwachsenen und Kinder den Reisenden mitgeben. Bei Tagestouristen wurde z. B. geschrieben: „3/1 T"; bei längerer Einreise „3/1 W" (Wechsel). Bei interessanten Personen wurde jedoch der Buchstabe vorne eingesetzt, also: „T 3/1". Das geschah meist bei Journalisten, Mitgliedern der bewaffneten Organe, der Justiz oder bei sonst irgendwie verdächtigen bzw. operativ interessanten Personen.

Bei Bussen wurde bei der Vorkontrolle Einreise nur der Busfahrer überprüft und in die Busspur geschickt.

Erst dann erfolgte die Hauptkontrolle. Erst wurden die Visa kassiert. Die Kontrolleure der PKE nahmen die Mappe entgegen sowie die Pässe heraus und kontrollierten alles nach. Dann kassierten sie das Visageld. 10 M für einen Tag, für 2 Tage 15 Mark, bei längerer Dauer noch mehr. In der Zeit wurde die Fahndungskartei überprüft.

Anschließend wurden die Visa wieder ausgeteilt.

In den Kabinen saßen besondere Sachbearbeiter, so der Codierer. Zeitweilig kamen Faxe von der jeweiligen Abteilung zur HA VI in Suhl, durch die besondere Einreisende avisiert wurden, entweder

IM, die aus dem Westen kamen, IM, die von der DDR aus in den Westen geschickt wurden, oder besonders interessante Personen, die vom Grenzübergang aus beschattet werden sollten, und ähnliche Vorgänge. Mit Leuten, die für die DDR im Westen spionierten, hatte die PKE normalerweise nichts zu tun. Doch da war ein Mann aus Burggrub, Kreis Kronach, der hatte sich selbst als Informant bei der PKE angeboten. Auch ein Rentner aus Waffenrod, der öfters in den Westen fuhr, bot sich der PKE ständig an. N. nimmt an, dass dabei Geltungsdrang eine Rolle spielte. Dabei misstraute die Staatssicherheit jedem, der sich von selbst anbot. Es hätte ja ein Spion sein können, der eingeschleust werden sollte.

Der Grenzübergang war mit einer Standleitung mit der Abteilung VI in Suhl verbunden, allerdings wurden in Grenznähe alle Mitteilungen nur verschlüsselt weitergegeben. Eine solche Nachricht wurde vom Codierer in Empfang genommen, decodiert und zum nächsten Sachbearbeiter, dem Fahnder, gegeben, der die Vorkontrolle Einreise informierte mit Namen, Geburtsdatum und Autokennzeichen. Wenn die angekündigte Person kam, rief der Mann von der Vorkontrolle Einreise den Fahnder an, der alles weitere veranlasste. Mit interessanten Leuten wurden Gespräche angefangen und teilweise Notizen darüber an die entsprechende Abteilung gegeben. Der Mann der VKIK (Visa- und Identitätskontrolle) schob die Pässe nach Kontrolle durch eine Klappe zum Fahnder, der die Fahndungsüberprüfung vornahm und danach den Stempel erteilte. Von dort kam er zurück und wurde ausgeteilt sowie guter Aufenthalt gewünscht. N. war in beiden Bereichen tätig. Kam ein als IM avisierter Mann, natürlich wurde er nicht so benannt, wurde dem Zoll signalisiert, dass die genannte Person ohne Kontrolle einreisen durfte. Im Bus war das anders, da wurde ein IM pro forma besonders intensiv geprüft, aber das war nur Show.

In der Fahndung standen hinter bestimmten Personen Codes. Man musste dann im Codebuch nachschauen, was die Zahlen bedeuteten, welche Abteilung angerufen werden musste. Die Mitarbeiter dieser Abteilung riefen dann zurück und gaben Anweisung, was zu machen war, ob die Person etwa besonders und gezielt gefilzt werden sollte, ob sie durch ein Fahrzeug oder durch verschiedene Fahrzeuge abwechselnd zu beschatten war. Daraus erklärte sich dann der oft sehr lange Aufenthalt und das Herauswinken aus der Warteschlange. Hinter dem Wasserwerk war ein Pkw stationiert, der dann die Fahndung übernahm. Für den Zoll gab es entweder die Anweisung, eine spezielle Tiefenkontrolle oder gar keine Kontrolle durchzuführen. Beim Zoll durften die Tiefenkontrollen nur bestimmte Leute, erfahrene Genossen, durchführen.

Dabei wurde angegeben, ob Pkw oder Personen zu filzen waren. Der Zoll konnte das auch von sich aus machen. Eventuell mussten sie vor einer solchen Kontrolle in Erfurt anrufen.

An der GÜST gab es 4 Züge PKE zu je 10 Mann, die im Schichtdienst eingesetzt wurden.

- Mathias M., 24, Elektroinstallateur beim VEB Werk für Technisches Glas Ilmenau, über die UVR (BKG 89, BStU);
- Familie R., Sonneberg, Achim, 25, Installateur im Kreiskrankenhaus Sonneberg, Ehefrau Ulrike, 21, Krippenhilfskraft der Kinderkombination Wolkenrasen, und 3-jährige Tochter Katharina, über die UVR (BKG 89, BStU);
- Frank E., 28, Meiningen, Theaterprobenmeister beim Meininger Theater, und seine Lebensgefährtin, Sabine P., 27, Antiquarin im Bezirksantiquariat Meiningen, und Sohn Johannes, 5, über die UVR (BKG 89, BStU);
- Michael T., 21, Heubach, Krs. Hildburghausen, Büffetier in der HOG „Schwarzer Adler" in Fehrenbach, über die UVR (BKG 89, BStU);
- Matthias S., 21, Sonneberg, Techniker bei den „Friedberger Musikanten", über die UVR (BKG 89, BStU);
- Ulf, 22, Sonneberg, Reparaturschlosser im VEB PIKO Sonneberg, über die UVR (BKG 89, BStU);
- Frank, 24, Schmalkalden, Monteur im VEB Technische Gebäudeausrüstung Schmalkalden, über die UVR (BKG 89, BStU);
- Frank, 24, Meiningen, Heizwerker im VEB Robotron Meiningen, über die UVR (BKG 89, BStU);
- Ralf, 27, Heizungsmonteur beim WBK Suhl, über die UVR (BKG 89, BStU);
- Wolfgang NN, 24, Krs. Meiningen, Student an der TU Dresden, über die UVR (BKG 89, BStU);
- Familie NN, Ilmenau, Roland, 37, Einrichter im VEB Elektrowaren Halle, Ehefrau Gisela, 37, Lehrerin an der POS Langewiesen, ihre Kinder, Ivonne, 14, und Kevin, 10, über die UVR (BKG 89, BStU).

1. August 1989

Im Raum Hindfeld, Krs. Meiningen, gelang es den Ilmenauern Ingo B., 29, und Heike R., 22, die Bundesrepublik zu erreichen. Ingo arbeitete als Stellvertretender Leiter des Schlauch- und Gerätestützpunktes Ilmenau und verantwortlicher Gruppenleiter für Atemschutztechnik im

Rat des Kreises Ilmenau. Heike war als Krankenschwester im Bezirkskrankenhaus Suhl, Klinik für Innere Medizin, beschäftigt.
(BKG 89, BStU, SZ, Sammlung Brendel, 03.08.1989, Stasi GT Stasi Suhl, dpa)

Uwe H. und Kay-Uwe F., beide 20, Leipzig, wurden um 13.15 Uhr im Stadtgebiet Sonneberg festgenommen. Sie waren mit einem Krad unterwegs und wollten bei Hönbach über die Grenze.
(GT-TM 017189)

2. August 1989
Gabriele L., 27, und Ina S., 22, Krs. Meiningen, wurden gegen 02.45 Uhr ca. 1.000 m südwestlich Hindfeld, Krs. Hildburghausen, an der ehemaligen Verbindungsstraße Hindfeld – Breitensee festgenommen. Sie machten sich an dem provisorisch reparierten Tor zu schaffen, das zwei Tage vorher von einem Feuerwehrauto beim Grenzdurchbruch beschädigt wurde. Sie wollten ebenfalls bei Hindfeld flüchten.
(GT-TM 017189)

Vom 14.07. – 02.08.1989 verbrachte das Ehepaar W., Frank, 24, und Yvonne, Meiningen, ihren Urlaub in Ungarn. Er arbeitete als Dreher im VEB Robotron-Elektronik Meiningen und sie als Sekretärin im RAW Meiningen. Sie flüchteten von Ungarn aus über Österreich in die Bundesrepublik.
(BKG 89, BStU)

Gabriele L., 27, Meiningen, Waldarbeiterin im Staatlichen Forstwirtschaftsbetrieb Meiningen, und Ina S., 22, Haina, Krs. Meiningen, Raumpflegerin im Bezirkskrankenhaus Meiningen, versuchten, über die Grenze im Krs. Meiningen die Bundesrepublik zu erreichen. Dabei wurden die jungen Frauen von Kräften der Grenztruppen festgenommen.
(BKG 89, BStU)

Von einer Privatreise vom 24.07. – 02.08.1989 in die Bundesrepublik kehrte Petra Z., 29, aus Suhl, Mitarbeiterin im Delikat GHG WtB Zella-Mehlis, nicht zurück.
(BKG 89, BStU)

Zugführer hatten den Dienstgrad Leutnant oder Oberleutnant, Leiter der PKE war Major Krannich. Jeder Zug hatte zwei besondere Schützen, die ein Zielfernrohrgewehr und dafür eine besondere Schießausbildung für den Ernstfall hatten. Vier Mann aus jedem Zug hatten zusätzlich eine besondere Zweikampfausbildung, dafür wurde montags und mittwochs in der Turnhalle in Hildburghausen geübt. In unregelmäßigen Abständen wurden Ernstfallübungen durchgeführt, erst alle halbe Jahr, dann öfters, z. B. wurden Maßnahmen gegen eine Terrorhandlung oder Geiselnahme geprobt. Ein solcher Ernstfall ist in Eisfeld nicht vorgekommen. Nur eine Schleusung gelang. Das war der Fall der vertauschten Pässe aus Dörfles-Esbach.

Im Verhältnis zu den anderen Abteilungen des MfS fühlte sich die PKE oft als fünftes Rad am Staatssicherheitswagen. Die PKE-Leute wurden von den anderen nicht als volle Stasimitarbeiter angesehen. Beschwerden über rüde Behandlung durch den Zoll trifft auf jeden Fall auf zwei Zöllner zu. Einer hatte von vornherein ein lautes, barsches Auftreten, der andere, eine Frau, die auch noch mit Ersterem verheiratet war, muss man als kleinen Fiesling bezeichnen. Die beiden waren aus Eishausen. Die Frau sah den Leuten am Gesicht an, wenn sie etwas versteckt hatten. Sie wollte auch oft den anderen beweisen, dass sie etwas findet. Manche Reisenden legten es andererseits darauf an, zu testen oder sich so lange ergebnislos testen zu lassen, bis nicht mehr so streng kontrolliert wurde.

G. hatte an der Innentür seines neu gespritzten Trabi einen Aufkleber: „Freiheit auf Bayerns Straßen" und einen bayerischen Löwen. Wegen des Zollamtsleiters Eisfeld musste er den Aufkleber wieder entfernen.

Abteilung VII, MdI/VP

Auch diese Abteilung war dem 1. Stellvertreter, Oberstleutnant Storch, unterstellt. Der Abteilung VII waren Aufgaben zur Sicherung der Organe des Innenministeriums sowie zum Zusammenwirken mit diesen Organen übertragen. Außerdem beschäftigte sie sich mit der Aufklärung und Bekämpfung schwerer Verbrechen des Schmuggels und der Spekulation.[24]
Die Aufgaben im Einzelnen:
- abwehrmäßige Sicherung und Abschirmung der nachgeordneten Organe des Ministeriums des Innern (MdI), insbesondere der Deutschen Volkspolizei (DVP), der Volkspolizei-Bereitschaften, des Stabes der Zivilverteidigung und der Kampfgruppen der Arbeiterklasse – sowie der „zivilen" Einrichtungen (wie Schulen des MdI, Staatliche Archivverwaltung)

- Zusammenwirken mit dem Arbeitsgebiet I der K (Kriminalpolizei)
- abwehrmäßige Sicherung der Organe der Verwaltung Strafvollzug des Mdl sowie „operative Arbeit" (Anwerbung) unter Strafgefangenen und Haftentlassenen
- abwehrmäßige Sicherung des Zentralen Aufnahmeheimes (ZÄH) Röntgental und Abwehrarbeit unter Rückkehrern und zuziehenden Ausländern
- Führung von IM und Arbeit mit OibE[25]

Referate:

DVP/Bereitschaftspolizei/Feuerwehr/Zivilverteidigung/Mitarbeiter im Strafvollzug. Mit den Angehörigen dieser Einheiten gab es sowohl offizielle als auch inoffizielle Kontakte und Zusammenarbeit. Dabei wurde immer die Grundhaltung des MfS beachtet: Inoffizielle Arbeit ist Kernstück der Arbeit der Staatssicherheit.

Bei der Führung und Betreuung der inoffiziellen Mitarbeiter wurde in der Regel beachtet, dass durch Ranggleichheit der gleichwertige Partner anerkannt wurde, das heißt, dass der hochrangige Offizier auch durch einen hochrangigen Führungsoffizier betreut wurde.

Leiter der Abteilung, wie schon 1974, war Gerhard Neupert, geboren 1951. In Zusammenarbeit mit der DVP war die Abteilung VII für die Gewährleistung einer hohen Sicherheit und Ordnung im Grenzgebiet und grenznahen Raum zur Verhinderung von ungesetzlichen Grenzübertritten über die Staatsgrenze verantwortlich.

Die Abteilung VII, 2 Referat Grenzsicherung – Traut, fertigte die monatlichen Berichte über die Lage im Grenzgebiet, jedenfalls vor 1986. Ab 1986 war Traut Grenzbeauftragter auf Bezirksebene. Stellvertreter in der VII im Jahr 1985 war Jürgen Laudage, geb. 1939. Einer der Mitarbeiter war Oberleutnant Lutz Stange, der 1883 eine Facharbeit über die Freiwilligen Helfer der DVP im Kreis Meiningen verfasste.[26] 1985 ist Oberleutnant Scheerschmidt Angehöriger der Abteilung, 1989 hatte er die Leitung des selbstständigen Referats WBK (Wehrbereichskommando) übernommen. 1989 wird Unterleutnant Kühn, der bei der AKG als Schreibkraft eingesetzt war, als Mitarbeiter der VII erwähnt.

Mitarbeiter 1989:

| 11 7 0 | Neupert, Gerhard | 51 | Abteilung VII | Leiter, Oberstleutnant |
| | Luck Lothar | 51 | | Stellvertreter |

3. August 1989

Das ungarische Außenministerium teilte mit, dass Ungarn die Möglichkeit prüfen will, DDR-Bürgern Asyl zu gewähren. Zum Zeitpunkt hielten sich 80 Ausreisewillige in der Ständigen Vertretung der Bundesrepublik Deutschland in Ost-Berlin, 130 in der Botschaft in Budapest und 20 in Prag auf.

Ein Soldat des Grenzregiments Sonneberg versuchte, sich gegen 13 Uhr in der Kaserne die Pulsadern aufzuschneiden. Zusätzlich hatte er Tabletten eingenommen.
(GT-TM 017189)

4. August 1989

Südwestlich von Harras, Krs. Hildburghausen, wurde Dennis V., 20, Erfurt, Unteroffizier auf Zeit der Offiziershochschule „Rosa Luxemburg" Suhl, von den DDR-Grenztruppen festgenommen. V. war am 03.08.1989, 23.55 Uhr als Unteroffizier vom Dienst unberechtigt in die Waffenkammer eingedrungen und hatte 3 MPi mit 3 Magazinen und 90 Patronen entwendet. Er flüchtete aus dem Objekt und fuhr mit einem Krad in Richtung Grenze. Für die Grenzregimenter in Dermbach, Meiningen und Sonneberg wurde am 04.08.1989 um 01.15 Uhr verstärkte Grenzsicherung befohlen. Um 00.45 Uhr überwand V. dann bei Harras den GSSZ II und löste ihn aus. Die sofort zur Abriegelung der Angriffsrichtung des V. eingesetzten Alarmgruppen bezogen bis 01.10 Uhr den Abriegelungsabschnitt. Es wurden hier allein 25 Grenzposten eingesetzt. Gegen 05.17 Uhr wurde V. von zwei Offiziersstreifen auf dem vorgelagerten Hoheitsgebiet der DDR auf Höhe der Grenzsäule 2220 festgenommen. Die Maschinenpistolen wurden auf dem Kolonnenweg aufgefunden.
(GT-TM 017189, Stasi Suhl 119/89)

Mario S., 20, und Mike Z., 23, Bad Salzungen, wurden um 07.45 Uhr auf der Ortsverbindungsstraße Völkershausen – Vacha, Krs. Bad Salzungen, in der Sperrzone festgenommen. Sie wollten im Raum Vacha flüchten.
(GT-TM 017189)

139

Wegen versuchten ungesetzlichen Grenz-übertritts im Raum Vacha, Krs. Bad Salzungen wurden die aus Bad Salzungen stammenden Mario S., 20, zur Zeit ohne Arbeit, und Mike Z., 23, Gleisbauer der Deutschen Reichsbahn Meiningen, auf dem Bahnhof Bad Salzungen von der DVP festgenommen.
(BKG 89, BStU)

7. August 1989
Das Außenministerium der DDR wirft der Bundesrepublik Deutschland eine „grobe Einmischung in souveräne Angelegenheiten der DDR" vor, die Wahrnehmung so genannter Obhutspflichten seien „typisch großdeutsche Anmaßung".

Die Suhler Familie B., Reinhard, 45, ohne Arbeitsverhältnis, Ehefrau Ilka, 42, Hausfrau, und Sohn Dirk, 17, Schüler, hatten die Absicht, über Bulgarien in den Westen zu gelangen. Von Angehörigen der bulgarischen Grenzsicherungsorgane wurden sie gestellt.
(BKG 89, BStU)

Der in Ebersburg, Krs. Schmalnau, wohnhafte alkoholisierte P., 33, ließ sich von einem Freund an die DDR-Grenze zur Straßensperre Frankenheim – Hilders fahren. Er überstieg den Metallgitterzaun, wo er von Grenzsoldaten festgenommen wurde. Wahrscheinlich wollte er im Rausch seine in der DDR lebende Mutter besuchen.
(GSK-M-V)

Hans-Joachim P., 33, Krs. Fulda, wurde um 01.22 Uhr 500 m westlich von Frankenheim, Krs. Meiningen, festgenommen. Er hatte bereits vom Westen aus den Grenzzaun überwunden und sich dem Signalzaun genähert, diesen ausgelöst und war von dem eingesetzten Alarmposten 15 Minuten später gestellt worden.
(GT-TM 017189)

Heiko G., 25, Bad Liebenwerda, wurde um 15.00 Uhr auf dem Erfurter Bahnhof aufgegriffen. Er wollte im Raum Meiningen über die Grenze.
(GT-TM 017189)

Abteilung VIII, Ermittlung/Beobachtung

„Der Abteilung VIII oblag die Aufklärung von Aktivitäten der westlichen MVM im Bezirk sowie die Verhinderung bzw. Aufklärung von Transitabweichungen." Sie stand unter der Dienstaufsicht des 1. Stellvertreters, Oberst Lothar Storch.

Sie führte in begründeten Fällen Observationen zu verdächtigen Personen durch und realisierte die Festnahme und Verhaftung von Personen, gegen die auf der Grundlage der Arbeitsergebnisse des ehem. MfS Ermittlungsverfahren mit Haft eingeleitet wurden. Ebenso wurden vom Staatsanwalt angewiesene Durchsuchungen durchgeführt.[27]

- Observation von Personen im Zusammenhang mit der Bearbeitung operativer Vorgänge, insbesondere des grenzüberschreitenden Reiseverkehrs, und (zentraler) Aktionen
- Observation von Angehörigen der Militärinspektionen sowie von bevorrechteten Personen und Korrespondenten
- Beobachtungen im Rahmen der Bekämpfung der politischen Untergrundtätigkeit (PUT) und des „Polittourismus"
- Ermittlungen, Festnahmen, Durchsuchungen im Zusammenhang mit Operativen Vorgängen und (zentralen) Aktionen
- Sicherung und Kontrolle der Transitwege (Straße) zwischen der Bundesrepublik Deutschland und Berlin-West und der internationalen Transitstrecken nach Polen, zur ČSSR und nach Skandinavien
- Ermittlungen und Beobachtungen im und nach dem „Operationsgebiet" vor allem Bundesrepublik und Berlin-West
- Planung und Durchführung von Maßnahmen gegen Einzelpersonen, Personengruppen und Einrichtungen im „Operationsgebiet"
- [auftragsbezogene] Ermittlungen gegen „operativ angefallene Personen"
- Führung von IM, Arbeit mit OibE[28]

11 08 00	Forner,	52	Abteilungleiter VIII	Oberstleutnant
	Friedrich-Wilhelm			
	Vogel, Siegfried, 48			OTL, Stellvertreter

Mit dem zielgerichteten Einsatz spezifischer Maßnahmen der Abt. 26 sowie Maßnahmen der Abt. VIII wurden die Kirchenbesetzer von Eisfeld am 06.09.1988 ausgeforscht. Es wurden im Herbst 1988/Frühjahr 1989 Beobachtungsmaßnahmen der Abt. VIII teilweise dekonspiriert. Die Abteilung VIII scheint jedoch auch Luftaufklärung betrieben zu haben. Am 24.10. erschien folgende Meldung dieser Abteilung: „MVM Nr. 37 – Frankreich, Luftaufklärer:

13.54 Uhr Stadtgebiet Ilmenau aus Richtung Stadtilm, 15.30 Uhr Mehlis Richtung Zella, 15.45 Uhr Intertank Oberhof."

Abteilung IX, Verbindung zu Gerichten

Die Abteilung IX war das Untersuchungsorgan der ehemaligen BV, die auf der Grundlage der Strafprozessordnung unter Aufsicht des Staatsanwaltes Ermittlungsverfahren des ehemaligen MfS bearbeitete und Spezialisten zur Untersuchung von Bränden, Störungen, Havarien, Schmierereien, gewaltsamen Grenzübertritten, bedeutsamen Gewaltanwendungen u. a. Vorkommnisse einsetzte.[29] Sie war dem Leiter der BV Suhl direkt unterstellt.

Die Aufgaben:

- Untersuchungsorgan: Wahrnehmung der Befugnisse eines staatlichen Untersuchungsorgans gemäß § 98 der Strafprozessordnung der DDR von 1968
- Bearbeitung von Untersuchungsvorgängen auf der Grundlage eingeleiteter Ermittlungsverfahren (EV) sowie Untersuchung operativ bedeutsamer Vorkommnisse auf der Grundlage eines strafprozessualen Prüfungsverfahrens
- Bearbeitung von Ermittlungsverfahren in der Zuständigkeit des MfS: „Sämtliche Ermittlungsverfahren wegen Verbrechen gegen die Souveränität der DDR, den Frieden, die Menschlichkeit und die Menschenrechte sowie wegen Verbrechen gegen die DDR und Ermittlungsverfahren wegen anderer Straftaten, die auf Grund ihrer politischen Bedeutung bzw. bestimmter Zusammenhänge eine Bearbeitung durch die Organe für Staatssicherheit erforderlich machen."
- Vorkommnisuntersuchung und Ermittlungsverfahren zur Bearbeitung und Aufklärung „politischer Untergrundtätigkeit", von „Angriffen gegen die Staatsgrenze" und aller Formen des ungesetzlichen Verlassens der DDR sowie von Wirtschaftsverbrechen, Havarien, Bränden, Tötungsdelikten und Selbstmorden
- Bearbeitung von durch Angehörige des MfS oder durch IM begangene Straftaten
- Bearbeitung von Militärstraftaten
- Klärung von Verdachtshinweisen bei Nazi- und Kriegsverbrechen
- Verbindung zur Staatsanwaltschaft und zu den Gerichten
- Zusammenarbeit mit den Untersuchungsorganen sozialistischer Länder, insbesondere im Zusammenhang mit „ungesetzlichen Verbindungsaufnahmen" und Versuchen „ungesetzlichen Verlassens" der DDR

Arbeit mit „Zelleninformatoren" [IM in U-Haft und gegebenenfalls auch in Strafhaft][30]

8. August 1989

Die Ständige Vertretung der Bundesrepublik Deutschland in der DDR wurde bis auf Weiteres für den Publikumsverkehr geschlossen. Die Bundesregierung teilte mit, man habe sich dazu entschließen müssen, „weil 130 Personen dort Zuflucht gesucht haben, um auf diese Weise ihre Ausreise zu erzwingen". Die Einrichtungen der Vertretung ließen „den Aufenthalt weiterer Personen unter menschenwürdigen Bedingungen nicht zu".

Manfred G., 42, Krs. Zschopau, wurde um 23.50 Uhr im Zug nach Meiningen von der Transportpolizei festgenommen. Er wollte bei Henneberg über die Grenze. (GT-TM 017189)

Ingo S., 40, Zella-Mehlis, fuhr am 07.08.1989 mit dem Bus über Suhl nach Sonneberg. Dort wollte er einen Bekannten treffen, um mit ihm über gemeinsame Fluchtpläne zu sprechen. Er traf ihn jedoch nicht an. Am 08.08.1989 fuhr er mit dem Personenzug in Richtung Schmiedefeld b. Neuhaus/Rwg. Er wollte nun die Grenze bei Sonneberg allein überwinden. Die Transportpolizei kontrollierte und nahm ihn fest. (GT-TM 017189)

Frank H., 22, Schweina, Krs. Bad Salzungen, Verpacker im VEB Keksfabrik Bad Liebenstein, fuhr mit der Bahn nach Ost-Berlin, um nach West-Berlin zu flüchten. Während der Fahrt wurde er von der Transportpolizei festgenommen. (BKG 89, BStU)

Ingo S., 40, Zella-Mehlis, Maschinenarbeiter des VEB Wohnkultur Zella-Mehlis wurde von der Transportpolizei festgenommen. Er beabsichtigte, im Raum Sonneberg zur Bundesrepublik durchzubrechen. (BKG 89, BStU)

9. August 1989

Der Chef des Bundeskanzleramtes, Bundesminister Rudolf Seiters (CDU), appellierte an ausreisewillige DDR-Bürger, ihren Willen nicht über bundesrepublikanische diplomatische Vertretungen zu erzwingen, das schaffe mehr Probleme, als dadurch gelöst würden.

Zwischen 10.57 und 11.01 Uhr verletzte ein einmotoriges Sportflugzeug aus der Bundesrepublik das Hoheitsgebiet der DDR. Der Einflug erfolgte im Krs. Hildburghausen in Richtung Bad Colberg über Heldburg in westlicher Richtung. Der Ausflug erfolgte bei Rieth-Albingshausen in Richtung Zimmerau-Sternberg (Bundesrepublik). Die Flughöhe betrug 300 – 500 m.
(GT-TM 017189)

10. August 1989
Seit Beginn der ungarischen Grenzöffnung hatten nach offiziellen Angaben ca. 1.600 Menschen die Grenze nach Österreich überschritten.
158 DDR-Bürger hielten sich noch in der Bonner Botschaft in Budapest auf. Am 13. August wurde die Botschaft geschlossen, vor der sich aber weiterhin DDR-Bürger sammelten, die vom Roten Kreuz betreut wurden.
Die ungarische Regierung hatte Verhandlungen mit der Ungarischen Volksrepublik aufgenommen, um Widersprüche in den bilateralen Verträgen bzw. Fragen der Genfer Flüchtlingskonvention zu lösen.
Die ungarische Regierung, vor allem Außenminister Gyula Horn, entwickelte eine Anzahl von Aktivitäten, um das Flüchtlingsproblem zu klären.

Von einer Privatreise vom 28.07. – 10.08.1989 in die Bundesrepublik kehrte Margarete K., 43, Ilmenau, selbstständige Keramikerin, nicht zurück.
(BKG 89, BStU)

11. August 1989
Der Schriftsteller Stefan Heym erklärte in einem ARD-Interview, die derzeitige Ausreisewelle sei ein „fürchterliches Phänomen". Es drohe, „die ganze DDR zu vernichten". Die DDR-Führung müsse „kontrolliert" Freiheiten schaffen, um einen menschlichen Sozialismus zu errichten.

Claus-Jürgen Duisburg, Leiter des Arbeitsstabes Deutschlandpolitik im Bun-

Die Abteilung IX nahm Verhaftungen und Untersuchungen vor. 1983 leitete sie Ermittlungsverfahren gegen Ungarnflüchtlinge ein, die gefasst worden waren. Ebenso wurde am 04.10.1989 ein Ermittlungsverfahren gegen ein Ehepaar eingeleitet, das versucht hatte, mit einem schweren Lkw die Grenzanlagen zu durchbrechen und gegen einen Klempner aus Zella-Mehlis, der in der ČSSR festgenommen wurde.

11 09 00	Thiele, Peter	54	Leiter IX	bereits seit 1981 Leiter der Abt. IX.
	Tanner, Wolfgang	42		Stellvertreter IX seit 1984, Major
	Luck, Lothar	51		war Stellvertreter vor 1989, war 1989 Stv. bei der VII
	Lampert, Peter	43		Mitarbeiter IX 1989 Oberstleutnant

Untersuchungsaufgaben an der Grenze übernahm die Abteilung IX, Unterabteilung VKU

Für Vorkommnisse an der Grenze, wie versuchte oder vollendete Grenzdurchbrüche oder Provokationen aus dem Westen, war eine Sonderkommission zuständig, gebildet aus Mitarbeitern des MfS (Abt. IX), der Bezirksdirektion der Deutschen Volkspolizei (Abteilung K, Dezernat IV) sowie der zuständigen Abteilung der Grenztruppen.

Diese Unterabteilung der Abt. IX, die Abteilung VKU (Vorkommnisuntersuchung); firmierte am 17.09.1989 und 20.10.1989 als IX/SK (Spezialkommission der Abteilung IX). Die Abt. IX/02 nahm bei Fluchtfällen die Untersuchungen vor, meist mit Fotos und Grafik des Fluchtwegs. Der Leiter dieser Spezialkommission war 1989 Major Schnabel, vorher Stellvertreter VKU, 1981 als Oberleutnant Mitarbeiter dieser Einheit. 1985 fungierte Major Peter Lampert, damals Hauptmann, als Stellvertreter der Spezialkommission VKU, 1987 Oberst Scheffer, 1988 Major Tanner. Als Mitarbeiter wurden 1981 Hauptmann Gamisch, Leutnant Holland-Moritz, 1984 Oberleutnant Möller und Unteroffizier Vonderlind erwähnt. 1988 unterschrieb der Mitarbeiter Fickenscher eine Vorfallsuntersuchung, 1989 agieren neben Major Schnabel Oberleutnant Zieprich, der auch vorher schon verschiedene Fotodokumentationen verantwortet hatte und Leutnant Heußinger. Die Letzteren verantworteten am 17.09.1989 eine Vorkommnisuntersuchung bei Vacha.

Major Denner trat 1987 als Referatsleiter 4 bei der Untersuchung einer Fahnenflucht in Erscheinung, am 29.09.1989 Unteroffizier Petter als Schreibkraft für die AKG, die Auswertungs- und Kontrollgruppe (s. dort).

Der Stellvertreter Operative Technik/Sicherstellung, Josef Schaffer, war Dienstvorgesetzter u. a. der drei nachfolgend kurz beschriebenen Abteilungen XI, N und des selbstständigen Referats Bewaffnung, Chemischer Dienst (SRBCD)

Die Abteilung XI, Chiffrierwesen

Leiter der Abteilung XI, Chiffrierwesen, war der 1936 geborene Dieter Ruebner.

11 11 00	Ruebner, Dieter	53	Abteilung XI, Leiter
	Filster, Rainer	42	Stellvertreter

Abteilung N, Nachrichten

Nachrichtenverbindungen des MfS, Zusammenwirkung von MfS + MdI + MfNV, zentraler Chiffrierdienst, geheime Regierungsverbindungen, SOK-Netz, Funk.

Die Stasi hatte wie auch die NVA ein eigenes Telefonnetz. Da jedoch auch dieses Telefonnetz hätte abgehört werden können, benutzte jede Kreisdienststelle eine abhörsichere Richtfunkverbindung mit der Bezirksverwaltung. Zusätzlich wurde jede Nachricht verschlüsselt und chiffriert. Besonders im Grenzgebiet wurden die verschiedenen Möglichkeiten noch kombiniert.

11 65 00	Wendel, Gerhard	48	Abteilung N, Leiter
	Menz, Rainer	40	Stellvertr.

Selbstständiges Referat BcD, Bewaffnung und Chemischer Dienst, Diensteinheitenschlüssel 11 64 0

11 64 00	Wackes, Heinz	61	selbstständiges Referat BcD, Leiter

Dieses Referat wurde nach der Wende kurzzeitig in den Mittelpunkt von Opposition und Presse gerückt durch ein Schreiben des Stellvertreters für operative Technik/Sicherstellung, Josef Schaffer, vom 22. November 1989, der über die Anwendung spezieller chemischer Einsatzmittel des Leiters des Bezirksamtes für Nationale Sicherheit folgende Anweisung an seine Mitarbeiter gab.[31]

```
Zur Ausrüstung mit speziellen chemischen Einsatzmit-
teln und ihrer Anwendung durch Mitarbeiter des Be-
zirksamtes sowie der Kreisämter wird festgelegt:
1. Ihre Struktureinheit ist mit speziellen chemischen
   Einsatzmitteln ausgerüstet.
2. Spezielle chemische Einsatzmittel sind nur auf Wei-
   sung und bei Gefahr im Verzug des Leiters des
   Bezirks durch die Leiter der Struktureinheiten ein-
   zusetzen.
```

deskanzleramt, konferierte mit dem stellvertretenden DDR-Außenminister Kurt Nier über die Ausreisewilligen in den Botschaften und Vertretungen der Bundesrepublik. Duisburg übermittelte eine persönliche Botschaft von Bundeskanzler Dr. Helmut Kohl an Staats- und Parteichef Erich Honecker.

In Schmalkalden wurden von Mitarbeitern des Ministeriums für Staatssicherheit Timo A., 22, Herges-Hallenberg, Automatendreher im VEB Kombinat Haushaltswaren Herges-Hallenberg, und Ronny E., 20, Rotterode, Dreher beim VEB „WERO" Unterschönau, Hauptbetrieb Rotterode, festgenommen. Die Männer hatten den Entschluss gefasst, im Raum Bad Salzungen in die Bundesrepublik zu flüchten. Vermutlich hatte man sie verraten.
(BKG 89, BStU)

Von der DVP wurden in Suhl Peter R., 18, Maurer bei der ZBO Wichtshausen, Heiko G., 17, Zerspaner beim VEB Elektrogerätewerk Suhl, und Uwe R., 18, Glüher im FaJaS Suhl, alle wohnhaft in Suhl, festgenommen. Sie beabsichtigten, über ein sozialistisches Land in den Westen zu flüchten. Alle drei waren vorbestraft.
(BKG 89, BStU)

Wegen versuchten Grenzübertritts über das sozialistische Ausland wurde Klaus P., 50, Rotterode im Krs. Schmalkalden, von Angehörigen des MfS in Schmalkalden festgenommen. Er arbeitete als Technischer Direktor bei der Firma Helmut Endter in Rotterode.
(BKG 89, BStU)

12. August 1989
Zum 28. Jahrestag des Baus des „Antifaschistischen Schutzwalles" veröffentlichte das Zentralorgan der SED eine mit Hass durchsetzte Seite unter der Überschrift „Der 13. August 1961 – seine Ursachen und Folgen". Da heißt es u. a.: „Dem Imperialismus wurde ein Strich durch die Rechnung gemacht."

Daniel S., 18, Ilmenau, Dreher im Werk für Technisches Glas Ilmenau, hatte sich vorgenommen, die DDR zu verlassen. Er wollte mit der Bahn nach Prag fahren, um die Botschaft der Bundesrepublik aufzusuchen. In Adorf, Krs. Oelsnitz, wurde er von Kräften der Transportpolizei festgenommen.

(BKG 89, BStU)

13. August 1989
Schusswaffengebrauch nur bei Notwehr und Fahnenflucht

Geflüchtete Grenzsoldaten berichteten über die neue Weisung: An der DDR-Grenze darf nicht mehr auf Zivilisten geschossen werden, und zwar offensichtlich seit Anfang April. Der Schusswaffengebrauch sei nur noch bei Notwehr und der Verhinderung von Fahnenflucht erlaubt, oder wenn Flüchtlinge die Grenze mit 'schwerem Gerät' angriffen. Dies berichteten zwei vor wenigen Wochen geflüchtete DDR-Grenzsoldaten in West-Berlin. Zudem plane die DDR nach Angaben eines ehemaligen DDR-Grenzers, Anfang der 90er Jahre ihr Grenzsicherungssystem zu reformieren und die Abfangkontrollen ins Hinterland zu verlegen. Der vordere Grenzzaun solle ganz wegfallen, schon jetzt werde er nicht mehr gewartet, berichtete Mathias Göppner, 22, der bis zu seiner Flucht in einer Kompanie an der Grenze zu Bayern diente. Falk Turba, 20, der am 12.07.1989 flüchtete, bestätigte, offenbar gelte die neue Weisung zum Schießbefehl bereits seit dem 6. April. Er selbst habe erst im Mai davon erfahren. Begründet habe sein Vorgesetzter die neue Regelung damit, dass durch den Tod eines Flüchtlings „der politische Schaden größer ist, als wenn die Flucht gelingt". „Wir waren alle froh darüber", sagte Turba zu den Reaktionen auf diesen Befehl. „Wir werden hier in der Bundesrepublik immer als Killer hingestellt. Dabei sind wir ganz normale Menschen." Selbst die Offiziere hätten mit einem Lächeln gesagt, dass der Druck nun von der innerdeutschen Grenze genommen werde, wo die meisten Flüchtenden ja über Ungarn gingen.

(Nach: Main-Post, 13.08.1989)

3. Die Anwendung spezieller chemischer Einsatzmittel darf nur durch Angehörige erfolgen, die in den Gebrauch dieser Mittel entsprechend der Anwenderinstruktionen (s. Anlage) unterwiesen sind. Dazu sind im Bezirksamt zwei Ausbildungsberechtigte des SR BCD und in den in Punkt 1 genannten Struktureinheiten je ein Ausbildungsberechtigter zu bestimmen.

4. Spezielle chemische Einsatzmittel (d.h. Reizstoffsprühgeräte R 1 und R 2 und Nebelwurfkörper mit Reizstoff sowie Abwehrspraydosen mit Reizstoff) können angewandt werden:
   o wenn die Bestimmungen zur Anwendung der Schusswaffe gemäß Schusswaffengebrauchsordnung zu treffen und durch ihren Einsatz als Alternative zur Schusswaffenanwendung eine adäquate Wirkung erzielt wird;
   o zur Abwehr von Gewaltakten und Angriffen auf Objekte des Bezirksamtes und der Kreisämter;
   o wenn von Personengruppen Angriffe gegen die sozialistische Staats- und Gesellschaftsordnung ausgehen, Gewalttätigkeiten gegen Personen begangen werden oder unmittelbar zu erwarten sind, Gewalttätigkeiten gegen Sachen begangen werden, durch welche ernste Auswirkungen für die Sicherheit und Ordnung auftreten und den Anforderungen der Sicherheitskräfte nicht Folge geleistet wird;
   o zur Bekämpfung terroristischer und anderer operativ bedeutsamer Gewalthandlungen;
   o zur Abwehr von Angriffen auf Angehörige des Bezirksamtes für Nationale Sicherheit bei der Lösung dienstlicher Aufgaben.

5. Die Anwendung von speziellen chemischen Einsatzmitteln muss im Verhältnis zu Art und Schwere der Rechtsverletzung und des aktiven und passiven Widerstandes stehen. Die Anwendung ist nur so lange zulässig bis der Zweck des Einsatzzieles erreicht ist.

6. Über erfolgte Anwendung von Einsatzmitteln bzw. bei Vorkommnissen mit ihnen haben die Leiter der betreffenden Struktureinheiten des Bezirksamtes Meldung zu erstatten.

Schaffer Oberst

Auswertungs- und Kontrollgruppe (AKG)

Die Auswertungs- und Kontrollgruppe war dem Leiter der BV Suhl direkt dienstlich unterstellt.

In jeder Bezirksverwaltung gab es eine Auswertungs- und Koordinierungsgruppe, die abteilungsübergreifend tätig war.[32]

Alle 24 Stunden – jeweils von 6 Uhr bis 6 Uhr am nächsten Tag – nahm ein diensthabender Offizier (ODH) die Anrufe und Fernschreiben aus allen Abteilungen und Kreisdienststellen des MfS entgegen. Als Schreibkraft wurden dem jeweiligen ODH Angehörige aus allen übrigen Abteilungen der BV des MfS beigeordnet, so am 20.09. aus Abt. VI, am 21.09.1989 aus Abt. XV, am 22.09. aus Abt. XIV usw. Die Meldungen wurden zusammengefasst und den entsprechenden Dienststellen mitgeteilt, wobei der Leiter der Bezirksverwaltung des MfS oft vom Leiter der AKG direkt informiert wurde. Außerdem entschied der ODH oder sein Vorgesetzter, was veranlasst werden sollte.

11 53 00	Höfer, Hans	61	AKG Auswertungs- und Kontrollgruppe, Leiter, Oberst
	Nagel, Kurt	60	Leiter 1979, Oberstleutnant, Offizier für Sonderaufgaben
	Rudloff		Leiter 1984, Oberstleutnant
	Gladitz, Joachim	46	Stellvertreter 1989
	Nuechter, Alfred	51	Stellvertreter 2 1989

Die AKG griff direkt auf das Archiv der Abteilung XII zu, die dem Leiter der AKG, Höfer, unterstellt war.

Abteilung XII, Archiv/EDV

Leiter dieser Abteilung war 1989 Georg Hoske, 49. In dieser Abteilung wurden alle Operativen, Untersuchungs- und IM-Akten, Kaderakten sowie bestimmte Erfassungsarten (KK- und Sicherungsvorgang) registriert, nach Bearbeitungsschluss gelagert und an andere beauskunftet; hier wurden auch bekannte Karteien F 16 (Personenkartei) F 22 (Vorgangskartei, F 77 (Decknamenkartei) und F 78 (Straßenkartei) geführt.[33]

Als Mitarbeiter wurde Hans-Georg Heinze, geboren 1953, bekannt sowie als Schreibkraft für die AKG Unterleutnant Müller am 28.09.1989.

| 11 12 00 | Hoske, Georg | 49 | Abteilung XII, Leiter |
| | Heinze, Hans-Georg | 36 | Abteilung XII, Stellvertreter |

Abteilung XIV, Haftanstalten

Die Abteilung XIV war dem Leiter der BV Suhl, Gerhard Lange, direkt unterstellt.

Die ranghöchsten Mitarbeiter, wahrscheinlich der Leiter der Abteilung und sein Stellvertreter, waren Manfred Schleicher, geboren 1935, und Horst Guenther, geboren 1940. Im September 1989

Im Ergebnis einer Aussprache wurde bekannt, dass am 12.08.1989, gegen 21.35 Uhr, Feldwebel B. aus dem Grenzregiment Sonneberg Kontakt zu einem BRD-Bürger hatte. Er besuchte eine Diskoveranstaltung in Sonneberg. Eine ihm unbekannte männliche Person sprach ihn an und erkundigte sich nach weiteren Tanzveranstaltungen im Kreis. Feldwebel B. stieg in den Pkw Audi mit Coburger Kennzeichen, fuhr nach Mengersgereuth-Hämmern und ohne Halt wieder zurück nach Sonneberg. Es wurden disziplinarische Maßnahmen eingeleitet. Da er auch Mitglied der SED war, wurden parteierzieherische Maßnahmen angeordnet. (GT-TM 017189)

Von einer Privatreise vom 09. – 13.08. 1989 in die Bundesrepublik kehrte das Ehepaar K. aus Reichmannsdorf, Krs. Neuhaus/Rwg., nicht zurück. Peter, 44, war Schlosser im Kreiskrankenhaus Saalfeld, Ehefrau Christel, 40. (BKG 89, BStU)

14. August 1989
Über den Grenzinformationspunkt Rottenbach – Eisfeld wurde um 11.42 Uhr durchgesagt, dass sich bei Neustadt b. Coburg ein Verkehrsunfall ereignete und DDR-Gebiet verletzt wurde. (GT-TM 017189)

Während des Grenzdienstes flüchtete der Grenzsoldat Matthias H., 19, um 15.55 Uhr in die Bundesrepublik. Er war in der Zeit von 10 bis 18 Uhr als Posten mit dem Postenführer H. zur Grenzsicherung auf einem B-Turm bei Hetschbach, Krs. Hildburghausen, eingesetzt. Beide versahen zum ersten Mal zusammen Grenzdienst. Unter Vortäuschen von Unwohlsein bat der Fahnenflüchtige seinen Postenführer um Erlaubnis zur Verrichtung der Notdurft, den B-Turm verlassen zu dürfen. Er verließ diesen unter Zurücklassung seiner MPi und nutzte die Trennung zur Flucht. In den Akten heißt es: „Das Militärverbrechen wurde durch die falsche Befehlsgebung des Kommandos Grenzsicherung begünstigt." Die 6. Grenzkompanie wurde im Rahmen der Umstrukturierung aus dem Bestand der 13. GK Veilsdorf

neu formiert und ab 26.07.1989 in einen fest zugewiesenen Grenzabschnitt eingesetzt. Seit 17.55 Uhr handelten im gegenüberliegenden Abschnitt Angehörige des Grenzzolldienstes der Bundesrepublik. Mit der Bemerkung „Ein gewisser H. hat die Schnauze voll!" wurde die Fahnenflucht von einem Angehörigen des Grenzzolldienstes bestätigt.
(GT-TM 017189)

15. August 1989
Die ungarische Nachrichtenagentur MIT veröffentlichte eine Mitteilung der DDR-Botschaft, dass „der Aufenthalt von Bürgern der DDR in der Budapester Botschaft der BRD für diese bei Rückkehr in die DDR keine Folgen haben wird und dass das auch für Bürger der DDR zutrifft, die keine gültigen Reisedokumente mehr besitzen".

Steffen D., 27, Krs. Pirna, wurde um 21 Uhr von der Transportpolizei im Zug von Steinach nach Sonneberg kontrolliert und festgenommen. Er wollte bei Rückerswind die Grenze durchbrechen und führte ein Mehrzweckmesser, Seitenschneider, Kombizange, Schraubendreher und sämtliche persönlichen Dokumente mit.
(GT-TM 017189)

Im August 1989, zwei Jahre nach dem Bau des Sonneberger Klärwerkes und erstmals nach dem 2. Weltkrieg, konnte wieder ein Pokalangeln des Fischereivereins Neustadt b. Coburg in der Röden ausgerichtet werden. Die Beute betrug 27 Kilogramm Forellen und Barsche. Der Schirmherr des Pokalangelns, der damalige bayerische SPD-Landtagsabgeordnete Walter Knauer, bezeichnete dies als einen denkwürdigen Tag, wurde das Klärwerk doch mit bundesdeutscher Finanzhilfe erbaut, nachdem die Röden zu einer Kloake verkommen war.

In der ČSSR wurde von Grenzsicherungskräften Hendrik W., 26, Steinbach-Hallenberg, Krs. Schmalkalden, festgenommen. Er hatte versucht, über die ČSSR in die Bundesrepublik zu gelangen. Seit dem 01.08.1989 war er ohne Arbeit.
(BKG 89, BStU)

wurde Leutnant Fehd aus dieser Einheit als Schreibkraft für die AKG abgeordnet.

Die Aufgaben dieser Abteilung:
- Durchführung des Untersuchungshaft- und Strafvollzuges im MfS
- Gewährleistung der Verdachtsprüfungs- und Ermittlungshandlungen der untersuchungsführenden Abteilung der HA IX
- Zusammenwirken mit den Rechtspflegeorganen sowie mit den Untersuchungshaftanstalten der Verwaltung Strafvollzug des MdI
- Bearbeitung und „abwehrmäßige" Sicherung der Strafgefangenenarbeitskommandos
- Sicherung von Flugüberführungen bzw. Kfz-Rückführungen aus dem sozialistischen Ausland-, Führung von IM[34]

Das Stasigefängnis in Suhl, wie auch die alte Untersuchungshaftanstalt Suhl, wurden in der Verantwortung dieser Abteilung geführt, ebenso gehörte die geheimdienstliche Überwachung der Untersuchungshaftanstalt Untermaßfeld zu den Aufgaben dieser Abteilung. Zwar wurde immer wieder von „Foltermethoden" bei Verhören usw. erzählt. Zu Gerichtsverhandlungen oder gar Verurteilungen kam es jedoch nicht. Dabei muss gesagt werden, dass es äußerst schwierig ist, im Nachhinein so genannte „weiche" Vernehmungsarten nachzuweisen, wie Schlafentzug, langes Stehen, Vernehmungen über einen sehr langen Zeitraum und Ähnliches. Im Licht der Vernehmungsmethoden eines demokratischen Staates heute erscheinen diese Vorwürfe zwar relativ „human". Doch ist dies immer noch Unrecht, das auch durch DDR-Gesetze nicht gedeckt war. Klaus Behnke und Jürgen Trobisch schrieben in ihrem Aufsatz: *Panik und Bestürzung auslösen. Die Praxis der „operativen Psychologie" des Staatssicherheitsdienstes und ihre traumatisierenden Folgen* über Zersetzungsmaßnahmen im Innenraum der ehemaligen DDR und ihre Folgen, woraus einige Feststellungen zusammengefasst werden:[35]

Amnesty International sagte im Jahre 1981: „Physische Folter tritt dort nicht auf, psychische Manipulationstechniken hingegen umso mehr."

Maßnahmen der ‚operativen Psychologie' in der Haft:
* „Monopolisierung der Wahrnehmung":
    Die Aufmerksamkeit des Opfers wird nur auf seine augenblickliche Lage gelenkt bzw. nur die Informationen werden durchgelassen, die das Selbstbild des Gefangenen erschüttern können ... Die Selbstbetrachtung wird gefördert, das Entstehen von Angst und Depression. Möglichst alle Anregungen, die nicht vom Wachpersonal bzw. den Vernehmern kontrolliert worden sind, werden unterbunden. Einsatz von Tonbandgeräten mit

spezifischer Musik (z. B. beliebter Rockmusik oder abstoßenden Propaganda-Märschen), um das Gefühl des 'Rauswollens' zu verstärken. Der Vernehmer kann in bestimmten Momenten auch Briefe der Frau bzw. Fotos der Kinder präsentieren, um eine emotional 'weiche' Stimmung zu erzeugen und zu nutzen, z. B. zeitgleich Belastungsmaterial hervorzuholen oder langjährige Haft zu prophezeien 'bei diesem Aussageverhalten' ...

Bei aggressiven oder depressiven oder suizidalen Zusammenbrüchen des Opfers kann eine Verschlechterung der Zelle bzw. Unterbringung folgen, z. B. Dunkelhaft im Keller in schwarzer Gummizelle, andere Bestrafungsarten des Arrestes. Ständiger Wechsel von Licht und Dunkelheit während der Schlafenszeit, was zu Schlafmangel und Verschlechterung der Gesundheit führt ('Kontrollen wegen Selbstmordgefahr'). Kahle und niederdrückende farbliche Gestaltung der Zellen. Eingeschränkte Bewegungsfreiheit, z. B. durch kleine Zellen, 'Vergessen' des Freigangs etc. Gleichförmige Nahrung und gelegentlicher Einsatz von Psychopharmaka (vor 'Sprechern' dämpfende Mittel – bei wichtigen Verhören und Krisen 'Stimmungsaufheller' etc.). Einsatz von ... Wachpersonal, das verächtliche oder anmachende Bemerkungen macht, bei Toilettenbenutzung oder beim Waschen durch den Spion sieht etc.

* Herbeiführen von Entkräftung und Erschöpfung:

Sie schwächen geistige und körperliche Widerstandskräfte. Als Folge von Druck und Aggressivität (Vernehmer oder Zellen-IM) Verweigern der Nahrung. Dies kann auch in Krisen erfolgen, wenn das Opfer, ob nun zu Recht oder nicht, den Eindruck hat, dass Psychopharmaka bzw. andere Mittel und/oder Drogen eingesetzt werden. Dies kann auch durch 'Gerüchte' oder 'Hinweise' erzeugt werden, um Ess- und Trinkverhalten zu verändern. Nach bzw. während des Absitzens von Strafen kann Unterernährung entstehen, hierbei häufig Einsatz von Zellen-IM, um Verhalten des Opfers zu forcieren bzw. in die Konfrontation oder zum Zusammenbruch zu führen ... Beliebte Mittel sind überheizte Zellen, stark rauchende Zellen-IM (bei nichtrauchenden Opfern), ‚zufällig' unversorgte oder falsch behandelte Wunden, lange U-Haft, verweigertes oder erzwungenes Schreiben, erpresstes Aussageverhalten, Mitinhaftieren von Freunden und Familienangehörigen (und dem Vortäuschen desselben), manipulative Verhörtechniken, Drohungen usw., lange Verhöre (auch wenn nichts ausgesagt wird), allgemeine Überanstrengung und Erzeugen von Krisen (Einweisung der Kinder ins Heim, Verbot einer Teilnahme am Begräbnis der Mutter etc.).

* Drohungen:

Damit werden Angst und Verzweiflung gefördert, Drohungen, Verhöre und U-Haft nach Belieben fortsetzen zu können; Eltern oder Frau zu inhaftieren, Kinder ins Heim zu stecken usw.; ein Urteil 'nicht unter zehn Jahren' zu bekommen; im Strafvollzug

Von einer Privatreise vom 02. – 15.08. 1989 in die Bundesrepublik kehrte Karl-Heinz B., 46, Suhl, Betriebs- und Verkehrseisenbahner bei der Deutschen Reichsbahn Suhl, nicht zurück.
(BKG 89, BStU)

Von einer Privatreise vom 04. – 15.08. 1989 in die Bundesrepublik kehrte die Diplom-Ingenieurin Antje R., 26, Schmalkalden, Mitarbeiterin für Erzeugnisentwicklung beim VEB Kombinat Sportgeräte Schmalkalden, nicht zurück.
(BKG 89, BStU)

Ohne die eingeladenen Vertreter des Rates der Nachbarstadt Sonneberg wurde im August 1989 die Thüringisch-Fränkische Begegnungsstätte in Neustadt b. Coburg eingeweiht. Die Ständige Vertretung der DDR in Bonn hatte „keine Möglichkeit gesehen", den beiden DDR-Vertretern eine Genehmigung für die Reise zu erteilen. Das war zwei Monate vor der 40-Jahr-Feier der DDR und zu einem Zeitpunkt, als der Lkrs. Coburg sich verpflichtete, vorübergehend 200 DDR-Flüchtlinge aus Ungarn und der ČSSR aufzunehmen.
(Freies Wort, 16.11.2000)

16. August 1989

Gegen 16.50 Uhr entstand bei Erntearbeiten der LPG Gompertshausen ein Flächenbrand auf einem abgeernteten Getreidefeld im Schutzstreifen, 2.500 m nordwestlich Gompertshausens. Die Entfernung zur Staatsgrenze betrug 150 m. Der Brand breitete sich auf eine Fläche von 300 x 400 m aus. Zu Löscharbeiten wurden die FFw Gompertshausen sowie die FFw Heldburg herangezogen. Eine Gefahr der Ausdehnung des Brandes auf das Hoheitsgebiet der Bundesrepublik bestand nicht. Um 18 Uhr war der Brand gelöscht worden. Brandursache war ein Schaden an einem Ladehäcksler.
(GT-TM 017189)

Von einer Privatreise vom 06. – 16.08. 1989 in die Bundesrepublik kehrte Johannes B., 39, Suhl, Bereichsleiter Bau der LPG „W. Pieck" Vachdorf, Krs. Meiningen, nicht zurück.
(BKG 89, BStU)

17. August 1989

Sabine B., 30, Sonneberg, Näherin beim VEB Sonni Sonneberg, Olaf E., 25, Suhl-Mäbendorf, Baumaschinist bei der ZBO Landbau Suhl, und Jörg W., 22, Suhl, hatten den Entschluss gefasst, über die VR Bulgarien oder die UVR in den Westen zu flüchten. Mit der Observierungstätigkeit des operativen Vorgangs „Bernstein" konnten sie wegen Vorbereitung des ungesetzlichen Grenzübertritts über das sozialistische Ausland festgenommen werden.
(BKG 89, BStU)

Von einer Privatreise vom 10. – 17.08. 1989 in die Bundesrepulik kehrte Margitta O., 33, Ilmenau, Wirtschaftsleiterin der EOS Ilmenau, nicht zurück.
(BKG 89, BStU)

18. August 1989

Michael D., 15, Meiningen, beabsichtigte, mit dem Zug in den Bezirk Schwerin zu gelangen. Er wollte im Krs. Gadebusch die Grenze zur Bundesrepublik überwinden. Von der Transportpolizei wurde er im Zug festgenommen.
(BKG 89, BStU)

19. August 1989

661 DDR-Bürger nutzten ein paneuropäisches Treffen, dessen Mitinitiator der Europa-Abgeordnete Otto von Habsburg war, um bei Sopron über die ungarisch-österreichische Grenze zu fliehen. Die humane Haltung Ungarns fand weltweite Anerkennung.

Um 16.50 Uhr wurde Uwe H., 25, Erfurt von einem Grenzposten 1.600 m nordöstlich Sülzfeld, Krs. Meiningen, festgenommen. Er beabsichtigte, im Raum Schwickershausen zu flüchten.
(GT-TM 017189)

Von einer Privatreise vom 05. – 19.08. 1989 in die Bundesrepublik kehrte Michael P., 23, aus Bad Salzungen, Medizinstudent an der Humboldt-Universität Berlin, nicht zurück.
(BKG 89, BStU)

,unter Mördern' zu landen bzw. ,schwul gemacht zu werden'; als ein ,anderer' rauszukommen, wenn Verhalten nicht verändert wird; Krankheiten zu bekommen, Herzinfarkte usw. ... Zeigen von Aussagen anderer Gefangener bzw. von Fälschungen; unerklärliche Veränderungen der Haftbedingungen bzw. der Vernehmungen, ständiges Wechseln der Zellen; Verweigern von eigener Kleidung und sämtlichen Medien in der U-Haft; Verweigern des gewünschten Anwalts; Nicht-Befördern von Post usw.

* Gelegentliche Gefälligkeiten:

Sie bewirken emotionale Schwankungen, erzeugen Hoffnungen usw. Lässt Vernehmer sympathisch erscheinen (,ich kümmere mich darum, dass Ihr Kind nach Hause kommt/dass die Wohnung erhalten bleibt/lege beim Staatsanwalt ein gutes Wort ein/ziehe den prügelnden Mitgefangenen zur Verantwortung/ erlaube das Lesen von Büchern/lasse ab heute das Drohen und Schreien! usw.), es entsteht beim Opfer eine positive Haltung zum Gehorsam, zum ,Dialog', zum einseitigen ,Abbau der Spannungen' etc. Auffällig ist wechselndes Verhalten von Vernehmern, der ,Gute wird böse' und umgekehrt; vier Vernehmer im Raum; Wachpersonal provoziert Gewalt usw.; Belohnung für Teilgehorsam; ,lange Leine' und ,zappeln-lassen'.

* Demonstrieren von Allmacht:

Es bedeutet Konfrontation auf allen Ebenen (Lautstärke, Drohungen, Verhalten des Zellen-IM und des Wachpersonals, Verweigern von Kontakten zu Anwalt und Familie, Briefe nur zeigen, nicht lesen lassen). Kooperation wird zur Voraussetzung für alles andere. Vielfältige Demonstrationen der totalen Kontrolle über den Gefangenen (nackt ausziehen lassen; beim ,Sprecher' mit dem Ehepartner Grenzüberschreitungen und Demütigungen für das Opfer; Zwang zum Haareschneiden, Duschen, Wäschewechseln usw. ...). Dieses Verhalten des MfS kann dazu führen, dass in einer bestimmten Lage das Opfer meint, weiterer Widerstand sei sinnlos ... Im Ergebnis könnte das Opfer zu der Auffassung gelangen, dass ein Widerstandsverhalten für die Selbstachtung negativer ist als gelegentliches Nachgeben. Zum Beispiel, um Schreiberlaubnis zu erhalten, Liegeerlaubnis bei Schmerzen, Sonderfreigänge bei Bewegungsmangel, ein Schlafmittel bei Schlafstörungen ... Das Opfer hat das Gefühl, sich selbst zu verlieren, ,unter seinem Niveau zu bleiben' ... Die Macht des MfS wird zwar abgelehnt, aber akzeptiert als übermächtige Gewalt, die über das eigene Leben/Nichtleben bestimmt.

* Erzwingen von ,kleinen' und größeren Gefälligkeiten:

Vernehmer verlangt das Sprechen über bestimmte – auch private – Themen, das Opfer gehorcht. Vernehmer teilt Zigaretten zu; diktiert Briefpassagen an Angehörige; bespricht Verhalten

148

vor und nach ‚Sprechern'; lenkt Zellenverhalten, obwohl das Opfer - noch - kein Zellen-IM ist, Vernehmer gewährt Vergünstigungen oder nicht; demütigt, wenn er trotz gehorsamer Ausführung durch das Opfer nicht belohnt oder bei ‚gutem' Aussageverhalten das Opfer als Versager bezeichnet, weil es ‚nicht durchgehalten hat'. Erzwingen von Wohlverhalten gegenüber dem Wachpersonal ..."

Mitarbeiter dieser Abteilung:

11 14 0	Schleicher, Manfred	54	Abteilung XIV, Leiter, Oberstleutnant
	Guenther, Horst	49	Stellvertreter

Abteilung XV, Aufklärung Diensteinheitenschlüssel 11 15 0

Die Abteilung XV beschäftigte sich mit der Aufklärung zur Gewährleistung der äußeren und inneren Sicherheit der DDR. 1956 hieß die Abteilung XV (Auslandsspionage). Diese Abteilung war dem Stellvertreter Aufklärung, Oberstleutnant Werner Despang, dienstlich unterstellt, der gleichzeitig Leiter dieser Abteilung war.

11 15 00	Despang, Werner	53	Abteilung XV Leiter 1989, Oberstleutnant
	Jahn, Gerhard	46	Stellvertreter

Abteilung XVIII, Wirtschaft

Diese Abteilung unterstand dem Stellvertreter Operativ, Oberst Dr. Bruno Mangold.

Am Arbeitsplatz in den Betrieben wurde die „Firma" zugleich Inquisitor, Beichtvater und Organisator der sozialistischen Gesellschaft. Während aus den Betrieben Planerfüllung und Übersoll gemeldet wurden, bekam die Parteiführung via Stasi-Bericht die Wahrheit über den drohenden politischen und wirtschaftlichen Kollaps zu hören.

In ihrer Not pumpte die lethargische SED-Führung den Geheimapparat zu einer omnipotenten Superbehörde auf, die, ohne zu zögern, eine titanische Aufgabe übernahm: Sie machte sich selbst daran, die Planwirtschaft zu steuern – der Geheimdienst als Sequester des siechen Systems.[36]

-    Sicherung der zentralen volkswirtschaftlichen Bereiche, Objekte und Einrichtungen entsprechend der Struktur der Industriezweige der DDR einschließlich der Leitungs- und

21. August 1989
Ein DDR-Bürger wurde bei einem Handgemenge mit einem ungarischen Grenzsoldaten erschossen.

Gegen 03.30 Uhr nahm die VP Mario W., 21, Dessau, auf der Straße Haselbach – Sülzfeld, Krs. Meiningen, fest. Er wollte im Raum Henneberg flüchten.
(GT-TM 017189)

Um 04.06 Uhr wurden Robert L. und Michael J., beide 21, Ost-Berlin, ca. 300 nordöstlich Vacha im Schutzstreifen festgenommen. Sie hatten um 01.11 Uhr den Signalzaun ausgelöst. Zwei Grenzkompanien riegelten das Gelände ab. (GT-TM 017189)

22. August 1989
Die Botschaft der Bundesrepublik Deutschland in Prag wurde ebenfalls bis auf Weiteres für den Publikumsverkehr geschlossen. Dort hielten sich zum Zeitpunkt 140 Fluchtwillige auf.

22./23. August 1989
Zwischen dem 22.08.1989, 21 Uhr, und dem 23.08.1989 gegen 06.00 Uhr gelang Kurt K., 31, und seinem Bruder, Heiko K., 25, Jüchsen, und im Besitz eines Passierscheins für die Sperrzone des gesamten Krs. Meiningen, 1.500 m westlich von Berkach die Flucht in die Bundesrepublik. (In den Stasi-Dokumenten werden sie als Brüder genannt, in den GT-TM als Cousins) Sie näherten sich von Nordheim/Grabfeld der Grenze, wobei sie zwei Leitern mitführten. Mit einer überwanden sie unbemerkt den Signalzaun. Danach bewegten sie sich unter Mitnahme der zweiten Leiter zum vorderen Streckmetallzaun, den sie auch überwanden. Zuvor kamen sie ohne Auslösung über eine einsatzbereite R-67-Linie. Die Flucht blieb zunächst unbemerkt. (GT-TM 017189, Stasi Suhl 128/89 Dok.-Nr. 3746)

23. August 1989
Um 03.25 Uhr erfolgte die Festnahme von Mario S., 22, Holger R., 27, aus dem Bezirk Suhl. Sie wurden durch einen eingesetzten Suchposten mit Fährtenhund

149

nach Auslösung des einsatzbereiten Grenzsignalzauns um 02.08 Uhr und der Führung grenztaktischer Handlungen ca. 1.500 m nordöstlich von Hasenthal, Krs. Neuhaus/Rwg., festgenommen. Beide waren schon mehrfach wegen versuchter Republikflucht angeklagt und später amnestiert worden.
(GT-TM 017189)

Sperranlagen zur Bundesrepublik durchbrachen Heiko K., 25, Kraftfahrer der ZBO Landbau Obermaßfeld, und Kurt K., 31, Maurer bei der LPG Vachdorf, Sitz Jüchsen, beide wohnhaft in Jüchsen, Krs. Meiningen, die Grenzsperranlagen. Die Durchbruchsstelle befand sich vermutlich im Krs. Meiningen.
(BKG 89, BStU)

Von einer Privatreise vom 14. – 23.08. 1989 in die Bundesrepublik kehrte das Ehepaar S., Rauenstein, Krs. Sonneberg, Dipl.-Ing. Joachim, 47, Direktor für Verkehr beim VEB Kombinat Kraftverkehr Suhl, Betrieb Sonneberg, und seine Frau Barbara, 31, Krankenschwester im Kreiskrankenhaus Sonneberg, nicht zurück.
(BKG 89, BStU)

Beim versuchten ungesetzlichen Grenzübertritt im Raum Sonneberg nahmen Angehörige der Grenztruppen Mario S., 22, Suhl, Anschläger beim VEB Hebezeugwerk Suhl, und Holger R., 26, aus Steinbach-Hallenberg, Krs. Schmalkalden, Rangierleiter bei der DR, Bahnhof Steinbach-Hallenberg fest.
(BKG 89, BStU)

24. August 1989
Ausgestattet mit Papieren des Internationalen Komitees des Roten Kreuzes (IRK) verließen 108 DDR-Botschaftsflüchtlinge Budapest und reisten nach Österreich aus. Andere flohen auf eigene Faust.

Um 10.15 Uhr stellte ein Grenzposten bei Wenigentaft, Krs. Bad Salzungen, fest, dass am Grenzzaun ein Zettel hing. Er enthielt Verleumdungen gegen die DDR-Staatsführung und angeblich faschistische Parolen.
(GT-TM 017189)

Planungsorgane des Staatsapparates, insbesondere der Industrie-, Landwirtschafts-, Finanz- und Handelsministerien [ohne den Bereich Kommerzielle Koordinierung/KoKo] sowie der Einrichtungen der naturwissenschaftlichen Forschung und technischen Entwicklung [einschließlich Akademie der Wissenschaften der DDR, Bauakademie der DDR, Kammer der Technik u. a.]
- Wirtschaftsspionageabwehr, Gewährleistung eines umfassenden Geheimnisschutzes sowie
  Schutz spionagegefährdeter Personen und Sachen
- Aufklärung und Bestätigung von Nomenklaturkadern, Auslands- und Reisekadern, Führung von Personendossiers
- Sicherung der Außenwirtschaftsbeziehungen, insbesondere mit dem nicht-sozialistischen Wirtschaftsgebiet (NSW) sowie Maßnahmen zum Unterlaufen von Embargobestimmungen
- Verhinderung bzw. Aufklärung von Bränden, Havarien und Störungen zur Aufdeckung etwaiger „Feindeinwirkung"
- Aufdecken von Fällen schwerer Wirtschaftskriminalität
- Sicherung des FDGB
- Informationstätigkeit zu volkswirtschaftlichen Prozessen
- Führung von IM und Arbeit mit OibE[37]

Die Aufgabe der Überwachung der Volkswirtschaft wurde auf Kreisebene von verschiedenen Referaten (2 – 5) der KD wahrgenommen. Die Dienstanweisung 1/82 (VVS MfS 0008-19/82) des Stasi-Chefs Erich Mielke liefert den Geheimdienstlern die Legitimation, sich in sämtliche Wirtschaftsabläufe einzumischen.

Die Arbeit der Abteilung XVIII wird auch im Abschnitt „Wirtschaft" dargestellt.

Beispiele aus der Arbeit:

1978 erfolgte ein Einsatz der Abt. XVIII, OG Kali, d. h., dass in den großen Betrieben eigene Diensteinheiten der Abteilung XVIII aufgebaut waren. Anfang November 1989 sagte ein Mann aus Zella-Mehlis vom Arbeitskreis „18. Oktober" dem damaligen Bezirkskoordinator des „Neuen Forums", Michael Krug, dass neue Gewerkschaftsgruppen aufgebaut werden. Diese Information der Abt. M geht an die Abt. XVIII. Als am 30.09.1989 der Schulhort der 1. POS in Neuhaus, Apelsberg brannte, wurde das sofort an die Abt. XVIII gemeldet, die wegen Sabotageverdacht einzuschalten war. Einen Anschlag am Mitteilungsbrett des Kraftwerks E im Kalibetrieb Werra für das „Neue Forum" bearbeitete die Abteilung XVIII/4. Sie machte Meldung an den Leiter der Bezirksverwaltung, an den Stellvertreter Operativ der Abt. XVIII, und an die Abt. XX.

Die führenden Mitarbeiter waren:

11 18 00	Wilhelm, Lothar	56	Abteilung XVIII, Leiter, Oberst
	Salzmann, Heribert	40	Stellvertreter, Major
	Storch, Herbert	59	Stellvertreter, Oberstleutnant

Abteilung XIX, Post-Fernmelde-Verkehrswesen

Die Abteilung XIX, dienstlich dem Stellvertreter Operativ, Oberst Dr. Bruno Mangold, unterstellt, war mit Sicherungsaufgaben im Post-, Fernmelde- und Transportwesen, Bahn, Trapo betraut. In der Einheit von Abwehr feindlicher Angriffe gegen diese Bereiche, vorbeugender Arbeit zur Verhinderung von Schäden und Störungen sowie zur Unterstützung und Stabilisierung volkswirtschaftlicher Prozesse gab es in bedeutsamen Objekten verantwortliche Mitarbeiter, die mit entsprechenden kompetenten Kadern zusammenwirkten.[38]

Die Abteilung hatte ihren Sitz in Meiningen in der Kreisdienststelle, weil in Meiningen das Reichsbahnausbesserungswerk war. Sie war dem Stellvertreter Operativ der BV Suhl, Dr. Bruno Mangold, dienstlich unterstellt.

11 19 0	Malsch, Hartmut	46	Abteilung XIX, Leiter, Oberstleutnant
	Hesz, Norbert	39	Stellvertreter 1989

Hinweise auf das Tätigwerden der Abteilung:

Weil der Mechaniker Helmut Heim aus Eishausen bei der „Agrarflug" beschäftigt war, wurde er durch die Abteilung XIX überwacht. „Doch nicht nur Helmut Heim sollte bespitzelt werden, sondern auch seine Ehefrau. Weiter wurde der IMS ‚Eberhard Esche' der Abt. XIX der Bezirksverwaltung Suhl im Arbeits- und Wohnbereich des Heim mit dem Ziel des Herstellens vertraulicher Beziehungen und der Aufklärung seiner tatsächlichen politischen Einstellung sowie des Umfangs seiner Feierabendtätigkeit beauftragt."[39]

Nachdem eine Information über eine Demonstration der Theaterschaffenden in Meiningen am 29.10.1989 im RAW weitergegeben worden war, wurde die Abteilung XIX eingeschaltet.[40]

Abteilung XX, Gesellschaftlicher Überbau - Diensteinheitenschlüssel 11 20 00

Möglicherweise entstand diese Abteilung aus der 1955 existierenden Abteilung KuSch der BV Suhl (Abteilung Kultur und Schulen). Sie unterstand dem Stellvertreter Operativ Oberst Dr. Bruno Mangold.

Aufgaben:

Federführung auf dem Gebiet der Verhinderung bzw. Aufdeckung und Bekämpfung „politisch-ideologischer Diversion" (PID) und „politischer Untergrundtätigkeit" (PUT)

- Sicherung zentraler Organe und Einrichtungen des Staatsapparates

Wegen Vorbereitung einer Flucht über das „sozialistische Ausland" wurden Harald R., 27, Heike A., 24, und Heike NN, 20, alle Sonneberg, in ihrem Heimatort festgenommen. R. arbeitete als Gaststättenleiter, Heike A. als Barleiterin und Heike NN als Büffetier im Jugendklubhaus „Karl Marx".
(BKG 89, BStU)

Von einer Privatreise vom 15. – 24.08. 1989 in die Bundesrepublik kehrte Hans-Jochen P., 37, Bad Salzungen, Leiter der Abteilung Ratio beim SHB Möbel Suhl, Betriebsteil Bad Salzungen, nicht zurück.
(BKG 89, BStU)

Nach Rückweisung aus der UVR wurde von Sicherheitsorganen der ČSSR Siegmar S., 26, Bad Salzungen festgenommen. Er war Antragsteller für die ständige Ausreise aus der DDR und seit Januar 1989 ohne Arbeit.
(BKG 89, BStU)

25. August 1989

Am Morgen wurde festgestellt, dass von unbekannten Tätern 1.300 m südwestlich von Eicha, Krs. Hildburghausen, das Hoheitsgebiet der DDR vermutlich bis zum Grenzzaun betreten wurde. Neben neun Bierflaschen wurde ein Schild des BGS festgestellt. Am gleichen Tag wurde über GIP durchgegeben: „... erfolgte ein provokatorisches Betreten und Bewerfen des Hoheitsgebietes der DDR. Neben Unrat wurde auch ein Schild mit der Aufschrift ‚Halt hier Grenze, Bundesgrenzschutz' geworfen. Gegen diese provokatorische Handlung wird Protest erhoben und gefordert, dass unverzüglich Maßnahmen zur Unterbindung getroffen werden. Das Schild wird an der Grenzlinie abgestellt."
(GT-TM 017189)

Von einer Privatreise vom 16. – 25.08. 1989 in die Bundesrepublik kehrte Gaby G., 25, Seligenthal, Krs. Schmalkalden, Krankenschwester im Bezirkskrankenhaus Suhl, nicht zurück.
(BKG 89, BStU)

26. August 1989

Von einer Privatreise vom 17. – 26.08. 1989 in die Bundesrepublik kehrte das Ehepaar W. aus Meiningen, Joachim, 56, Gruppenleiter Invest beim RAW Meiningen, und seine Frau Ursula, 47, Mechanikerin beim VEB Robotron Meiningen, nicht zurück.
(BKG 89, BStU)

Von einer Privatreise vom 17. – 26.08. 1989 in die Bundesrepublik kehrte Monika S., 21, aus Dermbach, Krs. Bad Salzungen, Ankleiderin im Landestheater Eisenach, nicht zurück.
(BKG 89, BStU)

27. August 1989

Ein Angestellter, 28, überwand ohne Zwischenfälle die Grenze. Er folgte seiner Freundin, die legal ausreisen durfte.
(SZ, Sammlung Brendel, 29.08.1989)

Vom bundesdeutschen Gebiet aus wurde gegen 10 Uhr bei Motzlar, Krs. Bad Salzungen, ein pyrotechnischer Gegenstand in Richtung DDR-Hoheitsgebiet abgeschossen, der einen Flächenbrand verursachte.
(GT-TM 017189)

Von einer Reise vom 31.07. – 27.08.1989 in die Bundesrepublik kehrte die Familie W., Floh, Krs. Schmalkalden, Gerhard, 51, Ehefrau Elvira, 45, und Tochter Carolein, 19, Lehrling bei der GHG Haushaltswaren, nicht zurück. Die Eheleute waren Gaststättenleiter in der Konsumgaststätte „Weiß" in Floh.
(BKG 89, BStU)

Von einer Privatreise vom 14. – 27.08. 1989 in die Bundesrepublik kehrte Anita E., 48, Steinbach-Hallenberg, Krs. Schmalkalden, Raumpflegerin im Kindergarten Steinbach-Hallenberg, nicht zurück.
(BKG 89, BStU)

28. August 1989

In Budapest warteten 1.400 Deutsche auf ihre Ausreise. Das ungarische Außenministerium verlautbarte eine Regelung in kurzer Zeit. Am 25.08.1989 hatten Hel-

- Sicherung der Führungsgremien der Parteien (ohne SED) und Massenorganisationen
- Mitwirkung an der Durchsetzung der offiziellen Jugendpolitik
- Aufklärung und Bearbeitung von Vorkommnissen „staatsfeindlicher Hetze"
- Sicherung zentraler Sporteinrichtungen und Abwehrarbeit im Leistungssport
- Aufklärung, Bearbeitung, Sicherung der Kirchen und Religionsgemeinschaften [im Sprachgebrauch des MfS auch häufig als „Verhinderung des Missbrauchs der Kirchen" gekennzeichnet]
- Sicherung der zentralen Massenmedien (Fernsehen, Rundfunk, Presse, Verlage)
- Mitwirkung an der Durchsetzung der Kulturpolitik der SED und Sicherung zentraler Einrichtungen und Objekte auf dem Gebiet der Kultur
- Sicherung zentraler Einrichtungen des Bildungswesens (Ministerium für Volksbildung bzw. für Hoch- und Fachschulwesen)
- abwehrmäßige Arbeit im und nach dem Operationsgebiet (vor allem Bundesrepublik und Berlin-West) gegen „Zentren der PUT" und unter Anhängern „alternativer Gruppierungen"
- Sicherung von Einrichtungen und Betrieben der SED
- Führung von IM und Einsatz von OibE

Die Abt. XX überwachte in der Wendezeit alle kirchlichen Gruppen und Personen, die im Neuen Forum und anderen Gruppen tätig waren. Sie sorgte dafür, dass die Hauptpersonen Telefone genehmigt bekamen und ließ sie von der Abt. 26 abhören. Ebenso setzte sie die Abteilung M ein, um sämtlichen Briefverkehr zu überwachen.[41] Minister Erich Mielke hatte sein Schlüsselressort auf die Kirchen angesetzt: die mit der Bekämpfung von „politisch-ideologischer Diversion" (PID) wie „politischer Untergrundtätigkeit" (PUT) befasste Hauptabteilung XX.

Deren Abteilung 4 – hausintern „HA XX/4" – führte, unterstützt von den zuständigen Referaten der Bezirksverwaltungen, den Kirchenkampf mit durchschlagendem Erfolg: Die Fälle der DDR-Politiker Ibrahim Böhme und Lothar de Maizière (SPIEGEL 50/1990) ressortierten ebenso bei XX/4 wie der als MfS-Spitzel enttarnte Anwalt Wolfgang Schnur, der den „Demokratischen Aufbruch" gründen half – zu einer Zeit, als er längst von MfS-Chef Mielke persönlich für „langjährige vorbildliche Arbeit" mit dem „Kampforden der NVA in Gold" ausgezeichnet worden war.

Um Aufsehen zu vermeiden, bevorzugten die HA XX/4-Oberen das gepflegte Informationsgespräch mit einflussreichen Kirchenmännern. Geld floss zumeist nicht, wenn Insider beim MfS über Synodenbeschlüsse und Personalien plauderten oder Verhaltensmaßregeln von der Firma empfingen. Zum Mittel der Erpressung griffen die Stasi-Offiziere bei hochrangigen Kirchenmännern nur selten: „Warum denn auch?"

Gegen renitente Gemeindepfarrer oder Kirchenhelfer allerdings ging die Stasi häufig brutal vor: Es wurde verprügelt, denunziert und drangsaliert, selbst vor Mordplänen schreckten Mielkes Helfer nicht zurück.

Zu Dutzenden wurden Kirchenräte und Pastoren als IM entlarvt. In der thüringischen Landessynode wurden fünf Stasi-Informanten enttarnt, unter den Pfarrern in Erfurt fünf, in Leipzig sieben.[42] Als sich am 30.09.1989 Mitglieder der BV Suhl der LDPD mit FDP-Vertretern des Bezirksverbands Franken trafen, wurde dieses Treffen durch die Abt. XX überwacht und an die AKG weitergemeldet.[43]

Den Gesetzen der Konspiration gehorchend, nimmt die Stasi zu ihren Opfern niemals Kontakt auf, nicht mal der Suhler Lieblingsfeind duldete eine Ausnahme. Statt dessen wird der Pfarrer – wie auch seine Kollegen – ständig zum Rat des Bezirkes, Abteilung Inneres bestellt. Nach freundlicher Begrüßung wurde es meistens ruppig: Einschüchterungsversuche, Vorhaltungen, Forderungen, politische Belehrungen. Akten aus dem Rat des Bezirkes Suhl zeigen warum: Die Abteilung Inneres entpuppt sich als eine Außenstelle des Staatssicherheitsdienstes. Die Gesprächsprotokolle aus dem Rat des Bezirkes, manche wörtlich, also offenbar heimlich aufgezeichnet, gehen an die Bezirksleitungen von Stasi und SED, von dort erhielt der Rat seine Anweisungen – die Aufgabenteilung der kommunalen Dreieinigkeit. Gemeinden und Polizei wollen von ihrer Verstrickung in den Spitzel-Staat heute nichts mehr wissen. Vergangenheitsbewältigung würde ja auch nur den Eintritt in den Beamtenstand verzögern.

Damit den freien Mitarbeitern im Rat auch ja nichts anbrennt, pflanzte die Stasi der Abteilung Inneres einen verdeckten Profi ein, OibE genannt, „Offizier im besonderen Einsatz". Der Rat bezahlte das Gehalt, die Stasi trug die Differenz zum Offizierssalär. Dreizehn OibE hatten im Bezirk Suhl in Schlüsselpositionen bei „Organen des politisch-operativen Zusammenwirkens" (POZW) spioniert, wie die wundervolle Wortschöpfung für die gleichgeschalteten Polizei- und Kommunalbehörden lautete. Sieben der dreizehn „Offiziere im besonderen Einsatz" wurden bis heute nicht enttarnt.[44]

11 20 00	Stirzel, Klaus	52	Abteilung XX, Leiter, Oberstleutnant 1989
	Mueller, Hans-Joachim	38	Stellvertreter 1989
	Hesz, Wolfgang	37	Mitarbeiter 1989

mut Kohl und Hans-Dietrich Genscher den ungarischen Ministerpräsidenten Miklos Nemeth und Außenminister Gyula Horn zu einem Gespräch zu den aktuellen Flüchtlingsfragen empfangen.

Um 08.00 Uhr wurden Cordula M., 18, und der bereits wegen versuchter Republikflucht vorbestrafte Hans-Joachim P., der zudem Antrag auf Ausreise gestellt hatte, von der Transportpolizei im Zug Erfurt – Meiningen kontrolliert. Beide planten schon drei Wochen zuvor, die DDR ungesetzlich zu verlassen. Sie fuhren zunächst nach Berlin, stellten aber dort fest, dass die Mauer nahezu unüberwindlich war. Schließlich fuhren sie nach Südthüringen, um in diesem Bereich die Flucht zu wagen. In der Tagesmeldung heißt es: „Sie wollten ihr Vorhaben verwirklichen, ohne dass sie Vorstellungen von der Staatsgrenze hatten."
(GT-TM 017189)

Der Melker Frank P., 27, Krs. Glauchau, wurde gegen 18.30 Uhr im Stadtgebiet von Sonneberg von der Volkspolizei kontrolliert und festgenommen. Er hatte vor, bei Neuenbau in die Bundesrepublik zu flüchten.
(GT-TM 017189)

Um 05.10 Uhr wurde Lothar L., 25, Flöha, 700 m nordwestlich von Oberzella, Krs. Bad Salzungen, von den DDR-Grenztruppen festgenommen. Er hatte zuvor beim Übersteigen des Signalzauns Alarm ausgelöst und lief einem Grenzposten in die Arme, der gerade den 6-m-Kontrollstreifen routinemäßig auf Fußspuren untersuchte. Mit ihm war eine weitere Person unterwegs, der der Grenzdurchbruch gelang.
(GT-TM 017189)

Auf Hinweis der Sicherheitsorgane der ČSSR konnten Ina T., 23, Näherin im VEB Plüsch- und Spielwaren Ilmenau, und Jens W., 21, Beifahrer in der Konsumgenossenschaft Ilmenau, beide wohnhaft in Ilmenau, von Kräften des MfS festgenommen werden.
(BKG 89, BStU)

Zwischen dem 28. und 29.08.1989 durchbrachen Thomas E., 21, Zimmerer im VEB (B) Hildburghausen, und Stefan L., 20, Tischler in einer privaten Tischlerei in Hinterrod – beide aus dem Ortsteil Waffenrod (Waffenrod-Hinterrod) im Krs. Hildburghausen – die Grenzanlagen zur Bundesrepublik bei Görsdorf im Krs. Sonneberg. Der Zaun wurde ohne Hilfsmittel überwunden. Die mit Wachhunden besetzte Hundelaufanlage 83 wurde überwunden und um 3 Uhr ein Postensignalgerät ausgelöst. Der vordere Grenzzaun wurde ebenfalls ohne Hilfsmittel überwunden. Gegen 03.15 Uhr wurden Spuren auf dem Kontrollstreifen festgestellt. (BKG 89, BStU)

30. August 1989
Ein Forstarbeiter, der im Sperrgebiet bei Helmershausen, Krs. Meiningen, arbeitete, verpfiff um 07.20 Uhr den 19-jährigen Steffen S. aus dem Krs. Leipzig-Land. Er wurde festgenommen. In dem genannten Bereich wollte er in die Bundesrepublik flüchten.
(GT-TM 017189)

Von einer Privatreise vom 21. – 30.08. 1989 in die Bundesrepublik kehrte das Ehepaar K. aus Lichte, Krs. Neuhaus/Rwg., Günther, 55, und Asta, 51, nicht zurück. Beide arbeiteten in der Konsumgaststätte „Bergterrasse" Lichte, er als Objektleiter und sie als Stellvertreterin. (BKG 89, BStU)

31. August 1989
In Ost-Berlin trafen sich DDR-Außenminister Oskar Fischer und der ungarische Außenminister Gyula Horn zu einer Aussprache zum Flüchtlingsproblem. Radio Budapest berichtete, dass Ungarn „nur an einer solchen Regelung teilnehme, die im Einklang mit den Verpflichtungen seines Landes hinsichtlich der internationalen Menschenrechte und seiner humanitären politischen Praxis steht".

Peter S., 45, – er hatte seinen Grundwehrdienst 1965/66 in der Grenzkompanie Heinersdorf abgeleistet – und sein Sohn Marco, 18, Leipzig, wurden um 23.30 Uhr von einer Alarmgruppe der DDR-

Abteilung 26, Telefonüberwachung

Die Abteilung 26 nahm in technischer Hinsicht Aufgaben wahr, die der Spionageabwehr dienten. Diese technischen Möglichkeiten wurden nur im Zusammenhang mit dem begründeten Verdacht der Begehung von Straftaten des 1. und 2. Kapitels des StGB bzw. der schweren Kriminalität, deren Bearbeitung in die Verantwortung des MfS fiel, eingesetzt.[45] So umschrieb BV-Chef Gerhard Lange die Arbeit dieser Abteilung.

Natürlich war die Liste der Aufgaben dieser Abteilung viel umfangreicher:

Aufgabenstellung
Offizielle Zusammenarbeit mit verantwortlichen Mitarbeitern der Bezirksdirektion der Deutschen Post und ihr unterstellte Ämter des Fernmeldewesens in Berlin gemäß der „Gemeinsamen Anweisung zur Regelung der Überwachung und Aufnahme des Fernmeldeverkehrs gemäß § 115 StPO" vom 18.12.1979; Führung von IM und Arbeit mit OibE.

Auftragsgebundener konspirativer Einsatz operativ-technischer Mittel und Methoden im Innern der DDR zur

- Telefonüberwachung von Teilnehmern des Fernsprechverkehrs der Deutschen Post und anderer drahtgebundener Nachrichtensysteme (Auftrag A)
- Überwachung von Telex-, Einzelanschlüssen und Standverbindungen im Fernschreibverkehr (Auftrag T)
- akustischen Überwachung in geschlossenen und von begrenzten freien Räumen (Auftrag B)
- optischen und elektronischen Beobachtung und Dokumentation vorwiegend in Räumen (Auftrag D) sowie
- Einsatz spezieller sicherungstechnischer Einrichtungen und Chemischer Markierungsmittel (Auftrag S)
- Erarbeitung und Bereitstellung authentischer Informationen im Zusammenhang mit Operativen Vorgängen (OV) und Operativen Personenkontrollen (OPK) und zur Unterstützung anderer operativer Maßnahmen und Prozesse
- „Erkennen und Aufklären vom Feind eingesetzter Raumüberwachungsmittel sowie von Abstrahlungen an wichtigen Objekten und Einrichtungen im Innern der DDR und in festgelegten Auslandsvertretungen der DDR" (Auftrag X)
- konspiratives Eindringen in Objekte [Anlagen, Wohnungen, Büros, Hotels, Fahrzeuge u. a.]

Gegen Übersiedlungsersuchende und konkret bei der Überwachung der OP „Angler" kamen im Kreis Bad Salzungen im Mai 1980 neben 5 IM auch Kräfte der Abteilung 26 zum Einsatz. Die Abt. XX überwachte in der Wendezeit alle kirchlichen Gruppen und

Personen, die im Neuen Forum und anderen Gruppen tätig waren. Dazu sorgte sie, dass die Hauptpersonen Telefone genehmigt bekamen und ließ sie von der Abteilung 26 abhören. Ebenso setzte sie die Abteilung M ein, um den gesamten Briefverkehr zu überwachen. Zwei Ordner mit Abhörprotokollen aller in der Wende aktiven Personen, darunter Pfarrer Bernd Winkelmann, Brigitta Wurschi, Ulrich Töpfer, Michael Krug[46], legen von der Arbeit dieser Abteilung ein beredtes Zeugnis ab. Was verschiedentlich in den Wendegruppen befürchtet wurde, dass nämlich der Staatssicherheitsdienst Richtmikrophone benutzte, war nicht der Fall. Das war auch gar nicht nötig, da in fast jeder Gruppe mindestens ein Informant der Staatssicherheit saß.

Mitarbeiter der Abteilung 26:

11 26 00	Kuehner, Karl	56	Abteilung 26 Leiter, Oberstleutnant
	Hesz, Gerhard	43	Stellvertreter
	Neumerkel, Reiner	44	Mitarbeiter
	Gottschalk, Roland	40	Mitarbeiter
	Schlegel, Peter	58	Mitarbeiter
	Knobloch		Oberleutnant, im Sept. 1989 als Schreibkraft der AKG verwendet

Bezirkskoordinierungsgruppe (BKG)

Kontrolle und Koordinierung aller MfS-Angehöriger außerhalb der DDR, MdI, Außenministerium, Pass- und Meldewesen

Aufgabenstellung:

- zentrale Koordinierung des Vorgehens der operativen Diensteinheiten des MfS im Zusammenhang mit Übersiedlungen in die Bundesrepublik Deutschland, nach Berlin-West bzw. in das nicht-sozialistische Ausland einschließlich der Zielstellung des Zurückdrängens der Ausreiseanträge
- zentrale Koordinierung des Vorgehens des MfS zur Vorbeugung, Aufklärung und Verhinderung des „ungesetzlichen Verlassens der DDR" (§ 213 StGB der DDR) und zur Bekämpfung des „staatsfeindlichen Menschenhandels" (§ 105 StGB)
- politisch-operative Bearbeitung und Kontrolle von Fluchthelferorganisationen einschließlich der Werbung, Einschleusung und des Einsatzes von IM in diese Gruppen
- operative Bearbeitung von „Feindorganisationen" in Berlin-West und in der Bundesrepublik Deutschland und besonders aktiven Einzelpersonen, die in Verbindung mit dem „ungesetzlichen Grenzübertritt" und „Übersiedlungen" gebracht wurden

Grenztruppen ca. 2.700 m nördlich Heinersdorf, Krs. Sonneberg, festgenommen. Sie fuhren mit ihrem Pkw bis Sonneberg, gingen unter Umgehung der Kontrollstelle zu Fuß bis zum Festnahmeort. Zuvor lösten sie um 21.45 Uhr den Grenzsignalzaun aus. Sage und schreibe fünf Grenzkompanien wurden in Alarmbereitschaft gesetzt. Die beiden Männer wurden schließlich auf dem Kolonnenweg unmittelbar am vorderen Grenzzaun festgenommen.
(GT-TM 017189)

Um 01.40 Uhr wurden der Tierpfleger Ronald B., 24, und Jens-Uwe H., 23, Krs. Hildburghausen, von einem in der Sperrzone eingesetzten Grenzposten der Grenzkompanie Gompertshausen ca. 700 m nordwestlich von Eicha, Krs. Hildburghausen, festgenommen. Sie hatten die Absicht, die Grenze zu durchbrechen.
(GT-TM 017189)

Der Versorgungsmangel für die Bevölkerung nahm ungeahnte Ausmaße an. So wurden vom Rat des Bezirkes Suhl Maßnahmen zur Sicherung der Brotversorgung des Stadt- und des Kreises Suhl-Land für den 01.09. bis 24.11.1989 beschlossen.

1. September 1989
Der Dozent Dr. Michael Abraham, 39, Ilmenau, tätig an der Friedrich-Schiller-Universität Jena, Sektion Physik, befand sich vom 01.03. – 01.09.1989 auf einer Dienstreise in Frankreich. Er kam nicht wieder in die DDR zurück.
(BKG 89, BStU)

2. September 1989
Mehr als 3.500 Ausreisewillige befanden sich in ungarischen Auffanglagern. In Bayern und anderen Bundesländern begann man mit der Einrichtung von Unterkünften für die Flüchtlinge.

Gegen 00.40 Uhr nahm der Abschnittsbevollmächtigte der VP von Hönbach bei Sonneberg Steffen S., Krs. Sonneberg, im Schutzstreifen fest. Der Grenzverletzer, der den Grenzdurchbruch mit B. in einer Gaststätte in Sonneberg vorbereitet hatte,

wollte im Bereich Hönbach die Grenze überwinden.
(GT-TM 017190)

In Meiningen wurden von Unbekannten auf die Holzbrücke Berliner Straße – Schulstraße antisozialistische Losungen geschrieben.
(BStU, Strohbusch)

Um 01.48 Uhr wurde Dittmar B., 29, Sonneberg, von Grenztruppen der DDR festgenommen. Er näherte sich aus seiner Wohnung in Hönbach den Grenzanlagen, überwand gegen 01.40 Uhr den Grenzsignalzaun ohne Hilfsmittel, löste ihn dabei aus und wurde schließlich 400 m südöstlich Hönbach, Krs. Sonneberg, auf dem Kolonnenweg in unmittelbarer Grenznähe festgenommen.
(GT-TM 017190)

4. September 1989
Gegen 00.05 Uhr wurden der NVA-Soldat Jan G., 25, und Kay H., 14, Krs. Hildburghausen, an der Grenzübergangsstelle Eisfeld von einem Sicherheitsposten der Grenzübergangsstelle im Zusammenwirken mit der Passkontrolleinheit im Kontrollterritorium der Grenzübergangsstelle festgenommen. Die Männer drangen zwischen der Vorkontrolle Ausreise und dem Raum der Sicherstellung in das Kontrollterritorium ein, bewegten sich entlang der rechten GÜST-Begrenzung bis zur Passagensperre und überwanden sie. Dabei wurden sie erkannt und die Festnahme organisiert.
(GT-TM 017190)

Um 07.20 Uhr wurde durch Informationen des Vaters die Fahnenflucht des Leutnants Mike B. aus dem Grenzregiment Dermbach bekannt. Der Sohn hatte zwei Tage vorher seinen Vater angerufen und ihm mitgeteilt, er sei in Ungarn und kehre nicht mehr in die DDR zurück. Ihm war ein Auslandsaufenthalt in Rumänien genehmigt worden.
(GT-TM 017190)

- Erstellung aktueller Gesamtübersichten, Analyse-, Vergleichs- und „Verdichtungsarbeit" zur Qualifizierung der Tätigkeit des MfS hinsichtlich des „ungesetzlichen Grenzübertritts" und „Übersiedlungen"
- Koordinierung des Zusammenwirkens mit den Sicherheitsorganen sozialistischer Staaten und den in sozialistischen Ländern eingesetzten MfS-Operativgruppen zur Verhinderung spektakulärer Vorkommnisse des ungesetzlichen Verlassens der DDR sowie Rückführung von Personen
- Erstellung aktueller Gesamtübersichten, Vergleichs- und „Verdichtungsarbeit"
- Führung von IM, Einsatz von HIM und Arbeit mit OibE[47]

Um Westfluchten und steigende Ausreiseanträge besser bekämpfen zu können, bildeten das MfS 1976 die „Zentrale Koordinierungsgruppe" (ZKG) mit entsprechenden Bezirkskoordinierungsgruppen (BKG) überall im Lande. Das besondere Augenmerk der ZKG richtete sich auf die rechtzeitige Unterbindung besonders spektakulärer „Grenzübertritte". Als ab Mitte der 80er Jahre die Zahl der „Grenzverletzer" wieder zunahm und in der Folge sogar kräftig anstieg, weitete man das Personal aus und schuf z. B. eine besondere ZKG Abteilung „Grenzsicherung".

Die Bezirkskoordinierungsgruppe hatte die Aufgabe, bei der Zurückdrängung von Antragstellungen auf ständige Ausreise im Zusammenwirken mit staatlichen Organen mitzuhelfen, entsprechende Maßnahmen zu koordinieren sowie die Aufklärung von Delikten des Menschenhandels und gewaltsamen Grenzdurchbrüchen zu unterstützen.

Leitende Mitarbeiter:
11 29 00 Rudloff, Rolf   58 BKG, Leiter, Oberstleutnant
                Fahrenbach, Klaus 51 Stellvertreter, auch 1985, Major

Ferienheime

Die BV Suhl hatte selbst drei Ferienheime, damit die Mitarbeiter und ihre Familien auch bei der Erholung unter sich sein konnten:
Erholungsheim „Artur Becker"
Ferienheim Katzenstein
Ferienheim „Waldfrieden" Masserberg

Das Ferienheim „Waldfrieden" leiteten zwei hochrangige Mitarbeiter des MfS. Dies mag damit zusammenhängen, dass mit dem 58. Lebensjahr die Mitarbeiter auf einen weniger stressbelasteten Posten wechseln konnten. – Die Beamten der Bayerischen Grenzpolizei übrigens wurden wie auch die Angehörigen anderer Exekutivorgane des Westens mit 58 Jahren pensioniert.

DIE KREISDIENSTSTELLEN

Die Kreisdienststellen waren in der Struktur ähnlich aufgebaut wie die BV. Die Mitarbeiter der einzelnen Referate unterstanden dienstlich dem Leiter der Kreisdienststelle, fachlich dem Leiter der entsprechenden Bezirksabteilung.

Kreisdienststelle Suhl – Diensteinheitenschlüssel 11 0 40

11 00 40	Siebelist, Manfred	51	KD Suhl, Leiter
	Boehm-Hennes, Richard	50	Stellvertreter
	Dolling, Willi	52	OTL, Stellvertreter II

Die Objekte, der Grund- und Immobilienbesitz in den einzelnen Kreisen, wurden gerade in Suhl-Stadt und Suhl-Land überwiegend von der BV genutzt, teilweise auch ausschließlich von den Kreisdienststellen. Das Verzeichnis ist insofern unvollständig, als ein großer Teil der „KO" (konspirative Objekte) und „KW" (Konspirative Wohnungen) nicht aufgeführt sind. Einige Beispiele für „KO" und „KW" sind entweder im Text oder im Bild beigefügt.

Objekte Kreis Suhl-Stadt

1. Bezirksverwaltung Suhl, Hölderlinstr. 1
2. Alte Untersuchungshaftanstalt Suhl
3. Kinderferienlager Suhl, Dörrenbachtal
4. Lagerhalle/-baracke Suhl, Frohsinnsgarten
5. 5 Wohnobjekte in Suhl, G
6. Gästehaus Suhl, W.-Pieck-Str. 113
7. Brunnen (Wasserversorgung Suhl), Prießnitzstr.
8. Ausbildungsobjekt Schießstand Suhl-Heinrichs
9. Lagerhallen Suhl-Goldlauter
10. Baulager Suhl-Goldlauter, Am Geiersberg
11. UKW-Relaisstation Suhl, Großer Erleshügel
12. neue Untersuchungshaftanstalt Suhl-Goldlauter
13. Dienstobjekt Mordfleck/Hirtenrod
14. Kreis Suhl-Land: Erholungsobjekt Christes
15. Erholungsobjekt der Kreisdienststelle Suhl in Erlau
16. Erholungsobjekt Gehlberg Forstort Brand; Objekt Gehlberg, An der Schmücke
17. Finnhütte Gehlberg, An der Schmücke
18. Ferienheim „Artur Becker" Oberhof, vgl. Ferienheime Schlüssel Nr. 11 96 00
19. Sportobjekt Dynamo Zella-Mehlis
20. UKW-Relaisstation Oberhof

Die ev.-luth. Landeskirche forderte Demokratie
Dr. Werner Leich, Bischof der evangelisch-lutherischen Landeskirche in Thüringen, schrieb an die Kirchgemeinden einen Brief, in dem mehr Demokratie gefordert wird.
Die CDU-Kreisverbände erhielten ein von Kirchenleuten in Weimar verfasstes Schreiben, in dem ebenfalls die fehlende Demokratie in der DDR eingeklagt wurde.

5. September 1989
Neues Deutschland veröffentlichte einen Beitrag des SED-Generalsekretärs Erich Honecker (Vorabdruck für die September/Oktober-Ausgabe SED-Zeitschrift „Einheit") „40 Jahre Deutsche Demokratische Republik". H. charakterisierte die DDR als einen Staat „mit einem funktionierenden, effektiven sozialistischen Gesellschaftssystem, das sich mit den von ihm verwirklichten Menschenrechten auch an den Herausforderungen der neunziger Jahre bewähren wird".

6. – 8. September 1989
Die Eisfelder Dreifaltigkeitskirche, Krs. Hildburghausen, wurde von Sonneberger Ausreisewilligen besetzt.

7. September 1989
Es kam zur Festnahme von Hagen V., Waffenrod. Er hatte bei einer Vernehmung durch die Volkspolizei zugegeben, dass er am 03.09.1989, gegen 20 Uhr, b. Schalkau, Krs. Sonneberg, Möglichkeiten zur Flucht in den Westen eruierte. (GT-TM 017190)

Der Lehrling Hans-Peter H., 17, und Thomas N., 25, Krs. Bitterfeld, wurden gegen 14 Uhr von der Volkspolizei auf der Ortsverbindungsstraße Suhl – Rohr, Krs. Meiningen, festgenommen. Sie waren per Anhalter unterwegs und beabsichtigten, im Raum Henneberg zu flüchten. (GT-TM 017190)

Der Chef der Bezirksverwaltung Suhl des MfS, Generalmajor Gerhard Lange, informierte die Spitzenfunktionäre der SED-Bezirksleitung über die kritische Stimmung der Bevölkerung.

8. September 1989

Die 116 Menschen, die sich in der Ständigen Vertretung der Bundesrepublik Deutschland in Ost-Berlin aufhielten, verließen am 10.09. das Botschaftsgebäude und kehrten in ihre Heimatorte zurück. Ihnen waren Straffreiheit und juristische Unterstützung bei der „legalen" Betreibung ihrer Ausreise zugesagt worden.

Uwe V., 29, und Thorsten P., 23, Erfurt, wurden um 20.45 Uhr in Meiningen von der Volkspolizei kontrolliert. Sie gaben zu, bei Henneberg flüchten zu wollen. (GT-TM 017190)

Marco H., 16, Sonneberg, wurde um 23.51 Uhr beim Versuch des Grenzdurchbruchs in der Nähe seiner Heimatstadt von Grenztruppen festgenommen.

9./10. September 1989

Gründung des Neuen Forums in Grünheide bei Berlin (30 Personen aus 11 Bezirken, darunter Bärbel Bohley, Katja Havemann, Jens Reich, Rolf Henrich. Ein Aufruf der neuen Gruppierung war herausgegeben worden, der in den Folgetagen illegal verbreitet wurde.

9. September 1989

DDR-Propaganda und Desinformation
Die Propagandamaschinerie und die Desinformationskräfte der DDR ließen nichts unversucht, der Bundesrepublik Deutschland die Schuld für das Flüchtlingsproblem zuzuschreiben.

10. September 1989

Ungarn erlaubte ohne Abstimmung mit Ost-Berlin die Ausreise der Botschaftsflüchtlinge über die ungarisch-österreichische Grenze in jedes Land ihrer Wahl.

Um 13.58 Uhr wurde der Elektriker Ralf D., Krs. Forst, von einem Grenzaufklärer mit Fährtenhund 1.000 m nordwestlich von Görsdorf, Krs. Sonneberg, 50 m freundwärts des Grenzsignalzauns, festgenommen. Ein Grenzposten hatte bei einer routinemäßigen Kontrolle Spuren auf dem 2-m-Kontrollstreifen festgestellt und Grenzalarm ausgelöst. (GT-TM 017190)

Kreisdienststelle Hildburghausen

11 00 41	Dömming, Rudi		KD Hildburghausen Leiter 1987, Oberstleutnant, abgesetzt, weil der Sohn einen Ausreiseantrag gestellt hatte
	Cudok, Bernd	41	Leiter 1989
	Hammerbacher, Manfred	51	Stellvertreter 1989, zuletzt Leiter der Parteiorganisation in der BV
	Klett		Referatsleiter 2, Major, 1983 Hauptmann

Objekte Kreis Hildburghausen

1. Kreisdienststelle Hildburghausen
2. Unterkunftsobjekte Passkontrolle Hildburghausen
3. Ferienheim „Am Rennsteig" – „Haus Oberland"
4. Erholungsobjekt der Kreisdienststelle Hildburghausen Fehrenbach
5. Ferienheim „Am Rennsteig" Masserberg, vgl. Ferienheime Schlüssel Nr. 11 96 00
6. Erholungsobjekt Masserberg, vgl. Ferienheime Schlüssel Nr. 11 96 00
7. Objekt „Eichberg" Eisfeld
8. Die Unterabteilung Aufklärung beim Grenzregiment 9 benutzte zum Treff mit ihren Spionen im Westen 1978 das KO (konspiratives Objekt) „Tanne", welches von Hildburghausen aus erreicht wurde, 1978 und 1979 das KO „Paradies" und das Treffzimmer „Sinfonie", beides in Hildburghausen. KO „Tanne" war 1983 abgeschrieben, das KO „Paradies" und das TZ „Sinfonie" wurden noch benutzt.

Kreisdienststelle Ilmenau

| 11 0 42 | Ehrhardt, Arno | 41 | KD Ilmenau, Leiter |
| | Hoffmann, Werner | 42 | Stellvertreter, Hauptmann |

Objekte Kreis Ilmenau

1. Erholungsobjekt der Kreisdienststelle Ilmenau, Großbreitenbach
2. Kreisdienststelle Ilmenau
3. Dienstobjekt Frauenwald
4. Dienstobjekt Vesser

Kreisdienststelle Meiningen – Diensteinheiten-schlüssel 11 0 43

11 0 43	Lang, Rudi	52	KD Meiningen, Leiter, war 1987 Oberstleutnant
	Braeuning, Hubertus	39	Stellvertreter
	Guenter, Roland	39	Leiter Referat 2, 1984 Hauptmann

Unter der Schlüsselnummer der KD Meiningen waren der Grenzbeauftragte und seine Mitarbeiter eingetragen, obwohl sie ihr Büro beim Grenzregiment 9 hatten.

11 0 43	Hinske, Klaus	52	Grenzbeauftragter, Major
	Schmidt, Helmut	42	Mitarbeiter, Major
	Unger, Karl-Heinz	44	Major
	Graf, Johann	50	Major

Objekte Kreis Meiningen

1. Dienstobjekt Frankenheim
2. Kreisdienststelle Meiningen
3. Unterkunftsobjekt Passkontrolle Meiningen
4. Dienstobjekt SV Dynamo Meiningen, Goethestr. 18
5. Sportobjekt SV Dynamo Meiningen, Am „Rudi-Arnstadt-Stadion"
6. Dienstobjekt „Waldrand", Römhild
7. Mehrzweckobjekt „Jagdhaus" Niedersülzfeld
8. Erholungsobjekt Meiningen „Helenenhöhe"
9. Dienstobjekt „Eisenacher Haus"

Baracke der Stasi bei Römhild bei deren Aushebung im August 1990. Hier war eine Telefonabhöranlage installiert.
Foto: Reinhold Albert

In Meiningen schrieben zwei Jugendliche „antisozialistische Losungen" („Für ein freies Land mit freien Bürgern – Leipzig 89") an die neu erbaute Tankstelle in Richtung Helba.

11. September 1989

Die Grenze zwischen Ungarn und Österreich wurde für alle DDR-Bürger geöffnet. Etwa 15.000 Bürger reisten in den ersten drei Tagen aus, 25.000 waren es bis Ende des Monats. In der SED-Presse war von „Menschenhandel" die Rede. Einen ADN-Bericht aus Passau überschrieb man mit „Eiskaltes Geschäft mit DDR-Bürgern – Silberlinge für Ungarn". Auch die Medien der anderen sozialistischen Länder verurteilten in den nächsten Tagen die (angebliche) Verletzung bestehender bilateraler Verträge durch die ungarische Regierung. Der ungarische Ministerpräsident Miklos Nemeth erklärte: Ungarn habe im „Namen der Menschlichkeit" gehandelt.

12. September 1989

Die Bürgerbewegung „Demokratie jetzt" veröffentlichte einen Aufruf. Zu den Erstunterzeichnern gehörten Wolfgang Ullmann, Ludwig Mehlhorn, Hans-Jürgen Fischbeck, Ulrike Poppe und Konrad Weiß. Die Gruppe forderte eine friedlich-demokratische Erneuerung der DDR.

Nachdem man ihnen Straffreiheit und juristische Beratung bei ihren Ausreiseanträgen zusicherte, verließen 250 Ausreisewillige die bundesrepublikanische Botschaft in Prag und kehrten in die DDR zurück.

Gegen 18.15 Uhr erfolgte 1.800 m westlich Behrungens, Krs. Meiningen, ein erfolgreicher Grenzdurchbruch. Der zunächst Unbekannte, ein Zootechniker, 19, aus Nordheim/Grabfeld, näherte sich mit einem Kleinkraftrad dem GSSZ II. Das hintere Sperrelement unterkroch er im Grenzsignalzaunfeld 84 durch Beseitigung der Verfüllung der Uferbefestigung des Flusslaufes Bahra mit einer Eisenstange ohne Auslösung. L. flüchtete 20 m nördlich des Flusslaufs der Bahra ohne Hilfsmittel durch Aufbiegen der unteren

Streckmetallplatte und nachfolgendem Durchsteigen. Zum Zeitpunkt der Flucht waren keine Grenzposten in dem betreffenden Bereich. Der Grenzdurchbruch wurde erst durch die erbrachten Aufklärungsergebnisse festgestellt. Um 20.34 Uhr wurden Handlungen der bundesdeutschen Grenzüberwachungsorgane am Fluchtort festgestellt. – Nach der Wende kam L. wieder in seine Heimat zurück, beendete jedoch bald sein Leben durch Suizid.
(GT-TM 017190, Mitteilung privat)

12./13. September 1989

Das Neue Forum trat auch in Thüringen mit dem Gründungsaufruf an die Öffentlichkeit. Am 13.09. bildete sich im Raum Suhl in der Illegalität eine Gruppe aus dem Arbeitskreis Gesellschaftliche Erneuerung, die sich im Wesentlichen aus dem evangelischen Pfarrkonvent des Kirchenkreises Henneberger Land und Teilnehmern der Ökumenischen Umweltgruppe Suhl zusammensetzte. Es wurden kirchliche Veranstaltungen zur gegenwärtigen politischen Situation geplant und veranstaltet.

16. September 1989

Zwischen 02.00 und 04.00 Uhr gelang einer Person 600 m nördlich von Vacha, Krs. Bad Salzungen, der Grenzdurchbruch. Die Feststellung der Flucht erfolgte erst um 18.48 Uhr. Der Flüchtling näherte sich, vermutlich aus Unterzella kommend, dem Grenzsignalzaun. Der Zaun, der ca. 200 m südöstlich Unterzella am nördlichen Werraufer endet, ohne dass eine Wassersperre zum am südlichen Ufer parallel verlaufenden GSSZ II besteht, wurde an dieser Stelle umgangen. Durch den Uferbewuchs gedeckt, näherte sich die Person dem vorderen Sperrelement. Dieses wurde unter Nutzung eines 60 cm hohen Steinhaufens ohne weitere Hilfsmittel überwunden und der Grenzdurchbruch vollzogen. Ein Grenzposten befand sich 130 m südlich und konnte die Durchbruchsstelle nicht einsehen. Massive Pflichtverletzungen der eingesetzten DDR-Grenztruppen wurden festgestellt. So wurden befohlene Überprüfungsmaßnahmen nach wiederholtem Auftreten von

Die stellvertretende Bürgermeisterin von Römhild, Cornelia Chlopik, leitete die Aufhebung der einstigen Stasidienststelle im Schatten des Großen Gleichbergs.
Foto: Reinhold Albert

Idealisierende Darstellung eines Grenztruppenangehörigen, der sein Land und seine Familie vor dem Feind schützt. Das Gemälde befand sich in der Stasi-Abhöranlage Römhild.
Foto: Reinhold Albert

10. Erholungsobjekt der Kreisdienststelle Meiningen, Römhild
11. 1986/87 benutzte die Abteilung VI für ihre Treffen mit Spionen aus dem Westen das KO „Diana", eine Jagdhütte, die in der Nähe von Themar gelegen war.

Kreisdienststelle Neuhaus

11 0 44	Prosch, Oswald	51	KD Neuhaus, Leiter
11 0 44	Kühn		Leiter, Major 1981, Oberstleutnant 1982
11 0 44	Sauer, Guenter	48	Mitarbeiter, 1981 Hauptmann
11 0 44	Schunke, Volkmar	38	Mitarbeiter, Hauptmann, war 1988/89 Sachbearbeiter im OV „Aufklärer"

Objekte Kreis Neuhaus

1. Kreisdienststelle Neuhaus
2. Wohnobjekt Piesau
3. Wohnobjekt Spechtsbrunn
4. Mehrzweckobjekt „Brand", Spechtsbrunn
5. Erholungsobjekt der Kreisdienststelle Neuhaus in Goldisthal

Kreisdienststelle Bad Salzungen

11 0 45	Ebert, Hans-Joachim	43	KD Bad Salzungen, Leiter
	Ruebner, Dieter	53	Leiter 1983, Oberstleutnant 1989 Leiter der XI in Suhl
	Eitzert, Bernd	43	Stellvertreter

Unter der Schlüsselnummer der KD Bad Salzungen waren der Grenzbeauftragte und seine Mitarbeiter eingetragen, obwohl sie ihr Büro beim Grenzregiment 3 in Dermbach hatten.

11 0 45	Laudage, Juergen	50	KD Bad Salzungen, Grenzbeauftragter
	Heusinn, Horst	53	Mitarbeiter
	Koenig, Norbert	37	
	Boese, Jürgen	39	

Objekte Kreis Bad Salzungen

1. Kreisdienststelle Bad Salzungen, Friedrich-Engels-Str. 2/4
2. Ferienheim „Katzenstein", vgl. Ferienheime Schlüssel Nr. 11 96 00
3. Erholungsobjekt der SV Dynamo, Auf dem Kräzersrasen
4. Erholungsobjekt der Kreisdienststelle Bad Salzungen, Auf dem Kräzersrasen

Grenzüberwachungsorganen der Bundesrepublik gegenüber der Durchbruchsstelle nicht durchgeführt. Grenzposten versäumten eine lückenlose Kontrolle auf Spuren im Grenzbereich etc. Erst am 29.09.1989 wurden die Personalien bekannt. Es handelte sich um Andreas N., 30, aus dem Krs. Bad Salzungen. (Er hatte bereits am 02.08.1989 und am 30.03.1989 im gleichen Abschnitt zu flüchten versucht und wurde jeweils festgenommen.) Letzteres scheint unwahrscheinlich. Wie hätte der Mann nach Festnahme und sicherer Freiheitsstrafe jeweils wieder fliehen können? Zurück bis 1975 tauchen weder Name noch Wohnort in den vorliegenden Meldungen auf.
(GT-TM 017191)

17. September 1989
Ungarns Ministerpräsident Nemeth erklärte, dass sein Land im Namen der Menschlichkeit gehandelt habe, wenn man DDR-Flüchtlingen den Grenzübertritt gestattet hätte. Wenn man das europäische Haus wirklich bauen wolle, könne man die Grenzen nicht wieder verschließen.
Die DDR dagegen unternahm alles Erdenkliche, den Flüchtlingsstrom einzudämmen. Sicherheitsorgane nahmen verdächtigen DDR-Bewohnern Ausweis- und Reisepapiere ab, sogar Ungarnreisende wurden aus den Zügen geholt und in die DDR zurückgeschickt.

Von einer Privatreise vom 05. – 17.09. 1989 in die Bundesrepublik kam das Ehepaar S., Hildburghausen, Heinz, 47, Abteilungsleiter Produktion beim VEB Kombinat Landtechnik Suhl, und Ehefrau Elke, 45, Mitarbeiterin beim Rat des Kreises Hildburghausen, nicht zurück.
(BKG 89, BStU)

Von einer Reise vom 09. – 17.09.1989 in die Bundesrepublik kam Petra B., 22, Ilmenau, Montiererin im Werk für Technisches Glas Ilmenau, nicht zurück.
(BKG 89, BStU)

18. September 1989
3.000 Künstler (Rock-, Pop- und Liedermacherszene) unterzeichneten eine Re-

solution für die Demokratisierung des gesellschaftlichen Lebens in der DDR. Der Text wurde wegen drohender Repressalien erst am 16.10.1989 veröffentlicht.

Die kommunistische Presse Moskaus (Prawda) und Prags (Rude Pravo) bezichtigte die Bundesrepublik einer großangelegten Kampagne gegen die DDR, die eine „unverhüllte Verletzung des Völkerrechts" sei.

In der Prager Botschaft hielten sich 400 fluchtwillige Personen auf, in Warschau 100 (am 27.09. waren es 400).

Gegen 22.15 Uhr wurden die Schüler Mirko B., 14, und Marco G., 15, Harras, Krs. Hildburghausen, 2.500 m südwestlich ihrer Heimatgemeinde von den DDR-Grenztruppen festgenommen. Sie hatten zunächst einen von der Volkspolizei aufgestellten Signalzaun ohne Auslösung überwunden. Um 21.28 Uhr lösten sie ein zur Sicherung des Zugangs zum Schutzstreifen eingesetztes Signalgerät sowie um 21.32 Uhr den Grenzsignalzaun bei dessen Überwindung aus. Ein unverzüglich eingesetzter Grenzposten stellte gegen 21.56 Uhr Geräusche der Grenzverletzer fest und setzte Handleuchtzeichen ein. Der Posten erkannte gegen 22.05 Uhr die Flüchtenden und nahm die Verfolgung auf.
(GT-TM 017191)

19. September 1989
Das Neue Forum beantragte als erste oppositionelle Gruppierung beim DDR-Innenministerium die offizielle Zulassung und bezog sich auf den Artikel 29 der DDR-Verfassung1. In 11 DDR-Bezirken wurde das Neue Forum angemeldet. Die DDR-Nachrichtenagentur ADN meldete, dass der Antrag abgelehnt worden wäre, „Ziele und Anliegen der beantragten Vereinigung widersprächen der Verfassung der DDR und stellen eine staatsfeindliche Plattform dar".

21. September 1989
Der DDR-Innenminister lehnte die Zulassung des Neuen Forums ab und ließ über die Nachrichtenagentur ADN ver-

Kreisdienststelle Schmalkalden

11 0 46	Lehmann, Roland	53	KD Schmalkalden, Leiter, Oberstleutnant
11 0 46	Jannack, Karl	42	Stellvertreter

Objekte Kreis Schmalkalden
1. UKW-Relaisstation Floh
2. Mehrzweckobjekt Herges-Hallenberg
3. Kreisdienststelle Schmalkalden, Gartenweg 1/3
4. Erholungsobjekt der Kreisdienststelle Schmalkalden
5. Dienstobjekt Steinbach-Hallenberg

Kreisdienststelle Sonneberg – Diensteinheitenschlüssel 11 0 47

11 0 47	Hartung, Dieter	46	KD Sonneberg, Leiter 1984/89 Major 1984
	Bube		Leiter 1980, Major
	Schluetter, Hans	45	Stellvertreter
	Wahl		Leiter der AG Grenzsicherung 1980, Major 1984
	Kiesewetter		Operativer Mitarbeiter, Unterleutnant 1982, Leutnant 1984

Unter der Schlüsselnummer der KD Sonneberg waren auch der Grenzbeauftragte und seine Mitarbeiter eingetragen. Bekannt ist nur der Name des Grenzbeauftragten, seine Mitarbeiter sind unter den Mitarbeitern der KD Sonneberg zu suchen.

11 0 47	Stammberger, Gerhard	42	KD Sonneberg, GB
11 0 47			KD Sonneberg

Objekte Kreis Sonneberg
1. Kinderferienlager „Langebach" b. Hasenthal
2. Kreisdienststelle Sonneberg
3. Erholungsobjekt Sonneberg in Steinach
4. Mehrzweckobjekt Sonneberg-Neufang
5. Dienstobjekt Sonneberg-Neufang, Am Schleifenberg (im Volksmund Auge des Teufels genannt)
6. Wohnhaus Sonneberg, W.-Pieck-Str. 188

Generaloberst Gerhard Lange urteilte im Dezember 1989 über seine Mitarbeiter:

Es sind ehrliche, charakterfeste, bewußte, disziplinierte Menschen, die treu einer Sache, die sich als nicht immer vollkommen erwiesen hat, gedient haben.

Sie haben keinen Amtsmißbrauch, keine Korruption begangen. Sie haben eine solche Behandlung, die in Eskalation zur Gefährdung der Sicherheit der Bürger, ihres Lebens und ihrer weiteren Existenz ihren Ausdruck finden, nicht verdient.

In diesem Sinne appelliere ich auch an ihre humanistische Einstellung. Bedenken Sie die menschlichen Probleme, die sich in den Köpfen und Herzen der Mitarbeiter, der Ehepartner und der Kinder vollziehen.[59]

Dem ist sicher nicht generell, doch aber für die Mehrheit der Stasi-Mitarbeiter zuzustimmen. Sie waren gut funktionierende, in der Regel gesetzestreue Diener ihres Staates, insbesondere jedoch ihrer Partei. Dass diese bedingungslose Unterordnung sie in Gegensatz zu den Bürgern dieses Staates brachte, ist in erster Linie diesem Staatssystem zuzuschreiben.

Der Band IV wird sich in einer ausführlichen Darstellung mit dem Staatssicherheitsdienst der DDR im Bezirk Suhl auseinandersetzen.

breiten, das Neue Forum wäre verfassungs- und staatsfeindlich. Ca. 3.000 Menschen unterzeichneten den Aufruf der Bürgerrechtsbewegung.

DDR-Räuberpistole
An diesem Tag veröffentlichte das SED-Zentralorgan Neues Deutschland den Bericht eines Ost-Berliner MITROPA-Kochs, der angeblich in Ungarn betäubt und gegen seinen Willen nach Wien verschleppt worden wäre. Er hätte dort Kontakt mit der DDR-Botschaft aufgenommen, um wieder nach Hause zu kommen. Derartige Berichte und „Leserbriefe" mit ähnlichen Geschichten wurden in die SED-Presse lanciert, um den Vorwurf des Menschenhandels zu untermauern. Die meisten DDR-Bürger durchschauten die primitive und die Satiregrenze weit überschreitende SED-Propaganda.

24. September 1989
Ein Fünkchen Hoffnung
In der bis zum letzten Platz besetzten Meininger Stadtkirche predigte Landesbischof Leich zum Thema „100-jähriges Jubiläum der Kirchenrestaurierung".
„Er sprach davon, daß die Kirche ein Ort der Besinnung bleiben und die Wahrheit von hier aus verbreitet werden müsse. Deshalb seien Veränderungen der Gesellschaft einzuklagen. So müsse es eine Neufassung der Wahlgesetze geben, die Reisefreiheit sei unumgänglich und die vereinzelten Oppositionsgruppen in den größeren Städten dürfe man nicht kriminalisieren. Nur eine freimütige Diskussion in der Bevölkerung helfe allen. Mit weiteren Hinweisen auf gesellschaftliche Mißstände beendete der Landesbischof seine Predigt. Die Gottesdienstbesucher fühlten sich verstanden und wußten, ihre Nöte sind in der Kirche angenommen. So blieb es nach dem Gottesdienst ruhig, wenn auch noch viele auf dem Marktplatz unter ihren Regenschirmen, es goß in Strömen, standen und diskutierten. Ein Fünkchen Hoffnung gab es an diesem Morgen."
(Strohbusch: Das Licht kam aus der Kirche. – S. 52)

Um 02.30 Uhr wurde der Sonneberger Steffen W., 25, in Hönbach im Sperrgebiet von der Polizei kontrolliert. In diesem Bereich wollte er flüchten.
(GT-TM 017191)

Von einer Privatreise vom 14. – 24.09.1989 in die Bundesrepublik kehrte Harald Z., 31, Oberschönau, Krs. Schmalkalden, Fuhrparkleiter im VEB Bauelemente Suhl, nicht zurück.
(BKG 89, BStU)

25. September 1989
Der neue katholische Bischof von Ost-Berlin, Georg Sterzinsky, sagte in seiner Predigt: „Gott hat uns hierher gestellt. Und wem es möglich ist, der soll hier bleiben, denn wir dürfen Verantwortung nicht abwälzen."
Auf dem Gelände der Botschaft der Bundesrepublik in Prag hielten sich inzwischen 900 Personen unter menschenunwürdigen Bedingungen auf.
Der Malteser-Hilfsdienst meldete, dass mehrere Flüchtlinge beim Durchschwimmen der Donau zwischen der ČSSR und Ungarn ertrunken seien.

Gegen 18.50 Uhr gelang einer zunächst unbekannten Person der Grenzdurchbruch DDR – Bundesrepublik 1.300 m nordwestlich von Behrungen, Krs. Meiningen. Der Mann hatte um 18.45 Uhr den Grenzsignalzaun ostwärts des Gassentores an der Straße Behrungen – Berkach ausgelöst und war schnellen Schrittes dem vorderen Grenzzaun entgegengelaufen. Diesen überstieg er vermutlich ohne Hilfsmittel.
(GT-TM 017191)

Michael G., 20, Krs. Suhl-Land, wurde um 14.15 Uhr von einem Grenzposten 500 m südlich von Unterharles, Krs. Meiningen, unmittelbar vor dem Grenzsignalzaun festgenommen.
(GT-TM 017191)

Von einer Reise vom 16. – 25.09.1989 in die Bundesrepublik kam Katrin F., 20, Suhl, Restauratorin bei den Staatlichen Museen Meiningen, nicht zurück.
(BKG 89, BStU)

Grenzgebiet West

Durch die Sperrmaßnahmen der DDR zwischen Lübeck und Hof hatte das Randgebiet entlang der Zonengrenze sein natürliches Hinterland verloren. In Jahrhunderten gewachsene menschliche, wirtschaftliche und verkehrsmäßige Verbindungen nach Mitteldeutschland wurden unterbrochen. Einst Kernland im Herzen Deutschlands, sah sich das Zonenrandgebiet in eine Rand- und Grenzlage gedrängt. Dies hatte wirtschaftliche und bevölkerungspolitische Auswirkungen. Das „Grenzgebiet West" hat zu verschiedenen Zeiten und zu unterschiedlichen Zwecken auch eine unterschiedliche Ausdehnung. Allgemein definierte man als Grenzgebiet die Landkreise, die direkt an der Grenze lagen, das waren bis zu den verschiedenen Gebietsreformen für unseren Bereich

* in Hessen die Landkreise Hersfeld, Hünfeld und Fulda,
* in Bayern die Landkreise Mellrichstadt, Königshofen im Grabfeld, Hofheim i. Ufr., Ebern, Staffelstein, Coburg, Kronach.

Nach der Öffnung der Grenze zur DDR für den kleinen Grenzverkehr und Öffnung neuer Grenzübergänge 1975 wurden als „grenznaher Bereich" folgende Landkreise bzw. bei späteren Kreiszusammenlegungen Kreisteile definiert:

* in Hessen die Landkreise Hersfeld-Rotenburg, Melsungen, Fritzlar-Homberg, Ziegenhain, Vogelsbergkreis, Fulda und die Stadt Fulda sowie Schlüchtern;
* in Bayern die Land- und Stadtkreise Bad Kissingen, Rhön-Grabfeld, Schweinfurt, Haßbergkreis, Coburg, Bamberg, Forchheim, Lichtenfels und Kronach.

Noch umfangreicher war das Zonenrandgebiet, in dem die Bundesrepublik Zonenrandförderung gewährte. Es

- umfasste einen ca. 40 km breiten Gebietsstreifen von Flensburg bis Passau,
- lag unmittelbar westlich der Demarkationslinie zur DDR (Länge 1.345,9 km) und an der Grenze zur ČSSR (Länge 356 km),
- erstreckte sich über 46.800 Quadratkilometer (19 % der Fläche des Bundesgebietes),
- wurde von rund 7 Millionen Menschen bewohnt (12 % der Bevölkerung des Bundesgebietes) und
- erfasste in den Ländern Schleswig-Holstein, Niedersachsen, Hessen und Bayern das Gebiet von 104 Stadt- und Landkreisen, von denen 31 unmittelbar an die DDR angrenzten.[1]

LEBEN AN DER GRENZE

Die in Bad Königshofen erscheinende Heimatzeitung „Bote vom Grabfeld" berichtete am 16.08.1986 über eine Live-Sendung des Bayerischen Rundfunks aus dem Grenzdorf Breitensee.[2] Thema der Sendung war die deutsch-deutsche Teilung und deren Folgen für die grenznahe Bevölkerung. Sie stellte ein Streiflicht auf Stimmung und Entwicklung im Westen der Grenze dar.

Moderator Franz Barthel wandte sich u. a. an den Leiter der Grenzpolizeiinspektion Mellrichstadt, Erich Zeißner, und wollte wissen, ob man den „Jungs von drüben" auch mal einen Händegruß oder ein einfaches Hallo entrücken könne? Nun, das sei gar nicht so einfach, meinte darauf Zeißner. „Wir werden zwar ziemlich oft direkt mit DDR-Grenzsoldaten konfrontiert. Doch jede Ansprache nach drüben wird erst gar nicht beantwortet. Die fotografieren uns aus zwei Meter Entfernung, oder schauen uns aus drei Meter Entfernung mit dem Fernglas zu, aber sonst, sonst ist nichts drin." Obwohl man nicht müde werde, es immer wieder zu versuchen, „aber keinerlei Reaktion von drüben", bedauerte Zeißner ...

Etwas Kurioses am Rande: Ein weiterer Redewilliger erzählte von einem Ehepaar aus der DDR, das er auf unserer Seite mit an die Grenze genommen hatte. Die beiden sahen zum ersten Mal ihren DDR-Zaun und – „Das machte mich stutzig" – sie drehten sich immer wieder ängstlich um, „als suchten sie was". Und als er fragte, was sie denn suchten, fragten die beiden entgeistert: „Wo ist eure Polizei, eure Grenzpolizei, eure Wehrmacht(!)." „Die konnten einfach nicht verstehen, daß bei uns die Grenze unbeobachtet ist."

Der 2. Bürgermeister Gerhard Weigand aus Bad Königshofen nahm zum Thema „Städtepartnerschaft mit Römhild" Stellung. „Städtepartnerschaften mit deutschen Städten in der DDR, läuft dies nicht in Richtung Einbahnstraße, denn die Bürger müßten sich doch begegnen können?", wollte Eberhard Schellenberger wissen. Und überhaupt, jetzt sei ja erst einmal ein Stop in diesen Bestrebungen eingetreten. Ob man jetzt in direkten Kontakt mit der Bürgermeisterin in Römhild treten wolle? Darauf Weigand: „Wir werden in unseren Bemühungen auch durch den Bundesminister Windelen unterstützt, der, obwohl im Moment in der Angelegenheit kein Fortkommen zu erwarten sei, angeregt hat, die Bemühungen nicht gänzlich fallen zu lassen. Eine Antwort der Bürgermeisterin von Römhild allerdings, die so Weigand, „sämtliche Durchschriften unserer Schreiben erhalten hat", steht bislang aus. Eine Antwort hat man inzwischen von anderer Stelle erhalten, und zwar die des Botschaftsrates der DDR. Abschlägig. Weigand zitiert aus dem Schreiben:

Wir haben Ihren Wunsch, mit der Stadt Römhild in der Deutschen Demokratischen Republik Partnerschaftsbeziehungen zu begründen zur Kenntnis genommen. Für die Erzielung einer diesbezüglichen Ausnahmeregelung sehen wir jedoch keine Möglichkeit.

Die CDU-Ortsgruppe Rosa, Krs. Schmalkalden, schrieb nach dem „Brief aus Weimar" an den CDU-Hauptvorstand und forderte einen umfassenden Demokratisierungsprozess in der DDR.
(s. 4. September 1989)

Um den 25. September 1989

Die ersten Aufrufe des Neuen Forums tauchten in Südthüringen auf. Sie sind doppelseitig mit Schreibmaschine beschrieben und wurden unter der Hand weitergegeben.
Am 27.09. beschloss der Kirchenkreis Henneberger Land, den Aufruf zu vervielfältigen und in den Kirchgemeinden zu verbreiten.

26. September 1989

In Meiningen kam es zum ersten der später regelmäßigen Friedensgebete, die von Woche zu Woche einen immer größeren Zulauf fanden.

In Benshausen traf sich die regionale Gruppe Solidarische Kirche und beriet Entwürfe für einen Offenen Brief an Funktionäre des Staates.

27. September 1989

Für die bewaffneten Kräfte der DDR wurden „Maßnahmen zum Übergang zu einer höheren Gefechtsbereitschaft, um die Sicherheit und Ordnung aufrecht zu erhalten", erlassen.

September 1989

Trotz der Tatsache, dass die DDR vor gewaltigen gesellschaftlichen Problemen stand und die Stimmen aus dem Volk immer kritischer wurden, rotierte der riesige Propagandaapparat. In den Medien zog man positive Bilanzen und erging sich in in üblicher Manier den Selbsttäuschungen einer arroganten Diktatur.

28. September 1989

In den vergangenen Tagen und Wochen hatten immer mehr Menschen die Zäune der bundesdeutschen Botschaften in Prag und Warschau überklettert, da die Tschechoslowakische Föderative Republik die Grenzkontrollen zu Ungarn verschärfte. Die Situation in der Prager Botschaft, in der sich über 2.000 Menschen aufhielten, wurde immer kritischer. Bundesaußenminister Hans-Dietrich Genscher bat den Präsidenten des Deutschen Roten Kreuzes, Prinz Sayn-Wittgenstein, die Hilfsmöglichkeiten vor Ort zu überprüfen. Die hygienischen Verhältnisse waren katastrophal, die Gesundheit der Menschen war gefährdet, und die Versorgung wurde schwieriger.

Immer mehr Menschen flüchteten über die Grenze nach Polen, es kam zu Festnahmen.

Von einer Privatreise vom 16. – 28.09. 1989 in die Bundesrepublik kam Roswitha S., 45, Meiningen, Krippenerzieherin in der Krippenvereinigung Meiningen, nicht zurück.
(BKG 89, BStU)

Die Dienststellen des Ministeriums für Staatssicherheit und ihre Auftraggeber – die SED-Führungsgremien – verstärkten die Observation der Bevölkerung und gaben Einsatzpläne sowie Instruktionen für die Internierung missliebiger DDR-Bürger unter KZ-ähnlichen Bedingungen aus. Ausgangsbasis war die Direktive 1/67 zu den „Spezifisch-operativen Mobilmachungsmaßnahmen". Ferner positionierten sie verstärkt Kräfte in den oppositionellen Gruppen.

29. September 1989
Nach Angaben aus DDR-Kirchenkreisen waren bisher elf Teilnehmer der Friedensgebete in Leipzig zu Haftstrafen bis zu sechs Monaten verurteilt worden. Mehr als zwanzig hätten Geldstrafen bis zu 5.000 Mark erhalten.
Staatssicherheitsminister Erich Mielke erklärte das Neue Forum als staatsfeindlich.

Von Sicherheitsorganen der ČSSR wurde bei Radovce Mike Z., 23, Zella-Mehlis, Klempner im VEB Kombinat WtB Zella-Mehlis, festgenommen.
(BKG 89, BStU)

Von einer Privatreise vom 16. – 29.09. 1989 in die Bundesrepublik kam das Ehepaar D., Suhl, Hans-Peter, 34, und

Reinhold Albert in seiner Eigenschaft als Grenzführer: „In den vergangenen Jahren kommen verstärkt Schulklassen, vor allem im Rahmen des Sozialkundeunterrichtes." Und dabei sei es leider allzu oft festzustellen, daß die Schülergruppen, die oftmals nur fünf bis sechs Kilometer von der Grenze wegwohnen, noch nie etwas über die Grenze gehört hätten. Für die sei diese Information natürlich sehr wichtig.

Franz Barthel unterhielt sich abschließend noch mit Bürgermeister Klemens Ditterich (Herbstadt). Breitensee, das ja praktisch im allgemeinen Volksglauben „am Ende der Welt liegt" – bedeutet dies, daß immer mehr Leute abwandern, nicht nur wegen geeigneter Arbeit? Da gab ihm der Bürgermeister recht. „Unsere Jugend hat Anfahrtswege zu ihrer Arbeitsstelle als Pendler nach Schweinfurt, Bad Neustadt von 25 bis 40 Kilometer". Die Folge: Die Gemeinde blute langsam aber sicher aus. Es sei, auch durch die Grenzziehung bedingt, keine Möglichkeit mehr gegeben, in Richtung Thüringen zu pendeln – und dorthin pendelten früher noch die meisten. „Die Jugend zieht dann natürlich da hin, wo die mögliche Arbeitsstelle ist." Gibt´s noch Hoffnung, oder herrscht Resignation? Auch da gab ihm der Bürgermeister recht. Die Jugend verfalle in Resignation. Immerhin gehöre schon ein Mut dazu, hierzubleiben. Schließlich muß man sich dann ja darüber im klaren sein, daß man 30 oder 40 Jahre jeden Morgen um 5 Uhr aufstehen muß, wenn man um sieben Uhr in Schweinfurt das Arbeiten anfängt.

Und die Gefahr, daß Breitensee einmal ausstirbt: „E paar wern scho noch übrig bleibe, aber halt sehr wenige", war die lakonische Antwort.

Und dann die berühmte Schlußfrage. Und da machten die Breitenseer zumindest den großen Reden der Politiker dieses Tages und des Vorabends „es wird der Tag der Wiedervereinigung kommen!" einen Strich durch die Rechnung. „Wiedervereinigung? – Nein, daran glauben wir nicht". Auch Bürgermeister Ditterich schloß sich dem an. Trostlosigkeit allenthalben? Der Bürgermeister versucht, mit seinem Gemeinderat, was er kann. Beispielsweise bei der Ausweisung eines Neubaugebiets in der Gemeinde. Hier werden überaus attraktive Quadratmeterpreise gehandelt, um die Jugend zum Bleiben zu bewegen. Aber, auch Bürgermeister Klemens Ditterich sieht keinen Silberstreif am Horizont: „Wenn die Entwicklung so weiter geht, dann werden unsere Dörfer in zwanzig, dreißig Jahren leer sein!"

ENTWICKLUNG DES ZONENRANDGEBIETES AN DER GRENZE ZUR DDR

Für die nordhessischen Randgebiete zur DDR wird Ende 1973 durch SPD-Ministerpräsidenten Osswald ein „Zonengrenzbeauftragter" berufen[3]

Ohne finanzielle Förderung ist das Zonenrandgebiet nicht lebensfähig

Auch ein Stück Deutschlandpolitik – Die Förderung des Zonenrandgebiets

Die Grenze durch Deutschland warf einen Schatten, der weit in die Bundesrepublik Deutschland hineinreichte. Wenn man sich ihr, aus der Mitte der Bundesrepublik kommend, näherte, war sie schon spürbar, auch wenn sie noch lange nicht sichtbar war: der Verkehr war geringer, Städte und Dörfer schienen ruhiger, das Leben insgesamt machte einen weniger hektischen Eindruck als in den großen Ballungsgebieten. Aber das waren nur die äußeren Zeichen einer tieferen Veränderung. Weil die innerdeutsche Grenze diese Landstriche in eine Randlage gegenüber dem übrigen Bundesgebiet gebracht hatte, stand in ihnen das gesamte wirtschaftliche, soziale und kulturelle Leben unter besonderen Bedingungen. Industrie und Gewerbe hatten längere Lieferwege als ihre Konkurrenten im Bundesgebiet; sie waren ihnen gegenüber auch aus vielen anderen Gründen im Wettbewerb benachteiligt. Deshalb gab es in vielen Grenzkreisen weniger Betriebe als in zentraler Lage. Bei manchen Unternehmen bestand die Gefahr der Abwanderung.

Ziel aller politischen Kräfte war es jedoch, zu verhindern, dass aus dem Zonenrandgebiet – wie der Raum im Behördendeutsch hieß – ein typisches Grenzland mit bis zur Grenze hin abnehmender Wirtschaftskraft und Bevölkerungsdichte wurde. Die Region an der Grenze, die aus der Nachkriegsentwicklung heraus zum östlichen Grenzland der Bundesrepublik Deutschland geworden war, wurde deshalb vom Staat gefördert. Diese Stützung und Unterstützung hatte bereits sehr zeitig begonnen, weil auch die besondere Entwicklung dieser Gebiete sich bald nach dem Kriege abzuzeichnen begann.

Das hatte zunächst nicht nur mit der Grenze zu tun, sondern auch mit der Bevölkerungsverschiebung, die dem Krieg folgte, denn den Gebieten an der Grenze zwischen den westlichen Zonen und der Sowjetischen Besatzungszone, die überwiegend ländlich und verhältnismäßig wenig zerstört waren, fiel nach dem Krieg die Aufgabe zu, einen großen Teil der Vertriebenen und Flüchtlinge aufzunehmen, die aus den deutschen Ostgebieten und der SBZ nach Westen drängten. Das waren 1950 7,8 Millionen; sie ließen in diesem Raum die Bevölkerung um mehr als fünfzig Prozent

Hildegard, 35, nicht zurück. Beide arbeiteten im VEB Feinmesszeugfabrik Suhl, er als Instandhaltungsmechaniker und sie als Lagerarbeiterin.
(BKG 89, BStU)

Von einer Privatreise vom 19. – 29.09. 1989 in die Bundesrepublik kehrte Ingolf K., 33, Suhl, Betriebshandwerker im VEB Organisations- und Abrechnungszentrum Suhl, nicht zurück.
(BKG 89, BStU)

Herbst 1989

Von einer Jugendtouristreise in die Bundesrepublik kehrte Heiko M., 26, Hildburghausen, Kraftfahrer im WBK Suhl, nicht zurück.
(BKG 89, BStU)

Von einer Privatreise nach Österreich kam das Ehepaar R., Schweina, Krs. Bad Salzungen, Claus Peter, 38, Zahnarzt und Ehefrau, 35, nicht zurück.
(BKG 89, BStU)

Dem vorbestraften Ralf S., 26, Suhl, Hausmeister bei der Staatlichen Versicherung Suhl, gelang die Flucht über die ČSSR in die Bundesrepublik.
(BKG 89, BStU)

Der Familie A., Suhl, Jens, 23, Schmied im VEB FaJaS Suhl, vorbestraft, seiner Ehefrau Martina, 30, gelang mit Kind die Flucht über die ČSSR in die Bundesrepublik.
(BKG 89, BStU)

Dem Diplomsportlehrer Jürgen U., 33, Organisator für Großveranstaltungen beim DTSB Suhl, gelang die Flucht über die ČSSR in die Bundesrepublik.
(BKG 89, BStU)

30. September 1989
Bundesaußenminister Hans-Dietrich Genscher und Kanzleramtsminister Rudolf Seiters erklärten vom Balkon der Prager Botschaft unter frenetischem Jubel, dass die DDR-Flüchtlinge die Ausreise erhalten. Etwa 6.000 Flücht-

linge durften aus Prag und Warschau in Sonderzügen der Deutschen Reichsbahn nicht auf direktem Weg in die Bundesrepublik ausreisen, sondern über DDR-Gebiet. Dort wurden ihnen die Ausweise abgenommen. Die Ausreiseaktion geschah zwar mit Einverständnis der DDR, wurde aber als „Abschiebung" bezeichnet, denn die Flüchtlinge hätten „ihre Heimat verraten". Man sollte ihnen „keine Träne nachweinen". Die DDR gab sich damit international der Lächerlichkeit preis.
Bereits wenige Stunden und Tage später füllten sich erneut die Botschaften in Prag und Warschau. Bundesminister Rudolf Seiters wendete sich gegen die Forderung der DDR, die Zufluchtssuchenden abzuweisen. Dies wäre eine „Zumutung". – Schon ab 02.10. waren in den Botschaften wieder Hunderte Menschen, die ihre Ausreise forderten.

In Weimar verabschiedeten 60 Teilnehmer aus kirchlichen Umweltgruppen einen „Offenen Brief", der an die Partei- und Staatsführung sowie an alle Rats- und Parteisekretäre auf Bezirks- und Kreisebene versandt wurde.

Die Basisgruppen der evangelisch-lutherischen Landeskirche richten einen OFFENEN BRIEF an alle Verantwortlichen des Staates und an alle Bürger des Landes.

2. Oktober 1989
Nach einer Friedensandacht in der Leipziger Nikolaikirche formierten sich etwa 20.000 Menschen zu einem Protestmarsch durch die Innenstadt. Parolen wie „Wir bleiben hier!" und „Stasi weg, hat kein Zweck" wurden skandiert. Es kam zu massiven und brutalen Übergriffen der DDR-Sicherheitsorgane, Verhaftungen wurden vorgenommen, es gab Verletzte.

Der Demokratische Aufbruch – Sozial, Ökologisch (DA) konstituierte sich bereits aus seit Juli 1989 bestehenden Oppositionsgruppen.

Ein Tischler, 29, überkletterte ohne Zwischenfall die Sperrzäune bei Sondheim/Grabfeld.

anwachsen. Das verstärkte die angespannte Lage auf dem Arbeitsmarkt, führte zu hohen, über dem Bundesdurchschnitt liegenden Arbeitslosenquoten. Während sich im übrigen Bundesgebiet die Wirtschaft rasch erholte, verhinderten hier die ungünstige Ausgangslage und die Entfernung zu den Wirtschaftszentren der Bundesrepublik eine Belebung.

So entstand an der Zonengrenze ein zunehmendes Notstandsbewusstsein. Das veranlasste die Bundesregierung schon Anfang der fünfziger Jahre, besondere Fördermaßnahmen zur Verbesserung der Wirtschaftslage in diesem Zonenrandgebiet einzuleiten. Als Mitte der sechziger Jahre das Bundesraumordnungsgesetz verabschiedet wurde, erhielt das Zonenrandgebiet eine Sonderstellung.

In ihm lebten etwa 7 Millionen Menschen. Der Anteil der über 64-Jährigen lag über dem Bundesdurchschnitt. Im Zonenrandgebiet lebten rund 2,2 Millionen sozialversicherungspflichtige Beschäftigte. Das waren 10,7 Prozent aller abhängig Beschäftigten im Bundesgebiet. Das Bruttoinlandsprodukt je Einwohner lag 1980 im Zonenrandgebiet bei 20.326 DM, während es für das übrige Bundesgebiet mit 26.326 DM angegeben wurde. Rund 10 Prozent des gesamten Bruttosozialprodukts wurden im Zonenrandgebiet erwirtschaftet. Seit 1980 hatte sich die Situation am Arbeitsmarkt verschlechtert. Die Arbeitslosenquote lag 1983 bei 12,5 Prozent.

Die Fördermaßnahmen richteten sich vorrangig darauf, gewerbliche Investitionen anzuregen und dadurch Arbeitsplätze zu schaffen. Dafür wurden Zuschüsse, Darlehen und andere Vergünstigungen gewährt. Eine wichtige Rolle spielte daneben der Bau von Straßen und öffentlichen Einrichtungen. Schließlich gehörte zur Zonenrandförderung auch und zwar in beträchtlichem Maße – die Unterstützung des sozialen und kulturellen Lebens. Dieses „zweite Bein" der Förderung bestand in der Gewährung von Zuschüssen zum Bau von Bildungs-, Betreuungs-, Sport- und Kultureinrichtungen. Es half auch der Absicherung von kulturellen Ereignissen, die dem Leben an der Grenze Anziehungskraft und Gepräge geben sollen.

Ein Beispiel ist der Fremdenverkehr, für den die Landschaften an der Grenze besonders günstige Möglichkeiten boten – im Norden mit der Ostseeküste, nach Süden zu mit einer Reihe schöner deutscher Mittelgebirge, vom Harz über die Rhön, den Frankenwald und das Fichtelgebirge bis hin zum Bayerischen Wald. Die Zonenrandförderung hatte hier und in den Feriengebieten des Flachlandes zu einer beträchtlichen Zunahme von Hotels, Übernachtungsmöglichkeiten und Erholungseinrichtungen geführt, zum Teil auch zur Errichtung von touristischen Großprojekten, zu mächtigen Hotelanlagen, Appartementhochhäusern und Ferienzentren. Der Ertrag war dabei nicht immer so groß, wie es sich manche ehrgeizige Gemeinde und mancher private Investor ausgemalt hatte, und viele Kommunen waren durch die Folgekosten, die diese Erholungseinrichtungen nach sich gezogen haben, stark belastet. Andererseits war nicht zu übersehen, dass gerade auch die touristischen

Großprojekte viele positive Wirkungen gehabt haben. Sie haben den Gemeinden zu modernen Freizeitangeboten verholfen, neue Gästekreise angezogen und damit nicht zuletzt den traditionellen Fremdenverkehr belebt.

Die Zonenrandförderung hat das Ziel einer nachhaltigen Strukturverbesserung nur zum Teil erreicht. Die Erfolge bei der Wirtschaftsförderung waren im engeren Sinne begrenzter geblieben. Die Erwerbsstruktur des Zonenrandgebietes konnte im Wesentlichen nur in den Gegenden, in denen es schon früher Industrie gab, und in den Groß- und Mittelstädten nachhaltig verbessert werden. In den Grenzkreisen, die von jeher landwirtschaftlich geprägt waren – und sie bildeten die Mehrzahl an dieser Grenze –, gab es trotz der Förderung eine relativ hohe Arbeitslosigkeit, unzureichende Verdienst- und Aufstiegsmöglichkeiten und nach wie vor eine allgemeine Anfälligkeit gegen die Schwankungen des Wirtschaftslebens.

Solange die innerdeutsche Grenze zur DDR und die Grenze zur ČSSR die Entwicklungschancen des Zonenrandgebietes beeinträchtigten, war dieser Raum auf strukturelle Hilfe angewiesen.

Und wo viel Schatten ist, gibt es auch Licht: Regionen wie Braunschweig, Wolfsburg, Kassel oder Coburg mussten sich – gemessen am Durchschnitt der Bundesrepublik – nicht verstecken, im Gegenteil. Die wirtschaftlichen Unterschiede im Zonenrandgebiet waren erheblich.

Was wurde gefördert?

Nach einer Aufstellung von 1972, die allerdings nur für den bayerischen Teil des Untersuchungsgebietes vorliegt, wurden an Gemeinden und öffentliche Einrichtungen für Schulbauten, Kindergärten, Sporteinrichtungen, kulturelle Maßnahmen, für berufliche Bildung, für Modellversuche im Bildungswesen und für Rehabilitationseinrichtungen im bayerischen Raum des Untersuchungsgebiets fast 20 Millionen Mark zur Verbesserung ihrer Infrastruktur gegeben.

Nur durch diese Förderung war es möglich, die schulischen Einrichtungen und Kindergärten im Zonenrandgebiet auf den neuesten

(SZ, Sammlung Brendel, 03.10.1989)

Mario B., Haselbach, Krs. Sonneberg, Straßenbauer beim BDS Suhl, und Maik W., beide 21, Steinach, Krs. Neuhaus/Rwg., Hausmeister im Konsum-Einkaufszentrum, hatten die Grenze zur ČSSR illegal überschritten und wurden von ČSSR-Sicherheitsorganen an der GÜST Rusovce gestellt.
(BKG 89, BStU)

In der GÜST Schönberg kam es zur Festnahme von Heiko L., 27, Suhl, Wartungsmechaniker beim VEB Gebäudewirtschaft Suhl. Er hatte versucht, über die GÜST illegal in das sozialistische Ausland zu gelangen.
(BKG 89, BStU)

Thomas K., 28, Gabelstaplerfahrer im VEB Ultramöbel Hinternah, und Andrea K., 21, Köchin in der Gaststätte Engertal in Schleusingerneundorf, beide wohnhaft in Schleusingerneundorf, Krs. Suhl-Land, und Chris S., 21, Suhl, Koch im Konsum Suhl, wurden von Grenztruppen auf dem Bahnhof Bad Brambach festgenommen. Sie beabsichtigten, die ČSSR illegal zu erreichen.
(BKG 89, BStU)

Von einer Reise vom 25.09. – 02.10.1989 in die Bundesrepublik kehrte Bernd K., 38, Suhl, Betriebshandwerker im VEB Backwaren Suhl, nicht zurück.
(BKG 89, BStU)

Im Raum Oelsnitz wurde Wolfgang K., 22, Bad Liebenstein, Klempner in der PGH GAWA Naumburg, beim versuchten ungesetzlichen Grenzübertritt DDR – ČSSR von Kräften der Grenztruppen festgenommen.
(BKG 89, BStU)

2./3. Oktober 1989
Der Berliner Liedermacher Kurt Demmler verlas im Suhler Kulturhaus 7. Oktober und im Meininger Kulturbundhaus trotz Verbots und lautstarker Proteste von „delegierten" SED-Funktionären und Stasimitarbeitern die Resolution der DDR-Künstler vom 18.09.

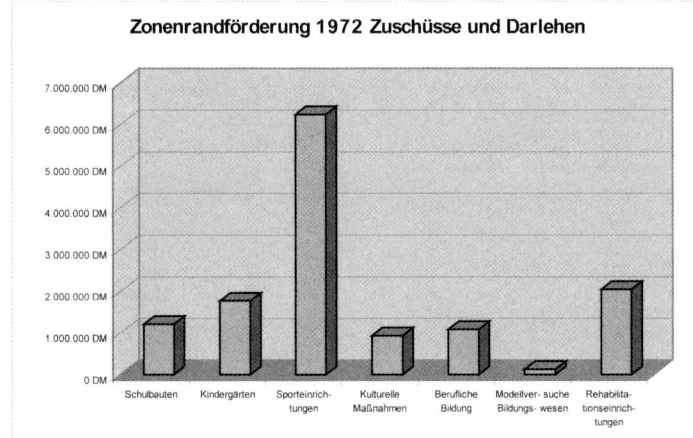

Zonenrandförderung 1972 Zuschüsse und Darlehen

7.000.000 DM
6.000.000 DM
5.000.000 DM
4.000.000 DM
3.000.000 DM
2.000.000 DM
1.000.000 DM
0 DM

Schulbauten | Kindergärten | Sporteinrichtungen | Kulturelle Maßnahmen | Berufliche Bildung | Modellversuche Bildungswesen | Rehabilitationseinrichtungen

Im Auftrag von Bärbel Bohley und Jochen Seidel übergab Rechtsanwalt Dr. Gregor Gysi der Hauptabteilung Innere Angelegenheiten beim DDR-Innenministerium eine Eingabe gegen das Verbot des Neuen Forums.

Unterschriftenlisten des in der Illegalität arbeitenden Neuen Forums und Protestresolutionen von SED-Einheiten aus Instituten, Akademien, Verlagen und anderen Einrichtungen wurden an die SED-Kreisleitungen gesandt: Die Regierung der DDR soll die Medien für einen freien Dialog öffnen.

Bei einem Empfang zum 40. Jahrestag der Vereinigung der antifaschistischen Widerstandskämpfer und der Aktivisten der Ersten Stunde verkündete Erich Honecker im Brustton vollster Überzeugung, dass die DDR ein „fester Grundpfeiler" der „Sicherheit und Stabilität auf unserem Kontinent" wäre.

Die DDR ließ die neuen Botschaftsflüchtlinge in Prag nach dem gleichen Prozedere ausreisen wie einige Tage zuvor. Mehrere tausend Menschen strömten am Abend zum Dresdner Hauptbahnhof, um auf die Flüchtlingszüge aus Prag zu warten: getrieben von der Hoffnung, noch aufspringen zu können, aus Solidarität oder aus Neugier. Dadurch verzögerte sich die Ausreise der Botschaftsflüchtlinge, weil DDR-Sicherheitskräfte die Bahnhöfe räumen mussten.

Der visafreie Reiseverkehr mit der ČSSR wurde von der DDR-Führung einseitig ausgesetzt. In einer ADN-Meldung heißt es, „bestimmte Kreise in der BRD bereiten weitere Provokationen zum 40. Jahrestag der DDR" vor. Das ČSSR-Außenministerium forderte in einer Protestnote die Bundesrepublik auf, „ihre Botschaftsgeschäfte in Übereinstimmung mit dem internationalen Recht zu führen".

Mit dieser Maßnahme konnte kein DDR-Bürger das Land nur mit dem Personalausweis verlassen.

Stand zu bringen, neue Turnhallen und Schwimmbäder einzurichten, aber auch kulturelle Einrichtungen wie Theater und Musikkapellen, Orchester und Kirchen zu erhalten und zu fördern.

Die Zonenrandförderung war auch mit verantwortlich für die Überbesetzung der Region mit Schwimmbädern und anderen Einrichtungen. Eine politisch gewollte Festlegung war die Einteilung des Grenzgebiets auf einen Streifen von etwa 50 km. Dadurch kamen nicht nur die Zonengrenzkreise in den Genuss von Förderungen, sondern auch so weit von der Grenze entfernte Kreise wie Schweinfurt, Bamberg, Bayreuth. Diese Kreise nahmen auch im Untersuchungsraum den Löwenanteil der Zonenrandförderung entgegen:

Zonenrandförderung 1972 im Bayerischen Grenzraum zum Bezirk Suhl (Zuschüsse und Darlehen)

in DM	Schulbauten	Kindergärten	Sporteinrichtungen	Kulturelle Maßnahmen	Berufliche Bildung	Modellversuche Bildungswesen	Rehabilitationseinrichtungen	Gesamtförderung der Stadt- und Landkreise
Stadt- und Landkreis Bad Kissingen	75.000	188.000	700.000	184.500				1.147.500
Landkreis Bad Neustadt	80.000	69.000	1.467.000	25.400	240.000			1.881.400
Landkreis Brückenau	210.000	129.000						339.000
Landkreis Ebern	479.000		420.000	5.000		328.000		1.232.000
Landkreis Haßfurt	177.000	254.000	300.000	25.000	240.000			996.000
Landkreis Hofheim	88.000		914.300	27.500				1.029.800
Landkreis Königshofen i. Grabfeld	90.000			224.000				314.000
Landkreis Mellrichstadt	180.000	169.000	1.300.000	64.500				1.713.500
Stadt Schweinfurt		395.000	258.000	47.000	240.000	127.000	850.000	1.917.000
Landkreis Schweinfurt	196.000	18.000	1.132.000	3.600				1.349.600
Stadtkreis Bamberg			336.000	89.000	560.000		1.200.000	2.185.000
Landkreis Bamberg	150.000		895.000	94.900				1.139.900
Stadtkreis Coburg	50.000	66.000	1.100.000	307.700	40.000			1.563.700
Landkreis Coburg	275.000	870.000		54.000				1.199.000
Gesamtförderung des Raumes	2.050.000	2.158.000	8.822.300	1.152.100	1.320.000	455.000	2.050.000	18.007.400

Was die Kommunalpolitiker der direkten Grenzkreise wurmte, war die große Ausdehnung des Zonenrandgebiets. „Wäre die Förderung nur auf die wirklichen Grenzkreise beschränkt, dann würde es uns besser gehen", argumentierten sie. Die Bundespolitik wollte jedoch möglichst viele Bürger und damit Wähler mit diesem Geld- und

Vergünstigungssegen beglücken und dabei blieb es bis zur Vereinigung.

Wer am meisten profitierte, zeigt die nachfolgende Grafik:

Vergleich der Förderung von Kreisen, die nicht an der Grenze lagen, zu Grenzkreisen in der BRD

Stadt- und Landkreis Bad Kissingen	1.147.500 DM	Landkreis Ebern	1.232.000 DM
Landkreis Bad Neustadt	1.881.400 DM	Landkreis Hofheim	1.029.800 DM
Landkreis Brückenau	339.000 DM	Landkreis Königshofen i. Grabfeld	314.000 DM
Landkreis Haßfurt	996.000 DM	Landkreis Mellrichstadt	1.713.500 DM
Stadt Schweinfurt	1.917.000 DM	Landkreis Coburg	1.199.000 DM
Landkreis Schweinfurt	1.349.600 DM		
Stadtkreis Bamberg	2.185.000 DM		
Landkreis Bamberg	1.139.900 DM		
Stadtkreis Coburg	1.563.700 DM		
Gesamt Nicht-Grenzkreise	9.151.200 DM	Gesamt Grenzkreise	5.488.300 DM
Durchschnitt Förderung / Kreis	1.016.800 DM	Duchschnitt Förderung pro Kreis	1.097.660 DM

Bis auf einige wenige Orte mussten alle Dörfer und Städte entlang der bayerischen Grenze zur DDR zum Teil ganz erhebliche Einwohnerverluste hinnehmen, wie die nachfolgende Übersicht zeigt, wobei der Landkreis Coburg noch am besten abschnitt:

Eine DDR-Familie, er, 29, Elektromechaniker, sie, 27, die Kinder 5 und 3, grub sich bei Kronach unter dem Signalzaun durch und schnitt mit dem Bolzenschneider ein Loch in den Metallgitterzaun.
(SZ, Sammlung Brendel, 05.10.1989)

Nach Schließung der Grenze zur ČSSR kam es im Eisenacher Raum (Ruhla, Seebach, Eisenach) zu Arbeitsniederlegungen.

Auf dem Bahnhof Plaue wurden von der Transportpolizei Jörg B., 31, Bücheloh, Krs. Ilmenau, Küchenfleischer der HO Gaststätte „Gastronom" Ilmenau, und Reinhardt B., 25, Schmiedefeld, ohne Arbeitsverhältnis, festgenommen. Sie wollten illegal die ČSSR oder VR Polen erreichen, um in den Westen zu flüchten.
(BKG 89, BStU)

Über die GÜST Bad Brambach wollten die Ilmenauer Jürgen M., 38, Traktorist der LPG Wümbach, Udo L., 38, Schiebebühnenfahrer im VEB Henneberg-Porzellan Ilmenau, und Hartmut H., 27, Kraftfahrer im VEB Glaswerke Ilmenau, illegal in die ČSSR gelangen. Die Festnahme erfolgte von den Grenzorganen an der GÜST.
(BKG 89, BStU)

Von Kräften der DVP wurde im Raum Görlitz Friedhelm T., 31, Breitungen, Krs. Schmalkalden, Kranführer im VEB BMK Chemie Halle, festgenommen. Er wollte illegal in die VR Polen gelangen.
(BKG 89, BStU)

Steffen O., 20, Hebezeugführer im VEB Elektrogerätewerk Suhl, und Silvio S., 19, Lehrling im VEB Stadtbau Suhl, beide Suhl, hatten die Absicht, die DDR ungesetzlich zur VR Polen zu verlassen, um in den Westen zu flüchten. Von Grenztruppen wurden sie festgenommen.
(BKG 89, BStU)

4. Oktober 1989
18 Ausreisewillige flüchteten in die US-amerikanische Botschaft in der DDR. Ihnen wurde zugesichert, dass ihre Ausreiseanträge wohlwollend behandelt werden.

Beginn der Feiern zum 40. Jahrestag der DDR mit einem Großen Zapfenstreich der NVA. Es kam zu Demonstrationen in vielen Städten der DDR. Der sowjetische Reformer und KPdSU-Generalsekretär Michail Gorbatschow war Gast der SED-Führung und kritisierte die Reformunwilligkeit der SED. Sein Satz „Wer zu spät kommt, den bestraft das Leben" wurde (auch international) zum geflügelten Wort.

Etwa 7.600 Flüchtlinge wurden in verriegelten Sonderzügen über das Gebiet der DDR in die Bundesrepublik gebracht. In Dresden kam es zu Auseinandersetzungen zwischen 3.000 Demonstranten und der Polizei. Die DDR-Sicherheitskräfte gebrauchten Schlagstöcke und Wasserwerfer. Eine Gruppe Demonstranten warf mit Pflastersteinen, es entstand Sachschaden, einige Menschen wurden verletzt. Am Abend drängten sich wieder Tausende vor dem Dresdner Hauptbahnhof. Die Polizei hielt das Gebäude besetzt. Einige wollten das Haus stürmen. Es wurde vermutet, dass dies eine von der Stasi initiierte Provokation sei, um massiv gegen die Opposition vorgehen zu können. Wieder gab es Auseinandersetzungen. Zwei Einsatzwagen der Polizei wurden mit Molotow-Cocktails in Brand gesteckt.

Festveranstaltung in Suhl zum 40. Jahrestag der Gründung der DDR. Im Presseorgan der SED des Bezirkes Suhl, Freies Wort, heißt es in der Schlagzeile des Aufmachers:
„Verdienstvolle Werktätige ... werden vom 1. Sekretär der SED-Bezirksleitung, Hans Albrecht, geehrt.
Hans Albrecht selbst wurde am 05.10. von Erich Honecker mit dem Titel ‚Held der Arbeit' ausgezeichnet."

Das Ehepaar S., Zella-Mehlis, Manfred, 29, Kraftfahrer im VEB Kreisbaubetrieb Zella-Mehlis, und Karina, 29, Köchin im VEB BMK Erfurt/Zella-Mehlis, versuchte, mit einem Lkw die Grenzanlagen in der Nähe von Melpers, Krs. Meiningen, zu durchbrechen. Dabei wurden sie von Grenztruppen gestellt.
(BKG 89, BStU)

Einwohnerentwicklung in den Grenzorten zur DDR

Ort	1951		1961		1970		1985		Landkreis
Fladungen	3282	100%	2676	82%	2520	77%	2487	76%	Rhön-Grabfeld
Hendungen	1234	100%	1160	94%	1112	90%	991	80%	Rhön-Grabfeld
Herbstadt	1077	100%	929	86%	862	80%	649	60%	Rhön-Grabfeld
Höchheim	1783	100%	1477	83%	1451	81%	1328	74%	Rhön-Grabfeld
Mellrichstadt	5814	100%	5908	102%	6841	118%	6316	109%	Rhön-Grabfeld
Stockheim	1244	100%	1131	91%	1153	93%	1023	82%	Rhön-Grabfeld
Sulzdorf/ Ldrh.	1838	100%	1439	78%	1368	74%	1327	72%	Rhön-Grabfeld
Trappstadt	1458	100%	1166	80%	1112	76%	1083	74%	Rhön-Grabfeld
Willmars	948	100%	820	86%	799	84%	737	78%	Rhön-Grabfeld
Grenzorte R-Gr	20629	100%	16706	81%	17218	83%	17926	87%	Rhön-Grabfeld
Maroldsweisach	5633	100%	4875	87%	4758	84%	4511	80%	Haßberge
Grenzorte Haß	5633	100%	4875	87%	4758	84%	4511	80%	ges.51-85
Lautertal	2889	100%	2917	101%	3062	106%	3146	109%	Coburg
Meeder	4523	100%	3754	83%	3751	83%	3569	79%	Coburg
Neustadt b.C.	17859	100%	18077	101%	18472	103%	16386	92%	Coburg
Rodach	8069	100%	7596	94%	7333	91%	6026	75%	Coburg
Rödental	9793	100%	10925	112%	11868	121%	11880	121%	Coburg
Weitramsdorf	2899	100%	3853	133%	4523	156%	4426	153%	Coburg
Grenzorte Co	46032	100%	47122	102%	49009	106%	45433	99%	Coburg
Ludwigsstadt	5699	100%	5306	93%	4894	86%	3934	69%	Kronach
Mitwitz	3603	100%	3343	93%	3260	90%	3012	84%	Kronach
Nordhalben	3064	100%	2780	91%	2757	90%	2296	75%	Kronach
Pressig	5553	100%	5035	91%	5059	91%	4402	79%	Kronach
Stockheim	5451	100%	5178	95%	5523	101%	5161	95%	Kronach
Tettau	3483	100%	3670	105%	3465	99%	2822	81%	Kronach
Teuschnitz	2955	100%	2716	92%	2728	92%	2437	82%	Kronach
Grenzorte Kro	28028	100%	28028	100%	27686	99%	24064	86%	Kronach
Grenzorte ges.	100322	100%	96731	96%	98671	98%	91934	92%	

Leben an der innerdeutschen Grenze, aufgeschrieben 1985

Das Leben direkt an der Grenze war nicht allein durch erhöhte finanzielle Zuwendungen und steuerliche oder sonstige finanzielle Vergünstigungen in den Griff zu bekommen.
Im September 1985 widmete das Magazin „Der junge Beamte" dem Leben an der innerdeutschen Grenze eine Sonderausgabe, aus der nachfolgende Beiträge entnommen sind.[4]

In Weimarschmieden dröhnt die Stille

In Weimarschmieden dröhnt die Stille. Die wenigen Häuser um den Gutshof herum sehen sich an drei Seiten von „DDR-Grenzanlagen" eingeschnürt. Gelegentlich knallt es, wenn Niederwild oder Rehe Minen hochgehen lassen. Der Blick ist frei und unvermauert;

Gutshof   Gasthaus   Reinhardshof

„In Weimarschmieden dröhnt die Stille" wurde 1985 ein Illustriertenbeitrag über das unmittelbar an der Grenze in der Rhön liegende Dörfchen bei Fladungen überschrieben, das von drei Seiten vom Eisernen Vorhang umgeben war.
Foto: Archiv Elfriede Herda

Thüringer Wald – die Landschaft hüben und drüben verrät die ungeteilte Verwandtschaft. Früher wurde drüben gearbeitet, drüben eingekauft, das Vieh zum Schlachthof getrieben, die Früchte wurden auf den Markt gebracht. Drüben in Meiningen. Das ist lange her. Weimarschmieden lebt mit der Grenze.

Es ist die „raue Rhön" im Novemberlicht, die tieftraurig stimmt. Das alles, was da einzusehen ist, und das Dahinterliegende war einmal Herz des Reiches; eine uralte Kulturlandschaft. Die alten Grenzsteine lassen sich noch finden. Einer von ihnen markiert die „Dreiländerecke" zwischen Hessen, Bayern und Thüringen – steinerner Zeuge feudaler Besitzerrechte. Erst unsere Zeit hat daraus nach der östlichen Seite hin eine undurchlässige, die Menschen trennende Grenze gemacht.

Mit der Grenze leben hat für die alte Residenzstadt Coburg einen fast ironischen Doppelsinn. Ein kleiner Zweig der großen Familie der Wettiner hatte Coburg 1547 zu seiner Residenz gemacht, die Herzöge von Sachsen-Coburg, die sich durch die Jahrhunderte vor allem als Hochzeitsadel bewährten und so in Belgien, Portugal, Großbritannien und Griechenland Königsthrone eroberten. Als die Coburger Landesherren 1918 gestürzt wurden, entschlossen sich die Coburger, Bayern zu werden. Das dauerte bis 1920. Wie weise und glücklich dieser Entschluss war, zeigte sich erst 1945, als die alte Landesgrenze Thüringen zur Zonengrenze zwischen Amerikanern und Sowjets wurde. Heute lebt die oberfränkische Stadt mit ihrer mächtigen Veste eine eigene Idylle. Der Fremdenverkehr muss ersetzen, was durch die Teilung an Wirtschaftskraft verloren gegangen ist. Denn die Spielwarenindustrie, einst ein sicherer Arbeitgeber im Umland, lag nach dem Krieg jenseits der Grenze und wurde

In den Grenztagesmeldungen heißt es dazu:
Um 21.42 Uhr wurde im Abschnitt 400 m südlich Melpers, Krs. Meiningen, der Versuch eines gewaltsamen Grenzdurchbruchs von vier Personen mit Hilfe eines Lkw-Kippers von einer Kontrollstreife unter Führung des Kompaniechefs ohne Anwendung der Schusswaffe verhindert. Bei den Personen handelte es sich um die Familie S. (Eltern und zwei Kinder (9, 1) aus Zella-Mehlis. Sie waren mit dem mit Schotter beladenen Lkw auf der Straße Melpers – Fladungen gefahren, durchbrachen das Grenzsignaltor südlich von Melpers und die einsatzbereite Seilsperre hinter dem Gassentor. Sie blieben schließlich mit der Hinterachse des Lkw im Kfz-Sperrgraben, 5 m vor dem vorderen Grenzzaun, stecken und wurden festgenommen. Von westlichen Grenzorganen wurde der Vorfall nicht beobachtet.
(GT-TM 017192)

4./5. Oktober 1989

Von 18.00 – 01.00 Uhr gelang dem aus Oerlsdorf, Krs. Sonneberg, gebürtigen Lehrling Frank D., 18, 700 m südöstlich von Mupperg der Grenzdurchbruch. Er hatte den Grenzsignalzaun mit einer 2,90 m langen selbst gefertigten Leiter ohne Auslösung überwunden und bewegte sich in kürzester Zeit zum vorderen Sperrelement. Den Grenzzaun überwand er ohne Hilfsmittel. Die Anzeichen für den Grenzdurchbruch wurden erst am 05.10.1989 um 10.32 Uhr mit dem Auffinden der Leiter festgestellt.
(GT-TM 017192)

5. Oktober 1989

Im Foyer des Maxim-Gorki-Theaters in Berlin wurde eine Tafel mit Protestresolutionen aufgestellt, in denen zu einem offenen Dialog mit allen Kräften über die Probleme und die Situation des Landes aufgerufen wurde. Nach einer Vorstellung diskutierten Theaterleute und Hunderte Zuschauer da.

An den Grenzübergängen zwischen West- und Ostberlin wurde zahlreichen westdeutschen Bürgern die Einreise in die DDR verweigert. Trotz Protesten der

Bundesregierung, des Berliner Senats und der alliierten Stadtkommandanten wurden die Einreiseverweigerungen bis 9. Oktober fortgesetzt. Die „weltoffene" DDR begründete: „Wir brauchen zum Geburtstag keine Zuschauer."

600 Flüchtlinge wurden in einem DDR-Sonderzug von Warschau nach Hannover gebracht. 200 in die bundesrepublikanische Botschaft in Prag geflüchtete Bürger kehrten nach der Zusage, dass sie innerhalb von zwei Monaten ausreisen dürften, in die DDR zurück.

In Dresden kam es erneut zu gewalttätigen Auseinandersetzungen zwischen Demonstranten und bewaffneten Kräften.

In Magdeburg demonstrierten ca. 500 Menschen, etwa 80 wurden verhaftet.

Um 15.10 Uhr kam es zur Festnahme von Dieter F., 29, Sylvia H., 27, und deren 4-jährigen Sohn Markus, Sonneberg, im Grenzabschnitt 1.500 m südwestlich von Oberlind, Krs. Sonneberg. Sie näherten sich mit einem Lkw-Kipper (unbeladen) auf der Ortsverbindungsstraße Sonneberg – Oberlind den Grenzsicherungsanlagen und durchbrachen das Grenzsignalzauntor sowie die dahinter befindliche einsatzbereite Seilsperre. Aufgrund der Sperrwirkung der Anlagen geriet das Fahrzeug seitlich in einen Graben. Sie verließen das Fahrzeug und versuchten, zu Fuß in den Westen zu flüchten. Sie wurden bereits 400 m vor dem vorderen Sperrzaun von einem Grenzposten festgenommen. Vom Westen aus wurde der Vorfall nicht beobachtet. Der frühere Ehemann der H. vollzog bereits am 10.04.1987 mit 2 weiteren Männern einen Grenzdurchbruch b. Rückerswind, Krs. Sonneberg.
(GT-TM 017192)

Dem vorbestraften Frank D., 18, Mupperg, Krs. Sonneberg, gelang es, die Grenzanlagen zur Bundesrepublik im Raum Sonneberg zu überwinden. Er war Lehrling beim VEB Elektrokeramische Werke Sonneberg.
(BKG 89, BStU)

diesseits erst nach und nach aufgebaut. In dieser Region schlägt jede Wirtschaftskrise doppelt durch. Die Jungen reagieren darauf. Sie ziehen ab. Coburg, 45.000 Einwohner, verliert monatlich rund 100 Bürger.

Karl-Heinz Körblein

„... abends kommen sie zurück in ihre Dörfer zur Clique, zum Mofa!"

Die Deutsche Frage hat gerade in den vergangenen Wochen und Monaten zu teilweise heftigen Auseinandersetzungen zwischen Politikern aus Ost und West geführt; erinnert sei hier nur an die umstrittenen Äußerungen des italienischen Außenministers Giulio Andreotti („Es gibt zwei deutsche Staaten, und zwei sollten es auch bleiben!") oder auch an die Revanchismus-Vorwürfe, die uns nahezu täglich aus Moskau erreichen. An den Menschen aber, die ständig mit den Realitäten unserer Geschichte konfrontiert werden (sprich Grenze), dürften die Diskussionen ein wenig vorbeigehen: Nach 40 Jahren scheint sich der größte Teil der Einwohner im Zonenrandgebiet mit der Wirklichkeit abgefunden zu haben, die meist nüchtern und ohne viel Gerede beurteilt wird.

Sicher, viele haben noch Verwandte und Bekannte „drüben" in Geisa oder auch in Wenigentaft. Ortschaften, die den Älteren trotz der fast vier Jahrzehnte noch immer etwas bedeuten und seien es nur wehmütige Reminiszenzen an die eigene Jugend. Die Jüngeren indes haben gelernt, mit der Grenze zu leben, auch wenn sie in den Dörfern der Landkreise Fulda und Hersfeld-Rotenburg wohnen, deren Bewohner nur vor die Haustüre treten müssen, um vor dem Schild „Halt! Zonengrenze" zu stehen. Es gibt Bahngleise, die plötzlich im Nichts enden, es gibt Schüsse, die nachts die Bevölkerung aus dem Schlaf reißen, und es gibt den Schutzstreifenzaun, der immer perfekter zu werden droht.

Für die Jugendlichen jedoch steht zunächst einmal die Suche nach einem Ausbildungs- oder Arbeitsplatz im Vordergrund, der nicht selten auch ein „weg von Zuhause" bedeutet. Viele von ihnen müssen jeden Morgen mit dem Zug nach Fulda oder gar Frankfurt pendeln, da der Zonenrand wirtschaftlich nicht gerade ein Optimum bedeutet. Abends allerdings kehren die meisten zurück in ihre Dörfer, zurück zur Landwirtschaft, zur Clique, zum Mofa – in eine Umgebung, in der sie sich trotz Grenze wohlfühlen.

Das Gebiet nämlich hat trotz der „Barriere", die insgesamt 1.393 Kilometer lang ist, auch seine besonderen Vorzüge: Es besitzt gerade mit seiner reizvollen Landschaft, seiner Ruhe und den größtenteils gastfreundlichen Bewohnern einen hohen Erholungs- und Freizeitwert. Und noch etwas wird - gerade auch von den Jugendlichen – ganz groß geschrieben: Die Gemeinschaft nämlich (egal, ob es sich jetzt um Kirmesveranstaltungen, Volkswanderungen oder auch um den bunten Abend des Gesangvereins handelt) ist in den Dörfern sicher stärker vorhanden als in mancher Großstadt. Auch wenn das Klischee „Hier kennt noch jeder jeden" überholt und abgedroschen erscheint, trifft es doch zu.

„Die Grenze ist halt da, man lebt mit ihr und da wird sich wohl auch in absehbarer Zeit nicht mehr viel ändern". An die „große Behinderung" durch die Grenze hat man sich im Laufe der Jahre eher gewöhnt. Und die schönen Flecken, die westlich der Grenze übrig blieben, will man ganz für sich behalten. Gerade die Natur ist hier nämlich noch viel „identischer" als in Großstädten.

Das Fazit eines 22-Jährigen aber, der seit gut drei Jahren im süddeutschen Raum lebt, weil er im Zonenrand keine Arbeitsstelle gefunden hat, und der trotzdem wenigstens zweimal im Monat „heimkommt", soll stellvertretend für das stehen, was die meisten empfinden: „Das Wichtigste ist doch, dass trotz der Grenze das Familienleben und die Gemeinschaft noch viel intakter sind als vielleicht woanders."

Bertram Lenz

„Trotzdem lebt sich's hier nicht schlecht"

Hinter Mellrichstadt versiegt der Verkehr. Die alte Reichsstraße 19 – Schweinfurt, Meiningen, Eisenach – endet direkt hinter dem Burgstädtchen Nordheim. Es lebt sich hier mitten in Deutschland wie am Ende der Welt. Der Blick hinüber nach Thüringen zeigt die Verwandtschaft der Landschaft, die Bewohner haben sich daran gewöhnt, an den Rand gedrängt worden zu sein. Das empfinden die Älteren stärker als die Generation, die damit groß geworden ist.

Karl Allmenröder weiß noch, wie es war, als er mit seinen Produkten zum Markt nach Meiningen fuhr. Die 30 Kilometer Entfernung sind heute wie Lichtjahre. Drüben – das ist eben eine ganz andere Welt. Früher war es unmittelbare Nachbarschaft. Allmenröder, an die 80 Jahre heran, wird sich nie daran gewöhnen können, dass es so ist, wie es ist. Seine Söhne haben sich daran gewöhnt und sind längst abgewandert: „Denn hier, so dicht an dieser Grenze, haben jüngere Menschen kaum eine Zukunftschance", sagt Karl Allmenröder.

„Trotzdem lebt sich's nicht schlecht hier", und dann beginnt eine ausdauernde Erzählung über die Vorzüge dieser bergigen Gegend im Vorfeld der Rhön. Sommer- und Winterfrischler, die die Stille und Abgeschiedenheit mögen, verirren sich immer zahlreicher in die romantischen Orte zwischen Coburg und Bad Hersfeld. Davon leben vor allem Hotels und Gastwirte, die es in diesem landschaftlich bevorzugten Streifen mit viel Phantasie und Geschäftssinn zu viel originellen Herbergen und Feinschmecker-Tempeln gebracht haben.

Das sagt auch der Gärtner eines Gutes bei Fladungen, dessen Äcker entlang der Grenze verlaufen. „Erst sind da die Minen geräumt worden. Früher hat es hier vor allem in der Nacht viel gekracht, weil Rotwild in den Minengürtel geriet. Später kam das gelegentliche Krachen der Selbstschussanlagen dazu. Heute ist es vergleichs-

Von Sicherheitsorganen der VR Polen wurde Olaf S., 24, Schmalkalden, Arbeiter beim Rat der Stadt Schmalkalden, gestellt. Er wollte über Polen den Westen erreichen.
(BKG 89, BStU)

In die VR Polen waren der vorbestrafte Ralf W., 27, Schleusingen, Krs. Suhl-Land, und Ray B., 22, Suhl eingedrungen. Grenzer Polens nahmen die Männer fest. Beide arbeiteten als Rohrleger im VEB Wasserwirtschaft Suhl.
(BKG 89, BStU)

Dieter F., 29, Kraftfahrer beim LBK Sonneberg, und Silvia H., 27, Näherin in der Firma Eichhorn Sonneberg, beide Sonneberg, hatten die Absicht, mit einem Lkw im Raum Sonneberg in die Bundesrepublik durchzubrechen. Sie wurden von Angehörigen der DDR-Grenztruppen festgenommen.
(BKG 89, BStU)

Janko A., 19, Oberhof, Hausmeister beim FDGB-Feriendienst Oberhof, reiste illegal in die ČSSR ein. Er wollte in den Westen flüchten. Von Sicherheitsorganen der ČSSR wurde er gestellt.
(BKG 89, BStU)

6. Oktober 1989
Die Fußgänger-Unterführung am S-Bahnhof Borsdorf bei Leipzig war in der Nacht mit riesigen Parolen wie „Gorbi, hilf!", „Erich hat abgewirtschaftet", „Neues Forum zulassen!" bemalt worden.

Wolfgang Engel, der international bekannte Regisseur am Staatsschauspiel Dresden, verweigerte die Annahme des DDR-Nationalpreises. Die Schriftstellerin Christa Wolf trat aus der SED aus.

Gorbatschows Fahrt zum Palast der Republik war signalgebend, obwohl fast ausschließlich ausgesuchte Zuschauer und „bewaffnete Kräfte" in Uniform und in Zivil abgeordnet worden waren. „Gorbi-Rufe" erschallten, die Stimmung war gereizt und explosiv zugleich. Vor westlichen Journalisten sagte Gorbatschow: „Ich glaube, Gefahren warten nur auf jene, die nicht auf das Leben reagieren." Darauf folgte der Staatsakt im Palast der Republik.

Punkt 17.00 Uhr: Einzug der DDR-Führung mit Ehrengästen, vorneweg Michail Gorbatschow und Erich Honecker. Das Hamburger Journal Stern beschrieb, die Stimmung:

„... eine quälende Stunde lang reiht der greise, von Krankheit geschwächte SED-Führer Phrasen und Klischees aneinander, lobt und preist sein Lebenswerk unter dem Motto: ‚Vorwärts immer, rückwärts nimmer!' Willi Stoph, der Ministerpräsident, ist eingenickt, Gorbatschow nicht bei der Sache. Er scherzt mit seinem Prager Amtskollegen Milos Jakes. Honeckers Ausfälle gegen die westdeutschen Klassenfeinde setzt Gorbatschow seine Vision einer neuen Ära blockübergreifender Zusammenarbeit entgegen. Umgestaltung, Demokratisierung, Offenheit seien lebensnotwendig ..."

Honecker nannte die DDR einen „Vorposten des Friedens und des Sozialismus in Europa".

In der Erlöser-Kirche in Ostberlin versammelten sich mehr als 2.000 junge Leute zu einer „Zukunftswerkstatt" unter dem Motto: „Wie nun weiter, DDR?" Die Vertreter von überregionalen Oppositionsgruppen formulierten ein Papier der Zusammenarbeit, verlangten die Demokratisierung des gesellschaftlichen Lebens in der DDR und freie Wahlen unter UN-Kontrolle.

Am Abend fand der traditionelle Jubel-Fackelzug der Freien Deutschen Jugend, der Kampfreserve der Partei, statt. 100.000 FDJler werden aus der gesamten DDR herangekarrt, damit dem Arbeiter- und-Bauern-Staat in feudalabsolutistischer Manier gehuldigt wird. Der Stern beschrieb das Spektakel:

„Den Minen von Gorbatschow und dem polnischen Parteichef Rakowski sieht man an, was sie von derartigen Massenspektakeln halten. Aber Honecker ist glücklich. Er winkt, reicht die Faust zum Gruß und singt in nostalgischer Verzückung mit, als das Musikkorps den alten FDJ-Hit intoniert: ‚Bau auf, bau

weise still geworden." Das Unwirkliche dieser gewaltsamen Trennung werde vor allem durch die Natur markiert. Mitten durch die dicken Wälder seien fast 100 Meter breite Streifen geschlagen worden – für die moderne Grenze.

Karlheinz Körblein

„... weil die in Bonn und München doch ein Land nicht verhungern lassen dürfen"

Bürgermeister Gerhard Schätzlein ist der Motor der Einheitsgemeinde Willmars, um den sich alles dreht. Die Ortschaften Filke, Völkershausen und Willmars wurden um 800 erstmals urkundlich erwähnt.

Bischof Bonifatius gründete um diese Zeit den Ort „Bischofs", aus dem später Filke hervorging und an den heute noch der „Mauerschädel" erinnert. Während früher die Grenze auch die Ruine Mauerschädel in zwei Hälften teilte, gehört sie nach den Feststellungen der Grenzkommission nun zu Bayern.

Die drei Gemeinden lagen früher zwischen dem Hennebergischen und dem Würzburger Gebiet und gehörten zur freien und unmittelbaren Reichsritterschaft. Ihre Selbstständigkeit bewahrten sich die Herren von Stein, von der Tann und die Henneberger auch in religiöser Hinsicht. Sie leiteten zwischen 1544 und 1606 die Reformation ein, und seit dieser Zeit sind die Gemeinden rein evangelisch.

1950 zählten Filke, Völkershausen und Willmars 948 Einwohner. Es war der höchste Stand, der je in der Geschichte erreicht wurde. Auf Filke entfielen damals 198 Einwohner, auf Völkershausen 177 und auf Willmars 573. Heute zählt Filke noch 170 Seelen, Völkershausen 90 und Willmars 450. In Willmars leben 80 Kinder in einem Heim, das überwiegend Sozialwaisen aufnimmt. Die Kinder sind in die Ortsgemeinschaft fest integriert und werden von den Bürgern als ein „belebendes Element" akzeptiert.

Im Zuge der Gebietsreform wurden die drei ehemals selbstständigen Gemeinden zusammengelegt zur Einheitsgemeinde Willmars, die Mitglied der Verwaltungsgemeinschaft Ostheim ist. Gerhard Schätzlein ist seit 1980 Bürgermeister.

Die Fremden stehen da mit Ferngläsern, so groß wie Kanonenrohre, als ob sie von hier bis nach Berlin gucken wollten. „Nu sieh mal da, da ist ein Zaun". Und dann werden sie ganz ärgerlich, die Bürger, weil die Grenze kein Ding ist, das man angaffen darf, und weil die Menschen hier nicht in einem Zoo leben, zum Anfassen und Streicheln und Füttern. Gerhard Schätzlein, der 1959 als junger Lehrer nach Filke versetzt worden ist, erinnert sich: „Ich habe mich gewehrt, aufgelehnt gegen diese Grenze. Aber heute gehört sie zu mir, habe ich gelernt, damit zu leben."

Gerhard Schätzlein ist sogar Bürgermeister geworden, weil er das Land so liebt und die Leute. Weil er nicht aufgeben will, nicht resignieren. Sicher, da stehen Häuser leer, und in Willmars wohnt in jedem zweiten Gebäude eine alleinstehende Person über 60 Jahre.

Aber – da ist der Bauer auf seinem Mähdrescher, da ist ein gut florierender Schreinereibetrieb, in dem fünf Arbeiter in Brot und Lohn stehen, und da sind ein paar unerschrockene Idealisten, die ihr Land verkaufen, weil es so schön ist, an die Fremden aus der Großstadt, für vier Wochen Sommerfrische.

Nein, es ist ein täglicher Kampf ums Überleben, am Rande der Welt zu leben. Gerhard Schätzlein versucht es mit Dorferneuerung, mit Kanalisation, mit einem Bürgerhaus und mit einem Wirtshaus, das die Gemeinde aufgekauft hat, damit es nicht leer steht, damit immer wieder ein Skatblatt aufgelegt werden kann, wenn es Feierabend werden will. Doch der Wohlstand kostet mehr, als die Bürger bezahlen können. Weil die Häuser so weit auseinander liegen, weil die Bebauung so „locker" ist, müssen die Kanäle unendliche Wegstrecken zurücklegen, bis der Hauptsammler erreicht ist. Die Bürger wissen nicht, wie sie die Schuld begleichen sollen.

Früher als Juso wollte Gerhard Schätzlein die Welt verändern, heute als Bürgermeister geht er von einer Dienststelle zur anderen und bettelt um ein bisschen Geld. Weil die Gemeinde Willmars keine Gewerbebetriebe hat, hat sie kein Steueraufkommen, und weil sie kein Steueraufkommen hat, auch keine Eigenmittel. Und weil sie keine Eigenmittel hat, bekommt sie keine Zuschüsse. Selbst bei einem Fördersatz von 90 Prozent bleibt ein Rest von zehn Prozent. Unbezahlbar von 9.000 Mark Gewerbesteueraufkommen pro Jahr aus Filke, Willmars und Völkershausen.

Früher gab es in den drei Nachbargemeinden noch fast 1.000 Einwohner und alles, was zur Grundversorgung nötig war: In Willmars zwölf Handwerksbetriebe, in Filke 34 landwirtschaftliche Unternehmen. Heute fährt die rollende Metzgerei die drei Dörfer an, stundenweise und nicht jeden Tag. In Willmars arbeiten noch drei Handwerksbetriebe, in Filke ist die Landwirtschaft auf zwei Bauern zusammengeschrumpft. Die Bäckerei in Willmars hat zugemacht, nur ein Gemischtwarenladen deckt den Bedarf an Scheuermitteln und tiefgefrorenen Bratwürsten für den Notfall. 710 Bürger leben noch im Schatten dieses Grenzabschnittes, und es sterben pro Jahr mehr, als geboren werden. Die Abwanderungswelle ist nicht zu stoppen, die Jugend hat neue Ziele gefunden. Wenn die Kinder eine höhere Schulbildung haben, tauschen sie Heimat gegen Wohlstand.

Die alten Leute sind bitter geworden, mutlos. Die Zonengrenze hat sie mit einem Schlag ihrer Besitzungen, ihrer Verwandtschaft und ihrer kulturellen Bindungen beraubt. Die evangelische Bevölkerung hatte ausschließlich Kontakt nach Thüringen, die wirtschaftlichen Bindungen gingen nach dem Osten. Bekannte, Freunde – unerreichbar fern im drei Kilometer nahen Stedtlingen. Und auch die Kinder zogen fort, verließen die Alten. Sie gingen wie einst die Flüchtlinge, die 1950 das Dorf überflutet haben, die aber nur Brot brauchten, für die Wanderschaft nach Westen.

Ist es also nur eine Frage der Zeit, wann die Dörfer endgültig aussterben? Gerhard Schätzlein resigniert nicht. Der Schreinereibetrieb

---

auf, Freie Deutsche Jugend, bau auf!' Aber dann rufen viele Blauhemden nicht ‚Erich', sondern skandieren immer wieder: ‚Gorbi, Gorbi' ...“
Kommentar des DDR-Fernsehens: Es sei ein Eindruck von Optimismus und Zuversicht vermittelt worden ...

In einer Aktennotiz zur „Information über Diskussionen und Stimmungen unter der Bevölkerung des Bezirkes Suhl zu aktuellen Ereignissen" des Leiters der Bezirksverwaltung der Staatssicherheit, Generalmajor Gerhard Lange, an den 1. Sekretär der SED-Bezirksleitung Suhl, Hans Albrecht, heißt es u. a.:
„... Lehrer und Erzieher der Kreise Suhl und Hildburghausen stellen die Frage, warum gerade so viele Jugendliche und Jungerwachsene die DDR ungesetzlich verlassen bzw. verlassen wollten.
Nachdenklich stimme, daß diese Jugendlichen alle das sozialistische Bildungssystem der DDR durchlaufen und die staatliche Fürsorge für die jüngere Generation genossen hätten. Wenn Erziehung und Bildung so wenig nachhaltigen Einfluß hinterließen, könne doch etwas in der staatsbürgerlichen Erziehung nicht stimmen.“[3]

Der Leiter der Abteilung Parteiorgane bei der SED-Bezirksleitung Suhl (Abt.-Nr. 20), Töpfer, teilte in einer Aktennotiz (20 30 30 10) an den 1. Sekretär der SED-Bezirksleitung, Hans Albrecht, mit:
Werter Genosse Albrecht!
Wir möchten Dich darüber informieren, daß in der Gemeinde Bedheim, Kreis Hildburghausen, in der Nähe der Bushaltestelle von den 2 DDR-Fahnen eines Fahnenpilzes vermutlich in den Nachtstunden die Embleme abgetrennt wurden. Die Sicherheitsorgane des Kreises haben die entsprechenden Untersuchungsmaßnahmen eingeleitet.
Die Sekretäre der Ortsleitungen und die OPD-Sekretäre sowie die Bürgermeister wurden beauftragt, Maßnahmen zur weiteren Erhöhung der Sicherheit und Wachsamkeit einzuleiten.
(Thüringisches Staatsarchiv Meiningen. SED-Bezirksleitung Suhl, Nr. 449)

Die angeblichen „Provokateure" wurden trotz intensiver Ermittlungen nicht festgestellt.

Am Vorabend des 40. Jahrestages der DDR gab es in Hildburghausen – wie in anderen Kreisen bzw. kreisfreien Städten – an der Gedenkstätte für DIE OPFER FASCHISTISCHEN TERRORS UND IMPERIALISTISCHER KRIEGE MAHNEN ZUM KAMPF FÜR FRIEDEN UND SOZIALISMUS am Johann-Sebastian-Bach-Platz und am sowjetischen Ehrenmal auf dem Zentralfriedhof zu Kranzniederlegungen. Die Teilnehmer, Delegationen aus den Betrieben, Verwaltungen und Genossenschaften, trafen sich um 7.45 Uhr. Nach dem Zeremoniell an der Gedenkstätte – Standort des 1945 ausgebrannten ehemaligen Residenzschlosses und Kaserne der 95er – formierten sich die Teilnehmer zu einer Demonstration für die Kranzniederlegung am sowjetischen Ehrenmal auf dem Zentralfriedhof.

Festveranstaltung der Kreisleitung der SED anlässlich des 40. Jahrestages der DDR im Stadttheater Hildburghausen. Die Festansprache hielt Herbert Lindenlaub, 1. Sekretär der SED-Kreisleitung Hildburghausen.
Freies Wort berichtete am 10.10. in einem redaktionellen und von der SED-Kreisleitung redigierten Beitrag unter der Schlagzeile

40 Jahre DDR – 40 erfolgreiche Jahre zum Wohle der Bürger unseres Kreises
Herbert Lindenlaub würdigte in seiner Festansprache die erreichten Ergebnisse erfolgreichen Aufbauwerkes/Delegationen aus Kaluga und unseren Partnerkreisen Pelhrimov und Wschowa überbrachten Glückwünsche/280 Volkskünstler gestalteten Festprogramm.
Hildburghausen (FW). Zu einem eindrucksvollen Bekenntnis zur weiteren allseitigen Stärkung unseres sozialistischen Vaterlandes gestaltete sich die Festveranstaltung zum 40. Jahrestag der Gründung der DDR, zu der am Freitag die Kreisleitung Hildburghausen der SED, der Rat des Kreises und der Kreisausschuß der Nationalen Front in das Stadttheater eingeladen hatten. Den Mitgliedern des

hat eine ausreichend dicke Auftragsdecke, die 1970 stillgelegte Ziegelei böte sich für vielerlei Nutzung an. Der Fremdenverkehr erlebt seine erste Blüte. Die Gutverdiener aus bundesdeutschen Großstädten kaufen alte Bauernhöfe auf, renovieren sie liebevoll. Sie alle stört die Grenze nicht, die das Land teilt. Gewiss, es ist eine fragwürdige Idylle und manchmal auch eine unheimliche.

Die Regierung von Unterfranken will einen Forschungsauftrag vergeben mit dem Ziel, nach Möglichkeiten zu suchen, wie leerstehende landwirtschaftliche Bausubstanz wieder integriert werden kann, vor allem im Zonenrandgebiet, dargestellt am Beispiel Willmars. Gerhard Schätzlein verspricht sich viel davon, wenn seine Gemeinde nur wieder mal ins Gerede kommt und Bewusstsein weckt oder so etwas ähnliches wie Gewissen. Weil die in Bonn und München doch nicht ein Land am ausgestreckten Arm verhungern lassen dürfen, das mitten in Deutschland liegt.

Hanni Chill

Besucher an der Grenze

Förderung von Informationsfahrten an die Grenze zur DDR

Im Rahmen von innerdeutschen Informations- und Begegnungsfahrten förderte das Bundesministerium für Innerdeutsche Beziehungen (BMB) auch Informationsfahrten von Erwachsenen und Jugendlichen an die Grenze zur DDR. 1984 konnten rund 750 Schüler-, Studenten- und Jugendgruppen mit rund 26.000 Teilnehmern, rund 550 Erwachsenengruppen mit rund 25.000 Teilnehmern und rund 190 Ausländergruppen mit rund 7.000 Teilnehmern von dieser finanziellen Förderung profitieren; insgesamt wurden rund 1 Mio. DM für Informationsfahrten in das Grenzgebiet zur DDR ausgeschüttet. Im Haushaltsplan 1985 stand ein etwa gleich hoher Betrag zur Verfügung.

Das BMB bezuschusste ein- bis dreitägige Fahrten an die Grenze zur DDR, die vorrangig der politischen Information über die Lage des geteilten Deutschlands und über spezifische Fragen und Probleme des Zonenrandgebietes dienten. Grenzinformationsstellen boten solche Info-Programme an; dazu zählten Grenzfahrten mit Führungen, Vorträgen, Betriebsbesichtigungen etc. Überdies sollte in grenznahen Häusern übernachtet werden.[5]

Grenzinformationsstellen und Beobachtungspunkte

Grenzinformationsstellen waren DDR-Machthabern ein „Dorn im Auge"

In der Bundesrepublik wurde ausführlich über die innerdeutsche Grenze informiert

Die innerdeutsche Grenze war von Seiten der Bundesrepublik Deutschland eine offene Grenze. Besucher hatten die Möglichkeit, sich im unmittelbaren Grenzgebiet zur DDR eingehend zu informieren. Auf westlicher Seite bestanden keinerlei Sperren oder Sicherungsanlagen. Besucher wurden durch Warntafeln mit der Aufschrift „Halt! Hier Grenze" auf die Grenze aufmerksam gemacht. Diese Schilder, die zum Teil auch einen etwas veränderten Text hatten, waren an weißen Plastikpfählen mit orangefarbenem bzw. in Bayern mit blauem Kopf angebracht und befanden sich auf dem Gebiet der Bundesrepublik Deutschland. Die Grenze verlief meist unmittelbar dahinter als eine gedachte Linie von Grenzstein zu Grenzstein.

Verhalten an der Grenze

Die Grenztruppen der DDR hatten Befehl, „Verletzungen des Territoriums der DDR" mit allen Mitteln, auch durch Einsatz der Schusswaffe, zu verhindern. Im Grenzbereich waren daher Umsicht und Vorsicht geboten; man sollte nicht gedankenlos die Grenze überqueren. Es existierte kein „Niemandsland". Wer sich der Grenze näherte, sollte sich deshalb sorgfältig vergewissern, wo die

Susi Eschenbach informierte Gäste in der Grenzinformationsstelle Bad Königshofen, und zwar v. l. Walter Gromp von der Arbeitsgemeinschaft Staat und Gesellschaft Bayern sowie Bernd Eisenfeld und Horst Kunze vom Bundesministerium für innerdeutsche Beziehungen.
Foto: Reinhold Albert

Sekretariats der SED-Kreisleitung, des Rates des Kreises, den Repräsentanten der befreundeten Parteien und Massenorganisationen, den Abgeordneten der Volkskammer und des Bezirkstages, den Veteranen, Aktivisten der ersten Stunde, verdienstvollen Bürgern aller Klassen und Schichten galt das herzliche Willkommen des Vorsitzenden des Kreisausschusses der Nationalen Front, Klaus Schwenk. Besonders herzlich begrüßte er Teilnehmer des Freundschaftszuges Kaluga – Suhl, Delegationen aus der VR Polen und der ČSSR sowie bei uns lernende Freunde aus Angola, Vietnam und Kambodscha. Nach der Festansprache von Herbert Lindenlaub, 1. Sekretär der SED-Kreisleitung, ergriffen die Leiter der Delegationen das Wort zu ihren Grußansprachen. Volkskünstler unseres Kreises gestalteten das abschließende festliche Programm.

Herbert Lindenlaub würdigte in seiner Ansprache, immer wieder vom Beifall unterbrochen, die 40jährige erfolgreiche Entwicklung unseres Arbeiter-und-Bauern-Staats, in dem die Bürger auch unseres Grenzkreises von Ummerstadt bis Masserberg Hervorragendes leisteten. Dafür sprach er allen Bürgern den herzlichsten Dank aus. Er erinnerte daran, daß seit jeher dem einzelnen und der ganzen Gesellschaft zugute kommt, was ehrliche und fleißige Arbeit erbringt. Das wird wie heute auch morgen so sein.

In einer der einst ärmsten Gegenden Deutschlands leben wir heute in einem modernen Industrie-Agrarkreis, in dem täglich Erzeugnisse im Werte von 5 Millionen Mark gefertigt werden. In diesem Jahr produzierten wir in viereinhalb Monaten soviel wie 1970 während des ganzen Jahres. Hohe Leistungen wurden zu Ehren des 40. Jahrestages der DDR vollbracht; so der Vorsprung in der Nettoproduktion auf 3,7 Arbeitstage weiter ausgebaut, für 6,2 Millionen Mark zusätzlich gefragte Konsumgüter produziert.

Die Resultate fleißiger Arbeit, so hob der Redner vor, zeigen sich in modernen Wohnungen, einer gesunden und freundlichen Umwelt, in guten Einkaufs- und Freizeitmöglichkeiten. Heute lebt über die

Hälfte der Bürger in Wohnungen, die nach dem 7. Oktober 1949 neu gebaut bzw. modernisiert wurden.

Herbert Lindenlaub unterstrich mit Nachdruck: 'Mit den in vier Jahrzehnten gemachten Erfahrungen, voller Stolz auf das Erreichte, werden wir weiter auf bewährtem Kurs den Sozialismus in den Farben der DDR gestalten. Dabei wissen wir, daß der Klassenkampf noch größere politische, wirtschaftliche und auch persönliche Anstrengungen erforderlich macht. Bereiten wir mit neuen kraftvollen Initiativen den XII. Parteitag der SED vor.' ..."

Das Stadttheater Hildburghausen wurde von meist in Zivil auftretenden Sicherheitskräften abgeschirmt. Betriebe, Institutionen, Parteien, Massenorganisationen, Schulen usw. mussten im Vorfeld die zu Delegierenden benennen, deren Anwesenheit kontrolliert wurde.

Um 21.40 Uhr erfolgte die Festnahme von Heiko L., 20, Krs. Ilmenau, in Schalkau, Krs. Sonneberg, an der Sperrzonen-Kontrollstelle durch die VP.
(GT-TM 017192)

Von der VP wurde Heiko L., 20, Oberweißbach, Krs. Neuhaus/Rwg., Warenbegleiter im GHG WtB, und Henry L., 25, Eisfeld, Folienbläser im VEB Holz und Plast Saargrund, festgenommen. Die Männer wollten im Raum Sonneberg flüchten.
(BKG 89, BStU)

Im Raum Forst, Bezirk Cottbus, wurden von der DVP Andrea G., 21, Verkäuferin in der Kaufhalle Ilmenauer Straße, und R., 33, Schmied im VEB FaJaS Suhl, beide wohnhaft in Suhl, festgenommen. Sie versuchten, über die Staatsgrenze der DDR illegal in die VR Polen zu gelangen.
(BKG 89, BStU)

7. Oktober 1989
Jubelfeiern zum 40. Jahrestag der DDR und das Erstarken der Opposition
Überall in der DDR wurden Feiern zum 40-jährigen Bestehen verordnet. Die

Der Grenzpolizeibeamte Reinhold Albert, Mitautor dieses Buches, leitete zusammen mit seinem Kollegen Ernst Schanz die Grenzinformationsstelle Dürrenried. Die Aufnahme zeigt ihn um 1985 bei der Führung einer Besuchergruppe an der innerdeutschen Grenze bei Ermershausen – Schweickershausen.
Foto: Gerhard Schmidt

genaue Grenzlinie zur DDR verlief, um keinesfalls über die Warntafeln auf dem Gebiet der Bundesrepublik hinauszugehen. Auch Wanderern oder Grenzbesuchern, die nur wenige Meter hinter der Grenzlinie angetroffen wurden, drohten Festnahme und Bestrafung durch die DDR-Behörden. Auf dem Gebiet der DDR galten andere Rechtsvorschriften als in der Bundesrepublik Deutschland. Nach dem Strafgesetzbuch der DDR stellte ein Überschreiten der Grenze – wenn auch unabsichtlich oder ganz geringfügig – einen „ungesetzlichen Grenzübertritt" dar und wurde in schweren Fällen mit Freiheitsstrafe bis zu fünf Jahren bestraft.

Es wurde empfohlen, im Grenzgebiet nur befestigte Straßen und Wege zu benutzen und die mit Hinweisschildern gekennzeichneten Grenzinformationspunkte zu besuchen. Dort war der Grenzverlauf besonders gut zu erkennen. Vorsicht war an unübersichtlichen Stellen – besonders in Wald- und Wiesenregionen – geboten, da hier die Grenzmarkierungen zugewachsen sein konnten. Wenn jemand versehentlich DDR-Gebiet betrat, wurde empfohlen, allen Aufforderungen von Angehörigen der DDR-Grenztruppen zum Verlassen des DDR-Gebietes im eigenen Interesse unverzüglich zu folgen.

Die auffälligen schwarz-rot-goldenen Säulen mit DDR-Emblem (im Volksmund „Indianer" genannt, weil sie an einen Marterpfahl erinnerten) befanden sich bereits jenseits der Grenzlinie auf dem Gebiet der DDR. Erst in einem weiteren Abstand von oft mehreren Metern begannen die Sperranlagen der DDR.

Grenzaufklärer der DDR operierten oft vor diesen Sperranlagen. Es handelte sich bei diesen Soldaten um besonders ausgewählte und ausgebildete Unteroffiziere und Offiziere, die aus Verstecken im DDR-Gebiet vor den Sperranlagen heraus Grenzbesucher festnehmen konnten, wenn sie DDR-Gebiet betraten oder sich an den DDR-Emblemen auf dem schwarz-rot-goldenen Säulen zu schaffen machten.

Die DDR-Grenzsoldaten pflegten Grenzbesucher in oft auffälliger Weise zu fotografieren und ihre Gespräche mit Aufnahmegeräten abzuhören. Zurufe und auffällige Verhaltensweisen konnten leicht zu unberechenbaren Reaktionen führen und sollten im eigenen Interesse vermieden werden. Etwaige Vorfälle sollten sofort bei den Dienststellen der westdeutschen Grenzbeamten oder bei den örtlichen Polizeidienststellen gemeldet werden. Den DDR-Grenztruppen war es grundsätzlich verboten, Gespräche oder sonstige Kontakte mit Personen auf dem Gebiet der Bundesrepublik Deutschland aufzunehmen. Besucher an der innerdeutschen Grenze sollten deshalb Provokationen unterlassen und bedenken, dass es sich bei den Grenzsoldaten der DDR vielfach um junge Wehrpflichtige handelte, die oft gegen den eigenen Willen diesen Dienst leisten mussten.

Bei Besuchen an der innerdeutschen Grenze wurde empfohlen, dass sich Gruppen, aber auch Einzelbesucher von ortskundigen Begleitern führen ließen. Die Beamten des Bundesgrenzschutzes, des Zollgrenzdienstes und der bayerischen Grenzpolizei standen dafür zur Verfügung und waren in der Lage, über die jeweiligen örtlichen Gegebenheiten zu informieren.

Informationsmöglichkeiten an der Grenze

Ein Besuch unmittelbar an der innerdeutschen Grenze, ein Blick auf und über die Sperranlagen der DDR konnte kaum mehr als einen ersten Eindruck vermitteln. Oft ließ sich nur erahnen, dass diese

Bürgermeister Hans Albert aus Sternberg im Grabfeld führte über 25 Jahre Besucher an der innerdeutschen Grenze. Die Aufnahme entstand Mitte der siebziger Jahre mit einer Besuchergruppe aus Wolfratshausen.
Foto: Sammlung Reinhold Albert

Stimmung des Großteils der Bevölkerung war jedoch gedrückt.

In der DDR kam es zu Zusammenstößen mit der Staatsmacht, u. a. wurden die Demonstrationen von Sicherheitskräften zum Teil mit großer Brutalität aufgelöst: in Dresden 30.000 Demonstranten, in Magdeburg 500, in Leipzig 10.000, in Plauen 10.000, in Potsdam 3.000, in Karl-Marx-Stadt (Chemnitz) 1.000, in Arnstadt 600, in Berlin einige Tausend.

Am Vormittag fand in der Ostberliner Karl-Marx-Allee vor handverlesenem Publikum eine zu den Vorjahren vergleichsweise kleinere Militärparade statt. Die westlichen Alliierten protestierten, da die militärische Schaustellung gegen den entmilitarisierten Status der Stadt verstoße. In Rostock gab es eine Flottenparade der Volksmarine.

Das oppositionelle Neue Forum sammelte 11.000 Unterschriften. Jugendliche diskutierten mit einem alten SED-Genossen. Es gab Rangeleien mit der verhassten Stasi, die zivil getarnt den Alex und andere für sie kritische Örtlichkeiten sicherte. Die Polizei griff wegen anwesender Westjournalisten nicht ein. Sprechchöre riefen: „Freiheit", „Wir bleiben hier!", „Neues Forum", „Stasi raus", „Reformen". Aus der aus SED-Sicht konterrevolutionären und von den imperialistischen Geheimdiensten gesteuerten Provokation entwickelte sich ein spontaner Protestmarsch. Die Menschen zogen vor dem Roten Rathaus vorbei und sangen die „Internationale". Zum gleichen Zeitpunkt verabschiedete im „Palast der Republik" Erich Honecker seine Staatsgäste, darunter auch den sowjetischen Reformer Michail Gorbatschow. Die Demonstranten skandierten u. a. „Gorbi, hilf uns!". Stasi-Einsatzkräfte drängten die Protestierenden ab. „Keine Gewalt" rief die Menge. An der Dimitroffstraße wurde eine Polizeikette durchbrochen. Zum Staatsjubiläum sangen die mutigen Menschen „Happy birthday, Polizeistaat!" An der Gethsemane-Kirche wurde die Menge abgedrängt und gewaltsam geteilt. Einige Demonstranten wurden weggezerrt, brutal verprügelt, eingesperrt. Westliche Journalisten wurden gezwungen, Filme, Video- und Tonbänder abzugeben.

In Schwante wurde die Sozialdemokratische Partei (SDP) gegründet. Geschäftsführer wurde der Historiker Ibrahim Böhme, der später als Stasi-Spitzel enttarnt wurde.

Um 00.15 Uhr wurde Horst B., 35, Sonneberg, von einem Grenzposten ca. 1.000 m südlich von Hönbach, Krs. Sonneberg, gestellt und festgenommen. B. war zu Fuß unterwegs und hatte eine Leiter dabei, mit der er bereits den Grenzsignalzaun überwunden und ihn ausgelöst hatte.
(T-TM 017192)

Gegen 00.35 Uhr wurde Martin B., 22, Krs. Langensalza, in Judenbach, Krs. Sonneberg, von der Volkspolizei festgenommen. Er wurde bereits 2 Tage zuvor an der Grenze zur VR Polen gestellt und bekam die Auflage, sich beim Volkspolizeikreisamt Bad Langensalza, Bezirk Erfurt, zu stellen. Er wollte bei Judenbach über die Grenze.
(GT-TM 017192)

Holger S., 20, Suhl versteckte sich in einem Packwagen der Reichsbahn und wurde an der Grenzübergangsstelle Gerstungen, Krs. Eisenach, um 16 Uhr von der Passkontrolleinheit entdeckt und festgenommen.
(GT-TM 017192)

In Reurieth, Krs. Hildburghausen, kam es zu Festnahmen und Zuführungen zur Volkspolizei wegen angeblich antisozialistischer Schriftzüge auf der Fahrbahn und dem Auftauchen von gegen die DDR gerichteten Plakaten sowie Störungen der Festveranstaltung zum 40. Jahrestag.

Beim Versuch, die Bundesrepublik im Raum Sonneberg zu erreichen, wurde Horst B., 34, Sonneberg, Kranfahrer im VEB Elektrokeramische Werke Sonneberg, von Angehörigen der Grenztruppen gestellt.
(BKG 89, BStU)

Grenzführung Anfang der siebziger Jahre durch einen Beamten der Bayerischen Grenzpolizei an der innerdeutschen Grenze zwischen Breitensee/Tappstadt und Milz/Eicha.
Foto: Sammlung Karl Grünewald im LRA Rhön-Grabfeld

Grenze mitten durch Deutschland zu den am stärksten befestigten Grenzlinien der Welt zählte. Viele Besucher wollten sich aber intensiver informieren, etwa wie diese Grenze entstand, wie sie einzuordnen war im Ost-West-Verhältnis oder auch wie die DDR ihr Sperrsystem angelegt hatte und zu welchen Aufgaben die jungen Wehrpflichtigen in der DDR herangezogen wurden. Viele Fragen drängten sich bei einem Besuch an der innerdeutschen Grenze auf. Deshalb war es wichtig, dass Besucher unmittelbar Auskünfte einholen konnten. Dazu bestanden entlang der innerdeutschen Grenze zwischen Lübeck und Hof 46 Grenzinformationsstellen.

Die Grenzinformationsstellen wurden von den jeweiligen Kreisbehörden, dem Bundesgrenzschutz, der Bayerischen Grenzpolizei und der Bundeszollverwaltung unterhalten. Sie waren in Verwaltungsgebäuden der Gemeinden und Städte, in Grenzschutzunterkünften, Bildungsstätten, Volkshochschulen sowie in kirchlichen und privaten Einrichtungen untergebracht. Sie verfügten über Vortrags- und Filmräume, Text- und Bildtafeln über das grenznahe Gebiet und die gegenüberliegenden Regionen in der DDR sowie über Modelldarstellungen des jeweiligen Grenzabschnitts. Die dort tätigen Mitarbeiter konnten also mit vielfältigen Materialien auf alle Fragen zur innerdeutschen Grenze und darüber hinaus zu vielen anderen deutschlandpolitischen Fragen sachkundig Auskunft geben. Besuchergruppen konnten sich an die Grenzinformationsstellen wenden, um Termine für Informationsvorträge oder Filmvorführungen zu vereinbaren. Dazu standen ehrenamtliche Betreuer und Referenten zur Verfügung wie auch Mitarbeiter der kommunalen Verwaltungen, Lehrer, aber auch Bürgermeister, Landräte und

Mandatsträger der politischen Parteien. Die Arbeit der Grenzinformationsstellen wurde vom Bundesministerium für innerdeutsche Beziehungen finanziell unterstützt.

Für Fahrten von Besuchergruppen entlang der innerdeutschen Grenze waren ebenfalls die Grenzinformationsstellen zuständig. Sachkundige Begleiter, zumeist Beamte des Grenzdienstes, waren gerne bereit, entlang der 91 Grenzinformationspunkte an besonders interessanten Stellen der innerdeutschen Grenze ihr Wissen weiterzugeben.[6]

Deutschlandpolitische Seminare im Grenzraum

Manche Fragen über die innerdeutsche Grenze mussten auch nach einem Tagesbesuch mit sachkundiger Begleitung offen bleiben. Wer sich näher über die Deutsche Frage informieren wollte, sollte das breit gefächerte Angebot der freien Bildungsträger in der Bundesrepublik Deutschland nutzen und an einem Seminar teilnehmen. Solche Seminare wurden auch im Zonenrandgebiet durchgeführt und konnten mit Besichtigungsfahrten zur innerdeutschen Grenze verbunden werden. Auf den Seminaren, die von sachkundigen Referenten geleitet werden und in der Regel zwischen zwei und sechs Tagen dauerten, wurden die verschiedensten Themen behandelt, so z. B. die Einheit der Nation, die Verhältnisse in der DDR, auch im Systemvergleich zur Bundesrepublik Deutschland, die Entwicklung und die Probleme der Beziehungen zwischen beiden Staaten in Deutschland, die Berlin-Frage oder die Deutschlandpolitik der Bundesregierung. Daneben bestand die Möglichkeit, eigene Themenwünsche zu äußern.

Die Seminare sollten Informationen vermitteln, der eigenen Meinungsbildung dienen und zugleich Diskussionsmöglichkeiten

Ein Blick in die älteste Grenzinformationsstelle Breitensee zu Beginn der achtziger Jahre.
Foto: Reinhold Albert

Angehörige der Grenztruppen hatten im Raum Guben (Wilhelm-Pieck-Stadt Guben), Bezirk Cottbus, Joachim B., 33, Ilmenau, Klempner in Ilmenau, festgenommen. Er wollte die VR Polen illegal erreichen.
(BKG 89, BStU)

Im Bereich der GÜST Gerstungen, Krs. Eisenach, wurde von Kräften der PKE und GZA Holger S., 20, Suhl, festgenommen. Er wollte die DDR illegal verlassen. Seit April 1989 ging er keiner Arbeit mehr nach.
(BKG 89, BStU)

7./8. Oktober 1989
In Ilmenau wurden 37 protestierende (meist) Jugendliche nach einer Disko-Veranstaltung verhaftet. – In der DDR waren es insgesamt 3.456 Personen. Die DDR-Nachrichtenagentur ADN sprach von „Randalierern" und dass die „Rädelsführer" festgenommen worden wären.

8. Oktober 1989
In Dresden kam es zu einer Demonstration mit Sitzstreik, die nach Gesprächszusage vom Rat der Stadt friedlich abgebrochen wurde.

Die erste offizielle Veranstaltung des noch immer verbotenen Neuen Forums fand in der Leipziger Nikolaikirche statt.

In Berlin wurde ein Demonstrationszug mit Tausenden Menschen gewaltsam aufgelöst.

Das Ehepaar N., Sonneberg, Andreas, 36, Baumaschinist im VEB BMK Erfurt, und Kirsten, 24, Büfettierin im „Thüringer Hof" Sonneberg, hatten die Absicht, die DDR illegal über die GÜST Schönberg zu verlassen. Dann wollten sie weiter in den Westen flüchten. Sie wurden von DDR-Grenzorganen gestellt.
(BKG 89, BStU)

9. Oktober 1989
Montagsdemo in Leipzig
Montagsdemo mit 70.000 bis 100.000 Teilnehmern nach einem Friedensgebet in der Leipziger Nikolaikirche mit Pfar-

rer Christian Führer. Eine bürger-kriegsähnliche Eskalation wurde u. a. mit einem Aufruf verhindert, der von drei Sekretären der SED-Bezirksleitung, von Gewandhauskapellmeister Prof. Kurt Masur, Pfarrer Peter Zimmermann und dem Kabarettisten Bernd-Lutz Lange unterschrieben und in den Kirchen vor-getragen sowie im Rundfunk verbreitet worden war. In dem Aufruf heißt es: „Wir alle brauchen einen freien Mei-nungsaustausch über die Weiterführung des Sozialismus in unserem Lande. Des-halb versprechen die Genannten heute allen Bürgern, daß dieser Dialog nicht nur im Bezirk Leipzig, sondern auch mit unserer Regierung geführt wird."
Die sowjetische Führung verweigerte den Aufmarsch von Truppen. Die Demons-tranten skandierten „Wir sind das Volk!" Sicherheitskräfte griffen nicht ein. Das Gesprächsangebot „Sechs von Leipzig" wurde in den Kirchen und über den Stadt-funk verlesen. Inzwischen waren einige zigtausend DDR-Bürger zumeist in die Bundesrepublik geflüchtet.

Dresdens Oberbürgermeister Wolfgang Berghofer empfing 20 Personen (Gruppe der 20), die am Vortag von den Demons-tranten als Sprecher gewählt wurden. In einem Neun-Punkte-Programm wurde u. a. gefordert: Klärung der Übergriffe auf die Demonstranten am Vortag, Gewährung von Meinungs-, Demonstra-tions- und Reisefreiheit, freie Wahlen, Zulassung des Neuen Forums.

Erich Honecker empfing Yao Yilin, Mit-glied des Politbüros der chinesischen KP und stellvertretender Ministerpräsident der Volksrepublik. Nach ADN stimmten beide Politiker darin überein, dass „eine grundsätzliche Lehre aus dem konterre-volutionären Aufruhr in Peking sowie der gegenwärtigen Hetzkampagne gegen die DDR" darin bestände, „unbeirrt an den Grundwerten des Sozialismus fest-zuhalten und gleichzeitig die sozialisti-sche Gesellschaft ständig weiter zu ver-vollkommnen".

In Halle und Magdeburg kam es zum Schweigesitzen und zu Demonstrationen.

eröffnen. Sie wurden insbesondere für Schüler, Auszubildende, Stu-denten und Soldaten, für Lehrer, Journalisten und Wissenschaftler sowie für Parteien, Interessenverbände und andere Vereine angebo-ten. Neben Gruppen, konnten sich auch Einzelpersonen daran betei-ligen. Veranstalter solcher Seminare waren beispielsweise die poli-tischen Stiftungen, Jugend- und Studentenverbände, Volkshoch-schulen, Akademien und Institute. Im Zonenrandgebiet waren zahl-reiche dieser Institutionen ansässig.

Die Arbeit der Grenzinformationsstellen

Am 16. Juni 1966 wurde die erste deutsche Informationsstelle für Grenzbesucher außerhalb des Bundesgrenzschutzes in Breitensee, Landkreis Königshofen im Grabfeld, eröffnet. Zunächst führte H. Stahl die Besucher durch die im ehemaligen Schulhaus unterge-brachte Info-Stelle, dann Leda Seeber und schließlich Gertrud und Stefan Weigand. Zahlreiche Ausstellungsstücke zeigten die Ent-wicklung und den Aufbau der Grenze. In vier Räumen befanden sich Modelle des Sperrgürtels und der Landschaft, zahlreiche Bilder, die sich mit dem Grenzaufbau befassten, Landkarten und zwei Uniformen von geflüchteten Soldaten. In einem „Thüringer Zimmer" waren typische Handarbeiten der Nachbarn hinter dem „Eisernen Vorhang" ausgestellt.

Alljährlich trafen sich die Betreuer der Grenzinformationsstellen in Bayern zu einer zweitägigen Jahrestagung, die entweder im Zonen-randgebiet oder in Bonn stattfand. Exemplarisch soll hier über die Tagung im Oktober 1983 in Bad Königshofen berichtet werden. In deren Verlauf erstatteten die Leiter der Grenzinformationsstellen Bericht über die im vergangenen Jahr geleistete Tätigkeit. So berichtete Gustav Brabetz für die Grenzinformationsstelle Fladun-gen, dass die Zahl der Besucher 1982 gegenüber dem Vorjahr um 3.000 auf 14.000 Besucher stieg. Susi Eschenbach informierte, dass sich in Bad Königshofen 1983 7.000 Interessenten einfanden. Die Informationsstelle Breitensee besuchten 1982 250 Besucher, Rap-pershausen etwa 3.000, berichteten 1983 Gertrud Weigand und Elfriede Siegel. Klemens Wolf vom BGS-Standort Oerlenbach ver-meldete ebenfalls steigende Tendenz bei den Besucherzahlen. So betrug die Zahl der geführten Personen an der Grenze etwa 15.000. Reinhold Albert von der Grenzinformationsstelle Maroldsweisach-Dürrenried, die 1978 als jüngste Grenzinformationsstelle in Bayern vom Leiter der Grenzpolizeistation Maroldsweisach, Siegfried Bachmann, und seinem Stellvertreter, Ernst Schanz, gegründet wurde, teilte mit, dass 2.600 Besucher geführt wurden. In Dürren-ried wurden übrigens von 1978 bis zu ihrer Auflösung infolge der deutschen Wiedervereinigung 1990 rund 30.000 Besucher gezählt. Ulrich Gwosdzik, der für die Grenzinformationsstelle Neustadt bei Coburg sprach, teilte mit, dass dort 1982 13.000 Besucher gezählt wurden. Vom BGS-Standort Coburg wurden im Berichtsjahr rund 15.000 Besucher eingewiesen, informierte PHK im BGS Reinhard

Kilian. Damit seien die Kapazitätsgrenzen erreicht. Walter Kromp informierte über die Arbeit der Grenzinformationsstellen im Landkreis Kronach, wo 1982 299 Gruppen mit 12.000 Teilnehmern registriert wurden. Martin Hein, Landesbeauftragter der Arbeitsgemeinschaft für Staat und Gesellschaft (ASG) München, der die Führungen koordinierte, zog anschließend ein positives Resümee. Insbesondere freue er sich, so Hein, dass sich besonders viele Schüler- und Jugendgruppen informierten.

Kleine Erlebnisse bei den Grenzführungen

So manche Geschichten aus ihrer langjährigen Tätigkeit können die „Grenzführer" erzählen. So waren bei den Besuchergruppen, die Hans Albert aus Sternberg, der als einer der Ersten ab Mitte der sechziger Jahre bis zur deutschen Wiedervereinigung 1990 an der innerdeutschen Grenze führte, wiederholt DDR-Bürger. So erinnert er sich an ein Rentnerehepaar, das sich in Gruppengesprächen nicht als Besucher aus der DDR zu erkennen gab, jedoch später im persönlichen Gespräch. Wenige Wochen nach der Führung erhielt Albert eine Ansichtskarte aus Torgau von Edmund Gaascht. Er schrieb u. a.: „Werter Herr Albert! Anbei ein Kartengruß aus unserer Heimat, wir denken noch sehr oft an Ihren aufschlussreichen Vortrag vom 24.5., welchem wir beiwohnen konnten."

Hans Albert erinnert sich auch an eine Begebenheit, die ihm mit einem französischen Besucher widerfahren ist. Dieser, glühender Anhänger der Kommunistischen Partei in seinem Heimatland, wollte partout nicht glauben, dass der „Eiserne Vorhang" im Auftrag der Machthaber der DDR erbaut wurde. Hans Albert entgegnete ihm mit Blick auf die weiß-blauen Grenzpfosten: „Diese Pfosten stehen genau auf der Grenzlinie und sind das einzige, was wir von der Bundesrepublik zu dieser mörderischen Grenze beitragen. Alles andere hat die DDR aufgebaut. Es steht ja alles, wie Sie sehen können, auf DDR-Territorium!" Daraufhin wurde Albert von dem uneinsichtigen Gast voller Wut am Kragen gepackt und geschüttelt.

Der Mitautor dieses Buches, der in den Grenzinformationsstellen Dürrenried sowie Bad Königshofen Grenzführungen durchführte, erinnert sich an eine Begebenheit Mitte der achtziger Jahre. Eine amerikanische Besuchergruppe, unterwegs auf einer Sigthtseeing-Tour durch Westeuropa, besuchte auch die innerdeutsche Grenze, und zwar an der Wegesperre Alsleben – Gompertshausen. Es war üblich, dass sich die Besuchergruppen auf einen Erdhügel (Überrest der ehemaligen „Landwehr" – einer mittelalterlichen Grenzbefestigung) stellten, der sich direkt hinter dem Schlagbaum befand, um von dort das DDR-Gelände besser einsehen zu können. Plötzlich traten aus ihrem Versteck in einem Gebüsch in unmittelbarer Grenznähe zwei DDR-Grenzaufklärer. Sie gingen direkt auf die Besucher zu und schoben diese vom Erdhügel herab. Ich fragte, aus welchem Grund sie die Gäste abdrängten. Einer der Grenzsoldaten antwortete: „Das ist Gebiet der Deutschen Demokratischen Republik!",

Der Leiter der Bezirksverwaltung Suhl der Staatssicherheit, Generalmajor Gerhard Lange, forderte in Berlin zum Schutz der Untersuchungs-Haftanstalt Suhl in der ehemaligen Fronveste (heute Außenstelle des Thüringer Staatsarchivs Meiningen) zwei leichte Maschinengewehre an.

Zwischen 22.41 und 22.59 Uhr wurde vom Gebiet der Bundesrepublik Deutschland aus, 1.500 m westlich von Frankenheim, Krs. Meiningen, von zwei männlichen Personen in Zivil „Hetze gegen die DDR" betrieben. Die Annäherung erfolgte mit einem Pkw-Lada Kombi. Die Täter sangen das „Deutschlandlied" und riefen folgenden Text: „Rotes Pack! Wir geben euch noch drei Jahre." Die Männer sprachen eine sächsische Mundart. (GT-TM 017192)

Von einer Privatreise vom 30.09. – 09.10. 1989 in die Bundesrepublik kam die 20-jährige Silke H. aus Böhlen, Krs. Ilmenau, Fachverkäuferin in der Konsumgenossenschaft Ilmenau, nicht zurück. Sie war Delegierte der FDJ-Initiative Berlin. (BKG 89, BStU)

10. Oktober 1989

Das Neue Deutschland druckte „Leserbriefe" aus den Bezirksorganen der SED nach, in denen die Demonstrationen als Provokation und Störung der Feierlichkeiten und Feste zum 40. Jahrestag der DDR anzusehen wären. Die Nachrichtenagentur ADN beteiligte sich an der Kriminalisierung der Protestierenden („Randalierer, aufgeputschte Störer und kriminelle Elemente") und legitimierte mit Lügen den brutalen Einsatz der Sicherheitskräfte, vor allem der Deutschen Volkspolizei.

Die Bayerische Grenzpolizei teilte mit, dass von den seit Mitte August ca. 35.000 registrierten DDR-Flüchtlingen trotz umfangreicher DDR-Aktivitäten nur 50 Rückkehrer festgestellt wurden.

In der Stadtkirche Meiningen kam es zu einem von der Staatssicherheit observierten Friedensgebet mit ca. 80 Leuten.

Initiatoren der Friedensdekaden und Friedensgebete waren Jugendwart Ulrich Töpfer und Pfarrer Martin Hoffmann.

In der Ilmenauer Innenstadt wurde demonstriert.
In der Technischen Hochschule bemühte sich die FDJ-Leitung mit der Veranstaltungsreihe „Plattform", dass die Studenten erstmals frei ihre Meinung zu politischen Fragen bzw. zum Tagesgeschehen in der DDR äußern durften.

Von einer Privatreise vom 19.09. – 10.10. 1989 in die Bundesrepublik kehrte der 45-jährige Hans-Joachim B. aus Wichtshausen, Krs. Suhl-Land, Punktschweißer im VEB Robotron Zella-Mehlis, nicht zurück.
(BKG 89, BStU)

Im Grenzgebiet Cesky-Jiretin (ČSSR) wurde Ralf J., 25, geb. in Vacha, Krs. Bad Salzungen, Zugführer bei der DR auf dem Bahnhof Bad Salzungen, von Sicherheitsorganen der ČSSR festgenommen.
(BKG 89, BStU)

Die aus Geisa, Krs. Bad Salzungen, stammenden Rainer S., 25, Maschinist in der Möbelfabrik Geisa, und Jürgen S., 27, ohne Arbeitsverhältnis, wurden im Raum Luby von den ČSSR-Grenzorganen festgenommen.
(BKG 89, BStU)

Von einer Privatreise vom 1. – 10.10.1989 in die Bundesrepublik kam Uwe G., 30, Hildburghausen, TKO-Leiter im VEB Bau Hildburghausen, nicht zurück.
(BKG 89, BStU)

11. Oktober 1989
Der angekündigte Staatsbesuch Erich Honeckers Ende Oktober in Dänemark wurde „auf einen späteren Zeitpunkt" verschoben.

Das in die Defensive gedrängte Politbüro der SED bot in einer Erklärung eine Art Dialog an. In einer Erklärung heißt es zur Flucht von DDR-Bürgern: „Die Ursachen für ihren Schritt mögen vielfältig sein.

was ich bestritt, aber dann doch nachgab, um keine Gefahr für die Besucher herauf zu beschwören. Die Gäste aus den USA waren schockiert über das Erlebnis. Nach Rückkehr in die Vereinigten Staaten schrieben sie, das nachhaltigste Erlebnis ihres Europa-Trips war weder die Besichtigung von Neuschwanstein, Heidelberg, Venedig oder des Eiffel-Turms in Paris, sondern die ungewöhnliche Begegnung an der innerdeutschen Grenze bei Alsleben.

1987 war ich mit einer Gruppe hübscher Schülerinnen an der Grenze zwischen Dürrenried und Poppenhausen unterwegs. Als wir uns der Grenze näherten, herrschte plötzlich ungewöhnlich hektische Betriebsamkeit im dort unmittelbar hinter dem Metallgitterzaun befindlichen Beobachtungsturm. Die Mädchen winkten den jungen DDR-Grenzsoldaten zu. Plötzlich geschah etwas, das ich, so lange ich die Führungen an der Grenze zwischen 1972 und 1990 machte, noch nie erlebte und auch nie wieder erleben sollte. Plötzlich rief einer der DDR-Grenzsoldaten: „Wir reden mit euch, wenn der Polizist weggeht!" Ich ließ mich nicht zweimal bitten und entfernte mich etwa 100 m landeinwärts. Jetzt entspann sich über den „Eisernen Vorhang" hinweg ein angeregtes Gespräch zwischen den Grenzsoldaten und den jungen Mädchen, von denen ich nur Sprachfetzen mitbekam. Sie wurden aufgefordert, am Abend wieder zu kommen, damit man gemeinsam nach Poppenhausen zum Kirchweihtanz gehen könne. Ja, es wurden sogar Adressen ausgetauscht. Nach etwa zehn Minuten kehrte ich zurück und ließ mir aus Neugier mitteilen, was denn die Grenzsoldaten wollten. Auch meinen Gruß zum Abschied erwiderten die DDR-Grenzbewacher. Natürlich gingen die Mädchen am Abend nicht nach Poppenhausen zum Kirmestanz.

Ein weiteres kleines Erlebnis. Ein Rentner aus einer Ortschaft im Heldburger Unterland war in Dürrenried zu Besuch. Wir kamen ins Gespräch und ich lud ihn ein, sich drei Tage später bei der nächsten Führung zumindest meinen Vortrag sowie den anschließenden Film im „Haus der Bäuerin", in dem die Grenzinformationsstelle untergebracht war, anzuhören. An die Grenze müsse er ja anschließend nicht mit, erklärte ich ihm, damit er nicht Gefahr laufe, von DDR-Seite aus fotografiert zu werden. Er entgegnete, diese Führung würde ihn zwar sehr interessieren, doch er befürchte, dass er deshalb in seiner Heimat große Schwierigkeiten bekommen werde und Gefahr laufe, nie wieder ausreisen zu dürfen. Ich versuchte, seine Befürchtungen zu zerstreuen. Er solle sich einfach zu den Besuchern gesellen und ich sicherte ihm zu, dass ich diesen nicht erzählen würde, dass er aus der DDR stammt. Drei Tage später, die Besuchergruppe hatte bereits in der Informationsstelle Platz genommen, wartete ich auf meinen DDR-Besucher. Doch vergebens. Ich erfuhr von seinen Verwandten, er habe zu große Angst verspürt, dass ihm die Oberen drüben wegen seiner Teilnahme an einer Grenzführung „einen Strick drehen würden", weshalb er bereits einige Tage vor Ablauf seines Visums in die DDR zurückkehrte.

Im Frühjahr 1989 befand sich ein Herr mittleren Alters unter den Besuchern der Informationsstelle. Er reiste häufig in die DDR, um dort Verwandte zu besuchen. In der dem Vortrag folgenden Diskussion sagte er, aufgrund seiner Besuche in der DDR spüre er, dass es kein halbes Jahr mehr dauern werde, bis das marode DDR-System zusammengebrochen sei. Ich erklärte ihn mehr oder weniger für verrückt, worauf er entgegnete: „Sie werden sehen, dass ich recht behalte!" Niemals im Leben hätte ich die Ereignisse vom Herbst 1989 bis zur deutschen Wiedervereinigung für möglich gehalten. Stets erklärte ich meinen Besuchern: „Ich werde mit Sicherheit das Fallen dieser furchtbaren Grenze nicht erleben, allenfalls in ferner Zukunft einmal meine Enkelkinder." Um so überraschter kam dann die an ein Wunder grenzende Entwicklung im Herbst 1989.

HEIMATTREFFEN, KUNDGEBUNGEN, „HETZKUNDGEBUNGEN"

Was für alle Bewohner der Bundesrepublik selbstverständliches Grundrecht war, für ihre Interessen und Überzeugungen friedlich zusammenkommen und demonstrieren zu können, war für die DDR Hetze gegen ihren Staat, sobald solche Veranstaltungen in der Nähe der DDR-Grenze stattfanden.

Verschiedene Arten von Veranstaltern mit unterschiedlichen Zielsetzungen suchten sich die Grenze zur DDR für ihre Veranstaltungen aus:

Da waren in erster Linie die Flüchtlinge aus der SBZ und späteren DDR. Lange Zeit war es ihnen verwehrt, überhaupt wieder DDR-Boden zu betreten, bis dies durch verschiedene Amnestien und Vereinbarungen möglich wurde. Diese Veranstaltungen fanden überall dort statt, wo die ehemaligen DDR-Bürger einen guten Blick auf ihren Heimatort oder wenigstens auf ihre heimatliche Landschaft hatten. Heimweh war das Hauptmotiv für diese Heimattreffen. Nach 1975 wurden diese Veranstaltungen merklich weniger besucht.

Politische Parteien nahmen sich das Recht, an der DDR-Grenze gegen den DDR-Staat und sein „Unrechtsregime" zu demonstrieren. Naturgemäß waren dies in erster Linie die Parteien des rechten Spektrums und ihre Jugendorganisationen. Besonders waren dies die NPD, weitere Rechtsparteien und die „Viking-Jugend". Die CDU, besonders die bayerische CSU und ihre Jugendorganisation, die „Junge Union", waren in der Zeit der sozialliberalen Koalition und der Auseinandersetzungen um die Ostverträge besonders eifrige Demonstranten. Als dann die CDU die Regierung stellte, Helmut Kohl sich mit Honecker traf und Franz-Josef Strauß den Milliardenkredit an die DDR einfädelte, waren solche Veranstaltungen auch nicht mehr opportun.

Wir müssen und werden sie bei uns suchen, jeder an seinem Platz, wir alle gemeinsam."

In der Eisfelder Dreifaltigkeitskirche, Krs. Hildburghausen, trat der weltberühmte Leipziger Thomanerchor auf. Das Konzert wurde von einem Großaufgebot an Sicherheitskräften und Spitzeln observiert.

Von Kräften der DVP wurde im Raum Görlitz Ralf J., 25, Ilmenau, Rangiermeister bei der DR auf dem Bahnhof Ilmenau, festgenommen. Er versuchte, die Grenze zur VR Polen zu überwinden.
(BKG 89, BStU)

Von einer Privatreise vom 07. – 11.10. 1989 in die Bundesrepublik kehrte Hans-Burkhard J., 26, Steinbach-Hallenberg, Krs. Schmalkalden, Student der Friedrich-Schiller-Universität Jena, nicht zurück.
(BKG 89, BStU)

Von einer Privatreise vom 2. – 11.10.1989 in die Bundesrepublik kam Mathias G., 41, Suhl, Anlageninspektor beim Energiekombinat Suhl, nicht zurück.
(BKG 89, BStU)

12. Oktober 1989

Die Evangelische Kirche, der Kulturbund der DDR, die Akademie der Künste der DDR u. a. Institutionen und gesellschaftliche Kräfte gaben Erklärungen ab, in denen sie das Auswandern vor allem junger Menschen beklagten und das gesellschaftliche Klima in der DDR kritisierten. In der Erklärung des Präsidiums der Akademie der Künste der DDR wurde betont: „Die alltäglichen Erfahrungen des Bürgers prägen die öffentliche Meinung in unserem Land, die oft genug im Gegensatz zu der veröffentlichten Meinung steht, ein Widerspruch, der zu empfindlichen Störungen des moralischen und geistigen Klimas in der Gesellschaft führt."

13. Oktober 1989

Bei einem Treffen des SED-Generalsekretärs Erich Honecker mit Vertretern der Blockparteien und dem Präsidenten der

Ärzte im Kreis Hildburghausen bezogen Position

23 Ärzte des Kreises Hildburghausen unterzeichneten zwei Tage nach der Erklärung des Politbüros der SED einen Brief an das ZK der SED und teilten ihre Überlegungen mit, was sich am und für den Sozialismus ändern müsste. Initiator war der spätere Thüringer Sozialminister Dr. Hans-Henning Axthelm.

Ulrich B., 33, Sonneberg, war illegal in die ČSSR eingedrungen. Von tschechoslowakischen Grenzorganen wurde er gestellt. Der Vorbestrafte hatte keine Arbeit. (BKG 89, BStU)

Von einer Privatreise in die Bundesrepublik kam Hans-Peter G., 47, Suhl, Abteilungsleiter für Grundfondswirtschaft im VEB Kombinat Rationalisierung Suhl, nicht zurück. (BKG 89, BStU)

Die Brüder Klaus, 20, Hilfsarbeiter im VEB Getränkekombinat Meiningen, vorbestraft, und Helmut W., 21, Härter im VEB FaJaS Suhl, die 17-jährige Sandra B., Lehrling im VEB Spielwarenelektrik Meiningen, alle wohnhaft in Meiningen, und der vorbestrafte Uwe T., 20, Schmalkalden, Transportarbeiter im VEB Fluss- und Schwerspat Trusetal, wollten illegal die DDR zur VR Polen verlassen. Von dort aus hatten sie die Absicht, in den Westen zu flüchten. Im Raum Guben wurden sie von der Transportpolizei festgenommen. (BKG 89, BStU)

14. Oktober 1989

In Berlin trafen sich mehr als 100 Vertreter des Neuen Forums zu einem Koordinierungstreffen. Bis zum Zeitpunkt wa-

Jugendverbände demonstrierten teilweise im Schlepptau der Politik, teilweise aber auch aus dem entgegengesetzten Grund, nämlich um für Frieden, Gemeinsamkeit und Einheit zu werben.

Eine nicht ungefährliche Sonderspezies der Grenzbesucher waren die Mitglieder von Friedensaktionen, die sich das so genannte Niemandsland zwischen West und Ost, das Gelände vor den Sperranlagen auf DDR-Gebiet als Ort für ihre Demonstrationen und Friedenscamps aussuchten und damit westliche wie östliche Grenzorgane auf Trab hielten.

Einschätzung der Westarbeit – Organisationen und „revanchistische" Heimatverbände aus dem westlichen Grenzvorfeld

Besondere Aufmerksamkeit schenkte die Staatssicherheit den Heimatverbänden und den Vereinen im „westlichen Grenzvorfeld", die die Verbindungen in die alte Heimat pflegten sowie die Erinnerung an die gemeinsamen Wurzeln und die neben „Hetzveranstaltungen" und den Pfingsttreffen der Heimatverbände seit der Möglichkeit des kleinen Grenzverkehrs ihre Aktivitäten immer mehr auch in den Thüringer Raum verlegten. Einige dieser in den Augen der Staatssicherheit „revanchistischen" Gruppen seien hier aufgeführt:

Kreis Bad Salzungen:

30./31. Mai 1971

Pfingsttreffen: Heimatkreis Dermbach in Tann alljährlich.

Der Heimatkreis Vacha - Betreuer Karl Schröter führte sein Pfingsttreffen unmittelbar an der Grenze im Raum Philippsthal – Glücksauf – Röhrighof durch. (Grenzkartei)

Ehemalige Dermbacher am 7./8. Juni 1981 in dem Hotel „Ulsterbrücke" in Tann/Günters. Heimatkreisbetreuer: Alfred Cammandeur, Wuppertal 2.

In Fulda trafen sich zu Pfingsten im Haus „Oranien" die ehemaligen Geisaer.[7]

1977: Der Heimatverband „Geisaer Land" ist die lose Vereinigung aller Personen des heutigen Heimatverbandes Geisa, die die DDR ungesetzlich verlassen haben. Treffpunkte sind die Häuser der Kolpingfamilie der kath. Kirche Kolpinghaus Fulda, Goethestr. 13 und Kolpinghaus, Frankfurt/M., Heddersheimer Landstr. 47.

Entsprechend der ehemaligen Zugehörigkeit Geisas zum Bistum Fulda hat die Stadt Fulda die besondere Obhut über die zweijährig stattfindenden Pfingsttreffen übernommen. Seit 1953 haben 13 Heimattreffen stattgefunden.

Der Eröffnungsbericht zum Anlegen eines Vorgangs zum Feindobjekt „Heimatkreis – Geisaer Amt" wurde 1978 fertig gestellt.[8]

Mai 1981: Durch Einsatz des IMB „Domherr" werden Pläne und Absichten sowie die Mitglieder des „Kleinen Heimatkreises" Frankfurt/M. operativ aufgeklärt.[9]

Mai 1981
Pfingsttreffen: ehemalige Vachaer am 7./8. Juni 1981 in der Gaststätte „Glückauf" im OT Röhrigshof/Philippsthal. Heimatkreisbetreuer Karl Schröter, Gersfeld.
Ostnordöstlich von Rasdorf fand am 19. Mai 1986 von 12.30 bis 15.00 Uhr das traditionelle 18. Treffen des Heimatkreises „Thüringische Rhön" – Geisaer Amt – statt. Die Veranstaltung, an der etwa 400 Personen, begleitet durch BGS-Kräfte, teilnahmen, verlief ohne Vorkommnisse, wurde jedoch von zwei GAK mit optischen und akustischen Geräten verfolgt.[10]

Vom 2. bis 4. Juni 1990 fand am alten Platz, nordöstlich von Rasdorf, trotz Grenzöffnung das 20. Treffen des Heimatkreises „Thüringische Rhön" eine Gedenkfeier des sogen. „Geisaer Amtes" mit ca. 300 Teilnehmern statt. Für die Teilnehmer des Treffens bestand an allen Veranstaltungstagen die Möglichkeit des kostenlosen Bustransfers von Rasdorf nach Geisa/DDR über den Grenzübergang Rasdorf – Buttlar.[11]

Kreis Meiningen
Die Heimattreffen der ehemaligen Meininger fanden regelmäßig in Ostheim vor der Rhön statt. Dieser Ort bot sich deshalb an, weil er bis 1945 thüringisch gewesen war. Die IM „Hans Winkler" und „Tanja Bieler" mussten am 16. Juni 1975 an einem solchen Treffen teilnehmen, um den Ablauf des Treffens dieser „revanchistischen Gruppierung" zu dokumentieren.

Ein großer Teil der Heimatkreise des Kreises Meiningen war im Rhönklub integriert, so die ehemaligen Kaltensundheimer unter dem aus Kaltensundheim stammenden Karl Treibig, der gleichzeitig Vorsitzender des Rhönklubs Ostheim war. Ebenfalls in Ostheim trafen sich auch die ehemaligen Schüler der Meininger Gymnasien und Realschulen. Ostheim war regelmäßiger Treffpunkt der Landsmannschaft Thüringen, in der sich ehemalige Thüringer aus Innerthüringen zusammenfanden.

Im Oktober meldete die KD Meiningen über die Tätigkeit von Heimatkreisen:
„Von den Heimatkreisen der ‚ehemaligen Meininger' UND „ehemaligen Römhilder" sind im Besuchszeitraum keine bedeutsamen Aktivitäten ausgegangen. Während vom „Heimatkreis der ehemaligen Römhilder" keinerlei Aktivitäten entwickelt wurden, setzte der „Heimatkreis der ehemaligen Meininger" seine jährlich zu den

ren etwa 25.000 Unterschriften für die Zulassung gegeben worden.

Zwei Familien kamen auf einem abenteuerlichen Weg über die bundesdeutsche Botschaft in Prag in den Westen und zogen in das alte Pfarrhaus nach Oberfladungen.

Auf der Autobahnbrücke Nadresee im Bezirk Neubrandenburg konnte Dirk B., 29, Bad Salzungen, von Grenztruppen festgenommen werden. Er beabsichtigte, illegal in die VR Polen einzudringen, um von dort aus in den Westen zu flüchten. Er war gelernter Facharbeiter für Wärmetechnik und ging zur Zeit keiner Arbeit nach.
(BKG 89, BStU)

15. Oktober 1989
In Halle und Plauen demonstrierten Tausende Menschen für demokratische Reformen in der DDR.

Der Vorsitzende des evangelischen Kirchenbundes der DDR, Thüringens Landesbischof Werner Leich, warnte in einem Hirtenbrief die DDR-Führung davor, Kritiker des Systems als „Staatsfeinde" zu diskreditieren. Von den Demonstranten forderte er, „konsequent bei dem Grundsatz der Gewaltlosigkeit zu bleiben".

In der Suhler Hauptkirche fand ein Gottesdienst zum Thema 40 Jahre DDR statt. Ca. 2.000 Bürger und weitere vor den Kirchentüren folgten der Veranstaltung, denn es wurden verschiedene politische Stellungnahmen von oppositionellen Gruppen und Einzelbürgern abgegeben. Die Zulassung des Neuen Forums wurde gefordert.

112 Flüchtlinge aus der DDR kamen gegen 4 Uhr früh in der General-Heusinger-Kaserne in Hammelburg an. Pech für die eigentlich dort stationierten Soldaten: Sie mussten draußen campieren. Einen Tag später waren bereits 700 DDR-Bürger in der Kaserne. Auch beim Bundesgrenzschutz in Oerlenbach trafen in dieser Woche 93 Flüchtlinge ein.

Von einer Privatreise vom 06. – 15.10. 1989 in die Bundesrepublik kehrte Margret N., 25, Bad Liebenstein, nicht zurück.
(BKG 89, BStU)

Von einer Privatreise vom 06. – 15.10. 1989 in die Bundesrepublik kam Egon N., 39, Ilmenau, Thermometerbläser im VEB Thermometerwerk Geraberg, Betriebsteil Ilmenau, nicht zurück.
(BKG 89, BStU)

16. Oktober 1989
In Leipzig demonstrierten ca. 120.000 Menschen, die DDR-Nachrichtenagentur ADN berichtete erstmals umgehend und relativ ausführlich. Eingriffe der Sicherheitskräfte unterblieben. Weitere größere Demonstrationen gab es in Dresden, Halle, Magdeburg und Potsdam.

Die LDPD-Zeitung Der Morgen berichtete von der totgeschwiegenen Sitzung des DDR-Schriftstellerverbandes am 11.10., in der eine revolutionäre Reform gefordert wurde. Dort wurde auch gesagt, dass die Ignoranz der Medien unerträglich sei. Der öffentliche Dialog zu Fragen der weiteren Entwicklung der Gesellschaft wurde gefordert.

Von Angehörigen der Grenztruppen konnte Erika G., 48, Neuhaus/Rwg., Arbeitstherapeutin im Stefansstift Ost-Berlin, festgenommen werden. Sie versuchte, illegal die Grenze zur VR Polen zu überwinden.
(BKG 89, BStU)

17. Oktober 1989
In 5 Kirchen Dresdens versammelten sich etwa 20.000 Menschen. Hauptinhalt war das Gespräch mit Oberbürgermeister Berghofer am 16.10.

18. Oktober 1989
Rücktritt Honeckers
SED-Generalsekretär Erich Honecker trat angeblich aus gesundheitlichen Gründen von seinen Partei- und Staatsämtern zurück.
Klartext: Honecker wurde gestürzt. Er war für die SED als Bauernopfer anzu-

Pfingstfeiertagen stattfindenden Treffen fort. Das diesjährige Treffen fand in Ostheim statt. Die Teilnehmerzahl ist von Jahr zu Jahr rückläufig. Laut Hinweis der HVA/AGG Eisenach vom 11.09.1985 veröffentlichte eine Tageszeitung der BRD eine Einladung zum Heimatkreistreffen der Heimatkreise Apolda, Bad Sulza, Buttstedt, Buttelstedt, Suhl, Zella-Mehlis und Meiningen vom 11. bis 13. Oktober 1985 nach Eltville/Rheingau, Hotel Frankenbach."[12]

Kreis Hildburghausen
Seit Mitte der 60er Jahre fand jährlich am 13. August. in Wiesbaden-Schierstein. Am Bootshaus, am Hafen ein Hildburghäuser

In jedem zweiten Jahr trafen sich die ehemaligen Streufdorfer an Pfingsten im 5 km von Streufdorf entfernten Roßfeld (Bayern). Dort konnte man von der alten Steineiche den Kirchturm und viele Dächer von Streufdorf sehen.
Foto: Johanna Gertrost-Westhäuser

Alljährlich zu Pfingsten trafen sich die im Westen lebenden ehemaligen Lindenauer und Heldburger in Gemünda zu ihrem traditionellen Pfingsttreffen. Das letzte Treffen fand 1989 statt. Das Foto zeigt v. l. Frau Amend, Eugen Staffel, Lieselotte geb. Appis, Herbert Angermüller, Thilo Fleischmann, Dr. Kurt Amend, Marianne geb. Schneider, Helga Appis, Herbert Ehrlicher und Herbert Hartung.
Foto: Herbert Angermüller

Treffen statt, so auch am 13. August 1970. Organisator war Rudolf Popp, wohnhaft in Wiesbaden-Biebrich. Kontakt hielten die ehemaligen Hildburghäuser über die „Thüringer Volkszeitung", die in Würzburg herausgegeben wurde. Ein IME Wagner hatte darüber berichtet.

Am 24. Juli 1971 fand im Kongresshaus Coburg das 4. Heimattreffen ehemaliger Eisfelder statt, das sich alle zwei Jahre wiederholte. Es wurde am 25. Juli 1971 auf der Rottenbacher Höhe fortgesetzt. Wie IM „Fuchs" meldete, waren am Nachmittag bis zu 1.000 Personen in unmittelbarer Grenznähe.

Zu Pfingsten 1972, am 21./22. Mai, fand in Roßfeld das Treffen ehemaliger Streufdorfer statt. Die erste Meldung vom geplanten Treffen machte IM „Fröbel". IM „Fichte" meldete am 20.05., das Treffen fände in Rudelsdorf statt. Tatsächlich wurde am 20.5. in Roßfeld vormittags ein Gottesdienst mit 200 Personen gefeiert, anschließend war offizielle Begrüßung, dann Tanz, wie IM „Fuchs", der auch mit dabei war, meldete.

Wie IME „Wagner" meldete, fand am 22.05.1972 in Coburg das „Thüringentreffen" statt, wozu Bewohner aus Heldburg, Schweickershausen, Hellingen, Lindenau, Streufdorf, Steinfeld und Eishausen eingeladen waren. Auch der „DDR-Verräter Lothar Kleinschmidt aus Hellingen" sei dabei gewesen. Er war jetzt westdeutscher Polizeibeamter.

IME „Wagner" berichtet überdies von einem „Studententreffen", das ebenfalls in Coburg organisiert wurde.

Zu Pfingsten 1972 trafen sich die „ehemaligen Heldburger" in Gemünda im Gasthaus „Zur Post", wie IME „Wagner meldete.

IMV „Fuchs" berichtete 1972 über das Pfingsttreffen ehemaliger Veilsdorfer in Meeder. Durch IM-Einsatz stellte das MfS fest, dass die Veranstaltung durch den ehem. Veilsdorfer Reinhold Holland aus Schwabmünchen organisiert worden war. Ca. 400 Personen nahmen teil.[13]

21. Treffen der „Veilsdorfer Landsleute" in Meeder

Das Treffen fand wie zurückliegend während der Pfingstfeiertage, 22./23.5.1983 in der Gaststätte Meyer in Meeder statt. Es waren ehemalige „Veilsdorfer" aus allen Teilen der BRD anwesend.
Der Bürgermeister Helmut Hofmann nahm die Begrüßung der Teilnehmer vor und sprach die Hoffnung aus, daß die Treffen auch künftig in Meeder stattfinden. Er erwähnte dabei die enge Verbundenheit zwischen Veilsdorf und Meeder. Der frühere Obmann des

sehen. Das SED-Politbüro sah sein Heil in einer Flucht nach vorn.
Nachfolger als SED-Parteichef wurde Egon Krenz (s. 24.10.1989). Er beharrte auf den Führungsanspruch der SED und kündigte eine „Wende" an, bei der aber der Sozialismus nicht in Frage gestellt worden wäre. Nach einem Beschluss des Politbüros des ZK der SED vom 17.10.1989 traten die Wirtschaftsfunktionär Günter Mittag und der Medien-Verantwortliche, Joachim Herrmann, zurück. Außerdem wurde die Abteilung Agitation beim ZK der SED aufgelöst.
In einer Erklärung schrieb Honecker: „Mein ganzes bewußtes Leben habe ich in unverrückbarer Treue zur revolutionären Sache der Arbeiterklasse und zu unserer marxistisch-leninistischen Weltanschauung der Errichtung des Sozialismus auf deutschem Boden gewidmet. Die Gründung und die erfolgreiche Entwicklung der sozialistischen Deutschen Demokratischen Republik, deren Bilanz wir am 40. Jahrestag gemeinsam gezogen haben, betrachte ich als die Krönung des Kampfes unserer Partei und meines eigenen Wirkens als Kommunist. Dem Politbüro, dem Zentralkomitee, meinen Kampfgefährten in der schweren Zeit des antifaschistischen Widerstandskampfes, den Mitgliedern der Partei und allen Bürgern unseres Landes danke ich für jahrzehntelanges gemeinschaftliches und fruchtbares Handeln zum Wohle des Volkes.
Meiner Partei werde ich auch in Zukunft mit meinen Erfahrungen und mit meinem Rat zur Verfügung stehen.
Ich wünsche unserer Partei und ihrer Führung auch weiterhin die Festigung ihrer Einheit und Geschlossenheit und dem Zentralkomitee weiteren Erfolg."

Demonstrationen gab es u. a. in Greifswald und Neubrandenburg.

In Frankfurt/Oder fand eine Veranstaltung des Neuen Forums als Podiumsgespräch mit Vertretern der SED, LDPD und CDU statt.

Mit dem Stichtag wurden für den Bezirk Suhl vom Rat des Bezirkes die Personen erfasst, die die DDR 1989 ungesetzlich verlassen hatten. Im Bezirk Suhl waren es 890.

In Suhl versammelten sich ca. 1.300 Anhänger des Neuen Forums nach Gottesdiensten in der Hauptkirche mit ca. 1.200 Teilnehmern und in der Kreuzkirche mit 1.000 Teilnehmern. Die Stasi notierte selbst die Nummern der in der Nähe der Kirchen parkenden Autos.
Die Musiker der Suhler Philharmonie veröffentlichten am Ende eines Konzerts mit 400 Besuchern trotz Verbots eine vielbeachtete Resolution.

19. Oktober 1989
Demonstrationen in Rostock (10.000 Teilnehmer), Zeulenroda (ca. 3.000), Schweigemarsch in Erfurt (300). In Halle wurden Mitglieder des Neuen Forums verhaftet.

Im DDR-Fernsehen wurde erstmals eine Sendung mit dem Titel ausgestrahlt „Zuschauer fragen – Politiker antworten". (Slogan auf den Demos: „Bürger fragen – Politiker antworten nicht")

Die Volkspolizei nahm gegen 21 Uhr drei etwa 25 Jahre alte Männer aus Eisfeld, Krs. Hildburghausen, an der Kontrollstelle zur Sperrzone bei Schalkau-Katzberg, Krs. Sonneberg, fest. Sie beabsichtigten, im Raum Görsdorf die Grenze zu durchbrechen.
(GT-TM 017192)

Von einer Privatreise vom 15. – 19.10. 1989 in die Bundesrepublik kehrte Rita L., 34, Ilmenau, Verkäuferin im Konsum Ilmenau, nicht zurück.
(BKG 89, BStU)

20. Oktober 1989
Die SED-Wortschöpfung Wende
In einem Kommentar des Neuen Deutschlands heißt es, die SED habe eine „Wende" eingeleitet. Sie beweise ihren Mut zur Wahrheit, mache Schluss mit Schönfärberei und Unbescheidenheit.

Die von der SED-Führung auf den Index gesetzte sowjetische Zeitschrift „sput-

Treffens, Peter Roschlau, wohnhaft in Schwabmünchen, gab aus gesundheitlichen Gründen sein Amt ab. Das Amt übernahm dessen 43-jähriger Schwiegersohn, der ebenfalls in Schwabmünchen wohnte. Er hatte 1963 die DDR ungesetzlich verlassen.

Dieser begrüßte als neuer Obmann seine „Landsleute" und versicherte, alles daran zu setzen, um die von seinem Schwiegervater gepflegte Tradition, sich jeweils an den Pfingstfeiertagen in Meeder zu treffen, aufrecht zu erhalten. Durch den Bürgermeister Hofmann wurde ein Filmvortrag vom „Friedensdankfest" organisiert, womit er die volle Anerkennung der Teilnehmer fand.

Nach dem gemeinsamen Besuch eines Kirchenkonzerts wurden in der Gaststätte Meyer im Rahmen eines gemütlichen Beisammenseins frühere Erinnerungen ausgetauscht. Die Treffenteilnehmer begaben sich am Nachmittag des Pfingstsonntags in unmittelbare Nähe der „Heimat" und legten auf dem Friedhof in Grattstadt Kränze für die verstorbenen ehemaligen „Veilsdorfer" nieder.

Durch inoffizielle Abschöpfung eines Rentnerreisenden, der sich nach Pfingsten 1983 besuchsweise im westlichen Grenzvorfeld aufhielt, wurde ergänzend zum Treffen der „Veilsdorfer Landsleute" in Meeder erarbeitet, dass bei diesem Treffen ca. 90 – 100 Personen teilnahmen. [14]

Treffen des Heimatkreises „Heldburg" in Gemünda
Das Treffen fand ebenfalls im Zeitraum Pfingsten in Gemünda im neu erbauten Sportlerheim statt.

Die Teilnehmerzahl lag unter den Erwartungen, zusammen mit Einwohnern des Ortes Gemünda waren ca. 80 – 100 Personen, überwiegend ältere Bürger, anwesend.

Neben einem gemütlichen Beisammensein fand in der Kirche Gemünda ein Gottesdienst für so genannte goldene Konfirmanden statt. Durch den Pfarrer Steiner wurden alle Teilnehmer verlesen, die vor 50 Jahren in der Kirche Gemünda konfirmiert wurden, u. a. auch eine in Lindenau wohnhafte DDR-Bürgerin, die sich während der Pfingstfeiertage in Gemünda aufhielt.

Im Zusammenhang dieses Treffens ist die Abschöpfung weiterer Rentnerreisender vorgesehen.[15]

Treffen ehemaliger Hildburghäuser vom 6. bis 8. April 1984 in Rodach mit 100 bis 300 Teilnehmern. Organisiert wurde das Treffen, das erstmalig im westlichen Grenzvorfeld stattfand, durch eine 62-jährige ehemalige Hildburghäuserin, die nun in Bad Orb im Spessart wohnt. Auch drei Personen aus dem Kreis Hildburghausen waren bei der Veranstaltung anwesend.[16]

1988 wurden die „Ehemaligen Heldburger" in der Feindobjektakte „Steinadler", die „Ehemaligen Hildburghäuser" in der FOA „Sperber" bearbeitet.

Kreis Sonneberg

Im Raum Sonneberg hatte die Staatssicherheit verschiedene Heimatkreise im Visier:

1. OV „Edelweiß"

Im Ergebnis der inoffiziellen Arbeit nach dem Operations-Gebiet wurde erarbeitet, dass besonders folgende Organisationen Aktivitäten gegen die DDR entwickeln:

- „Wanderfreunde Neustadt"

  Die Organisation organisiert jährlich die am 17. Juni stattfindenden Hetzveranstaltungen und Heranführung von Personengruppen an die Staatsgrenze der DDR, besonders in den Räumen Neustadt – Brüx – Mupperg,

- „Heimatkreis Sonneberg" der Thüringer Landsmannschaften.

  Durchführung von Hetzveranstaltungen in Neustadt, OT Fürth am Berg, verbunden mit Heranführung von Personengruppen an die Staatsgrenze. Diese Hetzveranstaltungen finden seit 1979 wieder jährlich statt.

Durch diese Organisation werden auch Bürger der DDR, die sich besuchsweise in der BRD aufhalten, zu den Hetzveranstaltungen eingeladen.

Das so genannte Heimattreffen der Feindorganisation fand in der Zeit vom 19. bis 21. September 1980 in Fürth am Berg statt,

- Deutscher Alpenverein – „Sektion Sonneberg".

  Diese Feindorganisation führt jährlich Hetzveranstaltungen im Wechsel Purtschellerhaus bei Berchtesgaden und Neustadt bei Coburg durch.

Die Bearbeitung erfolgt weiterhin entsprechend des vorhandenen Operativplanes vom 15.2.1980. Im Monat November wird ein Zwischenbericht zum Stand, der Bearbeitung und ein neuer Operativplan erarbeitet[17]

16.00 Uhr Hetzveranstaltung im „Grenzgasthof" Fürth am Berg, Teilnehmer ca. 200 Personen, Eröffnung durch Räder, Georg – stellvertr. Heimatkreisbetreuer. Besonders begrüßt wurden:

. Oberbürgermeister Neustadt – Ernst BERGMANN

. Bürgermeister Neustadt – Helmut GREMPEL

. Landtagsabgeordneter – Albert KOCH sowie

  das MdB Dr. Heinz KREUTZMANN und

. die „Große Familie der Sonneberger".

Das Treffen stand unter dem Motto „Hoffentlich ist die Grenze eines Tages wieder nur ein Strich auf der Landkarte".

Die Hetzrede wurde vom parlamentarischen Staatssekretär im Ministerium für Innerdeutsche Beziehungen, MdB Dr. Heinz KREUTZMANN, in der Grenzgaststätte Fürth am Berg gehalten.

nik" wurde wieder in die Postzeitungsliste aufgenommen und ist wieder ausgeliefert worden.

In Dresden demonstrierten 50.000 Menschen, in Karl-Marx-Stadt (Chemnitz) 5.000.

Das Arbeitsamt Schweinfurt konnte 200 DDR-Übersiedler in Oerlenbach und Hammelburg vermitteln. 95 % davon in Unterfranken, knapp 50 % sogar innerhalb des Lkrs. Bad Kissingen. Nochmals 200 hätten ohne Hilfe des Arbeitsamtes eine Anstellung gefunden, schätzte Bertin Stöhlein, Dienststellenleiter des Arbeitsamtes Bad Kissingen. Er attestierte den Neu-Bundesbürgern eine hohe Motivation, eine gute Ausbildung und Leistungsbereitschaft. Aber auch der kalte Wind der westlichen Arbeitswelt blies den frischen Kräften aus dem Osten ins Gesicht: 134 Übersiedler waren nach der Statistik des Arbeitsamtes arbeitslos. (Main-Post, 20.10.1989)

Ungewöhnliche Gäste beherbergte die Gaststätte Zum Bayernturm in Zimmerau, Lkrs. Rhön-Grabfeld, zum Krs. Hildburghausen hin gelegen. Waren es den Sommer über viele Gruppen, die sich eingehend über die innerdeutsche Grenze informierten, die in unmittelbarer Nähe verlief, waren es jetzt Deutsche aus dem anderen Teil Deutschlands.

Kreisparteiaktiv der SED Hildburghausen: Wo ein Genosse ist, kämpft die Partei erklärte im Namen aller Mitglieder und Kandidaten der SED die Entschlossenheit, auch weiterhin die ganze Kraft für die Erfüllung der Beschlüsse des XI. Parteitages einzusetzen und die Beschlüsse der 9. Tagung des ZK zu unterstützen. Auch in den anderen Kreisen des Bezirkes Suhl kam es zu Kreisparteiaktivtagungen mit gleicher oder ähnlicher nebulöser Thematik. –

Die Abteilung Agitation und Propaganda des Zentralkomitees der SED „rechnete" in den „Informationen 1989/7, Nr. 261" unter der Überschrift „Zum ‚Neuen

Forum' und zu anderen illegalen oppositionellen Gruppierungen in der DDR" in üblicher Diktion ab.

Der vorläufige Sprecherrat des Neuen Forums traf sich im Suhler evangelischen Gemeindehaus (Kirchberg 7). Der Gemeindekirchenrat der Hauptkirche gewährte den 60 Teilnehmern aus dem gesamten Bezirk Gastrecht.

Um 21.25 Uhr wurde Ulrich M., Antragsteller auf die Ausreise in die Bundesrepublik, aus Halle im Zug von Erfurt nach Meiningen kontrolliert und festgenommen. Er wollte bei Meiningen die Sperranlagen durchbrechen.
(GT-TM 017192)

Im Bereich Katzberg, Krs. Sonneberg, beabsichtigten Tom R., 22, Folienbläser im VEB Holz und Plast Saargrund, und Andreas W., 22, Maschinenarbeiter im VEB Ultra-Möbel Sachsenbrunn, Sachsenbrunn, Krs. Hildburghausen, die Grenze zur Bundesrepublik zu überwinden. Die Männer wurden von der DVP festgenommen.
(BKG 89, BStU)

Zwischen 20 und 21 Uhr gelang dem in Heubisch, Krs. Sonneberg, in der Sperrzone wohnenden Ulrich M., 23, 1.000 m nw seiner Heimatgemeinde die Flucht. Er hatte mit Hilfe einer Leiter zunächst den Grenzsignalzaun ohne Auslösung überwunden und bezwang das vordere Sperrelement. Der Grenzdurchbruch wurde erst nach seinem Telefonat aus Neustadt/Coburg mit seinen Eltern um 21.25 Uhr festgestellt. Wie später ermittelt wurde, erfolgte der „Angriff" an einem mit Körperschallgerät gesicherten Wassersperrbauwerk am Rohrgraben. Mit einem Bolzenschneider durchtrennte M. 3 Gitterstäbe aus 10 mm Rundstahl, bog zwei Gitterstäbe nach ,feindwärts', ohne sie auszulösen und durchstieg das Sperrwerk.
(GT-TM 017192)

21. Oktober 1989
Landesbischof Johannes Hempel forderte vor der Synode der sächsischen

Durch Kreutzmann wurde angeregt, im Puppenmuseum Neustadt eine Abteilung zur Pflege Sonneberger Spielwarentradition zu schaffen.
Als Teilnehmer aus der DDR wurden bisher drei Personen aus Sonneberg bekannt.

Zur personellen Besetzung des Vorstandes des DAV „Sektion Sonneberg" wurde bekannt:
Vorsitzender Greiner, Dietrich, Idar-Oberstein.
1. Stellvertr. des Vors. Dr. Schilling, Adolf Neustadt/Coburg, Hölderlinstr. 2.
2. Stellvertr. des Vors. Gebler, Horst, Dörfles, Inhaber Kartonagenfabrik, Schatzmeister – Bauer, Eduard, Rödental, Langer Rain 6.
Zusammenfassend stellte die BV Suhl 1987 über die Heimatkreise fest:
„Bestätigt haben sich die Erkenntnisse, die durch die politisch-operative Bearbeitung von Organisationen und revanchistischen Heimatverbänden aus dem westlichen Grenzvorfeld in FOA seit Jahren gewonnen wurden.

Die operative Bearbeitung von FOA konnte forciert werden durch die zielgerichtete Erweiterung der IM-Basis mit Reisemöglichkeiten in das westliche Grenzvorfeld sowie von der KD Bad Salzungen durch die Werbung von IM im Operationsgebiet und der dadurch verbesserten Möglichkeiten der quantitativen und qualitativen Informationsgewinnung.

Die in diesem Zusammenhang bearbeiteten OV/OPK zu stützpunktverdächtigen Personen und Zielpersonen des Gegners aus dem Grenzgebiet/grenznahen Raum erbrachten bisher keine strafrechtlich relevanten Ergebnisse.
Weitere Anstrengungen müssen unternommen werden, um die IM-Basis im Operationsgebiet zielstrebig zu erweitern und IM mit Reisemöglichkeiten zum Einsatz zu bringen.
Die weitere Zielstellung in der operativen Bearbeitung der FOA ist dahingehend zu präzisieren, das Wirksamwerden der feindlichnegativen Organisationen und Personengruppen vor allem in das Grenzgebiet einzuschränken und vorbeugend zu verhindern.*[18]

Im September 1988 wurde berichtet:
In Bearbeitung der Feindobjektakten wurden keine wesentlich neuen Erkenntnisse gewonnen. Bestätigt haben sich die differenziert einzuschätzenden revanchistischen Zielstellungen der Heimatverbände sowie die von führenden Vertretern dieser Feindorganisationen ausgehenden subversiven Aktivitäten.

Durch die KD Hildburghausen wurden 1988 offensive Maßnahmen gegen führende Mitglieder der Heimatkreise „Ehemalige Heldburger" (FOA „Steinadler") und „Ehemalige Hildburghäuser" (FOA „Sperber") mit dem Ziel der Zersetzung, Zurückdrängung bzw. Minimierung des Einflusses der Organisatoren durchgeführt.

Operative Kontrollmaßnahmen ergaben jedoch in beiden Fällen Offenbarungen über diese Kontaktgespräche gegenüber Personen in der DDR und während einer Tagung der „Bundeslandsmannschaft Thüringen" in Mainz.

Erreicht werden konnte in der politisch-operativen Arbeit der KD Sonneberg, dass der Heimatkreis „Ehemalige Sonneberger" aus der „Bundeslandsmannschaft Thüringen" austrat und eine Umbenennung in „Freunde des Kreises Sonneberg" erfolgte.

In den von dieser Vereinigung seitdem durchgeführten Veranstaltungen wurden keine feindlich-negativen und gegen die Staatsgrenze der DDR gerichteten Aktivitäten festgestellt.

Beim Einsatz von Reise-IM in die BRD und insbesondere in das westliche Grenzvorfeld durch die Grenz-KD wurden weitere Fortschritte erreicht. Zu politischen Höhepunkten in der BRD, während Veranstaltungen der Feindorganisationen sowie zu anderen Ereignissen ist eine politisch-operative Kontrolle gewährleistet.

Ungenügend ist noch die Anzahl der IM im Operationsgebiet. Im Berichtszeitraum konnte keine Werbung erfolgen.
Die vom 1. Stellvertreter des Leiters der BV Suhl erarbeiteten Schlussfolgerungen, Festlegungen und Aufgaben in den Dienstberatungen vom 10.05.87 und 16.05.88 sind eine wesentliche Arbeitsgrundlage für die weitere Gestaltung der politisch-operativen Arbeit im Grenzgebiet und grenznahen Raum durch die Referate Grenzsicherung der Grenz-KD.[19]

Die Junge Union des Landkreises Fulda hatte Probleme mit ihrem Kranz

Viel Wirbel gab es zum 17. Juni 1976 mit einem Kranz der Jungen Union. Der Bundesregierung konnte nicht daran gelegen sein, Vorfälle an der Grenze hochzuputschen, wohl aber der CDU Hessen und ihrer Jugendorganisation. Zum Glück wurde der ganze Vorfall nicht so heiß gegessen, wie er gekocht war. Nach Presseberichten und Informationen des BGS spielte sich Folgendes ab:
Am 13. Juni wurde durch die Junge Union anlässlich einer Feier zum 17. Juni ein Kranz in Grenznähe östlich von Tann niedergelegt. Am 15. Juni merkten Jungunionisten, dass der Kranz verschwunden war. Der Bundesgrenzschutz hatte DDR-Grenzsoldaten mit dem

---

Landeskirche in Dresden, dass sich die DDR-Führung für das brutale Vorgehen von Sicherheitskräften gegen Protestierende öffentlich entschuldige.
Einen Tag später erhob Bischof Gottfried Forck, Landeskirche Berlin-Brandenburg, ähnliche Forderungen.

Um 02.14 Uhr wurde Thomas H., 26, Zootechniker im VEG Färsenproduktion Eisfeld, Krs. Hildburghausen, 400 m südöstlich von Roth, Krs. Sonneberg, von einem Posten der DDR-Grenztruppen festgenommen. Er hatte die Absicht, im Raum Rückerswind die Sperranlagen zu durchbrechen.
(GT-TM 017192, BKG 89, BStU)

Von einer Privatreise vom 10. – 21.10. 1989 in die Bundesrepublik kam das Ehepaar A. aus Oberhof, Jörg, 35, und Ehefrau Sylvia, 31, nicht zurück. Er arbeitete als Baumeister und sie als Lehrmeisterin im FDGB-Feriendienst Oberhof.
(BKG 89, BStU)

In Brünn, Krs. Hildburghausen, kam bei Pfarrer Kranich der Vorbereitungskreis für die Friedensgebete im Bereich der Superintendentur Eisfeld zusammen.

22. Oktober 1989
Erster Dialog im Leipziger Gewandhaus.
Etwa 500 Menschen diskutierten mit dem stellvertretenden Kulturminister Dr. Klaus Höpcke und Sekretären der SED-Bezirksleitung, Theologen und Bürgern. Einer der Initiatoren war Gewandhauskapellmeister Prof. Kurt Masur.
An den nächsten 3 Sonntagen wurde der „Dialog am Karl-Marx-Platz" fortgesetzt.

(Dr. Klaus Höpcke, als stellvertretender Kulturminister der DDR verantwortlich für die Verlage und den Buchhandel, also „Oberzensor" der DDR, war von 1990 – 1999 Mitglied der PDS-Fraktion im Thüringer Landtag gewesen und spielte sich dort als „weltoffener Oberdemokrat" auf.)

Die LDPD forderte von der SED die Zulassung des Neuen Forums. Sie ließ verlauten, dass sie bereit wäre, Mitglieder dieser Reformgruppen aufzunehmen und auf ihren eigenen Listen kandidieren zu lassen.

In der Suhler Hauptkirche kam es zu einer Veranstaltung mit 250 Teilnehmern.

Von einer Privatreise vom 11. – 22.10. 1989 in die Bundesrepublik kehrte Dieter S., 33, Ilmenau, Heizungsmonteur im VEB Mikroelektronik Ilmenau, nicht zurück.
(BKG 89, BStU)

Von einer Privatreise vom 13. – 22.10. 1989 in die Bundesrepublik kehrte Günther M., 20, Meiningen, Geräteschlosser im RAW, nicht zurück.
(BKG 89, BStU)

23. Oktober 1989
In der DDR demonstrierten ca. 500.000 Menschen, davon 300.000 in Leipzig, gegen die geplante Wahl des Honecker-Günstlings Egon Krenz zum Vorsitzenden des Staatsrates und Vorsitzenden des Nationalen Verteidigungsrates.
In der gesamten DDR (vor allem im mitteldeutschen Raum) wurde inzwischen massiv gegen den SED-Willkür-Staat protestiert.

Der Suhler SED-Oberbürgermeister Joachim Kunze lud ein zu einem Rathausgespräch für interessierte Bürger. 100 Personen fanden Einlass, ca. 2.000 versammelten sich vor dem Rathaus und verlangten eine Verlegung der Veranstaltung in die Stadthalle. Nach heftigen Auseinandersetzungen wurde dem stattgegeben, und es kam zum 1. Suhler Stadthallendialog.
Die Bürger forderten Rechenschaft von den Funktionären der allmächtigen SED-Bezirksleitung. Die SED-Bonzen glänzten durch Abwesenheit.

24. Oktober 1989
Die Volkskammer der DDR wählte Egon Krenz mit 26 Gegenstimmen zum Staatsratsvorsitzenden und Vorsitzenden des Nationalen Verteidigungsrates (8 Gegenstimmen, 17 Enthaltungen).

Kranz in der Hand laufen sehen und nahm daher an, sie hätten ihn im Westen weggenommen. Die Junge Union erhob ein großes Geschrei, in das besonders die Springer-Blätter einstimmten. Sie erstattete Anzeige bei der Staatsanwaltschaft in Fulda und forderte in einem Brief an SED-Chef Erich Honecker zur sofortigen Herausgabe des Kranzes auf. Der weitere Gang ist aus den nachfolgenden Zeitungsausschnitten ersichtlich.

In einem Brief an den SED-Chef Erich Honecker hat der Chef der hessischen Jungen Union, Hugo Jung, die „sofortige Herausgabe" eines Kranzes gefordert, der am 15. Juni bei Theobaldshof in der Nähe Fuldas an der „DDR"-Grenze verschwunden war. Nach Beobachtungen des Bundesgrenzschutzes sollen vier „DDR"-Grenzsoldaten einen Durchlass im Zaun geöffnet und den Kranz vom Boden der Bundesrepublik „entführt" haben, meldete „Die Welt" vom 25. Juni 1976[20]

17. Juni 1976

Kranz hing an einem DDR-Grenzpfahl

Staatsanwalt: Soldaten offenbar nicht auf westdeutscher Seite
Fulda (lh). Die DDR-Grenzsoldaten, die vor zehn Tagen einen von der Jungen Union Hessen in Tann (Kreis Fulda) niedergelegten Gedenkkranz zum 17. Juni abtransportierten, haben vermutlich westdeutschen Boden nicht betreten. Das ergäben die Ermittlungen der Fuldaer Staatsanwaltschaft, die sich in den Fall einschaltete, nachdem die Junge Union Strafantrag wegen Diebstahls gestellt hatte.

Bei Theobaldshof verschwand ein Kranz der Jungen Union Fulda auf mysteriösem Weg und sorgte für Verwicklungen.
Sammlung Gerhard Schätzlein

Der Kranz der JU (im Bild) war von Unbekannten auf DDR-Gebiet gebracht worden.
Sammlung Gerhard Schätzlein

Von einer Privatreise vom 13. – 24.10. 1989 in die Bundesrepublik kam das Ehepaar D. aus Breitungen, Krs. Schmalkalden, Konrad, 42, Bauleiter, Aufbaustab Heizweg II in Breitungen, und Ehefrau Renate, 39, Bereichsmeisterin im DLB Bad Salzungen, nicht zurück.
(BKG 89, BStU)

In der überfüllten Meininger Stadtkirche sprachen Bürger unter Beifallsbekundungen zu politischen Fragen. Anschließend formierte sich ein Demonstrationszug mit ca. 1.000 Teilnehmern. Vor der SED-Kreisleitung und der Kreisdienststelle des MfS wurden Kerzen abgestellt. Der Tag wurde zum bedeutendsten Tag des Aufbegehrens gegen das SED-Regime.

Wie der Leiter der Staatsanwaltschaft, Fritz Reichwein, am Freitag erklärte, hat vermutlich ein unbekannter Westdeutscher den Kranz von seinem etwa drei Meter von der Grenze entfernten Niederlegungsort weggenommen und an einen DDR-Grenzpfahl gehängt. Damit befand sich der Kranz bereits auf dem Hoheitsgebiet der DDR.

Eine Bäuerin habe gegenüber der Staatsanwaltschaft glaubhaft erklärt, sie habe den Kranz bereits einen Tag nach der Niederlegung am 13. Juni an einem Grenzpfahl hängen sehen. Später waren Soldaten der Nationalen Volksarmee beobachtet worden, wie sie den Kranz auf DDR-Gebiet abtransportierten. Daraus – so der Staatsanwalt – sei der voreilige Schluss gezogen worden, die DDR-Grenzer hätten den Gedenkkranz von westdeutscher Seite entwendet.[21]

Es gäbe keine Zeugen, die eindeutig beobachtet hätten, dass sich DDR-Grenzer auf Bundesgebiet begeben hätten, um den Kranz mitzunehmen. Das Verfahren wegen Diebstahls, das die Junge Union inzwischen angestrengt hat, wird nach Aussagen Reichweins eingestellt werden müssen, da der tatsächliche Täter unbekannt sei.[22]

24. Dezember 1976
Ab 11.10 Uhr wurde im Abschnitt durch 4 Angehörige des BGS, 5 Angehörige des GZD und 10 männliche Zivilpersonen auf der Straße Grüsselbach (Bundesrepublik), Geisa (DDR) eine Hetzkundgebung mit Megaphon und mit Aufstellen eines Holzkreuzes durchgeführt. [23]

25. Oktober 1989
In Neubrandenburg kam es nach einem Friedensgebet zu einem Marsch der Hoffnung. Auch aus Jena und Halberstadt wurden Demonstrationen mit Tausenden bekannt.

Die Transportpolizei nahm um 11.15 Uhr auf dem Bahnhof Suhl Volkmar Z., 28, Krs. Naumburg, fest. Er wollte bei Untersuhl über die Grenze flüchten.
(GT-TM 017192)

Um 14.13 Uhr wurde die DDR über den Grenzinformationspunkt 13 am Grenzübergang Rottenbach – Eisfeld informiert, dass die Staatsforstdienststelle Seßlach, Lkrs. Coburg, demnächst in grenznahen Waldabschnitten Bäume fällt und es sich wegen der Hanglage nicht vermeiden ließe, dass Bäume auf DDR-Gebiet fallen.
(GT-TM 017192)

Das Neue Forum organisierte in der Suhler Hauptkirche eine erste Zusammenkunft der Arbeitsgruppen. Es sollten Reformprogramme erarbeitet werden, 10 Arbeitsgruppen wurden gebildet.

Von einer Privatreise vom 16. – 25.10. 1989 in die Bundesrepublik kam das Ehepaar V. aus Unterbreizbach, Krs. Bad

Salzungen, Ursula, 48, Arbeiterin im VEB Petkus Vacha, und Ehemann Rolf, 50, Kraftfahrer im VEB Kalibetrieb, nicht zurück.
(BKG 89, BStU)

26. Oktober 1989
In Dresden demonstrierten ca. 100.000 Menschen. Für mehr Reformen und Demokratie gingen Tausende in Erfurt, Gera und Rostock auf die Straße.

Um 02.02 Uhr wurde der Sonneberger Uwe S, 29, 900 m sw Sonnebergs nach Auslösung des Grenzsignalzauns um 01.25 Uhr beim Zurückweichen aus der Sperrzone von einem DDR-Grenzposten gestellt und festgenommen.
(GT-TM 017192)

Von einer Privatreise vom 18. – 26.10. 1989 in die Bundesrepublik kam Waldemar G., 34, Kaltennordheim, Krs. Bad Salzungen, Bus-Fahrer im VEB Kraftverkehr Schmalkalden, nicht zurück.
(BKG 89, BStU)

In der Eisfelder Dreifaltigkeitskirche, Krs. Hildburghausen, fand das erste Friedensgebet statt. Ab dem 3. Friedensgebet am 06.11. wurde es montags durchgeführt, am 02.04.1990 das 22. und letzte.

27. Oktober 1989
Der DDR-Staatsrat beschloss eine Amnestie für DDR-Flüchtlinge bzw. Personen, die vor dem 27.10.1989 „Straftaten" begangen hatten, um die Ausreise aus der DDR durchzusetzen.
Der DDR-Ministerrat hob die zeitweilige Aussetzung des pass- und visafreien Reiseverkehrs in die ČSSR zum 01.11. wieder auf. Die Zahl der Zufluchtssuchenden in den westdeutschen Botschaften stieg wieder sprunghaft an.

Von einer Privatreise vom 12. – 27.10. 1989 in die Bundesrepublik kehrte Günter M., 37, Bad Salzungen, Projektant im VEB Technische Gebäudeausrüstung Suhl, nicht zurück.
(BKG 89, BStU)

31. Dezember 1977
Bei einer am 31.12.1977 zum 01.01.1978 durchgeführten „Hetzveranstaltung" im Abschnitt Straße Simmershausen/Bundesrepublik wurden 00.03 Uhr ca. 50 Feuerwerkskörper gezündet und aus Richtung Bundesrepublik in Richtung DDR abgeschossen. Weiterhin wurde eine halbmilitärische Formation in Stärke von 20 männlichen Personen beobachtet, die mit schwarzen Skimützen und Tarnjacken bekleidet waren. Es wurden 8 Angehörige des BGS und 2 Angehörige des GZD beobachtet.[24]

15. Mai 1978
Ab 15.18 Uhr erfolgte im Abschnitt Steinbruch auf der Straße Simmershausen – Oberweid, 800 m westlich von Oberweid, eine „Hetzveranstaltung" durch ca. 120 bis 150 Personen. Von einer männlichen Person wurde über Megaphon eine Ansprache gehalten. Absicherung erfolgte durch 4 Angehörige des BGS.[25]

31. Dezember 1978
Ab 23.45 Uhr wurde durch 100 Personen der Wiking-Jugend an der Straße Simmershausen/Bundesrepublik – Oberweid, etwa 20 m von der Staatsgrenze entfernt, eine „Hetzveranstaltung" durchgeführt. Es wurden ein Feuer und Feuerwerkskörper abgebrannt sowie eine Rede gehalten.[26]

31. Dezember 1979
Eine Demonstration der rechtsradikalen Viking-Jugend mit Mahnfeuer am 31. Dezember 1979 nahe der Straßensperre Simmershausen – Oberweid verlief ohne Zwischenfälle.[27]

17. Juni 1980
500 m nördlich von Vacha wurde eine „Hetzveranstaltung" der NPD mit ca. 150 vorwiegend jugendlicher Personen ab 11.35 Uhr durchgeführt. Als Redner trat Karl-Heinz Winkler auf. Die Hetzrede konnte auf Tonband dokumentiert werden. Ab 14.40 Uhr erfolgte an der Werrabrücke bei Vacha Hetze gegen die DDR und das Aufstellen von 3 Schildern. Ab 16.00 Uhr wurde die gleiche Veranstaltung am Wendeplatz Widdershausen, gegenüber Großensee und ab 18.15 Uhr gegenüber von Lauchröden, an der Brücke durchgeführt.[28]

17. Juni 1980
Ab Vormittag erfolgte im Raum Neustadt, Coburg eine Grenzlandwanderung mit ca. 300 Teilnehmern, die sich in Gruppen von 10 bis 50 Personen von Neustadt über den Muppberg in Richtung Coburg bewegten.[29]

17. Juni 1980

An der USA-Beobachtungsstelle Grüsselbach, Landkreis Bad Hersfeld-Rotenburg, erolgte ab 11.10 Uhr, eine „Hetzveranstaltung" mit ca. 170 vorwiegend jugendlichen Personen. Es traten 3 Redner auf. Die „Hetzveranstaltung" erfolgte unmittelbar am Verlauf der Staatsgrenze, sie wurde durch 8 Angehörige des BGS und 1 Angehörigen des GZD gesichert. Mit dem Deutschlandlied und einer Kranzniederlegung wurde die Veranstaltung beendet.[30]

21. Juni 1980

In den Abendstunden wurde ca. 1.100 m nordwestlich von Rottenbach, Landkreis Coburg, durch 9 männliche Personen und eine weibliche Person eine Hetzveranstaltung in unmittelbarer Grenznähe durchgeführt. Die Veranstalter führten Fahnen und Hetztransparente mit, eine rote Fahne wurde verbrannt. Der An- und Abtransport erfolgte mit einem Reisebus mit der Aufschrift „NPD Nationaldemokraten".[31]

19. März 1981

Am Nachmittag wurde durch den bayerischen Ministerpräsidenten Franz Josef Strauß eine Veranstaltung in unmittelbarer Grenznähe an der Straße Welitsch, Landkreis Kronach – Heinersdorf, Kreis Sonneberg, durchgeführt. An der Veranstaltung nahmen ca. 300 Personen teil, die Sicherung erfolgte durch Angehörige des Grenzzolldienstes, der Bayerischen Grenzpolizei und des Bundesgrenzschutzes.[32]

17. Juni 1981

Durch neonazistische Kräfte erfolgten provokatorische Handlungen an der Staatsgrenze zur DDR von der Bundesrepublik und von Westberlin aus. Es wurden Hetzkundgebungen, Kranzniederlegungen und Abbrennen von Mahnfeuern durchgeführt. Bei 9 Veranstaltungen wurden ca. 5.440 Personen an die Staatsgrenze herangeführt.[33]

1. Januar 1982

Am Neujahrstag 1983 wurde ab Mitternacht eine „Hetzveranstaltung" durch ca. 100 Zivilpersonen im Abschnitt der Straße Oberweid – Simmershausen/Hessen, ca. 250 m von der Staatsgrenze entfernt, durchgeführt. Es wurde ein Feuer entzündet, ein Mann hielt eine Hetzrede und nach Absingen der Bundesrepublik-Hymne entfernten sich die Personen in Richtung Simmershausen.[34]

16. Juni 1982

Auf dem Siechenberg im Landkreis Bad Hersfeld-Rotenburg, gegenüber 300 m nördlich von Vacha, hatten ab 21.00 Uhr ca. 70 Zivilpersonen eine Hetzkundgebung durchgeführt. Durch zwei

Alle Hände voll zu tun hatten die Mitarbeiter des Suchdienstes des Roten Kreuzes in der General-Heusinger-Kaserne in Hammelburg. Dort suchten verzweifelte Flüchtlinge aus der DDR ihre Angehören und Freunde, die sie bei ihrer Flucht aus den Augen verloren hatten.

Im Bezirkskrankenhaus Meiningen wurde eine Diskussionsveranstaltung organisiert.

In Ilmenau kam es im überfüllten Kreiskulturhaus zu einer mehrstündigen Dialogveranstaltung mit 1.500 Bürgern und Spitzenfunktionären des Kreises.

In Sonneberg demonstrierten ca. 250 Bürger.

28. Oktober 1989

In der Ost-Berliner Erlöserkirche fand eine von den Künstlerverbänden organisierte Veranstaltung unter dem Thema Wider den Schlaf der Vernunft statt.

29. Oktober 1989

In Ost-Berlin begannen die Sonntagsgespräche unter dem Motto Offene Türen – offene Worte vor dem Roten Rathaus und der Kongresshalle. Eingeladen hatte der SED-Oberbürgermeister Erhard Krack.

Der Regierende Bürgermeister von Berlin, Walter Momper, und der stellv. Vorsitzende der SPD-Bundestagsfraktion Horst Ehmke trafen sich mit der Mitbegründerin des Neuen Forums, Bärbel Bohley, SDP-Vorstandsmitglied Ibrahim Böhme und dem Ostberliner Bischof Gottfried Forck. Momper traf ferner in einem weiteren Gespräch den Berliner SED-Chef Günter Schabowski, Erhard Krack, Konsistorialpräsident Manfred Stolpe und Generalsuperintendent der Evangelischen Kirche Berlin-Brandenburg, Günter Krusche.

Um 00.15 Uhr versuchte der Sonneberger Bernd H., 27, 800 m sw Sonnebergs den Grenzdurchbruch. Von einer Diskoveranstaltung in Oberlind kommend, wurde er von einem DDR-Grenzposten gefasst. Er hatte vor 3 Monaten einen Ausreiseantrag gestellt.

(GT-TM 017192)

Anlässlich der Renovierung der St.-Niko-laus-Kirche in Judenbach, Krs. Sonne-berg, wurde ein Gottesdienst gefeiert. In der Festpredigt vor ca. 300 Menschen wurde gesagt: „Die Regierung besitzt nicht mehr das Vertrauen der Bürger. Die Menschen des sozialistischen Staates haben mit ihrem Staat gebrochen." Es wurde zu Dialogen aufgefordert.
(Grams, S. 10)

Am Meininger Theater kam es zu einem Forum mit Diskussion politischer The-men.

Bei einer abendlichen Demonstration for-derten in Bad Salzungen 1.500 Bürger die Zulassung des Neuen Forums.

30. Oktober 1989
Die Leipziger Montags-Demo mit ca. 200.000 Menschen wurde in einer Live-Schaltung der DDR-TV-Nachrichten-sendung Aktuelle Kamera teilweise über-tragen.

Ende des Schwarzen Kanals
Die 1519. TV-Hetzsendung des „Schwarzen Kanals" von DDR 1 endete nach wenigen Minuten. Karl Eduard von Schnitzler – auch Sudel-Ede oder Schmuddel-Ede genannt – polemisierte und hetzte 30 Jahre lang gegen die Bun-desrepublik. Die Sendung wurde abge-setzt.

Im Raum Sonneberg bezwang Ulrich M., 22, Heubisch, Krs. Sonneberg, die Sperr-anlagen. Er arbeitete als Schlosser in den Plasta-Werken Sonneberg.
(BKG 89, BStU)

Der vorläufige Sprecherrat des Neuen Forums traf sich im Gemeindehaus Suhl. – In Suhl nahmen 4.500 Bürger am 2. Stadthallendialog teil, für ca. 2.000 vor der Stadthalle Wartende wurde der Dialog per Lautsprecher übertragen.

Im Zella-Mehliser Haus des Volkes nah-men ca. 1.000 Bürger an einer Dialogver-anstaltung teil.

Bundestagsabgeordnete und eine ungenannte männliche Person wurden Reden gehalten, die Hetze gegen die DDR und deren Siche-rungsmaßnahmen an der Staatsgrenze zum Inhalt hatten. Die Bun-desrepublik-Nationalhymne wurde gesungen und ein Holzstoß abgebrannt. Danach bewegten sich die Personen wieder in Richtung Philippsthal. Die Veranstaltung wurde durch 25 Angehörige des BGS abgesichert.[35]

17. Juni 1983
Gegenüber dem Sicherheitsabschnitt des Grenzregiments 15, Son-neberg, gegenüber Heinersdorf wurde ab 15.00 Uhr eine „Hetzver-anstaltung" der Jungen Union durchgeführt unter Teilnahme des bayerischen Ministerpräsidenten Franz-Josef Strauß mit Gattin. Es nahmen 3.000 Personen an der Veranstaltung teil. Hauptredner der Veranstaltung war Franz-Josef Strauß. Dabei störte „Carl" ständig lauthals die Rede von F. J. Strauß. Er wurde mit vereinten Kräften von Bundesgrenzschutz und Bayerischer Grenzpolizei unter Beob-achtung und Dokumentation durch Grenzaufklärer von DDR-Gebiet aus festgenommen.[36]

1. Oktober 1983
Gegen 16.48 Uhr besetzte eine Gruppe von 31 Personen, bestehend aus 24 männlichen, 7 weiblichen Personen im Alter von 18 bis 25 Jahren und 2 Kindern, im Abschnitt ca. 1.200 m südwestlich von Buttlar, Kreis Bad Salzungen, das dem ersten Grenzzaun vorge-lagerte Hoheitsgebiet der DDR bis zu einer Tiefe von ca. 20 m. Es wurden 4 Transparente, die Losungen zur Abschaffung der Militär-blöcke trugen, und 4 Zelte aufgestellt. Auf die bisher durchgeführ-ten Zurückweisungen reagierten die Demonstranten nicht. Am 02.10.1983, gegen 07.00 Uhr, wurde durch die Personengruppe die Nachtruhe beendet. Gegen 09.30 Uhr ließen die Personen ca. 50 Kinderluftballons auf, die nur teilweise in Richtung DDR flogen und im Handlungsraum der GT an Bäumen hängen blieben. Gegen 10.00 Uhr wurden die Zelte abgebaut, in zwei Busse verladen und die Rückfahrt ins Hinterland der Bundesrepublik angetreten.[38]

8. Oktober 1983
Um 07.00 Uhr verletzte eine Gruppe von 20 Zivilpersonen die Staatsgrenze der DDR im Abschnitt 300 m nördlich von Vacha, Kreis Bad Salzungen, bis zu einer Tiefe von 15 m. Den wiederhol-ten Aufforderungen zum Verlassen des Hoheitsgebietes der DDR wurde nicht Folge geleistet. Die Gruppe näherte sich gegen 06.35 Uhr aus Richtung der Bundesrepublik-Ortschaft Philippsthal der Staatsgrenze mit einem Bus. Sie hatten drei Zelte aufgebaut und ein Transparent entfaltet. Ein Sprecher der Gruppe rief den Grenz-posten zu, dass es sich bei den Teilnehmern um Angehörige einer Friedensinitiative aus Offenbach handelte, die sich in friedlicher Absicht bei uns aufhielten und vorgesehen hatten, ihre Aktion am

10.10.1983 zu beenden. Im Abschnitt handelten auf Bundesgebiet Angehörige des GZD und des BGS. Um 09.10 Uhr forderte ein Angehöriger der Hessischen Landespolizei die Gruppe zum Verlassen des DDR-Gebietes auf, weitere Aufforderungen ergingen durch den BGS um 10.42, 10.56 und um 18.30 Uhr. Um 10.00 Uhr verließ die eine Hälfte der Gruppe, ca. 13 Personen, das Hoheitsgebiet der DDR. Am 09.10.1983 wurden Filmarbeiten durch den BGS durchgeführt, durch die verbliebene Gruppe wurden 2 Reden gehalten, dabei wurden in einer Rede die Grenzposten aufgefordert, den Turm zu verlassen und die Waffen niederzulegen. Im Abschnitt befanden sich ständig Kräfte des Gegners. Eine Rede wurde 13.30 Uhr von Bundesgebiet durch eine 30 Personen starke Gruppe angehört, die danach ins Bundesrepublik-Hinterland zurücklief.[39]

24. Dezember 1983

Das DDR-Grenzregiment 15, Sonneberg, II. GB Sonneberg meldete am Heiligabend von 10.10 bis 12.20 Uhr an der Straße Welitsch – Heinersdorf eine „Hetzveranstaltung" von 40 Personen auf dem Gebiet der DDR.
(O.d.M., S. 18)
Ebenfalls an Heiligabend meldete das GR 3 Dermbach im Sicherungsabschnitt V des Grenzbataillons II, Geisa, in der Zeit von 13.35 bis 13.51 Uhr 500 m nördlich der Straße Rasdorf – Geisa eine ebensolche Veranstaltung auf dem Gebiet der Bundesrepublik, bei der 22 Zivilpersonen anwesend waren.[40]

1. Januar 1984

Ab 00.00 Uhr erfolgte im Abschnitt Straße Simmershausen/Bundesrepublik – Oberweid in einer Entfernung von ca. 280 m zur Staatsgrenze auf Bundesgebiet eine „Hetzveranstaltung". Es wurden ca. 50 Personen beobachtet. Der Anmarsch zum Handlungsort geschah zu Fuß. Es wurden 4 nicht erkannte Fahnen und 15 Fackeln mitgeführt und ein Holzstapel abgebrannt. Die „Hetzveranstaltung" wurde durch 4 Angehörige des BGS und 3 des GZD gesichert.[41]

11. Juni 1984

Ab 13.25 Uhr fand etwa 2.300 m nordwestlich Geisa auf Bundesgebiet eine Veranstaltung mit etwa 360 Personen statt. Gegen 14.20 Uhr wurden an einem Birkenholzkreuz ein Blumengebinde niedergelegt und das Deutschlandlied gesungen. Während der Veranstaltung spielte eine Blaskapelle. Die Teilnehmer reisten mit 75 Pkw an. Die Veranstaltung wurde durch 15 Angehörige des BGS und durch mehrere Angehörige des GZD abgesichert.[42]

15. Juni 1984

Von 19.45 Uhr bis 21.45 Uhr führte die Junge Union des Landkreises Kronach eine Kundgebung durch. 250 Personen zogen von

Ende Oktober 1989

Ein beherzter Bürger brachte in Hildburghausen in der Leninstraße auf dem Parkplatz gegenüber der SED-Kreisleitung ein Schild mit der Aufschrift Harald-Jäger-Platz[4] an. Weder die SED-Kreisleitung noch Sicherheitskräfte ließen das Schild entfernen.

30. Oktober 1989

In Hildburghausen begannen die Montagsdemos. Ausgangspunkt war ein sog. öffentliches Forum im Stadttheater mit SED- und Staatsfunktionären. Da nicht alle Interessenten Einlass fanden, wurde die Veranstaltung auf den Marktplatz verlegt, ca. 1.500 Menschen beteiligten sich. Die empörten Bürger forderten Rechenschaft von den SED-Funktionären sowie Demokratie und freie Wahlen, Reisefreiheit und grundlegende Reformen für die DDR. Es formierte sich ein Demonstrationszug durch die Innenstadt. – Aus der Veranstaltung entwickelte sich das Rathausgespräch auf dem Markt, ferner fanden in der Apostelkirche in der Schleusinger Straße donnerstags Friedensgebete mit anschließenden Demonstrationen (meist Schweigemärsche) statt, die oft vor der SED-Kreisleitung endeten. Dort wurden brennende Kerzen niedergestellt.

Nach einem Gottesdienst in Sonneberg mit 1.500 Teilnehmern in der Kirche und ca. 3.000 vor der Kirche Wartenden demonstrierten ca. 10.000 zum Platz der Republik. Vor der SED-Kreisleitung und dem Gebäude des Rates des Kreises wurden brennende Kerzen abgestellt.

Tausende Bad Salzunger demonstrierten nach einem Friedensgebet gegen den SED-Staat.

In Dermbach, Schmalkalden und Stadtlengsfeld gingen vor allem Jugendliche für politische Veränderungen auf die Straße.

In Schleusingen demonstrierten ca. 2.500 Bürger gegen das SED-Regime und stellten brennende Kerzen vor dem Rathaus ab.

Demonstration in Meiningen – Ein Dienstagabend im November 1989. Vor der Kirche setzt sich der Demonstrationszug in Bewegung.
Foto: Siegfried Seuß

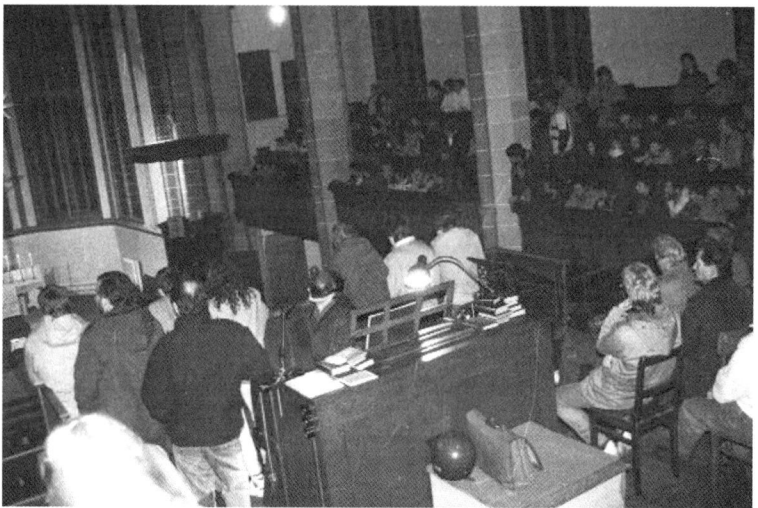

Auch im Meininger Land kam es zu massiven Demonstrationen gegen das SED-Regime.
Foto: Siegfried Seuß

Handwerker und Gewerbetreibende des Kreises Hildburghausen demonstrieren am 6.3.1990 vor dem Hildburghäuser Finanzamt in der Wiesenstraße gegen die unternehmensfeindliche Steuerpolitik der DDR.
Foto: Walter Hörnlein

Kundgebung gegen das SED-Regime in Heldburg am 11. November 1989.
Foto: Bruno Schubarth

Kundgebung vor dem Eisfelder Volkshaus am Nachmittag des 3. Dezember 1989.
Foto: Willfried Leusenrink

Am 5.4.1990 organisierte die einstige DDR-Einheitsgewerkschaft FDGB auf dem Hildburghäuser Marktplatz in gewohnter Klassenkampfmanier eine Protestkundgebung mit ca. 800 Teilnehmern gegen die Spekulationen mit der DDR-Mark. Es wurde ein Umtauschsatz von 1:1 gefordert.
Foto: Freies Wort (Suhl)

Im Eisfelder Volkshaus, Krs. Hildburghausen, fanden sich ca. 800 Bürger zum 1. Eisfelder Rathausgespräch ein, um den Dialog mit Funktionären und dem Stadtrat in Gang zu bringen.

Im Themarer Jugendklubhaus Nikolai Ostrowski (heute: Schützenhaus) kam es mit ca. 300 Bürgern zu einem öffentlichen Dialog.

31. Oktober 1989

Von der GÜST Rottenbach, Lkrs. Coburg, wurde die gegenüberliegende Stelle in Eisfeld um 15.30 Uhr informiert, dass beabsichtigt sei, 2 Wohnmobile, die durch Übersiedler der DDR mitgeführt wurden, an die DDR-Behörden zu übergeben, da es sich um Leihautos einer DDR-Firma handelte.
(GT-TM 017192)

Nach dem Friedensgebet am Reformationstag in der Meininger Stadtkirche formierte sich ein Demonstrationszug mit 5.000 Bürgern durch die Innenstadt.

In den beiden überfüllten Suhler Kirchen kam es zu einem Gesprächsabend unter dem Thema Umbruch in der DDR – Was hat uns in die Krise geführt, wo wollen wir hin?

Oktober 1989
Übersiedler

Im Zeitraum wurden registriert:
- 3.780 Übersiedler mit dem Zug
- 23.556 Übersiedler mit Bussen und als Einzelreisende und zusätzlich
- 13.109 Übersiedler, die mit dem Zug von Prag aus in die Bundesrepublik eingereist waren.
Seit Beginn der Fluchtwelle am 25.08.1989 wurden insges. 68.670 Übersiedler erfasst.
Untergebracht wurden die Übersiedler aus der DDR in zahlreichen Aufnahmestellen, in denen sie auch registriert worden waren.
An Rückkehrern, die über die bayerischen Grenzübergangsstellen in die DDR ausreisten, wurden im September lediglich [7]

Burggrub aus in einem Demonstrationszug zum Veranstaltungsort 2.500 m südwestlich Neuhaus-Schierschnitz, auf Bundesgebiet, 100 m von der Grenze entfernt. Die Reden richteten sich gegen die Grenzanlagen der DDR. Um 17.30 Uhr wurde ein vorbereitetes Mahnfeuer abgebrannt. Ca. 30 Angehörige des BGS, GZD und BGP sicherten die Veranstaltung ab.[43]

9. August 1984

Gegen 9.15 Uhr fanden Grenzsoldaten bei der Kontrolle der Grenzmarkierung 900 m südlich Reinhards, 15 m auf DDR-Gebiet, ein aufgebautes, aber nicht belegtes Zweimannzelt, daneben einen Motorroller mit dem Kennzeichen FT-N 373. Im Zelt fand sich ein Personalausweis der BRD, ausgestellt auf Clemens, Ralf Jaser, geb. am 03.02.1968, wohnhaft in Frankenthal, zwei Sturzhelme, eine Schreckschusspistole mit 15 Platzpatronen. Das Zelt wurde abgebaut und mit allen Gegenständen der Verwaltung 2000 übergeben.

29. September 1984

Auf BRD-Gebiet, ca. 1.500 m nordwestlich Geisa, fand von 11.45 bis 15.28 Uhr eine Demonstration mit ca. 250 Anhängern der Friedensbewegung statt, die gegen die in der BRD stattfindenden NATO-Manöver gerichtet war. Veranstalter war die „Friedensinitiative Bergheim". Die Kundgebung wurde durch 60 BGS-Angehörige und 40 Grenzzollbeamte überwacht.[44]

19. Mai 1986

Am „Birkenkreuz" an der US-B-Stelle Grüsselbach, Landkreis Fulda, gegenüber 1.500 m nordwestlich von Geisa, Kreis Bad Salzungen, wurde von 14.10 bis 14.45 Uhr eine „Hetzveranstaltung" mit ca. 200 Zivilpersonen durchgeführt. Die Teilnehmer kamen zu Fuß aus der Ortschaft Grüsselbach. Es wurden ein Trompetensolo gespielt, eine kurze Rede gehalten und ein Kreuz am „Birkenkreuz" niedergelegt. Drei BGS-Angehörige waren anwesend. [45]

17. Juni 1988

Durchführung einer JU-Veranstaltung zum 17. Juni am 16.06.1988 von 18.12 bis 18.58 Uhr mit ca. 300 Teilnehmern an der ehemaligen Ortsverbindungsstraße Welitzsch, Landkreis Kronach – Heinersdorf, Kreis Sonneberg, Entfernung zur Staatsgrenze ca. 25 m. Hauptredner war der Bundesminister des Inneren der BRD, Dr. Zimmermann. Die Veranstaltung wurde von Kräften des Bundesgrenzschutzes, der Bayerischen Grenzpolizei und des Grenzzolldienstes abgesichert.[46]

17. Juni 1988

Eine Grenzlandwanderung mit 4.000 Personen wurde im Bereich Neustadt – Wildenheit – Meilschnitz, Landkreis Coburg, durchgeführt. [47]

25. Dezember 1988

Die Staatsgrenze der DDR wurde von 9.10 bis 9.40 Uhr ca. 2.300 m südlich von Wohlmuthhausen, Kreis Meiningen, durch zwei männliche Personen in einer Tiefe von ca. 30 m verletzt. Eine Person hielt sich auf dem Grenzzaun I auf und wurde durch die andere Person fotografiert. Der mehrmaligen Zurückweisung wurde keine Folge geleistet. Der eingesetzte Grenzposten wurde mit folgenden Äußerungen beschimpft: „Ihr Kommunistenschweine! Hier müssten zehn Bewaffnete kommen, um euch zu provozieren. Hier an dieser Stelle bin ich voriges Jahr durchgebrochen." Der Grenzposten setzte seine Beobachtung aus einer getarnten Stellung fort. Gegen 09.25 Uhr traf während einer planmäßigen Kontrolle der Offizier-Grenzaufklärer des II. Grenzbataillons Kaltennordheim am Ereignisort ein, worauf beide Personen das Hoheitsgebiet der DDR verließen. Bei der Person auf dem Grenzzaun I handelte es sich vermutlich um den 29-jährigen Peter L. aus Meiningen, welcher am 30.11.1987 an dieser Stelle zur BRD durchgebrochen war.[48]

16. Juni 1989

Anlässlich des Tags der Deutschen Einheit am 17. Juni veranstaltete die JU aus dem Kreis Kronach am 16. Juni 1989, 21 Uhr, an der ehemaligen Verbindungsstraße Heinersdorf – Welitzsch eine Kundgebung, an der 900 Personen teilnahmen. Hauptredner war der CSU-Vorsitzende Theo Waigel. Durch die DDR-Grenztruppen wurden Film- und Fotoaufnahmen getätigt.[49]

Auf einem Parkplatz bei Eußenhausen, in Grenznähe, fand am 16. Juni 1989, 20 Uhr, eine Kundgebung mit ca. 50 Teilnehmern anlässlich des 17. Juni statt. Hauptredner war MdB Alfred Dregger.[50] Im Zusammenhang mit dem 36. Jahrestag des 17. Juni wurden durch die zur Grenzsicherung eingesetzten Kräfte an der Staatsgrenze der DDR zur BRD und zu West-Berlin u. a. folgende Aktivitäten beobachtet: 14 „Hetzkundgebungen" mit ca. 2.155 Teilnehmern, 17 Kranzniederlegungen an sog. Mahnmalen mit 445 Teilnehmern und drei Grenzlandwanderungen mit 300 Teilnehmern.[51]

Grenzgänger von West nach Ost

Grenzübertritte über die Grenze der DDR von der Bundesrepublik aus kamen recht häufig vor, denn anders als von der DDR her war die Grenze nur durch weiße Plastikpfähle mit roten, in Bayern mit blauen Ringen gekennzeichnet. An den Wegesperren hatte der Bundesgrenzschutz Hinweisschilder angebracht: „Halt, hier Grenze!" Das war alles. Wer die Grenze zur DDR unbedingt überschreiten wollte, der konnte zwar von den Grenzorganen überprüft werden. Waren die Papiere in Ordnung, so konnte der Betreffende nicht an einem Grenzübertritt gehindert werden. Bundesgrenzschutz, Zoll-

und im Berichtszeitraum Oktober 81 Übersiedler erfasst. Darunter befanden sich auch 7 Kinder.

Die weitere Tendenz der einreisenden Übersiedler sowie die der Rückkehrer war steigend.

Unabhängig von der Möglichkeit der Übersiedlung auf diesem Weg flüchteten im Oktober in 5 Fällen 10 deutsche Staatsbürger aus der DDR über die Grenzsperranlagen.

1. November 1989

8.000 Ilmenauer Bürger demonstrierten in einem Schweige- und Friedensmarsch.

Nach dem Friedensgebet in der Apostelkirche Hildburghausen formierte sich ein Demonstrationszug, angeführt von den Vertretern der evangelischen und der katholischen Kirche, durch die Stadt zum Markt und zum ehemaligen Stasigebäude in der Geschwister-Scholl-Straße. Voran getragen wurde ein großes Stofftransparent mit der Aufschrift „OHNE GEWALT/FÜR DEMOKRATIE".

2. November 1989

Der FDGB-Vorsitzende Harry Tisch und die Volksbildungsministerin Margot Honecker mussten zurücktreten, ebenso die Vorsitzenden der CDU, Gerald Götting, und der NDPD, Prof. Heinrich Homann, ferner Parteisekretäre der SED-Bezirks- und Kreisleitungen. Auch der 1. Sekretär der Bezirksleitung Suhl, Hans Albrecht, wurde entmachtet. Peter Pechauf wurde Nachfolger.

Skandalöse Umweltbelastung in Hildburghausen

Die Volkskammer der DDR erließ eine Smogverordnung als Teil des Landeskulturgesetzes (GBl. I der DDR, Nr. 21). In Hildburghausen war der größte Belastungsanstieg an Luftschadstoffen im Bezirk Suhl registriert worden. Die Stadt wurde in der Verordnung als Nr. 16 der Smoggefährdungsgebiete der DDR ausgewiesen.

Seit 1988 existierte die Konzeption „Territoriale Versorgungskonzeption Hildburghausen – 1988", die den Bau eines zentralen Heizhauses mit Entstaubung und Entschwefelung vorsah. 50 alte Heizungsanlagen und Heizhäuser im Stadtkern sollten durch das Heizhaus ersetzt werden. – Neben dem Friedensgebet vom 02.11. fanden in Hildburghausen in 4 Wohnbezirken Einwohnerforen statt.

3. November 1989
Rücktritte und machtsichernde Versprechungen der SED

Egon Krenz kündigte Umgestaltungen von Staat und Gesellschaft an: ziviler Wehrersatzdienst, Verfassungsgerichtshof, Wirtschaftsreform, Entwurf eines Reisegesetzes und Präzisierung des § 213 zum ungesetzlichen Grenzübertritt. Er teilte mit, dass Hermann Axen, Kurt Hager, Erich Mielke, Erich Mückenberger und Alfred Neumann angeblich freiwillig von ihren Funktionen als Politbüromitglieder entbunden werden wollen.

Mit den Rücktritten von SED-Bonzen bzw. Umschichtungen im Parteiapparat wollte die SED-Führung in erster Linie das sinkende Schiff retten und ihre Macht wieder stabilisieren sowie die internationale Öffentlichkeit täuschen. Die Rücktritte waren mehr oder weniger System-Retuschen und nicht etwa Teil eines Demokratisierungsprozesses der kommunistischen SED bzw. der späteren SED-PDS. Als Hoffnungsträger wurde der Dresdner SED-Chef Hans Modrow präsentiert, der andererseits verantwortlich war für brutale Übergriffe auf Oppositionelle und Wahlfälschungen. Weitere Parteiführer fordern in einem Positionspapier „die tiefgreifende Erneuerung des Sozialismus". Es gab aber kaum konkrete Vorstellungen, wie das aussehen und was geschehen soll.

3. bis 9. November 1989
40.000 ausreisewillige DDR-Bürger durften die ČSSR ohne Visum in Richtung Bundesrepublik verlassen.

4. November 1989
In Ostberlin demonstrierten 500.000 bis 1.000.000 Menschen für demokratische Reformen in der DDR, Live-Übertragung im DDR-Fernsehen, die fünfstündige Demonstration war teilweise von

grenzdienst und Bayerische Grenzpolizei konnten nur auf die Gefahren hinweisen, denn es gab kein Gesetz, das die Freizügigkeit einschränkte.

Eine Aufstellung des BGS für den hessischen Bereich 1974 zeigt die Vielfalt der Grenzverletzungen.

Datum	Wer?	Wo?	Punkt	Wie weit	DDR-Grenztruppen	Reaktion West
240374	1 Besucher	nördlich Vacha	723 320	50 m	Unbemerkt	Rückruf BGS
090274	US-Abschlepp-Fahrzeug	westlich Frankenhain	743 051	1 m	Fotografiert	Beobachtet
130374	2 US-Soldaten	Südsüdwestlich Birx	739 970		Festgenommen, am 14.3. abgeschoben Rudolphstein	
180374	BuBü in US-Camp beschäft.	westlich Rasdorf	659 196	25 m	Unbemerkt	Rückruf durch US-Feldwebel
210374	2 Arb. D. Fa. Zenker, Kamen	westlich Ifta	804 583	Bis DZ	Ü-Stelle besichtigt	
280574	2 Männer	westnordwestlich Geisa	658 197	MGZ	Bemerkt, keine R.	
030674	3 BRD-B	Südwestl. Borsch	659 198	MGZ	Bemerkt, keine R	
160674	4 Pers	westlich Untersuhl	733 457	25 m	Bemerkt, Posten geschickt	Noch rechtzeitig zurückgerufen
160674	8 Kühe	westlich Geisa	657 195	Vor MGZ	Bemerkt, keine Reaktion	Ohne DL-Verletzung zurückgetrieben
221074	1 Mann	westlich Wiesenfeld	643 173	MGZ	keine	Verhaftung
051274	4 M	Straße nach Obersuhl	735 452	5 m	Keine	Rückruf

Ein größerer Teil dieser Grenzverletzungen ging glimpflich aus. Nur selten griffen nach 1972 die DDR-Grenzorgane ein. Anders sah es mit Grenzgängern aus, die die Sperranlagen überschritten.

Auch diese Grenzgänger von West nach Ost waren immer wieder anzutreffen. Sehr häufig waren es Flüchtlinge aus der DDR, die entweder zu einem kurzen Besuch hinüber oder die ganz in die DDR zurückkehren wollten.

Meist waren es jedoch Leute, die in einer Schnapslaune oder aus Übermut in die DDR gehen wollten. Sehr oft verkannten sie die Gefahren, denen sie sich aussetzten.

Einige wenige dieser Grenzgänger seien hier aufgeführt.

Heimweh nach der DDR

Am 15. Mai 1980, um 12.05 Uhr, wurde der 46-jährige Horst L. aus Bastheim, Landkreis Rhön-Grabfeld, 1.000 m westlich von Behrungen, wegen Versuchs des Grenzdurchbruches Bundesrepublik – DDR, unverletzt festgenommen. L. hatte im Bereich der Grenzsäule 1664 die Minensperre Typ 66 überwunden, indem er an einem

Lochdefekt durch den BRD-seitigen Zaun gekrochen war, den DDR-seitigen Streckmetallzaun unterwühlt und den Kontrollstreifen überschritten hatte. Während seiner Bewegung in Richtung des GSZ wurde er durch eingesetzte Grenzposten beobachtet und festgenommen. L. hatte 1959 illegal die DDR über Westberlin verlassen.[52]

Schusswaffengebrauch gegen einen Grenzgänger am 16.12.1976

Am 16. Dezember 1976, gegen 11.15 Uhr, wurde der geschiedene P. Gernot Gustav, 40, z. Zt. ohne festen Wohnsitz, von den DDR-Behörden am Grenzübergang Eußenhausen, Lkr. Rhön-Grabfeld, mit Linienbus formlos in die Bundesrepublik Deutschland abgeschoben. P. war am 01.12.1976 nach Verbüßung einer Freiheitsstrafe wegen Diebstahls aus der JVA Darmstadt entlassen worden. Mit der Bahn und mit Bus fuhr er von Offenbach/Main nach Hilders, Krs. Fulda. Von dort aus ging er zu Fuß über Tann, Krs. Fulda, an die Grenze zur DDR und überschritt diese in angetrunkenem Zustand am 03.12.1976 nordwestlich Tann. Der Aufforderung einer BGS-Streife, zurückzukehren, kam er nicht nach. Beim Übersteigen der ersten Reihe des doppelten Metallgitterzaunes wurde er bereits von DDR-Grenzsoldaten beobachtet und nachdem er sich innerhalb des Doppelzaunes befand, zum Stehenbleiben aufgefordert. Gleichzeitig gaben DDR-Grenzsoldaten mehrere Schüsse, darunter auch zwei gezielte, ab. Nach Entfernen einiger Metallgitter der hinteren Zaunreihe wurde P. über eine ausgelegte Minenbrücke über das Minenfeld geholt und festgenommen. Anschließend erfolgte der Abtransport in eine Kompanie-Unterkunft. Dort wurde eine Blutentnahme durch einen Truppenarzt vorgenommen. Nach etwa 2 Stunden Aufenthalt verbrachten 4 Uniformierte den Festgenommenen mit einem Pkw nach Suhl in ein größeres Steingebäude im Zentrum der Stadt. Er wurde in Untersuchungshaft genommen und war mit einem weiteren Häftling in einer Zelle untergebracht. Am 04.12.1976 eröffnete ihm eine Frau, vermutlich Haftrichterin, den Haftbefehl. Ihm wurde schwerer Grenzdurchbruch und Verletzung der Staatsgrenze im Wiederholungsfall zur Last gelegt. Bis zur Abschiebung am 16.12.1976 will P. laufend von drei Zivilisten vernommen worden sein. Eine Gerichtsverhandlung habe nicht stattgefunden, man habe P. lediglich vor der Abschiebung erklärt, dass sein Verfahren eingestellt sei.[53]

Die Bierholeraffären

Eine interessante und skurrile Geschichte stellte Wilhelm Stehling aus Marburg zur Verfügung. Um sie zu verstehen, sei hier aus dem Buch von Klaus Hartwig Stoll „Das war die Grenze die Geschichte der Bierholer aus Wüstensachsen" zitiert:

der SED gesteuert worden. Der ehemalige stellvertretende Minister für Staatssicherheit, Markus Wolf, hielt eine Rede, die jedoch von Pfiffen und Buhrufen begleitet worden war.

Der Hildburghäuser Superintendent Dr. Hanspeter Wulff-Woesten stellte in der überfüllten Themarer St.-Bartholomäus-Kirche die Aktion und sein Gedicht Grünes Band – Hoffnung für unser Land vor, das ein Zeichen des gewaltlosen Widerstands gegen das SED-Regime wurde.

Ein Soldat der DDR-Grenztruppen, 25, war bei Coburg in Gegenwart seines Streifenführers über den Metallgitterzaun geklettert und hatte sich nach der Flucht bei der Bayerischen Grenzpolizei gemeldet.
(Coburg [dpa], SZ, Sammlung Brendel)

Gegen 8 Uhr scheiterte vermutlich bei Unterbreizbach, Krs. Bad Salzungen, ein Fluchtversuch.
(GSK-M-V)

Militärische Bereitschaft und politische Versammlungen im Kreis Sonneberg

Die bewaffneten Organe im Bereitschaftsdienst. Um 11.15 Uhr wurde für die Zivilverteidigung und die Räte der Kreise erhöhte Führungsbereitschaft festgelegt. Es fanden vier politische Versammlungen statt: Sonneberg (1.200 Teilnehmer), Forderungen: Volksentscheid zur Verfassungsänderung, Gründung eines SDP-Kreisverbandes, Kritik an der SED-Tageszeitung Freies Wort), Steinach (750 Teilnehmer), Forderungen: Neuwahlen und Neubesetzung der Leitungsfunktionen in der Stadtverwaltung und im Rat des Kreises), Schalkau (450 Teilnehmer), Abschaffung der Delikat-Läden, Aufhebung der Privilegien der Funktionäre, ihre Absetzung und strafrechtliche Verfolgung), Neuhaus-Schierschnitz (400 Teilnehmer), Abschaffung der Sperrzone und des Schutzstreifens, Abschaffung der Planwirtschaft, Auflösung der Betriebskampfgruppen, personelle Reduzierung der SED-Kreis- und Bezirksleitungen, Rehabilitierung von Vertriebenen aus dem

Sperrgebiet, Einreiseerlaubnis für Bürger der Bundesrepublik in die Sperrzone.
(Nach: Wiegand II, S. 188)

In Suhl demonstrierten ca. 25.000 Menschen von einer vom Neuen Forum initiierten Großkundgebung. Nach Gottesdiensten in den beiden Kirchen zog der Demonstrationszug durch den Steinweg zum Thälmannplatz. Auf der Kundgebung sprachen 9 Redner. – In Schmalkalden demonstrierten 2.000 Menschen.

5. November 1989
Sonntagsgespräch auf dem Marktplatz Bad Salzungen zwischen Bürgern und dem 1. Kreissekretär der SED, Hans-Dieter Fritschler, mit 3.500 Teilnehmern.

Ca. 120 Übersiedler aus der DDR fanden vorübergehend Unterkunft in der Bundesgrenzschutzabteilung Bad Hersfeld. Bis zum 08.11.1989 hielten sich in Hessen rund 26.000 Übersiedler auf.
(Album der BGS-Abt. Bad Hersfeld von Hans-Karl Gliem)

6. November 1989
Das DDR-Innenministerium legte den Entwurf eines neuen Reisegesetzes vor, das vom Verfassungs- und Rechtsausschuss der Volkskammer verworfen wurde.

Generaloberst Rudi Mittig, Stellvertretender Minister für Staatssicherheit, stellte im ND-Interview dar, dass die Angehörigen des MfS „uneingeschränkt für die angestrebte Umgestaltung und die notwendigen Reformen" wären. – In der Bevölkerung machte sich Entsetzen wegen der Absichten der Staatssicherheit mit den brutalen Unterdrückungsmechanismen breit.

Die DDR-Übersiedler Norbert Krautz und Frank Starus aus Weißwasser und Leipzig – zogen nach Maroldsweisach, wo sie herzlich empfangen wurden. Beide flüchteten über Ungarn. Nur mit dem Nötigsten wagten sie den Schritt gen Westen. „Wir sind bombig aufgenommen worden. Hier hilft dir jeder, egal, ob auf

„Die Bierholer aus Wüstensachsen[54]

Wieder ganz anders reagierten die Behörden, als am Fastnachtsdienstag 1971 zwei junge Männer aus Wüstensachsen die Demarkationslinie überschritten. Die in den Zeitungen höhnisch als „Bierholer" bezeichneten Betroffenen („Bierholer in der DDR in Untersuchungshaft" – „Bierholer müssen nun 21 Monate in der DDR brummen") mussten einen leichtsinnigen Entschluss schwer büßen. Allerdings war das Motiv auch seltsam genug. Die VZ meldete am 27. Februar:
Als Mutprobe über die DDR-Grenze geklettert. „Spätestens in drei Tagen sind wir wieder da!" Mit diesen Worten verabschiedeten sich ... der Kraftfahrer P. und der Steinbrucharbeiter K., beide aus Wüstensachsen, von ihren Zechkumpanen in einer Gaststätte ihrer Heimatgemeinde. Ihrem Aufbruch vorangegangen war eine Wette: Als Mutprobe wollten sie die Grenzbarrieren der DDR übersteigen und – selbstverständlich ungeschoren – wieder zurückkommen.

Nach dem Überschreiten der DL seien sie sofort festgenommen worden. Seitdem fehle jede Nachricht. Dieser kurzen Notiz folgte am 2. März in der Fuldaer Zeitung ein längerer Bericht, der die Hintergründe des „riskanten und bodenlos leichtsinnigen Ausflugs" beleuchtete.
Für jede Flasche Bier, die ihr aus der DDR mitbringt, gibt es 50 Mark Belohnung." Diese Wette stachelte die beiden zu ihrem Tun an. „Direkt vom Wirtshaustisch weg, wo in froher Runde gezecht wurde, ließen sich die beiden ... von ihrem Wettbruder an die Zonengrenze nach Seiferts an die Grenzbarriere auf der Straße nach Birx fahren und überstiegen hier behend und mutig die lediglich mit einem rot-weißen Schlagbaum und mehreren Warnschildern abgesicherte Demarkationslinie ... Der nachmittägliche Ausflug endete jedoch knapp 15 Meter abrupt und unplanmäßig. Soldaten der Nationalen Volksarmee nahmen die beiden Bierholer fest und führten sie ab." Seitdem war noch keine Nachricht über den Verbleib der beiden eingegangen, obwohl sich der Zoll darum bemüht hatte. Erst am 12. März konnte die Hessische Allgemeine berichten, daß inzwischen die Angehörigen von einem DDR-Staatsanwalt in Meiningen informiert worden seien, daß die Festgenommenen in Untersuchungshaft sitzen und sich einem Gerichtsverfahren stellen müssen. Sie wurden zu 15 Monaten Gefängnishaft verurteilt, nach der von ihnen angestrebten Berufungsverhandlung sogar zu 21 Monaten. Im Oktober wurden sie allerdings vorzeitig entlassen.

Wilhelm Stehling: Die „Bierholaffäre" von Hilders[55]
Eine Woche nach der Verhaftung der beiden Wüstensachsener an der Birxer Mühle saß eine Gruppe junger Männer im Gasthaus H. – bei „Kirschte" – in Hilders zusammen. Die leichtsinnige Mutprobe der Bierholer war immer noch der beherrschende Gesprächsstoff.

Doch nicht so sehr das Schicksal der beiden bewegte die Runde, sondern die Frage, ob es überhaupt möglich sei, Bier von drüben zu holen. Darüber war man geteilter Meinung. Die meisten Männer in der Tischrunde und der Wirt, „Kirschte Döt", hielten es für unmöglich, zweimal unbemerkt und ohne Gefahr für die Freiheit und das eigene Leben Grenzzaun und Minensperren zu überwinden. Noch undenkbarer schien es, sich als Ortsfremder in einer Gaststätte im Sperrgebiet zu zeigen, unbehelligt vor aller Augen Bier zu kaufen und dann wieder in aller Öffentlichkeit zurück zur Grenze zu laufen. Nur Siegfried S. und Wolfgang E. hielten dagegen:

„Es muß möglich sein! Die Wüstensachsener haben es nur zur falschen Zeit am falschen Ort versucht." Ihrer Meinung nach wäre es günstiger, im Schutze der Nacht die Grenze zu übertreten, am besten irgendwo im Rhönwald, wo sicherlich weniger Vopos auf Lauer liegen würden. Außerdem sollte man weder nach Birx noch nach Frankenheim gehen, wo die Überwachung mit Sicherheit stärker sei als in anderen Grenzorten, zum Beispiel in Oberweid.

Nun spielte sich die gleiche Szene ab wie eine Woche zuvor in Wüstensachsen: Man redete und trank sich stark und schließlich wurde gewettet. Als dann der Wirt, „Kirschte Döt", noch einen draufsetzte und 500 Mark für drei Flaschen Bier aus der DDR und eine dazugehörige Quittung bot, gab es für Siegfried und Wolfgang kein Zurück mehr: Ohne lange zu zögern, setzten sie sich ins Auto und fuhren die Frankenheimer Allee hinauf in Richtung Grenze. Noch ein dritter, Willi S., ein Freund der beiden, war dabei. Er war vor allem in der Absicht eingestiegen, die beiden noch von ihrem unverantwortlichen Unternehmen abzuhalten. Wer weiß, wie alles ausgegangen wäre, wenn das Auto nicht nach dem Abbiegen in Richtung Ellenbogener Grenze in einer Schneewehe liegen geblieben wäre. Es dauerte fast eine Stunde, bis das Auto wieder freigeschaufelt war, Zeit genug, um nüchterner zu werden. Das Vorhaben wurde abgebrochen. Bei „Kirschte" erklärten sie anschließend, der hohe Schnee hätte das Bierholen unmöglich gemacht. Doch das Hohngelächter in der Tischrunde klang ihnen noch einige Zeit in den Ohren.

Einen Monat später fuhr Willi S. gemeinsam mit seiner Mutter für eine Woche in die DDR. Sie besuchten die mit ihnen befreundete Familie H. aus Oberweid. Da Oberweid im Sperrgebiet lag, trafen sie sich in Bad Liebenstein und wohnten dort im Haus von Herrn H.s Mutter.

Als Herr H. zwischendurch mal nach Hause – nach Oberweid – fahren mußte, kam Willi S. plötzlich eine Idee: Er fragte, ob es denn möglich sei, ihm einige Flaschen Bier mitsamt einer Quittung aus dem Oberweider Gasthaus mitzubringen. Herr H. tat ihm, ohne lange nachzufragen, den Gefallen und erklärte Willi auch noch die Örtlichkeiten, wie man denn zum Gasthaus käme und wie es dort drinnen aussehen würde.

der Gemeinde, im Gasthaus oder sonstwo", erzählten sie der Presse.
(Bote vom Haßgau, 06.11.1989)

Friedensgebet in der Sonneberger Stadtkirche, bei der anschließenden Demonstration nahmen 12.000 Bürger teil. Ca. 4.000 brennende Kerzen wurden vor dem Rat des Kreises abgestellt.

„Journalismus macht jetzt erst richtig Spaß", hieß es in der SED-Zeitung Freies Wort in Suhl. In Suhl verlor der 1. SED-Bezirkssekretär Hans Albrecht sein Amt, der Stuhl von Bürgermeister Joachim Kunze wackelte und auch Bad Salzungens Bürgermeister Füldner fiel in Misskredit.

Rathausgespräch auf dem Marx-Engels-Platz Hildburghausen, an dem ca. 1.500 Bürger teilnahmen. Den Fragen der ca. 1.500 Bürger stellten sich der Vorsitzende des Rates des Kreises, Johannes Müller, und der Bürgermeister, Jürgen Ließ. Zur Diskussion standen unter anderem Privilegien, Probleme der Umweltbelastung in der Kreisstadt, die Rolle der Sicherheitsorgane, das Grenzgebiet, die Forderung nach Abschaffung von Exquisit- und Delikat-Läden. Bekräftigt wurde die Forderung nach Dialogen mit führenden Funktionären in den Betrieben.

Nach Friedensgebeten gab es Schweigemärsche in Geisa, Krs. Bad Salzungen, mit 1.000 und in Dermbach, Krs. Bad Salzungen, mit 600 Teilnehmern.

7. November 1989
Der Ministerrat der DDR (Regierung) unter Willi Stoph trat zurück.
Vor dem SED-Politbüro-Gebäude in Ost-Berlin demonstrierten 5.000 Bürger. – Stündlich wurden ca. 300 Aussiedler registriert.

Mitglieder von Parteien, ein Vertreter des DDR-Innenministeriums und der Generalsuperintendent Günter Krusche diskutierten im DDR-Fernsehen unter der Themenstellung „Warum geht ihr weg?" Es wurde festgestellt, dass mangelhaftes Vertrauen und Zukunftsangst Hauptursache seien.

Meininger Großdemonstration

Mit großem Jubel nahmen die am Friedensgebet in der Meininger Stadtkirche teilnehmenden Bürger die Meldung auf, dass die DDR-Regierung zurückgetreten sei. Anschließend demonstrierten ca. 20.000 Bürger. Am Haus der SED-Kreisleitung und vor dem Zaun der Kreisdienststelle des MfS wurden Kerzen abgestellt.

Dr. Horst Strohbusch beschreibt in seinem Buch *Das Licht kam aus der Kirche* die Demonstration, die nahezu ähnlich in anderen Städten des Bezirkes Suhl ablief. „Wenn nach dem Schlußgebet und Lied die innerkirchliche Veranstaltung beendet war, drängten die Besucher nach draußen. An den Ausgängen standen Kartons mit weißen Haushaltskerzen, aus denen man sich bedienen konnte. Aber das war kaum noch nötig. Hatten doch die meisten Kerzen mitgebracht. Nicht nur das. Viele Mitstreiter trugen selbstgebastelte Kerzenhalter in den Händen. Mit viel Phantasie und Liebe waren solche aus Pappe, Kunststoff, Holz und Metall zu sehen. Ein besonders prachtvolles Stück trug Gerald Vogt bei sich, der an jeder Demonstration teilnahm.

Die Demonstrationszüge formierten sich auf dem Markt. Nachdem die Kerzen angezündet und die Spruchbänder entrollt waren, setzten die Menschen sich in Richtung Georgstraße in Bewegung. Es gab keine Anweisungen für eine besondere Ordnung. Jeder lief dort, wo er eine Lücke fand. Wir waren lediglich bemüht, in Abständen unsere Ordner einzureihen, die um Ruhe und Gewaltlosigkeit bitten sollten. Während des Marsches gab es angeregte Unterhaltungen, vereinzelt wurde gesungen. Einzelrufer, aber auch Sprechchöre machten ihrem Herzen Luft. Die unterschiedlichsten Forderungen schallten in den Nachthimmel. Aus den Fenstern in der Georgstraße schauten die Daheimgebliebenen zu. Vor den Gebäuden der SED-Kreisleitung und Staatssicherheit in der Thälmannstraße wurde

Als Willi S. und seine Mutter die Rückreise antraten, befanden sich in ihrem Gepäck drei Flaschen „Rhön-Bier" aus Kaltennordheim und eine Quittung der HO-Gaststätte über 12 Mark für Getränke, ausgestellt am 2. April 1971.

Nach der Rückkehr in Hilders führte Willis erster Weg zu seinen Freunden Siegfried und Wolfgang. Er zeigte ihnen seine „Mitbringsel" und sagte, daß es nun ihre Sache sei, was sie mit der Quittung und den drei Flaschen Bier anstellen würden. Er müsse sich ganz heraushalten, denn möglicherweise könne ein Zusammenhang zwischen den „Trophäen" und seinem DDR-Besuch hergestellt werden. Das einzige, was er noch zum folgenden Geschehen beitrug, war die genaue Erklärung der Örtlichkeiten in Oberweid, so wie sie von Herrn H. beschrieben wurden und die Umdatierung der Quittung.

Es war ein günstiger Zufall, daß der Ostermontag des Jahres 1971 auf den 12. April fiel und die Quittung über 12 Mark „für Getränke" ausgestellt war. Unter mehr als einem Dutzend Kugelschreibern wurde derjenige ausgesucht, der dem Schriftbild auf der Quittung am ähnlichsten war. Anschließend mußte eine identische 1 wie bei „12 Mark" vor das Datum des 2. April gesetzt werden. Nach langem Probieren und mit fast zitternder Hand gelang es. Die Quittung lautete nun auf das Datum des 12. April 1971. Mit bloßem Auge war diese spätere Ergänzung nicht zu erkennen.

Am Abend des Ostersamstags gingen Siegfried und Wolfgang in ihr Stammlokal Gasthaus H. Die beiden Wüstensachsener saßen immer noch in einem DDR-Gefängnis und es war nicht schwer, das Thema wieder auf die Bierholgeschichte zu lenken: Es spielte sich die gleiche Szene ab wie Wochen zuvor: Siegfried und Wolfgang gaben sich mehr als zuvor überzeugt, daß das Risiko kalkulierbar sei, Bier und Quittung aus Oberweid zu beschaffen. Sie seien es leid, weiterhin Spott wegen ihrer „vollen Hosen" beim ersten Bierholversuch ertragen zu müssen. Da ja jetzt kein Schnee mehr auf der Hochrhön läge, könnten sie gleich morgen, Ostersonntag, spätabends einen neuen Versuch starten. Die Wogen gingen hoch und als „Kirschte Döt" seine 500-Mark-Wette erneuerte, wurde diese Summe von den Anwesenden um ein Vielfaches an Geld und in Naturalien – Fässer Bier, halbe Schweine usw. – überboten.

Am Ostersonntag wußten schon viele Hilderser von der neuen Bierhol-Wette. Siegfried und Wolfgang schlugen alle Ratschläge und Warnungen in den Wind und betonten, das Ganze sei nun keine spontane „Saufwette" mehr und sie könnten angesichts der Wettsumme und um nicht ihr Gesicht zu verlieren auf keinen Fall erneut einen Rückzieher erlauben. Daraufhin wurde Wolfgang zu Hause kurzerhand rausgeschmissen und Siegfrieds Freundin drohte, sie würde Schluß mit ihm machen, wenn er tatsächlich über die Grenze ginge.

Am Abend war Tanz im Saalbau des Deutschen Hauses. Siegfried und Wolfgang waren auch da. Es herrschte eine seltsame Stimmung zwischen Bedrückung und Ausgelassenheit. Um halb zehn verabschiedeten sich die beiden von ihren Freunden und die Kapelle spielte zu ihrem Auszug „Muß i denn ...". In dem Moment wurde es allen im Saal klar, daß es den beiden wirklich Ernst sein müsse.

Im Gasthaus Hohmann tranken Siegfried und Wolfgang noch ein „Abschiedsbier". Sie hatten unauffällige dunkle Kleidung angezogen und machten es zur Bedingung, daß ihnen niemand folgen dürfe, denn ein Riesenauflauf an der Grenze würde die Vopos aufmerksam machen. Dann fuhren sie los.

Um halb elf hielt es kaum noch jemanden beim Tanz. In Scharen zogen die Leute zu „Kirschte", denn irgend etwas Außerordentliches würde in dieser Nacht schon passieren.

Entweder man wartete vergeblich auf die Rückkehr, dann wäre es den beiden ergangen wie den Wüstensachsenern oder gar noch Schlimmeres widerfahren. Wenn sie aber tatsächlich mit DDR-Bier zurückkämen, dann wäre dies eine Sensation, ein Coup, etwas, was es seit der Errichtung von Doppelzaun und Minensperre nicht mehr gegeben hatte.

Die Spannung in der Wirtsstube stieg von Minute zu Minute, ebenso der Umsatz des Wirtes. Die Sperrstunde war schon lange vorbei und keiner der Gäste wollte nach Hause gehen. Dann – gegen halb zwei – öffnete sich die Tür und zwei verdreckte Gestalten mit geschwärzten Gesichtern kamen herein. In Ihren ausgestreckten Händen hielten sie drei Flaschen Bier und eine Quittung. Riesengroßer Jubel kam auf und einige der Umstehenden nahmen sie auf ihre Schultern und trugen sie durch die Gaststube. Die dickbauchigen Bierflaschen wurden ihnen entrissen, denn jeder wollte sich mit eigenen Augen überzeugen, was auf dem Etikett zu sehen war: Ein Segelflieger mit dem Aufdruck VEB Rhön-Bier Kaltennordheim.

„Kirschte Döt" bekam die Quittung. Er prüfte sie kurz, fragte, warum man drüben für drei Flaschen 12 Mark bezahlen müsse und bekam als Antwort „der Rest war für die Lokalrunde". Dann verschwand er in seinem Büro und überreichte Siegfried – und das fiel ihm sichtlich schwer – einen 500-DM-Schein.

Am nächsten Morgen sah man schon nach der Frühmesse Gruppen von Leuten zusammenstehen, die über die Bierholaktion diskutierten. Viele Hilderser wollten nicht glauben, was ihnen da erzählt wurde. Endlich – nach dem Hochamt – kamen auch die beiden „Helden". Im Deutschen Haus wurden sie an den Frühschoppentisch einiger älterer Herren zitiert. Etliche Einzelheiten in Oberweid waren ihnen noch geläufig, deshalb konnten sie die beiden einer strengen Überprüfung unterziehen: Wie kommt man in den Ort? Wie heißt die Gaststätte? Wo liegt sie? Wie sieht der Eingang aus? Wie ist die Inneneinrichtung? Wo steht die Theke? Siegfried und Wolfgang gaben eine recht detaillierte Beschreibung, die mit der Erinnerung der Männer im wesentlichen übereinstimmte. Aufkommende Zweifel an manchen Einzelheiten wischten sie selbst mit der Bemerkung weg, sie wären selbst vor mehr als zwanzig Jahren das

alles lauter und hitziger, blieb aber immer gewaltlos. Die brennenden Kerzen stellten die Demonstranten mit Genugtuung, aber auch mit Andacht auf Mauern, Zäunen und Bürgersteigen vor beiden Häusern ab. Das letzte Wegstück zur Kirche wurde entspannt und nachdenklich zurückgelegt. Auf dem Markt löste sich der Zug dann langsam auf.

Die Demonstranten bei uns und überall im Land waren friedliche Leute, keine Revoluzzer marxistischer oder anderer Färbung. Sie trugen keine Waffen, um auf Menschen zu schießen, sie legten keine Bomben oder wollten die SED-Kreisleitung oder Stasi-Zentrale stürmen. Sie zündeten nur Kerzen an. Mit diesem Kerzenlicht wurden die Demonstranten ein Bollwerk der Friedfertigkeit, gegen das die Staatsmacht hilflos war. Auf einen solchen ‚Feind' war sie nicht gedrillt worden. Der Demonstrationszug an jenem 7. November verdient auch deshalb besondere Erwähnung, weil sich ihm alle Besucher des Friedensgebetes anschlossen. Er wurde so lang, daß die übliche Route zu kurz erschien. Spontan wurde sie deshalb verlängert. Die Spitze des Zuges marschierte am Theater vorbei bis zur jetzigen Charlottenstraße. Über die Lindenallee, am Bahnhof und Tunnel vorüber, traf sie am ehemaligen Pionierhaus wieder auf die alte Strecke. Die Vorderen kamen am Markt an, als die Letzten noch durch die Georgstraße liefen. Man kann es noch heute kaum begreifen. Die ganze Faszination dieses einmaligen Erlebnisses aber wurde durch die vielen tausend brennenden Kerzen ausgelöst." (Strohbusch: Das Licht kam aus der Kirche. – S. 88 ff.)

Nach einem Friedensgottesdienst in der Bad Salzunger Stadtkirche demonstrierten 5.000 Personen. Leidenschaftlich wurde eine Volksentscheid gegen die führende Rolle der SED gefordert.

In Schalkau, Krs. Sonneberg, nahmen 700 Bürger am Friedensgebet teil.

8. November 1989

Bei der 3-tägigen 10. Tagung des ZK der SED trat des Politbüro geschlossen

An einer kirchlichen Veranstaltung mit anschließender Demonstration nahmen in Steinbach-Hallenberg, Krs. Schmalkalden, 2.500 Personen teil. Es wurden freie Wahlen, die Auflösung der Kampfgruppen der Arbeiterklasse sowie die Bereitstellung von Devisen für Auslandsreisen gefordert. Weitere Äußerungen richteten sich gegen das MfS. Am Friedensgebet nahmen 450 Personen teil.
(AKG 33/192/89)

In Wasungen, Krs. Meiningen, kam es nach einem Friedensgebet zu einer ungenehmigten Demonstration mit 2.500 Bürgern.
(AKG 33/192/89)

400 Bürger Langewiesens, Krs. Ilmenau, trafen sich in der HO-Gaststätte „Ehrenburg". In der kontroversen Diskussion wurden Fragen der Versorgung, der Dienstleistungen sowie der Arbeit der Gemeindevertretung angesprochen. Auf einem Plakat wurde die Ablösung des Bürgermeisters gefordert.
(AKG 33/192/89)

Einwohnerforum in Streufdorf
400 Bürger der Gemeinde Streufdorf kamen zu einem Einwohnerforum mit Johannes Müller, Vorsitzender des Rates des Kreises Hildburghausen, den Ratsmitgliedern der Gemeinde, dem Ortsparteisekretär und Manfred Simon (DBD) zusammen. Es wurden Forderungen nach mehr Reisefreiheit, Aufhebung der Sperrzone, Rücktritt des Sekretariats der SED-Kreisleitung, schonungslose Aufklärung der

letzte Mal in Oberweid gewesen. Nun waren auch die letzten Skeptiker überzeugt: Siegfried und Wolfgang müssen tatsächlich drüben gewesen sein.

Die österliche Bierhol-Aktion war nicht nur in Hilders, sondern auch in den Nachbarorten schnell das beherrschende Gesprächsthema. Die abenteuerlichsten Vermutungen wurden angestellt, wie es Siegfried und Wolfgang gelungen sein konnte, auf dem Hin- und Rückweg zweimal unbemerkt und unverletzt Doppelzaun und Minensperren zu überwinden. Einige vorlaute Zeitgenossen fuhren sogar nach Wüstensachsen und holten sich beinahe Schläge ab, als sie die Aktion ihrer Hilderser Bierholer mit dem gescheiterten Versuch an der Birxer Mühle verglichen.

Willi S. hatte sich die ganze Zeit völlig im Hintergrund gehalten. Bisher war auch niemandem der Gedanke gekommen, ihn mit dem Geschehen in Verbindung zu bringen.

Zum Zoll oder zum Grenzschutz war die Hilderser Bierholgeschichte bis zum Nachmittag des Ostermontags noch nicht gedrungen. Obwohl es in Hilders eine Zolldienststelle und eine Polizeistation gab, war man dort von alledem, was das Dorf bewegte, ahnungslos. Doch dann konnte es dem Zoll und der Polizei nicht schnell genug gehen, Näheres über die Sache zu erfahren. Die Dienststellenleiter unterbrachen ihre österliche Ruhe und machten sich auf die Suche nach den Grenzgängern. In der Halbzeit des Fußballspieles Neuschwambach – TSV Hilders, bei dem Siegfried und Willi als Spieler mitwirkten und bei dem Wolfgang als Zuschauer war, wurden alle drei – auch Willi (!) – vom Platz geholt. Siegfried und Wolfgang protestierten, denn die ganze Geschichte ginge weder Polizei noch Zoll etwas an. Es sei keine ungesetzliche Handlung, als Bürger der Bundesrepublik in die DDR zu gehen. Auf die Frage, wie sich alles abgespielt habe, antworteten sie, es könne schon so gewesen sein, wie die Leute erzählen, aus verschiedenen Gründen wollten sie jedoch keine Einzelheiten preisgeben.

Am Ende appellierten Zöllner und Polizist an ihre Vernunft und ihre Verantwortung. Wie auch immer das Bierholen in Oberweid abgelaufen sei, dürfe man nicht den Eindruck erwecken, dies sei ein risikoarmer Spaziergang gewesen. Denn dann würden sicherlich auch andere junge Männer aus benachbarten Grenzorten eine solche Mutprobe wagen. Wenn dann Menschen Leib und Leben im Minenfeld, im günstigen Falle nur die Freiheit verlieren würden, müßten auch sie sich mitschuldig fühlen. Am besten sei es, man erkläre, daß die ganze Sache getürkt gewesen sei.

Polizei und Zoll mußten die drei wieder gehen lassen. Sie hatten keine gesetzliche Handhabe, in dieser Geschichte vorzugehen, doch sie hatten den Eindruck hinterlassen, als könnten sie etwas vom wahren Hergang ahnen. Für Siegfried, Wolfgang und Willi war die Position klar: Wenn sie dichthielten, könnte nur die DDR ihre vermeintliche Bierhol-Aktion aufdecken, womit jedoch nicht zu rechnen war. Allerdings waren sie durch die von Polizei und Zoll angedeuteten möglichen Folgen ihrer Aktion nachdenklich geworden.

Am Abend des Ostermontags war es bei „Kirschte" wieder brechend voll. Man wollte die Bierholer richtig feiern und an ihrem Triumph teilhaben. Die ausgelassene Stimmung gipfelte in der Idee, die „Bild-Zeitung", den „Stern", die „Neue Revue" und das Fernsehen über die Bierhol-Aktion zu informieren. Diese Geschichte müßte eine Schlagzeile ergeben. Nun wurde es Willi mulmig. Die ganze Sache drohte jetzt eine Eigendynamik zu erhalten und überzuschwappen. Sie würde auch in der DDR bekanntwerden und dann könnte Familie H. in Oberweid in große Gefahr geraten. Stasi und Volkspolizei würden den wahren Hergang rasch herausfinden und dann würde möglicherweise Herrn H. eine Provokation der DDR angelastet werden.

Die drei „Bierholer" berieten sich kurz, dann siegte ihre Vernunft. Sie schilderten den wahren Hergang und erklärten, sie seien nicht in Oberweid gewesen, sondern hätten in ihrem Auto an der Grenze gelegen. Das Bier und die Quittung hätte Willi besorgt. Danach bekam „Kirschte Döt" seine 500 DM zurück.

Die Reaktionen der Anwesenden auf diese Enthüllung waren unterschiedlich: Einige lachten über den gelungenen Streich. Manche fühlten sich auf den Arm genommen. Andere bedauerten, daß die Hilderser den Wüstensachsenern das Bierholen nun doch nicht vorgemacht hätten. Einige blieben aber – bis heute – bei der Meinung, Siegfried und Wolfgang seien doch drüben gewesen und würden deswegen die „getürkte" Geschichte erzählen, um andere von ähnlichen Mutproben abzuhalten und um Menschen in der DDR nicht unnötig in Gefahr zu bringen.

Kein Asyl in der DDR

Aus einem Bericht der DDR-Staatssicherheit: „INFORMATION über einen ungesetzlichen Grenzübertritt BRD – DDR im Raum Stedtlingen/Kreis Meiningen.

Am 24. Juni 1989 gegen 2.20 Uhr erfolgte durch die Grenztruppen der DDR die Festnahme der BRD-Bürger Günter P., geb. 1959, Beruf: ohne, zuletzt: ohne Beschäftigung, seit Herbst 1988 arbeitslos, seit 1982 ohne festes Arbeitsrechtsverhältnis, Vorstrafen: fünf Vorstrafen zumeist wegen Eigentumsdelikten, parteilos, kein Mitglied von Massenorganisationen, Familienstand: geschieden, 3 Kinder (BRD) und Michaela G., geb. 30.5.65, wh. Schweinfurt, Beruf: Verkäuferin. Vorstrafen: laufendes Strafverfahren wegen uneidlicher Falschaussage, parteilos, kein Mitglied von Massenorganisationen, Familienstand: verheiratet, 2 Kinder, die ihr gemeinsames Kind Patricia, 3, mit sich führten, als diese Personen nach wiederholter Zurückweisung durch die Grenztruppen das Territorium der DDR nicht wieder verließen, sondern durch Rufen um „politisches Asyl" baten bzw. äußerten, lieber erschossen zu werden, als wegzugehen.

Vergehen des 1. Sekretärs der SED-Bezirksleitung, Hans Albrecht, Änderung des Artikels 1 der Verfassung erhoben. Weiter wurde gefordert, Parteiversammlungen nach der Arbeitszeit anzusetzen, die Privilegien im Sanatorium des Ministeriums des Innern in Bad Colberg abzuschaffen. Diese Einrichtung sollte allen Bürgern offenstehen. Die Durchsetzung des Leistungsprinzips in der LPG wurde gefordert, ferner standen ungelöste Probleme des Handels zur Diskussion.

9. November 1989
Bis zum Zeitpunkt waren 225.233 Übersiedler aus der DDR in die Bundesrepublik gekommen.

Freies Wort berichtete am 11.11. über das Protestgeschehen in Hildburghausen:
„Über 2500 Bürger demonstrierten.
Nach einem Bittgottesdienst in der Apostelkirche formierten sich am vergangenen Donnerstag gegen 21 Uhr die Teilnehmer zu einem Schweigemarsch durch die Kreisstadt. Unter der Hauptlosung ‚OHNE GEWALT/FÜR DEMOKRATIE' zogen sie mit brennenden Kerzen vor das Rathaus. Herr Wendel, Vikar der ev. Kirche Häselrieth, übergab dort während einer Kundgebung mit über 2.500 Bürgern einen offenen Brief an den Bürgermeister der Kreisstadt und den Vorsitzenden des Rates des Kreises. In diesem Brief, bekräftigt durch über 1.000 Unterschriften, wurde die Tätigkeit des ‚Neuen Forums' und weiterer Basisgruppen und Bürgerinitiativen gefordert. Auf die Frage nach der künftigen Zusammenarbeit antwortete Hans Müller, Vorsitzender des Rates des Kreises, daß bereits am Sonnabendvormittag ein Gespräch mit den Vorsitzenden der Parteien, Vertretern der verschiedenen Bürgerinitiativen, auch des ‚Neuen Forums', stattfinden wird. Hans Müller unterstrich, daß für die künftige Gestaltung unseres Landes alle aufgerufen sind, ihre Vorschläge einzubringen.

Bürgermeister Jürgen Ließ bekräftigte noch einmal, daß es jetzt darauf ankommt, das Reden in die Tat umzusetzen, die Einheit von Denken, Sagen und Handeln zu verwirklichen. Der Dialog wird in allen Formen fortgesetzt, betonte er und nannte dazu noch einmal die heute nachmittag stattfindenden themenbezogenen Rathausgespräche. Er forderte alle Bürger zur aktiven Mitarbeit auf. Superintendent Wulff-Woesten verwies unter anderem auf die Effektivität der Sacharbeit in kleinen Gruppen, die nicht vernachlässigt werden darf. Stadtverordneter G. Lohse forderte den geschlossenen Rücktritt des Sekretariats der SED-Kreisleitung."

In Eisfeld, Krs. Hildburghausen, gab es fünf Bürgerforen mit insgesamt 320 Teilnehmern zu den Themen Umweltschutz, Wasserwirtschaft, Landwirtschaft; Wohnungspolitik, Bauwesen; Handel und Versorgung, ÖVW (örtliche Versorgungswirtschaft); Volksbildung, Kultur, Gesundheits- und Sozialwesen, Jugendfragen, Sport.

Bis zur Öffnung der Grenze gelang 1989 insgesamt 16 Personen aus der DDR die Flucht nach Unterfranken.
(Jahresbericht der Grenzpolizeiinspektion Mellrichstadt 1989)

Mit der aus Sicht der DDR „legalen" Möglichkeit der Übersiedlung kamen bis einschließlich 09.11.1989 62 Übersiedler über den Grenzübergang Eußenhausen – Henneberg in den Westen. Die DDR-Behörden erkannten in diesem Zusammenhang die Familienzusammenführung als ausreichenden Grund für die Ausreisebewilligung an. Nach Öffnung der Grenze kamen hier bis Ende Dezember 1989 nochmals 626 Übersiedler in die Bundesrepublik. Die überwiegend jungen Leute wurden an die Aufnahmelager verwiesen.
(Jahresbericht der Grenzpolizeiinspektion Mellrichstadt 1989)

Der Eiserne Vorhang fiel
Auf einer Pressekonferenz verkündete nach einer Sitzung des Zentralkomitees der SED das Politbüromitglied Günter Schabowski, dass jeder DDR-Bürger mit sofortiger Wirkung die Möglichkeit zur freien Ausreise ohne größere Formalitäten habe.

Die Untersuchungen ergaben: Beide Personen gehen keiner Arbeit nach. Seit etwa Februar/März 1989 begingen sie in der BRD 35 bzw. 30 Diebstahlshandlungen, wobei insbesondere Zigarettenautomaten ausgeraubt wurden. Durch die Festgenommenen wurden Gelder in umfangreichem Maße erbeutet.

In der Nacht vom 22. zum 23. Juni 1989 versuchten die genannten Personen gemeinsam mit einem Kumpan erneut, einen Zigarettenautomaten in Schweinfurt auszurauben, um damit Geld für ihren Lebensunterhalt, insbesondere aber für Genußmittel, zu erhalten. Im Zusammenhang mit dieser Straftat kam es zur Zuführung der Personen P. und G., nach Auffassung beider wegen der Teilnahme an der genannten Handlung und offenstehenden Strafverbüßungen von ca. 20 Monaten Freiheitsentzug zur Haftfahndung nach P. durch die BRD-Polizei.

Aus Angst vor Strafverfolgung und der möglichen Einweisung der Tochter in ein Heim beschlossen sie, über die Staatsgrenze in die DDR einzudringen, um hier ständigen Wohnsitz zu nehmen. Vom Verlassen der BRD über eine Grenzkontrollstelle wurde wegen der vermuteten Haftfahndung nach Abstand genommen. Durch zwei ebenfalls an kriminellen Handlungen der Personen beteiligten BRD-Bürger wurde das Paar mit seinem dreijährigen Kind am 23.06.1989 um 22.00 Uhr mit dem Pkw Opel „Commodore" des einen Mittäters über Münnerstadt, Mellrichstadt, Völkershausen an die Staatsgrenze zur DDR gebracht, wo sie gegen 23.00 Uhr eintrafen. Nach Verlassen des Pkw begaben sie sich unter Mitnahme des Kindes Patricia zum vorderen Sperrelement und bewegten sich ca. 2 Kilometer in südöstlicher Richtung an diesem entlang bis zum Festnahmeort. Die Komplizen unterstützten die Flüchtlinge durch Hupen und Geben von Lichtsignalen, um die Grenztruppen der DDR auf die Personenannäherung aufmerksam zu machen.

Nach Abschluß der Untersuchung, in deren Ergebnis von der Einleitung eines Ermittlungsverfahrens abgesehen wurde, erfolgte die Ausreise des P. und der G. mit ihrem Kind Patricia am 24.06.1989 um 15.35 Uhr über die GÜST Meiningen. Auf Ersuchen P.s erklärte sich ein Mercedesfahrer bereit, die Personen in seinem Pkw mit in die BRD zu nehmen.

Durch Beobachtungsmaßnahmen der PKE Meiningen wurde festgestellt, daß P. unmittelbar vor dem Passieren der Staatsgrenze der DDR den Pkw nach kurzem Halt verließ und sich zu Fuß auf BRD-Territorium begab, um offensichtlich gedeckt die Grenzkontrollstelle Eußenhausen zu umgehen.

Irrrweg durchs Minenfeld

Sehr bittere Folgen hatte die allerdings unbeabsichtigte Grenzübertretung eines jungen Mädchens aus Hünfeld im November 1971. Die Zeitungen beschäftigten sich intensiv mit diesem Vorfall.

Zuerst sorgte eine Suchmeldung mit einer Personenbeschreibung, womit das Staatliche Kriminalkommissariat in Fulda um Mithilfe bat, für Aufmerksamkeit (VZ 19.11.1971). Danach war eine 20-jährige jugoslawische Gastarbeiterin aus Hünfeld seit dem 17. November, 2 Uhr morgens, verschwunden. Sie hatte den Abend mit ihrem Freund bei einer Party in einem dafür angemieteten Ferienhaus bei Tann zugebracht, war dann aber allein um 2 Uhr aufgebrochen, um in dem VW-1600 ihres Vaters nach Hause zu ihren Eltern zu fahren. Dort war sie nicht angekommen. Ihr ordentlich abgeschlossener Wagen wurde am 18. November auf der Kreisstraße von Tann nach Kleinfischbach gefunden, mit den Vorderrädern im Straßengraben. „Persönliche Utensilien" fand man „in geordnetem Zustand" in der Nähe des Autos. Am 23. November erwiesen sich die alsbald in Hünfeld kursierenden Gerüchte als unwahr. Der Vater der Vermissten hatte einen Brief aus Meiningen erhalten, am 19.11. dort abgestempelt, in dem seine Tochter mitteilte, dass sie sich verirrt habe, dabei in die DDR geraten und von Grenztruppen verhaftet worden sei. Sie gab eine Adresse an, wohin Geld, Reisepass und persönliche Gegenstände geschickt werden sollten. Die Kriminalpolizei konnte nun den Hergang einigermaßen rekonstruieren, wenn auch trotz Einsatz von BGS, Zoll und Polizei bei einer Suchaktion der Weg der Jugoslawin von ihrem Auto zur Grenze nicht mehr festzustellen war. Auch die eingesetzten Suchhunde konnten keine Spur finden. Die Grenzsperren dort seien nicht einheitlich; streckenweise stehe der Doppelzaun, dann aber auch nur der primitive Zaun von 1952, das ganze Gebiet sei aber durch ein durchgehendes Minenfeld gesichert. Das Mädchen müsse also großes Glück gehabt haben, dass es unverletzt durch diesen Todesstreifen gekommen sei (VZ 2.4. und 25.11.1971). Nach 16 Tagen in der DDR erschien die Vermisste abends gegen Mitternacht vor ihrem Elternhaus in Hünfeld. Ein ausführlicher Bericht der Fuldaer Zeitung vom 26.12. beschäftigte sich mit ihren Erlebnissen. Die Vermutungen der Kripo erwiesen sich weitgehend als richtig: Sie war statt nach Tann in die umgekehrte Richtung gefahren und hatte dicht vor Kleinfischbach drehen wollen. Dabei geriet das Fahrzeug in den Graben und saß fest. Sie stieg aus, schloss ab und machte sich auf, um zu den Feiernden zurückzukehren und Hilfe zu holen. Dabei kam sie in der dunklen und stürmischen Nacht – es war November – von der Straße ab und verlor, im Gelände umherirrend, völlig die Orientierung. Schließlich stieß sie auf einen Stacheldrahtzaun und erkannte, dass sie an die Zonengrenze geraten war. Sie geriet nun in Panik, irrte zwischen den verschiedenen Stacheldrahtlinien umher und kam auf umgepflügtes Erdreich, das sie als Minenfeld ansprach. In Todesangst warf sie sich hin und bewegte sich nur noch kriechend weiter. Sie sank in einen Erschöpfungsschlaf, wachte noch in der Dunkelheit wieder auf und setzte ihren Irrweg fort.

Die ersten Bürger durften die GÜST ohne Visa passieren, weil die DDR-Grenzorgane wegen der unklaren Befehlslage verwirrt waren.
Die DDR öffnete die Grenzübergänge zur Bundesrepublik Deutschland und zu West-Berlin, Reisebeschränkungen wurden aufgehoben. Das erste Wochenende nutzten ca. 3 Mio. DDR-Bürger für einen Besuch in der Bundesrepublik.

9./10. November, 00.00 Uhr
Die GÜST Henneberg – Eußenhausen erreichten gegen 03.40 Uhr die ersten Autos, nachdem bereits eine halbe Stunde vorher Fußgänger die Grenze überschritten. Gegen 8.00 Uhr des 10.11. durfte nur mit ordnungsgemäßen Reisepapieren die Grenze in Richtung Bundesrepublik passiert werden.

Die GÜST Eisfeld – Rottenbach wurde als eine der Letzten in der DDR um 04.00 Uhr geöffnet. Angelika und Hans-Joachim Holland sowie Rainer Schmidt, Hildburghausen, fuhren mit ihrem Wartburg 353 als Erste ohne Visa über die Grenze. – Die visafreie Aus- und Einreise war jedoch für DDR-Bürger nur für wenige Stunden möglich. Die spontanen Reisen ohne gültiges Visum wurden Stunden später untersagt. Die Abteilungen Pass- und Meldewesen der Volkspolizeikreisämter erteilten auf Antrag einen Visastempel mit halbjähriger Gültigkeit. Bei nicht vorhandenem Reisepass erhielt der Personalausweis den Visastempel, eine im internationalen Reiseverkehr einmalige Verfahrensweise. Der Stempelabdruck kostete 15,- Mark. Eine Woche später wurde der Betrag vom VPKA wieder zurückerstattet. – Am 10.11. passierten an der GÜST Eisfeld – Rottenbach ca. 800 Bürger die Grenze, 12 von ihnen erklärten in Rottenbach, in der Bundesrepublik bleiben zu wollen.

10. November 1989
Das ZK der SED verabschiedete ein Aktionsprogramm, um das höchst angeschlagene Image der Einheitspartei zu retten. Man versprach freie, allgemeine und geheime Wahlen, eine Wirtschaftsreform, ein neues Strafrecht, ein neues Medienge-

setz, ein Gesetz für Versammlungs- und Vereinigungsfreiheit. – Vier erst 2 Tage zuvor gewählte Politbüromitglieder bzw. -kandidaten verloren ihre Funktionen (Hans-Joachim Böhme, Johannes Chemnitzer, Werner Walde, Inge Lange).

In Ost-Berlin kam es zu Demonstrationen und Kundgebungen. – Auf einer von der SED im Lustgarten initiierten Kundgebung nahmen ca. 150.000 Menschen teil. Egon Krenz informierte über die 10. ZK-Tagung. – In West-Berlin versammelten sich vor dem Schöneberger Rathaus ca. 20.000 Menschen zu einer Kundgebung, bei der die Grenzöffnung begrüßt wurde. Es sprachen Bundeskanzler Helmut Kohl, Bundesaußenminister Hans-Dietrich Genscher, Alt-Bundeskanzler Willy Brandt (Brandt war zum Zeitpunkt des Mauerbaus Regierender Bürgermeister in West-Berlin) und der Regierende Bürgermeister Walter Momper.
Michail Gorbatschow beglückwünschte die SED-Führung zur Grenzöffnung.

In Schleusingen vereinigten sich 500 Menschen zu einem Schweigemarsch.

Im Lkrs. Haßberge, Bayern, wurden die Notunterkünfte für DDR-Übersiedler knapp. Rund 200 Flüchtlinge waren in der Balthasar-Neumann-Kaserne in Ebern untergebracht. Das Landratsamt schrieb alle Gemeinden an, ob sie noch freie Unterbringungskapazitäten hätten.

10. bis 16. November 1989
Im Zeitraum wurden ca. 45.000 Visa im Kreis Hildburghausen erteilt. Das VPKA teilte mit, dass die im Personalausweis eingestempelten Reisevisa weiterhin gültig seien. Beantragte Reisepässe wurden erst im März/April 1990 ausgegeben. – Einzelne DDR-Bürger beantragten in den folgenden Monaten vor allem aus Sicherheitsgründen zusätzlich in einer Kommune in der Bundesrepublik Reisepässe mit einer Gültigkeitsdauer bis zu 6 Monaten. Nach DDR-Gesetzen machten sich diese Personen strafbar, die DDR-Behörden duldeten jedoch die Handlungsweise stillschweigend.

Als sie in einiger Entfernung die Lichter eines vorbeifahrenden Autos sah, versuchte sie in dessen Richtung fortzukommen, konnte aber keinen festen Weg finden. Auf dem abschüssigen Gelände stürzte sie mehrmals, Hände und Gesicht waren völlig zerkratzt, die Kleidung verdreckt. Als es endlich hell wurde, sah sie in der Nähe ein kleines Fabrikgebäude, ein vorüberkommender Arbeiter erklärte, sie sei in der DDR, und brachte sie in den Betrieb (die naheliegende Ortschaft muss Unterweid gewesen sein). Hier holten sie Grenztruppenangehörige ab, nahmen sie in ihre Unterkunft mit und verpflegten sie. Dann wurde sie nach Meiningen in ein Gefängnis, später nach Untermaßfeld verbracht, wo sie nach zwei Tagen als krank behandelt wurde, aber im Gefängnis blieb. Man versuchte, sie ein wenig besser zu verpflegen, aber die Strapazen und die hilflose Lage bewirkten, dass sie nur noch weinend in ihrem Bett lag. Die jugoslawische Botschaft, die sie benachrichtigt hatte, trat nicht in Erscheinung. Überraschend kam dann ihre Entlassung. Sie wurde nach Eisenach gebracht und konnte von dort mit dem Zug nach Bebra fahren. Die 14 Tage körperlicher und seelischer Belastung hatten die junge Frau schwer gezeichnet, als sie abends allein mit dem Bus wieder zu ihren Eltern gekommen war.
(Nach: FZ 04.12.1971)

Ein missglückter Vatertagsausflug
Am 13. Mai 1983 erfolgte ein ungesetzlicher Grenzübertritt BRD – DDR durch 5 Personen aus dem westlichen Grenzvorfeld im Raum Käßlitz.
Als Täter wurden festgestellt:
Ein Gärtner aus Maroldsweisach, 23, ein Honer (Schleifer) der Fa. Kugelfischer Ebern, 23, aus Pfaffendorf, ein Feinbohrer bei der Fa. Kugelfischer Ebern aus Pfaffendorf, 24, ein 24-jähriger Arbeiter bei der Fa. Hofmann, Triebsdorf (Möbelfabrik), und ein 30-jähriger

Ein Grenzverletzer aus der Bundesrepublik vor dem Grenzzaun, fotografiert vom Bundesgrenzschutz.

Schreiner, Fa. Hofmann, Triebsdorf, ebenfalls in Pfaffendorf wohnhaft.

Die Genannten unternahmen anlässlich des so genannten „Männertages" eine Wandertour, wobei mehrere Ortschaften des westlichen Grenzvorfeldes angelaufen wurden. Nach Verlassen der Gaststätte in Eckartshausen beabsichtigten sie, ursprünglich nach Pfaffendorf zurückzukehren.

Als sie hinter dem Ortsausgang von Eckartshausen an eine Wegegabelung kamen, von der ein Weg zur Staatsgrenze führte, unterbreitete einer von ihnen den Vorschlag, nach Käßlitz (DDR) zu gehen und dort noch ein Bier zu trinken, womit die anderen einverstanden waren.

Die Genannten drangen ca. 50 m links der Grenzsäule 2093 in das Staatsgebiet der DDR ein, gelangten an den 3 m hohen Grenzzaun I und überstiegen diesen. Anschließend bewegten sie sich in Richtung Käßlitz. Beim Versuch des Überkletterns des Grenzsignalzaunes erfolgte dessen Auslösung. Als sie keine Grenzposten bemerkten, berieten sie ihr weiteres Verhalten. Eine Rückkehr in die BRD über den Grenzzaun I hielten sie für unmöglich. Auch aus Angst, dass Grenzposten schießen würden bzw. sie sich durch Minen verletzen könnten, kamen sie überein, sich zu stellen. Um sich bemerkbar zu machen, warfen sie Steine und Erdbrocken gegen ein Tor des GSZ. Ihre Festnahme erfolgte durch ein Postenpaar der GT der DDR.

Die Festnahme der Grenzverletzer wurde vom BRD-Gebiet aus beobachtet. Ein VW-Kleinbus des BGS hatte seinen Suchscheinwerfer auf das Territorium der DDR gerichtet und fuhr unmittelbar danach mit eingeschaltetem Blaulicht davon. Nach Befragung der Täter durch die Abt. IX der BV Suhl wurde deren Ausreise am 13.05.1983 in die BRD über die GÜST Eisfeld veranlasst.[56]

Grenzanlagen als Angriffsobjekte

Anschläge auf die Grenze
27. Juli 1978
Durch eine Offizierskontrolle wurde feindwärts des Grenzzaunes I mit Anlage 501 ein versuchter Sprengstoffanschlag 2.000 m westlich von Geisa festgestellt. An fünf Betonzaunsäulen wurden durch unbekannte Täter unmittelbar über dem Erdboden Sprengladungen mit je 800 g Sprengstoff angebracht. Diese Sprengkörper waren mit einer Zeitzünderanlage mittels Draht verbunden, die an der sechsten Betonsäule befestigt war und aus bisher ungeklärter Ursache nicht auslöste.[57]

Die GÜST in Eisfeld – Rottenbach passierten von 00.00 bis 13.00 Uhr 9.356 Fahrzeuge.

In Heldburg, Krs. Hildburghausen, gab es eine genehmigte Demonstration mit ca. 500 Teilnehmern. Es wurde gefordert, den Verfassungsartikel 1, mit der die Führungsrolle der SED festgeschrieben wurde, zu streichen, das Neue Forum zuzulassen und freie Wahlen anzusetzen.

Grenzsicherung mit Ruhe und Besonnenheit
Die SED-Kreisleitungen und der Rat des Bezirks erhielten ein IN-Telegramm mit der Dringlichkeitsstufe „Blitz", in dem es hieß:
Werte Genossen, in Durchsetzung des Aktionsprogrammes unserer Partei werden die Vorbereitungen getroffen, die Tiefe des Grenzgebietes zu verändern. Das Ziel dieser Maßnahme besteht darin, ein solches Grenzregime aufrechtzuerhalten, das den Anforderungen des Schutzes der sozialistischen Ordnung genügt. Die notwendigen Veränderungen sollen bis Ende Dezember 1989 erfolgen. Es ist in den Grenzgemeinden und Grenzstädten offensiv mit der Bevölkerung zu arbeiten. Alle Maßnahmen der Grenzsicherung sind mit Ruhe und Besonnenheit durchzuführen!

Sonntagsgespräch in Bad Salzungen mit 350 Bürgern und Mitgliedern des Sekretariats der SED-Kreisleitung und dem Rat der Stadt.

1.500 Mitglieder der SED versammelten sich vor dem konsument-Kaufhaus in Suhl und forderten eine Erneuerung der SED.

In Hildburghausen fanden themenbezogene Rathausgespräche statt, im Staatlichen Forstwirtschaftsbetrieb Hildburghausen mit dessen Direktor Jochen Rädel, dem Nachfolgekandidaten der DDR-Volkskammer, im Speisesaal der Ernst-Thälmann-Oberschule in der Waldstraße zu Problemen des Handels und der Versorgung mit dem Bürgermeister der Kreisstadt, Mitgliedern des Rates des Kreises, Abgeordneten des Kreistages und der Stadtverordnetenversammlung sowie Leitern der zuständigen Betriebe.

Bürgerinitiativen und der alte Staatsapparat

Im Sitzungssaal des Rates des Kreises Hildburghausen trafen der Sprecherrat des Neuen Forums und andere Bürgerinitiativen des Kreises mit Vertretern des Staatsapparats zusammen: dem Vorsitzenden des Rates des Kreises, Johannes Müller, dem Stellvertreter des Vorsitzenden für Inneres, Horst Zetzmann, dem Sekretär des Rates, Peter Andrescheck, dem Kreissekretär der Nationalen Front, Edgar End. In einer Information in Freies Wort heißt es u. a.:

„Behandelt wurden in erster Linie Verfahrensfragen. Auf die Forderung nach öffentlichen Räumen für Beratungen und die Konstituierung der Initiativgruppen und Bürgerinitiativen erklärte der Ratsvorsitzende sein Einverständnis. Auf der Grundlage dieser Zusicherung sei es jeder Gruppe möglich, im konkreten Fall Vereinbarungen mit dem jeweiligen Rechtsträger des Gebäudes über die Nutzung zu treffen. Erörtert wurde auch die Frage, wie es den Initiativgruppen und Bürgerinitiativen künftig möglich sei, am Prozeß der Entscheidungsfindung demokratisch mitzuwirken. Man einigte sich auf Vorschlag von Hans Müller darauf, daß der provisorische Sprecherrat jeweils zwei Bürger benennt, die künftig an den Sitzungen der ständigen Kommissionen des Kreistages als berufene Mitglieder teilnehmen können. Des weiteren sei es auch

16. Juni 1980

Um Mitternacht erfolgte im Abschnitt der Straße Schwarzes Moor im Raum Birx ein Anschlag auf die Grenzsicherungsanlagen der DDR, Grenzzaun I mit Anlage 501. Festgestellt wurde eine Detonation und im Streckmetallzaun zwischen der mittleren und oberen Minenreihe ein Loch von ca. 2 x 1 m sowie im Erdreich ein Trichter im Durchmesser von ca. 2 m. Dies meldete die Grenztruppe.

Der Staatssicherheitsdienst ermittelte Folgendes.

Die Sprengung erfolgte am 16.06.1980, um 22.35 Uhr, 90 m südwestlich der Grenzsäule Nr. 1855, 30 m links der Straße zum „Schwarzen Moor".

Die Untersuchungsabteilung des MfS sammelte alle Spuren und übersandte sie der Technischen Untersuchungsstelle des MfS in Berlin. Hier kamen Sprengingenieur Hptm. Henrion und Diplomchemiker Hptm. Haberer zu folgenden Ergebnissen:

Der Sprengstoff befand sich in einem Metallbehälter von 1,2 mm Dicke. Die Form war nicht mehr bestimmbar.

Die Sprengung erfolgte mittels Zündschnur.

Die Art des Sprengstoffs war nicht zu ermitteln.

BStU-Kopie

An einem vorgefundenen Bierflaschenhals waren Spuren nicht mehr zu ermitteln. Es war eine Bierflasche der Ostheimer Brauerei Peter mit dem Aufdruck: Peter Pils. Ein Hinweis auf einheimische Täter?

Die DDR-Presse meldete:

Schwerer Anschlag gegen DDR-Grenze

Berlin (ADN). Am 16. Juni 1980 wurde im Raum Birx, Kreis Meiningen, eine schwere Provokation gegen die Staatsgrenze der DDR verübt.

Unbekannte Täter drangen vom Territorium der Bundesrepublik aus in das Hoheitsgebiet der DDR ein und unternahmen einen Sprengstoffanschlag auf Anlagen und Einrichtungen der DDR.

Hin und wieder gab es von westlicher Seite aus Anschläge auf die Grenze, so z. B. am 27. Juli 1978 bei Geisa. An fünf Betonzaunsäulen des eMGZ wurden durch unbekannte Täter unmittelbar über dem Erdboden Sprengladungen mit je 800 g Sprengstoff angebracht. Diese Sprengkörper waren mit einer Zeitzünderanlage mittels Drähten verbunden, die an der sechsten Betonsäule befestigt waren und aus bisher ungeklärter Ursache nicht auslösten. Westliche Sicherheitsorgane beobachten die Ermittlungsarbeit in der DDR.

möglich, daß Mitglieder der Initiativgruppen und Bürgerinitiativen bei Kreistagssitzungen das Wort ergreifen. Die Termine der Tagungen der ständigen Kommissionen sollen künftig auf der ‚FW'-Lokalseite veröffentlicht werden. Außerdem wird der Ratsvorsitzende den ständigen Kommissionen vorschlagen, ihre Beratungen außerhalb der Arbeitszeit durchzuführen. Der Kreistag wird künftig generell außerhalb der Arbeitszeit tagen. Weitere Verfahrensfragen betrafen die Erteilung von Druckgenehmigungen sowie die Tätigkeit von Bürgerinitiativen, die, wie im Eisfelder Raum, außerhalb des 'Neuen Forums' arbeiten. Horst Zetzmann antwortete, daß Druckgenehmigungen generell von der Abteilung Kultur des Rates des Kreises erteilt werden, wenn sich der Inhalt auf der Grundlage der Verfassung und der Gesetzlichkeit bewege. Über die Zulassung von Bürgerinitiativen, deren Wirksamkeit sich auf das Territorium des Kreises beschränkt, entscheidet der Stellvertreter für Inneres, wenn ein entsprechender Antrag und die klare Formulierung der Ziele vorliegt. Der Ratsvorsitzende hatte keine Einwände gegen außerparlamentarische Untersuchungsausschüsse.

Von beiden Seiten wurde mehrfach auf noch bestehendes Mißtrauen hingewiesen, das es nun in der gemeinsamen Arbeit abzubauen gelte. Dazu sollen die Informationsgespräche fortgeführt werden. Zum nächsten Gespräch wird der Ratsvorsitzende auch Vertreter des Volkspolizeikreisamtes und der Kreisdienststelle des Ministeriums für Staatssicherheit einladen. Abschließend betonte Hans Müller, daß es in den nächsten Tagen gelte, gemeinsam weitere Überlegungen zum Wohle aller Bürger des Kreises anzustellen und die Wende mit Taten wirkungsvoll auszugestalten. Der Ratsvorsitzende schloß mit den Worten: ‚Auf uns gemeinsam wartet viel Arbeit'."

Die ersten DDR-Besucher wagten einen Besuch in Münnerstadt. Ab 10 Uhr wurde dort Begrüßungsgeld ausgezahlt. Im Lokalteil der Main-Post Bad Kissingen hieß es: „Der Tag, an dem die Bananen knapp wurden."

12. November 1989

In den Nachtstunden wurden im hessisch-thüringischen Grenzbereich weitere Lücken im Zaun geschaffen, um den liberalisierten Reiseverkehr zu bewältigen. Um 10 Uhr wurde die Autobahn bei Obersuhl freigegeben.
(Album der BGS-Abt. Bad Hersfeld von Hans-Karl Gliem)

Grenzübergangsstellen eröffnet zwischen Sonneberg-Hönbach – Neustadt b. Coburg, Vacha, Krs. Bad Salzungen, – Philippsthal. Die GÜST Vacha – Philippsthal passierten am 12./13.11.1989 13.149 Personen.

In Mäbendorf b. Suhl wurde eine Initiativgruppe der SDP gegründet.

In Eisfeld, Krs. Hildburghausen, trafen sich vor dem Kulturhaus nach einem Aufruf der Jungen Gemeinde protestierende Bürger. 8 Redner sprachen zu den Demonstranten gegen den in der Verfassung der DDR verankerten Führungsanspruch der SED, für freie und geheime Wahlen und die Erneuerung des Sozialismus. Anschließend demonstrierten 1.300 Menschen durch die Innenstadt.

13. November 1989
Erich Mielke liebt weiterhin alle Menschen.
Der Stasichef erklärte den staunenden Volkskammerabgeordneten: „Genossen! Glaubt's mir doch! Ich liebe doch alle Menschen!"

Der SED-Funktionär Hans Modrow wurde Ministerpräsident
Günther Maleuda (DBD) wurde neuer Volkskammerpräsident. Die Volkskammer wählte Hans Modrow zum Ministerpräsidenten der DDR.

Die unbeachtete und sensationelle Meldung von der Aufhebung der Sperrzone
Das Ministerium für Nationale Verteidigung teilte mit, dass die Sperrzone im Grenzgebiet an der Staatsgrenze der DDR zur Bundesrepublik aufgehoben wird. Die Verordnung wurde am 14.11.1989 wirksam.

Durch den Anschlag wurden Leben und Gesundheit von Bürgern der DDR in verantwortungsloser Weise gefährdet.
Das Ministerium für Auswärtige Angelegenheiten der DDR hatte bereits am 10. November 1979 gegen einen derartigen Sprengstoffanschlag protestiert und nachdrücklich die strenge Bestrafung der Schuldigen sowie die Einleitung von Maßnahmen zur Unterbindung solcher völkerrechtswidriger Handlungen gefordert. Dieser erneute Anschlag beweist eindeutig, dass seitens der Bundesrepublik bisher keinerlei Maßnahmen unternommen wurden, um die Provokationen gegen die Staatsgrenze der DDR zu unterbinden. Es wird erwartet, dass von der Bundesrepublik nunmehr endlich die erforderlichen Maßnahmen getroffen werden, um derartigen völkerrechtswidrigen Handlungen Einhalt zu gebieten.

Im Grenzabschnitt 37 in der Gemarkung Philippsthal wurde am Siechenberg vor dem 29.12.1983 ein Grenzhinweisschild des BGS „Halt! Hier Grenze" abgerissen und entwendet. Täter konnten nicht ermittelt werden.

Am 29.12.1983 stellte der BGS fest, dass an der Straßensperre Habel – Walkes das Hinweisschild „Halt! Hier Grenze!" durch zwei Pistolenschüsse beschädigt wurde. Ein Täter konnte nicht ermittelt werden.[58]

Eine unbekannte Person betrat am 17. April 1984 gegen 01.20 Uhr im Abschnitt der Straße Neustadt – Hönbach DDR-Gebiet bis an die Sperranlage und löste dabei eine SM 70 in der unteren Reihe aus.

Immer wieder wurden DDR-Grenzsäulen von westlicher Seite aus beschädigt. So wurde an diese Grenzsäule bei Mendhausen nicht nur das DDR-Emblem entwendet, sie wurde auch noch beschossen.
Foto: Sammlung Gerhard Schätzlein

Mit brachialer Gewalt wurde dieser Grenzsäule bei Wiesenfeld von westlicher Seite aus zu Leibe gerückt.
Foto: BStU-Kopie

Die Person verletzte sich wahrscheinlich dabei und wich auf Bundesgebiet zurück. [59]

Teilnehmer eines Zeltlagers zum Landjugendtag des DGB in Wildeck-Obersuhl feierten in der Nacht vom 15. auf den 16. August 1987 an der Grenze, stahlen ein BGS-Grenzhinweisschild „Halt! Hier Grenze!" und beschmierten eine DDR-Grenzsäule mit roter Farbe. Dabei liefen sie in einem richtigen Trampelpfad bis an den einreihigen Metallgitterzaun (eMGZ). Die Grenzschutzabteilung Mitte 2 legt einen Ermittlungsbericht für die Staatsanwaltschaft Fulda vor. Geschätzter Schaden: 120 DM. (GSA M 2)

An DDR-Besucher verteilte DDR – Propagandaschrift

A R G U M E N T A T I O N zu den provokatorischen Anschlägen seitens der BRD gegen die Staatsgrenze der DDR
Millionen Bundesbürger fahren sicher und schnell in und durch die Deutsche Demokratische Republik.
Zur gleichen Zeit spielt sich eine beispiellose Serie westdeutscher Grenzprovokationen gegen die DDR ab.
Seit Tagen wird in Zeitungen, im Rundfunk und Fernsehen der Bundesrepublik in scharfmacherischer Weise gegen die DDR gehetzt. Massenmedien und entspannungsfeindliche Scharfmacher der CDU/CSU nehmen die provokatorischen Verlegerungen der Staatsgrenze der DDR vom Boden der Bundesrepublik aus zum Anlaß, uns Vertragsverletzungen und entspannungsfeindliches Verhalten zu unterstellen. In diesen Chor stimmt nun auch der Bundeskanzler Schmidt ein.

Die Nachricht leitete das Ende der über Jahrzehnte perfektionierten Abschottungsmaßnahmen ein. Damit wurde der Untergang der DDR sichtbar.
Die Nachrichtenagentur ADN meldete:
DDR-Verteidigungsministerium:
Sperrzone im Grenzgebiet aufgehoben
Mit sofortiger Wirkung wird die Sperrzone im Grenzgebiet an der Staatsgrenze der DDR zur BRD aufgehoben. Diese Maßnahme im Interesse weiterer Erleichterungen für die Bürger der DDR im Zusammenhang mit der Einreise und dem Aufenthalt im Grenzgebiet an der Staatsgrenze zur BRD und zu Berlin (West) wurde vom Ministerium für Nationale Verteidigung mitgeteilt. Alle im Schutzstreifen liegenden Ortschaften, Ortsteile, Betriebe und Einrichtungen sind damit nicht mehr Grenzgebiet, und der freie Zugang zu ihnen ist gewährleistet. Damit entfallen die bisherigen Genehmigungen für die Einreise und den Aufenthalt. Die land-, forst- sowie anderweitige volkswirtschaftliche Nutzung des Schutzstreifens erfolgt in Abstimmung mit dem zuständigen Kommandeur der Grenztruppen der DDR. Die Kontrollen der Deutschen Volkspolizei an den Zugängen zum Grenzgebiet werden eingestellt und die Kennzeichnung des Grenzgebietes wird abgebaut beziehungsweise verändert ...“
(ADN vom 13. November 1989, 10.31 Uhr)

Reisezahlungsmittel für Reisen in die Bundesrepublik wurden in den Kreisfilialen der Staatsbank der DDR ausgezahlt, in den Wechselstellen der Staatsbank, in den Kreissparkassen bzw. Zweigstellen und in den Genossenschaftskassen. Die DDR-Bürger konnten einmalig 15,- Mark der DDR gegen DM im Verhältnis 1 : 1 tauschen. – Forum-Schecks konnten in DM rückgetauscht werden.

Seit Öffnung der GÜST Vacha – Philippsthal hatten hier innerhalb von 24 Stunden 13.149 DDR-Bürger die Grenze passiert.
(Freies Wort, 09.11.1999)

Im hessisch-thüringischen Grenzbereich hoffte man auf eine baldige Öffnung eines Grenzübergangs auf der B 84 zwischen Buttlar und Rasdorf. Hier führte die Straße beiderseits bis direkt an den Metallgitterzaun heran. Gerüchte kursierten, dass hier am darauf folgenden Sonntag die Grenze geöffnet werde.
(Nach Fuldaer Zeitung, 13.11.1989)

Landrat Dr. Fritz Steigerwald forderte weiteren Grenzübergang
Schreiben des Landrats des Kreises Rhön-Grabfeld an das Bundesministerium für innerdeutsche Beziehungen, das Bayerische Innenministerium sowie die Bayerische Staatskanzlei (in Abdruck an die im Kreis befindlichen Grenzlandgemeinden), denn der Lkrs. Rhön-Grabfeld war außerordentlich daran interessiert, dass neben dem Grenzübergang Eußenhausen ein weiterer Grenzübergang möglichst schnell eröffnet wird (bei Trappstadt, ersatzweise bei Irmelshausen).

Stadtpläne statt Strafzettel verteilte eine Politesse in Bad Neustadt. Sie drückte bei falsch geparkten Autos aus dem Osten ein Auge zu und heftete Stadtpläne an zahllose Trabant, Lada und Wartburg. Böses Blut gab es deshalb bei Einheimischen, die die Ungleichbehandlung nicht lustig fanden.

Ein DDR-Pkw wollte auf der B 303 bei Hafenpreppach einen Lastzug überholen, stieß beim Überholen mit einem entgegenkommenden Lastwagen zusammen. Zwei Personen mussten ins Krankenhaus eingeliefert werden.

Bote vom Hassgau: „Glückliche Gesichter im Rathaus von Maroldsweisach. Viele DDR-Bürger nutzen die Gunst der ersten Stunde, um sich am Wochenende auf der anderen Seite des Stacheldrahtzaunes umzusehen."

Chaotische Verkehrsverhältnisse in Nordostbayern
300.000 Besucher aus der DDR verwandelten am ersten Wochenende nach der Grenzöffnung unter chaotischen Verkehrsverhältnissen Teile Nordostbayerns

Mit diesen verleumderischen Verdrehungen der Politik der DDR soll von den sich häufenden Grenzverletzungen der Staatsgrenze der DDR durch Provokateure aus der Bundesrepublik in jüngster Zeit abgelenkt werden.

Hier die Tatsachen:

Werner Weinhold schoß sich in der Nacht des 19. Dezembers 1975 den Weg aus der DDR in die Bundesrepublik frei - mit einem Doppelmord an zwei Angehörigen der Grenztruppen der NVA. Trotz mehrfacher geforderter Auslieferung verweigert der Hammer Generalstaatsanwalt die Auslieferung Weinholds zur Bestrafung seines Verbrechens.

Vom 30. März bis 1. Mai 1976 drang Michael Gartenschläger dreimal in das Gebiet der DDR ein und zerstörte Grenzsicherungsanlagen.

In der Nacht vom 30. Mai 1976 drang der Gartenschläger-Kumpan Jürgen Müller mit Gerd Kies in das Gebiet der DDR ein, um drei Sicherungsgeräte zu rauben, für die er sich schon im Voraus Abnehmer besorgt hatte. Von dem Geschäftsführer der antikommunistischen „Arbeitsgemeinschaft 13. August" waren ihm vertragliche 3.000 DM zugesichert worden.

Am 15. Juni drangen die Bundesgrenzschutzbeamten Wolf-Dieter Frese und Günther Bohle mit ihren Waffen im Raum Kella in das Gebiet der DDR ein, wo sie gestellt und festgenommen wurden. Frese gab in einem Pressegespräch zu, er habe bewußt die Grenze überschritten, um Grenzsicherungsanlagen auszuspionieren, „um meinen Vorgesetzten berichten zu können und dafür eine Anerkennung ausgesprochen zu bekommen".

Der Bundesgrenzschutz „beobachtet" die Grenze – er schützt sie nicht auf westdeutscher Seite gegen neue schwere Zwischenfälle.

„Beobachtet" hat der Bundesgrenzschutz auch, wie der Hamburger Willi Bubbers im Raum Gadebusch auf das Gebiet der DDR eindrang, nur verhindert hat er es nicht.

Am 5. August 1976 näherte sich der italienische Bürger Benito Corghi, von der BRD kommend, den Grenzsicherungsanlagen in der Nähe der DDR-Grenzübergangsstelle Hirschberg. Trotz mehrmaliger Aufforderung versuchte er, sich der Kontrolle zu entziehen.

Diese Kette der Provokation zeigt:

Das Verhalten der Bundesregierung und aller Bundesparteien wird bestimmt von der Fiktion von der „innerdeutschen Grenze", die einen anderen, geringeren Rang besitzen soll als die Grenze der BRD zu anderen Staaten.

So wurde das Grenzgebiet auf westdeutscher Seite zum Aufmarschgebiet für bezahlte Provokateure.

Maßgebliche Politiker wie Außenminister Genscher und auch Bundeskanzler Schmidt haben mit ihren jüngsten Erklärungen nicht dazu beigetragen, daß der Grundsatz der Unantastbarkeit und Unverletzlichkeit der Grenzen auch gegenüber der DDR eingehalten wird.

Mit dem Gerede von der „innerdeutschen Grenze", mit der offenen Verharmlosung der schweren Grenzprovokationen werden provokatorische Kräfte zu ihren Handlungen geradezu ermuntert.

Es ist offensichtlich: Die Bundesregierung kommt Verpflichtungen nicht nach, die sich aus dem Grundlagenvertrag und der Schlussakte von Helsinki zur Achtung der Unverletzlichkeit der Grenzen zur DDR ergeben.

Es ist nun dringend erforderlich, Maßnahmen zu treffen, damit Grenzverletzungen und Provokationen endlich und für immer unterbunden werden. Das gehört auch zu einer Bilanz, die die Bundesregierung über die Erfüllung der Verpflichtungen aus der Konferenz von Helsinki zu ziehen hätten.

Angriffe und Provokationen auf die Grenze vom Westen her

Im September 1988 kommt das MfS zu folgender Einschätzung:

Die von der BRD ausgehenden feindlich-negativen Aktivitäten der politisch-ideologischen Diversion und direkten Provokationen halten weiter an. Der zuverlässige Schutz der Staatsgrenze der DDR zur BRD im Bezirk Suhl ist jederzeit gewährleistet.

Die von den BRD-Grenzüberwachungsorganen und NATO-Streitkräften ausgehenden subversiven Handlungen zeigen sich u.a. in

- unveränderter Intensität provokatorischer Grenzeinweisungen von Militär- und Zivilpersonen;

- versuchten Kontaktaufnahmen mit teilweisem Anbieten von Geschenken und Aufforderung zur Fahnenflucht gegenüber Angehörigen der Grenztruppen der DDR

- verstärktem Einsatz von elektronischen Aufklärungsgeräten.

Es setzt sich die Tendenz des unmittelbaren Zusammenwirkens aller Grenzüberwachungsorgane der BRD und der NATO-Streitkräfte fort. Erkennbar ist die aktive Einbeziehung von Personen in Zivil in die gegnerische Aufklärungstätigkeit an der Staatsgrenze zur DDR. Vermutlich handelt es sich hierbei um Angehörige der Grenzüberwachungsorgane der BRD.

Von Zivilpersonen ausgehende provokatorische Handlungen werden überwiegend in Bereichen der BRD-Einweisungsschwerpunkte durchgeführt.

Eine bedeutsame Rolle bei der feindlich-negativen und insbesondere gegen die Staatsgrenze der DDR gerichteten Beeinflussung von BRD-Bürgern kommt dabei den Grenzinformationsstellen zu, deren Anzahl kontinuierlich erhöht wird (z.Z. laufen Maßnahmen des Zollkommissariats Hünfeld zur Einrichtung einer neuen Grenzinformationsstelle in Hohenroda, gegenüber Kreis Bad Salzungen).

Wie bereits im vergangenen Jahr fanden nur wenige Hetzveranstaltungen anläßlich Jahreswechsel und 17. Juni statt; ohne daß diese

in einen einzigen großen Rummelplatz. Wenn Weihnachten, Ostern, Pfingsten und noch dazu Jahrmarkt auf einen Tag gefallen wären, es hätte nicht mehr Betrieb in Mellrichstadt sein können, als an diesem Wochenende, an dem Ströme von DDR-Autos vom Grenzübergang Eußenhausen in die Stadt flossen. Einen Parkplatz zu finden, war schlicht unmöglich. Die Innenstadt von Mellrichstadt musste gesperrt werden und wurde so zur Fußgängerzone. Damit das Besuchsgeld zügig ausgezahlt werden konnte, reichte es nicht mehr aus, nur die Verwaltungsgemeinschaft als Anlaufstelle zu öffnen. Es wurden sieben weitere Zahlstellen eingerichtet. Eine positive Bilanz zogen die Geschäftsleute aus Mellrichstadt nach dem ersten Wochenende der Grenzöffnung. Viele Besucher aus dem Osten ließen einen großen Teil ihres Begrüßungsgeldes in der Stadt. Verkaufsrenner waren: Jeans, Turnschuhe, Schokolade und natürlich Südfrüchte.
(Nach: Main-Post, 13.11.1989)

Mit 124 km/h rauschte ein DDR-Bürger mit seinem Wartburg bei erlaubten 100 km/h in eine Radarkontrolle im Lkrs. Haßberge. Zur Rede gestellt, sagte er: „Das ist ja eine Straße mit Tanzsaal-Qualität, da hab' ich Lust auf voll Power bekommen." Da er nur Ost-Mark bieten konnten, sahen die Polizeibeamten von einer Geldbuße ab.

Insgesamt über 2.000 Menschen bei Kundgebung in der Sonneberger Kirche.
„Die Tür, die wir aufgestoßen haben, darf sich nicht wieder schließen." Mit diesen Worten fasste Pfarrer Alfred Schöler aus Neuhaus a. Rwg. in seiner Predigt gestern Abend in der Sonneberger Kirche Gedanken zusammen, die die Bürger in der gesamten DDR in diesen Tagen bewegen. Mehr als 2.000 Menschen waren gekommen, um sich an Gottesdienst und Diskussion zu beteiligen. „Wir haben erlebt, was ein Volk erreichen kann, wenn es einig ist." Die Worte von Pfarrer Schöler lösten tosenden Beifall aus. Nicht nachzulassen gelte es jetzt. Man dürfe sich nicht mit dem Erreichten zufrieden geben, sondern müsse sich weiter einsetzen für

Gleichheit, Gerechtigkeit, Frieden und Demokratie. Hinter dem Altar wurde ein Transparent entfaltet: die Forderung nach freier Marktwirtschaft. War der Andrang auch nicht „mehr so groß wie bei den ersten Kundgebungen", so zeigte sich dennoch deutlich, dass noch immer viele DDR-Bürger mit dem, was bislang erreicht wurde, nicht zufriedengestellt sind. – Offen sprach Pfarrer Schöler von der Angst, die in der Vergangenheit die Menschen zwang, sich zu ducken. In Anwesenheit von Staatsvertretern, die er offiziell begrüßte, forderte der Geistliche, Ungerechtigkeiten und Fehlleistungen der letzten Jahre zu vergelten. Schöler ermahnte zur Gewaltfreiheit.
(Coburger Tageblatt, 14.11.1989)

Sechs Zentner Kleingeld für Staatsbank Meiningen
Ein Hilferuf von der Staatsbank Meiningen erreichte die Coburger Finanzwelt. Im Osten fehlte es an Westmark in Hartgeld und kleinen Scheinen. Der Grund: Zahlreiche DDR-Bürger hatten Ost-Mark gegen West-Mark (maximal 15 DM) getauscht. Insgesamt 300.000 DM orderten die DDR-Banker. Umgerechnet etwa sechs Zentner Geld passierten am späten Nachmittag unter Polizeischutz die Grenze bei Rottenbach – Eisfeld. Im Wechsel dazu machten dann 300.000 DM in großen Scheinen die Reise gen Coburg.
(Coburger Tageblatt, 14.11.1989)

3.000 Teilnehmer zählte das Friedensgebet in der Sonneberger Stadtkirche. Das Programm des Neuen Forums wurde vorgestellt.

14. November 1989
Im Raum Buttlar, Krs. Bad Salzungen, versuchten ca. 150 Personen, einen Grenzübergang zu erzwingen. – Nach dem Kirchenbesuch in Zella, Empfertshausen und Andenhausen kam es zur Demonstration mit 1.200 Personen in Richtung Grenze, die einzelne überschritten.

Die deutsch-deutsche Entspannung machte auch vor der Uniform nicht Halt. Beamte des Bundesgrenzschutzes, Standort Oerlenbach, registrierten bei ihren

Auswirkungen auf die Grenzbevölkerung des Bezirkes Suhl hatten. Anläßlich des 13. August wurden keine feindlich-negativen Aktivitäten an der Staatsgrenze zur DDR gegenüber dem Bezirk Suhl bekannt.
Die im westlichen Grenzvorfeld etablierten „Heimatkreise" führten in den letzten Wochen und Monaten eine Reihe von Veranstaltungen durch, zu deren Charakter und Zielstellung sich keine wesentlich neuen Feststellungen ergaben.[60]

Feindobjekte der Staatssicherheit im Westen

Die Stasi-Feindobjektakte „Thüringenblick"
Unter der Registriernummer XI 584/84 wurde am 20. Juli 1984 vom Leiter der Stasi-Kreisdienststelle Hildburghausen, Oberstleutnant D., die „Feindobjektakte Thüringenblick" angelegt.[61] Die Grundlage bildete ein „Eröffnungsbericht" von Oberleutnant B. vom 10. Juli 1984. Hierin ist nachzulesen:

```
1. Es wird vorgeschlagen, die im westlichen Grenzvor-
   feld des Kreises Hildburghausen existierenden
   sogenannten Informationsstellen Breitensee und
   Dürrenried sowie den Aussichtsturm Sternberg/Zim-
   merau in einer Feindobjektakte zu bearbeiten.
   Die genannten Einrichtungen der BRD-Landkreise
   Königshofen und Ebern sind fest in das System der
   Besichtigungspunkte im bayerischen ‚Zonengrenzge-
   biet' eingegliedert. Sie dienen im Auftrag der
   bayerischen Staatsregierung der Verbreitung revan-
   chistischen Gedankengutes und sind gegen die Sou-
   veränität der DDR, ihre Staatsgrenze und das
   Grenzgebiet gerichtet.
   Der informative und politische Charakter dieser
   Einrichtungen ist darauf ausgerichtet, im Rahmen
   von Grenzlandfahrten an die Staatsgrenze herange-
   führte BRD-Bürger mit der Staatsgrenze, den Grenz-
   sicherungsanlagen und Grenzregimefragen der DDR
   vertraut zu machen und anhand dessen die
   ‚Unmenschlichkeit' der Staatsgrenze und der zu
   ihrer Sicherung eingesetzten Kräfte der DDR zu
   veranschaulichen. Dabei sollen bei den BRD-Bürgern
   Gefühle der ‚Solidarität' mit den DDR-Bürgern und
   Haß gegen die DDR-Staatsorgane erzeugt werden. Es
   ist nicht auszuschließen, daß diese Einrichtungen
   als Ausgangspunkte subversiver Handlungen/Akti-
   vitäten gegen die Staatsgrenze, das Grenzgebiet
   sowie dessen Bewohner im Bereich dieser Einrich-
   tungen genutzt werden.
2. Politisch-operative Einschätzung des Ausgangsmate-
   rials
```

Informationsstelle Breitensee

2.1 ‚Informationsstelle‘ Breitensee

Die Informationsstelle Breitensee wurde am 18. Juni 1966 im Rahmen der Förderung des Zonengrenzbesuches durch Vertreter der bayerischen Staatsregierung, des Landeskuratoriums Bayern „Unteilbares Deutschland" und den damaligen Landrat Dr. Grünewald eröffnet. Sie befindet sich im Gebäude der ehemaligen Schule in Breitensee unmittelbar neben der Kirche und besteht aus vier Ausstellungs- und Vorführräumen. Das Objekt liegt in 500 m Entfernung zur Staatsgrenze und gegenüber den DDR-Ortschaften Hindfeld (2 km) und Eicha (1,8 km).

Von ihrer Einrichtung her beinhaltet die ‚Informationsstelle‘ Anschauungs- und Kartenmaterial, das sich mit der Beschaffenheit der Staatsgrenze und den Grenzsicherungsanlagen allgemein mit der Ausrüstung und Bekleidung der Angehörigen der DDR-Grenztruppen, dem Verlauf der Grenzen von 1937 und 1945 sowie mit dem Grenzgebiet, das der Informationsstelle unmittelbar gegenüberliegt, beschäftigt.

Im Rahmen der von der bayer. Staatsregierung finanziell gestützten Grenzlandfahrten werden die Besucher der Informationsstelle auf Grund der günstigen territorialen Lage der Ortschaft Breitensee nach der Einweisung unmittelbar an die Staatsgrenze (Besichtigungspunkt Straße Breitensee - Trappstadt) herangeführt.

Die Hauptaufgabe der „Informationsstelle" ist darauf gerichtet, alle an die Staatsgrenze herangeführten BRD-Bürger im Sinne der CDU/CSU-Politik und des Revanchismus zu beeinflussen, sie gegen die Staatsgrenze und deren Souveränität aufzuwiegeln und sie zu feindlich-negativen Handlungen gegen diese zu veranlassen. Im Mittelpunkt steht dabei die Erzeugung von Gedankengut, das auf die Abschaffung der bestehenden Staatsgrenze und die Herbeiführung der Wiedervereinigung gerichtet ist.

Weiterhin werden BRD-Bürger durch das Vertrautmachen mit aktuellem Bildmaterial über touristischen Zentren der DDR zur Schaffung von Kontakten und Verbindungen zu DDR-Bürgern inspiriert. Auf dieser Basis sollen Voraussetzungen zur Schaffung einer inneren Opposition unter besonderer Beachtung der im Grenzgebiet der DDR wohnenden Bevölkerung herausgebildet werden.

Im Zeitraum des Bestehens der „Informationsstelle" wurden nachfolgend operativ-bedeutsame Handlungen im betreffenden Bereich der Staatsgrenze registriert: So kam es im Zeitraum 1973 - 1975 zu einem erhöhten Ansteigen von provokatorischen Grenzüberschreitungen, Aufforderung zur Fahnenflucht, versuchten Kontaktaufnahmen und Einweisungen;

Kollegen der DDR-Grenztruppen drüben einen leichten Trend zum etwas freundlicheren Miteinander. Der Tagesgruß beispielsweise wurde erwidert, berichtete ein Grenzschützer.
(Main-Post, 14.11.1989)

80.000 DDR-Bürger überquerten in den ersten fünf Tagen nach der Grenzöffnung den zunächst einzigen unterfränkischen Übergang in Eußenhausen. 50.000 waren es am ersten Wochenende.

Der Lindenlaub wird fallen

Zur spontanen Demo auf dem Hildburghäuser Marktplatz scharten sich nur noch ca. 300 bis 400 Personen zusammen. Ohne Mikrofon, auf Aschenkübeln stehend, wurden von den Rednern die gleichen Themen wie bisher aufgegriffen. Einige warnten jedoch, dass eine gewisse Reisefreiheit noch nicht Freiheit bedeute, viele Menschen sähen sich nämlich schon am Ziel ihrer Wünsche.
Der Musikpädagoge Helmut Mitzenheim übte mit den Demoteilnehmern unter großer Heiterkeit den von ihm komponierten und getexteten Lindenlaub-Walzer ein, Lindenlaub war der „allmächtige" SED-Kreissekretär.

In Ilmenau kam es zu einer Kundgebung mit 1.500 SED-Mitgliedern bzw. Bürgern der Stadt zur desolaten Situation in der SED.

Friedensgebet in Meiningen mit 900 Personen

In einem Redebeitrag sagte ein Teilnehmer: „Wir müssen bekennen, es sind historische Stunden, die wir durchleben und die wohl in der deutschen Geschichte einmal einen besonderen Platz einnehmen werden, vielleicht vergleichbar mit denen von 1848. Und wir können mit Goethe sagen: Wir sind dabei gewesen.
So werden die Oktober- und Novembertagen des Jahres 1989 unvergeßlich für uns bleiben. Für uns sind sie nach jahrzehntelanger Resignation die wichtigsten unseres Lebens geworden."
(Nach: Strohbusch: Das Licht kam aus der Kirche. – S. 93)

Nach dem Friedensgebet formierte sich mit den vor der Kirche Wartenden ein Demonstrationszug mit 9.000 Bürgern durch die Meininger Innenstadt.

Die Kreisredaktion Freies Wort Hildburghausen berichtete von der Tagung der Kreisleitung der SED. Dr. Peter Dornheim wurde zum neuen 1. Kreissekretär gewählt.

Dornheim geriet in den folgenden Tagen in der Öffentlichkeit in Kritik, da er seit Februar 1988 persönlicher Mitarbeiter des 1. Bezirkssekretärs der SED, Hans Albrecht, war. Zu dieser Problematik wurde D., der diese Funktion als Parteiauftrag erhielt, in Freies Wort vom 24.11. zitiert: „Ich kann voller Verantwortung, auch vor mir selbst, sagen, daß ich über diese Zeit keine negative Einschätzung meiner Arbeit treffen muß und ehrlich gearbeitet habe. Ich habe stets meinen politischen Standpunkt vertreten und meine Meinung gesagt, auch wenn sie kein Gehör gefunden hat. Was die Delikte angeht, die Hans Albrecht persönlich zur Last gelegt werden, davon habe ich erst nach seiner Abberufung gehört und nichts damit zu tun. Sie werden durch den Staatsanwalt untersucht."

Auf der Demo am 20.11. in Hildburghausen wurde nachdrücklich gefragt, wie man in der Nähe des selbstherrlichen 1. Bezirkssekretärs Albrecht, der den Bezirk wie ein Landesfürst beherrschte, überhaupt eine eigene Meinung äußern konnte, ohne dafür kaltgestellt zu werden.

SED-Agitprop:
Die Lügen der Westmedien

Freies Wort schrieb, dass Falk Wirsing aus Goßmannsrod, Krs. Hildburghausen, Mitglied des Zentralrates der FDJ, ein Telegramm von Eberhard Aurich, dem 1. Sekretär des FDJ-Zentralrats, erhalten habe:

Westliche Rundfunk- und Fernsehstationen verbreiten die Meldung, daß die ‚FDJ-Führung' zurücktreten wolle. Ich bitte Dich, diese Lüge der Westmedien über alle zurückzuweisen. Entsprechend den Beschlüssen der 12. Tagung des Zentralrates kämpft das Sekretariat gemeinsam mit Euch um die Erneuerung des

Juni 1977 durch zwei Angehörige des Grenzzolldienstes und zwei Zivilpersonen zum Versenden von 20 Ballons mit Hetzschriften im Bereich Breitensee (Überschrift: ‚Verweigerung der Menschenrechte durch DDR-Behörden'). 18. Juni und 30. Juli 1978 durch unbekannte Täter zu Beschädigungen von je drei Grenzsäulen im Bereich Eicha.

(Anmerkung: In der Nacht vom 17. auf 18. Juni 1978 zertrümmerte ein Landschaftsgärtner aus Darmstadt bei Breitensee auf einer Länge von ca. 2,5 km vier DDR-Grenzsäulen, beschädigt zwei Grenzsteine und entfernte mehrere weiß-blaue Plastikgrenzpfähle. Er benutze hierzu einen Dachdeckerhammer.)

Zum gegenwärtigen Zeitpunkt wird die ‚Informationsstelle' durch Gertrud Weigand betreut, tätig als kaufmännische Angestellte in der Raiffeisenbank Königshofen. Sie wird in ihrer Betreuertätigkeit durch ihren Ehemann Stefan Weigand, selbständiger Landwirt unterstützt.

Inoffiziell wurde erarbeitet, daß sich das Ehepaar Weigand dieser Aufgabe mit großem Interessen widmet und mit der spezifischen Aufgabenstellung voll identifiziert. Beim Besuch der ‚Informationsstelle' durch eine inoffizielle Quelle der Kreisdienststelle 1983 wurde deutlich, daß die Weigands über umfangreiche Kenntnisse über Grenzregimefragen der DDR sowie über aktuelle Vorkommnisse an der Staatsgrenze im Bereich der ‚Informationsstelle' verfügen.

Die Maßnahmen der Einweisung in der „Informationsstelle" werden durch die Vorführung von etwa 80 Farbdias, die Weigand nach seinen Angaben selbst angefertigt hat und die sich ausschließlich mit der Staatsgrenze und den Grenzsicherungsanlagen befassen, komplettiert.

Inoffiziell wurde erarbeitet, daß das Ehepaar Weigand die der Ortschaft Breitensee gegenüber liegenden Ort der DDR Eicha, Hindfeld, Milz und Gleichamberg aus der Vergangenheit persönlich kennt. Einreisen wurden 1978 und 1982 im Rahmen des VTA (= Visum für einen Tagesaufenthalt) in die Kreise Meiningen und Hildburghausen festgestellt.

Die Betreuung der ‚Informationsstelle' Breitensee wird seit Oktober 1983 durch die Weigands vorgenommen. Zuvor fungierte die Rentnerin Seeber als Betreuer.

Insgesamt kann auf Grund der vorliegenden Informationen eingeschätzt werden, daß es sich bei der ‚Informationsstelle' Breitensee um eine in die PID (= politisch-ideologische Diversion) des Feindes aktiv integrierte Einrichtung handelt.

Das unterfränkische Volkshochschulheim Sambachshof wurde zum Stasi-Feindobjekt „Haßberg"

Auf dem zur Stadt Bad Königshofen gehörenden Sambachshof in den Haßbergen befindet sich seit Mai 1968 die Erwachsenenbildungsstätte Volkshochschulheim. Sie wurde durch den damaligen Bundesminister für Gesamtdeutsche Aufgaben, Herbert Wehner, ihrer Bestimmung übergeben. Schwerpunkt der Seminararbeit war insbesondere die Deutschlandpolitik. Im Jahr nach der Eröffnung wurden 59 Seminare mit 1.176 Teilnehmern abgehalten. 1978 waren es bereits 107 Seminare mit 4.313 Teilnehmern. 1985 wurde das Objekt erheblich erweitert.

Dies weckte natürlich auch das Interesse des DDR-Staatssicherheitsdienstes. Und so erging am 4. Juli 1985 bei der Stasi-Bezirksverwaltung Suhl ein „Beschluß über das Anlegen einer Feindobjektakte 'Haßberg'", womit das Unterfränkische Volkshochschulheim Sambachshof bei Bad Königshofen gemeint war. Bis zur Einstellung des „operativen Vorgangs" im Dezember 1988 sammelten sich 82 Seiten an.

Am 12. Juli 1985 wurde eine „Konzeption zur zielgerichteten Aufklärung und Bearbeitung des Feindobjektes Haßberge" aufgestellt. Hierin ist unter

1. Gründe für die Notwendigkeit der zielgerichteten Aufklärung und Bearbeitung des Feindobjektes"

nachzulesen:

Der Sambachshof ist ein Zielobjekt in der Arbeit im und nach dem Operationsgebiet. Das Objekt wird insbesondere durch die „Konrad-Adenauer-Stiftung" im Rahmen des organisierten Gruppentourismus für die Durch-

Das Volkshochschulheim Sambachshof bei Bad Königshofen.
Foto: Hemmerich (Bad Königshofen)

Sozialismus und der DDR, um die Unumkehrbarkeit der Wende, für eine neue FDJ. Unseren Standpunkt haben wir mit dem Mandat der 12. Tagung nach gründlicher kollektiver Erörterung in der „Jungen Welt" veröffentlicht. Das Sekretariat des Zentralrats läßt unsere FDJ und Euch nicht im Stich. Ich denke, Ihr handelt gegenüber den Gruppen und Grundorganisationen, den Mitgliedern der FDJ genauso. Freundschaft.

Kommentar von Freies Wort in Anlehnung an die Propagandalüge, dass die sozialistischen Medien nur Wahrheiten verbreiten und die bürgerlichen klassengebunden lügen: Es bleibt zweierlei: Erstens haben westliche Enten nach wie vor kurze Beine. Zweitens schlachten wir sie jetzt endlich schon vor der Bruchlandung.
(Aurich trat am 24.11.1989 von seiner Funktion zurück.)

Eine Buslinie Hildburghausen – Coburg und zurück wurde vom VEB Kraftverkehr Hildburghausen eingerichtet.

Grenztruppen-Angehörige halfen im Krs. Hildburghausen u. a. bei Versorgungsfahrten des VEB Handelstransports, teilweise mit Armeefahrzeugen. Die Ursachen lagen im desolaten Zustand der Fahrzeuge und damit in mangelnden Transportkapazitäten sowie am Treibstoffmangel.
Nach einigen Tagen der Grenzöffnung und mit den neuen Reise- und Einkaufsmöglichkeiten kam es zu einem merklich geringeren Warenumsatz in den Verkaufsstellen des Kreises. Die DDR-Bürger kauften von dem einmaligen Begrüßungsgeld in Höhe von DM 100,- in der Bundesrepublik vor allem Südfrüchte, Schokoladenerzeugnisse, Genussmittel, elektronische Geräte.
Bei den DDR-Bürgern war das Vertrauen zur DDR-Binnenwährung restlos gesunken, die DDR-Mark wurde zu irrationalen Kursen zur DM getauscht: bis zu 25 : 1. Ferner kam es in Größenordnungen zum sinnlosen Ankauf hochwertiger Industriegüter aus dem DDR-Angebot und Billigimporten aus dem NSW.

15. November 1989
Wachhunde

Mit der Öffnung der Grenze zur Bundesrepublik durch die DDR hatten die Wachhunde der DDR-Grenztruppen ihren Job mehr oder weniger verloren. Wie Reisende aus Thüringen berichteten, waren allein im Bereich von Suhl rund 250 Tiere – in der Mehrzahl deutsche Schäferhunde – im Einsatz. Die Hunde dienten zur Bewachung von unübersichtlichen Grenzstreifen und Ortschaften, die unmittelbar im Grenzgebiet lagen. Die Grenzer verschenkten die zum Teil gut ausgebildeten Hunde. Tiere, die keine neuen Besitzer fanden, wurden eingeschläfert. Bis 28.11.1989 waren es im Bezirk Suhl 15.
(Main-Post, 09.11.1999)

Der Kreistag Haßberge fasste den Beschluss, einen Grenzübergang in Richtung Hildburghausen zu errichten sowie die Staatsstraße 2284 von Maroldsweisach in Richtung Landesgrenze auszubauen.

„Warum bleibe ich in der DDR?"

Obwohl es in der Gesprächsrunde im Pfarrhaus von Unterlauter, Lkrs. Coburg, manchem Bürger von „drüben" schwer fiel, den eigentlichen Grund für das Verbleiben in einem heruntergewirtschafteten Staat in Worte zu fassen, die Antwort war präzise. Es ist nötig, dass viele, dass alle gemeinsam den Neuanfang angehen für ein Land, in das man hineingeboren ist. „Wegen dieser Wurzeln bleibe ich drüben!", sagte ein Teilnehmer.
(Coburger Tageblatt, 16.11.1989)

16. November 1989
Kaufverhalten

Eine Woche nach dem Fall von Mauer und Stacheldraht wurden Veränderungen im Kaufverhalten der Menschen deutlich. Vor allem in den Lebensmittelgeschäften kam es zu geringeren Umsätzen, weil die Menschen in der Bundesrepublik die Waren billiger und in besserer Qualität kaufen konnten. Der weitere Verfall der DDR-Währung, die (nichtkonvertierbare) Binnenwährung war inflationär. Für eine Deutsche Mark mussten bis 25 DDR-Mark auf dem Schwarzmarkt hingeblät-

führung sogenannter ‚Deutschlandpolitischer Studientagungen an der Zonengrenze' genutzt.
Die am Volkshochschulheim Sambachshof wirkenden Angestellten und Gastreferenten werden im Sinne der gegenwärtigen CDU/CSU-Politik wirksam. Sie nehmen eine feindlich-negative Grundposition zu den politischen und gesellschaftlichen Verhältnissen in der DDR ein. Die Seminare am Volkshochschulheim sind entsprechend ihres Inhaltes und Charakters darauf ausgerichtet, das Geschichtsbild über die DDR zu verfälschen. Die Notwendigkeit der umfassenden Sicherungsmaßnahmen der Staatsgrenze der DDR wird in Frage gestellt, verunglimpft und als unmenschlich bezeichnet.
Schwerpunkt der Seminartätigkeit im westlichen Grenzvorfeld sind Probleme der sogen. „Ost-West-Politik", der „Deutschlandpolitik" sowie der „Sicherheits- und Außenpolitik". Bestandteile der Seminare sind darüber hinaus „Grenzlandfahrten" und „Studienfahrten" in die DDR.
Bei den „Grenzlandfahrten" werden die BRD-Reisegruppen durch Angehörige des Bundesgrenzschutzes und der Bayerischen Grenzpolizei mit der Lage im ‚Zonenrandgebiet' vertraut gemacht und über den Grenzverlauf der Staatsgrenze zur DDR eingewiesen.
Die „Studienfahrten" in die DDR sollen dem Ziel dienen, die in den Seminaren gewonnenen Eindrücke bestätigt zu finden. Bei den Aufenthalten in der DDR wird verstärkt darauf orientiert, Kontakte und Verbindungen zu DDR-Bürgern zu schaffen. Es wird die Zielstellung verfolgt, ein „Zusammengehörigkeitsgefühl" aller Deutschen wachzuhalten und die „Einheit der deutschen Nation" zu propagieren.

Susi Eschenbach (vordere Reihe, Bildmitte) inmitten einer Reisegruppe. Auch über sie führte die DDR-Staatssicherheit eine „Feindobjektakte".
Foto: Sammlung Reinhold Albert

Susi Eschenbach fotografierte auch den Alltag in der DDR. Eine Braunkohlelieferung ist angekommen und blockiert den Verkehr.
Foto: Susi Eschenbach

Die „Studien- und Grenzlandfahrten" werden durch Angestellte des Volkshochschulheimes Sambachshof organisiert. Die Tages- und Mehrtagesfahrten der „Konrad-Adenauer-Stiftung" werden im Objekt Sambachshof in sogen. „Nachbereitungsseminaren" ausgewertet, in deren Ergebnis über die eingesetzten BRD-Reiseleiter eine schriftliche Berichterstattung erfolgt. Bei nachweislich guten theoretischen ‚Vor- und Nachbereitungen' der Seminare werden finanzielle Zuwendungen erteilt.
Es besteht der begründete Verdacht, daß die auf diesem Wege gewonnenen Informationen über die DDR über nachrichtendienstliche Kanäle der Bundesanstalt für „Gesamtdeutsche Aufgaben" zufließen, dort erfaßt, ausgewertet und als „Gesamtdeutsche Arbeit" getarnt, die gegen die DDR gerichteten subversiven Aktivitäten unterstützen sollen.

2. Politisch-operative Zielstellung der Aufklärung und Bearbeitung des Feindobjektes

Die Organisierung und Durchführung der Aufklärung und Bearbeitung des Volkshochschulheimes Sambachshof und der dort tätigen Angestellten erfolgt mit dem Ziel der Bekämpfung und Verhinderung gegen die DDR gerichteter subversiver Aktivitäten.
Schwerpunkt der Aufklärung und Bearbeitung sind folgende Aufgaben:
- rechtzeitige und umfassende Aufklärung, Bekämpfung und vorbeugende Verhinderung eines feindlichen Wirksamwerdens gegen die DDR im Rahmen des Polit-tourismus;
- Personifizierung, Aufklärung und differenzierte Bearbeitung der im Volkshochschulheim Sambachshof tätigen Mitarbeiter;

tert werden. Die DDR-Bürger investierten ihr Geld in höherwertige Konsumgüter, aber auch in Bücher, Schallplatten, Kunstgewerbeerzeugnisse, Spirituosen, die sie für den Eigenbedarf, als Begrüßungsgeschenke oder bei ihren Besuchen in der Bundesrepublik zum Tauschen bzw. zum Erwerb der DM benötigten.

In den Intershop-Verkaufsstellen wurden die Preise weitestgehend dem Preisniveau der Bundesrepublik angepasst. Forum-Schecks wurden nicht in Bargeld zurückgetauscht, das blieb der Staatsbank der DDR vorbehalten.

Die Leipziger CDU-Zeitung Die Union veröffentlicht einen Bericht, wonach sich die NVA im Oktober im Ausnahmezustand befunden habe. So sollten notfalls Armee-Einheiten gegen Demonstranten in Leipzig eingesetzt werden. Die Soldaten wurden darauf hingewiesen, dass „im Einzelfall und bei entsprechendem Befehl auf das Volk geschossen werden muss".

Information zur Grenzöffnung

Der Stellvertreter des Vorsitzenden des Rates des Bezirkes Suhl gab eine „Information zu aktuellen Problemen seit Öffnung der Staatsgrenze zur BRD" heraus, in der es u. a. heißt:
Im Bezirk Suhl zeichnen sich hinsichtlich der Erweiterung von Beziehungen zwischen BRD und DDR folgende Schwerpunkte ab:
1. Angebote/Wünsche seitens BRD-Organen zu Städtepartnerschaften (vor allem im Kreis Hildburghausen).
2. Forderungen/Vorschläge zur Einrichtung neuer Grenzübergangsstellen (vor allem in den Kreisen Sonneberg und Meiningen).
3. Angebote/Vorschläge für finanzielle und materielle Unterstützung, oft in Verbindung mit dem Umweltschutz (vor allem in den Kreisen Bad Salzungen und Sonneberg)."
Zum Kreis Hildburghausen wurde u. a. vermerkt:
„- Eisfeld: Bürgermeister von Lautertal will Städtepartnerschaft (gibt nicht auf, obwohl auf Grundlagenvertrag und entsprechende Verfahrensweise hingewiesen)

Ab Rottenbach verteilt Pfarrer Steinert (ehemaliger DDR-Bürger) in Bussen Flugblätter mit einem Angebot für DDR-Bürger zum ‚Verschnaufen und Gedankenaustausch' im Haus der evangel. Freidenkergemeinde Coburg (...)."

Bei einem „Kampfmeeting" (SED-Jargon) bekundeten auf dem Bad Salzunger Marktplatz 1.000 SED-Mitglieder, dass sie für die Erneuerung der SED einständen.

Der Trappstädter Bürgermeister Erich Werner forderte die Öffnung eines Grenzübergangs auf der Straße zwischen Trappstadt und Eicha.

Rund 36.000 Besucher aus der DDR hatten ihr Begrüßungsgeld abgeholt. Die Geldbeschaffung war zwar nicht einfach. Ebbe habe aber niemals in der Kasse geherrscht, versicherte Rhön-Grabfeld-Landrat Dr. Fritz Steigerwald. Anders in der DDR: Beim obligatorischen Umtausch von 15 Ostmark in 15 Westmark vor dem Grenzübertritt waren irgendwann einmal die Fünf-Mark-Stücke knapp geworden. Eine Mellrichstädter Bank konnte aus der Misere helfen und 80.000 Ostmark wechseln.
(Rhön-Grabfeld Anzeiger, 16.11.1989)

17. November 1989
Regierungserklärung Modrows
Er kündigte eine „demokratische Erneuerung des öffentlichen Lebens" an, und schlug eine „Vertragsgemeinschaft der beiden deutschen Staaten" vor. Modrow präsentierte der Volkskammer sein Kabinett.

Amt für Nationale Sicherheit
Das Ministerium für Staatssicherheit wurde in ein Amt für Nationale Sicherheit (AfNS) umgewandelt. Leiter wurde Generalleutnant Dr. Wolfgang Schwanitz, der Mitglied des Ministerrats der DDR wurde.

Seit 7.10 Uhr konnten DDR- und Bundesbürger mit dem Bus von Ost nach West und in die Gegenrichtung reisen. Die erste Busverbindung zwischen Thüringen und

Propagandatafel in der DDR von 1981. Auf der linken Seite ist die Bundesrepublik, auf der rechten Seite die DDR dargestellt.
Foto: Susi Eschenbach

- Aufklärung des Systems des Zusammenwirkens zwischen dem Volkshochschulheim Sambachshof und anderen staatlichen und nichtstaatlichen Einrichtungen, Organisationen und Institutionen der BRD.

3. Politisch-operative Maßnahmen zur zielgerichteten Aufklärung und Bearbeitung des Feindobjektes
Die zielgerichtete Aufklärung und Bearbeitung des Objektes erfolgt durch
- Schaffung bzw. Nutzung von inoffiziellen Quellen in der DDR und im Operationsgebiet;
- Nutzung operativer Erkenntnisse aus dem Reise- und Touristenverkehr DDR-BRD;
- Auswertung offiziell zugänglicher Materialien der regionalen Presse aus dem westlichen Grenzvorfeld (Zeitungen, Zeitschriften, Werbematerialien, Telefon- und Branchenverzeichnisse u.a.m.);

Bei der Nutzung von IM ist zu unterscheiden zwischen
- IM, die im Operationsgebiet wohnhaft sind;
- IM, die die Möglichkeit haben, in das Operationsgebiet zu reisen;
- IM, die Verbindungen nach dem Operationsgebiet unterhalten und als Reiseziel angelaufen werden;

3.2 Zielgerichtete Feststellung, Aufklärung und Bearbeitung von Personen aus dem Operationsgebiet mit dem Ziel des perspektivischen Eindringens in das Feindobjekt
Um ein perspektivisches Eindringen in das Objekt Sambachshof zu gewährleisten, ist es erforderlich, geeignete Jugendliche, Jungerwachsene und junge Angehörige

der Berufsgruppe Lehrer und Pädagogen aus dem Operationsgebiet auszuwählen, aufzuklären und mit der Zielstellung der Werbung zu bearbeiten.
Zielpersonen sind insbesondere:
Hoch- und Fachschulabsolventen, Studenten, Oberschüler, die in Bad Königshofen bzw. in angrenzenden Ortschaften des Rhön-Grabfeldkreises wohnhaft sind.
Bei der Hauptabteilung VI/AGV sind Recherchen zu BRD-Bürgern aus den Ortschaften Bad Königshofen, Althausen, Aub, Merkershausen, Sulzfeld, Leinach, Laubhügel einzuleiten mit dem Ziel der Feststellung von Personen, die auf Grund ihres Berufes und der Reiseintensität in die DDR, wobei der unterhaltenen Verbindungen und Kontakte von operativem Interesse sind.

3.3 Zielgerichtete Feststellung, Aufklärung und Bearbeitung von Personen aus dem Operationsgebiet, die Dienstleistungen für das Feindobjekt durchführen.

Es ist zu ermitteln, welche Firmen, staatliche und nichtstaatliche Institutionen und Einrichtungen für das Objekt Sambachshof Dienstleistungen ausführen.
Zielpersonen sind insbesondere:
Lehrer, Pädagogen, Studenten, Hoteliers, Angestellte und Beamte des öffentlichen Dienstes, Gewerbetreibende u.a. Personen, von denen bekannt ist, daß sie berufliche und persönliche Verbindungen zum Objekt Sambachshof und den dort tätigen Mitarbeitern unterhalten, sind zu filtrieren, aufzuklären und zu bearbeiten.

3.4. Zielgerichteter Einsatz von IM mit legalen Reisemöglichkeiten in das Operationsgebiet zur Aufklärung des Feindobjektes

Propagandatafel in einer Südthüringer Stadt.
Foto: Susi Eschenbach

Bayern wurde in Neuhaus am Rennweg gestartet. Der vorerst provisorisch erstellte Zeitplan von den volkseigenen Betrieben der DDR konnte aufgrund des großen Andrangs nicht auf die Minute eingehalten werden. Der Bus fuhr über Neustadt/Coburg bis Coburg.
(Coburger Tageblatt, 18.11.1989)

Im Auftrag der Regierungen von Unter- und Oberfranken wurden von der Bayerischen Grenzpolizei an allen Grenzübergängen Straßenkarten von Süddeutschland verteilt, die der ADAC zur Verfügung stellte.

Um 8.30 Uhr wurde die Grenze zwischen Melpers und Oberfladungen von zwei Grenzoffizieren der Grenztruppen inspiziert, um an dieser Stelle eine Grenzöffnung vorzubreiten. Der 2. Grenzübergang zu Unterfranken wurde am 24.11.1989 geöffnet.

Rasanter Kursverfall der Ost-Mark
Schon kurz nach dem 10.11.1989 verfiel der Kurs der Ost-Mark gegenüber der D-Mark. Ein Übersiedler bekam für seine Ersparnisse in Höhe von 3.500 Mark (Ost) genau DM 285 – so schrumpfte der Lohn eines halben Jahres. Für 100 Mark der DDR zahlte die Hammelburger Flessabank am 17.11.1989 DM 6,50 Mark, die Raiffeisenbank 6 DM, die Sparkasse sowie die Schilling-Bank DM 4,50. Die Werbegemeinschaft in Bad Kissingen ließ um den 17.11.1989 Schilder an ihre Mitglieder verteilen, auf denen folgender Wechselkurs angeboten wurde: „Wir nehmen auch DDR-Mark 1 : 10." Doch schnell verfiel der Kurs auch in der Kurstadt, so war einen Tag später in der Main-Post zu lesen, dass 100 Ost-Mark nur noch 4,50 DM wert waren.
(Main-Post, 11.11.1999)

Kostenlose Eintrittskarten für Bundesliga
Nachdem schon in der Fußballbundesliga der 1. FC Nürnberg für sein Punktspiel am Wochenende gegen Kaiserslautern insgesamt 10.000 Karten für DDR-Bürger kostenlos zur Verfügung stellte, zogen im Spitzenspiel der Fußball-Bayernliga auch der VfL Frohnlach, der gegen den TSV

1860 München spielte, nach. Alle DDR-Besucher erhielten freien Eintritt ins Frohnlacher Waldstadion. Und auch der VfB Coburg gewährte in seinem Punktspiel freien Eintritt für DDR-Bürger. (Coburger Tageblatt, 17.11.1989)

Volksrache am ehemaligen Peiniger

Beim Warten um die Auszahlung des Begrüßungsgeldes an der Hauptpost in Coburg entdeckten DDR-Landsleute ein Mitglied des DDR-Staatssicherheitsdienstes in Zivil. Wohl in Erinnerung an die einst am eigenen Volk vollbrachten „Wohltaten" zerrten einige Landsleute den Stasi-Mann inkognito mit einigen kräftigen Ohrfeigen aus der Reihe. (Coburger Tageblatt, 18.11.1989)

Gemüsehändler Adolf Schramm aus Coburg erzählt

„Es fehlen einem die Worte für das, was man hier oft erlebt!", beschreibt der Obst- und Gemüsehändler Adolf Schramm, vielen Coburgern als „Adolf an der Brücke" bekannt, seine Erlebnisse mit den Besuchern aus der DDR, die seit einer Woche in die Vestestadt strömen. Schon in früheren Jahren kauften regelmäßig Rentner aus der DDR bei ihm ein und schnell war ein Kontakt mit diesen Menschen hergestellt. An den Stammtischen werde oft über die 100 Mark Begrüßungsgeld geschimpft, die jedem DDR-Bürger ausbezahlt werden. Erst jetzt aber sähe man hier in der Bundesrepublik, wie arm die Menschen von „drüben" wirklich seien. Besonders betroffen zeigt sich Schramm von der Reaktion der Kinder auf das Überangebot der für sie größtenteils unbekannten Südfrüchte. Datteln, Feigen, Kokosnüsse, Ananas oder Kiwis, für westdeutsche Kinder etwas völlig Alltägliches, würden mit großen Augen bestaunt. Am Samstag hat Schramm einem kleinen Mädchen eine Kiwi geschenkt. Es hat sich mit der Frucht in der Hand zu seiner Mutter umgedreht, und gesagt: „Kartoffeln haben wir doch selber daheim!" Eine 35 Jahre alte Frau hat sich erst ganz interessiert alle Waren angesehen, dann ist sie plötzlich in Tränen ausgebrochen und regelrecht davongerannt. „Solche Erlebnisse berühren einen

Es ist leitungsmäßig darauf Einfluß zu nehmen, daß IM mit entsprechenden Möglichkeiten zur Aufklärung des Objektes Sambachshof instruiert und abgeschöpft werden. Im Bereich der Abteilung ist die IM-Basis unter geeigneten Personen (Rentner, Invaliden-Rentner, Reisende in dringenden familiären Angelegenheiten) zu erweitern.
Die Personen sind aufzuklären und auf Eignung hinsichtlich der operativen Nutzbarkeit zu prüfen.

3.5. Zielgerichtete Nutzung des Abschöpfungs- und Filtrierungsprozesses an den Grenzübergangsstellen Eisfeld und Meiningen zur Gewinnung von Informationen über das Feindobjekt sowie zu operativ-interessierenden Personen aus der Ortschaft Bad Königshofen, die Verbindungen in die DDR unterhalten
Auf der Grundlage der Bearbeitungskonzeption ist den Paßkontrolleinheiten an den Grenzübergangsstellen Eisfeld und Meiningen ein konkreter Informationsbedarf vorzugeben.
In Zusammenarbeit mit dem Referat Zollabwehr ist der Einsatz von befähigten IM des Grenzzollamtes Eisfeld und Meiningen zur Erarbeitung von operativ-bedeutsamen Informationen über das Objekt Sambachshof sowie zu operativ-interessierenden Personen zu gewährleisten.

Unter dem 30. Oktober 1985 wurde ein „Maßnahmeplan zur Aufklärung und Bearbeitung des Feindobjektes „Haßberg" erstellt. Zur Aufklärung des Objektes wurden folgende Inoffiziellen Mitarbeiter der Abt. IV zum Einsatz bestimmt: Die IMB „Liesa", die AIM „Eva". Außerdem sollte der Einsatz weiterer IM geprüft werden. Aufzuklären seien insbesondere der Leiter der Einrichtung Dr. Scheerer, der Geschäftsführer Egon Lichnofski, der pädagogische Mitarbeiter Helmut Hempfling sowie die Leiterin der Grenzinformationsstelle Bad Königshofen, Susi Eschenbach.

Weiter stellte die Stasi einen Informationsbedarf zu folgenden Objekten im westlichen Grenzvorfeld fest, die im Rahmen von organisiertem Gruppentourismus in die DDR als sogen. „Deutschlandpolitische Studientagungen an der Zonengrenze" genutzt würden, und zwar neben

* dem Volkshochschulheim Sambachshof,
* das Hotel Vierjahreszeiten in Bad Königshofen,
* die Pension Raschert in Niederlauer und
* das Hotel Sturm in Mellrichstadt.

Der IMS Peter Moll berichtete am 02.04.1985 an die Stasi-Dienststelle:

Der Geschäftsführer Egon Lichnofski wird als ‚Original' bezeichnet, dessen Witze, so die Reiseteilnehmer, unerschöpflich sind. ... Gezeigt wurde ein DIA-Vortrag

Hochhaus in Suhl, fotografiert zu Beginn der sechziger Jahre des 20. Jahrhunderts.
Foto: Susi Eschenbach

über die DDR. Es wurden auch Sendungen des ‚Schwarzen Kanals' gezeigt. Die Einweisung der Reisegruppen am Vorabend der Reise in die DDR erfolgte auch durch Dr. Scherer. Seine Darlegungen und Ausführungen über die DDR sollen objektiv gewesen sein.

Der GMS „Peter Moll" teilte der Stasi-Dienststelle Suhl am 25.10.1985 mit, dass das Volkshochschulheim nach dem Anbau nunmehr eine Kapazität von 80 Betten aufzuweisen hätte. Nunmehr könnten gleichzeitig zwei Reisegruppen aufgenommen werden. Auf Monate hin sei man ausgebucht. Die Vorträge, die die Mitarbeiter des Sambachshofs auch vor Gruppen der Konrad-Adenauer-Stiftung hielten, hätten zwar oftmals unterschiedliche Bezeichnungen, aber die Mitarbeiter des Objektes würden sich mit den gleichen Inhalten befassen. Im Gespräch ergab sich die Erwähnung des „Arbeitskreises Innerdeutsche Kontake" (AIK). *„Der Mimik und Gestik des Referenten war anzumerken, dass er von Einrichtungen dieser Art nichts halte"*, heißt es in seinem Bericht.

Mit Schreiben vom 02.01.1986 wies die Suhler Stasi-Abteilung VI/2 die Passkontrolleinheiten in Meiningen und Eisfeld unter dem Betreff „Polittourismus" an:

Beitrag der PKE zur Gesamtaufgabenstellung des MfS zur Gewährleistung der staatlichen Sicherheit der DDR sowie zur vorbeugenden Verhinderung, Abwehr und Bekämpfung des subversiven Mißbrauchs des Einreiseverkehrs.
1. Operativ-bedeutsame Reisegruppen
Reisegruppen, die von ihrer Zusammensetzung und Zielstellung der Reise dem Polittourismus zuzuordnen sind
- Bundesministerium für innerdeutsche Beziehungen, Bonn

sehr, trotz all dem Stress, den man jetzt hat", gesteht Schramm. Für Alfred Schramm ist vor allem ein persönliches Gespräch mit den Besuchern aus der DDR wichtig. In den letzten Tagen schenkte er schon morgens um 4 Uhr kostenlos Kaffee an vorbeikommende, frierende Menschen aus, während er seine Waren aufbaute. Adolf Schramm ist glücklich darüber, dass unsere Landsleute jetzt endlich die Freiheit genießen dürfen, die für uns so selbstverständlich geworden ist.
(Nach: Coburger Tageblatt, 17.11.1989)

Umweltbelastung wegen der DDR-Kfz
Der bayerische Staatsminister Dr. Georg von Waldenfels zeigte sich besorgt über die durch die Kraftfahrzeuge der DDR verursachten Belastungen. „Abgesehen von dem Verkehrschaos ist vor allem die Verunreinigung der Luft durch Abgase ein großes Problem. Ich appelliere daher an die Besucher aus der DDR, ihre Fahrzeuge zu Hause oder an der Grenze stehen zu lassen und öffentliche Verkehrsmittel zu benutzen."
(Coburger Tageblatt, 18.11.1989)

Die Busse ab Eisfeld nach Coburg fuhren erstmals ohne Umsteigen an der GÜST durch. Die Fahrpreise ab Eisfeld waren in Mark der DDR, ab Coburg nach Eisfeld in DM zu entrichten.

Das Neue Forum rief in Suhl erneut zu einer Großdemonstration auf, zu einem Sternmarsch zum Thema „Reisen ist nicht alles". Zur Kundgebung in der Stadthalle fanden sich nur noch 1.500 Menschen ein.

In Schmalkalden kam es zu einer Demonstration mit 900 Teilnehmern, zur Kundgebung waren noch 300 Personen anwesend.

Der Weg zur Städtepartnerschaft zwischen Neustadt b. Coburg und Sonneberg ist frei. Überraschend teilte dies beim Stehempfang im Neustadter Rathaus der Sonneberger Stadtausschuss-Vorsitzende Hanns Arthur Schoenau mit. Auf Antrag des Sonneberger Bürgermeisters Ober-

ender hatte dies mit nur einer Gegenstimme die Stadtverordnetenversammlung beschlossen.
(Coburger Tageblatt, 18.11.1989)

Öffnung weiterer Grenzübergänge

Laut Polizeiangaben passierten an diesem Samstag ca. 100.000 Bürger aus dem Bezirk Suhl die Grenze in Richtung Westen, von denen über 80.000 noch am selben Tag zurückkehrten. Doch in Suhl lautet das Thema eines Sternmarsches „Reisen ist nicht alles!"

- Öffnung des Grenzübergangs Welitsch – Heinersdorf, Krs. Sonneberg.
- Zum ersten Mal öffnen DDR-Grenzer die eisernen Tore zwischen Oberfladungen und Melpers. Die Hoffnungen keimten auf, dass dort schon bald ein weiterer Grenzübergang eingerichtet wird.
- Eröffnung der Grenzübergangsstelle Buttlar, Krs. Bad Salzungen – Rasdorf, in der Nähe des US-amerikanischen Militärstandorts Point Alpha. 13.200 Menschen passierten die GÜST.
- Öffnung des Grenzübergangs Eishausen/Adelhausen – Rodach für DDR-Bürger.

Der konzentrierte grenzüberschreitende Verkehr, der sich über Eisfeld, der einzigen GÜST im Krs. Hildburghausen, bewegte, sollte entlastet werden.

Hilfe für DDR-Besucher in Mellrichstadt

Viele Bürgerinnen und Bürger der Stadt Mellrichstadt wollten mit einer Spende helfen, den Besucherverkehr und die sich daraus ergebenden Aufgaben zu bewältigen. Die Verwaltungsgemeinschaft Mellrichstadt teilte hierzu mit, dass Barspenden bei der Sparkasse und allen Banken sowie beim Postamt eingezahlt werden könnten. Die Stadt Mellrichstadt bat außerdem, verfügbare Zimmer oder Wohnungen für DDR-Übersiedler der Verwaltungsgemeinschaft zu melden.
(Main-Post, 18.11.1989)

Mit Pendelverkehr Besucherstrom bewältigen – Dringender Appell an Coburger Bürger: Heute und morgen den eigenen Pkw stehen lassen. – Vom Bund allein gelassen fühlt sich die Stadt Coburg bei

- Gesamtdeutsches Institut, Bonn
- Konrad-Adenauer-Stiftung
- Landeszentrale für Politische Bildung
- Bayer. Philologenverband (München)
- Institut für Politik und Zeitgeschichte (München)
- Reisegruppen mit Persönlichkeiten des politischen und gesellschaftlichen Lebens der BRD
- Reisegruppen mit operativ-interessanter sozialer Zusammensetzung (Studenten, Lehrer, Beamte der Polizei und des Zolls, Angehörige der Bundeswehr, Journalisten, Reisende aus anderen operativ interessieren Berufsgruppen)
- Reisegruppen der Kirche bzw. in denen kirchliche Würdenträger mitreisen.

Objekte und Einrichtungen im westlichen Grenzvorfeld, die für die Durchführung „bildungspolitischer Veranstaltungen" bzw. „Deutschlandpolitischer Seminare" genutzt werden:
- VHS Sambachshof
- Schullandheim Rappershausen
- VHS in Rhön-Grabfeld sowie dem Stadt- und Landkreis Coburg
- Jugendhaus Neukirchen bei Coburg
- Pension Raschert Niederlauer
- Hotel Vierjahreszeiten, Bad Königshofen
- Hotel Sturm, Mellrichstadt
- Hotel Hans Veit, Pressig-Rothenkirchen
- Hotel Krummbachtal Schönau a.d. Brend
- Schloß Schney, Lichtenfels

2. Bei der Filtrierung von Reisegruppe der BRD sind von besonderem operativen Interesse:
- Verhalten im Prozeß der Paß- und Zollkontrolle (Beobachtung von Fragestellungen, Kontaktversuchen, provokatorischen Verhaltensweisen)
- Auftreten und Verhalten des BRD-Reiseleiters, erkannter Persönlichkeiten, Personen mit operativ-interessanten Merkmalen, KOM-Fahrers;
- Vorhandenes Adressenmaterial zur Bürgern der BRD und der DDR;
- Mitgeführtes Propagandamaterial.

Die Informationen flossen jedoch nur recht spärlich. So ist z. B. in einem Bericht eines IM v. 27.10.1986 vermerkt:
Durch den Einsatz von IM sowie die Nutzung offizieller Möglichkeiten wurden weitere Angaben, Hinweise und Informationen zur Lage, Kapazität, Frequentierung und der Zusammenwirkung des Mitarbeiter des Objektes mit anderen staatlichen und nichtstaatlichen Einrichtungen erarbeitet. Das für den Monat November 1986 geplante Seminar ‚Der kleine Grenzverkehr zur DDR', an welchem ein IM unserer Diensteinheit teilnehmen sollte, wurde abgesagt, da der Interessenkreis zu gering war. ...

Susi Eschenbach hielt hin und wieder auch Arbeiten an der innerdeutschen Grenze im Bild fest, so z. B. das Verlegen des Fahrweges zwischen Breitensee und Eicha. Foto: Susi Eschenbach

Zu einer BRD-Bürgerin, die aktive Verbindungen zum FO unterhält, wird eine OPK (OPK „Susi") durchgeführt. Diese ist Leiterin der Grenzinformationsstelle Bad Königshofen und fungiert als Reiseleiterin von BRD-Gruppen im Rahmen des Polittourismus. Die von ihr zu DDR-Bürgern unterhaltenen Kontakte und Verbindungen werden zum Teil konspiriert und begründen den Verdacht einer subversiven Tätigkeit.

Es wurde angeordnet:
- Fortsetzung der Konspirierung ihrer Tätigkeit als Leiterin der Grenzinformationsstelle;
- Der wiederholten Einwürfe von Postsendungen zu operativ-bedeutsamen DDR-Personen bei ihren touristischen Aufenthalten in der DDR;
- Der Verschleierung/Konspirierung von Kontakten zu DDR-Bürgern, die Angehörige der bewaffneten Organe sind;
- Der operativ-bedeutsamen Verhaltens- und Handlungsweisen während der touristischen Aufenthalte in der DDR

machen es objektiv notwendig hinsichtlich ihrer Rolle und Stellung sowie ihrer Kontaktbeziehungen zum Feindobjekt die Aufklärungsmaßnahmen nach dem Operationsgebiet fortzusetzen.

Am 31.07.1987 wurde der IM „Pit Stöber" zur Aufklärung des Feindobjektes „Haßberg" bei DDR-Reisen in das Operationsgebiet sowie zur Kontaktierung (Blickfeldtätigkeit), Aufklärung und der perspektivischen Zuführung von operativ-interessierenden BRD-Personen, die im politisch motivierten Gruppentourismus in der DDR wirksam werden, vorbereitet und eingesetzt.

der Aufgabe, den erneuten Ansturm von Gästen aus der DDR zu bewältigen. (Coburger Tageblatt, 18.11.1989)

18./19. November 1989
Frauen aus Zimmerau und Sternberg, Gemeinde Sulzdorf a. d. Lederhecke, Lkrs. Rhön-Grabfeld, bewirteten am Parkplatz des Bayernturms in Zimmerau die Besucher aus der DDR mit Tee, Kaffee und Kuchen. Hunderte Bürger, vor allem aus dem Heldburger Unterland, besuchten ihr benachbartes und bisher nicht erreichbares „Traumreiseziel", den 38 m hohen Bayernturm auf dem Büchelberg in Zimmerau (429 m), dicht an der Zonengrenze, der einen herrlichen Rundblick auf den Thüringer Wald, das Coburger und das Südthüringer Land, das Obermaingebiet, die Rhön und die Haßberge und den Steigerwald bietet.

19. November 1989
Krenz und Modrow erklärten ihre Ablehnung einer Vereinigung der beiden deutschen Staaten und der so genannten „selbstständigen politischen Einheit Berlin-West".

Modrows Schikane: Wiedereinführung des Zwangsumtausches für Bundesbürger Bürger der Bundesrepublik mussten beim Betreten der DDR wieder DM 25,- als Zwangsumtausch zahlen und ein gültiges Visum vorweisen. Dieses Verhalten der DDR-Führung traf auf allgemeines Unverständnis und Protest.

Die Kunst- und Kulturschaffenden des Meininger Theaters organisierten eine Großdemonstration mit 10.000 Teilnehmern. Die Menschen marschierten vom Meininger Theater zum Marktplatz.

In Ermershausen fand ein „Sonntag der Begegnung" statt. Kostenlos gab es für den Besuch aus der DDR Kuchen, Kaffee, Glühwein und Würstchen. Die Vereine des Ortes organisierten die Aktion.

Zwischen Hildburghausen und Sonneberg Höchststand der Besucherwelle
Die Besucherwelle erreichte am zweiten Wochenende nach der Grenzöffnung

einen neuen Höchststand: Rund 120.000 Bürger der DDR nutzten die Gelegenheit, bei herrlichem Herbstwetter und zum Teil geöffneten Geschäften ein verkaufsoffenes Wochenende zu verbringen. Der Besucherstrom im einzelnen (Samstag, 18.11. 0.00 Uhr bis Sonntag, 19.11., 17 Uhr): Rottenbach - Eisfeld 45.423 Personen in 9.229 Pkw; Neustadt b. Coburg – Sonneberg: 50.000 Personen; Rodach – Adelhausen: 23.489 Personen in 5.830 Pkw.
(Coburger Tageblatt, 20.11.1989)

Zu einer spontanen Grenzöffnung kam es zwischen Heinersdorf, Krs. Sonneberg, und Welitsch, Lkrs. Kronach.

Mit einer großzügigen Geste demonstrierten die Inhaber des Weitramsdorf-Weidacher Hotelgasthofes „Grüner Baum" ihre Freude über den Besucherstrom aus der DDR. Das Gastronomen-Ehepaar Lissner lud alle Gäste, die sich in der Gemeinde das Begrüßungsgeld abholten, zum Sonntagsbraten ein. In zwei Stunden wurden insgesamt 163 Schweinebraten nebst Getränken verzehrt. Auf Bezahlung der Zeche wurde verzichtet. Gerda Lissner: „Wir wollten den Leuten einfach eine Freude machen!"
(Coburger Tageblatt, 20.11.1989)

Bundesfinanzminister und CSU-Chef Dr. Theo Waigel besuchte zusammen mit dem Bundestagsabgeordneten Otto Regenspurger den Grenzübergang Neustadt b. Coburg – Sonneberg.

Thüringerwald-Verein Coburg

Seit Jahrzehnten besuchte die erste westliche Wandergruppe wieder die Heldburg. Der Thüringerwald-Verein Coburg hatte zu einer Wanderung in das gleichnamige Unterland eingeladen. Die „Fränkische Leuchte" droht insbesondere seit einem verheerenden Brand im Jahr 1982 zu verfallen. Jetzt hoffen engagierte Denkmalschützer im Unterland auf den Reformkurs in ihrem Teil Deutschlands. Die Wanderung führte weiter über den vom DDR-Regime geschleiften Ort Billmuthausen und Bad Colberg nach Ummerstadt. Besonders freute sich Edmund

In Suhl wurde am 18.01.1988 bei der Staatssicherheit eine Konzeption zur zielgerichteten Aufklärung und Bearbeitung des Feindobjektes „Haßberg" erarbeitet. In dieser heißt es, es geschehe eine Manipulation und Einflussnahme im Sinne der CDU/CSU-Politik. Die Seminare seien zum Teil darauf ausgerichtet, das Geschichtsbild über die DDR zu verfälschen, die Notwendigkeit der Staatsgrenze der DDR und deren umfassende Sicherungsmaßnahmen in Frage zu stellen, zu verunglimpfen und als unmenschlich darzustellen.

Am 08.02.1988 wird berichtet:

```
Information zur BRD-Reisegruppe 108-D-211 am 2.2.88 –
Die Reiseteilnehmer waren Schüler der Hauswirtschafts-
schule Bingen. Unterbringung und Vorbereitung auf die
Fahrt erfolgte im VHS Sambachshof. Es wurde eine
„Grenzlandfahrt" durchgeführt. In der Reisegruppe
reisten 2 BRD-Bürger mit, die sich als Angestellte des
VHS Sambachshof ausgaben. In Eisenach wurden beide
BRD-Personen von einem Jugendlichen angesprochen, der
sie zum Geldtausch überredete (20 DM). Eine Personifi-
zierung der DDR-Person war nicht möglich.
```

Susi Eschenbach aus Bad Königshofen – das Stasi-Feindobjekt

Am 24. Mai 1985 wurde bei der DDR-Staatssicherheit, Bezirksverwaltung Suhl, unter dem Decknamen „Susi" eine „Operative Personenkontrolle" der Susanne Eschenbach aus Bad Königshofen angeordnet. Hierbei handelte es sich um die höchste Stufe der Überwachung, welche die DDR-Führung sich fürs Volk und andere Feinde ausgedacht hatte. Als Gründe wurden genannt, dass Frau Eschenbach als Leiterin der Grenzinformationsstelle Bad Königshofen tätig sei. Sie verfüge über konkrete Informationen über die DDR, insbesondere über das Grenzgebiet des Bezirks Suhl. Außerdem unterhalte sie Verbindungen zu erkannten Organisatoren und Multiplikatoren des Polittourismus, insbesondere der CDU-nahen „Konrad-Adenauer-Stiftung". Zielstellung der OPK sei Aufklärung und Dokumentierung des feindlichen Wirksamwerdens von Susanne Eschenbach im Rahmen ihrer Tätigkeit als Leiterin der Info-Stelle und als Einweiser an der DDR-Staatsgrenze sowie im Rahmen des organisierten Gruppentourismus in die DDR als Reiseleiter.

Allein schon die von Frau Eschenbach in den Einreiseunterlagen angegebene Berufsbezeichnung „Hausfrau" beschäftigte die Phantasie der Stasi. „Diese Vorgehensweise läßt die Vermutung zu, daß die E. ihr Wirksamwerden bei der Grenzinformationsstelle Bad Königshofen zu konspirieren versucht", heißt es in einem Bericht.

Als IM bzw. GMS der Staatssicherheit wurden der IMS Sport und der Reiseleiter IM eingesetzt. Während der Letztgenannte „Susi" bei ihren DDR-Fahrten als jeweils zugeteilter DDR-Reiseleiter zu überwachen hatte, war der IM Sport für die Überwachung ihrer Tätigkeiten im Bereich Bad Königshofen zuständig. Außerdem war zu prüfen, weitere im Bereich Bad Königshofen wohnende Inoffizielle Mitarbeiter der DDR-Staatssicherheit auf Frau Eschenbach anzusetzen. Aufgabe war auch, herauszufinden, mit welchen DDR-Staatsbürgern „Susi" Kontakt hatte. Bereits bekannte Kontaktpersonen in der DDR waren genauer „unter die Lupe" zu nehmen.

Am 30.09.1985 berichtete die Bezirksverwaltung für Staatssicherheit in Suhl:

```
... Vom operativen Interesse ist die Einreise der E.
als Mitreisende der BRD-Reisegruppe 108-D-016/9 vom
11.09. - 12.09.85 in die DDR mit Aufenthalten in den
Bezirken Erfurt, Halle, Leipzig und Karl-Marx-Stadt.
Die Gruppe setzte sich überwiegend aus Polizisten,
Zollbeamten und Beamten verschiedener Institutionen
der BRD zusammen. Als Reiseleiter fungierte Horst
Kunze, mit dem die E. sehr gut bekannt ist. ... Es war
ersichtlich, daß die Teilnehmer dieser Reisegruppe im
Rahmen der Seminarwoche negativ auf das zu Erlebende
eingestimmt wurden. ... Bei allen sich bietenden Gele-
genheiten sollten die Reisegruppenteilnehmer Kontakt
zu DDR-Bürgern herstellen und eine Art Stimmungs- und
Meinungsforschung in bezug auf die Grenzsicherungsmaß-
nahmen der DDR-Staatsorgane durchführen. ...
Hinsichtlich des Auftretens und der Verhaltensweisen
der E. bei ihren Aufenthalten in der DDR wird fol-
gendes eingeschätzt: Sie zeigt großes Interesse für
alle kulturhistorischen Bauwerke in der DDR. Sie
trifft keinerlei politische Äußerungen. Sie tritt
freundlich und zuweilen sehr zurückhaltend auf. Fest-
stellbar ist ein starkes Interesse am Berufs- und Pri-
vatleben der DDR-Reiseleiter. Dabei geht von ihr
zuweilen ein reges ‚Mitteilungsbedürfnis' aus.
```

In den Unterlagen findet sich ab 1982 jede Fahrt von Frau Eschenbach in die DDR verzeichnet. Allein 1985 besuchte sie elfmal die DDR. Bei jeder ihrer Fahrten wurde sie observiert, jede Geste registriert. So finden sich z. B. in den Stasi-Unterlagen folgende Vermerke:

```
- In Eisenach nahm die E. vom Büro des Lutherhauses
  telefonische Verbindung zum Pfarrer der Kirche auf.
- Während der Ausreiseabfertigung an der Güst Meinin-
  gen wurden über mehrere Schüler der Gruppe bekannt,
  daß sie in Eisenach die Möglichkeiten nutzten, aus
  Telefon-Büchern Adressen von DDR-Bürgern herauszu-
  schreiben. Diese Adressen wollen sie für die Her-
  stellung von Briefkontakten nutzen. Dazu dürfte sie
  ‚Susi' angestiftet haben.
- Am 11.7.85, gegen 16 Uhr, begrüßte die E. auf dem
  Johannisplatz in Eisenach eine weibl. Person. Beide
```

Fröbel auf diese Wanderung. Nach 37 Jahren durfte er wieder an den Ort, an dem er seine Jugend verbrachte. Noch vor drei Monaten wurde ihm die Genehmigung verweigert, zur Beerdigung seiner Cousine in seinen Geburtsort Ummerstadt, Krs. Hildburghausen, zu reisen.
(Nach: Coburger Tageblatt, 21.11.1989)

Bildung des Amtes für Nationale Sicherheit
Nach seiner Berufung zum Leiter des neu gebildeten Amtes für Nationale Sicherheit wendete sich Generalleutnant Schwanitz über den Leiter des Bezirksamtes, Generalmajor Lange, mit einer persönlichen Erklärung an die ehemaligen Mitglieder des MfS, nun AfNS.

20. November 1989
Bei einigen Montagsdemos wurde die Einheit Deutschlands gefordert.

Nach dem Rathausgespräch kam es in Hildburghausen zur spontanen Demonstration, die sich diesmal vor allem gegen den 2. Sekretär, Jürgen Heller, und gegen den 1. Sekretär der Kreisleitung der SED, Herbert Lindenlaub, richtete.

Bei der Außerordentlichen Tagung des Bezirkstages Suhl wurde Hans Albrecht als Abgeordneter des Bezirkstages abberufen.

In Sonneberg kam es zu einem Friedensgebet mit Demonstration, es beteiligten sich ca. 6.000 Menschen.
Der CDU-Kreisvorstand Sonneberg beschloss mit seinen Abgeordneten im Kreistag Sonneberg die Bildung einer Fraktion.
Es wird gefordert:
- Grundsätzliche Bildung von Fraktionen und eine entsprechende Sitzanordnung;
- Reduzierung der Abgeordneten um etwa 50 %;
- Vergabe von mindestens 2 Ratsbereichen an die Mandatsträger der CDU;
- Personalabbau im Rat des Kreises;
- Grundsätzliche Trennung von Partei und Staat;
- Auflösung der Nationalen Front.

Vier Musiker aus Eisenach packten Instrumente und Noten ein und tuckerten in Richtung Grenze. In Marburg, der westdeutschen Partnerstadt Eisenachs, wollten sie ein Ständchen geben. Nach vier Stunden Fahrt allerdings landeten die DDR-Bürger in Bad Brückenau. „Was soll's", dachte sich das Quartett und spielte vor dem Altstadtbrunnen.
(Main-Post, 23.11.1999)

Die CSU in Ermershausen bewirtete durchreisende DDR-Bürger. Die Kantorei Maroldsweisach sang im thüringischen Käßlitz, Krs. Hildburghausen. Am Rande nutzten Bürgermeister Ottomar Welz und MdB Susanne Kastner (SPD) die Gelegenheit, mit DDR-Vertretern zu sprechen.
(Fränkischer Tag, 25.01.1990)

21. November 1989
Bei Tausenden von Ostdeutschen aus den DDR-Bezirken Suhl, Erfurt, Gera, Halle und Leipzig, die in den letzten Tagen über die alten und neuen Grenzübergänge ins Coburger Land strömten, sorgte der heiße Tee vom Bayerischen Roten Kreuz nicht nur für Widerstandskraft gegen die Novemberkälte, sondern auch für Wärme im Gemüt. Der BRK-Kreisverband startete damit die größte Betreuungsaktion seit dem Zweiten Weltkrieg.
(Coburger Tageblatt, 21.11.1989)

Trabi-Unfall zwischen Trappstadt und Eyershausen, Lkrs. Rhön-Grabfeld. Mit zu hoher Geschwindigkeit fuhr der Wagen mit 5 Personen in eine Linkskurve und landete im Graben. Alle Insassen wurden zum Teil schwer verletzt.

Münnerstadt blieb vom ganz großen Ansturm der Trabi-Kolonne verschont. Zu verlockend schien wohl die Anziehungskraft der unterfränkischen Metropolen Würzburg und Schweinfurt.
(Main-Post, 23.11.1989)

Grenzöffnung zwischen Vacha, Krs. Bad Salzungen, und Philippsthal.

Mit dem Verkauf vor allem von Briefmarkensammlungen und Meißner Porzellan versuchten DDR-Bürger, beim West-

unterhielten sich angeregt. Während der Unterhaltung nahm die E. aus ihrer Handtasche einen Gegenstand (Form und Größe entsprachen einem Schokoladenriegel) und übergab diesen der weibl. Person. Diese entnahm daraufhin aus ihrer Geldbörse eine Karte (Größe 8 x 6 cm) und überreichte diese der E. Danach verabschiedeten sich beide. Die DDR-Bürgerin begab sich auf direktem Weg zu ihrer Wohnung. Nach der Verabschiedung ging die E. zu dem vor der Stadt- und Kreisbibliothek stehenden Briefkasten und warf hier um 16.35 Uhr eine Karte oder einen Brief ein.
- Einer Garderobenfrau im Eisenacher Hotel brachte sie Creme für ihr Baby mit, worauf die Stasi eine Überwachung einleitete – und aufdeckte, daß die Frau an der letzten Wahl nicht teilgenommen hatte.

Das galt geradezu als Staatsverbrechen.

Selbst die Briefkästen wurden nach einem Einwurf eines Briefes oder einer Karte von Susi Eschenbach unverzüglich durch den Stasi-Beschatter geöffnet, ihr Schreiben entnommen und abgelichtet, bevor es weitergeleitet wurde.

Am 27. Juni 1985 erhielt das Volkspolizeikreisamt in Meiningen einen anonymen Brief und leitete diesen an die Stasi-Bezirksverwaltung Suhl weiter. Das Schreiben mit Stempelabdruck Eisenach dürfte mit hoher Wahrscheinlichkeit von einer Person aus der Bundesrepublik verfaßt worden sein, der mit einer BRD-Reisegruppe in der DDR weilte. In dem Brief wird u. a. Susi Eschenbach als „Hetzer gegen die DDR" bezeichnet.

Im Juli 1985 beschwerte sich Susi Eschenbach über die plumpen Beschattungsmethoden der Staatssicherheit, worauf ihr Beschatter, der DDR-Reiseleiter der Tour L nach Eisenach, am 11.07.1985 pflichteifrig an die Staatssicherheit meldete:

Im Gegensatz zur vorangegangenen Einreise ließ die E. gegenüber dem Reiseleiter-IM ein reges Mitteilungsbedürfnis erkennen. Die E. erzählte ausführlich über ihre Erlebnisse vom 7.7.85. „Auf der Fahrt von der Güst Meiningen nach Römhild wäre ein Kradfahrer mal vor und mal hinter ihnen gewesen und hätte sie beschattet. In Römhild hätte dieser dann in einiger Entfernung gestanden und sie beobachtet."

Frau Eschenbach pflegte Kontakt zu einer Familie in einer Umlandgemeinde von Römhild. Diese gerieten nun in das Fadenkreuz der Staatssicherheit. Am 21.11.1985 findet sich in Frau Eschenbachs Stasi-Akte folgender Vermerk:

Inoffiziell wurde bekannt, dass sich der DDR-Bürger Ewald H. gegenüber seiner Ehefrau E. hinsichtlich seiner Kontaktbeziehungen zu einem Mitarbeiter des MfS offenbarte. Seine Ehefrau setzte die Eschenbach in einem Brief vom 19.11.85 über inhaltliche Probleme dieser Gespräche in Kenntnis. Hierin heißt es u.a.: Wir haben erleichtert aufgeatmet, als wir ein Lebenszeichen von Ihnen erhielten. Ich habe schon das Schlimmste befürchtet, denn ein Herr aus Suhl war drei mal bei uns. Das erste mal mit einer fadenscheinigen Ausrede. Das zweite mal kam er nach Beinerstadt zu Ewald, er wußte über alles Bescheid, über unser Grundstück in Höchheim und mehrere Dinge, er hat sich langsam vorgetastet. Als er das dritte mal kam, auch nach Beinerstadt, damit er Ewald alleine hatte und ich nicht dazwischen reden konnte, fragte ihn Ewald, was er überhaupt wolle, er solle doch endlich zur Sache kommen. Dann ist ihr Name gefallen. Sie wären des öfteren in die DDR eingereist, ob er etwas wisse.

Daraufhin wurde am 24. Dezember 1985 in Suhl ein „Maßnahmeplan OPK Susi" festgelegt. Wegen dieser neuen operativen Lage sowie im Ergebnis der operativ bedeutsamen Anhaltspunkte der unter OPK stehenden Person ergebe sich die Notwendigkeit, die weitere OPK mit neuer politisch-operativer Zielstellung durchzuführen. Die Staatssicherheit befürchtete nämlich aufgrund des Briefes von Frau H. an Frau Eschenbach, dass diese sich mit einem Brief in der BRD an die Öffentlichkeit wende, um die Tätigkeit der DDR-Sicherheitsorgane zu „diskreditieren" oder ihre Erfahrungen dem bundesdeutschen Geheimdienst mitteile.

Aufgrund der gewonnenen Erkenntnisse wurde durch die Bezirksverwaltung der Staatssicherheit in Suhl am 9. Juni 1986 eine „Analyse der Verhaltensweisen des Objektes ‚Susi' im Rahmen der touristischen Aufenthalte mit BRD-Reisegruppen und als Individualreisende in der DDR" erstellt. Hierin heißt es u.a.:
Das Objekt (gemeint ist Susi Eschenbach) sichert die eigenen Handlungen ab. Sie bewegt sich häufig am Ende der Reisegruppe. Dabei orientiert sie sich nach hinten.
1) Vor dem Einwerfen von Postendungen studierte sie aufmerksam die umliegenden örtlichen Bedingungen. Bevor die Einwürfe erfolge, legendiert sie den Rundblick durch scheinbares Lesen der beschriebenen Postkarten bzw. durch das „Besichtigen" von Schaufensterauslagen.
2) Am 21.3.86 trat das Objekt erstmalig durch das Anfertigen von Fotoaufnahmen im Stadtgebiet von Eisenach in Erscheinung. Die hierbei festgestellten Verhaltensweisen beim Fotografieren weichen erheblich von „normalen" Handlungen ab, wie z.B. das Entnehmen und Verstauen der Kamera aus einem mitgeführten Plastikbeutel, sofortiges Heben der Kamera bis in Augenhöhe, kurzer Handlungszeitraum

Besuch eine „schnelle Mark" zu machen. Allerdings fanden die Angebote beim Briefmarken- und Antiquitätenhandel bisher wenig Resonanz, ergab am Montag eine dpa-Umfrage. Viele DDR-Besucher nutzten die neuen Reisemöglichkeiten zur Verbesserung ihrer Einkommenssituation: 100 Westmark Begrüßungsgeld brachten schwarz zum „Schwindelkurs" von nun maximal 1 : 20 getauscht 2.000 Mark (Ost). Das war etwa das 1,5fache des durchschnittlichen Monatseinkommens in Höhe von rund 1.300 DDR-Mark. Verglich man die Kaufkraft im Alltagsleben der „Normalbürger", so war ein solcher Kurs unrealistisch. Gleichwohl war auch ein Kurs Eins zu Eins, wie ihn die DDR offiziell beim Umtausch für ihre nur als Binnenwährung bedeutsame Mark verlangte, unrealistisch.
(Neue Presse, 21.11.1989)

Rangelei an den Minol-Zapfsäulen.
Zu langen Wartezeiten kam es insbesondere am vergangenen Sonnabend an den Tankstellen unseres Kreises. Teilweise war das Benzin regelrecht ausgegangen. Gesagt werden muß, daß der Abkauf in enormen Größenordnungen vonstatten ging, teilweise überzogene Forderungen von Bürgern nach Abfüllen mehrerer Kanister vorgebracht wurden. Richtig stabilisiert hatte sich die Lage erst am Montagmorgen. Alle Tankstellen sind nunmehr wieder ausreichend mit Benzin bevorratet ...
(Nach: Freies Wort)

Tagung der Kreisleitung Hildburghausen der SED
Am 21. November 1989 fand eine Tagung der Kreisleitung Hildburghausen der SED statt. Zu Beginn beantragte das Sekretariat der Kreisleitung aufgrund anhaltender Kritiken aus vielen Grundorganisationen der Partei geschlossen seinen Rücktritt. Dem stimmten die Mitglieder der Kreisleitung zu.
Auf der Tagung nahm Dr. Peter Dornheim zu seiner Tätigkeit als persönlicher Mitarbeiter Hans Albrechts seit Februar 1988 Stellung und betonte, dass er sich nichts zuschulden kommen ließ. Ferner wurde mitgeteilt, dass bis zur Neuwahl die Lei-

tung der Kreisparteikontrollkommission durch Joachim Soltysek geleitet werde.

Bis zum Zeitpunkt waren im Krs. Hildburghausen 574 Mitglieder aus der SED ausgetreten, 36 Parteisekretäre waren nicht bereit, die Funktion weiter zu übernehmen, 10 Parteisekretäre verließen die Partei.

Angeblich keine Manipulationen bei Haushaltsauflösungen

In Freies Wort ließ der Rat der Stadt Hildburghausen erklären, dass es keine Ungesetzlichkeiten bei der Auflösung von Haushalten der Bürger gab, die die DDR verlassen hatten. Es wurde darauf verwiesen, dass der Minister für Finanzen die bestehende Anordnung Nr. 2 vom 20.08.1958 auf der Grundlage eines Ministerratsbeschlusses vom 11.11.1989 aufgehoben hätte.

Bis zu diesem Zeitpunkt wurden durch den Rat der Stadt Hildburghausen Mitarbeiter beauftragt, als staatliche Treuhänder alle im Haushalt befindlichen Gegenstände zu erfassen und über die HO An- und Verkauf bewerten und veräußern zu lassen. Gegenstände, die nicht so veräußert werden konnten, wurden dem VEB SERO zugeführt oder auf der Mülldeponie Leimrieth vernichtet. Über alle Maßnahmen dazu wurde eine Akte angelegt und dem Rat des Kreises übergeben. Der Rat der Stadt verwahrt sich mit Nachdruck gegen jegliche Anschuldigungen nach persönlicher Bereicherung seiner Mitarbeiter, die diese Arbeit ausgeführt haben.

Die Praktiken der Verwertung von Privatbesitz so genannter Republikflüchtiger, von der Regierung der Bundesrepublik Deutschland im Zuge des DDR-Menschenhandels freigekaufter oder zwangsausgewiesener Bürger konnten bis heute nicht restlos geklärt werden, bzw. die Vorgänge im Kreis Hildburghausen wurden nicht konsequent untersucht.

Zusammenschluss der beiden deutschen Staaten

In Meiningen gab es in der Stadtkirche ein Friedensgebet mit anschließender Demonstration von 5.000 Bürgern durch die Meininger Innenstadt.

beim Fotografieren ausgesuchter Motive. Hingegen die Feststellung, daß die „Aufklärung" der zum Fotografieren vorgesehenen Objekte relativ lange ist (ca. 5 Minuten). Dabei wird die nähere Umgebung mit in Augenschein genommen.

3) Während des Aufenthaltes in der Fußgängerzone von Eisenach (Freibereich der Reisegruppe) nutzt das Objekt die Schaufenster zur Kontrolle der Personenbewegungen. Abgeleitet wird diese Annahme durch die Feststellung, daß vor Einrichtungen und Geschäften ohne bedeutsame Auslagen jeweils zu lange verweilt wurde.

4) Es hat den Anschein, daß das Objekt ,unbedingt' Kontakt sucht bzw. durch belanglose Kontaktaufnahmen von wichtigeren Kontakten abzulenken versucht.

In einem Sachstandsbericht vom 21.10.1987 wird gemeldet, dass Frau Eschenbach ihre Tätigkeit als „Einweiserin" an der Staatsgrenze unverändert wahrnehme. Die in diesem Zusammenhang von ihr vorgetragenen „politischen Witze", die inhaltlich die bestehende Grenze zwischen beiden deutschen Staaten und den Generalsekretär der SED, Genossen Erich Honecker, diffamierten, dokumentierten ihre feindlich-negative Grundeinstellung zu den politischen und gesellschaftlichen Verhältnissen in der DDR.

Doch man erkannte bei der DDR-Staatssicherheit, dass es sich bei Frau Eschenbach um eine harmlose Person handelte, so dass am 17.02.1989 ein Bericht zur Einstellung der operativen Personenkontrolle „Susi", Reg.-Nr. XI 435/85, erstellt wurde. Es sei im Verlauf der OPK kein Nachweis erbracht worden, dass „Susi" ihre touristischen und privaten Einreisen in die DDR im Sinne feindlicher Aktivitäten missbrauche, weshalb vorgeschlagen wird, die OPK einzustellen. Bei weiteren Privat- und Touristenreisen in die DDR würden aber weiterhin differenziert Kontroll- und Überwachungsmaßnahmen eingeleitet.

„Guten Tag, Frau Eschenbach", grüßte ein Angehöriger der Passkontrolleinheit der DDR kurz nach dem mittlerweile legendären 9. November 1989 bei der Einreise in die zu jener Zeit noch real existierende DDR. Woher er denn ihren Namen kenne, fragte Susanne Eschenbach überrascht. Daraufhin ihr Gegenüber: „Na, Ihr Foto hat doch früher in jeder Grenzübergangsstelle gehängt!"

Und auch die FOA „Haßberg" wurde geschlossen

Noch vor der vorläufigen Einstellung der FOA von Frau Eschenbach wurde bereits die FOA „Haßberg" geschlossen. So wurde in einem Sachstandsbericht am 07.11.1988 mitgeteilt:

Die im Objekt betriebene politisch-ideologische Diversion richtet sich an den Empfängerkreis der in die DDR

einreisenden Bürger, insbesondere zum „Wachhalten des
Gedankens an die deutsche Einheit und an die Wiedervereinigung". ... Obwohl das Handeln und Wirken einzelner im Objekt tätiger Multiplikatoren des Polittourismus Aktivitäten gegen die politischen und staatlichen Interessen der DDR erkennen lässt, konnte eine
durch das Objekt „Unterfränkisches Volkshochschulheim
Sambachshof" ausgehende feindliche Tätigkeit gegen die
DDR unter Missbrauch des Reiseverkehrs bisher nicht
nachgewiesen werden. Es gibt demzufolge auch keine
Hinweise, dass es sich beim Ufr. VHS Sambachshof auch
unter Beachtung operativer Erkenntnisse, dass das
Objekt für spezielle Schulungen durch Bundeswehr und
Polizei genutzt wird, um ein Feindobjekt handelt.

Es wird vorgeschlagen, die weitere Aufklärung und Bearbeitung als
Feindobjekt abzuschließen. Weiterführende operative Maßnahmen
sind personenbezogen mit dem Ziel der weiteren Aufklärung sowie
des personellen Eindringens in das Objekt fortzuführen.

Am 21.11.1988 wurde in einem Abschlussbericht der Stasi-Bezirksverwaltung Suhl schließlich eine Zusammenfassung der Aktion niedergeschrieben.

Aussichtsturm Sternberg/Zimmerau

2.2 Aussichtsturm Sternberg/Zimmerau
Der Aussichtsturm Sternberg/Zimmerau wurde am 17. Juni
1966 eingeweiht. ... Bei der offiziellen Eröffnungs-
veranstaltung am 22. August 1966, die unter dem Motto
„Mahnmal für die deutsche Wiedervereinigung" und
„Blick in das Thüringer Land" stattfand, bei der ca.
1.000 Personen anwesend waren, wurde der Aussichtsturm
durch die Redner als Werk im zweifachen Sinn bezeichnet. So soll er als ‚Leuchtturm' hinüber in die
sowjetisch besetzte Zone strahlen und Anziehungspunkt
für alle sein, die ihre Verbundenheit mit den Menschen
drüben bekunden wollen. Der Bevölkerung im nahen
Thüringen, das einst in enger wirtschaftlicher Verbindung mit dem Grabfeld stand, soll der Turm zeigen,
dass sie von uns nicht vergessen ist und wir innerlich
an ihrem Leid mittragen.

In dem Stasi-Bericht folgt nun eine Beschreibung des Aufbaus des
Bayernturms. Von der Plattform des Turmes aus bestünden sehr
gute Sichtmöglichkeiten in das Territorium der DDR sowie in den
Verlauf der Staatsgrenze, welche maximal bis Masserberg und
Schnett reichten, heißt es. In unmittelbarer Nähe des Aussichtsturms befinde sich ein größerer Gaststättenkomplex der Familie des
ehemaligen Zimmerauer Bürgermeisters Edmund Spielmann, der
mit vier Gasträumen ca. 300 Personen Platz biete. In dem Bericht

Der Redner Oliver Benkert sprach u. a.
über Zusammenschluss der beiden deutschen Staaten:
Der Gedanke eines Zusammenschlusses
beider deutscher Staaten ist ein allgemein
brennendes Thema. Anzeichen dafür ist
die derzeitige Tabuisierung und das
Drumherumgerede. Dies vielleicht deshalb, weil keiner mehr über etwas reden
braucht, was wirkliche Anfänge genommen hat. So ist es auch an der Zeit, Forderungen in größerem Ausmaß zu stellen,
wenn man sich der möglichen Auswirkungen, die eine Konföderation mit sich
bringt, bewusst wird. Wir sind es uns und
der Weltöffentlichkeit schuldig, den Worten: ‚Daß von Deutschland nie wieder ein
Krieg ausgehen wird', Taten folgen zu
lassen."
(Nach Strohbusch: Das Licht kam aus der
Kirche. – S. 105)

22. November 1989
Runder Tisch
Nach massiven Forderungen oppositio-
neller Gruppen lenkte das SED-Politbüro
ein und schlägt einen Runden Tisch vor.

Sitzung des Demokratischen Blocks in
Hildburghausen unter Vorsitz der NDPD
zur Vorbereitung der Kreistagssitzung
vom 25.11. Die Vertreter der Parteien und
Organisationen sprachen sich für eine
weitere Zusammenarbeit im Block in
neuer Qualität aus. Der Vorschlag der
NDPD, LDPD und CDU, bei künftigen
Wahlen nur noch Parteien als Mandatsträger zuzulassen, stieß auf den Widerstand
von FDJ, VdgB, DFD und FDGB.

Das Amt für Nationale Sicherheit Bezirksamt Suhl gab eine neue Einsatzkon-
zeption der Staatssicherheit für die
Anwendung chemischer Einsatzmittel
heraus. Darin heißt es u. a.:
„1. Ihre Struktureinheit ist mit speziellen
chemischen Einsatzmitteln ausgerüstet.
2. Spezielle chemische Einsatzmittel sind
nur auf Weisung und bei Gefahr im Ver-
zug des Leiters des Bezirks durch die Leiter der Struktureinheiten einzusetzen.
Die Anwendung spezieller chemischer
Einsatzmittel darf nur durch Angehörige
erfolgen, die in den Gebrauch dieser

Mittel entsprechend der Anwenderinstruktionen (siehe Anlage) unterwiesen sind.

Dazu sind im Bezirksamt zwei Ausbildungsberechtigte des SR BCD und in den in Punkt 1 genannten Struktureinheiten je ein Ausbildungsberechtigter zu bestimmen.

4. Spezielle chemische Einsatzmittel (d.h. Reizstoffsprühgeräte R 1 und R 2 und Nebelwurfkörper mit Reizstoff sowie Abwehrspraydosen mit Reizstoff) können angewandt werden:

o wenn die Bestimmungen zur Anwendung der Schußwaffe gemäß Schußwaffengebrauchsordnung zu treffen und durch ihren Einsatz als Alternative zur Schußwaffenanwendung eine adäquate Wirkung erzielt wird;

o zur Abwehr von Gewaltakten und Angriffen auf Objekte des Bezirksamtes und der Kreisämter;

o wenn von Personengruppen Angriffe gegen die sozialistische Staats- und Gesellschaftsordnung ausgehen, Gewalttätigkeiten gegen Personen begangen werden oder unmittelbar zu erwarten sind, Gewalttätigkeiten gegen Sachen begangen werden, durch welche ernste Auswirkungen für die Sicherheit und Ordnung auftreten und den Anforderungen der Sicherheitskräfte nicht Folge geleistet wird;

o zur Bekämpfung terroristischer und anderer operativ bedeutsamer Gewalthandlungen;

o zur Abwehr von Angriffen auf Angehörige des Bezirksamtes für Nationale Sicherheit bei der Lösung dienstlicher Aufgaben."

23. November 1989
Gegen Erich Honecker wurde ein Parteiverfahren eingeleitet, der ehemalige Wirtschaftsminister Günter Mittag wurde aus der SED ausgeschlossen.

Besuch in Suhls Partnerstadt Würzburg
Die SED-Tageszeitung Freies Wort berichtete von einem Besuch in der Suhler Partnerstadt Würzburg.

Als im vergangenen Jahr die Städtepartnerschaft Würzburg – Suhl paraphiert wurde, konnte noch niemand ahnen, welchen Stellenwert diese Partnerschaft mit

Im Visier der DDR-Staatssicherheit – der Bayernturm Sternberg – Zimmerau. Eine Ansichtskarte aus den Anfangsjahren des Aussichtsturms.
Foto Hemmerich (Bad Königshofen)

Gruß vom Aussichtsturm Sternberg-Zimmerau

wird weiter das Ferienhausgebiet am Büchelberg („Berliner Feriensiedlung") beschrieben.

Simple Ansichtskarten, die von Besuchern des Bayernturms in die DDR gesandt wurden, betrachtete die Stasi argwöhnisch. So heißt es in dem Bericht:

Zurückliegend konnte inoffiziell festgestellt werden, dass im Rahmen des regen Besucherverkehrs am Aussichtsturm ehemalige DDR-Bürger, insbesondere aus dem unmittelbar gegenüberliegenden Grenzgebiet der DDR, den Besichtigungspunkt aufsuchten, um einen Blick in die „Alte Heimat" zu werfen.

In diesem Zusammenhang wurden durch die ehemaligen DDR-Bürger mehrfach Ansichtskarten vom Aussichtsturm Sternberg/Zimmerau zu Verwandten und Bekannten in die Grenzortschaften versandt und auf diese Weise politisch-ideologischer Einfluß auf die Grenzbevölkerung ausgeübt.

Inoffiziell wurde bekannt, daß der Aussichtsturm für die militärische Beobachtung des Gebietes der DDR, hauptsächlich von Angehörigen des BGS, der Grenzpolizei und des Zolls genutzt wird.

Der informative und politische Charakter des Besichtigungspunktes – Aussichtsturm Sternberg/Zimmerau ist folgender: Im Mittelpunkt steht die Verbreitung revanchistischen Gedankengutes, das auf die Beseitigung der bestehenden Grenzen und auf die Wiedervereinigung ausgerichtet ist. Im Zeitraum des Bestehens des Aussichtsturms kam es entsprechend der jeweiligen Klassenkampf-

Besonderes Interesse bei der Stasi fanden neben dem „Thüringenblick" die Gaststätte Edmund Spielmann sowie das Ferienhausgebiet am Büchelberg in Zimmerau.
Foto: Reinhold Albert

situation im Bereich des Objektes zu provokatorischen Handlungen gegen die Staatsgrenze.

Bedingt durch die Bewaldung des Schutzstreifens in diesem Bereich werden nicht alle derartigen Handlungen gegen die Staatsgrenze festgestellt. Der Aussichtsturm Sternberg/Zimmerau bildet sich im grenznahen Operationsgebiet zunehmend als Konzentrationspunkt großer Personengruppen in unmittelbarer Grenznähe heraus.

Allgemeine Anmerkungen
Bevor weiter aus der Stasiakte zitiert wird, zunächst noch einige ergänzende Anmerkungen: Eines der Wahrzeichen des Grabfelds ist der „Bayernturm" auf dem Büchelberg bei Zimmerau. Den 38 m hohen Aussichtsturm bestiegen bisher über eine halbe Million Menschen. Wie beabsichtigt, wurde das Bauwerk ein Besuchermagnet ersten Ranges im Grabfeld. Er wurde als Symbol der Einheit der Deutschen in unmittelbarer Zonengrenznähe errichtet. Im August 1964 beschlossen die Gemeinderäte der beiden Zonenrandgemeinden Zimmerau und Sternberg auf Anregung von Landrat Dr. Karl Grünewald den Bau eines Aussichtsturms.

Es wurde die Gründung einer „Turmgemeinschaft Zimmerau-Sternberg" vereinbart. Auf dem Büchelberg, einer Anhöhe von 429 m, hart an der Zonengrenze gelegen, glaubte man den richtigen Platz für einen Aussichtsturm gefunden zu haben. Landrat Dr. Karl Grünewald und Kreisbaumeister Fritz Köth, der Planer des Aussichtsturms, hatten sich zuvor bei einem Hubschrauberflug vom

den neuen Reisemöglichkeiten erhalten würde. Denn es liegt natürlich nicht nur an der relativ geringen Entfernung zwischen beiden Städten (etwa 130 km), dass die Mainstadt zu einem besonderen Anziehungspunkt für die „reisenden Hierbleiber" aus unserem Bezirk und erst recht aus der Bezirksstadt wurde. Das war Anlass für „Freies Wort", am vergangenen Sonntag auf einem Abstecher nach Würzburg zu erkunden, wie man sich dort auf den Ansturm aus den Orten eingerichtet hat. Bereits am Ortseingang werden wir erwartet. Blaulicht und energisch mit Polizeikellen winkende Menschen auf der autobahnartig ausgebauten Straße lassen uns zunächst einen Verkehrsunfall vermuten. Doch die ‚Straßensperre' entpuppt sich aus der Nähe als Informationspunkt des Johanniter Unfalldienstes für die Besucher aus der DDR. Hier werden Stadtpläne mit Parkplatzhinweisen und Merkzettel verteilt, die einer „Trabi-Verstopfung" der Innenstadt vorbeugen sollen. Extragroße Parkplätze direkt am Main sind aufnahmebereit, und auf den DDR-Personalausweis kann man kostenlos mit Bussen und Straßenbahnen durch die Stadt fahren.

Am alten Rathaus, dem ersten Anlaufpunkt des DDR-Besuchers erwartet uns ein herzlicher Empfang. Dieses Mal durch den Malteser-Hilfsdienst mit – je nach Wunsch – heißem Tee oder Kaffee und Gebäck. Von Dr. Alexander Papp, dem Pressereferenten der Stadt erfahren wir, dass der große Ansturm bereits am Tag zuvor stattgefunden hat. So seien im Rathaus über 2.000 Anträge auf Begrüßungsgeld bearbeitet und das Geld ausgezahlt worden. Andere Ausgabestellen in der Stadt hätten noch einmal über 1.000 Besuchern die 100 DM Begrüßungsgeld der Bundesrepublik oder denen, die zum zweiten Mal in Bayern sind, 40 DM des Freistaates ausgezahlt.
In einem Nebenraum hat der „Freundeskreis Suhl" einen Stand aufgebaut. Hier werden Angebote aus Würzburg und Umgebung zur kostenlosen Übernachtung für DDR-Bürger gesammelt und weitervermittelt. Über tausend Angebote waren für das vergangene Wochenende eingegangen und wurden auch zum

größten Teil genutzt. Inzwischen sind schon weitere Angebote für die kommenden Wochenenden und sogar für Weihnachten eingetroffen.

Eingestellt auf den großen Besucherstrom haben sich auch die Geschäftsleute der Stadt. Selbst zum Sonntag breiten die Händler ihre verlockenden Südfrüchte aus. Aber das Geschäft will an diesem Tag nicht so richtig laufen. „Es sind zu wenig Ostler hier. Gestern war mehr los!", ist immer wieder zu hören.

Große Kaufhäuser haben erst gar nicht geöffnet. Im Bekleidungshaus Wöhrl erfahren wir: „Es werden vor allem Kleinigkeiten gekauft – Strümpfe, Handschuhe, Spielwaren. Das große Geschäft ist nicht zu machen, aber es geht ja auch ums Anschauen. Wenn sie (die DDR-Besucher) in Würzburg sind und können kein Geschäft anschauen, das wär' doch schade!"

In dieser Situation verwundert es doch sehr, dass ein Antiquitätengeschäft an der alten Mainbrücke ebenfalls Sonderöffnungszeiten hat. Inhaber Walter Pfrang verrät schließlich, dass es ihm dabei weniger ums Verkaufen geht. Ja, es habe Angebote von Leuten aus der DDR gegeben, die sich ein paar D-Mark machen wollen. Auf die Frage, ob es sich dabei um besonders wertvolle Gegenstände gehandelt habe, antwortet er: „Das sind Gegenstände, die so 80 bis 100 Jahre alt sind. Also keine Raritäten. Die würden wir hier auch bekommen, nur nicht in diesem Angebot." Also doch nicht nur pure Menschenfreundlichkeit, die ihn zur Geschäftsöffnung gewogen hat, auch wenn Walter Pfrang betont, er sehe bei diesen Angeboten keine Gefahr des Ausverkaufs der DDR. Der Nachmittag ist schnell heran, und wir machen uns auf den Heimweg. Auch im Stau zwischen Bad Neustadt und Mellrichstadt erleben wir wieder das beeindruckende Bedürfnis der Einheimischen zu helfen, gegenüber den Besuchern aus dem anderen deutschen Staat trotz und gerade wegen der Kälte wird heißer Tee ausgeteilt, wird gegrüßt und gewunken.

(Jens Wenzel, Freies Wort, 23.11.1989)

herrlichen Rundblick, vor allem ins nahe und doch so ferne Thüringen, überzeugt.

Geplant war, den Bau bis zur Fremdenverkehrssaison 1965 fertig zu stellen – dem Jahr der sich zum 150. Mal jährenden Zugehörigkeit Frankens zu Bayern. Der Turm erhielt deshalb den Namen „Bayernturm", um an dieses Jubiläum zu erinnern.

Im Frühjahr 1966 begannen nach einigen weiteren Abstrichen in der Planung (verzichtet wurde wegen fehlender Mittel auf Aufzug und Restaurant) die Bauarbeiten, und der Turm, der 365.000 DM kostete, konnte bereits ab Frühsommer des gleichen Jahres bestiegen werden.

Der Bayernturm bietet einen herrlichen Rundblick auf den Thüringer Wald, das Coburger und Südthüringer Land, auf Obermaingebiet, Rhön, Haßberge und Steigerwald. Vor allem aber konnte bis zum Fall des „Eisernen Vorhangs" 1989/90 der Verlauf der innerdeutschen Grenze gut eingesehen werden.

Am 21. August 1966 wurde der „Bayernturm" offiziell seiner Bestimmung übergeben. Die Bürgermeister von Zimmerau und Sternberg, Edmund Spielmann und Hans Albert, bezeichneten das Bauwerk als „Leuchtturm für die Bevölkerung in Mitteldeutschland, die ihn als Symbol der Freiheit diesseits der Grenze sehen könnten!" Der Bundestagsabgeordnete Alex Hösl gab der Hoffnung Ausdruck, dass der Bayernturm eines Tages wieder mitten in einem vereinigten Deutschland in einem geeinten Europa stehen möge.

1967 errichtete Edmund Spielmann in unmittelbarer Nähe des Turms eine Gaststätte, den Berggasthof „Zum Bayernturm". Ab 1972 entstand auf Betreiben des Zimmerauer Bürgermeisters Otto Bauer und dessen Gemeinderäten am Büchelberg unterhalb des Bayernturms ein ausgedehntes Ferienhausgebiet.

Zu der in der „Feindobjektakte Thüringenblick" aufgenommenen Grenzinformationsstelle Dürrenried ist festzustellen: In Dürrenried wurde von Beamten der Bayerischen Grenzpolizeistation Maroldsweisach 1978 eine Informationsstelle geschaffen. Der mittlerweile pensionierte Polizeibeamte Ernst Schanz aus Maroldsweisach sowie der Verfasser dieses Beitrags führten hier von 1978 bis 1990 rund 30.000 Besucher an die Grenze. Nach einem Lichtbildervortrag über die Geschichte und den Aufbau der Grenze wurde der jeweiligen Gruppe ein Film gezeigt, der insbesondere das Leben an und mit der Grenze in Ost und West zeigte. Anschließend wurden die Besucher an den Sperrzaun zwischen Dürrenried und Käßlitz geführt.

Ansichtskarte der Grenzinformationsstelle Breitensee aus den sechziger Jahren. Sie wurde in der Stasi-"Feindobjektakte Thüringenblick" ebenfalls ausspioniert. Foto: Hemmerich, Bad Königshofen

In der Stasi-Akte ist über diese Informationsstelle nachzulesen:

Es wird vorgeschlagen, im Rahmen dieser Feindobjektakte die „Informationsstelle" Dürrenried, die sich in einem ehemaligen Schülerheim in Dürrenried befindet und zur Zeit von Angehörigen der Bayerischen Grenzpolizei betreut wird, operativ weiter aufzuklären. Zurückliegend gingen von dieser Informationsstelle keine größeren Aktivitäten/Handlungen gegen die Staatsgrenze aus. In BRD-Veröffentlichungen wird jedoch seit 1983 auch auf diese „Informationsstelle" verwiesen.

Nun folgt in dem Eröffnungsbericht zur „Feindobjektakte" die Aufgabenstellung für die folgenden Monate:

3. Zielstellung der Bearbeitung
Weitere Aufklärung der sogenannten Informationsstellen in Breitensee und Dürrenried und des Aussichtsturms Sternberg/Zimmerau. Dokumentierung, der von diesen Einrichtungen gegen die DDR, insbesondere gegen die Staatsgrenze, das Grenzgebiet, den grenznahen Raum sowie deren Bewohner gerichteten feindlichen Aktivitäten, der Pläne und Absichten sowie angewandter Mittel und Methoden, unter besonderer Beachtung der von diesen Feindobjekten angestrebten Kontaktaktivitäten zu DDR-Personen.
Fortsetzung der Aufklärung des Personals dieser gegnerischen Einrichtungen, ihrer Verbindung zu übergeordneten Organen der BRD und feindlichen Stellen sowie deren Verbindungen zu Personen in der DDR.
Prüfung und Nutzung vorhandener Möglichkeiten der operativen Einflußnahme auf das Informationsstellen-

Eine große Resonanz gab es auf die Aktion Eine Nacht in der Rhön. Rund 300 Bürger folgten einem Aufruf, DDR-Besucher über Nacht zu Hause aufzunehmen.

Die erste deutsch-deutsche Fußballbegegnung nach Öffnung der Grenze
ging am Buß- und Bettag über die Bühne. Das DDR-Team Traktor Christes, Krs. Suhl-Land, traf um 18 Uhr gegen die DJK Eußenhausen b. Mellrichstadt auf deren Sportplatz an. Anschließend traf man sich im Soldatenfreizeitheim zum gemütlichen Beisammensein. Selbst der Bayerische Rundfunk und das Fernsehen interessierten sich für diesen Vergleich.

In der Hildburghäuser Apostelkirche fand ein Bittgottesdienst statt. Anschließend beteiligten sich ca. 800 Bürger an einem Schweigemarsch durch die Innenstadt.

24. November 1989
Das Zollregime sollte verschärft werden
Einzelne Industriewaren, Untertrikotagen und auch Lebensmittel (z. B. Dauerwurst, einige Geflügelsorten) dürften nur von DDR-Bürgern unter Vorlage des Personalausweises in den Verkaufsstellen erworben werden. Der DDR drohte der Kollaps in der Warenversorgung, die leeren Regale nahmen merklich zu. Auch der bundesdeutsche Zoll verstärkt seine Aktivitäten, es wurde vor allem nach Tabakwaren und Spirituosen gefahndet.

Zwischen Melpers und Fladungen wurde der 2. Grenzübergang zu Unterfranken u. a. im Beisein des Regierungspräsidenten Unterfrankens, Dr. Franz Vogt, eröffnet.

In der Geheimen Verschlusssache 292/89 des Bezirksamtes des AfNS wurden Maßnahmen zur Reduzierung des Bestandes registrierter Vorgänge und Akten sowie weiterer operativer Materialien und Informationen getroffen.

„Wo drückt euch der Schuh?" wollten die Bewohner von Volkers bei Bad Brückenau von ihren neuen Mitbürgern aus der DDR wissen. Und Bürgermeister Hans Rohrmüller unterstrich vor 80 Neubürgern: „Wir wollen euch helfen

und nicht den Eindruck erwecken, die armen Verwandten aus der DDR bewirten zu müssen!"
(Main-Post, 23.11.1999)

Eine SPD-Delegation hielt sich an der Grenze bei Maroldsweisach auf. Es gab erste Hinweise darauf, dass das Straßenbauamt Schweinfurt zum Ausbau der Straße auch auf DDR-Territorium bereit war.
(Fränkischer Tag, 25.01.1990)

Grenzübergangsstellen wurden eröffnet in Melpers, Krs. Meiningen, Neuhaus-Schierschnitz, Krs. Sonneberg, und Spechtsbrunn, Krs. Neuhaus/Rwg.

Beginn der Bauarbeiten für den Grenzübergang Motzlar – Günthers. Die DDR wurde dabei intensiv von hessischen Firmen unterstützt.

25. November 1989
Krenz: Keine Wiedervereinigung
Egon Krenz erklärte in einem Interview mit der Londoner Financial Times, dass es keine Wiedervereinigung geben und die DDR ein „sozialistisches Land" bleiben werde. Die Beziehungen der beiden deutschen Staaten können aber in eine Konföderation münden, „falls in den kommenden Jahren eine Auflösung der NATO und des Warschauer Vertrages erfolge".

In einem Interview mit Freies Wort stellte der LDPD-Kreissekretär Werner Hopf die Leitlinien liberaldemokratischer Politik vor. Er forderte die Auflösung der Parteiorganisationen der SED in den Betrieben, die generelle Überarbeitung der Verfassung der DDR. Er vertrat die Auffassung, dass im 1. Halbjahr 1990 freie und geheime Wahlen kommen müssen und forderte umgehend die Erarbeitung eines neuen Wahlgesetzes, ferner die Verabschiedung von Sofortmaßnahmen für Handwerk und Gewerbe.

Hildburghausens Bürgermeister Jürgen Ließ beklagte in Freies Wort die mangelnde Teilnahme der Bürger der Kreisstadt an den Veranstaltungen zur

personal zur Einstellung ihrer gegen die DDR gerichteten feindlichen Aktivitäten.

Stasi-Spionin wurde nach Zimmerau geschickt

Diesem Eröffnungsbericht von 1984 vorausgegangen war die Entsendung einer „IM" (Inoffiziellen Mitarbeiterin der Staatssicherheit) nach Zimmerau, die ihre Erkenntnisse am 3. Juli 1983 in Berlin in der Hauptabteilung A, Arbeitsgruppe G, unter der Überschrift „Regiebericht zum operativen Auftrag Zimmerau" auf fünf Seiten protokollieren ließ.

Darin heißt es:

Am 27.6.1983 wurde die IM durch ihre Anwesenheit im Gastzimmer des Hotels Bayernturm Zeuge einer Unterhaltung der Wirtseheleute Spielmann mit zwei Zivilisten, die ein großes Interesse zeigten für Personen, die aus dem Grenzwald kamen und sich nach einiger Zeit wieder dorthin begeben. Die Gesprächsanlage förderte den Eindruck, dass sich Frau Spielmann und der eine Zivilist recht gut zu kennen scheinen. Wie festgestellt wurde, hielt sich der eine Zivilist, der stets in einer anderen Begleitung erschien, am 25.6.1983, 27.6.1983, 30.6.1983 und 1.7.1983 in Zimmerau auf. Nach Aussage der Gastwirtin handelte es sich bei diesem Zivilisten um einen Kripo-Beamten aus Bad Königshofen. Ihr zufolge soll die Gegend um Zimmerau ein Durchlaß für Personen in beiden Richtungen über die Grenze sein. Genährt wird dies durch die Feststellung eines Jägers, der von einem Jagdansitz beobachtet haben will, wie ein VW-Bus mit Schweinfurter Kennzeichen zur Grenze fuhr, dort zwei Personen ausstiegen, um durch ein Tor der Grenzsicherungsanlagen auf DDR-Gebiet zu gelangen. Der Bus sei danach wieder abgefahren.

In den Augen der Stasi war die Gedenkveranstaltung zum 17. Juni am Fuß des Bayernturms 1966 ein provokatorischer Angriff auf die Staatsgrenze der DDR.
Foto: Manfred Albert

Nach Frau Spielmann kämen öfter Personen, meist Wanderer, aus dem Wald von der Grenze nach Zimmerau und Umgebung, denen man schon an der Kleidung ansehen könne, daß sie nicht von hier (aus der BRD) sein können. In der Bekleidung ähneln diese Personen Wanderern. In der Regel trügen sie Plastebeutel ohne größeren Inhalt. Die erwähnten Kripo-Beamten benutzten für alle Fahrten nach Zimmerau einen Pkw Audi, Farbe beige.

In dem Bericht folgt das Autokennzeichen sowie eine Beschreibung des Kripo-Beamten („... kräftige Statur mit Bierbauch ...“). Weiter ist niedergeschrieben:

Generell kann die Feststellung getroffen werden, daß die Bevölkerung des Gebietes enge Kontakte zu den Grenzüberwachungskräften unterhält, was aus mehreren beobachteten Unterhaltungen an den Gartenzäunen geschlossen wird. Polizei ist kaum angetroffen worden. Die Präsenz übt der Grenzzolldienst aus, der täglich mehrmals, nachts um 2 Uhr und morgens um 5 Uhr, den Weg zum Hotel vorbei in Richtung Grenze fährt.
Nach getroffenen Feststellungen während des Aufenthaltes vom 19.6. - 02.07.1983 halten sich Angehörige des Grenzzolldienstes während des Dienstes nicht in den Gästezimmern des Hotels zum Bayernturm auf. Frau Spielmann zufolge habe es ihnen der neue Vorgesetzte - ein typischer Junggeselle, der im Dienst sehr scharf ist - untersagt, sich im Gasthaus aufzuhalten. Er selber mache diesbezüglich auch Kontrollen. Das gute Verhältnis zum Zoll aus der Zeit vor 17 Jahren, als das Hotel zum Bayernturm errichtet wurde, sei nicht mehr. Auch seien ständig neue Beamte da, die einen straffen Dienst ermöglichten. Von den alten eingesessenen Beamten, die ja während des Dienstes keinen Alkohol zu sich nahmen, sei niemand mehr da.
Die Bevölkerung im Gebiet um Zimmerau macht einen sehr neugierigen Eindruck. Für „Fremde“ haben sie ein Gespür. Nach 3 Tagen war die IM als Berliner Urlauber überall bekannt. Das mag wohl daran liegen, daß während dieser Zeit das Hotel außer von einigen Wanderern keine Gäste hatte.
Den Urlauber bezieht man in Gespräche mit ein, um zu erfahren, woher er kommt, was er beruflich macht, weshalb er in solcher „Einsamkeit“ und allein Urlaub macht, wie er auf das Hotelunternehmen gestoßen ist. Da auch im Berliner Urlauber-Dorf kaum Urlauber anwesend waren, steht der einzelne Fremde noch mehr im Blickfeld. Wenn man könnte, würde man jeden seiner Schritte registrieren.
Gegenüber anderen Urlaubsorten, wie sie z.B. im Frankenwald und in der Rhön anzutreffen sind, hat das Gebiet um Zimmerau echte Nachteile, die schon in der ungünstigen Verkehrssituation begründet liegen.

praktischen Umgestaltung des gesellschaftlichen Lebens. Er führte aus:
„Eines kann ich für den Rat der Stadt sagen: Wir werden den eingeschlagenen Weg fortsetzen, werden Möglichkeiten, darunter die Presse, nutzen, um allen Bürgern unsere Gedanken mitzuteilen und Angebote für das Mitmachen zu unterbreiten. Alle Interessengruppen der Stadt haben die Rechte für den Dialog, doch auch die Pflicht, die Veranstaltungen eigenständig vorzubereiten und abzusichern.“

Munter und frohgelaunt strömten einige tausend Menschen bei Neuhaus-Schierschnitz von Ost nach West und umgekehrt, die kurz nach halb Eins schnell man einen Ausflug ins Nachbarland unternahmen. Zur Feier des Tages drückten die Männer vom Zoll und von der DDR-Passkontrolle eine Auge zu: So erhielten Bürger der Bundesrepublik auch ohne Berechtigung ein Tagesvisum für eine Stippvisite. Überall waren noch Bauarbeiten im Gange. Die Straße musste verbreitert werden, auch Fußwege waren noch anzulegen, damit an der Grenzübergangsstelle geordnete Verhältnisse einzogen.
Nachdem am Vortag auch Grenzübergangsstellen in Spechtsbrunn und in Melpers eröffnet wurden, gab es im Bezirk Suhl zehn Grenzübergänge.
(Nach: Freies Wort, 25.11.1989)

Zwischen Heubisch und Neustadt b. Coburg wurde die Grenze nach Protesten geöffnet, die offizielle Eröffnung für den Fußgängerverkehr wurde am 17. Dezember vorgenommen.

Aus Wolfmannshausen, DDR, stammten die Musiker, die am Samstagnachmittag zur traditionellen Kirchweih in Großeibstadt aufspielten. Seit Jahren pflegten die Musiker aus der Grabfeldgemeinde enge Kontakte nach drüben, und so war es für die 15 Wolfmannshäuser Musikanten keine Frage, dass sie nach der Grenzöffnung die Musikkapelle aus Großeibstadt unterstützen würden. Eine deutsch-deutsche Musikkapelle – das war natürlich in Großeibstadt das Ereignis. Der Leiterwagen, auf dem die Mädchen durch das Dorf

gefahren wurden, zeigte neben der bundesdeutschen und bayerischen Fahne auch die der DDR.
(Main-Post, 27.11.1989)

Eine nicht alltägliche Anekdote

ereignete sich am bisherigen Ende der Staatsstraße in Richtung Hellingen, Krs. Hildburghausen. Ein DDR-Förster, der zu Besuch in Maroldsweisach, Krs. Haßberge, weilte und sein Begrüßungsgeld in Empfang nahm, fragte in der Gemeindeverwaltung an, ob er die Grenze mal von der „anderen Seite" in Augenschein nehmen dürfte. Dies bedurfte keiner Erlaubnis, doch wurde ihm sofort eine Führung von und auf der Westseite zugesagt. Just als man sich der Grenze näherte, kam aus dem Osten ein Trupp Waldarbeiter nebst Vopos. Neugierig gingen sie auf die Westler zu und staunten nicht schlecht, als sie ihren Forstkollegen darunter ausmachten. „Heinz, du bist auf der verkehrten Seite", belehrten sie ihren Förster. Der versicherte, dass er seinen „Grenzwald" nur mal von der anderen Seite anschauen wollte und auf regulärem Weg an seinen angestammten Arbeitsplatz Wald zurückkehren werde.
(Nach: Fränkischer Tag, 25.01.1990)

Abberufung von SED-Kommunalpolitikern im Kreis Hildburghausen

Der Kreistag trat zu seiner 4. als außerordentliche Sitzung einberufenen Tagung zusammen. Auf der Tagesordnung stand u. a. die Abberufung von 6 Abgeordneten bzw. Nachfolgekandidaten, darunter auf Antrag der SED-Fraktion der Abgeordneten Herbert Lindenlaub und Hans Schmidt. Für Hans Schmidt, bislang Vorsitzender der Ständigen Kommission Land-, Forst- und Nahrungsgüterwirtschaft, übernahm Manfred Simon (DBD) den Vorsitz der Kommission.

Damit wurde der scheinbare Demokratisierungsprozess fortgesetzt, dessen Hauptziel es war, die SED nach außen zu reinigen, in Wahrheit war es aber Taktik zur Rettung der Pfründe, zur Machtsicherung – mit der klaren strategischen Absicht, im vereinten Deutschland wieder führende Positionen einzunehmen.

Durch die IM wurde die Verbindungsstraße zwischen Zimmerau und Rieth gefolgt, sie ist passierbar. Alle anderen in Richtung Grenze führenden Waldwege sind für den öffentlichen Fahrzeugverkehr gesperrt, nutzbar für Forst- und Landwirtschaftsfahrzeuge. Diese Wege sind mit Schlagbäumen versehen. Warntafeln weisen auf Tollwut bei Waldtieren hin.

Zum Abschluss ihres Berichtes teilte die Spionin schließlich noch mit, welche Fahrzeuge die Gastwirtsfamilie Spielmann benutzt.

„Quartalseinschätzung der Feindobjekte"

In der Akte folgt eine „Quartalseinschätzung Feindobjektakte Thüringenblick" der Stasi-Kreisdienststelle Hildburghausen vom 28. Juni 1985. Darin wird mitgeteilt, dass ... *die Tochter Monika des Gastwirts Spielmann und deren ebenfalls im westlichen Grenzvorfeld wohnhafter Freund insbesondere seit März 1985 Verbindungen zu operativ-interessanten Personen im grenznahen Raum unseres Verantwortungsbereiches herstellten. Die Schaffung dieser Verbindung ist unter den Gesichtspunkten zu beachten, dass die Eltern der S. enge Verbindungen zur Kriminalpolizei Bad Königshofen unterhalten, die S. eine in die PID des Gegners einbezogene Einrichtung unterhalten, die ausgewählten DDR-Kontaktpartner im grenznahen Raum wohnhaft sind und enge Verbindung zu einem Objekt der Gruppe Sowjetische Streitkräfte in Deutschland (GSSD) haben. Es ist vorgesehen, die Kontaktaktivitäten der S. im Rahmen einer OPK zu kontrollieren.*

Monika Spielmann und ihr Freund hatten Kontakt zu einem Ehepaar in Gleichamberg aufgenommen. Der Gleichamberger Bekannte war in seiner beruflichen Funktion (Brigadier beim VEB Straßen- & Tiefbaukombinat Suhl, Sitz Meiningen) hin und wieder auf dem Großen Gleichberg, wo er mithalf, die Bruchanlage des ehemaligen Steinbruchs Hopf zu demontieren und zu verschrotten. Auf dem Berg war die Rote Armee stationiert.

Aus einem im Januar 1989 von Oberleutnant B. verfassten Abschlussbericht zur „OPK Steinbruch – Reg.-Nr. XI 742/85" ist nachzulesen, dass die Stasi am 15.10.1985 Ermittlungen gegen das Gleichamberger Ehepaar einleitete, da sie Verbindungen zu „operativen-interessanten BRD-Personen" pflegten, die zu einer in einer Feindobjektakte beschriebenen Einrichtung Verbindung hatten. In dem Bericht folgt eine umfassende berufliche und persönliche Einschätzung der Gleichamberger Familie, wie z. B.: „Die Gaststätte sucht er in der Regel wöchentlich einmal auf, ohne dabei dem Alkohol übermäßig zuzusprechen" oder „Die Familie wird als äußerst sparsam bezeichnet".
Jede Fahrt von Monika Spielmann und Begleitung in die DDR, speziell nach Gleichamberg, wurde fortan von Stasi-Spitzeln über-

Auf dem Georgenberg in Rodach wurde 1987 der Aussichtsturm „Henneberger Warte" eröffnet, die sogleich in das Fadenkreuz der DDR-Staatssicherheit kam und in die „Feindobjektakte Thüringer Blick" Aufnahme fand.
Foto: Reinhold Albert

25. November 1989

120 Personen nahmen nach Aufforderung eines CDU-Kreisverbandes an einer „Menschenkette" von Rasdorf über die Grenze nach Buttlar/DDR teil. DDR-Grenztruppenangehörige untersagten das Betreten der DDR.

25./26. November 1989
Ein Wochenende der Extreme

erlebten die Grenzbeamten am 25. und 26.11. in Eußenhausen und Oberfladungen, Lkrs. Rhön-Grabfeld. Am Samstag passierten 30.886 DDR-Besucher den erstgenannten und 11.000 den zweiten Übergang.

26. November 1989

Egon Krenz verkündete, dass es freie Wahlen in der DDR nicht vor Ende 1990 geben werde.

Für unser Vaterland (DDR)

Zumeist dem linken Spektrum zuzurechnende DDR-Künstler und Oppositionelle veröffentlichten den Aufruf „Für unser Vaterland", in dem die Zweistaatlichkeit als besserer Weg zur deutschen Einheit bezeichnet wurde. Der Aufruf erschien am 29.11. im SED-Zentralorgan Neues Deutschland und rief starke Kritik hervor.

wacht, denn man vermutete, der Bekannte von Frl. Spielmann würde die Russen auf dem Gleichberg ausspionieren und seine Informationen an die Westbesucher weitergeben. Monika Spielmann würde diese Informationen ihrerseits an die Kripo in Bad Königshofen berichten, zu denen ihre Mutter ja enge Kontakte pflege (s. o.), wurde gemutmaßt. Es wurde angeordnet:

```
Zur Einschränkung der Möglichkeiten des NN, Informa-
tionen über das Objekt der GSSD auf dem Großen Gleich-
berg im Rahmen seiner beruflichen Tätigkeit zu erar-
beiten, wurde durch die Abt. II der Bezirksverwaltung
(Gen. J.) Einfluß auf die Leitung des VEB STK Suhl
genommen, die Brigade des NN arbeitsorganisatorisch
auf anderen Baustellen des STK einzusetzen.
```

Nachdem die Kontakte zwischen dem Ehepaar und Frl. Spielmann abrissen, wurden die Gleichamberger am 11.11.1987 von der Stasi verhört. Im Protokoll ist u. a. nachzulesen:

Nach Aussage des NN gab es durch die BRD-Personen keine besonderen Fragestellungen, die das Objekt der GSSD oder andere bedeutsame Objekte des Bereiches betrafen. Abschließend wurden NN in der Aussprache die evtl. Konsequenzen aufgezeigt, die sich aus derartigen Kontakten für ihn ergeben könnten.

Selbst Belangloses war für die Stasi von Interesse

Im Rahmen der Abschöpfung von zuverlässigen Rentnerreisenden konnte herausgearbeitet werden, dass die Informationsstelle Dürrenried existiert. Wie die Bezugsperson eines Rentnerreisenden äußerte, werden dort ausschließlich Reisegruppen eingewiesen. Im Rahmen der zu den interessierenden BRD-Ortschaften eingeleiteten

Einmal von der anderen Seite

wollte die Bürgermeisterin von Römhild, Krs. Meiningen, die deutsch-deutsche Grenze sehen. Bürgermeister Erich Werner aus Trappstadt, Lkrs. Rhön-Grabfeld, bot sich deshalb an, dem Gast aus Thüringen diesen Wunsch zu erfüllen. Wanda Hofmann konnte den geplanten Übergang bei Trappstadt ebenso besichtigen, wie sie die im Gespräch befindlichen Übergänge bei Breitensee und Alsleben einmal von westlicher Seite in Augenschein nahm. In Trappstadt vertrat die Politikerin die Auffassung, dass die Voraussetzungen für einen neuen Grenzübergang vorhanden seien. Probleme gäbe es wohl bei Gompertshausen, da hier eine ganz neue Straße gebaut werden müsste. Bisher sei dies nur ein Fußweg. Der Grenzübergang bei Trappstadt, dessen ist sich Bürgermeister Erich Werner mittlerweile sicher, wird auch Unterstützung von „drüben"

erfahren, da Wanda Hofmann nun die Gegebenheiten auf bayerischer Seite unter die Lupe nehmen konnte. Sie war dabei vor allem von den vorhandenen Straßenverbindungen von Trappstadt nach Bad Königshofen sehr angetan.
(Main-Post, 27.11.1989)

27. November 1989
Im Raum Andenhausen, Krs. Bad Salzungen, marschierten 1.500 vor allem junge DDR-Bürger zur Grenze und forderten die Einrichtung einer Grenzübergangsstelle. Gegen 21.45 Uhr überschritten etwa 500 von ihnen die Grenze und kehrten nach Mitternacht zurück.
(Freies Wort, 09.11.1999)

In der Volksbildung der DDR kam es zu ersten Veränderungen: Der Russisch-Unterricht wurde reduziert, der Staatsbürgerkunde-Unterricht fiel weg, die 5-Tage-Unterrichtswoche wurde vorbereitet, denn zeitweise fehlten wegen der neuen Reisemöglichkeiten auch viele Schüler zum Samstagsunterricht, weil die Schulordnung nicht konsequent durchgesetzt wurde.

SED-gelenkte Kundgebung in Hildburghausen
Freies Wort berichtete, dass sich auf dem Marx-Engels-Platz 1.500 Hildburghäuser zu einer Kundgebung nach einer Einladung der SED-Parteiorganisation des Kreisbetriebs für Landtechnik für die Erneuerung der Partei und des Sozialismus versammelt haben und zitierte im Wesentlichen nur Aussagen der SED-Funktionäre und -Mitglieder.

Nach einem Friedensgebet in der Meininger Stadtkirche reihte man sich ein in die Dienstagsdemonstration. Die Bürger stellten vor der SED-Kreisleitung und vor dem Kreisamt für Nationale Sicherheit Kerzen ab.

Nach Friedensgebeten in Empfertshausen, Neidhartshausen und Fischbach, Krs. Bad Salzungen, formierte sich ein Demonstrationszug mit 4.000 Teilnehmern zum Erholungsheim des MfS Katzenstein in Andenhausen. Es wurde

Sachfahndung in der Abteilung VI der Bezirksverwaltung wurde eine operativ-interessante Verbindung eines AIM in die BRD-Ortschaft Dürrenried herausgearbeitet. Es ist vorgesehen, diese Verbindung zur Aufklärung der Informationsstelle Dürrenried zu nutzen.

Die Stasi interessierte sich offensichtlich für scheinbar völlig belanglose Dinge. So wurde am 4. Dezember 1985 in der Stasi-Kreisdienststelle Hildburghausen notiert, eine Rentnerin, die im Westen weilte, hätte erfahren, dass der Vorsitzende der Turmgemeinschaft Sternberg/Zimmerau Otto Bauer ist. Bauer sei bis zur Eingemeindung Bürgermeister von Zimmerau gewesen und wäre nun Gemeinderat in Sulzdorf. Er sei zuständig für das Auf- und Abschließen des Turmes, die Finanzabrechnung sowie für die Durchführung kleinerer Reparaturarbeiten am Turm. In diese Tätigkeit beziehe Bauer seinen Sohn Norbert sowie weitere Mitglieder der Turmgemeinschaft mit ein. Ja selbst, dass der Bayernturm 1984 infolge von Sturmschäden neu verkleidet werden musste, wird in der Akte mitgeteilt.

Der Sohn der Gastwirtseheleute Spielmann, Heribert, wurde bei seiner Ausreise nach einem Tagesbesuch in der DDR über den GüG Meiningen am 2. Oktober 1986 durch die Passkontrollstelle „abgeschöpft". Die Kontrolleure bekamen heraus, dass er als Tourist in Oberhof war und schließlich noch eine Tanzveranstaltung im „Sächsischen Hof" in Meiningen besuchte. Hierbei habe er mehrere DDR-Bürgerinnen kennen gelernt, die seiner Ansicht nach vorsichtig und zurückhaltend reagiert hätten, nachdem sie erfuhren, dass er aus dem Westen komme. Ein Adressenaustausch wurde vom Abfertigungspersonal vermutet und Heribert Spielmann „gefilzt". Offensichtlich ohne Ergebnis, denn in dem Bericht heißt es: „Bei der Abfertigung des S. wurde kein Adressenmaterial festgestellt."

Am 6. März 1987 wurde eine Konzeption zur weiteren Bearbeitung der Feindobjektakte „Thüringenblick" erarbeitet. Sie sah den zielgerichteten Einsatz der Inoffiziellen Mitarbeiterin des Staatssicherheitsdienstes (IMS) „Claudia", „Karin Adelmann" und „Goldbach" zur weiteren Aufklärung der feindlichen Einrichtungen Dürrenried, Breitensee und Bayernturm sowie der von diesen Einrichtungen ausgehenden feindlichen Aktivitäten gegen die Staatsgrenze der DDR vor.

Analysiert werden sollte fortan der Ein- und Ausreiseverkehr in die BRD-Ortschaften Breitensee, Dürrenried und Sternberg/Zimmerau mit dem Ziel, weitere nutzbare Verbindungen herauszuarbeiten. In die Akte „Thüringenblick", hieß es, solle nun auch das Objekt Georgenberg, ein neuer Aussichtsturm bei Rodach, einbezogen werden. Unter Punkt 7 dieses Stasi-Schreibens wird angeordnet:

Durch das Referat Grenzsicherung sind weiterhin zuverlässige Rentnerreisende und Reisende in dringenden

Familienangelegenheiten, die in die interessierenden BRD-Orte reisen, zielgerichtet auf die Erarbeitung von Informationen über die betreffenden feindlichen Einrichtungen und deren Personal vorzubereiten und abzuschöpfen.

Der Einstellungsbericht zur „Feindobjektakte"

Man kam offensichtlich bei der DDR-Staatssicherheit nicht recht voran. Außerdem erschienen die gegen die DDR gerichteten Aktivitäten der genannten Stellen so gering zu sein, dass der betriebene Aufwand völlig außer Verhältnis zum „Ertrag" zu stehen schien. Aus diesem Grund wurde am 1. Februar 1989 ein Einstellungsbericht zur Feindobjektakte „Thüringenblick" niedergeschrieben.

Hierin heißt es zur Informationsstelle Breitensee:

Es wird eingeschätzt, dass die Informationsstelle insgesamt wenig frequentiert wird. Das Ausstellungsmaterial der Einrichtung ist überaltert, in schlechtem Zustand und hat nur noch einen geringen Schauwert.

Zur Informationsstelle Dürrenried ist vermerkt:

Ein Zusammenhang zwischen der Existenz der Informationsstelle und den zurückliegend an der Staatsgrenze bei Dürrenried durchgeführten Hetzveranstaltungen anlässlich des 17. Juni wurde nicht bestätigt. Insgesamt kann eingeschätzt werden, dass die Wirksamkeit der Informationsstelle Dürrenried bezüglich ihrer Auswirkungen auf die Lage an der Staatsgrenze gering ist.

Bei den Ausführungen zum Aussichtsturm Sternberg/Zimmerau wurde Otto Bauer nach wie vor als Vorsitzender der Turmgemeinschaft geführt, obwohl dieser damals schon drei Jahre tot war. Wie wenig Sorgfalt die Stasi offensichtlich an den Tag legte, zeigt, dass in dem Eröffnungsbericht Zimmerau als zum Landkreis Königshofen und Dürrenried zum Landkreis Ebern gehörig aufgeführt werden, obwohl die Kreisgebietsreform in Bayern, die das Ende der genannten Landkreise mit sich brachte, bereits zwölf Jahre zurücklag. Außerdem existierte die Turmgemeinschaft Sternberg-Zimmerau schon seit der Eingemeindung nach Sulzdorf am 1. Januar 1978, also schon sechs Jahre vor „Eröffnung der Feindobjektakte", nicht mehr. Und die „Kripo" kam nicht aus Bad Königshofen, sondern aus Mellrichstadt.

Weiter ist in dem Abschlussbericht zum Bayernturm vermerkt:

Anschauungsmaterial, das sich mit der Staatsgrenze bzw. der DDR beschäftigt, wird in dieser Einrichtung – dem Bayernturm - nicht ausgestellt. Auf der Brüstung des Turmes befinden sich lediglich Blechtafeln, in denen Richtung und Orte auf dem Territorium der DDR eingestanzt sind. Im Bearbeitungszeitraum wurde festgestellt, dass das Objekt Aussichtsturm Sternberg/Zimmerau vom „Rhönclub" regelmäßig und vom „Heimatkreis Hildburghausen" 1986 zur Durchführung von Veranstal-

Zugang zum Haus gefordert. 1.500 Bürger marschierten in Richtung Grenze im Raum Andenhausen und forderten eine Grenzübergangsstelle. Gegen 21.45 Uhr überschritten ca. 500 Personen die Grenze und kehrten nach Mitternacht wieder zurück.

28. November 1989
Bundeskanzler Helmut Kohl legte dem Deutschen Bundestag ein Programm zur Überwindung der Teilung Deutschlands und Europas ohne zeitliche Festlegungen vor.

Das unterentwickelte Fernmeldewesen
In einem Interview von Freies Wort mit Oberrat Volker Neubert, Stellvertreter des Leiters beim Post- und Fernmeldeamt Meiningen, wurde die ungenügende Zahl der Fernsprechanschlüsse angesprochen. Im Krs. Hildburghausen gab es 3.000 unerledigte Anträge, 83 Orte und Ortsteile waren ohne Münzfernsprecher, darunter 14 Orte über 500 Einwohner. Es waren 5.270 Hauptanschlüsse, davon 3.500 in Wohnungen vorhanden. Das entsprach einem Versorgungsgrad von 8,79 pro 100 Einwohner (Bezirk = 9,62; DDR = 10,57). Trotz des neuen Fernmeldeamtes in der Waldstraße in Hildburghausen, für das die notwendige Nachrichtentechnik fehlt, wird sich die Situation mit der Richtzahl von 265 neuen Anschlüssen nur schrittweise bessern können. Für 1991 – 1993 ist eine neue Knotenvermittlungsstelle geplant, 1995 soll eine Endvermittlungsstelle folgen.

Die Partei Demokratischer Aufbruch (DA) konstituierte sich für den Krs. Meiningen.

Tausende zur Meininger Demo
Zum Friedensgebet in der Stadtkirche hielt der katholische Kaplan Schuchardt die Andacht. Im Mittelpunkt der Redebeiträge stand das süße Leben der Parteiführung der DDR in der hermetisch abgeriegelten Waldsiedlung in Wandlitz. Es kam auch zu Analogien zu den örtlichen Parteibonzen.

Das Notaufnahmelager für DDR-Übersiedler in Hammelburg wurde geschlossen. Die letzten von insgesamt 8.000 Übersiedlern hatten die General-Heusinger-Kaserne an diesem Tag verlassen.

In der DDR wurde bekannt gegeben: „Für die Erweiterung des Versicherungsschutzes der Kraftfahr-Haftpflichtversicherung auf Europa ist vom Halter des Kfz ein Zusatzbeitrag zu entrichten Das kann in den Kreisdirektionen/Kreisstellen erfolgen."
(Freies Wort, 28.11.1989)

29. November 1989
Die Sowjetregierung wies den Kohl-Plan energisch zurück, die westlichen Verbündeten reagierten distanziert.

In der Kreisstadt Ilmenau rief das Neue Forum zu einer Demonstration mit anschließender Kundgebung auf. 5.000 – vor allem jugendliche – Teilnehmer forderten in Sprechchören „Deutschland, einig Vaterland!"

November/Dezember 1989
Halb abgeerntet lagen in den ersten Wochen nach der Grenzöffnung etliche LPG-Felder in Thüringen unter herbstlichem Raureif. Vielfach standen auch die Apfelbäume noch mit der Last ihrer Früchte da. Die Menschen in der DDR interessierte nur eines: So viel Zeit wie möglich im Westen verbringen. In den Schulen reichte eine formlose Entschuldigung, und die Kinder konnten während der Unterrichtszeit zweimal die Woche in die Bundesrepublik fahren, ohne Ärger zu bekommen.
(Main-Post, 16.11.1999)

30. November 1989
Seit dem Fall von Mauer und Stacheldraht wurden 50 neue Grenzübergänge geschaffen.

Großen Ansturm löste das in der DDR kursierende Gerücht aus, am 30.11.1989 werde letztmals Begrüßungsgeld ausgezahlt, was natürlich nicht stimmte.

tungen genutzt wurde. Dabei wurde kein unmittelbarer Einfluss auf die Lage an der Staatsgrenze bzw. das Territorium der DDR registriert.

Unter „Aussichtsturm „Henneberger Warte" bei Rodach wurde vermerkt:
Das Objekt „Aussichtsturm Henneberger Warte" wurde 1987 in die Bearbeitung der Feindobjektakte aufgenommen. Der Aussichtsturm wurde am 30. Mai 1987 eröffnet. Nach den Ausführungen des Bürgermeisters von Rodach, Ernst Englmaier, bei der Einweihungsfeier soll mit dem Aussichtsturm nicht nur ein neues Ausflugsziel geschaffen, sondern auch die Verbundenheit mit den Menschen im anderen Teil Deutschlands dokumentiert werden.

Im Rahmen der Bearbeitung dieses Objektes wurde herausgearbeitet, dass die Person Friedrich, Egbert, Beruf Lehrer, wohnhaft in Rodach, der sich im Stadtrat Rodach maßgeblich für den Bau des Aussichtsturmes einsetzte, auf dem Aussichtsturm Einweisungen von Besuchern durchführt. Dabei versucht er die Teilnehmer der Einweisungen, insbesondere erkannte DDR-Bürger, zu den einsehbaren Militärobjekten der DDR abzuschöpfen.
Am 4. März 1988 wurde zu F. die OPK ‚Pensionär' mit dem Ziel der Aufklärung der Person, des Charakters und der Intensität seiner Verbindungen zu Personen in der DDR sowie der Erarbeitung von Hinweisen auf zielgerichtete Informations- und Nachrichtensammlung eingeleitet.

Im Kontrollzeitraum erfolgten bisher 2 Einreisen des F., bei denen er u.a. Interesse für die vom Aussichtsturm einsehbaren Bereiche zeigte.
Laut Coburger Tagblatt vom 2.4.1988 äußerte F. in einer Diskussion auf der Rodacher SPD-Hauptversammlung, dass seit Mai 1987 ca. 30.000 Besucher auf dem Aussichtsturm gezählt wurden.
Im Rahmen der 1988 durchgeführten Treffen der „ehemaligen Eishäuser und Streufdorfer" in Rodach wurde der Aussichtsturm Henneberger Warte aufgesucht, um einen Blick in die „alte Heimat" zu werfen.

Im Verlauf der bisherigen politisch-operativen Bearbeitung der Feindobjektakte „Thüringenblick" wurden *keine Hinweise über direkte feindlich-negative Auswirkungen des Wirkens der genannten gegnerischen Einrichtungen im westlichen Grenzvorfeld auf die Bewohner des Grenzgebietes/grenznahen Raumes unseres Verantwortungsbereiches erarbeitet. Die bestehenden Kontaktaktivitäten des Personals dieser Einrichtungen in unseren Verantwortungsbereich finden weiterhin operative Beachtung.* Mit dem Satz: *Es besteht keine operative Erfordernis zur Weiterbearbeitung*, schließt die Feindobjektakte „Thüringerblick".

Die Personen, die in den genannten Einrichtungen tätig waren, kamen offensichtlich erst in das Fadenkreuz der DDR-Staatssicherheit, wenn sie sich zu einem Besuch in der DDR aufhielten. So sind über den Verfasser dieses Beitrags bei der Staatssicherheit keinerlei Unterlagen vorhanden, obwohl sogen. Grenzaufklärer unzählige Fotografien von Führungen an der Grenze, die ja, wie oben ausgeführt, als feindliche Handlungen betrachtet wurden, fertigten. Auf Antrag teilte der „Bundesbeauftragte für die Unterlagen des Staatssicherheitsdienstes der ehemaligen Deutschen Demokratischen Republik, Außenstelle Suhl" unter dem Az. 000 921/94U U-01 Bro am 28.11.1995 mit: Die Bearbeitung Ihres Antrages ist abgeschlossen. Die Recherchen in den Karteien der Zentralstelle Berlin und der Außenstellen, die entsprechend der von Ihnen angegebenen Wohnorte in Frage kamen, haben ergeben, dass zu Ihrer Person keine Hinweise auf eventuelle vorhandene Unterlagen vorliegen.

Auch über die Grenzinformationsstelle Rappershausen und ihre Leiterin existierte eine Feindobjektakte

FOA „Zentrum"

Die FOA steht in engem Zusammenhang mit der OPK „Turm", in welcher die Leiterin der Grenzinformationsstelle Rappershausen, Elfriede Siegel, bearbeitet wird.

Inoffiziell wurde bekannt, dass im April 1985 eine 3-tägige Arbeitstagung der Mitarbeiter aller Grenzinformationsstellen in Tegernsee/Oberbayern stattfand, an welcher u. a. Vertreter der Landratsämter des Landes Bayern des ZGD, BGS und der BGP teilnahmen. Geleitet wurde die Tagung durch den Landesbeauftragten Heim. Im Mittelpunkt standen Vorträge zur deutschen Frage und die Berichterstattungen aller GIS-Leiter über ihre Tätigkeit und gesammelten Erfahrungen der letzten Jahre.

Durch die Leiterin der GIS Rappershausen wurde in ihrem Diskussionsbeitrag eingeschätzt, dass sich der Bau des Aussichtsturms positiv ausgewirkt hat und sich die Besucherzahl wesentlich erhöhte.

Des Weiteren wurde erarbeitet, dass die S. in den Monaten Juli/August (Ferienmonate) Reisen in die Schweiz, nach Frankreich und in die DDR durchführte.

Während der Aktion „Treffpunkt" hielt sie sich in Leipzig auf und ist durch Aufnahme zahlreicher Kontakte in Erscheinung getreten. Vermutlich nahm die S. als Mitglied des Arbeitskreises innerdeutsche Kontakte Bad Neustadt an der organisierten Reise vom 04. bis 09.09.1985 nach Leipzig teil.[62]

59 Mio. DM Begrüßungsgeld zahlte die Bundespost in Bayern im November 1989 an DDR-Besucher aus. 13.000 Überstunden leisteten die Beamten. Am stärksten belastet war das Postamt im oberfränkischen Hof, wo rund um die Uhr ausgezahlt wurde.

November 1989
Die Nationale Front im Bezirk Suhl löste sich auf.

Im VEB Kraftverkehr Bad Salzungen kam es wegen der Einsetzung eines neuen Betriebsdirektors zu einem Warnstreik.

1. Dezember 1989
Die führende Rolle der SED wurde aus dem Artikel 1 der Verfassung der DDR gestrichen. Der Bericht des Untersuchungsausschusses der Volkskammer über Privilegien der SED-Partei- und Staatsführung wurde veröffentlicht.

Seit dem 09.11.1989 passierten 9.090.200 DDR-Bürger die innerdeutsche Grenze, seit Januar hatten 300.633 Bürger die DDR verlassen. Seit 1949 waren es damit insgesamt 3.400.000, die dem „Arbeiter-und-Bauern-Staat" den Rücken kehrten.

Die SED-Kreisleitung Neuhaus/Rwg. beschäftigte nur noch 30 hauptamtliche Mitarbeiter an Stelle von ehemals 65.863 SED-Mitglieder und Kandidaten traten aus der Partei aus, 9 Grundorganisationen lösten sich auf, 18 Parteisekretäre legten ihre Funktion nieder. (Wiegand I, 06.12.1994)

In Sonneberg-Neuenbau überschritten 180 Bürger unerlaubt die Grenzsicherungsanlagen.

Mit Beginn des Monats Dezember begannen die DDR-Grenztruppen mit dem Abbau der Sperranlagen.

Rekordverdächtige Zahlen von den Grenzübergängen Eußenhausen und Oberfladungen: Seit 10.11.1989 kamen hier über 200.000 Menschen aus der DDR in den Westen. Das Leben in Mellrichstadt musste sich wieder normalisieren,

meinten die Mitglieder eines Krisenstabes in der Verwaltungsgemeinschaft. Langsam müsse man versuchen, wieder geregelte Verhältnisse zu erzielen. Auf Dauer könne sich nicht das ganze Leben nach den Besuchern aus dem Osten richten. Auftakt zu den Normalisierungstendenzen: Die Schließung der Auszahlungsstellen am folgenden Wochenende.
(Main-Post, 01.12.1989)

2. Dezember 1989
Bei Rostock wurde von Bürgern ein Waffenlager der IMES GmbH (KoKo) entdeckt. Von hier exportierte die DDR Kriegsgüter in Spannungs- und Kriegsgebiete. Federführend in diesen Waffengeschäften war der DDR-Staatssekretär und Staatssicherheitsoberst Dr. Alexander Schalck-Golodkowski. Er floh am 03.12.1989 in den Westen.

Versuch, die gelichteten SED-Reihen zu schließen
„Die SED führt im Sozialgebäude des VEB Thuringia Sonneberg-Oberlind eine Kreisdelegiertenkonferenz durch. Rund 300 Delegierte aus 165 Grundorganisationen dieser Partei – 44 entsandten keine Vertreter – trennen sich vom Führungsanspruch. Zum SED-Sonderparteitag werden 11 Delegierte und drei Ersatzdelegierte gewählt. Die Delegierten wählen einen neuen 1. Sekretär, eine verkleinerte Kreisleitung und diese wiederum ein um die Hälfte verkleinertes Sekretariat von 5 hauptamtlichen durchweg jungen Sekretären. In der SED-Kreisleitung gibt es somit noch 59 anstelle von 118 (!) Vollbeschäftigten. Im Kreis Sonneberg haben sich 13 Grundorganisationen aufgelöst, und es gibt bis heute 2.107 Parteiaustritte. Selbst Kenner der Materie werden die heutige Tagung als einen letzten vergeblichen Versuch werten, die gelichteten Reihen zu schließen und die SED wieder handlungsfähig zu machen. Welch gewaltiger Irrtum!"
(Wiegand I, 06.12.1994)

Zwischen Motzlar und Günthers wurde der Grenzübergang geöffnet.

Ein Spirituosenvertreter aus dem Coburger Land, sein Großcousin aus Hildburghausen und der Bayernturm bei Zimmerau

Nach Veröffentlichung eines Berichtes über die o. g. Feindobjektakte der DDR-Staatssicherheit in der örtlichen Presse meldete sich Franz Vollkommer aus Merlach im Coburger Land. Er teilte mit, dass er die in dem Beitrag genannten Objekte (Grenzinformationsstellen Dürrenried, den Bayernturm usw.) im Auftrag der DDR-Staatssicherheit ausspionieren sollte. Er sei für diese Aufgabe offensichtlich ausgewählt worden, weil er zum einen als Vertreter für einen Spirituosenhersteller in den grenznahen Bereichen in Ober- und Unterfranken unterwegs war und zum anderen Verwandtschaft in der DDR hatte, die er jährlich mehrmals besuchte.

Franz Vollkommer brach den Kontakt zu seinem Großcousin und dessen Familie aus Hildburghausen aber 1982 ab, nachdem er den dringenden Verdacht hegte, dass ihn sein Verwandter ausspionierte und er offensichtlich kurz davor stand, eine Verpflichtungserklärung für die DDR-Staatssicherheit unterschreiben zu müssen. Nach der Friedlichen Revolution in der DDR und der deutschen Wiedervereinigung wurde sein Verdacht bestärkt, nachdem sich sein Großcousin ihm gegenüber äußerst reserviert verhielt. Auf Grund dessen beantragte Vollkommer Mitte der neunziger Jahre beim „Bundesbeauftragten für die Unterlagen der DDR-Staatssicherheit" Einblick. Ihm wurde mitgeteilt, seine dort befindlichen Akten seien so umfangreich, dass er diese nicht in der Außenstelle Suhl einsehen könne, sondern nur in Berlin in der so genannten „Gauck-Behörde", die im ehemaligen Ministerium für Staatssicherheit in der Normannenstraße untergebracht ist. Franz Vollkommer fand seinen vagen Verdacht bestätigt.

Großcousin spionierte für die Stasi
Nach Aktenlage ergibt sich folgender Sachverhalt: Die Stasi legte am 26.04.1981 einen mit dem Vermerk „Streng geheim" versehenen „Auskunftsbericht" über Franz Vollkommer an, in dem z. B. auch seine „religiöse Bindung" vermerkt ist. Als nächstes folgt in der Akte ein „Beschluß über das Anlegen eines IM-Vorlaufs". Vollkommer wurde fortan in den Unterlagen mit dem Stasi-Decknamen „Vollmer" geführt und in die Kategorie „IMS" eingestuft. Dies bedeutet, aus ihm sollte ein Inoffizieller Mitarbeiter im bzw. für einen besonderen Einsatz geformt werden. Er sollte auf Grund seiner Fähigkeiten und Voraussetzungen sowie vorhandener oder zu schaffender Möglichkeiten zur „.... Lösung spezieller politisch-operativer Aufgaben" eingesetzt werden. Aus Vollkommer sollte also ein IM in Schlüsselposition werden, dessen Entscheidungsbefugnis zur Durchsetzung von Interessen des Ministeriums für Staatssicherheit der DDR unmittelbar genutzt werden sollte.

An ihm biss sich die DDR-Staatssicherheit die Zähne aus – Spirituosenvertreter Franz Vollkommer am Signalzaun der DDR-Grenzsperranlagen wenige Wochen nach der Grenzöffnung in der Nähe seines Heimatorts Merlach im Coburger Land. Foto: Franz Vollkommer

Bei der Stasi-Kreisdienststelle Hildburghausen wurden Karteikarten für Franz Vollkommer, seine Ehefrau Cäcilia und Sohn Richard angelegt. Unter dem 31.03.1981 erstattete Stasi-Oberleutnant S. einen Eröffnungsbericht:

```
Im Rahmen der Suche und Auswahl von operativ-interes-
santen Personen aus dem Grenzvorfeld der BRD wurde im
Januar 1981 bei Einsichtnahme in die Zählkartenkartei
der Kreisdienststelle Hildburghausen der Bürger der
BRD Vollkommer, Franz, Merlach, Kreis Coburg bekannt.
Als Reiseziel in der DDR wurde auf den Zählkarten in
beiden Fällen der Bürger der DDR XY aus Hildburghausen
angegeben. Mitreisende war jeweils die Ehefrau. Es
wird vorgeschlagen die Person Vollkommer, Franz, nach-
folgend als Kandidat Vollmer bezeichnet, in operative
Bearbeitung zu nehmen. Auf Grund des operativ-interes-
santen Berufes bzw. Tätigkeit und auf Grund seines
Wohnorts (er liegt ca. 400 m von der Staatsgrenze ent-
fernt und ist Schwerpunktraum für verstärkte Einwei-
sungen - Informationsstelle Dürrenried liegt ca.
1,2 km entfernt) in unmittelbarer Nähe der Staatsgren-
ze und der vorhandenen Verbindung in die DDR erscheint
die Person bearbeitungswürdig. Die Zielstellung und
Bearbeitung des Materials besteht in der Aufklärung
der Voraussetzungen und Möglichkeiten, um Eignung und
Werbbarkeit für die Gewinnung als Ermittler-IM zu prü-
fen. Das Ziel besteht darin, die DDR-Bürger XY und
seine Ehefrau (Verwandte Vollmers) als möglichen
Stützpunkt aufzuklären und zu gewinnen, um diese zur
Realisierung der o.g. Zielstellung zu nutzen.
```

Der FDP-Kreisverband Haßberge ging von einer rosigen Zukunft des Zonenrandgebietes aus. Mit den Entwicklungen vom 10.11. erfülle das Gebiet nun eine wichtige Brückenfunktion als Nahtstelle zwischen Ost und West, stand in einer Pressemitteilung des Kreisverbands.

„Zaun auf, Zaun auf", forderte eine Menschenmenge an der Grenze zwischen Trappstadt und Eicha. Für den 09.12.1989 war die Öffnung des offiziellen Grenzübergangs angekündigt worden. Gegen 13.30 Uhr öffneten die Grenzwächter die Grenze und 500 bis 600 Thüringer zogen in das überraschte Trappstadt.

Vor geschlossener Grenze standen am Samstag fünf Jugendliche aus der DDR, die bei einem Besuch in Trappstadt zu lange in der Kneipe gesessen und die Schließung des Übergangs verpasst hatten. Sie mussten in Trappstadt übernachten und kamen anderntags erneut zur Grenze, die an diesem Tag allerdings zubleiben sollte. Ausnahmsweise durften die Jugendlichen dann aber doch nach Hause.

Die Grenzübergänge Fürth am Berg – Mupperg und Tettau/Sattelpass – Neuenbau wurden geöffnet.

580 Personen passierten zu Fuß den provisorischen Grenzübergang zwischen Effelder und Meilschnitz.

Zwischen Lindenau, Krs. Hildburghausen, und Autenhausen, Lkrs. Coburg, wurde die Grenze geöffnet.

Nach Protesten aus der meist jungen Bevölkerung wurde zwischen Frankenheim und Leubach ein „genehmigtes" Loch in den Zeit geschnitten, und ca. 1.000 Bürger gelangten in den Westen. Tags darauf wurde das Loch zwischen 12 und 18 Uhr wieder geöffnet.

2./3. Dezember 1989
Die Landkreise Rhön-Grabfeld, Coburg und Hof zahlten am Wochenende des 2. und 3.12.1989 kein Begrüßungsgeld an DDR-Besucher aus. Die Maßnahme

resultierte aus einem Beschluss des bayerischen Städtetages. Die seit Wochen in Dauerstress stehenden Bediensteten in Oberfranken sollten eine Pause einlegen. Den unterfränkischen Landkreisen schlossen sich Coburg und Hof an, um zu vermeiden, dass alle Reisenden nach dem Lkrs. Rhön-Grabfeld auswichen, „was zweifellos ein Chaos ohnegleichen nach sich ziehen würde", erläuterte Regierungsrätin Ursula Kraus vom Landratsamt Rhön-Grabfeld.
(Main-Post, 23.11.1999)

3. Dezember 1989
Rücktritt des Politbüros und des ZK der SED

Krenz verlor sein Amt als SED-Parteichef. Honecker und elf weitere Spitzenfunktionäre der früheren Staats- und Parteiführung wurden aus der SED ausgeschlossen, darunter Hans Albrecht, der Suhler Bezirksfürst.
Tisch, Mittag und der Erfurter 1. SED-Bezirkssekretär Gerhard Müller wurden wegen Amtsmissbrauch verhaftet. Hans Albrecht wurde später ebenfalls verhaftet. 1993 wurde gegen ihn eine 4 1/2-jährige Freiheitsstrafe wegen „Beihilfe zum Totschlag" verhängt, weil A. als Mitglied des Nationalen Verteidigungsrats mitverantwortlich für den Schießbefehl an der innerdeutschen Grenze war.
Die Geschäfte des Politbüros übernahm ein Arbeitsausschuss, dem u. a. der stasibelastete Rechtsanwalt Dr. Gregor Gysi, der später als Wahlfälscher verurteilte Dresdner Oberbürgermeister Wolfgang Berghofer und der ehemalige stellvertretende Staatssicherheitsminister General Markus Wolf angehörten.

Die Aktion Sühnezeichen des Neuen Forums[5]
und andere Organisationen riefen für die Zeit zwischen 12.00 und 12.15 Uhr zu einer Menschenkette durch die DDR zur demokratischen Erneuerung des Landes (Für Demokratie und Freiheit) auf. Es gab u. a. Menschenketten von Suhl nach Schmiedefeld, von Zella-Mehlis nach Suhl, in Sonneberg vom Bahnhof bis zum Kreiskrankenhaus, an der Grenze bei Römhild und Eisfeld.

Wie es scheint, kam die Staatssicherheit in ihren Bemühungen recht gut voran, denn in einem Bericht, überschrieben Vorschlag *zum Anlegen eines IM-Vorlaufes (Ermittler)-Kandidat Vollmer* vom 13.08.1981, ist protokolliert:

Nach dem bisherigen Stand der Bearbeitung ergeben sich positive Voraussetzungen, um die Bearbeitung fortzusetzen. Sie erfolgt mit der Perspektive der Gewinnung als Ermittler zur Aufklärung der OVT- und Regimeverhältnisse im Bereich des Wohnorts und des Tätigkeitsbereiches Vollmers. Zielstellung ist weiterhin in der weiteren Aufklärung der Persönlichkeit des Vollmer, um Eignung und Werbbarkeit für eine nachrichtendienstliche Tätigkeit zu prüfen. Im Folgenden wird der Aufbau des geeigneten DDR-Stützpunktes (SIM „Schneider Helmut") fortgesetzt. Es ergaben sich hierfür positive Voraussetzungen. ...

Das bedeutet also, Vollkommers Großcousin sollte und konnte für die Dienste der Staatssicherheit gewonnen werden. Er erhielt auch gleich einen stasiüblichen Decknamen – IM „Helmut Schneider" und u. a. folgenden Aufgabenkatalog:

- Einsatz zur Festigung und zum Ausbau des persönlichen Kontaktes zu Vollmer.
- Gezielte Gesprächsführung des SIM bei Einreise des Vollmer in die DDR auf Grundlage eines schriftlichen Auftrages.
- Nutzen der vorhandenen und auszubauenden postalischen Verbindung SIM Schneider zu Vollmer.

Es wurde festgelegt, dass IM Helmut Schneider, wie es im gestelzten DDR-amtlichen Jargon heißt, zur Erziehung und Befähigung zur Durchführung der Aufgaben laut Zielstellung unter Ausnutzen persönlicher Interessen und Neigungen sowie Mittel und Methoden der Kontaktaufnahme und konspirativen Herauslösung aus dem Verwandtenkreis zu schulen ist. Gemeinsame berufliche Interessen Vollmers und Schneiders wären zu fördern. Methoden der Abschöpfung seien anzuwenden, um zielgerichtet zu Informationen zu kommen. Diese Schwerpunkte seien bei planmäßigen monatlichen Treffs seines Führungsoffiziers mit ihm immer wieder anzusprechen und ihm Hilfestellung zu leisten.

„Ein typischer Bayer ...!"

Unter dem 23.09.1981 wurde eine „Einschätzung zu Denk- und Verhaltensweisen, Haltungen und Verbindungen" Vollkommers erarbeitet. In dem Stasi-Bericht heißt es u. a.:

Vollmer tritt als ein großmäuliger und poltriger Typ in Erscheinung. Seine Ausdrucksweise entspricht der eines typischen Bayern. Realistische Ansichten zur sozialistischen Entwicklung in der DDR sind kaum sichtbar. Charakterlich tritt er grobschlächtig in Erscheinung. Er ist redsam, neigt zu sporadischen

Äußerungen, tritt zum Teil arrogant auf. Er brachte zum Ausdruck, daß die in der BRD produzierten Artikel in jedem Fall besser und moderner sind als unsere. Bei seinen Aufenthalten in der DDR ist er mit Geschenken oder Aufmerksamkeiten sehr zurückhaltend. Vollmer wird als eine intelligente Person eingeschätzt, die sich zum Teil mit Gerissenheit äußert. Er neigt zur Bauernschläue. Diese Haltung des Vollmer wird in enger Beziehung zu seiner beruflichen Tätigkeit als Reisender/Vertreter gesehen. Er muß so auftreten, wenn er eine gesicherte Existenz anstreben will."

Im Oktober 1981 wurde notiert, der SIM (= Sicherungs-IM) Helmut Schneider sei bereit und in der Lage, den Vollkommer im Sinne des Vorhabens der Staatssicherheit zu beeinflussen. Am 06.11.1981 berichtete SIM Schneider bei einem Treff mit seinem Führungsoffizier, dass Vollkommer wegen des Krankenaufenthalts seiner Tochter gegenwärtig nicht zu einem Besuch in die DDR fahren könne. Im August 1981 verunglückte sie bei einem Autounfall, bei dem ihr Freund ums Leben kam und ist seitdem querschnittsgelähmt.

Schneider berichtete bei diesem Treffen mit seinem Führungsoffizier lediglich über eine Karte, nicht aber über einen Brief, dessen Inhalt die Stasi aber kannte. Der Brief wurde wohl, wie alle anderen Briefe in die DDR, geöffnet, kopiert und der Stasiakte beigegeben. Schneiders Verschweigen erweckte das Misstrauen der Stasi und man kam zu der Einsicht, dass der IM noch intensiver im Sinne der DDR-Staatssicherheit geschult werden müsse – mit Erfolg, wie sich zeigen sollte.

Am 06.12.1981 schrieb Vollkommer erneut einen Brief an Schneider und kündigte einen kurzfristigen Besuch in Hildburghausen an. Die Stasi-Kreisdienststelle ordnet daraufhin an:

Genannte Hinweise aus M-Maßnahmen (Briefüberwachung) sind zur Feststellung von Ehrlichkeit und Zuverlässigkeit des SIM Schneider im Treff am 6.1.1982 zu nutzen. Prüfen ob Schneider zum Sachverhalt berichtet.

Bei diesem Treff gab Schneider nun aber bereitwillig Auskünfte, ungefragt auch über den zuvor verheimlichten Inhalt des Briefes vom 06.12.1981. Schneider wurde bei dem Treffen mit seinem Führungsoffizier für den Besuch seines Großcousins Vollkommer entsprechend instruiert. So solle er ein

... politisches Gespräch führen, um Hinweise zu seinen konkreten Einstellungen und Haltungen zur Entwicklung in der BRD und DDR zu bekommen.

Am 04.02.1982 berichtete Schneider seinem Führungsoffizier über den Besuch in Hildburghausen:

Am 24.1.1982 weilte in der Zeit von 10 – 16 Uhr mein Großcousin Franz mit seiner Ehefrau bei meiner Familie. Der Besuch erfolgte unangemeldet. Ausgerechnet an diesem Tag weilte ich in Goldlauter und kam erst gegen

Knast für Albrecht und Wolf

Der ehemalige 1. Sekretär der Bezirksleitung der SED, Hans Albrecht, und der Kombinatsdirektor des VEB Wohnungsbaukombinats, Walter Wolf, wurden wegen mehrfacher Anstiftung zur Untreue zum Nachteil des sozialistischen Eigentums in Tateinheit mit Hehlerei verhaftet und in Untersuchungshaft genommen.

An der Sperre Seiferts – Birx wurde von Bürgern der Bundesrepublik eine Metallgittermatte gelöst, gegen 14.45 Uhr überschritten ca. 70 Personen die Grenze. Sie wurden von Angehörigen der Grenztruppen höflich zur Rückkehr aufgefordert.

Für 14 Stunden blieb zwischen Oberweid und Simmershausen für ca. 1.500 Personen das Grenztor geöffnet.

Ein Demonstrationszug erzwang zwischen Andenhausen und Theobaldshof/ Tann erneut den Grenzübertritt, 2.500 Personen gelangten in die Bundesrepublik. Erst am 22.12.1989 wurde der Fußgängerüberweg offiziell eröffnet.

Der Grenzübergang Effelder – Meilschnitz wurde geöffnet.

Die Bürger von Almerswind, Krs. Sonneberg, überschritten gegen 11 Uhr die Grenze nach Weißenbrunn vorm Wald auf dem seit 37 Jahren gesperrten historischen Kirchweg. Almerswind gehörte vor der Teilung zum Kirchspiel Weißenbrunn. Aber auch Bürger aus Ehnes, Schalkau und Bachfeld waren dabei, insgesamt ca. 300. Es kam zu einem Volksfest. Auch wenn die Bundesbürger den Grenzübergang offiziell nicht nutzen durften, waren die DDR-Grenzposten großzügig. Die Almerswinder erheischten von ihren westlichen Nachbarn Worte der Anerkennung für ihr gepflegtes Dorf.
(Wiegand I, 06.12.1994)

Einem abendlichen Friedensgebet in der Dreifaltigkeitskirche in Eisfeld folgte eine Demonstration mit ca. 1.000 Bürgern.

4. Dezember 1989

CDU und LDPD traten aus dem Demokratischen Block der Parteien und Massenorganisationen aus.

Beginn der Besetzungen des AfNS

Die Besetzung der Bezirksverwaltung Erfurt des Amts für Nationale Sicherheit (AfNS) erfolgte mit einer spontanen Aktion der Erfurter Ärztin Dr. Kerstin Schön (Frauen für Veränderung) und später weiterer Gruppen. Das unspektakuläre Überrumpeln des Geheimdienstes hatte Signalwirkung für die gesamte DDR.

In einem Treffen zwischen Vertretern der Bürgerbewegung und dem Chef des AfNS, Generalleutnant Schwanitz, wurde gefordert, die Aktenvernichtung des Geheimdienstes und der Geheimpolizei zu stoppen.

Besetzung des AfNS in Neuhaus/Rwg.

Am Vormittag begehrten Vertreter des Sprecherrates der Bürgerinitiative Neuhaus Einlass in das Gebäude des Kreisamtes für Nationale Sicherheit (ehemals MfS), um hier die Vernichtung der Akten über persönliche Daten von Bürgern und Vorgängen zu überprüfen und die Versiegelung der Panzerschränke vorzunehmen, dies geschah vom Kreisstaatsanwalt und einem Vertreter von Freies Wort.

Nahezu viertausend Frauen, Männer und Jugendliche folgten in Neuhaus/Rwg. dem Aufruf der Kundgebung „Für unser Land und alle Menschen, die hierbleiben wollen".

Im Anschluss an das Friedensgebet versammelten sich die Bürger zu einem mächtigen Demonstrationszug, um ihren Willen nach radikalen Veränderungen lautstarken Ausdruck zu verleihen. Die Demonstranten trugen Losungen „Deutschland, einig Vaterland" und „Für unser Land – trotz alledem".
(Wolfgang Wiegand II, S. 200)

Drei Grenzübergänge zwischen Franken und der DDR sollten in der nächsten Zeit entstehen. Bereits am 04.12.1989 wurde mit den Arbeiten bei Trappstadt (Lkrs. Rhön-Grabfeld) und Allertshausen (Lkrs.

17 Uhr zurück. ... Ich konnte deshalb nicht das persönliche Gespräch mit dem Franz führen, lediglich hatte ich nachfolgend mich bei meiner Ehefrau über die Ergebnisse seiner Haltung und Meinung und mögliche weitere Einreiseabsichten des Franz erkundigt.

Haarklein berichtete Schneider nun jedes von seiner Ehefrau erfahrene Detail des Besuchs. Der Führungsoffizier konstatierte:

SIM Schneider ist bereit, seine Aktivitäten darauf zu richten, die postalische Verbindung aufrechtzuerhalten und die nachfolgende Einreise des Vollmer anzustreben, um dabei das persönliche Gespräch zu führen.

IM Schneider schrieb deshalb schon am 31.01.1982 einen Brief an Vollkommer, der jedoch, wie er seinem Führungsoffizier am 19.03.1982 mitteilte, unbeantwortet blieb.

Panne bei der Stasi

Aus den Unterlagen ist ersichtlich, dass der Staatssicherheit offensichtlich eine kleine Panne unterlief, denn der Brief Schneiders gelangte „ungeprüft" in den Westen. Es heißt: ... *Obwohl M-Kontrolle (= Postkontrolle) eingeleitet ist, konnte die Absendung des Briefes nicht festgestellt werden.* Die Postkontrolle wurde von der „Abteilung M" durchgeführt. Sie war als selbstständige Abteilung der DDR-Staatssicherheit für Post- und Paketkontrollen sowie Postzollfahndungen zuständig.

IM Schneider erhielt nun von seinem Führungsoffizier ein persönlich abzuzeichnendes Schreiben folgenden Inhalts:

In Weiterführung bereits mündlich erteilter Aufgaben zur Herstellung und Festigung des persönlichen Kontaktes zu Vollmer erhältst Du vom Ministerium für Staatssicherheit folgenden Auftrag:
- Wie beurteilt Vollmer die Ergebnisse des stattgefundenen Zusammentreffens zwischen E. Honecker und Bundeskanzler Schmidt bez. der gemeinsamen Verantwortung beider deutscher Staaten für die Sicherung und Erhaltung des Friedens?
- Was denkt er über das Herrschaftssystem der BRD, was über das der DDR?

Es folgen weitere 18 der üblichen Fragen. Abschließend heißt es in Schneiders Auftrag: Im Ergebnis der Gespräche soll erreicht werden, daß Vollmer uns in der Folgezeit besucht, um den persönlichen Kontakt weiter auszubauen und zu festigen. Der Auftrag wurde mit mir beraten. Über die Erfüllung werde ich dem Mitarbeiter umfassend berichten.

Schneiders Führungsoffizier teilte am 26.04.1982 vorgesetzten Stellen mit:

... Die gegenwärtigen Aktivitäten sind darauf gerichtet Voraussetzungen für die nachrichtendienstliche Tätigkeit zu prüfen. Die Bearbeitung erfolgt mit der Perspektive der Gewinnung als Ermittler zur Aufklärung subversiver Handlungen gegen die Staatsgrenze der DDR und zur Aufklärung der OVT und Regimeverhältnisse im Wohn- und Tätigkeitsbereich.

Die Stasi-Hauptabteilung (HA) I in Meiningen informierte die Kreisdienststelle Hildburghausen mittels Vermerk vom 10.07.1982, dass der „Kandidat" Vollmer ab 19.07.1982 die Einreise in die DDR zu Schneider beantragte. Am 26.07.1982 musste SIM Schneider deshalb ein Gespräch mit Major G. von der Stasi-Hauptabteilung I in Meiningen führen. Dieser instruierte ihn noch einmal ausführlich für den bevorstehenden Besuch. Der bisherige Führungsoffizier, Oberleutnant S., wurde offensichtlich wegen der Wichtigkeit des Kandidaten Vollmer durch den Major abgelöst.

Bei einem weiteren Treffen mit seinem neuen Führungsoffizier am 06.10.1982 in der „Sinfonie" in Hildburghausen berichtete Schneider, dass Vollkommer bei ihm unangemeldet am 05.09.1982 von 10 bis 19 Uhr zu Besuch weilte. Schneider berichtete ausführlich und der Führungsoffizier lobte:

Der SIM Schneider hat seinen Auftrag erfüllt. Seine Angaben sind wahrheitsgetreu. Durch vorliegendes Vergleichsmaterial können die Angaben über Firma, Arbeitsstelle, die Heimatgruppe „Heldburg" usw. bestätigt werden.

Man baute seitens der Stasi also offensichtlich „Sicherungen" ein, um festzustellen, ob der IM log oder wahrheitsgemäß berichtete.

SIM Helmut Schneider teilte seinem Führungsoffizier den Ablauf des Tages mit. Er unternahm mit Vollkommer und dessen Familie einen Ausflug nach Frauenwald und Oberhof, um die Besucher laut Auftrag entsprechend „abzuschöpfen". So konnte Schneider u. a. mitteilen, dass Vollkommer Anhänger der CSU ist. Außerdem vertrete er die Meinung, in der DDR würde es keine Demokratie und Freiheit geben. Weiter steht zu lesen:

Im Verlauf der geführten Unterhaltung ging ich noch auf das Treffen der ehemaligen Heldburger zu Pfingsten in Gemünda ein, dazu benutzte ich die Legende, dass ich von Frauen meines Betriebes, die aus dem Raum Heldburg sind, gehört habe, dass ein solches Treffen jährlich zu Pfingsten in Gemünda durchgeführt wird und durch diese Gruppe 1981 ein Gedenkstein am Heuberg bei Merlach aufgestellt wurde, der jedesmal mit aufgesucht wird. Weitere Angaben über Grenzprobleme machte er nicht.

Der Führungsoffizier schätzte als Ergebnis des Besuchs der Familie Vollkommer ein:

Haßberge) begonnen. Außerdem, so Hauptmann Hölzel von den DDR-Grenzorganen, sei geplant, bei Lindenau im Bereich Coburg einen weiteren Durchgang zu schaffen.
(Nach: Main-Post, 04.12.1989)

50 zumeist jüngere Einwohner aus dem DDR-Dorf Frankenheim in der Rhön erzwangen durch ihren friedlichen Protest, dass DDR-Grenzer ein Loch in den Zaun schnitten. Die Bürger konnten so in Richtung Leubach gehen.

Erstes Treffen des Landrats Walter Keller, Lkrs. Haßberge, und des Vorsitzenden des Rates des Kreises Johannes Müller, Hildburghausen. Zusammen mit Straßenbauexperten von Straßenbauamt und Landratsamt mit dem Leitenden Baudirektor Fritz Wagner an der Spitze wurde über Ausbaumöglichkeiten gesprochen.
(Fränkischer Tag, 25.01.1990)

In Sonneberg zogen Demonstranten nach dem Friedensgebet zum Kreisamt für Nationale Sicherheit. Die Forderungen des Abends lauteten:
- finanzielle Entschädigung für alle ehemaligen politischen Gefangenen,
- Rücktritt des Rates des Kreises,
- Übernahme der Amtsgeschäfte durch den bisherigen Stellvertreter des Vorsitzenden, Gunter Scheler.

Grünes Forum
Im Staatlichen Forstwirtschaftsbetrieb Hildburghausen gründeten die Forstmeister Dr. Joachim Hoffmann und Ingward Ullrich das Grüne Forum – eine unabhängige Initiative zur demokratischen und wirtschaftlichen Erneuerung der Forstwirtschaft, das sich am 09.03.1990 in Weimar zum Grünen Forum Thüringens konstituierte.
Aus ihm ging der am 29.05.1990 in Erfurt gegründete Forstausschuss Thüringen (FAT) hervor. Ihm gehörten demokratisch gewählte Vertreter aller forstlichen Institutionen Thüringens an. Er war ein unabhängiges, beratendes Gremium für eine demokratische Neugestaltung der Forstwirtschaft in Thüringen. Der FAT wurde

nach Installation der neuen forstlichen Organisationsstrukturen im Sommer 1991 aufgelöst.

4./5. Dezember 1989
Bezirksverwaltung des AfNS. Am 04.12.1989 forderte die Suhler Bevölkerung dem Aktenvernichtungsprozess der Stasi ein Ende zu setzen.

5. Dezember 1989
Zwischen den Regierungen der Bundesrepublik Deutschland und der Deutschen Demokratischen Republik wurde ein gemeinsamer Fonds für Reisedevisen in Berlin vereinbart.

Honecker und ehemalige SED-Politbüromitglieder, bei denen die strafrechtliche Verfolgung noch erfolgen muss, waren laut stellvertretendem Generalstaatsanwalt in Wandlitz unter Hausarrest gestellt worden.

Suhler Blockade des AfNS
Suhler Busfahrer blockierten in den Mittagsstunden die Ausfahrten der Bezirksverwaltung des Amtes für Nationale Sicherheit. Der heimliche Abtransport von Akten sollte verhindert werden. In der Hölderlinstraße besetzten Bürger das Bezirksamt. Die Mitarbeiter des AfNS wurden beurlaubt.
Das Neue Forum richtete in Suhl ein Bürgerbüro ein.

Keine Mandate für Massenorganisationen
Nachdem die Hildburghäuser Kreistagsfraktionen der NDPD, LDPD und CDU forderten, dass nur noch Parteien in den so genannten Volksvertretungen sitzen dürften, also keine Vertreter von SED-durchsetzten Massenorganisationen, ergriff die FDJ-Fraktion des Kreistages Hildburghausen die Initiative für eine Unterschriftensammlung für eine parteienunabhängige parlamentarische Jugendvertretung auf allen Ebenen. Dieser Aufruf fand jedoch in der Bevölkerung keinerlei Resonanz. Zu ähnlichen Forderungen kam es auch in den anderen Kreisen des Bezirkes Suhl.

Auf Grund des Arbeitsbereiches des Kandidaten und seines Wohnortes unmittelbar an der Staatsgrenze sind die objektiven und subjektiven Voraussetzungen des Vollmer als Ermittler vorhanden.

Vollkommer „roch den Braten"
Die Stasi-Aufklärung in Meiningen öffnet im Januar 1983 erneut einen Brief Vollkommers an seinen Großcousin in Hildburghausen. Über dessen Inhalt berichtete IM Schneider bei einem Treff mit seinem Führungsoffizier am 01.02.1983 dienstbeflissen. Im Frühsommer 1983 besuchte Vollkommer mit seiner Frau erneut seinen Großcousin in Hildburghausen. Beim Passieren der Grenzübergangsstelle Eisfeld sei ihm zum wiederholten Mal aufgefallen, dass sich die DDR-Kontrolleure wiederum ungewohnt höflich und zuvorkommend verhielten und ihn weitgehend unbehelligt passieren ließen. Sein Verwandter in Hildburghausen wirkte bei diesem Besuch überaus nervös und die Westbesucher wunderten sich, über dessen Aufgeregtheit. Als dieser schließlich ankündigte, dass in Kürze zwei Herren kommen würden, um sich mit ihm eingehend zu unterhalten, sei es ihm wie „Schuppen von den Augen gefallen", so Vollkommer. Ab diesem Augenblick sei ihm klar gewesen, dass er als Agent für die Staatssicherheit geworben werden sollte. Er sagte als Vorwand für den überstürzten Abbruch der Besuchsreise, sie müssten dringend nach Merlach zurück, da er vergessen hätte, den Elektroherd auszuschalten. Franz Vollkommer kehrte bis 1990 nicht mehr in die DDR zurück.

Im Juni 1983 erhielt Schneider mit Hauptmann K. wiederum einen neuen Führungsoffizier zugeteilt. Die Sache trat nun offensichtlich auf der Stelle, weshalb ein neuer Agentenführer von vorgesetzter Stellen eingesetzt wurde. Dieser ordnete an, dass Schneider mit Vollkommer in intensiveren Briefkontakt zu treten habe, um diesen zu einem Besuch in der DDR zu bewegen. Am 15.07.1983 musste SIM Schneider erneut zum Rapport mit seinem neuen Führungsoffizier. Der „Treffbericht" gibt Auskunft über den Ablauf einer solchen Zusammenkunft:

Wie vereinbart, erschien der SIM Helmut Schneider am Vortreffort und nachdem Unterzeichner das Treffzimmer überprüft hatte, fand der Treff ohne Störungen statt.

Zu Beginn des Gesprächs verwies der Führungsoffizier Schneiders selbstgefällig darauf, dass er sowohl in seiner Funktion als auch als Mitglied der Partei und Patriot des MfS stets die Aufgabe habe, wirksam zu werden.

Doch auch der neue Führungsoffizier bewirkte nichts – Schneider schrieb und Vollkommer antwortete nicht. Am 31.08.1983 versäumte IMS Schneider zu allem Überfluss auch noch den Termin eines Treffs mit seinem neuen Führungsoffizier. Dieser ließ ihn aus dem Betrieb holen und er musste Besserung geloben. Bei dem Gespräch ging es vor allem um den Abriss des Kontaktes zwischen Schneider und Vollkommer. Es wurden Möglichkeiten erörtert, ihn in die DDR zu locken. Da Schneider ob des Nichterscheinens von Vollkommer in der DDR nicht ausgelastet schien, gab ihm sein Führungsoffizier noch mit auf den Weg, ein

```
... Strukturschema über die Leitung seines Betriebs-
teiles und deren Funktionäre sowie deren Zuverlässig-
keit zu erstellen, ebenso Verstöße in Sachen Ordnung
und Sicherheit in seinem Betrieb zu melden.
```

Am 11.10.1983 wurde der SIM Schneider wiederum aufgefordert, an seinen Großcousin in Merlach einen Brief zu schreiben und in diesem deutlich sein Missfallen über dessen „Funkstille" kund zu tun. Gleichzeitig solle er ihn aber freundlich zu einem neuerlichen Besuch einladen. Doch Vollkommer reagierte zur großen Enttäuschung der DDR-Staatssicherheit wiederum nicht. So ganz wollte man aber auf die Dienste des IMS Helmut Schneider nicht verzichten, und so wurde er am 01.12.1983 von seinem Stasi-Führungsoffizier über die aktuelle Diskussion in seinem Betrieb, den NATO-Nachrüstungsbeschluss betreffend, ausgefragt. Die meisten seiner Arbeitskollegen, so Schneider, interessiere die große Politik nicht. Ihre größte Sorge sei, dass befürchtete Gegenmaßnahmen der sozialistischen Staaten negative Auswirkungen im sozialen Bereich, sprich Kürzungen, nach sich zögen. Als nächster Trefftermin wurde zum Abschluss des Gesprächs der 21.12.1983, 13 Uhr, in Hildburghausen, Parkplatz Bahnübergang bei der Tankstelle in Richtung Leimrieth festgelegt.

Ehefrau durfte nichts wissen

Doch auch die folgenden konspirativen Treffen mit IMS Helmut Schneider brachten die Staatssicherheit i. S. Anwerbung des Franz Vollkommer aus Merlach als Mitarbeiter der Stasi nicht weiter. Eher musste man sich mit Pannen auseinander setzen. So räumte IMS Schneider am 03.10.1984 einen „Fehler" ein. Er habe, nachdem er Kenntnis von seinem Führungsoffizier über eine mögliche Einreise des Vollkommer erhielt, gegenüber seiner Ehefrau gesagt, dass mit dem Besuch der West-Verwandten zu rechnen sei. Da sie nicht in die geheime Tätigkeit ihres Mannes eingeweiht war und auch nicht sein durfte, wurde sie hellhörig, fragte, woher er denn dies wisse. Sie kam ihm auf die Schliche und nahm eine abweisende Haltung ein. Sie wolle nichts damit zu tun haben, erklärte die Frau unmissverständlich. Auf Grund dessen bekam Schneider von seinem Führungsoffizier eine scharfe Rüge. Es wurde nochmals auf „Verhaltenslegenden" gegenüber der Ehefrau verwiesen,

```
... welche der SIM jedoch nur dann anwenden soll, wenn
sie dieses Problem anspricht,
```

notierte der Führungsoffizier. Das heißt also schlicht und einfach, der gute Mann wurde von der Stasi aufgefordert, auch weiterhin

Besetzung des AfNS in Hildburghausen

Die Dienststelle des Kreisamtes für Nationale Sicherheit, vormals Kreisdienststelle MfS, wurde kontrolliert von H. Lorenz (amtierender Kreisstaatsanwalt), Ralf Bumann, Hans-Jürgen Salier, Christian Leuthold (Bürgerkomitee), Hans-Hermann Langguth (Redakteur Freies Wort, heute: stellv. Regierungssprecher).

Kontrolle des AfNS in Sonneberg

Um 13 Uhr betraten fünf Männer und eine Frau, die zu den Gründern der Bürgerinitiative (bislang Neues Forum) gehörten, das Kreisamt für Nationale Sicherheit. Sie fanden überwiegend leere Aktenschränke vor. 5 Stunden konnten die Bürgerrechtler die Dienststelle besichtigen und Fragen stellen.
(Wiegand I, 06.12.1994)

Nach einem Friedensgebet in der Meininger Stadtkirche formierte sich ein Demonstrationszug mit ca. 20.000 Menschen. Vor der Kreisdienststelle des AfNS stellten die Demonstranten brennende Kerzen ab.

Das Neue Forum lud zu einem Treffen von Vertretern aus dem gesamten Kreisgebiet Hildburghausen ein. Es wird ein klares Konzept für die Arbeit der Bürgerbewegung gefordert, denn Aktionismus helfe jetzt nicht mehr weiter. Vor allem wurde bemängelt, dass nach dem Fall von Mauer und Stacheldraht die Bevölkerung selbstzufrieden wird. Vor allem im Waldgebiet des Kreises Hildburghausen reagierte man kaum.

Die Sicherstellung der Stasiakten forderten in Ilmenau ca. 2.000 Bürger bei einer Demonstration und Kundgebung.

6. Dezember 1989

Krenz trat von seinen Staatsämtern zurück. Vorsitzender des Staatsrates wurde der LDPD-Vorsitzende, Prof. Dr. Manfred Gerlach.

Der ehemalige Suhler „Bezirksfürst" der SED, Hans Albrecht, wurde in die Strafvollzugsanstalt Untermaßfeld b. Meiningen eingeliefert.

Zeitweilige Kommission zur Untersuchung von Amtsmissbrauch und Korruption

Der Bezirkstag Suhl bildete eine Zeitweilige Kommission zur Untersuchung von Amtsmissbrauch und Korruption (ZWKA). In dieser Kommission konstituierte sich ein Aktiv Staatssicherheit, das in den Folgemonaten für die Auflösung des Ministeriums für Staatssicherheit/Amt für Nationale Sicherheit zuständig war.

Die ZWKA hatte ihren Sitz beim Rat des Bezirkes Suhl und nahm von Dezember 1989 bis Juli 1990 aus der Bevölkerung Hunderte Anzeigen und Hinweisen entgegen.

Beginn der Auflösung des AfNS

Im Auftrag der Modrow-Regierung traf im Bezirk Suhl eine 3-köpfige Regierungsdelegation unter Dr. Dieter Schröter ein, die mit dem Aktiv Staatssicherheit das Amt für Nationale Sicherheit auflöste.

Aufruhr in Schmalkalden

Hunderte Bürger versammelten sich in Schmalkalden und protestierten vor dem Gebäude der SED-Kreisleitung. Sie forderten die unverzügliche Übergabe des Gebäudes an das Gesundheitswesen. Die Eskalation der Empörten schien greifbar, so mahnte Pfarrer Naumann zu Ruhe und Gewaltfreiheit.

In den Nachmittagsstunden stürmten 500 Bürger das verhasste Gebäude. Akten wurden entwendet, verbrannt oder gelangten in Privathände.

Runder Tisch in Sonneberg

Es fand die erste Beratung des Runden Tisches statt, damit stellte der sog. demokratische Block seine Arbeit ein. Neben den bereits vorhandenen Parteien (SED, CDU, DBD, LDPD, NDPD) und den Massenorganisationen (FDGB, DFD, Kulturbund, VdgB, Konsum) Vertreter der Bürgerinitiative Sonneberg, der Vereinigung Das Podium, die evangelische Kirche (Pfarrer Dr. Reich). Es wurde

seine Ehefrau anzulügen. Anschließend wurde Schneider die Zielstellung für das Jahr 1984 eröffnet, bevor ihm der Führungsoffizier anlässlich des Jahreswechsels ein Präsent überreichte.

Als neuer Trefftermin wurde der 20.01.1984, 13 Uhr, auf dem Parkplatz gegenüber der SED-Kreisleitung Hildburghausen festgelegt. Doch ob der fortwährenden Weigerung des Vollkommer, seine Verwandten in der DDR zu besuchen, erlahmten die Aktivitäten seines Großcousins zunehmend und er versäumte erneut ein Treffen mit seinem Führungsoffizier. Doch umsonst ist aller Menschen Müh': Vollkommer alias Vollmer war partout nicht mehr zu bewegen, in die DDR zu kommen, und so wurde am 08.08.1984 vom Führungsoffizier des Helmut Schneider ein Abschlussbericht aufgesetzt. Wegen Erfolglosigkeit wurde die Akte geschlossen und archiviert. Es entstand ein AIM – ein archivierter IM-Vorgang bzw. archivierter IM-Vorlauf.

Man musste also andere Wege beschreiten, um die Stasiakte „Thüringenblick" zu füllen und hatte deshalb bereits im Juli 1983 eine Stasi-Agentin aus Berlin nach Zimmerau geschickt.

Im „Eröffnungsbericht" zur Stasiakte über den „Bayernturm" vom 10.07.1984 heißt es:

```
... Im Rahmen der zu den interessierenden BRD-Ort-
schaften eingeleiteten Sachfahndung in der Abteilung
VI der Bezirksverwaltung wurde eine operativ-interes-
sante Verbindung eines AIM bzw. archivierter IM-Vor-
lauf in die BRD-Ortschaft Dürrenried herausgearbeitet.
Es ist vorgesehen, diese Verbindung zur Aufklärung der
Informationsstelle Dürrenried zu nutzen.
```

Doch Franz Vollkommer aus Merlach blieb standhaft, weigerte sich weiterhin, die DDR zu besuchen, fuhr während seiner Fahrten im Königshöfer Grabfeld und im Coburger Land hin und wieder einmal an die Grenze und wurde dabei stets aufmerksam beobachtet, wie Fotos in seiner Stasi-Akte beweisen. In einem Gespräch stellt er fest, er hätte seinem Großcousin verziehen, wenn dieser von sich aus nach 1990 „gebeichtet" und versucht hätte, seine Beweggründe zu erklären. Er hätte sich ja noch nicht einmal groß entschuldigen müssen, meint Vollkommer verbittert.

Einsatz der IM bei der BV Suhl

Einsatzgebiet	IMS	GMS
Gesamt-IMS Ende 89	3.388	1.164
Operationsgebiet	29	0
darunter westliches Grenzvorfeld	12	0
IM zu Bearbeitung operativer Vorgänge	231	27
IM zur Kontrolle der OPK	587	116
IM mit ständiger Verbindung zu feindlichen Dienststellen	5	0
IM, die im westl. Grenzvorfeld eingesetzt waren/sind	104	2
IM zur unmittelbaren Sicherung der Staatsgrenze	332	104
IM im Post- und Fernmeldewesen	111	24

Stasi-Feindobjektakte „Silberdistel" Der Rhönklub wurde durch die Stasi jahrelang ausspioniert

Unter der Reg.-Nr. XI 183/80 wurde bei der DDR-Staatssicherheit eine „Feindobjektakte ‚Silberdistel'" geführt, die am 21.03.1983 angelegt wurde.[63] Vorausgegangen waren einige Berichte von Inoffiziellen Mitarbeitern, die über Gespräche mit ihren Westbesuchern berichteten, wie z. B. der IMS Beyer, der 1977 von einem Verwandten aus Stetten (Kreis Rhön-Grabfeld) besucht wurde und diesen ausfragte. Er berichtete seinem Führungsoffizier:

```
... Bei dem XY handelt es sich um den Schwager meines
Vaters. Als dieser vor kurzem in der DDR zu Besuch
war, habe ich auch die Möglichkeit gehabt, mich kurz
mit ihm zu unterhalten. ... In dem Gespräch mit ihm
ging ich entsprechend des Auftrages unter anderem auch
auf das Problem „Rhönklub" ein. Nun informierte der
Westbesuch ausführlich über die Arbeit des Rhönklubs
(Wanderungen, Kulturtagungen, Organisation usw.). Vor
der Errichtung der Grenze seien Bürger der DDR Mit-
glieder des Rhönklubs gewesen und auch heute noch
seien einige Bürger der DDR Mitglieder. Diese würden
ebenfalls ab und zu an den Veranstaltungen teilnehmen,
wenn sie sich gerade in der BRD zu Besuch aufhielten.
Manchmal würden diese DDR-Bürger auch direkt einge-
laden und nähmen an den Veranstaltungen teil. Diese
müssten dann allerdings einen anderen Grund für ihre
Reise in die BRD angeben, weil man sie sonst von DDR-
Seite aus nicht fahren lassen würde.
```

Die DDR-Staatssicherheit lotete auch gleich Möglichkeiten aus, die Westbesucher und ihre Angehörigen als IM anzuwerben. So ist vermerkt:

beraten über die Neuwahl des Vorsitzenden des Rates des Kreises und die neue Zusammensetzung des Rates.
(Wiegand I, 06.12.1994)

NDPD für Marktorientierung
In einem FW-Interview äußerte Luise Platz, Kreissekretärin der NDPD Hildburghausen, zu den Forderungen der Partei zur wirtschaftlichen Entwicklung in der DDR:
Wir unterstützen eine Wirtschaftsreform voll und ganz und sprechen uns vordringlich für alle Maßnahmen zur Stabilisierung der Produktion, des Binnenmarktes und der Staatsfinanzen aus. Wir National-Demokraten sehen die Marktorientierung nicht als Ersatz sozialistischen Wirtschaftens, sondern als Prinzip. In diesem Zusammenhang erachten wir die Einstellung auf den EG-Markt, die Einbindung unserer Wirtschafts- und wissenschaftlichen Entwicklung in Ost und West und deren Nutzung sowie die ausländische Kapitalbeteiligung und die Schaffung von Gemeinschaftsunternehmen als sehr wichtig. Hierzu gehört ebenso die Herstellung der Eigenverantwortlichkeit der Betriebe und ein völliger Neuaufbau der Konsumgüterpoduktion, die Raum läßt für Privatinitiativen sowie Einkommens- und Steuergerechtigkeit für Handwerk und Gewerbe. Ziel muß eine Leistungsgesellschaft in Arbeit und Verteilung sein, die es ermöglicht, Fragen der Landeskultur und des Umweltschutzes konsequent in die Wirtschaftspolitik einzuordnen.

Sicherung der Bestände des Kreisarchivs und die Hinterlassenschaften der DDR
In den Abendstunden umstellten etwa 50 Bürger die ehemalige Karolinenburg in der Eisfelder Straße Richtung Heßberg in Hildburghausen, weil vermutet wurde, dass der Rat des Kreises dort eingelagerte Akten vernichtet. Laut Staatsanwaltschaft handelte es sich jedoch bei der Aktenbewegung in die Karolinenburg um die planmäßige Umlagerung älteren Archivmaterials.

In Freies Wort vom 09.12. rechtfertigte der Verantwortliche Horst Zetzmann, Stellvertreter des Rates des Kreises, diese

Aktion und verleumdete die Bürgerbewegung in übler Weise.

Nach Absprachen mit den DDR-Grenztruppen und der Bayerischen Grenzpolizei fand am neu eröffneten Grenzübergang Heinersdorf - Welitsch eine deutsch-deutsche Nikolausfeier statt. 100 Kinder aus Thüringen und Franken wurden von Welitscher Vereinen beschenkt. (Wiegand I, 06.12.1994)

7. Dezember 1989
Der Runde Tisch tagte erstmals in Ostberlin, er bestand aus Mitgliedern der DDR-Parteien, aus oppositionellen Gruppen und Kräften. Hauptziel war die Vorbereitung demokratischer Wahlen.

In Sonneberg konstituierte sich eine Gruppe der SDP (Sozialdemokratische Partei). Die Ortsgruppen des Kreises gründeten am 19.12.1989 einen Kreisverband.

Verkehrssündern aus der DDR ging es nun an den Geldbeutel. So beschlossen die Polizeidirektionen im grenznahen Raum, dass ab sofort gebührenpflichtige Verwarnungen im Verhältnis 1 : 1 zahlbar sind. Ohne Handhabe war die Polizei aber immer noch bei Falschparkern aus der DDR, da kein Rechtshilfeabkommen mit der DDR existierte.

Volkspolizei sicherte militärisch das MfS/AfNS-Objekt in der Suhler Hölderlinstraße

Getarnte Geheimdienststation zwischen Eisfeld und Bockstadt
Am Eichberg, zwischen Eisfeld und Bockstadt im Krs. Hildburghausen gelegen, kam es im Beisein von Staatsanwalt und VP zu einer Vorortbesichtigung der Wetterstation Eichberg des Amtes für Meteorologie, nachdem von Mitarbeitern der Landambulanz Eisfeld eine auf Aufklärung drängende Bürgerinitiative gegründet worden war. Eine Nachfrage beim Amt für Meteorologie in Weimar hatte ergeben, dass es keine Wetterstation Eichberg gäbe. Am 08.12. wurde die

Für den Rhönklub gab es auch zwischen 1945 und 1990 nur „eine Rhön", was insbesondere der DDR-Staatssicherheit ein Dorn im Auge war. Nach der Wiedervereinigung initiierte der Wander- und Heimatverein insbesondere die Aufstellung von Gedenktafeln, um an zu DDR-Zeiten zerstörte Orte in der thüringischen Rhön zu erinnern, wie z. B. Schmerbach.
Foto: Heribert Kramm (Rhönklub)

Der XY reist in der Regel jährlich zweimal in die DDR ein. Er hält sich dann meist in Kaltennordheim in der Gaststätte Löwen auf. Die Familie des XY schätze ich als konservativ ein und meiner Meinung nach hat er nicht viel für das MfS übrig. Ein Sohn des XY ist als Angestellter in der Stadtverwaltung in Bad Neustadt tätig. Dieser hielt sich erst einmal in der DDR zu Besuch auf. Der XY brachte zum Ausdruck, dass sein Sohn auch nicht wieder in die DDR kommen wird, da er Angst davor hat, dass man ihm an seiner Arbeitsstelle Schwierigkeiten machen könnte und er seine Stellung verliert.

Nachdem vorab genügend Informationen gesammelt waren, sah sich die Bezirksverwaltung für Staatssicherheit Suhl, Kreisdienststelle Meiningen, am 20.03.1980 veranlasst, einen „Eröffnungsbericht über das Feindobjekt „Rhönklub e. V.' – ausgewählte Zweigvereine des Kreises Rhön-Grabfeld" anzulegen. In diesem ist u. a. nachzulesen:

Bei der Durchführung der vorbeugenden Verhinderung, Aufklärung und Bekämpfung des subversiven Missbrauchs des Einreiseverkehrs aus der BRD konnte erarbeitet werden, dass unter missbräuchlicher Nutzung des Einreiseverkehrs vielfältige subversive Aktivitäten von Organisationen, Vereinen, revanchistischen Verbänden und Personen aus dem westlichen Grenzvorfeld gegen den Verantwortungsbereich vorgetragen werden. Vorrangig erfolgt eine zielgerichtete politisch-ideologische Diversion, Kontaktpolitik/-tätigkeit mit dem Ziel der Schaffung personeller Stützpunkte unter den Zielgruppen des Gegners. ... Im System der gegnerischen sub-

versiven Tätigkeit nimmt der Rhönklub eine bedeutende
Stellung ein.

Nun folgte ein kurzer Rückblick auf die Geschichte des 1876
gegründeten Rhönklubs und die Feststellung:

Nach der Bildung der beiden deutschen Staaten haben
sich die Ziele und Absichten desselben eindeutig im
Sinne des Revanchismus erweitert. Entgegen den in der
Satzung des Rhönklubs fixierten Zielen hat er sich zu
einer politisch rechts stehenden, revanchistischen
Organisation entwickelt. Zur Realisierung seiner Zielstellung entwickelt der Rhönklub Aktivitäten, die sich
vorrangig im Vorgehen gegen die Staatsgrenze der DDR
sowie im Rahmen der gegnerischen Kontaktpolitik/
-tätigkeit zeigen.
Ständig werden Hetzveranstaltungen in unmittelbarer
Nähe der Staatsgrenze durchgeführt und dienen dem Vorwand der Erhaltung und Festigung des Heimatgedankens
zur Verbreitung einer revanchistischen Ideologie (Einheit aller Deutschen, Unrechtmäßigkeit der Staatsgrenze zur DDR).
Zu politischen Anlässen werden im größeren Rahmen
Sternwanderungen zur Staatsgrenze sowie Grenzlandwanderungen durch die Zweigvereine organisiert. Dies ist
überwiegend mit Einweisungen in den Grenzverlauf durch
westliche Grenzschutzorgane verbunden.
Die revanchistische Zielstellung des Rhönklubs kommt
sehr treffend in einem Grußschreiben seines Präsidenten Alfons Lühn an die von der CDU organisierte Hetzkundgebung am 17. Juni 1978 bei Philippsthal zum Ausdruck. In diesem schreibt er: „Der Rhönklub kann und
wird diese Grenze nie anerkennen".

Neben diesen Aktivitäten im westlichen Grenzvorfeld
bildet die Einreisetätigkeit - sowohl Einzel- als auch
Gruppenreisen - von Rhönklub-Mitgliedern in die DDR
einen weiteren Schwerpunkt zur Durchsetzung der revanchistischen Zielstellung.
Die Zielstellung dieser Einreisen besteht hauptsächlich darin, unter dem Vorwand gemeinsamer Freizeitinteressen Kontakte zu ausgewählten Personen und Personengruppen herzustellen, diese auszubauen und bereits
vorhandene Verbindungen zu festigen. Durch das Hinein-
tragen des „Heimatgedankens" in diese Personenkreise
wird gezielte politisch-ideologische Diversion betrieben, die die revanchistische Konzeption von der „Einheit Deutschlands" zum Inhalt hat.

In dem Eröffnungsbericht folgt nun ein Organisationsschema des
Rhönklubs und die Lokalitäten, in denen sich die Rhönklubzweig-
vereine treffen. So heißt es z. B. zu Simmershausen:

getarnte Geheimdienststation geöffnet.
Die Spuren waren in dem Stasiobjekt von
den Tschekisten vorher verwischt worden.

In der Peter-und-Pauls-Kirche in Steinach
wurde bei einem Friedensgebet mit knapp
1.000 Bürgern die Forderung zum Rücktritt des Bürgermeisters und des Stadtrates
erhoben. Anschließend formierte sich ein
Demonstrationszug.

Übernahme der Kreisdienststelle des AfNS in Hildburghausen durch die Volkspolizei

Die Stasi-Mitarbeiter durften das Haus
nicht mehr betreten. Räume, in denen sich
Material und Unterlagen des Geheimdienstes bzw. der Geheimpolizei befanden, waren staatsanwaltlich versiegelt
worden. Das Gebäude wurde in Sicherheitspartnerschaft des Neuen Forums und
der Deutschen Volkspolizei geschützt.

Das Friedensgebet mit ca. 1.000 Teilnehmern in der Apostelkirche Hildburghausen, zu dem das Neue Forum aufgerufen
hatte, wurde geprägt von den Berichten
von Hans-Hermann Langguth und Hans-
Jürgen Salier zur Aktion in der Kreisdienststelle des Amtes für Nationale
Sicherheit am 05.12.1989.
Nach dem Friedensgebet formierten sich
die Bürger zu einem Schweigemarsch
durch die Innenstadt. Die Teilnehmer solidarisierten sich dabei auch mit den
geknechteten Völkern der ČSSR und
Rumäniens. Vor dem Wohnhaus des ehemaligen Kreissekretärs der SED, der ehemaligen Kreisdienststelle für Staatssicherheit und an den Häusern der SED-
Kreisleitung stellten die Demonstranten
brennende Kerzen ab.

8. Dezember 1989
Alarmierung der sowjetischen Streitkräfte

In den frühen Morgenstunden wurde die
Gruppe der sowjetischen Streitkräfte in
Deutschland (GSSD) alarmiert, d. h., in
Gefechtsbereitschaft versetzt, um angeb-
lich die sowjetischen Garnisonen und
Standorte vor Demonstranten zu schüt-
zen. Die Hartliner der SED bekamen
Aufwind, hofften sie doch, endlich die
Revolutionäre zu vernichten: Mit dem

Einsatz der NVA sollten die Grenze abgeriegelt werden und Sondereinsatzkommandes im Hinterland aufräumen und die Sozialismusfeinde in die bereits geplanten bzw. errichteten Internierungslager verbringen, für die es konkrete Listen gab.

8. Dezember 1989
Runder Tisch in Neuhaus/Rwg.
In Neuhaus/Rwg. tagte erstmals der Runde Tisch. Neben den etablierten Parteien nahmen die SDP, die Bürgerinitiativen Neuhaus und Lauscha teil, die Massenorganisationen waren nicht vertreten, dagegen protestierte die VdgB. Die Einbeziehung der Kirche war dahingehend kompliziert, weil sich das Territorium über 3 Superintendenturen erstreckte (Königsee, Sonneberg, Saalfeld) Superintendent Küfner, Königsee, vertrat die evangelisch-lutherische Kirche.
Erörtert wurden Personalfragen in der Kreisverwaltung, die Auflösung des Kreistages und des Rates des Kreises. Die Bildung eines provisorischen Kreisrates wurde befürwortet.
(Wiegand I, 10.12.1994)

Beginn der Auflösung der Untersuchungshaftanstalt des MfS/AfNS in Suhl Die Häftlinge wurden nach Untermaßfeld verbracht, die letzten 5 Gefangenen am 13.12.1989.

In Frankenheim, Krs. Meiningen, bescherte ein bundesrepublikanischer Nikolaus aus Leubach die Kinder. Der Zaun zwischen Frankenheim war nach Protesten bei den Meininger Behörden zwischen 16 und 24 Uhr für die Leubacher ohne Visum und Zwangsumtausch geöffnet worden.

8./9. Dezember 1989
Sonderparteitag der SED. Gregor Gysi wurde Parteivorsitzender. Die Partei erklärte „ihre Abkehr vom Stalinismus".

9. Dezember 1989
Aufruf der kommunistischen Reaktionäre
Dem Autor H.-J. S. wurde von einem Stasioffizier ein inhaltlich ungeheuerliches Fernschreiben der Bezirksverwal-

Der Inhaber des Hotels XY ist ehemaliger Angehöriger der NSDAP und DDR-Verräter. Im Hotel verkehren Angehörige des BGS und des Zollgrenzdienstes.

Als „Zielstellung der politisch-operativen Bearbeitung" legte der Leiter der Meininger Kreisdienststelle, Major L., fest:

Der zielgerichteten und rechtzeitigen Aufklärung der gegen die DDR gerichteten subversiven Pläne, Absichten und Maßnahmen durch die im Eröffnungsbericht genannten Zweigvereine des Rhönklubs (das waren die Zweigvereine in Mellrichstadt, Stockheim, Ostheim, Nordheim, Fladungen, Irmelshausen, Bad Neustadt, Filke, Seiferts und Hilders), der zielstrebigen Aufklärung, Kontrolle und Bearbeitung von ausgewählten aktiven Mitgliedern des Rhönklubs und deren Kontaktpartner in der DDR mit dem Ziel des rechtzeitigen Erkennens von subversiven Aktivitäten, besonders der PID, Kontaktpolitik/-tätigkeit und der Schaffung personeller Stützpunkte, die Gewährleistung einer ständigen Lageeinschätzung über die Angriffsrichtungen, Mittel und Methoden sowie die Zielgruppen des Rhönklubs zur Realisierung seiner subversiven, revanchistischen Zielstellung und in der Organisierung und Durchführung der erforderlichen politisch-operativen Abwehrarbeit.

„Anzahl der IM ist zu erhöhen!"
Aufgrund dieses Eröffnungsberichtes ordnete der „Stellvertreter Operativ" der Bezirksverwaltung Suhl, Oberst S., am 27.03.1980 u. a. an, dass die IM-Basis unbedingt zu erweitern sei durch eine bessere und allseitigere Ausnutzung der Möglichkeiten, die sich aus dem Ein- und Ausreiseverkehr in das westliche Grenzvorfeld ergäben.

Im März 1980 legte die Stasi-Kreisdienststelle Meiningen in einem „Operativplan" u. a. fest:

In der KD Meiningen werden alle IM und GMS erfasst, die Kontakte zu Reisezielen von Mitgliedern des Rhönklubs unterhalten bzw. direkte Beziehungen zu Angehörigen dieser revanchistischen Organisation besitzen. ... Alle bisher erkannten Personen, die Kontakte zu Mitgliedern des Rhönklubs besitzen bzw. bei durchgeführten Reisen in die BRD an deren Veranstaltungen teilnahmen, werden unter besonderer Beachtung des Charakters ihrer Beziehungen allseitig aufgeklärt. ... Im Rahmen des Antrags- und Genehmigungsverfahrens werden alle Personenkreise, die Ausreisen in Orte des westlichen Grenzvorfeldes durchführen, in denen Zweigvereine des Rhönklubs bestehen, herausgearbeitet und auf mögliche operative Nutzbarkeit überprüft. Gleichzeitig werden Maßnahmen einer gezielten Abschöpfung nach durchgeführten Reisen zu ausgewählten Personenkategorien durch IM und GMS mit entsprechenden Möglich-

An der Landesgrenze
Schwarzes Moor-Hochrhön

Frankenheim - DDR

mit Blick zum anderen Teil
Deutschland's zur DDR

Gasthaus - Sennhütte

Nahezu ein halbes Jahrhundert war die Rhön „Grenzland im Herzen Deutschlands". Diese Ansichtskarte wurde in den siebziger Jahren aufgelegt.
Foto: Sammlung Gerhard Schätzlein

keiten durchgesetzt. ... Die IM Bergmann, Erna, Erwin, Felix und Ludwig werden aktiv in die operative Bearbeitung einbezogen. Das Ziel besteht darin, die Kontakte zu Mitgliedern und Funktionären des Rhönklubs zu festigen und bei Einsätzen im westlichen Grenzvorfeld die Pläne und Absichten entsprechend der festgelegten Aufgabenstellung weiter aufzuklären.
Der Einsatz der IM erfolgt in den Zweigvereinen:
„Felix" und „Bergmann" in Ostheim
„Erna" in Hilders
„Erwin" in Simmershausen und Tann
„Ludwig" in Bad Neustadt.
Zu bisher erkannten aktiven Mitgliedern und Funktionären des Rhönklubs und deren Kontaktpartner ist M-Kontrolle (= Postkontrolle)[64] einzuleiten.

In einem Sachstandsbericht der Stasi vom 26.09.1983 ist festgehalten:

Am 13.8.1981 sollte der Bayer. Ministerpräsident Franz-Josef Strauß anläßlich einer Kundgebung in der Nähe der Staatsgrenze der DDR im Raum „Schwarzes Moor" (gegenüber Frankenheim) eine Rede halten. Aus terminlichen Gründen kam er nicht selbst, sondern delegierte den ehemaligen bayerischen Ministerpräsidenten Alfons Goppel, der eigens mit einem Hubschrauber eingeflogen wurde, unter Teilnahme des Bundestagsabgeordneten Graf von Stauffenberg und des DDR-Verräters Strelzyk (Ballonflüchtling). Die Organisation lag in den Händen des Rhönklubs und wurde persönlich durch den Präsidenten Alfons Lühn geleitet. Es nahmen 2.000 Personen teil. Analoge Erscheinungen sind bei den jährlichen Heidel-

tung Gera des Amtes für Nationale Sicherheit vom 09.12.1989 zum Fortbestand des Geheimdienstes zugespielt („Heute wir – morgen Ihr, Genossen, Kampfgefährten, Patrioten im In- und Ausland, Bürger der DDR!"). Der LDPD-Stadtvorstand Hildburghausen veröffentlichte das Schreiben umgehend und informierte die Öffentlichkeit. Es wird vermutet, dass sich die Tschekisten auch in Hildburghausen im Untergrund neu formierten, um bei einer für sie günstigen Gelegenheit zurückzuschlagen.

Heute wir – morgen Ihr, Genossen, Kampfgefährten,
Patrioten im In- und Ausland, Bürger der DDR!

Von tiefer Besorgnis getragen über die gegenwärtige und sich weiter abzeichnende innenpolitische Situation in unserer gemeinsamen sozialistischen Heimat, DDR, wenden wir uns an euch und an die, für die auch ihr Verantwortung tragt, mit einem Aufruf zum noch möglichen gemeinsamen Handeln für die Erhaltung der Rechtsstaatlichkeit und damit der Existenzgrundlage für den weiteren Bestand der DDR.
Unser Land befindet sich gegenwärtig in einer Phase der revolutionären Veränderungen, das Ziel soll und muß ein neuer, wahrer Sozialismus sein, mit dem wir uns eindeutig identifizieren. Diesen können wir jedoch nicht erreichen, wenn wir zulassen, daß unserem Staat Stück für Stück alle Machtinstrumente aus der Hand genommen (gegeben?) werden.
Beherzigen wir die Erkenntnis von Lenin über die Fragen der Macht. Genossen, Bürger und Patrioten der unsichtbaren Front im In- und Ausland, wer mit der Macht spielt, sie sich aus der Hand nehmen läßt – besonders während einer Revolution – in der wir uns zur Zeit befinden, der wird scheitern.
Der nutzt nicht uns, der dient der Reaktion.
Genossen, Bürger, heute richtet sich der Haß eines Teiles unseres Volkes, geführt von einer Minderheit unserer Bevölkerung, gegen das ehemalige MfS und jetzige Amt für Nationale Sicherheit. In unserem Bezirksamt gibt es Erkenntnisse,

daß Bestrebungen existieren, diesen Volkszorn, nachdem das Amt für Nationale Sicherheit zerschlagen ist, schnell auf die Strukturen und Kräfte der anderen bewaffneten Organe zu lenken, um diese ebenfalls zu zerschlagen. Sollte es uns allen nicht gemeinsam kurzfristig gelingen, die Anstifter, Anschürer und Organisatoren dieser haßerfüllter Machenschaften gegen die Machtorgane des Staates zu entlarven und zu paralysieren, werden diese Kräfte durch ihre Aktivitäten einen weiteren Teil der Bevölkerung gegen den Staat, die Regierung und alle gesellschaftlichen Kräfte aufbringen. Was kommt dann? Sorgen wir also gemeinsam für die unverzügliche Wiederherstellung der Rechtsstaatlichkeit – und dies ist unsere Forderung gegenüber jedermann.

Genossen, Bürger, damit keine Zweifel aufkommen, auch wir sind für die Aufklärung und notwendige Bestrafung bei Fällen von Amtsmißbrauch, Korruption und ähnlichen Delikten.

Täglich erhalten wir zahlreiche Anrufe aus dem In- und Ausland, die zum Ausdruck bringen, daß wir alles in unseren Kräften stehende tun müssen, um unseren sozialistischen Staat im Interesse aller zu schützen und zu erhalten.

Diese berechtigte Forderung kann jedoch nur erfüllt werden, wenn die bewaffneten Organe unserer gemeinsamen Heimat, DDR, weiter bestehen und aktiv handeln können.

Dies schließt nach unserem Verständnis und den Praktiken und Notwendigkeiten aller entwickelten Staaten dieser Welt die Existenz eines Organes, welches mit spezifischen Mitteln und Methoden arbeitet, ein.

Das Kollektiv des Bezirksamtes
für Nationale Sicherheit Gera
und die Kreisämter

Zwischen Gompertshausen, Krs. Hildburghausen, und dem bayerischen Alsleben, Lkrs. Rhön-Grabfeld, wurde von 13 – 17 Uhr die Grenze für Fußgänger von Ost nach West geöffnet:
Die Grenzübergangsstelle Heinersdorf – Welitsch wurde offiziell für den Besucherverkehr freigegeben. Grenzsoldaten und freiwillige Helfer arbeiteten den

steintreffen, bei den Pfingsttreffen sowie an Veranstaltungen anläßlich des 17. Juni zu verzeichnen.

Nächste Etappe in der Bearbeitung des Feindobjektes „Silberdistel" war die Schaffung einer inoffiziellen Basis innerhalb des Rhönklubs, wobei die Konzentration auf die gegenüberliegenden Zweigvereine zu erfolgen habe, lautete die Anordnung. So versuchte die DDR-Staatssicherheit, IM in Zweigvereine des Rhönklubs einzuschleusen. So wird berichtet:

In zwei Fällen wurde durch IM-Einsatz im Operationsgebiet der Versuch unternommen, Mitglied eines Zweigvereins zu werden (Fulda und Ostheim). In beiden Fällen wurde mit übereinstimmenden Argumenten eine solche Möglichkeit mit der Begründung abgelehnt, dass in der Satzung diese Frage nicht enthalten sei und derzeitig auch keine Möglichkeiten bezüglich persönlicher Aktivitäten bestehen.

1986 waren auf den Rhönklub angesetzt die IMB (= Inoffizielle Mitarbeiter der Abwehr mit Feindverbindung bzw. zur unmittelbaren Bearbeitung im Verdacht der Feindtätigkeit stehenden Personen) „Bergmann", „Fleischmann", „Erna", „Willi", „Tischler" und „Karl Moor". Der IMB „Bergmann" war in den Jahren 1977/78 behutsam geworben worden. Er hatte Verwandte im Westen, die er als Frührentner mehrmals im Jahr besuchen wollte. Seine Ehrlichkeit und Zuverlässigkeit hatte er mehrfach unter Beweis gestellt. Dies waren beste Voraussetzungen, um ein IM zu werden. Über ihn existieren in Suhl in der Außenstelle des „Bundesbeauftragten für die Unterlagen des Staatssicherheitsdienstes der ehemaligen Deutschen Demokratischen Republik" drei dicke Aktenordner. Genau ist darin aufgezeichnet, auf wen und worauf er ‚angesetzt' wurde. Alle Aufträge sind einzeln aufgeführt. Jeder Auftrag ist von ihm unterzeichnet. Er gab durch Unterschrift bekannt, dass er genau verstanden hat, was er zu tun und zu lassen hat. Für jede Fahrt in die Bundesrepublik erhielt er DM-West, die er so an seinem Körper zu verstecken hatte, dass das Geld bei seiner Ausreise von den Bediensteten der Passkontrolleinheit der DDR nicht gefunden werden konnte. Ihm wurde fast minutiös beschrieben, wann und wo er die DDR zu verlassen hatte und wann er wieder einreisen musste, um seinen Bericht abzugeben. 1984 erhielt er eine Medaille „Für treue Dienste in der NVA" und 1988 verlieh ihm Stasi-Minister Erich Mielke dann eine „Medaille für vorbildlichen Grenzdienst". Interessant ist noch, dass sein letzter Aufenthalt im Auftrag der Stasi vom 8. bis 11. November 1989 im Raum Brüchs mit dem Vermerk, sich unauffällig zu verhalten, aktenkundig ist.

Rhönklub-Präsidentin im Visier der Stasi

1986 wurde folgende „Gesamteinschätzung" getroffen:

In der bisherigen politisch-operativen Bearbeitung der
Feindobjektakte „Silberdistel" haben sich die vorlie-
genden Ausgangsinformationen zum revanchistischen Charakter der Rolle und der Zielstellung der genannten
Zweigvereine im Rhönklub bestätigt. Damit ist die weitere Bearbeitung der FOA Silberdistel gerechtfertigt
... Die weitere Bearbeitung erfolgt schwerpunktmäßig
auf die Zweigvereine Ostheim, Mellrichstadt, Irmelshausen und Bad Neustadt.
In ihrer „Einschätzung für das Jahr 1986" schreibt die
Kreisdienststelle Meiningen des MfS über den Stand der
Bearbeitung ihrer Feindobjektakte: ,Nach wie vor wird
vom Hauptvorstand des 'Rhönclub e.V.' in Fulda an die
einzelnen Zweigvereine die Forderung erhoben, die Kontakttätigkeit in die DDR zu forcieren. Seinen sichtbaren Ausdruck findet dies in der Zunahme der Einreisen
von Mitgliedern des ,Rhönclubs e.V.' in den Bezirk als
Einzelreisende und getarnt als illegale Reisegruppen.
Der Aufenthalt in der DDR wird zur Herstellung von
Kontakten zu DDR-Bürgern genutzt, mit dem Ziel, später
individuelle Einreisen durchzuführen.
Besondere Höhepunkte in der Tätigkeit des ,Rhönclubs
e.V.' bildeten im Berichtszeitraum die 109. Hauptversammlung am 8./9. Juni 1985 in Fladungen (Grenzvorfeld) und das 62. Heidelsteintreffen am 15. September
1985.
Auf der Hauptversammlung wurde der Katzenberger,
Günther von seiner Funktion als Vizepräsident des
„Rhönclub e.V." auf eigenen Wunsch entbunden. Als
Nachfolgerin wurde die Rinke, Regina gewählt. Sie
stammt aus der DDR und gilt als eifrige Verfechterin
der CDU/CSU-Politik. Aufgrund ihrer seit 1965 entwickelten Aktivitäten im ,Rhönclub' wurde sie mehrfach
ausgezeichnet.
Während des ,Heidelsteintreffens' forderte der Präsident des „Rhönclubs", Lühn, Alfons, in seinem
Schlußwort dazu auf, den begonnenen Weg der Beziehungen zwischen den Menschen in beiden Teilen Deutschlands zielstrebig weiterzugehen und immer daran zu
denken, daß den Wanderer keine politischen Grenzen
hindern können, seinem natürlichen Trieb nachzugehen
und neue Freunde zu gewinnen.[65]

In den folgenden Jahren jagte ein „Operativplan" in der „Feindobjektakte Silberdistel" den anderen und eine „Zwischeneinschätzung"
die andere – die letzte am 26. Oktober 1989. In dieser wird beklagt:

... daß einzelne Zweigvereine des Rhönklubs immer
mehr dazu übergehen, Wanderungen und andere Veranstaltungen auf dem Territorium der DDR für die Teilnehmer
attraktiver zu gestalten, um einen zunehmenden erweiterten Personenkreis einbeziehen zu können.

ganzen Tag, um die Grenzöffnung an der Görsdorfer Mauer vorzubereiten. Bundesgrenzschutz, Grenzpolizei, Zoll und DDR-Grenztruppen besichtigten gemeinsam das Gelände und legten fest, dass am westlichen Ende der Mauer ein Loch in den Zaun geschnitten wird.
(Wiegand I, 10.12.1994)

Spürbar nachgelassen hatte der Andrang der DDR-Besucher vier Wochen nach der Grenzöffnung im Lkrs. Rhön-Grabfeld. Für viele waren die grenznahen Städte nur Durchgangsstation, wo sie das Begrüßungsgeld abholten, bevor sie weiter in die Bundesrepublik hineinfuhren.

Unter dem Motto Begegnung in Deutschland vermittelte Lutz Austel in den ersten Wochen des neuen Jahres Bundesbürgern Übernachtungsmöglichkeiten im Thüringer Wald. Später hoffte der Meininger Elektromonteur, ins Fremdenverkehrsgeschäft einsteigen zu können. Gerade der private Sektor biete ungeahnte Möglichkeiten: Der Aufbau des Tourismus nützt den Bundesdeutschen genauso wie der DDR. Darin hatte der geschäftüchtige Meininger auch seine Chance erkannt.
(Main-Post, 09.12.1989)

Zum traditionellen Altenadventsnachmittag lud die Kirchen- und politische Gemeinde Stetten/Rhön alle Einwohner von Stetten und Roth ein, dazu Senioren aus dem Grenzort Melpers (DDR). Melpers wurde bis 1947 kirchlich vom Pfarramt Stetten mitbetreut. So konnte an alte Beziehungen dank der Grenzöffnung wieder angeknüpft werden. Auch der dortige Pfarrer Bsufka, der den Dankgottesdienst zur Grenzöffnung initiiert hatte, die Kirchenvorsteher und der Bürgermeister waren eingeladen.
(Main-Post, 09.12.1989)

Würzburg erwartete am 2. Adventswochenende wieder DDR-Besucher, die den Samstag zum Einkaufen und einem Bummel über den Weihnachtsmarkt nutzen wollten. Für Informationen und die Auszahlung des Begrüßungsgeldes war das Büro für Bürgerhilfe im Rathaus am Samstag von 9 – 12 Uhr geöffnet. An

diesem Tag richtete der Freundeskreis Suhl wieder seine Vermittlungsstelle für private Übernachtungswünsche im Rathaus ein. Zahlstellen für Begrüßungsgeld öffneten weiter in Mellrichstadt, Hofheim, Bad Neustadt, Bad Kissingen, Bad Brückenau, Haßfurt, Schweinfurt, Kitzingen, Volkach, Gerolzhofen, Gemünden und Marktheidenfeld.
(Main-Post, 09.12.1989)

Pressemitteilung vom 09.12.1989:
Einige Tipps zur guten Fahrt – Wenn auch im Allgemeinen in der Bundesrepublik die gleichen Verkehrsregeln wie in der DDR gelten, so gibt es doch einige Abweichungen, die hier kurz aufgelistet sind. ... Bei der Einfahrt in die Autobahn muss zügig beschleunigt werden. Es darf auf die linke Spur gewechselt werden, um einem einfahrenden Fahrzeug das Einfädeln zu ermöglichen. Wer in die Autobahn einfährt, muss blinken. Bleibt ein Kraftfahrzeug an einer unübersichtlichen Stelle liegen, muss die Warnblinkanlage eingeschaltet werden. Danach ist ein Warndreieck in ausreichender Entfernung aufzustellen.
(Main-Post, 09.12.1989)

Von 8 bis 22 Uhr wurde die innerdeutsche Grenze zwischen Mendhausen und Irmelshausen geöffnet, etwa 3.000 Bundesbürger waren in Mendhausen.

Zwei weitere Übergänge waren Samstag und Sonntag geöffnet. Von Mendhausen aus konnten DDR-Besucher an den beiden Tagen jeweils von 13 bis 17 Uhr über die Grenze kommen. Und von Eicha nach Trappstadt war die Grenze von Ost nach West jeweils von 9 bis 17 Uhr offen. Für Bundesbürger bestand offiziell nicht die Möglichkeit, ohne Visum nach drüben zu marschieren oder zu radeln.

Fußballer und weitere Einwohner Gleichambergs zogen in Richtung Trappstadt an die Grenze. Dort traf man die Trappstädter in großer Herzlichkeit, gemeinsam zog man nach Trappstadt.

Mehr und mehr ins Visier der DDR-Staatssicherheit geriet ab Mitte der achtziger Jahre die 1985 gewählte neue Rhönklub-Präsidentin Regina Rinke. Ausführlich wurde ihr Werdegang ausgekundschaftet. So heißt es in dem eigens über sie angelegten umfangreichen Stasi-Aktenmaterial u. a.:

```
Als ehemaliger DDR-Bürger legte sie 1956 das Abitur in
Senftenberg ab, verließ danach die DDR und studierte
an der Universität in Würzburg. Sie und ihr Ehemann
Günter, der ebenfalls aus der DDR stammt, sind seit
1968 Mitglieder im Zweigverein Wildflecken und enga-
gieren sich aktiv in mehreren Funktionen. Beide publi-
zieren in Zeitschriften und Büchern und sammeln darü-
ber hinaus Material bei ihren Einreisen in die DDR. In
ihrer Antrittsrede als Rhönklub-Präsidentin formulier-
te sie: „Es darf nur einen Rhönklub geben. Dass eine
politische Grenze durch die Rhön führt, darf man bei
den Wanderfreunden nicht spüren. Grenzen sind für Wan-
derer etwas Unnatürliches".
```

Rhönklub-Präsidentin Regina Rinke schrieb 2001:
Nach drei Besuchen am Neuen Friedberg im „Grünen Block" in Suhl, bei welchen ich Hunderte von Seiten aus den vielen Akten durchgesehen habe, kann bilanziert werden: Der Geheimdienst der DDR mit all seinen Untergruppierungen hat enorme Zeit und Unmengen Geldes in dieses sinnlose Unterfangen gesteckt. Ein Riesenapparat musste in Bewegung gesetzt werden, um die harmlosen Kontaktbemühungen von Wanderfreunden auszuspionieren. Die „Schnüffler" wurden mit Westgeld bezahlt. Sie sind wohl auch teilweise erpresst worden, wenn sie Verwandte in der Bundesrepublik hatten. Um für ihren „Lohn" etwas berichten zu können, sind von ihnen Lügen und Unwahrheiten zu Protokoll gegeben worden. Als Rhönklub-Mitglied seit fast 40 Jahren kann ich behaupten, dass aus der Führungsspitze des Hauptvorstandes niemals irgendwelche „Angriffe" gegen die Staatsgrenze der DDR oder andere ‚umstürzlerische' Taten gegen den Staat DDR geplant oder auch nur angedacht waren. In unseren Bemühungen, Kontakte zu unseren Thüringer Landsleuten und teilweise auch Verwandten zu knüpfen, kann ich nichts Verwerfliches, nichts Subversives und erst recht nichts Revanchistisches erkennen.

Allerdings läuft mir jetzt noch, nach so vielen Jahren, ein Schauer über den Rücken, wenn ich daran denke, dass wir – mein Mann, ein befreundetes Ehepaar und ich – bei einer Wanderung in der thüringischen Rhön hinauf zur Geba tatsächlich „auf Schritt und Tritt" verfolgt und beobachtet worden sind. Unsere Wandertour ist vom Abstellen des Fahrzeugs bis zum Ende genauestens aufgezeichnet und in den Akten vermerkt. Dass ein Staat völlig harmlose Wanderer derart aufwendig und bis ins Detail „verfolgen" und beobachten lässt, hätte ich mir in den kühnsten Träumen nicht ausgemalt und ausgedacht.[66]

Spione, Agenten, Zuträger

Die Schleusungen von DDR-Agenten über die innerdeutsche Grenze

Gang und gäbe war die Praxis des DDR-Geheimdienstes, Agenten über die innerdeutsche Grenze (Durchlässe, Klappen im Metallgitterzaun, Kanalrohre, Bunker etc.) in den Westen zu schleusen. Diese „Kundschafter des Friedens" waren in westlicher Kleidung gewandt, trugen nahezu ausschließlich westliche Utensilien bei sich und nahmen die Legende einer in der Bundesrepublik wohnhaften Person an, der sie ähnlich sahen. Sie hatten bestimmte Aufträge in grenznahen Regionen auszuführen, wie z. B. das Auskundschaften von Polizeistationen, Bahnhöfen, Bürgermeisterämtern u. ä., das Leeren von „toten Briefkästen" usw. Sie weilten zumeist mehrere Tage in der Bundesrepublik. Es ist anzunehmen, dass die Spione auch darauf trainiert wurden, im Spannungsfall Sabotageakte in der Bundesrepublik Deutschland auszuführen, um den „Klassenfeind" zu demoralisieren.

Die DDR-Grenztruppen erfuhren von den Schleusungen durch den Befehl, bestimmte Bereiche an der Grenze frei zu machen. Diese Räume wurden nun mit Angehörigen der Abteilung 2000 des Ministeriums für Staatssicherheit besetzt. Sie trugen ausnahmslos Uniformen der DDR-Grenztruppen und waren mit deren Fahrzeugen unterwegs. Für Schleusungen an der grünen Grenze im Bezirk Suhl vom Dreiländereck Thüringen-Hessen-Bayern bis Görsdorf bei Schalkau sollen 12 - 15 MfS-Offiziere (die sog. Abt. 2000) zuständig gewesen sein.

Aufmerksame Bewohner von Ortschaften im DDR-Sperrgebiet, wie z. B. Rieth im Heldburger Unterland, bekamen in der Regel diese Schleusungen mit. Ihnen fiel auf, dass die „normalen" Grenztruppen aus dem betreffenden Grenzgebiet abgezogen wurden. Anschließend fuhren ein Forstwagen (Brotzeitanhänger) und ein Lkw mit verdunkelten Scheiben sowie Begleitfahrzeuge durch die Ortschaft in Richtung Grenze. In diesem Forstwagen sollen sich Personen vor und nach dem illegalen Grenzübertritt umgezogen haben. Nach einiger Zeit fuhren sie wieder landeinwärts und die übliche Grenzüberwachung setzte wieder ein.

Die meisten Schleusungsstellen an der deutsch-deutschen Grenze waren von Beobachtungstürmen, von denen zudem das Gebiet der Bundesrepublik frei übersichtlich war (Felder und Wiesen), einzusehen. Schleusungen wurden meist unter Ausnutzung der Abenddämmerung vorgenommen.

Auf die Häufigkeit der Schleusungen lässt folgende Beobachtung schließen: Von Juli 1988 bis Dezember 1989 musste eine Durchlassstelle im Metallgitterzaun zwischen Käßlitz (Kreis Hildburghausen) und Eckartshausen (Kreis Haßberge) mindestens dreimal

Der Grenzübergang Neustadt bei Coburg – Heubisch, Krs. Sonneberg, wurde geöffnet.

10. Dezember 1989

Öffnung der Grenzübergänge Görsdorf – Tremersdorf, Ummerstadt – Weitramsdorf – Ummerstadt und Holzhausen – Rodach.

Zwischen Ummerstadt, Krs. Hildburghausen, und Weitramsdorf, Lkrs. Coburg, wurde die innerdeutsche Grenze geöffnet.

Am frühen Morgen versammelten sich Einwohner aus Burggrub (Bundesrepublik) an der Grenze. Sie wollten an einem gemeinsamen Gottesdienst in Neuhaus-Schierschnitz teilnehmen.

Anlässlich des Tages der Menschenrechte initiierte das Neue Forum in Ilmenau einen Demonstrationszug von der Stadtkirche bis zur Festhalle mit ca. 10.000 Menschen.
In Suhl formierten sich für die Verwirklichung der Menschenrechte ca. 5.000 Menschen zu einem Demonstrationszug. Vor dem Gebäude der SED-Bezirksleitung wurden brennende Kerzen abgestellt.

11. Dezember 1989

In der DDR kam es zu Protesten, weil die 15 Bezirksverwaltungen und ca. 200 Kreisdienststellen des MfS bzw. des AfNS teils ungenügend kontrolliert wurden. Es wurden Bürgerkomitees, Räte für Volkskontrolle bzw. Unabhängige Untersuchungsausschüsse mit Bürgerrechtlern, Staatsanwälten und Regierungsbeauftragten gefordert.

Untersuchung von SED- und FDGB-Objekten im Kreis Hildburghausen

Die Bezirkstagskommission zur Untersuchung von Machtmissbrauch und Korruption ist mit dem Mitglied des Rates des Kreises Hildburghausen, Peter Menz, im Kreisgebiet unterwegs, um das Gästehaus des FDGB-Bundesvorstandes in Schönbrunn, die Ferieneinrichtung des FDGB-Bezirksvorstandes in Waldau und das Gästehaus der SED-Bezirksleitung im Ortsteil Neuendambach der Gemeinde

Gerhardtsgereuth zu besichtigen. Im Ergebnis wurde das Haus in Schönbrunn als außerordentlich exklusiv eingeschätzt.

Sonneberg rief: Wir sind ein Volk!

8.000 Sonneberger fanden sich nach dem Friedensgebet in der Stadtkirche zu einem Schweigemarsch, der am Ehrenmal der Freundschaft und des antifaschistischen Widerstandskampfes endete.

Die Forderungen lauten: Auflösung der Bezirke und Bildung der alten Ländern, enge Zusammenarbeit der Regierungen beider deutscher Staaten, klare Distanzierung von neonazistischen Gruppierungen, völlige Rehabilitierung aller Enteigneten, Verschleppten und Vertriebenen von 40 Jahren SED-Diktatur und Bestrafung der dafür Verantwortlichen. Dem mächtigen Demonstrationszug in Richtung Rat des Kreises wird ein Schild vorangetragen „Nie wieder Krieg, nie wieder Stasi, nie wieder SED". Es folgt eine schwarz-rot-goldene Fahne mit dem Bundesadler, die Dienstflagge der Bundesrepublik Deutschland. Aus dem trotzigen Ruf ‚Wir sind das Volk' wird auch heute in Sonneberg die mächtige Forderung „Wir sind ein Volk".

(Nach: Wiegand I, 10.12.1994)

Nach einer Kundgebung auf dem Marktplatz in Hildburghausen gegen Amtsmissbrauch und Korruption zogen anschließend ca. 1.800 Bürger durch die Stadt.

12. Dezember 1989

Freies Wort veröffentlichte die „Wortmeldung der Angehörigen der Passkontrolleinheiten unseres Bezirkes" unter der Überschrift „Statt Blumen nun Hanfseile".

Bei den „Staatsdienern" der Geheimpolizei gab es kein Wort des Eingeständnisses der Mitschuld an diesem inhumanen Grenzregime. Viele Bürger diskutierten ungehalten darüber, weil offensichtlich die Grenzwächter im Zusammenspiel mit dem Zoll die teils schikanösen Grenzkontrollen unter der Befehlsgewalt der Staatssicherheit vergessen haben.

von der DDR-Grenztruppe frei gemacht werden, d. h. also, dass Schleusungen von DDR-Agenten vorgenommen wurden.

Ein ehemaliger Feldwebel der DDR-Grenztruppen erinnert sich, wie z. B. die Schleusungen am Bahndamm der aufgelassenen Bahnstrecke Rentwertshausen – Mühlfeld bei Mellrichstadt durchgeführt wurden. Die Abteilung 2000 meldete sich mittels eines Kennwortes, worauf der gesamte Unterharleser Grund streifenfrei gehalten werden musste. Besonderen Wert legte die Abteilung 2000 auf keinerlei Gegenfragen. Den diensthabenden Grenzaufklärern wurde mitgeteilt, sie sollten sich keinerlei Gedanken machen, wenn sie Personen bemerkten, die sich auf das Gebiet der BRD begeben. Der Bahndamm habe sich in diesem Bereich wegen seines verwilderten Zustands besonders gut für Schleusungen geeignet. Die Klappe im Metallgitterzaun maß ca. 90 x 90 cm und war mit fünf Haken gesichert. Gleichzeitig befanden sich im Hinterland ein Beobachtungsturm sowie ein Erdbunker, der versteckt im Unterholz lag. Von bundesdeutscher Seite war die Schleusungsstelle nicht einzusehen. Nach Passieren der Landesgrenze konnte sich der Geschleuste nochmals ca. 300 Meter gedeckt auf dem Gebiet der Bundesrepublik bewegen, ohne von Bewohnern der bayerischen Gemeinde Mühlfeld gesehen werden zu können. Beim Auftauchen der Person auf bundesdeutschem Gebiet ließ sich also kaum ein direkter Grenzbezug herstellen. Wie häufig z. B. diese Klappe benutzt wurde, zeigt die Tatsache, dass dort 1990 keinerlei Gras wuchs, also der Bereich viel begangen war.

Eine weitere Schleusungsstelle lag zwischen Birx und Leubach. Ca. 30 – 40 m hinter der Landesgrenze befand sich in einer Schlucht ein Betonrohr mit einem Durchmesser von ca. 120 cm. Das Betonrohr bildete den Wasserdurchlass für den Querenbach. Es war nicht vergittert. Der Tunnel war ca. 25 m lang. Beim Austritt befand sich ebenfalls eine Schlucht, die es einer Person ermöglichte, sich gedeckt und unerkannt fortzubewegen.

Die meisten DDR-Agenten kehrten unerkannt zurück, aber es gelang den bayerischen Sicherheitsbehörden im Lauf der Jahre, einige von ihnen zu fassen. So enttarnten Polizeibeamte der Grenzpolizeistation Maroldsweisach (Kreis Haßberge) innerhalb weniger Jahre zwei von ihnen.

Der Fall Mann

Polizeiobermeister Hans Och war an einem warmen Sommerabend des Jahres 1979 allein in einem Streifenwagen der Grenzpolizeistation Maroldsweisach unterwegs. Er hatte soeben in der unmittelbar an der innerdeutschen Grenze gelegenen Ortschaft Dürrenried (Kreis Haßberge) einen Diebstahl geklärt. Och ist in dieser Gegend aufgewachsen und kennt jeden, so dass es ihm nicht schwerfiel, den in Frage kommenden Täterkreis einzugrenzen.

Zwischen Allertshausen und Hafenpreppach kam ihm ein Auto mit defektem Scheinwerfer entgegen. Der Polizeibeamte stoppte es und machte dessen Fahrer auf den Fahrzeugmangel aufmerksam. Er erkannte nun am Fahrbahnrand einen Fußgänger und forderte diesen auf, stehen zu bleiben, um ihn kontrollieren zu können. Der Unbekannte folgte der Weisung des Polizeibeamten und fragte diesen: „Wo meinen Sie, dass ich herkomme?" Überrascht von der eigenartigen Fragestellung antwortete Och spontan: „Na, aus dem Osten!" Als sein Gegenüber gar noch mit „ja" antwortete, war der Grenzpolizeibeamte zunächst sprachlos.

Er musste die überraschende Antwort erst einmal verdauen. Zwar vermutete man, dass die DDR an der nahezu unüberwindlichen Grenze Schleusungen von Mitarbeitern der Staatssicherheit vornahm, trotzdem war die Überraschung groß.

Der Polizeibeamte durchsuchte nun den unbekannten Mann mittleren Alters, der Westkleidung trug und auf ihn den Eindruck eines harmlosen Wanderers machte. Er fand in seinen Taschen neben West- auch Ostgeld und sah damit die Behauptung des DDR-Bürgers bestätigt. Daraufhin nahm er den Mann wegen Verdachts geheimdienstlicher Tätigkeit fest und verbrachte ihn zur Grenzpolizeistation nach Maroldsweisach. Nun berichtete der DDR-Agent wahrheitswidrig, er sei drüben abgehauen, weil es bei seiner Ehefrau, mit der er zwei Kinder hätte, nicht mehr ausgehalten habe.

Bei der erkennungsdienstlichen Behandlung fiel dem Polizeibeamten auf, dass sich sein Gegenüber professionell verhielt, also mehr oder weniger „vom Fach" sein musste. Schließlich bat ihn Hans Och, er möge doch an der Landkarte zeigen, wo er über die Grenze in den Westen flüchtete. Sein Gegenüber wies auf den Bereich zwischen Poppenhausen/Käßlitz (DDR) sowie Dürrenried/Gleismuthhausen (Bayern). Hier, so erklärte der Mann, habe er unbeschadet die Zäune überklettert, ohne dass seine Flucht auf DDR-Seite bemerkt worden sei. Zu diesem Zeitpunkt aber war in dem genannten Bereich überhaupt kein Zaun, da der alte doppelreihige Stacheldrahtzaun von 1962 gerade durch einen einreihigen, 3,20 m hohen Metallgitterzaun ersetzt wurde, wie Och aus seinen täglichen Streifenfahrten entlang der Grenze wusste.

Der Verdacht, dass es sich bei den Angaben des DDR-Bürgers um eine Legende handelte, verdichtete sich stetig, so dass Polizeiobermeister Och seine Vorgesetzten bei der Grenzpolizeiinspektion Mellrichstadt informierte. Schließlich übernahm das Bayerische Landeskriminalamt in München die Ermittlungen und der Untersuchungsrichter ordnete U-Haft gegen den DDR-Agenten wegen Verdachts geheimdienstlicher Tätigkeit für die DDR an.

Etwa ein halbes Jahr später fand eine Gerichtsverhandlung vor dem Bayerischen Obersten Landgericht in München statt. Bei dieser musste u. a. auch POM Hans Och als Zeuge aussagen. Es stellte

Freies Wort druckte einen Aufruf des Neuen Forums ab, in dem eine unabhängige und freie Bezirkszeitung ohne Zensur gefordert wird.

Beräumung der ehemaligen Stasi-Dienststelle in der Geschwister-Scholl-Straße in Hildburghausen (vor allem Schriftgut) unter Aufsicht des Neuen Forums, des Amtierenden Kreisstaatsanwalts und der Volkspolizei.

In Meiningen wurde das Stasigebäude Weißes Haus von Mitgliedern der Bürgerbewegung durchsucht.

Nach einem Friedensgebet in der Stadtkirche Meiningen demonstrierten ca. 5.000 Menschen mit Transparenten und Rufen nach der deutschen Einheit durch die Innenstadt.

In Neuhaus/Rwg. nahm eine unabhängige Untersuchungskommission zur Aufdeckung von Amtsmissbrauch und Korruption in Dienststellen und Betrieben ihre Arbeit auf.

In Sonneberg wurde die ehemalige Dienststelle des MfS/AfNS in Zusammenarbeit mit der Bürgerinitiative und unter Aufsicht des Kreisstaatsanwalts beräumt. Das Material, Nachrichtentechnik sowie dienstliches Schriftgut, Waffen usw. wurden in das Volkspolizeikreisamt Sonneberg und in die Bezirksbehörde der Deutschen Volkspolizei Suhl ausgelagert.

13. Dezember 1989
Gründung der Sozialdemokratischen Partei (SDP, später SPD) nach einem Aufruf zur Montagsdemo am 11.12. in Hildburghausen. 32 Interessenten gründeten den Orts- und provisorischen Kreisverband.

Das Aktiv Staatssicherheit der Zeitweiligen Kommission des Bezirkstages Suhl gab einen ersten Zwischenbericht zum Stand der Stasiauflösung.

Eine Partnerschaft mit der Gemeinde Gleichamberg in Thüringen strebte Knetzgau im Lkrs. Haßberge an.

2,5 Mio. DM an Begrüßungsgeld bezahlte die Verwaltungsgemeinschaft Fladungen, Lkrs. Rhön-Grabfeld, seit 24.11.1989 – dem Tag der Öffnung der Grenze bei Oberfladungen – aus. Die Stadt Ostheim v. d. Rhön zahlte seit 10.11.1989 etwa 2,7 Mio. DM.

Bad Brückenau erlebte einen ungewohnten Besucheransturm: Rund 450 DDR-Bürger kamen und standen vor dem Rathaus an, um ihr Begrüßungsgeld in Empfang zu nehmen.

Die Landräte Keller, Haßberge, und Müller, Hildburghausen, unterzeichneten eine Vereinbarung über den Straßenbau auf DDR-Gebiet und vereinbarten gleichzeitig regelmäßige Öffnungen über Weihnachten für Fußgänger. Sie setzten sich damit über die damals noch geltende Besuchsregelung und den Zwangsumtausch hinweg.
(Fränkischer Tag, 25.01.1990)

14. Dezember 1989
Der Ministerrat der DDR beschloss die Auflösung des MfS/AfNS und die Einrichtung eines Amtes für Verfassungsschutz. Wegen massiver Proteste in der Bevölkerung und bei den Oppositionsgruppen verzichtete die Regierung jedoch auf den Verfassungsschutz.
Der Runde Tisch vom 27.12.1989 (4. Beratung) verlangte den Verzicht auf einen Geheimdienst.

Der Runde Tisch des Kreises Meiningen tagte zum ersten Mal.

Unter der Überschrift „Zielstellung und Arbeitsweise waren politisch pervertiert" erschien in Freies Wort ein 5-seitiger Zwischenbericht der seit 06.12.1989 tätigen Arbeitsgruppe „Staatssicherheit", der in den Kerngedanken gedruckt wird. Die Redaktion hatten der Regierungsbeauftragte, Dr. Dieter Schröder, und der Sprecher, Bernd Röhner (SDP).

Freies Wort, Tageszeitung der SED für den Bezirk Suhl, startete den Versuch eines Runden Tisches für den Bezirk. Einige Parteien und Massenorganisationen

sich heraus, dass der DDR-Agent im Schlettach bei Ummerstadt – Weitramsdorf (Kreis Coburg) über die Grenze geschleust wurde. Mit einem Omnibus des öffentlichen Nahverkehrs kam er dann aus dem Coburger Land in die Gegend von Maroldsweisach.

Bei der Verhandlung wollte der DDR-Agent den Richtern weismachen, dass er sich freiwillig gestellt hätte, da er beabsichtigte, nicht wieder in die DDR zurückzukehren. Der Mann wurde schließlich wegen geheimdienstlicher Tätigkeit zu acht Monaten Freiheitsstrafe verurteilt. Die Haftzeit war mit der Zeit der Untersuchungshaft abgegolten und er kam auf freien Fuß. Dem DDR-Bürger wurde eine Arbeitsstelle bei Mercedes im Württembergischen vermittelt, wo er aber nur einen halben Tag arbeitete und dann untertauchte. Er kehrte offensichtlich wieder in die DDR zurück.

Spektakuläre Festnahme an der Fuchsmühle
In der Nähe der Fuchsmühle zwischen Birkenfeld und Sulzbach (Kreis Haßberge) endete wenige Jahre später der illegale Aufenthalt eines weiteren DDR-Agenten. Diesmal machte der Aufgriff der Maroldsweisacher Grenzpolizisten bundesweit Schlagzeilen.

Der pensionierte Kollege Erich Herold war am 16. Juni 1988 in einem Waldstück in der Nähe von Winhausen – einem Weiler bei Birkenfeld – mit dem Fällen von Brennholz beschäftigt. Ein Wanderer kam des Wegs und da der tüchtige Ruheständler dankbar war, sich in dieser Einsamkeit einmal mit jemand unterhalten zu können, sprach er den Unbekannten an und fragte ihn, wo er denn hin wolle, wo er herkomme usw. Dieser erklärte ihm, er unternehme eine Wanderung in die Hofheimer Gegend und suche den Weg nach Sulzbach. Dem ehemaligen Grenzpolizisten fiel im Verlauf des Gespräches auf, dass sein Gegenüber sächsischen Dialekt sprach. Herold beschrieb ihm die weitere Wegstrecke.
Schließlich verabschiedete sich der Wanderer und lief in Richtung Fuchsmühle. Nachdem dieser außer Reichweite war, lief Erich Herold zu seinem Auto, fuhr nach Hause und verständigte seine ehemaligen Kollegen bei der Grenzpolizeistation Maroldsweisach. Polizeihauptmeister Wilhelm Käb und Polizeiobermeister Helmut Matz machten sich nun mit einem Zivil-Pkw der Polizeistation auf die Suche und entdeckten den Wandersmann nach einiger Zeit schließlich auf dem Fahrweg von der Fuchsmühle nach Sulzbach.

Der Unbekannte wies sich mit einem bundesdeutschen Reisepass, ausgestellt vom Polizeiamt Bad Kreuznach, aus. Die Beamten durchsuchten ihn und fanden eine Hose mit dem Etikett eines volkseigenen DDR-Betriebes. Er trug eine grün-braune Fleckhose und eine schwarze Jacke und führte eine blaue Tasche mit, in der er u. a. Wäsche für drei Tage dabei hatte.

Aufmerksame Beamte der Grenzpolizeitstation Maroldsweisach nahmen an dieser Stelle an der Fuchsmühle bei Hofheim i. Ufr. im Juni 1988 einen DDR-Agenten fest. Foto: Reinhold Albert

Nun wurde der vermeintliche Agent von den Polizeibeamten vorläufig festgenommen und zur Dienststelle verbracht. Die Beamten versuchten, durch eine gezielte Befragung herauszufinden, ob es sich bei dem Wanderer um einen Agenten des DDR-Staatssicherheitdienstes handelte.

Der Dienststellenleiter der Grenzpolizeistation Maroldsweisach, Polizeihauptkommissar Rüdiger Kuhn, erinnert sich, dass die aufgegriffene männliche Person auf Befragen u. a. folgende Angaben machte:

Er sei verheiratet, seine Ehefrau wäre jedoch derzeit nicht erreichbar; sie hätten auch kein Telefon zu Hause.

Er sei seit ca. vier Jahren ohne Arbeit, seine ehemalige Firma sei ihm nicht mehr bekannt.

Er wollte sich als Wanderer die hiesige Gegend anschauen.

Heute erste wäre er von Bad Kreuznach bis Allertshausen getrampt und wäre nun auf dem Wege nach Sulzbach, Lkrs. Haßberge.

Seine Ehefrau arbeitet ab und zu in einem Kaufhof in Bad Kreuznach (Begründung für den Besitz von 670 DM).

Aufgrund des bei ihm gefundenen 10-M-Scheines aus der DDR gab er an, vor zwei Jahren in der DDR gewesen zu sein (in dem am 27.08.1985 ausgestellten Reisepass waren jedoch keine Ein- bzw. Ausreisestempel der DDR vorhanden).

Er gab an, bei seinen Eltern krankenversichert zu sein, weshalb er den Namen der Versicherung nicht wüsste.

Den Aufenthaltsort seiner Eltern gab er mit Bad Kreuznach an, mit dem Zusatz, diese wären aber derzeit in Urlaub. Die Schwiegereltern seien verstorben. Es waren also keinerlei Auskunftspersonen von ihm in Erfahrung zu bringen.

schlugen das Angebot wegen der Vergangenheitsbelastung der Zeitung aus, zumal es kaum eine Demonstration oder Kundgebung gab, bei denen sie verbal nicht angegriffen wurde.

Personalentscheidungen im Kreis Sonneberg

Im Rat des Kreises Sonneberg kam es zu Personalentscheidungen. In einer außerordentlichen Kreistagssitzung wurde Gunter Scheler einstimmig zum neuen Vorsitzenden des Rates des Kreises gewählt. Aufgrund der gespannten sicherheitspolitischen, gesellschaftlichen und wirtschaftlichen Lage wurden in Neuhaus/Rwg. und Sonneberg „Operativstäbe" gebildet. Die Operativstäbe, die hauptsächlich aus den Leitern des Wehrkreiskommandos, der Volkspolizeikreisämter und den Kreisstaatsanwälten bestanden, hatten insbesondere „alle erforderlichen Maßnahmen zur Aufrechterhaltung des staatlichen, wirtschaftlichen und gesellschaftlichen Lebens zur Gewährleistung der öffentlichen Ordnung und Sicherheit durchzusetzen und den Schutz der Kader in Stadt und Wirtschaft zuverlässig zu organisieren".

Der Leiter des Wehrkreiskommandos Sonneberg forderte dringend notwendige staatliche Maßnahmen zur Wiedereingliederung von Mitarbeitern des AfNS sowie deren Schutz, einschließlich ihrer Familienangehörigen.

(Nach: Wiegand II, S. 204)

Sülzfeld, Krs. Meiningen, und Sulzfeld, Lkrs. Rhön-Grabfeld, wollten eine Partnerschaft eingehen, bekräftigten Bürgermeister Erwin Glückert und sein Sülzfelder Amtskollege Helmut Reum.

15. Dezember 1989
Eine Weihnachtsgeschichte

Zu einer dramatischen Weihnachtsgeschichte kam es im Dezember 1989 in Mellrichstadt: Gabi und Gerd Beck sowie Töchterchen Julia aus Meiningen hatten bereits im Spätsommer den Entschluss gefasst, der DDR den Rücken zu kehren und in die Bundesrepublik überzusiedeln. Die Ereignisse aber überschlugen sich, und mit der unerwarteten Öffnung der

Grenze stand fest: Die junge Familie reiste aus. Gabi Beck war im achten Monat schwanger. Die Becks gingen deshalb ganz wie im biblischen Original auf Herbergssuche. Mit viel Glück fanden sie eine Wohnung in Mellrichstadt und Gerd Beck zusätzlich sogar Arbeit. Hektisch wurde es nun, die neue Wohnung einzurichten, und für Gabi Beck gab es Probleme bezüglich ihrer korrekten Anmeldung und Aufenthaltsgenehmigung. Baby Paul wurde es wohl angesichts des Stresses im Bauch der Mutter zu viel – lautstark kam es am 15. Dezember zur Welt, ohne Doktor, der kam erst, als alles vorüber war.
(Nach: Main-Post, 11.11.1999)

Das totale Chaos brach in München am 15.12.1989 aus, nachdem sich in der DDR herumgesprochen hatte, dass die Stadt zusätzlich zu 100 DM Begrüßungsgeld oder 40 DM Zweitbegrüßungsgeld des Freistaats noch 50 DM kommunales Begrüßungsgeld zahlte. Die Züge aus der DDR waren bis zu 300 % überbelegt, teilweise brach der Fahrplan der Bundesbahn zusammen. Daraufhin stellte München die zusätzliche Zahlung ein.

Aus der Erklärung des Vorsitzenden des Kreisausschusses der Nationalen Front, Dr. Klaus Schwenk, Hildburghausen:
„In dieser für unser Land und unser Volk so bedeutungsvollen Zeit wende ich mich mit folgender Erklärung an Sie: Die Ereignisse der letzten Stunden, Tage und Wochen haben meines Erachtens gezeigt, daß es keine gesellschaftliche Notwendigkeit mehr gibt, die Arbeit der Nationalen Front auf Kreisebene aufrechtzuerhalten. Die Bedeutungslosigkeit resultiert nicht zuletzt aus ihrer bisherigen Sprachlosigkeit, aber auch aus Erfahrungen während meiner Tätigkeit. In die Zukunft weisende Überlegungen wurden nicht akzeptiert und fanden kein Ende im damals existierenden Demokratischen Block. Die Zeit hat diese Leute überholt, und unser Kreis ist auf dem Wege, eine gewichtige Stellung in der deutsch-deutschen Verständigung einzunehmen."

Seit sieben Jahren bewohne er in einem Hochhaus im 10. Stock zwei Zimmer, kenne aber keine Nachbarn persönlich.

Auf Frage nach seiner Schuhgröße gab er eine in der Bundsrepublik ungebräuchliche an, nämlich 26 1/2. Dies trotz mehrmaliger Nachfrage. Diese Kindergröße war auch in der DDR nicht gebräuchlich.

Bei seiner Durchsuchung wurde in keinem Wäschestück eine Etikette gefunden, nur in der kurzen Schlafanzugshose seitlich.

Er hatte keine Kenntnis von Namen der Nachbarn.

Er gab an, arbeitslos zu sein. Den Namen der Firma, bei der er zuletzt arbeitete, wisse er nicht mehr.

Der Frage nach Auskunftspersonen wurde ausgewichen. Entweder waren diese verreist, verstorben oder unbekannten Aufenthalts.

Weiter gab er an, seine Frau besäße ein Auto, er aber nicht. Eine Überprüfung ergab aber, dass ein roter Opel-Kadett mit dem amtlichen Kennzeichen KH-U 380 auf Bernd-Uwe M. zugelassen war. Seine Frau sollte jedoch einen blauen Audi 80 mit demselben Kennzeichen besitzen.

Einen Audi 80 besaß die Familie, als sie 1985 am Grenzübergang Wartha/Herleshausen in die DDR einreiste, hatte diesen jedoch mittlerweile verkauft. Damals wurde offensichtlich von der DDR-Passkontrolleinheit der Reisepass kopiert, ebenso das von ihnen benutzte Fahrzeug registriert. Das Ausweispapier wurde dann für einen ähnlich aussehenden Angehörigen des DDR-Staatssicherheitsdienstes gefälscht.

Entscheidend aber für eine Überführung war, dass S. angab, lediglich einen Sohn mit dem Namen Sven zu haben, der 1974 geboren sei. Eine Überprüfung beim Einwohnermeldeamt in Bad Kreuznach ergab jedoch, dass der richtige M. mittlerweile Vater zweier Kinder war. Bei einer nochmaligen diesbezüglichen Befragung blieb der S. jedoch dabei, nur ein Kind zu haben, dessen Geburtsdatum er außerdem falsch angegeben hatte.

Als ihn die Beamten das Ergebnis ihrer Recherche beim Einwohnermeldeamt mitteilten, gab er zu, Bürger der DDR zu sein. Der DDR-Agent brachte nach seiner Enttarnung nachdrücklich zum Ausdruck, dass er keinerlei Angaben zu seinem Reiseweg, seinem Grenzübertritt und überhaupt zum gesamten Sachverhalt machen werde.

Am Tag der Festnahme des mutmaßlichen DDR-Agenten wurde an das Grenzpolizeipräsidium in München unter dem Betreff „Nachrichtendienstliche Tätigkeit. Hier: Detlef S., geb. 1959 in S./Thüringen, alias Bernd Uwe M., wohnh. Bad Kreuznach" ein Fernschreiben geschickt, aus dem u. a. hervorgeht:
Am Donnerstag, dem 16.06.1988, wurde während einer Streifenfahrt durch Beamte der GPS Maroldsweisach eine verdächtige Person bei Maroldsweisach festgestellt. Einer Kontrolle entzog er sich

DDR-Agent Detlef S. wurde 1988 bei Maroldsweisach gefasst. Dieses Fahndungsfoto wurde in der gesamten bundesdeutschen Presse veröffentlicht, um herauszufinden, um wen es sich handelte.
Foto: Bayerische Grenzpolizei

Wegen des sprunghaft gestiegenen Interesses bei mittelständischen Unternehmen an DDR-Geschäften richtete die Industrie- und Handelskammer Würzburg-Schweinfurt im Dezember 1989 eine eigene DDR-Beratungsstelle ein. Besonders der Handel wollte Informationen über die Bedingungen für Grund- und Hauserwerb, um Filialen im Osten zu eröffnen.

16./17. Dezember 1989
SED-PDS

Dem Parteinamen SED wurde das Kürzel PDS – Partei des Demokratischen Sozialismus angefügt. Ein Großteil der Bevölkerung findet das als ungeheure Demagogie. Bei den Demos und Friedensgebeten wurde immer wieder massiv das Verbot der SED bzw. SED-PDS gefordert, da die SED-Führungsgremien Befehlszentralen für die verbrecherische Staatssicherheit gewesen waren.

16. Dezember 1989

In Sonneberg traf sich die Initiativgruppe Presse-Neugestaltung, bestehend aus Journalisten des Freien Wortes, Interessierten, Gast-Journalisten aus Coburg. Sie erhoben folgende Forderungen:
- Das Freie Wort soll aus der Trägerschaft der SED herausgelöst werden.
- Die lokale Information soll durch Umwandlung der Wochenendbeilage in eine im Krs. gestaltete Beilage verbessert werden.
- Die vorhandene Kreisredaktion soll durch einen Redaktionsbeirat aus Vertretern aller gesellschaftlichen Gruppen des gesamten Kreisgebietes ergänzt werden.
- Zwecks Umwandlung der Zeitung in eine unabhängige Südthüringer Presse sollen Gespräche mit Verlagsdirektoren aus Suhl und dem oberfränkischen Raum geführt werden.
(Nach: Wiegand I, 23.12.1964)

offensichtlich, indem er im Wald verschwand. Aufgrund einer daraufhin eingeleiteten Fahndungsaktion der GPS Maroldsweisach konnte der Unbekannte gegen 11.43 Uhr bei Maroldsweisach durch PHM Käb und POM Matz aufgegriffen und zur GPS Maroldsweisach gebracht werden. Hier gab er sich als Wanderer aus, sei arbeitslos und schaue sich die Gegend an. Er wäre von Allertshausen kommend auf dem Weg nach Sulzbach, in dessen Nähe er aufgegriffen wurde. ... Bei einer gezielten Befragung durch PHK Storch gab der o.g. aufgrund seiner nachweisbaren Widersprüche zu, der o.g. Detlef S. aus der DDR zu sein. Nach Abschluß der hiesigen Ermittlungen wird der Beschuldigte noch heute dem LKA München zugeführt.

Am Tag der Festnahme leitete der Generalbundesanwalt in Karlsruhe ein Ermittlungsverfahren wegen Verdachts geheimdienstlicher Agententätigkeit gegen S. ein. Gleichzeitig gab er das Verfahren an die Staatsanwaltschaft beim Bayer. Obersten Landesgericht zur weiteren Bearbeitung ab.

Bei einer Untersuchung des Reisepasses beim Bundeskriminalamt wurde gutachtlich festgestellt, dass es sich bei diesem um einen

Unmittelbar an der GÜSt Vacha – Philippsthal fand auf hessischer Seite eine Großkundgebung der CDU mit über einer Viertelmillion Menschen statt, auch 77.000 DDR-Bürger passierten dazu die Grenze.
(Freies Wort, 09.11.1999)

Die Grenze zwischen Behrungen und Rappershausen wurde zur ersten Begegnung der bis dahin getrennten Nachbardörfer geöffnet. Am Wochenende wechselten ca. 6.500 Personen „rüber und nüber".

Der Grenzübergang Veilsdorf, Krs. Hildburghausen, und Grattstadt, Lkrs. Coburg, wurde geöffnet.

Nach Jahrzehnten der Trennung öffneten sich die Grenzsperranlagen zwischen Rieth/Albingshausen, Krs. Hildburghausen, und Zimmerau/Sternberg, Lkrs. Rhön-Grabfeld.

17. Dezember 1989
Nach einem Regierungsbeschluss wurde dem Volkskammerpräsidenten Maleuda mitgeteilt, dass das AfNS aufgelöst worden sei.

In Leipzig wurde die Partei Demokratischer Aufbruch (DA) gegründet.

Mehr als eine Million Menschen aus der DDR besuchten an diesem Freitag die Bundesrepublik und West-Berlin. Der Massenaufbruch führte wieder zu einem Verkehrschaos an den Grenzen. In Oberfranken z. B. waren die Stadtzentren von Bayreuth, Coburg und Hof erneut dicht. Laut DDR-Innenministerium stellten die DDR-Behörden seit Grenzöffnung am 09.11. fast 9,6 Millionen Visa für Privatreisen aus.
(Coburger Tageblatt, 18.11.1989)

Etwa 800 DDR-Bürger vor allem aus Stedtlingen, Krs. Meiningen, liefen in das 5 km entfernte Willmars im Lkrs. Rhön-Grabfeld und wurden begeistert empfangen.

Der Fußweg zwischen Käßlitz, Krs. Hildburghausen, und Dürrenried, Lkrs. Haßberge, wurde erstmals freigegeben. Manche Einheimische waren über den Ansturm gar nicht so froh, weil die Kontakte der Nachbardörfer untereinander litten.
(Fränkischer Tag, 25.01.1990)

total gefälschten vollabgedeckten Pass aus dem Bereich der DDR-Geheimdienste handelt. Totalfälschungen der vorliegenden Art gehörten üblicherweise zur Ausrüstung von illegalen Reisekadern des Ministeriums für Staatssicherheit oder des militärischen Geheimdienstes der DDR.

Um entsprechende Hinweise über die Aufenthalte, den Reiseweg, den Grenzübertritt etc. von S. zu erlangen, wurden Fotos von S. mit einem Fahndungsaufruf veröffentlicht. Selbst die BILD-Zeitung nahm sich damals ebenso wie weitere überregionale Zeitungen, dieses Falles an. So konnte in der Ausgabe vom 13. Juli 1988 Folgendes nachgelesen werden: Wanderer ein Spion von drüben? – München/Maroldsweisach – Mit Rucksack und adidas-Sporttasche huschte ein Mann an der innerdeutschen Grenze bei Maroldsweisach (Unterfranken) durchs Unterholz. Er verhielt sich dabei so auffällig, daß ihn in der Nähe patrouillierende Grenzpolizisten kontrollierten. ‚Ich bin Wanderer', behauptete der Unbekannte und zeigte einen Paß vor, der auf den Namen eines tatsächlich in Rheinland-Pfalz lebenden Mannes lautete. Doch als sich der Paß als äußerst professionelle Fälschung herausstellte, erklärte der Mann schließlich: ‚Ich bin Staatsbürger der DDR.' Ein Spion? Das Landeskriminalamt ermittelt jetzt, sucht nach Hinweisen über die Aufgaben des mutmaßlichen Agenten." Eine Fotografie des vermeintlichen Wanderers war beigefügt.

Der Polizeihauptmeister außer Dienst Erich Herold erhielt am 2. August 1988 ein Schreiben des Chefs der Bayerischen Grenzpolizei, Polizeipräsident Gerhard Hoppe. Dieser schrieb:
Mit großer Freude habe ich erfahren, daß die Festnahme eines geschleusten Mitarbeiters eines östlichen Nachrichtendienstes am 16.06.1988 im Gemeindebereich Maroldsweisach, Lkrs. Haßberge, auf Ihre Initiative und Aufmerksamkeit zurückzuführen ist. Mit Ihrem von viel Fachkenntnis und Engagement zeugenden Hinweis haben Sie den noch aktiven Kollegen ein Beispiel dafür gegeben, daß ein echter ‚Grenzer' auch als Pensionist noch voll seinen Mann steht. Durch die Festnahme dieses geschleusten Agenten hat sich das Ansehen der Bayer. Grenzpolizei nicht nur im politischen, sondern auch im polizeilichen und staatsanwaltschaftlichen Bereich weiter gesteigert. Für Ihre Aktivitäten möchte ich Ihnen auf diese Weise meine Anerkennung aussprechen und Ihnen für Ihr weiteres Pensionistendasein alles Gute und beste Gesundheit wünschen.

Am 16.12.1988 verurteilte der 3. Strafsenat des Bayerischen Obersten Landesgerichts in München den 29-jährigen S. wegen geheimdienstlicher Agententätigkeit für das Ministerium für Staatssicherheit der DDR in Tateinheit mit Urkundenfälschung zu einer Freiheitsstrafe von einem Jahr und drei Monaten.

Über das weitere Schicksal des DDR-Agenten berichtete die Hamburger Tageszeitung „Die Welt" am 29. Juni 1989:

Agententausch zwischen Bonn und Ost-Berlin abgeschlossen. – Der Krankenwagen mit dem Notarzt parkte diskret auf der Westseite hinter dem Schlagbaum am hessisch-thüringischen Kontrollpunkt Herleshausen – Wartha. Über die Autobahn aus Richtung Eisenach kam der Ostberliner Anwalt Wolfgang Vogel (SED). In einer Limousine, deren getönte Scheiben vor Neugierigen abschirmten, saßen zwei Mitarbeiter des Bundesnachrichtendienstes (BND). Der Anwalt brachte eine im DDR-Zuchthaus schwer erkrankte Frau, der Mann neben ihr im Wagen verbüßte nach der Verurteilung Anfang der sechziger Jahre in einem Geheimprozeß wegen angeblicher Militärspionage eine lebenslange Freiheitsstrafe, die 1987 in eine Zeitstrafe von 15 Jahren umgewandelt wurde, bis die Bundesregierung durch stille Bemühungen jetzt die vorzeitige Freilassung erreichte. Mit der Ankunft im Westen wurde der unter strenger Geheimhaltung vorbereitete Agententausch abgeschlossen. Als Gegenleistung wurden die von den Oberlandesgerichten in Düsseldorf und München abgeurteilten DDR-Agenten Dietmar K., ein 47-jähriger Ingenieurpädagoge, und Detlev S., ein 34-jähriger Kurier des Staatssicherheitsdienstes, begnadigt. Karbus, der als Agentenwerber bei Polizei und Verwaltung in Mühlheim/Ruhr enttarnt worden war, verbüßte eine 15monatige Haft, Schröder 18 Monate.

Der Fall Michael P.

Und auch im Coburger Land verstrickte sich ein DDR-Agent im Fahndungsnetz der bundesdeutschen Sicherheitsbehörden. Am Montag, 2. Oktober 1989, wurde ein als Urlauber mit Wanderkarte, Fahrrad mit Packtaschen und Fotoapparat getarnter DDR-Agent auf der Staatsstraße 2205 von Coburg in Richtung Rodach von den Polizeiobermeistern Bernhard Guski und Wolfgang Müller von der Grenzpolizeistation Rodach vorläufig festgenommen. Er wies sich mit einem gefälschten Westberliner Personalausweis aus. Eine Überprüfung ergab, dass sich der rechtmäßige Ausweisinhaber zum Zeitpunkt der Festnahme in Berlin aufhielt. In einem nachrichtendienstlichen Container, getarnt als Manikürtasche, wurde ein DDR-Reisepass aufgefunden. P. war am 26. September 1989 am Grenzübergang Friedrichstraße von Berlin-Ost nach Berlin-West eingereist und hielt sich in Köln, Frankfurt, Nürnberg und zuletzt in Coburg auf. Er führte im Bundesgebiet nachrichtendienstliche Abklärungsaufträge durch. P. hatte sich in Nürnberg das Fahrrad gekauft. In einer Hemdtasche führte er ein Kleinstradiogerät mit Ohrhörer mit sich, das offensichtlich als sog. Schleusungshilfe diente. Bei seiner Befragung bei der Grenzpolizeiinspektion Coburg gab P. unter anderem an, dass er bei der Allianz krankenversichert sei. Das Versicherungsunternehmen hat jedoch keinerlei Krankenversicherung im Angebot. Die DDR-Agenten kannten sich im Sozialsystem der Bundesrepublik nur sehr wenig aus.

Öffnung der Grenzübergangs Sülzfeld – Bad Colberg.

Tausende Bürger – vor allem aus dem Lkrs. Coburg – weilten in Ummerstadt, Krs. Hildburghausen, der kleinsten Stadt der DDR.

Offizielle Grenzöffnung für den Fußgängerverkehr zwischen Heubisch und Neustadt b. Coburg.

18. Dezember 1989
Im Krs. Sonneberg wurden erste Anträge auf Wiedergutmachung gestellt.
- Eine Frau aus Sonneberg forderte für ihren Sohn eine Entschädigung, weil dieser während der Armeezeit inhaftiert war und mit einer ungeheilten Krankheit entlassen wurde.
- Eine Einwohnerin aus Neuenbau forderte eine Entschädigung, weil ihr Mann am 03.08.1964 unter mysteriösen Umständen in Neuenbau angeschossen wurde und an den Folgen verstarb.
(Wiegand I, 23.12.1994)

Die DDR-Bürger bevorzugten mittlerweile die ruhigeren Tage während der Woche zu einer Einkaufsfahrt in den Westen, hieß es in einem Bericht der Grenzpolizei in Mellrichstadt.

Endlich konnten sich auch die Einwohner von Rappershausen, Lkrs. Rhön-Grabfeld, und Behrungen, Krs. Meiningen, wieder gegenseitig Besuche abstatten – die Grenze zwischen beiden Orten war offen. Ein älterer Mann aus Rappershausen sagte: „Unsere junge Leut warn scho überall, in Spanien, in Italien. Nur Baringe (Behrungen) kennen se net!"

19. Dezember 1989
Gespräch zwischen dem Bundeskanzler der Bundesrepublik Deutschland, Dr. Helmut Kohl, und dem DDR-Ministerpräsidenten Hans Modrow in Dresden zu einer Vertragsgemeinschaft der beiden deutschen Staaten und zum Wegfall der Visumspflicht für Bundesbürger bei Reisen in die DDR zum 24.12.1989.

In Neuhaus-Schierschnitz demonstrierten Bürger vom Rathaus zur Grenzübergangsstelle in einem Schweigemarsch gegen die Integrierung ehemaliger Mitarbeiter des MfS für die Personen- und Zollkontrolle an den Grenzübergangsstellen.

Bombendrohung zum letzten Friedensgebet 1989 in Meiningen

Trotz einer Bombendrohung fanden das letzte Friedensgebet im Jahr 1989 und eine Demonstration statt.

Am Nachmittag erhält der Superintendent durch die Kriminalpolizei eine Warnung. Es sei eine Bombendrohung eingegangen, die ernst genommen werden müsse. Die Kirche wollte man jedoch nicht durchsuchen. So bleibt es uns überlassen, die Besucher beim Einlaß unauffällig zu mustern und nach größeren Taschen oder sonstigem Gerät Ausschau zu halten. Freundlich, aber besorgt blicken wir in jedes Gesicht. Wir entdecken nichts Auffälliges und beginnen trotz der Ungewißheit das Friedensgebet. Wie immer verlief es friedlich.

Wer mag wohl der anonyme Bombendroher gewesen sein? Was ging in ihm vor? War es ein verbitterter Parteigänger, der eine letzte Karte ziehen wollte? Denn in den Diskussionsbeiträgen der vergangenen Wochen wurde immer weniger von einem neuen Sozialismus, einem eigenen Weg der DDR gesprochen. Vielmehr wurden die Rufe nach rascher Wiedervereinigung lauter. Aus ‚Wir sind das Volk' war ‚Wir sind ein Volk' geworden. Sah er seine Felle endgültig davonschwimmen? Wie auch immer, wir waren dankbar, daß nichts eskaliert ist. Diese Bombendrohung soll die einzige weit und breit gewesen sein.
(Strohbusch: Das Licht kam aus der Kirche. – S. 110)

Zum Ende der Darstellung zu Friedensgebet und Demonstration schrieb Strohbusch:

Mit mahnenden Worten und der Bitte um Friedfertigkeit beendet Pfarrer Hoffmann das Friedensgebet. Er wünscht sich für die heutige Demonstration Stille und Einkehr, einen Schweigemarsch. Das bevor-

Im Oktober 1989 wurde von der Bayer. Grenzpolizei der DDR-Agent Michael P. bei Rodach aufgegriffen. Er führte im Bundesgebiet nachrichtendienstliche Aufträge aus.

Die Rückschleusung des P. war vermutlich für den 3. Oktober 1989 an der Landesgrenze bei Rodach in der Nähe des Radwanderwegs 1 vorgesehen. In diesem Bereich wurden an dem genannten Tag auf DDR-Gebiet mehrere männliche Personen in Zivil festgestellt, die als Vermessungsbedienstete getarnt waren. Es waren zwar Vermessungsgeräte aufgestellt, die jedoch nicht bedient wurden. Auch P. machte nach seiner Enttarnung keinerlei weitere Angaben zur Person und Sache.

Der Fall Reiner S.

In der Coburger Tageszeitung „Neue Presse" wurde am 6. Juli 1988 unter der Schlagzeile „38jähriger DDR-Spion in Tettau beim Versuch, geheime Pläne in den Osten zu schmuggeln, festgenommen" folgender Bericht veröffentlicht:

Wie das Landeskriminalamt München erst jetzt bekannt gegeben hat, ist bereits am Montag, 27. Juni dieses Jahres im Markt Tettau ein 38jähriger DDR-Bürger unter dringendem Verdacht der Spionage festgenommen worden. Der Mann trat in der Bundesrepublik Deutschland unter dem Namen Ingo Dittmar mit einem gefälschten Ausweis auf und war quasi auf frischer Tat ertappt worden, als er Konstruktionspläne einer bekannten Münchner Firma in die DDR schmuggeln wollte. Es handelte sich um geheimdienstliche Unterlagen. Der mutmaßliche DDR-Spion – vor der Polizei gab er seine möglicherweise ebenso falsche Identität mit Reiner S. aus Saalfeld an – war zum Zeitpunkt seiner Festnahme auf einem roten Herren-Tourenrad mit dunkelblauen Gepäcktaschen unterwegs, in denen er zwei Pakete mit den gestohlenen Unterlagen transportierte. Diese muß er zuvor von einem unzugänglich und für Passanten schlecht einsehbaren Ort südlich des Stockheimer Gemeindeteiles Haßlach abgeholt haben. Wo sich der im Spionagejargon sogenannte ‚Tote Briefkasten' befindet und wer die geheimen Unterlagen dort hinterlegte, ist der Polizei nicht bekannt. Mit an Sicherheit grenzender Wahrscheinlichkeit gelangte der mutmaßliche Spion mit Hilfe von DDR-Grenzsoldaten in den Westen, wo er an jenem 27. Juni wohl nicht das erste Mal in Erscheinung trat. So gilt als wahrscheinlich, daß er bereits öfters über eine Schleusungsstelle, vornehmlich nachts oder im Morgengrauen geheime Unterlagen in die DDR lieferte.

Den Ermittlern gelang es, die Beschicker des „toten Briefkastens" ausfindig zu machen. Das Münchener Ehepaar wurde vom Bayer. Obersten Landesgericht im Juli 1989 zu drei Jahren (Ehemann) bzw. zehn Monaten Freiheitsstrafe verurteilt.

Der Fall Werner S.

Am 22. April 1988 wurde Werner S. im Unterfränkischen in unmittelbarer Nähe der Landesgrenze zwischen Zimmerau und Sternberg angetroffen. Bei Annähern einer Streife der Bayer. Grenzpolizei gegen 11 Uhr versteckte er sich im Unterholz. Über sein merkwürdiges Verhalten befragt, machte er widersprüchliche Angaben. So gab er an, das Schloss in Sternberg besichtigen zu wollen, lief aber in entgegengesetzter Richtung. Die Person zeigte einen behelfsmäßigen Berliner Ausweis vor. Das Polizeipräsidium Berlin wurde um Überprüfung gebeten und teilte gegen 12 Uhr mit, dass die Person mit den dort vorhandenen Meldeunterlagen identisch sei, keine Fahndungsnotierungen vorlägen, ein Telefonanschluss in Berlin bestehe und ein Anruf dort nicht angenommen werde. Werner S. wurde daraufhin aus dem polizeilichen Gewahrsam entlassen.

Schließlich stellte sich bei einer Lichtbildüberprüfung mit dem Ausweisantrag des tatsächlichen Werner S. heraus, dass das Foto im Berliner Ausweis, den der Wanderer bei Zimmerau mitführte, nicht mit dem des Ausweisantrages identisch war. Der berechtigte Inhaber des Ausweises gab an, dass er zu der o. g. Zeit nicht in Westdeutschland war. Mittlerweile aber war der Agent über alle Berge.

Erst im November 1989 wurden durch die Abteilung 2000 des MfS die Schleusungen über die innerdeutsche Grenze eingestellt.

Weitere Schleusungen in den Unterlagen des BGS

22. September 1976

Ein etwa 25 Jahre alter Mann namens P. wies sich in der Sonnenstraße in München am 22.09.1976 um 03.35 Uhr gegenüber dem

stehende Weihnachtsfest sei ein wunderbarer Anlaß. Und die Mitbürger aus Stadt und Land befolgen diesen Wunsch, obwohl gerade heute erstmals junge Leute der ‚Vereinigten Linken' eine eigene Demonstration planen. Etwas abseits stehen 200 von ihnen mit DDR-Fahnen, Transparenten gegen Neonazismus und Ausländerfeindlichkeit. Auch sie bleiben friedlich, verzichten auf markige Sprüche und schließen sich dem Demonstrationszug an.

So geht die letzte Demonstration des heißen Herbstes 1989 still und gewaltlos zu Ende. Die vor Partei und Stasi abgestellten Kerzen aber machen unmißverständlich klar: Wir Meininger bleiben wachsam. Die Friedensgebete mit anschließender Demonstration, eine bis dahin unbekannte Willensäußerung des Volkes, haben Geschichte geschrieben. Sie wurden zu Keimzellen des Widerstandes gegen einen ungeliebten Staat, dessen Auflösung eingeleitet wurde.

Beschließen wir das Jahr mit einem Dank an alle, die dabei waren.

(Strohbusch: Das Licht kam aus der Kirche. – S. 115)

Die alten Kappen diffamieren das Neue Forum

Ein umfangreicher Artikel im Kreisteil Hildburghausen von Freies Wort war vor allem gegen das Neue Forum und sein Bemühen um das Aufdecken von Amtsmissbrauch und Korruption gerichtet. Der ominöse Beitrag ist unterzeichnet mit „Im Namen einer sich bildenden Initiativgruppe gegen Willkür und Chaos".

Der Beitrag beginnt mit den Worten: „Dem Neuen Forum und seinen Initiativgruppen gehören wir nicht an und möchten auch in Zukunft nie mit diesen im Zusammenhang genannt werden – unsere Stimme erhalten sie niemals" und endet „Im Falle der Veröffentlichung dieses Schreibens geben wir unsere Namen nicht an aus Angst, auch in die demokratische Mühle des Neuen Forum und seiner Initiativgruppen zu kommen. Es scheint langsam Mode zu werden, Verdächtigungen auszusprechen, ohne sie erst zu überprüfen, wenn anschließend eine Entschuldigung genügt. Wir akzeptieren die besonnenen und niveauvollen Demos, die für Menschenwürde, Recht und Gesetz sind. Jede Ausrufung der Demos, denen im Augenblick niemand wehrt, sondern nur gut zuredet, ruft bei uns Älteren Sorgen und Ängste hervor. Wir denken, daß wir endlich wieder zu Ruhe und Ordnung kommen müssen, damit wir alle wieder in Ruhe arbeiten und leben können."

Runder Tisch in Suhl

Auf Einladung der CDU fand in Suhl die erste offizielle Sitzung des Runden Tisches statt. 21 Vertreter aus unterschiedlichen politischen Gruppierungen berieten 5 Stunden Verfahrensfragen des Runden Tisches bzw. Fragen zur Demokratisierung des öffentlichen Lebens.

Ein weiterer neuer Grenzübergang konnte gefeiert werden – zwischen Willmars, Lkrs. Rhön-Grabfeld, und Stedtlingen, Krs. Meiningen.

Partnerschaft der Grabfeldstädte Römhild und Bad Königshofen

Konkrete Formen nahm die Partnerschaft zwischen Bad Königshofen und Römhild an. Bürgermeister Wolfgang Mack war zu einem Gegenbesuch in der DDR-Stadt und hatte dort unter anderem Gespräche mit dem Rat der Stadt sowie Bürgermeisterin Wanda Hofmann geführt. Einig wurde man sich, die Partnerschaft so bald wie möglich einzugehen. Allerdings sollen dazu erste Kontakte zwischen den Bürgern und Vereinen geknüpft werden. Vorgesehen war als nächstes ein Begrüßungstag am 7. Januar 1990 in Römhild. Dazu waren alle Bad Königshöfer Bürger eingeladen. Zwischen beiden Städten soll ein Buspendelverkehr eingerichtet werden.
(Main-Post, 20.12.1989)

Archivare des Bezirkes Suhl berieten im Thüringischen Staatsarchiv Meiningen, wie die Unterlagen der in Auflösung begriffenen Organe und Einrichtungen gesichert werden können.

Eine Frau aus Neuhaus-Schierschnitz forderte eine Entschädigung für ihre Zwangsaussiedlung 1983.

Taxifahrer E. mit Reisepaß und Ausweis der Bavaria-Filmgesellschaft aus und beauftragte diesen, ihn nach Haslach bei Kronach zu fahren, wo er Filmmaterial abholen müsse. Über Burggrub dirigierte der Mann das Taxi in unmittelbare Grenznähe. Dort schickte P. den Taxifahrer zurück nach Burggrub. Das Geld sollte er bei Rückkehr in München von der Filmgesellschaft erhalten. Gegen 08.45 Uhr beobachtete eine BGS-Streife, wie sich zwei Stabsoffiziere der DDR-GT mit einem Zivilisten diesseits des zMGZ unterhielten und dann gemeinsam zu einem Pkw der GT gingen. Der Mann kehrte nicht wieder zurück.[67]

6. Mai 1983

Im Bereich Müßholz – Birkiger Heide, beim „Horber Teich" wurde im Lauf des Jahres 1983 folgende „Schleusungsrelevanz" beobachtet.

Am 06.05.1983 erfolgte eine Kofferübergabe durch eine Zivilperson an DDR-Grenztruppen-Angehörige. Das wurde durch eine Zivilistin beobachtet, die dies einem Angehörigen der Grenzschutzabteilung erzählte.

Am 22.06.1983 wurden zwei zusammengelegte Offiziersuniformen der DDR-Grenztruppen von einer US-Streife gefunden.

Am 14.10.1983 wurden mehrfach Lichtzeichen von Ost nach West beobachtet.[68]

15. Mai 1984

Am 15.05.1984 beobachten bei den „Jägerteichen" im Grenzabschnitt 48,4 km südwestlich von Rodach (PA 230 758) zwei Zollbeamte den Grenzübertritt von West nach Ost von zwei männlichen Personen in Zivilkleidung, die anschließend auf DDR-Gebiet von Grenztruppen-Angehörigen aufgenommen und abgesichert wurden. Dazu zogen sich die Grenztruppen-Angehörigen mit vorgehaltenen Waffen zurück, die beiden Zivilisten wurden mit Uniformteilen ausgestattet, bevor man sich ins Hinterland zurückzogen.[69]

Verdächtige Fluchtumstände

Bei Tann kamen am 21. Oktober 1981 zwei junge Männer aus Leipzig über die Grenze. Den vernehmenden Beamten des BGS kamen verschiedene Umstände der Flucht verdächtig vor. Sie fassten ihre Verdachtsgründe zusammen und meldeten sie an den BND weiter:

Perthus und Lukas waren befreundet und haben innerhalb von drei Wochen einen Fluchtplan geschmiedet. L. will von seinem Schwager, der früher einmal im Bereich der Fluchtstelle bei der DDR-Grenztruppe Dienst versah, einen Hinweis auf günstige Örtlichkeiten erhalten haben. Am 19.10.1981 liehen sie ein Kfz und fuhren über die Autobahn und weiter über Suhl, Meiningen, Kaltennord-

Klappe im einreihigen Metallgitterzaun zwischen Schwickershausen und Mühlfeld bei Mellrichstadt. Durch derartige Klappen wurden die Agenten über die Grenze geschleust.
Foto: Detlef Deutsch.

heim und Fischbach, bis sie gegen 19.00 Uhr den Grenzort Klings erreichten, der nicht im Sperrgebiet liegt. Zur Orientierung führten sie eine Straßenkarte und einen Kompass mit. Gegen 22.30 Uhr wurden sie bei dem Versuch, den Schutzstreifenzaun zu überklettern, durch den Abschuss einer Leuchtkugel und das Eintreffen von Grenzsoldaten unweit von ihnen gestört. Sie begaben sich zurück zum Kfz nach Klings, fuhren nach Eisenach und übernachteten im Wagen. Am nächsten Tag, 20.10.1981, kauften sie zwei Decken und zwei Feldspaten, erreichten gegen 19.45 Uhr erneut Klings, begaben sich zum Schutzstreifenzaun, umwickelten die Signaldrähte mit den Decken und überkletterten den so isolierten Zaun, ohne dass Alarm ausgelöst wurde. Sie überquerten danach einen weiteren Geländeteil und gelangten an den zweiten Schutzstreifenzaun, den sie in der gleichen beschriebenen Weise überwanden, erreichten kurze Zeit später den zweireihigen Metallgitterzaun, dessen Zwischenraum mit Bodenminen vom Typ PMN 6 vermint ist. Sie durchquerten das Minenfeld ohne Vorkommnisse und gelangten durch eine lose Metallgittermatte der zweiten Zaunreihe vor die Sperranlagen und schließlich auf Bundesgebiet. Sie erreichten dann in Tann das Krankenhaus. Von hier wurden die Behörden verständigt. Perthus war zuletzt Anlageningenieur beim VEB Montagewerk in Leipzig. Lukas ist von Beruf Facharbeiter für Gummi und Asbest und war seit 1978 Discjockey in dem VEB Gaststättenorganisation Leipzig.

Nach einem Gebet in der Meininger Stadtkirche kam es mit 2.000 Bürgern zur letzten Demonstration im alten Jahr.

20. Dezember 1989
In Neuhaus-Schierschnitz demonstrierten ca. 150 Bürger zur Grenzübergangsstelle und forderten die Ablösung der Mitarbeiter des MfS in den Passkontrolleinheiten. (Diese Forderung geschah sicherlich in teilweiser Unkenntnis, denn alle Mitglieder der Passkontrolleinheiten unterstanden dem Ministerium für Staatssicherheit.)

Staatssekretär Dieter Spranger vom Bundesinnenministerium besuchte die Grenzschützer in Oerlenbach. Er besichtigte unter anderem den neuen Grenzübergang zwischen Trappstadt und Eicha. Spranger überreichte Geschenke an DDR-Grenzaufklärer, die sich für die Geste des guten Willens bedankten.

Runder Tisch in Hildburghausen
Der Hildburghäuser Bürgermeister Jürgen Ließ (SED-PDS) lud die Parteien und Bürgerinitiativen zu einem Runden Tisch ein. Man kam jedoch über Formalien nicht hinaus und verschleppte die Themen. Die Forderungen der Bürgerinitiativen, massiver auf Veränderungen im kommunalpolitischen Bereich einwirken zu können, wurde mit einer kaum durchschaubaren Hinhaltetaktik der noch im Amt befindlichen SED-Funktionäre hinausgezögert.

21. Dezember 1989
Der Marktgemeinderat Maroldsweisach war verärgert, weil der Bundesgrenzschutz die Grenzpolizei ablösen soll. Bürgermeister Welz sagte: „Die Grenze braucht nicht geschützt zu werden." Nach einer Intervention kommt vom bayerischen Staatssekretär Albert Meyer die Order, dass die Grenzpolizei den künftigen Grenzverkehr regelt.
(Nach: Fränkischer Tag, 25.01.1990)

Lt. Mitteilung der 15. Tagung des Bezirkstages Suhl vom 21.12. waren aus dem Bezirk Suhl 1.750 Berufstätige in die

Bundesrepublik Deutschland und nach Westberlin abgewandert, 1.550 Arbeitskräfte wären zu vermitteln.

Offene Grenze

Im Bezirk Suhl gab es 11 Grenzübergangsstellen und 33 Grenzpassierpunkte für einen begrenzten Zeitraum. Täglich passierten im Bezirk ca. 70.000 Fahrzeuge die Grenzübergangsstellen mit 145.000 Personen, mit Omnibussen reisten etwa 6.000 Personen pro Tag in die Bundesrepublik.

Nachbarschaftliche Beziehungen zu Bayern

Freies Wort veröffentlichte ein Interview mit dem Vorsitzenden des Rates des Kreises Hildburghausen, Johannes Müller, der sich zu den nachbarschaftlichen Beziehungen zum Freistaat Bayern bzw. zum gegenwärtigen Grenzregime äußerte.

Auf die Frage „Herr Müller, nun haben ja schon viele Gemeinden etwas andere Beziehungen mit der Nachbargemeinde 'hinterm Zaun' angeknüpft. Sollte man davon wieder abkommen? Wie verhalten wir uns dazu?", antwortet der Ratsvorsitzende: „Dagegen ist doch gar nichts einzuwenden, wenn Sportgruppen oder Volkskunstkollektive solche Verbindungen geknüpft haben, teilweise ja auch schon die örtlichen Räte untereinander. So weilten beispielsweise Vertreter des Rates der Gemeinde Gleichamberg mit Bürgermeister Günter Köhler an der Spitze in Knetzgau. Andere Gemeinden möchten Grenzübergänge zu bestimmten Anlässen (für den Fußgängerverkehr) offen wissen, wenn z.B. im Nachbarort der BRD Volksfeste angesagt sind. Das ist sicher machbar, aber kann kein Dauerzustand werden. Offene Grenzen also nicht überall und an jedem Tag oder jedes Wochenende. Das geht einfach nicht. Daß die Übergänge bei Hellingen und Eicha ordnungsgemäß – auch für den motorisierten Verkehr – ausgebaut werden, dafür will ich mich gern auch in der Zukunft mit ganzer Kraft einsetzen. Dort stoßen wir auch seitens der BRD, speziell im Freistaat Bayern, auf Zustimmung mit unseren Bemühungen. Wir sollten uns auch jetzt schon auf den Reiseverkehr in Gegenrichtung einstellen,

Anhaltspunkte:

1. P. trat als Sprecher für beide auf
2. P. mit 23 Jahren Ingenieur
3. P. konnte alle Angaben mit genauer Uhrzeit machen
4. P. machte von sich aus Angaben über Maße der Sperranlagen
5. Der Versuch zweimal an der gleichen Stelle ist in der Regel unwahrscheinlich. P. gab zu, dass er es nicht noch mal versuchen wollte, rechnete aber mit der Unaufmerksamkeit der Grenzsoldaten.
6. Die beiden bewegten sich ohne Ortskenntnisse zu sicher.
7. Ebenso wollten beide nichts über die Sperranlagen gewusst haben, wussten aber genau, dass es sich um SSZ handelte.
8. P. schaltete die Signaldrähte ziemlich sicher aus, obwohl er vorher nichts darüber erfahren hatte.
9. Der Irrweg entlang des SSZ über eine offene Fläche von ca. 600 m – an einem B-Turm, Postierungspunkten – vorbei, ist zu lang, um nicht aufzufallen.
10. Der Tipp des Schwagers – sie wussten nicht mehr, wo er Dienst tat.
11. Alleine von Fernsehberichten konnten sie diese Stelle nicht kennen.

Kriminalhauptkommissar Eckelmann von der Grenzpolizeiinspektion Mellrichstadt bei der Dokumentierung der Schleusungsstelle im Frühjahr 1990. Foto: Detlef Deutsch.

12. Die Überquerung des befestigten Kolonnenwegs (bKW), Kraftfahrzeugsperrgrabens (KSG) und 6-m-Kontrollstreifens (K 6) wäre an der Fluchtstelle aufgefallen, da das Gelände weit einsehbar ist. Außerdem nimmt die Überquerung sehr viel Zeit in Anspruch.

13. Die Durchquerung des Minengürtels wurde zu einfach beschrieben. Sie gingen einige Meter entlang des Zaunes im Minengürtel!

14. Das Zurechtfinden in einem Gelände, das nicht genau bekannt ist, ist in der Regel bei Tage recht schwierig, noch schwieriger ist es bei Nacht – nur mit Kompass. Sie wussten genau, wo sie hingehen mussten, selbst als sie zweimal vor dem selben Zaun standen, da er an dieser Stelle einen Knick macht.

Die Angaben des L. über seine NVA-Zeit waren sehr präzise. Zwar konnte er sich nicht mehr an den Leiter der Schule erinnern, wusste aber noch andere höhere Offiziere mit Namen und Dienstbezeichnung (Aufgabengebiet). Die Aussagen der beiden waren zu fließend. Selbst zurückliegende Ereignisse ließen sie gekonnt in ihren „Vortrag einfließen". P. teilte uns ihre Schritte in präzisen Zeitabständen (mit Uhrzeit) mit. Die Schilderung war so lückenlos, dass sich Fragen erübrigten.

Es ist nicht bekannt, ob die beiden Männer wirklich Spione waren, doch gibt das Protokoll Einblicke in die Arbeit und Überlegungen der Befrager im Westen, die ja tatsächlich immer mit Agentenschleusungen rechnen mussten.

Schleusungsort am Bahndamm bei Mühlfeld. Am rechten Bildrand ist die Klappe markiert, im Hintergrund ein DDR-Beobachtungsturm, von dem aus die Schleusungsstelle sowie das westliche Vorfeld beobachtet werden konnten.
Foto: Detlef Deutsch.

der ja ab Weihnachten auf uns zukommen wird. Ich meine, auch da haben wir noch ein gut Stück Ideenarbeit und ganz praktische Probleme zu bewältigen. Denen müssen wir uns stellen, gerade hier im grenznahen Raum."

Demos wurden von schwedischem Dokumentarfilmer aufgenommen

Nach dem Friedensgebet in der Hildburghäuser Apostelkirche kam es zu einer Protestkundgebung auf dem Marktplatz.
Anwesend war der in Schweden lebende Dokumentarfilmer Rainer Hartleb, der für Sveriges Televison in Ostdeutschland den Film „Nach der Mauer" über die Friedliche Revolution bis zu den ersten freien Wahlen am 18.03.1990 drehte. Hartleb weilte mehrere Male im Januar, Februar und am 18.03. zu Aufnahmen in Hildburghausen (s. auch Band 4).

22. Dezember 1989
Das Brandenburger Tor in Berlin wurde geöffnet

Die Objekte der ehemaligen Kreisdienststellen des MfS/AfNS wurden an die örtlichen Räte übergeben.

Selbst am 22.12.1989 kam es zu einem Fluchtversuch einer Person im Bereich von Eußenhausen. Der Flüchtling war in Richtung Westen von einer Zivilstreife der DDR-Grenztruppe aufgegriffen worden. Bei einem Halt neben dem Grenzzaun nutzte er die Gelegenheit, stieg auf einen Pkw und überwand den Zaun. Am Metallgitterzaun sprang der 19-Jährige auf das Dach eines Lkw. So kam er darüber. Von den DDR-Grenzsoldaten wurde er aufgefordert, stehen zu bleiben. Als Grund für seine Flucht gab der Mann an, dass er wegen versuchter Republikflucht und Autodiebstahl zu drei Jahren auf Bewährung verurteilt worden sei.
(Main-Post, 25.11.1999)

Die Gemeinde Ebelsbach will es Knetzgau nachmachen und strebt ihrerseits eine Partnerschaft mit Steinbach im DDR-Kreis Hildburghausen an.

Eine Veranstaltung der besonderen Art fand an diesem Tag statt: Die Waldweihnacht zwischen Ermershausen und Schweickershausen. Etwa 1.000 Menschen kamen von beiden Seiten der Grenze zu dieser Veranstaltung, die von den Pfarrern Martin Meiser (Ermershausen) und Jürgen Fritsch (Rieth) geleitet wurde.

Ordentlich ins Rollen kam wieder das Besucheraufkommen am Grenzübergang Eußenhausen – Henneberg. An drei Tagen nutzten ihn sage und schreibe 132.361 Personen. 27,5 Mio. DM Begrüßungsgeld wurden im Lkrs. Rhön-Grabfeld seit dem 10.11.1989 ausbezahlt. 800.000 Menschen aus der DDR reisten seit der Grenzöffnung ein, so der Leiter der GPI Mellrichstadt, Berthold Braun.

Der Fußgängerüberweg Andenhausen – Theobaldshof b. Tann wurde offiziell eröffnet, der zu Feiertagen und Wochenenden geöffnet wurde.

Der Königsberger Stadtteil Hellingen (Bayern) charterte einen Bus, die Grenzsoldaten drückten ein Auge zu und schon gelangte man zum DDR-Namensvetter Hellingen. Brüderlich vereint, genoss man schöne Stunden. (Königsberg in Franken war von 1683 bis 1826 Exklave des Fürstentums/Herzogtums Sachsen-Hildburghausen)
(Fränkischer Tag, 25.01.1990)

„Ventile auf, Dampf ab – und nun?"
Unter dieser Überschrift veröffentlichte Freies Wort von einer Betriebsversammlung im VEB Kraftverkehr Hildburghausen, Bereich Personenverkehr. Die Beschäftigten wollten wissen, wer in der Leitungsebene für die Staatssicherheit gearbeitet habe. Karl-Heinz Städtler, Hellingen, brachte zum Ausdruck, dass 80 % der KOM-Fahrer nicht mehr unter dieser staatlichen Leitung mit ihrem teilweise stalinistischen Führungsstil arbeiten wollen. Es wurde gefordert, in geheimer Abstimmung die Vertrauensfrage zu stellen. In Kritik stand auch das Prinzip, nach denen die Busfahrer ausgewählt werden, die im sog. grenzüberschreitenden

Im Dienst der Staatssicherheit
Im Archiv der Außenstelle Suhl werden 3.733 laufende Meter Unterlagen verwahrt, darunter ca. 1,2 Millionen Karteikarten und Tausende Bild- und Tondokumente. Von der Gesamtmenge des unzerstört gebliebenen Schriftgutes konnten nur ca. 1.450 laufende Meter in geordnetem Zustand aus den Archiven der ehemaligen Stasi-Bezirksverwaltung Suhl übernommen werden. Der andere Teil der Unterlagen (ca. 2.300 Säcke und Kartons) wurde zum Teil in losen Blättern, zum Teil in zerrissener Form, sichergestellt. Der Umfang der vom Staatssicherheitsdienst vernichteten Dokumente ist nicht bekannt. Etwa 60 % des ungeordnet hinterlassenen Schriftgutes sind inzwischen für Recherchen nutzbar.

In den Unterlagen befinden sich auch zahlreiche Dokumente über Inoffizielle Mitarbeiter der DDR-Staatssicherheit aus dem „westlichen Vorfeld", also aus grenznahen Gebieten der Bundesrepublik. Exemplarisch soll nachfolgend über die Tätigkeit einiger IM aus dem Westen berichtet werden.

Bei den wenigsten Spionen waren übrigens ideologische Gründe für ihre geheime Tätigkeit ausschlaggebend, sondern nahezu ausschließlich materielle, wie z. B. bei einer Familie aus Roßrieth bei Mellrichstadt (Kreis Rhön-Grabfeld), von der allein sechs Mitglieder für die Stasi arbeiteten. Das Familienoberhaupt spionierte bereits seit den fünfziger Jahre für die DDR-Staatssicherheit. Er warb im Lauf der Jahre seinen Sohn, seine Tochter, seinen Schwiegersohn, seine Schwiegertochter und sogar seinen Neffen für die Mitarbeit bei der Stasi.

IM Winkler – Spionage als Zubrot – Eine bundesdeutsche Großfamilie im Dienst der Staatssicherheit

Eine ganze Großfamilie befand sich, den vorliegenden Akten der Staatssicherheit zufolge, im Sold der Staatssicherheit.

Ausgangspunkt dieser Agentenstory ist „Georg Kelmer", ein aus der DDR stammender Mann mit vielen Verwandten im Grenzgebiet Ost, der wahrscheinlich bereits in den 50er Jahren in den Westen kam und in einem Grenzdorf des Landkreises Mellrichstadt ansässig wurde. Ob er bereits mit Spionageauftrag in den Westen kam, lässt sich nicht erkennen, da die Akte „Kelmer" noch nicht zur Verfügung steht.

Zahlreiche Akten-Ordner umfasst die Stasi-Akte „Hans Winkler", Registriernummer XVIII 924/68, die am 29.02.1968 begonnen und Ende 1989 ob der revolutionären Umwälzungen, die eine im Volk ungeliebte Institution hinwegfegte, zwangsläufig geschlossen

Von diesem Beobachtungsturm bei Berkach aus beobachtete die DDR-Staatssicherheit, ob die Spione der Agentenfamilie Kellmer nach ihrer Rückschleusung aus der DDR wieder unbehelligt in Roßrieth ankamen.
Foto: Reinhold Albert

wurde. Am Beispiel dieses im Westen (Landkreis Mellrichstadt, ab 1972 Kreis Rhön-Grabfeld) wohnenden „Kundschafters des Friedens" kann exemplarisch aufgezeigt werden, wie eine solche Anwerbung ablief, wie der Agent geführt wurde, welche Geheimnisse er verriet, woran die DDR-Staatssicherheit insbesondere interessiert war usw.

Eingangs der Akte werden die Treffpunkte mit dem westdeutschen Inoffiziellen Mitarbeitern (IM) aufgelistet. So traf Winkler seine Führungsoffiziere allein 1970 in den in der DDR befindlichen konspirativen Wohnungen (KW)[70] „Elisabeth" und „Sport" neunmal. Weitere KW, in denen Winkler Bericht erstattete, hatten die Decknamen „Schleicher", „Helene" und „Tanne". Aber auch die Interhotels in Gera und Berlin sowie eine Wohnung in Unterweißbach wurden für Treffen von Winkler mit seinem Stasi-Führungsoffizier genutzt.

Erstes Schreiben in den Unterlagen ist ein „Aktenvermerk über das Bekanntwerden des Kandidaten" der „Operativ-Gruppe Aufklärung Hildburghausen" vom 04.04.1968. Hierin ist u. a. zu lesen „1962 wurde durch unterzeichneten Hauptmann G. der Geheime Mitarbeiter (GM)[71] Georg Kelmer (Stasi-Deckname des Vaters des Kandidaten) zur weiteren Zusammenarbeit übernommen. Seit diesem Zeitpunkt ist der Kandidat bekannt. Er war damals 12 Jahre. Seinen weiteren Entwicklungsweg verfolgte der Mitarbeiter bei den Treffs mit dem GM Georg Kelmer. Seit 1966, als der Kandidat 17 Jahre alt

Verkehr eingesetzt wurden. Sie dürfen beispielsweise keine Verwandtschaft in der Bundesrepublik haben.

Kontakte Volkspolizei – Bayerische Polizei

Der Leiter des VPKA Hildburghausen, Oberstleutnant Burkhard Stahl, traf in Eisfeld mit Vertretern der Bayerischen Polizei zusammen. Schwerpunkte waren die Gewährung eines reibungslosen Reiseverkehrs, eine effektive Verkehrsorganisation, Maßnahmen bei Verletzung von Rechtsnormen im Straßenverkehr, Aufklärung bei Straftaten, die Nutzung des Verkehrsservices, Verbesserung der Öffentlichkeitsarbeit.

23. Dezember 1989
Eröffnung des Grenzübergangs Eicha – Trappstadt

im Beisein von ca. 1.000 Menschen beiderseits der Demarkationslinie, des Landrats Dr. Fritz Steigerwald, Lkrs. Rhön-Grabfeld, und des Vorsitzenden des Rates des Kreises Hildburghausen, Johannes Müller. Spontan wurde das Lied angestimmt: „So ein Tag, so wunderschön wie heute". Zuvor wurde die Straßenanbindung unter Regie des Schweinfurter Straßenbauamts von der Bad Kissinger Straßenbaufirma Ullrich instand gesetzt. Ferner waren tätig gewesen: Beschäftigte der Gemeindeverbände Gleichamberg und Römhild (damals Krs. Meiningen), die Brigade Eicha der LPG Streufdorf, die PGH Elektro Hildburghausen, die Wasser- und Energiewirtschaft, das Post- und Fernmeldeamt Hildburghausen.

An diesem Tag wurden die Grenzübergangsstellen im Bezirk Suhl von 28.843 Pkw mit 127.104 passiert.

Sonneberger Alleingang

Während es offiziell am 24.12. für die Bundesbürger zum Wegfall von Visumspflicht und Zwangsumtausch kam, war es in Sonneberg auf Initiative des Sonneberger Bürgermeisters Klaus Oberender, der sich über alle Verordnungen von „oben" hinweg setzte, möglich, dass die Grenze in West-Ost-Richtung bereits einen Tag vorher geöffnet wurde.

Die Grenzübergänge Fischbach – Rückerswind und Tschirn – Brennersgrün wurden geöffnet.

24. Dezember 1989

Bundesbürger und Westberliner durften ohne Zwangsumtausch und Visum in die DDR einreisen. Eine Reisewelle von West nach Ost setzte ein. Bis zum Zeitpunkt mussten die Besucher u. a. aus der Bundesrepublik an den Zollstellen der DDR 25 D-Mark gegen 25 DDR-Mark tauschen.

Tag der absoluten Reisefreiheit

Visumpflicht und Zwangsumtausch in der DDR wurden zum 24.12.1989 abgeschafft. Ab 00.00 Uhr konnten Bundesbürger erstmals visafrei in die DDR einreisen. Sie wurden an der Grenze von den DDR-Bürgern herzlich begrüßt. Reisewilligen Bundesbürgern wurde aber auch eingeschärft, die Null-Promille-Grenze zu beachten und nur an offiziellen Stellen Geld zu tauschen. Ferner wiesen die Tourismusstellen darauf hin, dass Tankstellen in der DDR dünn gesät und bleifreies Benzin nicht zu haben sei.
Nach einer repräsentativen Umfrage des Sample Instituts in Mölln wollten rund 70 % der Bundesbürger im nächsten Jahr das andere Deutschland besuchen.

Für die westdeutschen Gäste hatten sich Meininger Bürger etwas ganz Besonderes ausgedacht: Begegnung in Deutschland hieß die Aktion, die für 500 Quartiersuchende aus Westdeutschland Unterkünfte vermittelte. Ab 02.01.1990 will man die Arbeit aufnehmen.

Unbeschreibliche Szenen des Jubels und der Freude spielten sich am Grenzübergang Eisfeld – Rottenbach in der Nacht von Samstag auf Sonntag ab. Etwa 5.000 Menschen feierten. Eisfeld selbst war für den Ansturm von bundesrepublikanischen Bürgern bestens gerüstet. Schon Tage vorher hatten die meisten Eisfelder ihr Scherflein dazu beigetragen, den Spendenfonds zu füllen, aus dem Bratwürste, Bier und vieles mehr für die kostenlose Bewirtung der Gäste bezahlt wurde.
(Freies Wort, 27.12.1989)

war, wurde der GM Kelmer systematisch davon überzeugt, dass er uns nach Erreichung des 18. Lebensjahres seines Sohnes, diesen für eine Zusammenarbeit zuführt. Aktiv damit begonnen wurde bei dem Treff am 29.01.1968, wo der GM beauftragt wurde, mit seinem Sohn in unserem Auftrag zu sprechen und ihn für den nächsten Treff am 29.03.1968 illegal bei Mühlfeld mit über die Staatsgrenze zu bringen. ... Bei dem Kandidaten kann allgemein eingeschätzt werden, dass es sich um einen kräftigen, gesunden Menschen handelt, welcher keineswegs ängstlich veranlagt ist und der behandelnden Problematik aufgeschlossen gegenüberstand."

Vorausgegangen war am 29.01.1968 in Römhild das Verfassen einer Art Lebenslauf des GM Kelmer über seinen Sohn, worin er u. a. mitteilte, dass dieser im Sommer 1968 für die Bundeswehr gemustert werden wird.

Unter dem 29.03.1968 findet sich ein „Vorschlag zur Anwerbung eines inoffiziellen Mitarbeiters (GM)" in den Stasi-Unterlagen, worin Kelmer aufgefordert wird, seinen Sohn vom freiwilligen Eintritt in den Bundesgrenzschutz zu überzeugen. Ziel der Werbung müsse sein, dass der junge Mann in das von der Stasi-Dienststelle zu bearbeitende Objekt der III/2 BGS-Einsatzabteilung Oerlenbach eingeschleust werde, wodurch die Staatssicherheit ... entscheidend zur Gewährleistung der Dienstanweisung 6/62 des Ministers beitragen könnte.

Unter Punkt 4 wurde festgelegt:

```
Die Werbung des Kandidaten soll bei dem persönlichen
Treff am 30.03.1968 durchgeführt werden. Der Kandidat
überschreitet dazu mit dem GM Georg Kelmer am
29.03.1968 gegen 20 Uhr die Staatsgrenze an der Über-
trittsstelle „Pappel" bei Mühlfeld. Daraufhin wird der
GM sowie der Kandidat in die KW „Tanne" gebracht, wo
zur Festigung des Kontaktes am gleichen Tag ein allge-
meines Gespräch geführt werden soll. Die Übernachtung
erfolgt ebenfalls in der KW „Tanne" und am nächsten
Tag soll dann das Werbegespräch im Beisein des GM
Georg Kelmer stattfinden. Es ist vorgesehen, dass am
Treff der Leiter der Operativgruppe (OPG) Major S.
teilnimmt.
```

Detailliert wird der Ablauf des Gespräches festgelegt. So heißt es u. a.:

```
Es wird ihm erklärt, dass diese Zusammenarbeit auf
Grund der politischen Lage und der Machenschaften der
westdeutschen Imperialisten sich erforderlich macht.
Dazu wird dem Kandidaten erläutert, dass die Hauptauf-
gabe aller Arbeiter und friedliebenden Kräfte in der
Welt in der Sicherung des Friedens besteht. Ihm wird
noch aufgezeigt, dass dazu sein Vater uns bisher gut
unterstützte und seinen Beitrag zur Erhaltung des
```

Römhild, 30.3.1968

Verpflichtung.

Ich, ▓▓▓▓▓▓ geb. am ▓▓ 1949 verpflichte mich hiermit, mit den Sicherheitsorganen der DDR für die Erhaltung und Sicherrung des Friedens zusammen- zu arbeiten.

Meine Mitarbeit wird offen und ehrlich sein.

Ich bin bereit zur Unterstützung der DDR in den BGS einzutreten.

Über die Zusammenarbeit werde ich mit niemanden sprechen.

Ich werde mich bemühen, die erbgesprochenen Auf- gaben nach besten Kräften zu realisiren, da ich weis, daß dies dem Sozialismus dient.

Zu meiner eigenen Sicherheit werde ich ab sofort den Namen

"Hans Winkler"

annehmen, mit dem Ich meine Informationen unterzeichne.

Dokumente der DDR-Staatssicherheit des Agenten Hans Winkler (auch folgende Seiten). Kopien der BStU

233

Hauptabteilung I
Grenzkommando SÜD
Aufkl. UA. Hildburghausen

Hildburghausen, 19. Mai 1971

Aktenvermerk

Am 19. 5. 1971 ging bei der DA "Rudi Werner" ein Brief vom GM "Hans Winkler" ein. Dieser Brief wurde uns im verschlossenen Zustand von der DA übergeben:

Absender:

8740   Mellrichstadt

Der Brief war mit dem Poststempel Mellrichstadt vom 12. 5. 1971, 3.00 Uhr versehen.

Klartext

Lieber Hans!

Ein paar Zeilen möchte ich Dir nach langer Zeit wieder zukommen lassen. Die ganze nächste Woche habe ich frei, denn mein alter Urlaub muß noch weg. Bei uns ist es so, daß er verfällt. Ich hoffe, daß das Wetter bleibt wie heute und ich mich ein wenig bräunen kann.

Wie geht es Dir überhaupt? Man könnte meinen, Du wärst gestorben, weil Dur nichts von Dir hören läßt, und ich mache mir schon Sorgen. Schreibe doch ein paar Zeilen, damit ich weiß, ob noch alles in Ordnung ist.

In der Annahme, daß Dich dieser Brief bei bester Gesundheit erreicht, verbleibe ich mit den besten Grüßen als

Dein Neffe Gerhard.

P.S. Viele Grüße an Tante und Kinder.

b. w.

290

Geheimtext

Ari Mellrichstadt nach Wildflecken abgeschlossen.
Werde am 19. 5. vereidigt, komme wahrscheinlich
nach Mellrichstadt im Juli. Ausbildung in Wildflecken Schießausbildung mit G 3 letzte Woche
Scharfschießen und ABC-Ausbildung.
5. Juni Deutsch-amerikanische Freundschaftswoche
trainiere jeden Tag eine Stunde für Marschwett-
bewerb.

                                        Ende.

Feststellungen

Es kann festgestellt werden, daß der GM einen
weiteren Brief mit G-Mittel während eines Wochen-
endurlaubes geschrieben hat. Er teilte mit G-Mittel
mit, daß die Verlegung des Pz.-Ari.-Btl. 355 von
Mellrichstadt nach Wildflecken abgeschlossen ist.
Weiterhin informiert er uns über seine Schießausbildung sowie über eine geplante Deutsch-amerikanische Freundschaftswoche ab 5. Juni und über seine
Vereidigung am 19. 5. 1971.

Maßnahmen

1. Über mitgeteilte Information wird ein Fernschreiben über die Linie XI zur Auswertung
   an die Abteilung abgesetzt.

                          Operativer Mitarbeiter

                          Gruber
                          Hauptmann

Hauptabteilung I   Hildburghausen, 10. Juli 1972
Grenzkommando SÜD
Aufkl. UA. Hildburghausen

A k t e n v e r m e r k

Am 7.7.1972 ging bei der DA "Rudi Werner" ein Brief vom GM
"Hans Winkler" ein. Der Brief war abgestempelt am 3.7.1972
in Ostheim.

Absender

                    ███████████
                    Ostheim

Klartext

                              Ostheim, 1. Juli 1972

Lieber Hans!
Nach Deinem Brief bin ich nun wieder an der Reihe, Dir zu
schreiben. Bei uns ist alles in Ordnung und wir können uns
im Moment nicht beklagen bis auf das Wetter.
Bei Euch ist es bestimmt nicht viel anders. Erst heute fiel
das Burgfest wegen Überflutung aus und wird auf nächste Woche
verschoben.
Ich hoffe, daß Du uns im Herbst wieder besuchts, wir würden
uns sehr freuen.
                    Viele Grüße Dein Oskar.

Geheimtext

Anfang
Habe ab 14.7. Urlaub, komme am 17.7. zum Zaun um 4.30.
Wenn nicht möglich am 24. Juli, 4.30 Uhr.
Wenn verstanden, benachrichtigen. Laufe am 14.7. Punkt an.
Wie beim letzten Mal.

                    Ende

Hauptabteilung I   Meiningen, 30. 06. 1980
Grenzkommando SÜD
Aufkl.UA.Meiningen

B e r i c h t

zur Materialübergabe des E-IM "Hans Winkler" am 28.06.1980 an
der Grenze (Materialschleuse)

Beim Treff am 14.06.1980 wurde vereinbart, daß am 28.06.1980 um
10.00 Uhr eine Materialübergabe im Grenzgebiet Eichig durchgeführt wird.

Unterzeichneter fuhr mit dem P 3 und Ltn. Läßker um 07.00 Uhr
vom Stab des Grenzregimentes ab und gegen 08.00 Uhr wurde das
Gebiet des Materialübergabeortes an der Staatsgrenze erreicht.
Das westliche Grenzvorfeld wurde durch genannte Genossen beobachtet. Nachdem keine besonderen Feststellungen getroffen werden
konnten, begaben sich gegen 09.15 Uhr OSL Baraicol und Ltn.
Läßker durch die Minensperre MS 66 und hielten sich unmittelbar
am feindwärtigen Zaun der Minensperre auf, wo von dort aus das
unmittelbare Grenzvorfeld zur BRD weiter unter visueller Kontrolle
gehalten wurde.

Gegen 09.35 Uhr kam der E-IM zum festgelegten Materialübergabeort
und erklärte, daß er ohne Besonderheiten mit seinem Pkw an die
Staatsgrenze kam. Die Übergabe erfolgte unmittelbar am feindwärtigen Zaun der Minensperre. Der E-IM wurde befragt, ob er in den
letzten Tagen feststellen konnte, daß eine männliche Person aus
der DDR in der BRD angekommen ist. Hierzu wurde durch den E-IM
erklärt, daß er keinerlei Feststellungen getroffen hat. Auch in
den Tageszeitungen hat in dieser Beziehung nichts gestanden.
Ebenfalls wurde sich erkundigt, ob die letzte Rückreise am 14.06.
mit der Gattin ohne Vorkommnisse verlaufen ist, was durch den E-IM
bejaht wurde. Der E-IM erklärte weiter, daß wie bereits berichtet,
daß 352. Pz.-Gren.-Btl. Mellrichstadt vom Truppenübungsplatzaufent-
halt Shilo/Kanada ordnungsgemäß wie geplant am 13.06. zwischen
13.00 und 14.00 Uhr mit Bussen vom Flughafen Köln/Wahn in Mellrichstadt eintraf.

Die Ehefrau - PIM "Tanja Bieler" - hat Kenntnis von der Materialübergabe und sichert ihn zu Hause ab, falls dies notwendig wird.

Der E-IM übergab folgende Unterlagen und Informationen:

- Telefonbuch Nr. 21 von 1980/81, zweimal;

- Jahrbuch 1980 des Rhön-Grabfeld-Kreises;

- Bericht über Aktivitäten des AIK Rhön-Grabfeld-Kreis;

- Bericht über Kundgebung und Schweigemarsch anläßlich "17. Juni"
  1980 in Bad Königshofen/Grabfeld;

- Aktivitäten des AIK, Rhön grabfedl Kreis (FS)

2 ᶜ87

- Bericht über das 100jährige Gründungsfest der Krieger- und Soldatenkameradschaft Heustreu, Rhön-Grabfeld-Kreis;

Materielle Mittel wurden bei dieser Materialübergabe nicht ausgehändigt.

Zum Abschluß wurde nochmals auf die Zusammenkunft am 30.08.1980 hingewiesen.

Der E-IM erhielt einen schriftlichen Auftrag zur weiteren Durchsetzung der Aufklärungstätigkeit. Gleichzeitig wurde ihm nochmals mitgeteilt, daß der IM "Georg Kelmer" am 18.07.1980, 07.45 Uhr zum Treff erscheinen muß. Er soll das bis dahin gesammelte Material im Transportcontainer dem IM "Georg Kelmer" mitgeben.

Nach ca. 15 Minuten wurde die Materialübergabe beendet. Es traten keinerlei Störungen oder Besonderheiten auf. Zirka 10 Minuten später konnte festgestellt werden, daß der Pkw des E-IM entlang der Grenze davon fuhr.
Das unmittelbare Grenzgebiet westlicherseits wurde noch ca. 15 Min. beobachtet und anschließend wurde die Materialschleuse ordnungsgemäß verlassen.

Gegen 10.20 Uhr wurde nach nochmaliger Beobachtung des westlichen Grenzvorfeldes der Rückmarsch angetreten.

Einschätzung

Der E-IM kam bereits ca. 25 Minuten vor der festgelegten Zeit zur Materialübergabe. Er übergab die beim Treff am 14.06.1980 festgelegten Materialien.
Es wird eingeschätzt, daß der E-IM auftragsgemäß handelte und die festgelegte Zeit einhielt. Die Zusammenarbeit kann auch in diesem Zeitraum als positiv eingeschätzt werden.

Barnikol
Oberstleutnant

Hauptabteilung I   Meiningen, 1. 9. 1986
UA. GR-9 Aufklärung

B e r i c h t

zur Materialübergabe mit dem Erm. "Hans Winkler",
Reg.-Nr. XVIII- 924/68 an der OGS "Weide", GAs 2

Die Maßnahme fand auf der Basis des bestätigten Treff-
konspektes vom 29.8.1986 planmäßig statt.
Der Termin der Materialübergabe, 30.8.1986, war beim
letzten planmäßigen Treff mit dem Ermittler persönlich
vereinbart worden.

Der OM, Gen. Hptm. Läßker und Hptm. Friebus (zur Absicherung) begaben sich gegen 6.30 Uhr in den Grenzabschnitt. Nach einer ca. 2stündigen Beobachtung in
der Umgebung der OGS, auf der angrenzenden Straße
Mühlfeld – Roßrieth, keine Personen- oder Kfz.Bewegung
zu verzeichnen.

Der Ermittler erschien pünktlich um 9.00 Uhr am Treffort. Er hatte sich gedeckt durch das BRD-seitig an-
grenzende Waldgebiet bewegt. Das Material trug er, am
Körper versteckt, bei sich. Die Materialübergabe und
ein kurzes persönliches Gespräch erstreckten sich aus
Sicherheitsgründen auf einen kurzen Zeitraum von ca.
10 Minuten.
Die Absicherung für diesen Zeitraum übernahm Hptm. Läßker.

Den Pkw hatte der Ermittler in der Ortslage Roßrieth
abgestellt (Legende dafür ist vorhanden). Er hatte diesmal
den Anfahrtsweg Mellrichstadt, Richtung Sondheim, gewählt.

Zur Person berichtete der IM, daß er, bis einschließlich
gestern, krankgeschrieben war. Vor ca. 3 Wochen hatte
sich bei ihm am linken Knie eine Schleimbeutelentzündung
eingestellt. In der Familie gibt es ansonsten keine
Veränderungen.

Anläßlich des zurückliegenden Geburtstages der Ehefrau des
Ermittlers wurden eine Zuckerdose und ein Kerzenständer
übergeben, wofür sich "Hans Winkler" herzlich bedankte.

Im weiteren wurde an den Ermittler der Auftrag entsprechend
der Treffkonzeption erteilt.
Aus dem übergebenen Material konnten folgende Informationen
erarbeitet werden:

-Aktivitäten des AIK, Rhön-Grabfeld-Kreis.

-Auswertung einer AIK-Vorstandssitzung vom August 1986.

-Treffen der "BLM der Thüringer e. V." (ehem. Nordhäuser)
und (Heidelsteinfeier des Rhönklubs).

-Branchenfernsprechbuch 21/77.

- Einschätzung des GZD-Angeh. .

Für Auslagen und übergebene Informationen erhielt der IM
für sich sowie für den PIM "Tanja Bieler" insgesamt
450,-- DM.

Nach der Materialübergabe bewegte sich "Hans Winkler"
wieder gedeckt durch den angrenzenden BRD-seitigen Wald-
bestand in Richtung Roßrieth zurück.
Nach ca. 15 Minuten konnte beobachtet werden, daß sein
Kfz. von Roßrieth aus sich in Richtung Sondheim entfernte.

Über den gesamten Zeitraum passierte nur ein Kfz. die Str.
Roßrieth - Mühlfeld (Bäckerauto). Eine Personenbewegung
war nicht zu verzeichnen.

Die Maßnahme verlief ohne Besonderheiten oder zu beachtende
Momente. Die Sicherheit des IM war gegeben.
Nach etwa 40 Minuten passierten Unterzeichnender und Hptm.
Läßker die OGS "Weide" in freundwärtiger Richtung.
Nachdem die Sicherheit im Abschnitt hergestellt war, ver-
ließen alle Beteiligten den Grenzabschnitt.

Nächster Treff: Materialübergabe am 27.9.1986,
                    ca. 9.15 Uhr (Reserve ist der
                    28.9.1986, gleiche Zeit).

Heymel
Major

Friedens ableistete. Es wäre jetzt auch an ihm, seinen
Beitrag dazu zu geben. Am besten wäre dies eben möglich, wenn er dazu in unserem Auftrage in den BGS eintreten würde, da diese militärische Einheit laufend
über die Absichten und Pläne des Gegners informiert
und in dessen Auftrag eingesetzt wird!" Anschließend
hätte der Kandidat eine Verpflichtungserklärung zu
unterzeichnen. Es sei weiter vorgesehen, vor dem Eintritt des Kandidaten in den BGS einen Treff in der
Hauptstadt der DDR zu organisieren, wozu der Kandidat
mit fiktiven Dokumenten einreisen werde. Hierbei wäre
er auf die Einstellungsprüfung für den BGS vorzubereiten.

Anwerbung verlief nach Plan

Alles verlief für die Stasi nach Plan:

Der GM sowie der Kandidat erschienen pünktlich zu der
festgelegten Zeit und wurden durch den operativen Mitarbeiter Hauptmann G. durch die in diesem Abschnitt
befindliche Drahtsperre, ohne Minen, geschleust und
von dort aus in die KW „Tanne" in Römhild gebracht.
Der Wagen wurde durch den Leiter der Operativ-Gruppe,
Generalmajor S., gefahren.

Auf acht Seiten hielt die Stasi den Verlauf des Treffens minutiös
fest

(... Dem Kandidaten wurde aufgezeigt, dass sich diese
Zusammenarbeit auf Grund der politischen Situation
notwendig macht. ... In Westdeutschland sind Bestrebungen im Gange, einen neuen Krieg vom Zaun zu bre-
chen. ...).

Der Kandidat schrieb in Römhild handschriftlich seine Verpflichtungserklärung, die folgenden Wortlaut hat:

*Röhmhild, 30.3.1968. Verpflichtung. Ich, XY, geb. 1949 verpflichte
mich hiermit, mit den Sicherheitsorganen der DDR für die Erhaltung und Sicherung des Friedens zusammenzuarbeiten. Meine mitarbeit wird offen und ehrlich sein. Ich bin bereit zur unterschtüt-
zung der DDR in den BGS einzutreten. Über die Zusammenarbeit
werde ich mit niemanden sprechen. Ich werde mich bemühen, die
abgesprochenen Aufgaben nach besten Kräften zu realisiren, da ich
weis, dass dies dem Sozialismus diend. Zu meiner eigenen Sicherheit werde ich ab sofort den Namen ‚Hans Winkler' annehmen, mit
dem ich meine Informationen unterzeichnet gez. XY*

Die Rückschleusung von Vater und Sohn erfolgte am 30.03.1968
gegen 20 Uhr, wobei es keine besonderen Vorkommnisse gab.

Die DDR-Staatssicherheit überließ nichts dem Zufall. So wird in
einem weiteren Schriftstück vom 26.03.1968, „Konspekt" überschrieben, der genaue Gang der Bewerbung für den BGS festgelegt:

Nach Eingang der Bewerbungsunterlagen hat diese der
Hans Winkler wahrheitsgetreu auszufüllen und an die

Hätte man's nicht besser gewusst, man
hätte meinen können, in der Bergarbeiter-
gemeinde Dorndorf, Krs. Bad Salzungen,
sei Kirmes: Eine gut vorbereitete hessisch-thüringische Begrüßung gab es hier
ab 7 Uhr am 24. Dezember im Kulturhaus
des Kalibetriebes. Volks- und Weihnachtslieder live von der Bühne, Bratwürste, Glühwein, Tee, Kaffee und
Selbstgebackenes, Äpfel im Schokola-
denkleid – für die Gäste aus der Bundesrepublik alles zum „Nulltarif".
(Freies Wort, 27.12.1989)

Vier Wochen lang betreuten die Beamten
der Grenzpolizeistation Fladungen den
am 24.11.1989 eröffneten Grenzübergang
Fladungen – Melpers, dann musste er auf
Anordnung an den Bundesgrenzschutz
abgegeben werden. Dies war auch insofern höchst bedauerlich, weil die Grenzpolizeistation Fladungen während der
Bauphase und auch beim späteren Betrieb
die Grundlage für eine gute Zusammenarbeit mit den Angehörigen der DDR-
Grenztruppen geschaffen hatte.
(Jahresbericht der Grenzpolizeiinspektion
Mellrichstadt 1989)

Bürger aus Völkershausen nahmen am
Gottesdienst des Heiligen Abends in Hermannsfeld teil, ebenso am 2. Weihnachtsfeiertag und zu Silvester kamen Völkers-
häuser in das im Krs. Meiningen gelegene
Dorf.

25. Dezember 1989

Mit einem besonderen Service für Besucher aus der Bundesrepublik warteten die
Kameraden der Freiwilligen Feuerwehr
Oberhof, Krs. Suhl-Land, auf. Vor dem
Feuerwehrgerätehaus hatten sie am
2. Weihnachtsfeiertag zwei Gulaschkanonen stationiert und darin echte Thüringer
Kartoffelsuppe zubereitet. Ausgeschenkt
wurden zudem heißer Tee und diverse
andere Getränke – auch Sekt, um gemeinsam auf fröhliche Weihnachten anzu-
stoßen. – Alles kostenlos!
(Freies Wort, 27.12.1989)

25./26. Dezember 1989

Das Ensemble der Altstadt Schmalkalden und das Museum Schloss Wilhelmsburg waren für all jene Bundesbürger Anziehungspunkte, die zur Visite in die 1115-Jährige kamen. An allen Feiertagen das Museum zu öffnen, erwies sich als Volltreffer, riss der erwartete Besucherstrom doch nicht ab.

(Freies Wort, 27.12.1989)

26. Dezember 1989

Die Wegesperre zum Krs. Hildburghausen zwischen Ermershausen und Schweickershausen war tagsüber geöffnet, ebenso die Übergänge Rudelsdorf – Seidingstadt und Roßfeld – Streufdorf.

26./27. Dezember 1989

Vor allem Bundesbürger aus den Kreisen Kronach, Coburg und Lichtenfels nutzten als erste die Gelegenheit, über Weihnachten visafrei in den Krs. Neuhaus/Rwg. einzureisen. In den Orten der grenznahen Kreise dampften vielerorts Bratwurstroste.

(Freies Wort, 27.12.1989)

27. Dezember 1989

Bürger aus Sonneberg-West und Mürschnitz beantragten die Öffnung eines Grenztores an der Hallstraße in Richtung Wildenheid ab 30.12.1989.

28. Dezember 1989

Das DRK-Kreiskomitee Hildburghausen rief die Bevölkerung zu einer Solidaritätsaktion für die notleidenden Menschen der rumänischen Ceausescu-Diktatur auf (Geld-, Blut- und Sachspenden). Das Engagement war überwältigend. Am 24.01. wurden die Zahlen veröffentlicht: 54 m^3 Kleidung, Spielzeug und Lebensmittel und 14.655 M an Geldspenden.

BGS-Dienststelle zurückzusenden. Am selben Tag, wo die Unterlagen an den BGS zurückgeschickt werden, hat der GM Georg Kelmer an die Deckadresse (DA) ein Geburtstagstelegramm abzuschicken mit folgendem Wortlaut: Glückwunsch zum Geburtstag am ... Paket folgt. Das Datum bedeutet den Tag des Treffs mit dem GM Georg Kelmer auf dem Gebiet der DDR, wozu er die Staatsgrenze an der Übertrittsstelle „Pappel" bei Mühlfeld überschreitet. Bei diesem Treff wird dem GM das Pseudodokument für den Hans Winkler ausgehändigt. Das Dokument wird im Container übergeben.[72]

Falls Winklers Bewerbung beim BGS scheitere, legte die DDR-Staatssicherheit fest, dass er bei seiner Musterung für die Bundeswehr darauf drängt, bei der Ausbildungseinheit in Wildflecken seinen Wehrdienst zu beginnen und sich dann zur Bundeswehr nach Mellrichstadt versetzen lässt.

Am 16.07.1968 legte die Op.-Gruppe Hildburghausen in einem „Maßnahmeplan zur künftigen Gestaltung des Verbindungswesens zum GM Hans Winkler" u. a. fest, dass bei einer Einstellung in den BGS oder die Bundeswehr jährlich einmal persönliche Treffs während dessen Urlaubs in der Hauptstadt der DDR durchgeführt werden sollen. Die Verbindung zwischen ihm und seinen Stasi-Führungsoffizieren wird über seinen Vater, den GM Georg Kelmer aufrechterhalten.

In die Agentengeschichte war auch der in Hildburghausen wohnende Schwager Kelmers mit dem Decknamen Johann Müller eingebunden. So befindet sich in den Akten die Abschrift einer Unterhaltung des Geheimen Informators (GI) Müller mit Kelmer vom 02.08.1968. Hierin schreibt er:

Entsprechend meines Auftrages führte ich mit meinem Schwager am 22.07.1968 abends eine Unterhaltung unter vier Augen. Ich sagte zu ihm, dass mich die Genossen beauftragt hätten, mit ihm zu sprechen, warum er nicht mehr schreibt und er zum festgelegten Termin am 28.06.1968 nicht an die Grenze gekommen ist. Er sagte mir, dass er seit der letzten persönlichen Zusammenkunft viermal geschrieben hätte, wo er uns auch mitteilte, dass er zu den vereinbarten Zusammenkünften nicht kommen konnte. Er habe alle seine Briefe an die Adresse nach Hildburghausen geschrieben. Ich sagte ihm, dass er am 02.08.1968 an die Grenze kommen soll und erklärte ihm die festgelegte Stelle. Er sagte mir, dass er auf Grund der Veränderung an der Grenze (Bau der neuen Sperre und der ständigen Besetzung des Waldstückes im Roßriether Wald) es für ihn gefährlich und unmöglich sei, an die Grenze zu kommen. Wie er mir weiter sagte, will er sich nicht der Gefahr aussetzen.

Hauptmann G. ordnete deshalb u. a. an, dass die Familie Kelmer/Winkler von seinem Schwager in die DDR einzuladen sei, wobei mit dem GM Kelmer festgelegt werden soll, dass im Raum Mellrichstadt zwei TBK (Toter Briefkasten) angelegt werden müssten, die vom GM/E (= Geheimer Mitarbeiter im besonderen Einsatz) „Klaus Adermann" entleert und belegt werden.

Kelmers Sohn Hans Winkler arbeitete zum damaligen Zeitpunkt bei der Fa. Siemens in Bad Neustadt und wurde hin und wieder in das Stammwerk nach West-Berlin abgeordnet. Die Stasi beorderte ihn bei dieser Gelegenheit mehrfach nach Ost-Berlin, wo seine Agentenausbildung erfolgte.

Am 02.05.1969 berichtete Hauptmann G., dass eine Einstellung des Winkler, mit dem gegenwärtig kein Kontakt bestehe, in den BGS nicht erfolgte. Anfang 1970 werde er zur Bundeswehr eingezogen. „Funkstille" zwischen Winkler und der Stasi herrschte bis Mai 1970. Am 23. Mai 1970 erzählte der junge Mann in Ost-Berlin seinem Führungsoffizier G. aus Hildburghausen, aus welchem Grund seine BGS-Bewerbung scheiterte. Er sei farbenblind und habe deshalb angenommen, dass eine BGS-Bewerbung von vornherein zum Scheitern verurteilt sei. Auch bei der Bundeswehr habe er sich nicht beworben, da er bei der Fa. Siemens in Bad Neustadt eine gute Arbeitsstelle fand. Da ihn sein Vater nicht mehr konkret angesprochen habe, sei er davon ausgegangen, dass die Sache erledigt sei.

Weiter heißt es in dem Protokoll über die Zusammenkunft wörtlich:

```
Als ich dann den ersten Brief von Ihnen erhalten habe
und der Name Hans Winkler auftauchte, wußte ich dann
Bescheid und habe auch gleich wieder auf diesen Brief
geantwortet. Ich bin nach wie vor bereit, Ihnen zu
helfen und Sie in ihrer Arbeit zu unterstützen. Ich
möchte jedoch nicht, dass die Verbindung über meinen
Vater läuft, denn in diesen Fragen komme ich mit ihm
nicht zurecht und es wäre für mich auch zu umständ-
lich, da ich erst alle 12 Wochen mal von Berlin nach
Hause komme.
```

An den Rand dieses Absatzes schrieb Hauptmann G.'s Vorgesetzter „genaue Einzelheiten".

Winklers Vater Kelmer war offensichtlich der Boden zu heiß geworden. Nicht nur, dass er keinen Einfluss mehr im Sinne der DDR-Staatssicherheit auf seinen Sohn nahm, auch vorgesehene Treffen in den Jahren 1968 und 1969 ignorierte er. Was beim Blättern in den Unterlagen auffällt, ist der militärische Umgangston zwischen der DDR-Staatssicherheit und ihren Helfern. Beispiel: *Am Tag XY hat der GM Kelmer an der Übertrittsstelle zu erscheinen.* Anmaßend die Anordnung von Hauptmann G.: *Auf Grund seines jetzigen Arbeitsverhältnisses in Westberlin bis 1971 wird von einer Bewerbung des Winkler zur Bundeswehr vorerst abgesehen.* Hier sei eingefügt, dass die DDR-Staatssicherheit von Winkler erwartete,

28. Dezember 1989
Auflösung der „Kampfgruppen der Arbeiterklasse"

Im Bezirk Suhl begann die Auflösung der dem MdI unterstellten paramilitärischen Kampfgruppen der Arbeiterklasse. Uniformen und sonstige Bekleidung, Waffen usw. wurden von den VPKA erfasst und zurückgeführt.

Der Deutsche Gewerkschaftsbund (DGB) Lkrs. Schweinfurt werde bald Verbindung zu Gliederungen der DDR-Gewerkschaft aufnehmen. Einem dementsprechenden Vorschlag von DGB-Kreisvorsitzenden Helmut Haferkorn stimmte der Kreisvorstand in seiner Jahresschlusssitzung in Schweinfurt zu.

Florian Meusel, Mitarbeiter für Landeskultur/Naturschutz im Staatlichen Forstwirtschaftsbetrieb Hildburghausen, legte ein Konzept zur Umwandlung der Kampfgruppenräume des Forstwirtschaftsbetriebes Hildburghausen in eine Ökologische Bildungsstätte und Naturschutzzentrum des Kreises vor. Ferner forderte er einen wirkungsvollen Arten- und Biotopschutz.

Meusel erhielt 1993 für sein Wirken für den Naturschutz und seine Leistungen beim Aufbau des Naturparks Thüringer Wald den Deutschen Kulturpreis.

Bei der Jahresschlusssitzung des Gemeinderats Sulzdorf an der Lederhecke, Lkrs. Rhön-Grabfeld, im Gemeinschaftshaus Sternberg waren auch die Ratsmitglieder der benachbarten thüringischen Gemeinde Rieth/Albingshausen und Schweickershausen anwesend. Es wurde eine partnerschaftliche Zusammenarbeit vereinbart. Der Riether Pfarrer Jürgen Fritsch forderte ein schnelles Fallen aller Grenzbefestigungen und die Wiederherstellung der deutschen Einheit.
(Main-Post, 30.12.1989)

29. Dezember 1989

Der Ortsverband der SDP (später SPD) Meiningen wurde im Speisesaal der PGH Klempner gegründet.

30. Dezember 1989

Um 12.53 Uhr wurde zwischen Mürschnitz und Bettelhecken, Krs. Sonneberg, und Wildenheid die Grenze geöffnet. Der 95-jährige Bürger Wildenheids, Max Deininger, durchschnitt das einst trennende Band. Über 1.000 Menschen überschritten die Grenze in beide Richtungen.
Ferner wurde der Übergang Heinersdorf/Judenbach – Schauberg geöffnet.

Für ca. 1.000 Bundesbürger öffneten sich die Grenzzäune zwischen Zimmerau und Rieth. Die Gäste aus Bayern erlebten ein wahres Volksfest, auch ein gemeinsamer Gottesdienst in der Allerheiligenkirche wurde gefeiert. Zugegen waren Landrat Dr. Fritz Steigerwald, Lkrs. Rhön-Grabfeld, der Hildburghäuser Ratsvorsitzende Johannes Müller sowie die SPD-Bundestagsabgeordnete Susanne Kastner, die gemeinsam am Ortseingang eine Eiche pflanzten.

Die Gemeinde Streufdorf revanchierte sich mit einem Fest bei den Bürgern der bayerischen Nachbargemeinden für die praktizierte Gastfreundschaft.

31. Dezember 1989

1989 waren 343.854 DDR-Bürger in die Bundesrepublik übergesiedelt. Im Jahr 1988 waren es 39.832.

Anfang Januar wurde festgestellt, dass sich im Grenzabschnitt 35 ein Bundesbürger und ein Einwohner aus Untersuhl/DDR nachmittags mit dem Fahrrad auf dem bKW im Bereich NB 72 43 bewegten. Um auf die Straße Dankmarshausen/DDR nach Berka/DDR zu kommen, öffneten sie den GSSZ DuL bei NB 731 433, indem sie einen Flügel des Tores mit einer Eisenstange aushoben. Dabei hatten sie vermutlich Alarm ausgelöst, denn kurze Zeit später wurden sie von einer motorisierten Streife der Grenztruppen aufgegriffen. Sie wiesen zurück, das Tor gewaltsam geöffnet zu haben, und behaupteten, das Tor sei bereits offen gewesen. Nach längerem Funkverkehr konnten beide schließlich weiterfahren.

dass er sich strikt ihren Anordnungen, die insbesondere seinen weiteren Lebensweg betrafen, beugen müsse, was er jedoch mehrfach nicht tat.

Am 20.03.1971 informierte Georg Kelmer in Römhild über die Einberufung seines Sohnes in den Bundeswehrstandort Wildflecken zum 01.04.1971. Dienstbeflissen hatte dies auch schon Hans Winkler am 26.3.1971 seinem Stasi-Führungsoffizier Hauptmann G. gemeldet. Seit seiner Anwerbung hatte Winkler schon fleißig Fotos von verschiedenen die Stasi im Westen interessierenden Objekte gefertigt und bestückte damit „Tote Briefkästen" an der Grenze, lieferte ausführliche Informationen über verschiedene Objekte und Veranstaltungen
```
(Der GM informierte uns noch über geplante Maßnahmen
zum 17. Juni, wobei er uns mitteilte, dass am
16.06.1970 ab 20 Uhr eine Veranstaltung am Aussichts-
turm in Zimmerau-Sternberg durchgeführt wird. Veran-
stalter ist das Kuratorium „Unteilbares Deutschland"
von Königshofen.).
```

In einer 6-seitigen „Sicherheitsanalyse" legte die „Hauptabteilung I, Grenzkommando Süd, Aufkl. UA Hildburghausen" u. a. fest:
```
Der GM muß während der nächsten zwei Jahre durch uns
und indirekt über den Vater von der Notwendigkeit
überzeugt werden, seinen Dienst in der Bundeswehr auf
längere Zeit zu verrichten. Gibt es hier außergewöhn-
liche Schwierigkeiten, wird die bereits abgesprochene
Maßnahme des Eintrittes als Zivilangestellter im BW-
Objekt Mellrichstadt nach Ablauf seiner Dienstzeit
durchgeführt.
```

Latente Gefahr der Enttarnung bei Schleusungen

In einem „Treffbericht" vom 03.11.1971 hielt Major B. u. a. fest:
```
Mit dem GM Georg Kelmer wurde für den 30.10.1971 ein
weiterer Treff illegal über die Staatsgrenze verein-
bart. Am selben Tag konnte nur kurzfristig mit dem GM
Kelmer an der Staatsgrenze gesprochen werden, da im
selben Bereich sich Zollangehörige aufhielten. Wir
stellten dabei fest, daß der GM Hans Winkler auch
dabei war. Wir vereinbarten, daß dieser Treff am
1.11.1971 morgens um 6 Uhr erfolgen sollte. Dies war
günstig, da an diesem Tag in Westdeutschland ein
katholischer Feiertag gefeiert wird.
Am 30.10.1971 wurde über den zuständigen Kompaniechef
der Kompanie Behrungen für den 1.11.1971 das Grenzge-
biet im Bereich der Schleusstelle freigemacht. Am
1.11.1971 wurde um 4.30 Uhr die Fahrt zum Übertritts-
ort begonnen. Zugegen waren Hautmann G., Oberleutnant
F. und der Unterzeichnete. Wir waren gegen 5.45 Uhr
unmittelbar an der Staatsgrenze und gingen nach eini-
gen Minuten der Beobachtung durch die Sperre. Nachdem
wir uns am freundwärtigen Zaun innerhalb der Sperre
```

postierten, um das Grenzgebiet westlicherseits unter Kontrolle zu halten, stellten wir fest, daß sich die GM bereits am feindwärtigen Zaun aufhielten. Die Schleusung der GM Hans Winkler und Georg Kelmer erfolgte gegen 6 Uhr und verlief ohne Vorkommnisse. ... Gegen 16.45 Uhr wurde der Treff in der konspirativen Wohnung „Schleicher" beendet, und es wurde an die unmittelbare Übertrittsstelle gefahren. Zuvor wurde Rücksprache geführt mit Genosse Leutnant T., der in Verbindung mit einem weiteren Genossen seit 14.30 Uhr das westliche Grenzgebiet vom B-Turm aus unter Kontrolle gehalten hat. Da auf Grund der Information keine Besonderheiten im westlichen Grenzgebiet festgestellt wurden, erfolgte gegen 17.45 Uhr die Schleusung. Selbige verlief nach unserem Dafürhalten ohne besondere Vorkommnisse. Hptm. G. und Major B. warteten noch bis gegen 18 Uhr und traten dann den Rückweg an. ... Mit dem GM wurde vereinbart, dass er am nächsten Tag in der Zeit von 10 bis 11 Uhr zu einem Sichttreff in seinem Wohnort, welcher von der DDR-Seite aus eingesehen werden kann, erscheinen soll. Bei positivem Verlauf des Rückmarsches, d.h. bei Nichtauftreffen auf westliche Grenzschutzorgane o.a. Personen, soll er den Hund mitbringen und diesen frei laufen lassen. Bei Auftreffen auf Grenzschutzorgane oder andere Personen soll er ohne Hund zum Sichttreff erscheinen. ...

Das Grenzgebiet zwischen Roßrieth und Berkach, in welchem sich die Agentenfamilien Winkler/Kellmer & Co mit ihren Stasi-Führungsoffizieren trafen. In der Bildmitte neben dem Baum im Hintergrund der Beobachtungsturm der DDR-Grenztruppen, von welchem aus beobachtet wurde, ob das „Feindgebiet" für Schleusungen frei war.
Foto: Reinhold Albert

Zwischen Judenbach-Räppoldsburg, Krs. Sonneberg, und Schauberg kam es um 9.30 Uhr zur Grenzöffnung. Ursprünglich war sie für den Neujahrstag vorgesehen.

Die beiden Bedarfsübergänge Gotthards – Ketten und Simmershausen – Oberweid wurden vermutlich gewaltsam vom Bundesgebiet aus geöffnet.

Nicht nur die Öffnung der Grenze, auch die Zahlung des „Begrüßungsgeldes" waren für Tausende von Deutschen aus der DDR Grund, eine Reise in den Westen zu unternehmen. Vor den Auszahlungsstellen bildeten sich lange Warteschlangen. Trotz des Andrangs Tausender musste niemand länger als zwei bis drei Stunden warten. Dies war nur möglich durch den unermüdlichen Einsatz von etwa 80 ständigen und rund 220 zeitweise eingesetzten Helfern, die im Lkrs. Rhön-Grabfeld fast 29 Millionen DM auszahlten.
(Jahresbericht der Grenzpolizeiinspektion Mellrichstadt 1989)

Begrüßungsgeld

Zum Empfang des Begrüßungsgeldes wurden vom Baby bis zur Uroma alle mobilisiert. Der erste West-Besuch endete für Millionen DDR-Bürger im November 1989 wieder in Warteschlangen. Zu Tausenden standen sie vor Banken, Sparkassen, Rathäusern und Postfilialen und warteten auf das einmalige Begrüßungsgeld von 100 D-Mark. Für viele war es das erste Mal, dass sie „harte" D-Mark in den Händen hielten. Alles, was Beine hatte, wurde zum Anstellen beordert. Die Grenzstädte stöhnten unter dem Massenansturm. Bei nicht wenigen Ostdeutschen mischte sich aber auch Scham und Demütigung unter die ersten Freuden der neuen Freiheit.
„Gommt die D-Mark, blei'm mir hier, gommt se nich, geh'n mir zu ihr", tönte es kurz nach dem Mauerfall bei den Montagsdemonstrationen in Sachsen. Bevor das „richtige" Geld aber die ungeliebten DDR-Aluchips im Juli 1990 ablöste, mussten sich die Ostdeutschen mit den Realitäten deutsch-deutscher Reisepolitik abfinden.

Von DDR-Seite winkten nur 15 D-Mark aus dem Reisedevisenfonds. Die DDR-Staatsbank reichte in der Zeit vom 10. November bis Ende 1989 für 16 Millionen Bürger rund 250 Mio. DM aus. Im Westen gab es bis Ende 1989 die 100 DM Begrüßungsgeld. Seit 1987 erhielten DDR-Besucher jährlich diese Summe. In Bayern kamen nochmals 40 DM „staatliches bayerisches Zweitbegrüßungsgeld" dazu. So mancher nahm dafür weite Wege auf sich. Die Folge waren chaotische Zustände in Grenzstädten.

Allein an einem Wochenende erhielten 3,6 Millionen DDR-Bürger den „West-Hunderter". In Berlin kamen in der ersten Woche 1,5 Millionen DDR-Bürger. Normaler Kundenverkehr sei nicht mehr möglich, stöhnten die Geldhäuser. Auch am Sonntag war geöffnet. In den ersten Tagen war mancher Kommune das Geld ausgegangen. Lübeck pumpte bei Kaufhäusern. München stoppte im Dezember die Auszahlung des „kommunalen Begrüßungsgeldes" von 50 DM. Und die Bundesregierung musste wegen der Besucherzahlen das für 1989 mit 300 Millionen DM geplante Begrüßungsgeld auf 800 Millionen aufstocken.

Mit 115 DM war für viele DDR-Bürger der Traum vom Konsum schnell ausgeträumt, auch wenn Cola und Würstchen oft zum Kurs 1 : 1 angeboten wurden. Wer mehr wollte, musste teuer bezahlen. Der Umtauschkurs lag bei 10 : 1. Betrügereien blieben nicht aus. Schon nach 14 Tagen wurde in DDR-Zeitungen davor gewarnt, sich noch einmal 100 DM zu erschwindeln. Es kursierten Gerüchte, dass einige sich als Übersiedler registrieren ließen, 250 D-Mark kassierten, zurückkehrten, um sich als Besucher noch einmal 100 D-Mark zu holen.

Andere sollen neue Papiere besorgt haben, in denen kein Stempel die Auszahlung verriet. Das Tohuwabohu hatte bald ein Ende. Bereits im Februar 1990 schlug Bundeskanzler Helmut Kohl überraschend und Warnungen zum Trotz die Währungsunion vor. Wenig später verschwand aus Konten und Kassen das ungeliebte DDR-Geld.

(Quelle: Main-Post, 16.11.1999)

Insgesamt konnten beim Treff 21 Berichte erarbeitet werden, woraus 21 Informationen gefertigt wurden. Die Informationen hatten wertvollen Charakter und befassten sich in der Hauptsache mit dem Pz.-Art.-Btl. 355 Wildflecken.

Um ein Haar wäre ein Ausflug von Vater und Sohn im darauf folgenden Jahr 1972 über eine Schleusungsstelle schief gegangen. Hans Winkler berichtete am 17.07.1972 seinem Führungsoffizier:

Nachdem wir gut die Sperre mit Hilfe der uns bekannten Offiziere überschritten hatten, begaben wir uns sofort auf den Feldweg von Mühlfeld in Richtung Roßrieth. Als wir kurz vor der Waldspitze waren, stellten wir fest, daß sich dort Personen unterhielten. Als wir die Waldspitze erreicht hatten, stellten wir einen VW fest, welcher in der Nähe der Zollhütte stand. Als wir in Richtung Roßrieth weiterliefen, überholte uns ein VW-Bus, indem sich zwei Angehörige der Bayer. Grenzpolizei befanden. Wir wurden durch die Beamten nicht kontrolliert, da mein Vater einen dieser Angehörigen kannte. Er führte mit diesem ein Gespräch über Schwarzarbeit und Biertrinken. Danach fuhren die beiden Angehörigen der Bayerischen Grenzpolizei weiter in Richtung Roßrieth. Ich bin der Meinung, daß uns diese Angehörigen beim Übertritt nicht beobachteten, da das Gelände an dieser Stelle abfällt, bis zur Übertrittsstelle die Entfernung ca. 300 m beträgt und somit nicht eingesehen werden kann.

Der Bereich zwischen Mühlfeld im Landkreis Rhön – Grabfeld und Schwickershausen (Kreis Meiningen), den die Agenten des MfS für Schleusungen weidlich nutzten. Im Hintergrund ein DDR-Beobachtungsturm, auf dem ausgekundschaftet wurde, ob das Umland von gegnerischen Grenzorganen frei war.
Foto: Reinhold Albert

Auch bei anderen Treffen mit Winklers Führungsoffizieren in der DDR gab es Komplikationen. So ist in einem Schreiben vom 05.08.1973 vermerkt:

Zum abgesprochenen Zeitraum am 25.6.1973 verließ ich, um zur Zusammenkunft zu kommen, gegen 19.30 Uhr meine elterliche Wohnung. Ich habe den Weg über Mühlfeld genommen und wollte zur Abdeckung meiner Treffverein-barung zu dem Versicherungsagenten XY, um von mir aus eine Versicherungsangelegenheit zu klären. Als ich bei dessen Wohnung in Mühlfeld angekommen war, wurde mir von Nachbarn mitgeteilt, daß selbiger nach Mellrich-stadt zum Bezirksmusikfest mit seinem Pkw gefahren ist. Anschließend verließ ich die Ortschaft und am Ortsausgang in Richtung zur Grenze kam von Mühlfeld ein VW-Käfer mit einem Angehörigen der BGP gefahren. Nachdem er mit mir auf gleicher Höhe war, hielt er an und fragte mich, wohin ich wollte und verlangte meine Ausweise. Nachdem er festgestellt hatte, daß ich im Grenzgebiet wohnhaft bin, hatte er keine weiteren Fra-gen mehr. Ich bin dann weitergefahren und der BGP-Angehörige mit seinem VW fuhr ebenfalls in Richtung „Berkacher Höhe". Nach einigen Minuten war ich eben-falls auf der „Berkacher Höhe" und habe mich dann ca. 25 - 30 Minuten mit diesem BGP-Angehörigen, der mir unbekannt war, unterhalten. Selbiger saß im Pkw und hatte die Tür des Pkw geöffnet. Als ich dann unmittel-bar am Wagen angekommen war, fragte er mich, warum ich nicht den Siedlerweg entlang ginge, sondern den Grenz-weg. Ich habe daraufhin geantwortet, daß die Hunde des dort ansässigen Bauern sehr scharf sind und ich mir nicht meine Hosen zerreißen lassen möchte. Mit dieser Antwort war der BGP-Angehörige zufrieden. Wir unter-hielten uns noch etwas. Ich bin dann so ca. 20.35 Uhr weiter gelaufen. Es fing bereits an, zu dämmern. Gegen 20.45 Uhr war ich an der mir bekannten Übertrittsstel-le. Da ich nicht wußte, ob mir dieser BGP-Angehörige folgte, bin ich dann normal diesen bekannten Grenzweg wieder nach Hause gelaufen. Nachdem ich zu Hause ankam, fuhr ich mit meinem Pkw noch zum Bezirksmusik-fest, dann fuhr ich wieder nach Hause. Ich war so gegen 22.00 Uhr wieder zu Hause. Als ich meinen Wagen einfahren wollte, stellte ich am nächsten Haus unter einer Laterne diesen BGP-Angehörigen mit seinem VW-Käfer fest. Er fragte mich, warum ich schon wieder nach Hause komme. Ich erklärte ihm, daß es keine Park-möglichkeiten gegeben hat. Im Haus angekommen, habe ich sofort den geschriebenen Auftrag vom 5.5.1973 aus dem Container entfernt und ihn im Ofen verbrannt. Auf Grund dieser Besonderheiten habe ich auch am nächsten Tag die Reservezusammenkunft nicht wahrgenommen und auch keinen Brief geschrieben.

Ich habe dann nach ca. 8 bis 10 Tagen die vereinbarte Ansichtskarte geschrieben und wenn mir heute auf Vor-halt gesagt wird, warum ich nicht eine bunte Karte

Dezember 1989
Gleich viermal kassierte ein 22-Jähriger aus Suhl in dem knappen Monat nach der Grenzöffnung das Begrüßungsgeld von jeweils 100 DM. Das Amtsgericht Weiden verurteilte ihn Anfang Dezember 1989 wegen Betrugs und Urkundenfälschung zu einer Strafe von 2.400 DM.

Bittgottesdienst am 1. November 1989 in Hildburghausen.
Fotos: Bernhard Großmann

Januar 1990

Das neue Jahr begann wie überall in der zum Untergang verurteilten DDR wegen der unbefriedigenden persönlichen Lebenssituation vieler Menschen und dem schleppenden Fortgang der gesellschaftlichen Entwicklung für eine Demokratisierung mit Streiks.

1. Januar 1990
Erwerb von Reisezahlungsmitteln

Die Ministerin für Finanzen und Preise, Christa Luft (SED-PDS), hatte mit Einvernehmen des Präsidenten der Staatsbank der DDR eine Anordnung zum Erwerb von Reisezahlungsmitteln für DDR-Bürger bzw. ausländische Staatsbürger mit ständigem Wohnsitz in der DDR erlassen. Jeder Bürger hatte den Anspruch auf DM 200, davon DM 100 im Verhältnis 1 : 1, weitere DM 100 für 500 M der DDR. Kinder bis zum vollendeten 14. Lebensjahr erhielten 50 % der für die Erwachsenen festgesetzten Umtauschsätze. Ein Umtausch des Geldes war bei den Geld- und Kreditinstituten der DDR aber auch in der Bundesrepublik und in Westberlin zu den gleichen Bedingungen möglich (hier bestand jedoch die Möglichkeit des Teilerwerbs nicht). Persönliche Valutakonten richtete die Staatsbank der DDR ein.

Viele DDR-Bürger hatten jedoch kein absolutes Vertrauen zu dieser Maßnahme und richteten sich vor allem bei den Sparkassen und Banken im grenznahen Raum in der Bundesrepublik Konten ein.

In Landkreis und Stadt Coburg wurden im Zeitraum zwischen dem 10.11. und dem 31.12.1989 insgesamt mehr als 53 Millionen DM verteilt. Im Lkrs. Kronach erhielten die Besucher aus der DDR über 44 Millionen DM.

Zollbestimmungen

Neue Zollbestimmungen in der Bundesrepublik traten für DDR-Bürger in Kraft. – Seit Jahresbeginn galten für alle DDR-Bürger bei ihrer Einreise in die Bundesrepublik an den Grenzübergangsstellen zur

geschrieben habe, so kann ich dazu sagen, daß ich mich von mir aus geirrt habe.

Auch die Anstellung bei der Grenzpolizei scheiterte

Wie verlief nun Winklers weiterer Weg bei der Bundeswehr? Eine Versetzung nach Mellrichstadt wurde wiederholt abgelehnt, weshalb er sich auch nicht weiter verpflichtete, sondern lediglich seinen 18-monatigen Pflichtdienst absolvierte. Als Begründung gab er am 17. Juli 1972 bei einem Treffen mit seinem neuen Führungsoffizier Major B. u. a. an:

```
Die Befehle, die von den Vorgesetzten gegeben werden,
entsprechen oft nicht meiner Meinung. Im Gegensatz zum
Zivilleben besteht kein Verhältnis zwischen Vorgesetz-
ten und Soldaten.
```

Außerdem sei die Bezahlung bei einer Weiterverpflichtung im Verhältnis zu den Verdienstmöglichkeiten in der freien Wirtschaft viel zu niedrig.

Nun wurde Winkler von seinem Führungsoffizier aufgefordert, sich bei der Bayerischen Grenzpolizei zu bewerben. Am 20.11.1972 nahm er an einer Anstellungsprüfung bei der Bereitschaftspolizei in Würzburg teil. Irritiert über den Bewerbungsablauf notierte Winklers Führungsoffizier:

```
Der GM Winkler bewarb sich bei der BGP, jedoch nicht
so, wie das von uns festgelegt war. Deshalb wurde ihm
gesagt, daß das nicht in Ordnung ist. ...
```

Die Stasi ging davon aus, dass Winklers Einstellung bei der Polizei schon so gut wie sicher sei. So wurde er am 14.11.1972 bei einem Treff im Waldstück „Sumpfloch" bei Mühlfeld von seinem Führungsoffizier eindringlich ermahnt:

```
Nach Einstellung in die BGP muß sein Verhalten so
sein, dass er ebenfalls als ein positiver Angehöriger
der BGP eingeschätzt wird, d. h.
* keine Dienstvergehen von seiner Seite aus,
* willig sein,
* alle Weisungen der Vorgesetzten konsequent durch-
  führen,
* kein Interesse zeigen für Dinge, die ihn nichts
  angehen,
* sich auf Fang- und Kontrollfragen einrichten,
* den Umgang beachten, mit keinen negativen Angehöri-
  gen oder moralisch nicht gut beleumundeten Beamten
  verkehren,
* selbst moralisch einwandfrei leben und handeln,
* nicht so viel über dienstliche Angelegenheiten
  sprechen, damit prahlen oder angeben,
* hilfsbereit sein in jeder Beziehung,
* beachten, dass sich unter den Angehörigen der BGP
  Agenten der westlichen Geheimdienstorganisationen
  befinden.
```

Des Weiteren wurde mit dem GM darüber gesprochen, was er für uns tun soll zu Beginn seiner Tätigkeit bei der BGP. Er soll erst mal Augen und Ohren offenhalten, d. h. alles wahrnehmen, was uns interessiert über:
* Bayerische Grenzpolizei
* Objekt
* Personal
* Bewaffnung
* Fahndungsmaßnahmen
* Weisungen
* Veränderungen
* Zusammenwirken mit anderen Grenzschutzkräften
* Organisierung des Grenzdienstes
* Verbindung zum Verfassungsschutz
* US-Geheimdienste
* Schulungssystem
* Wo wird evtl. Tätigkeit des MfS an der Staatsgrenze vermutet.
Mit dem GM wurde auch nochmals darüber gesprochen, dass er unter keinen Umständen die Verbindung zum MfS preisgeben darf.

Als Fazit dieses Gespräches fasste Major S. zusammen:
Wenn die Einstellung zur Polizei im Februar 1973 erfolgt, wäre dies für die Unterabteilung auch gut, da bis zum gegenwärtigen Zeitpunkt im Gesamtbereich noch kein IM in die Bayer. Grenzpolizei eingeschleust werden konnte. Und auch diesmal klappte es nicht. Winklers Anstellung bei einer Grenzüberwachungsorganisation (Grenzpolizei) scheiterte wegen seiner Farbenblindheit erneut.

Hans Winkler lieferte umfangreiche Informationen

Einen so wertvollen Mitarbeiter im westlichen Grenzvorfeld galt es natürlich für die DDR-Staatssicherheit zu hegen und zu pflegen und seine Aktivitäten auszubauen, auch wenn es weder mit einer Einstellung zum BGS, der Grenzpolizei oder einer Weiterverpflichtung bei der Bundeswehr geklappt hatte.

1974 wurde Winkler deshalb ein Funkgerät übergeben (IR-Technik 1011, Geräte-Nr. HG 2 09. Die Funksendungen zwischen ihm und der Stasi wurden ausnahmslos protokolliert, so z. B. am 27.03.1975:
„Im Brief an Winkler wurde als neue Sendung der 08.03.1973 vereinbart. Unterzeichneter und Hptm. G. fuhren am 08.03.1975 zum Beobachtungsturm BT 11, den wir gegen 09.30 Uhr erreichten. Nach Aufstellung des Gerätes stellten wir gegen 09.50 Uhr fest, dass das Dachfenster geöffnet wurde. Von 09.55 Uhr an kam vom PIM (= Perspektiv-IM) Winkler das festgelegte Rufzeichen und das verabredete Losungswort bei uns an. Der PIM und auch wir konnten einwandfrei die Sendung ablaufen lassen.

Am 26.04.1975 berichtete Winkler über eine „Veränderung des Verstecks für das IR-Gerät":

Bundesrepublik neue Zollbestimmungen. Aus einem Merkblatt des Bundesministeriums der Finanzen ging hervor, dass Einreisende aus der DDR abgabenfrei lediglich 200 Zigaretten, einen Liter Spirituosen von mehr als 22 % Vol. oder zwei Liter Wein oder Schaumwein, 100 Gramm Tee sowie 50 Gramm Parfüm einführen dürfen. Sonstige verbrauchssteuerpflichtige Waren dürfen einen Gesamtwert von 115 DM nicht übersteigen. Bei Treibstoffen werden zusätzlich zur Füllung des serienmäßigen Tanks bis zu 10 l im Reservekanister anerkannt. Auch für frisches Fleisch und bestimmte Wurstwaren gelten besondere Beschränkungen. Hunde und Katzen mussten eine Schutzimpfung gegen Tollwut haben, die mindestens 30 Tage alt, jedoch nicht länger als 12 Monate zurückliegen durfte. Arzneimittel durften nur in dem persönlichen Bedarf entsprechenden Menge mitgeführt werden. Nicht mitnehmen durfte der Bundesbürger bei einem Besuch in der DDR Kinderspielzeug mit militärischem Charakter, Arzneimittel (außer für den Eigengebrauch), Schriftstücke und Darstellungen unzüchtigen Charakters. Verboten war ebenfalls das Mitführen von Kartenmaterial, das die Staatsgrenzen oder Bezeichnungen nicht in Übereinstimmung mit den realen staatlichen und politischen Verhältnissen wiedergab.
(Freies Wort, 06.01.1990)

Der Grenzübergang Heldritt, Stadt Rodach, Lkrs. Coburg – Hetschbach, Krs. Hildburghausen, wurde geöffnet.

1990
Massenhausen, die kleinste selbstständige Gemeinde der DDR (heute Ortsteil der Einheitsgemeinde Straufhain, Lkrs. Hildburghausen), zählte noch 18 Einwohner. Nach dem Fall der Grenze wurde der Verbindungsweg nach Lempertshausen, Ortsteil von Rodach, Lkrs. Coburg, wieder hergestellt.

1. Januar 1990
An allen GÜST herrschte am Neujahrstag reger Betrieb. An der GÜST Spechtsbrunn – Tettau passierten 440 Pkw und 12.570 Personen die Grenze in Richtung

Bundesrepublik, 420 Pkw und 11.180 Bürger aus der Bundesrepublik wurden bei der Einreise registriert.

2. Januar 1990

Friedensgebet in der Meininger Stadtkirche, anschließend demonstrierten 1.500 Bürger durch die Innenstadt. Die Redebeiträge machten deutlich, dass man in eine Zeit der Stagnation gekommen sei, dass die alten politischen Kräfte unter dem neuen Namen SED-PDS noch das Machtmonopol besitzen und dass es keine Chancengleichheit für die neuen politischen Kräfte gäbe. Vor allem die Medien mit ihren Altlasten standen in der Kritik.

Der CDU-Kreisvorstand initiierte den ersten Runden Tisch im Landratsamt Hildburghausen.

In anderen Kreisen Südthüringens gab es bereits um den 08.12.1989 Runde Tische. Im Krs. Hildburghausen verstanden es SED und Rat des Kreises mit geschicktem Taktieren und einem nach außen zur Schau getragenen loyalen Verhalten, gesellschaftliche Entwicklungen hinauszuzögern und den geordneten Rückzug anzutreten sowie die eigene Macht unter neuen Verhältnissen wieder herzustellen. Funktionsträger der SED konnten teils ihre Machtpositionen in den Verwaltungen und staatlichen Einrichtungen behaupten.

In dieser Phase der gesellschaftlichen Entwicklung fehlte das nötige Maß an Radikalität, um die kommunistischen Machtstrukturen zu zerstören. Die Bevölkerung insgesamt ließ sich auch nicht entsprechend aktivieren, weil sie mit den gewonnenen Freiheiten meist zufrieden war und begann, sich im Privaten neu zu orientieren.

Ab dem 02.01.1990 galt ein neuer Fahrplan für den Bus-Pendelverkehr zwischen Meiningen und Mellrichstadt. Die Busse fuhren etwa alle zwei Stunden. Im November und Dezember 1989 wurden 102.000 Fahrgäste im Pendelverkehr nach Mellrichstadt und zurückgebracht.
(Freies Wort, 04.01.1990)

Plan für das Anbringen des Funkgeräts in der Scheune des Agenten Winkler aus den Akten des DDR-Staatssicherheitsdienstes.
Kopie der BstU

Ich möchte berichten, daß ich seit Übergabe des neuen Gerätes am 13.3.1975 mein Versteck für dieses Gerät geändert habe. Ich habe selbiges in der Scheune, von wo aus ich die Sendungen empfange und auch sende, das Gerät im Dachsparren der Scheune versteckt. Die Dachsparren bei uns in der Scheune sind alle mit Brettern zugeschlagen, so daß es unmöglich ist, das Gerät visuell festzustellen. Ich komme gerade mit meinem Arm bis zur Lage des Gerätes und kann es dann bei Notwendigkeit immer herausholen. Über die genaue Lage des Gerätes in der Scheune siehe Skizze.

Das Besondere an diesem Funkgerät war die Abhörsicherheit. Es funktionierte nur bei Sichtkontakt und nur in der genau eingestellten Richtung. Allerdings war die Technik äußerst anfällig. Mehrmals waren zum anberaumten Sendetermin die Führungsoffiziere erschienen, hatten ihr Gerät im B-Turm aufgebaut und bekamen doch keinen Kontakt. Einmal war es zu nebelig, dann wieder streikte die Technik oder der Kontakt konnte nur einseitig hergestellt werden. Mehrmals wurde das Gerät deshalb ausgetauscht.

Ehefrau wurde ebenfalls IM

Auch im privaten Bereich kam es zu einigen Veränderungen im Leben von Hans Winkler. So berichtete er am 08.09.1973 unter der Überschrift „Persönliche Probleme mit meiner Freundin" der Stasi:

```
Am 5.9.1973 in den Abendstunden war meine Freundin bei
mir zu Hause in meinem Zimmer, und ich habe in einer
geführten Unterhaltung, als es darum ging, über Ver-
bindungen zur Verwandten in die DDR gesagt, daß ich
neben den Verwandten auch noch bestimmte Freunde in
der DDR habe, zu denen ich einen Kontakt unterhalte.
Mir ging es bei dieser konkreten Frage darum, zu prü-
fen, wie meine Freundin auf die Frage reagieren würde.
Ich erklärte ihr, daß ich ab und zu mal mit den Leuten
spreche und bestimmte Neuigkeiten ihnen mitteile. ...
Wenn ich die Absicht hätte, diesen Kontakt aufrechtzu-
erhalten, dann möchte sie auch gerne einmal die Freun-
de in der DDR kennenlernen. Ich habe dieses Gespräch
nur unter vier Augen geführt, und hätte, falls ja eine
andere Wendung in dieser Richtung eingetreten wäre,
daß evtl. meine Freundin sich offenbart hätte bzw. auf
Grund dieser Unterhaltung mit mir gebrochen hätte,
dann würde ich alles abstreiten.
```

Sein neuer Führungsoffizier, Major B., beanstandete dieses eigenmächtige Vorgehen und ordnete an, dass die Freundin möglichst schnell an die Stasi zu binden sei.

Bereits am 28.10.1973 war es so weit. In Römhild gab die KP (= Kontaktperson) „Storch" mündlich u. a. zu Protokoll:

```
Einverständnis zur Zusammenarbeit mit dem MfS - Einige
Tage bevor mein Freund zu ihnen in die DDR fuhr, es
war Anfang September 1973, hat er mir u. a. gesagt,
was ich machen bzw. sagen würde, wenn er außer Ver-
wandten in der DDR noch weitere Freunde und Bekannte
hat. ... Von mir aus würde niemand etwas erfahren und
es wäre schön, wenn ich auch einmal mit diesen Perso-
nen zusammenkommen könnte. ... Auf die Frage, ob ich
mit einverstanden bin, dass mein Freund die DDR wei-
terhin aktiv unterstützt, möchte ich sagen, ja. Wenn
ich mithelfen soll, bin ich ebenfalls damit einver-
standen. Ich liebe meinen Freund, und aus diesem Grun-
de will ich ihn bei seiner Arbeit mithelfen.
```

Der Stasi-Offizier stellte zu diesem Treffen fest:

```
„... Durch die geplante Hochzeit, ca. 1976, müßte auch
```

Anzeige in der DDR-Zeitung Freies Wort:
„Wir wünschen unseren ehemaligen Kunden, Freunden und Bürgern im Thüringer Land in nachbarlicher Verbundenheit ein glückliches Jahr 1990. Büttnerbräu, Bad Königshofen. Wir stehen der Gastronomie und den Bierverlegern bei Modernisierung und Neugründung jederzeit zur Verfügung."

3. Januar 1990
Während der 5. Sitzung des Runden Tisches verlangten Oppositionsgruppen die Entwaffnung der Staatssicherheit zum 08.01. und den generellen Verzicht auf Geheimdienste.

Das Personal des Kreiskrankenhauses Bad Königshofen verzichtete auf eine Weihnachtsfeier. Mit weiteren Spenden kamen 5.000 DM zusammen, die Albert Markelsdorfer an Trappstadts Bürgermeister Erich Werner überreichte. Mit dem Geld sollen Anschaffungen in den Kindergärten der benachbarten thüringischen Gemeinden Eicha und Linden getätigt werden.
(Main-Post, 05.01.1990)

In der DDR wurden 6.000 Hunde, die vor allem zur Grenzsicherung (in Hundelaufanlagen) eingesetzt und auf Menschen abgerichtet waren, „arbeitslos" (vor allem Schäferhunde, Schäferhundmischlinge, Rottweiler). Tierschützer sorgten dafür, dass die Hunde nicht eingeschläfert, sondern an neue Besitzer in ganz Deutschland vermittelt wurden.

4. Januar 1990
Anti-Neofaschismus-Hysterie
Überall in der DDR wurde – vermutlich um die revolutionären Prozesse ins Zwielicht zu bringen – eine medienwirksame Anti-Neofaschismus-Hysterie geschürt. Die meisten der im Entstehen begriffenen demokratischen Parteien erkannten die Urheberschaft. Die SDP Hildburghausen antwortete am 04.01. in Freies Wort auf diese Kampagne:
Wem nutzt es, wenn zu einem Zeitpunkt, in dem der Wahlkampf gerade angelaufen ist, Angst, Verunsicherung, Feindbilder alten Coleurs und ein Sprachstil der

Vereinfachung verbreitet werden? Unsere Angst vor Diktaturen jeglicher Art hat uns zu sehr geprägt und die Erfahrung gebracht: Nie wieder Faschismus! Das darf nicht zum Streitpunkt zwischen demokratisch Gesinnten aus wahltaktischen Gründen werden!

Ohne den Ernst des Neofaschismus-Problems zu verkennen, wird die wichtigste Frage, die Rettung der DDR, nicht erstrangig von Rechtsradikalen oder deren Sympathisanten abhängen. Vielmehr gilt die Sorge vieler Bürgerinnen und Bürger unserem Weiterleben und der Durchführung tatsächlicher Reformen. Solange keine grundlegende Wirtschafts-, Verwaltungs-, Medien- und Wahlreform erfolgt ist, besteht die Gefahr der „Scheinveränderungen" durch Leiter, Direktoren und Chefs in Betrieben, Amt und Kaserne. Ein fairer Wahlkampf kann nur geführt werden, wenn umgehend allen demokratischen Parteien die gleichen Möglichkeiten in den Medien zugänglich sind.

5. Januar 1990

Eine Antifaschistische Initiativgruppe hatte sich lt. einer Presseinformation angeblich in der Kreisstadt Hildburghausen gebildet, ihr schloss sich die Initiativgruppe gegen Willkür und Chaos (s. 19.12.1989) an. In einer Presseveröffentlichung heißt es:

Das Neue Forum will z. B. in Karl-Marx-Stadt nicht die Kräfte gegen den Neofaschismus sammeln, sondern spricht sich aus gegen ‚die sich sammelnden Kräfte der alten Ordnung ...' Damit sind sie der irrigen Meinung, daß die SED-PDS bisher noch nicht konsequent mit dem Alten abgerechnet habe und übersehen völlig den neuen Weg dieser Partei, leisten damit den Neonazis bei ihrer Sammlung Vorschub. Deshalb ist es erforderlich, alle realen und gesunden Kräfte gegen den Neofaschismus zu mobilisieren und zu organisieren, mit dem Bekenntnis zu den bereits veröffentlichten Prinzipien der Zentralleitung der antifaschistischen Widerstandskämpfer gegen Neofaschismus, gegen Rassen- und Fremdenhaß, gegen Nationalismus und Völkerhaß, für Demokratie, Toleranz und Menschen-

die materielle Seite mit beachtet werden, da sie nach seinen bisherigen Angaben sehr sparsam ist und vermutlich auch Geld nicht ablehnt."

„Hans Winkler" und „Tanja Bieler" (diesen Stasi-Decknamen erhielt die Ehefrau) heirateten im Sommer 1975. Der Hochzeit vorausgegangen war ein Treffen mit Stasi-Leuten aus Hildburghausen in Ost-Berlin am 28.10.1974. Hierüber ist in den Stasiakten nachzulesen:

In Vorbereitung und Durchführung des Treffs wurden 426 Mark der DDR für Essen, Getränke, Rauchwaren und Übernachtung ausgegeben. Für die Bereitwilligkeit, in unserem Auftrag im 1. Halbjahr 1975 als Zeitsoldat der Bundeswehr beizutreten sowie für die Werbung des KP „Storch" (Winklers Freundin bzw. spätere Ehefrau) wurde beiden 1.000 DM gegen Quittung ausgehändigt. ... Die aufgezeigten klaren und überschaubaren Perspektiven und die dabei sachlich verbindlich materielle Unterstützung für die Einstellung 2.000 DM und für die Hochzeit 1975 1.000 DM sowie das Anlegen eines Kontos in der DDR auf Wunsch, wo ein bestimmter Betrag monatlich ausbezahlt wird, dürften im wesentlichen den Ausschlag gegeben haben, daß eine konkrete Zustimmung zur Perspektive erfolgte.

Im gleichen Jahr sollte sich Winkler im Auftrag der Stasi erneut bei der Bundeswehr bewerben, nahm jedoch hiervon aufgrund von Einwänden seiner Ehefrau Abstand. Sie hatte ihm mehrfach erklärt, dass sie es nicht ertragen könne, wenn er als Angehöriger der Bundeswehr mit der DDR nachrichtendienstlich zusammenarbeite. Das Risiko wäre viel zu groß und sie müsste ständig in Angst leben, dass er festgenommen werde. Ebenfalls im Jahr 1975 wurde das Paar beauftragt, günstige Treffpunkte in Schweinfurt (Hotels, Parks) auszukundschaften. Gleichzeitig wurde als neuer Auftrag gestellt, dass sie am 16.06.1975 zum sog. Heimattreffen der ehem. Meininger in Ostheim teilnehmen, um den Ablauf des Treffens dieser „revanchistischen Gruppierung" zu dokumentieren.

Über ein Treffen im KO „Tanne" im Mai 1976 heißt es im Bericht zusammenfassend:

Es muß mit aller Konsequenz darauf hingearbeitet werden, daß in absehbarer Zeit die Ehefrau Anstrengungen unternimmt, um ihre Arbeitsstelle nach Mellrichstadt zu verlegen, um die für uns genehme Arbeit im Bürgermeisteramt, bzw. der Verwaltungsgemeinschaft Mellrichstadt aufzunehmen.

An den Rand schrieb der Vorgesetzte des Berichterstatters Oberstleutnant S.:

Nicht überstürzen, muß in Übereinstimmung mit ihren persönlichen Interessen erfolgen! Mit Geduld!

Das Ehepaar Winkler/Bieler erhielt bei einem konspirativen Treffen im Oktober 1976 u. a. den Auftrag, die Zollgrenzaufsichtsstellen in Weimarschmieden, Filke, Ermershausen, Bad Königshofen, Sulzdorf und Maroldsweisach sowie die Grenzpolizeistationen in Bad Königshofen, Maroldsweisach und Dietersdorf zu fotografieren und Personen „aufzuklären" (= Beschaffen von Informationen), die Grenzeinweisungen durchführen. Ebenso sei die Frau des Bürgermeisters Griebel von Schönau aufzuklären, die eine solche Tätigkeit ausübe.

Hans Winkler informierte im Lauf der Jahre ausführlich über die, so wörtlich „Hetze gegen die DDR und ihre Grenzsicherungsanlagen" z. B. anlässlich des 25. Jahrestages des 17. Juni 1953 bei einem Grenzlandseminar des Kreisverbandes der Jungen Union Rhön-Grabfeld durch deren Vorsitzenden Kurt Mauer oder durch Bezirksheimatpfleger Dr. Reinhard Worschech anlässlich der Heidelstein-feier 1984 des Rhönclubs oder durch Rhön-Grabfeld-Landrat Dr. Fritz Steigerwald anlässlich einer Gedenkfeier zum 17. Juni Anfang der achtziger Jahre. Winkler war bei einer in seinen Augen „provokatorischen Einweisung" von Teilnehmern der Landessynode bei Filke durch den Leiter der GPI Mellrichstadt, Polizeirat Maximilian Resch, am 25.04.1985 dabei und führte fleißig Protokoll. Er informierte die DDR-Staatssicherheit in Wort und Bild über bauliche Veränderungen im Grenzgebiet, so z. B. über den Ausbau des zentralen Einweisungspunktes „Berkacher Höhe" zwischen Mühlfeld und Roßrieth 1978. Winkler spionierte die Beobachtungsstelle der US-Army im Kastenwald bei Roßrieth, den „Tieffliegermeldestützpunkt" auf dem Lahnberg bei Bad Königshofen – Eyershausen, die Funkverstärkeranlage auf dem Büchelberg bei Sternberg, den Sender Heidelstein, den Flugplatz in Saal a. d. Saale und die Grenzinformationsstellen von Fladungen bis Dürrenried aus. Insbesondere informierte er über den Arbeitskreis Innerdeutsche Kontakte (AIK), bei dem es ihm gar gelang, in die Vorstandschaft gewählt zu werden. Aus dieser Vorstandsarbeit schrieb Winkler fleißig Berichte. Auch spionierte er die 1984 durch den Kreiscaritasverband Rhön-Grabfeld gegründete Kontaktgruppe für DDR-Umsiedler aus, informierte über Zeit und Ort von Heimattreffen geflüchteter Hildburghäuser, Heldburger, Streufdorfer usw. und nahm an einigen dieser Treffen teil.

Der Ermittler-IM informierte sich entweder direkt vor Ort, wie z. B. bei der Enthüllung eines Gedenksteins zum 20. Jahrestag des Baus der Berliner Mauer am Schwarzen Moor bei Fladungen 1961 oder entnahm seine Informationen den Tageszeitungen. Das Spionagepärchen hatte eine ganze Reihe von weiteren Stasi-Aufträgen zu

würde. – Ebenso dürfen nicht aufkommen: Verleumdung, Willkür und Chaos. Das in Leipzig ausgerufene braune 'Heil!' darf sich in Hildburghausen keinesfalls wiederholen! ...

Namen und konkrete Arbeitsergebnisse dieser obskuren Gruppierung waren trotz Recherchen nicht nachweisbar. Was bereits die Diktion des Textes vermuten lässt, handelte es sich möglicherweise um eine von SED-, SED-PDS bzw. PDS-Aktivisten gesteuerte Propagandakampagne. Die so genannte Initiativgruppe trat immer dann an die Öffentlichkeit, wenn das Neue Forum oder andere demokratische Kräfte und Parteien konsequent mit den SED-Praktiken abrechneten.

Die Straßenbauarbeiten am Grenzübergang im Krs. Sonneberg zwischen Hönbach und Neustadt b. Coburg gingen zügig voran. Die Finanzierung erfolgte durch den Freistaat Bayern, davon 30 % durch den Lkrs. Coburg. Die Bezirksdirektion für das Straßenwesen Suhl unterstützte die Baumaßnahme lediglich mit einigen Arbeitskräften.

Am zwei Meter hohen Grenzsignalzaun, der bis zu einer Tiefe von 500 m im Hinterland gespannt war, begannen DDR-Grenzsoldaten am Wochenende bei Eicha, Krs. Hildburghausen, mit dem Abbau der Signaldrähte. Der Bautrupp entfernte die Y-Abweiser, den Stacheldraht sowie Elektrodrähte.
(Main-Post, 08.01.1990)

Protest gegen Modrow-Regierung
Die Thüringer Landeszeitung (LDPD) meldete, dass der Runde Tisch des Bezirkes Suhl gegen den Beschluss der Modrow-Regierung vom 14.12.1989 protestierte, demzufolge an die ehemaligen Mitarbeiter des Amtes für Nationale Sicherheit ungerechtfertigt hohe Überbrückungs- und Ausgleichszahlungen gewährt würden. Die Teilnehmer hielten es für nicht vertretbar, die Arbeit der ehemaligen Staatssicherheit auf diese Weise zu honorieren.
Der Zentralvorstand des FDGB dementierte. Es seien Entstellungen und Lügen,

die die ARD-Sendung „Kontraste" verbreitet. Die Stasileute seien keine Gewerkschaftsmitglieder und demzufolge flössen auch keine Gelder.

Für den Wiederaufbau der Veste Heldburg

Vom Märchenschloss zum Trümmerhaufen – „Der Anblick hat wehgetan!", bekannte der Rodacher Unternehmer Rudolf Weiß, der vor wenigen Tagen zum ersten Mal seit 1944 wieder die Veste Heldburg besuchte. Die Verwalter der Heldburg, Horst und Birgit Meininger, hatten ihn durch die Burg geführt. Weiß war sich mit anderen Rodacher Bürgern einig: Es muss dringend etwas zur Rettung der Heldburg getan werden. Weiß plante einen Verein ins Leben zu rufen, der sich für die Belange der Burg einsetzen soll. Regina von Habsburg, Gemahlin des Europaabgeordneten Otto von Habsburg, die ehemalige Prinzessin von Sachsen-Meiningen und jetzige Erzherzogin Regina, die auf der Veste geboren wurde, konnte ebenfalls für diese Idee gewonnen werden.
(Nach: Coburger Tageblatt, 07.01.1990)

6. Januar 1990

Die Grenze zwischen Käßlitz, Krs. Hildburghausen, und Maroldsweisach, Lkrs. Haßberge, wurde geöffnet, am 26.01. erfolgte die Verkehrsfreigabe und Anbindung an das überörtliche Straßennetz im Beisein des Landrats des Lkrs. Haßberge und des Ratsvorsitzenden in Hildburghausen.

Die Sperre Schweickershausen – Ermershausen war geöffnet, um einen Konzertbesuch im Westen zu ermöglichen. Mit Käßlitz – Eckartshausen wurde ein weiterer Fußgängerüberweg im Krs Hildburghausen erstmals für Stunden frei.

Zu einem Treffen der Berkacher und Behrunger kam es in Sondheim und Roßrieth, der Gegenbesuch erfolgte am 13.01.1990.

Die Straßensperre Hilders – Frankenheim wurde gegen 16.30 Uhr eingedrückt. Ca. 200 – 250 Frankenheimer begaben sich zum vorderen Sperrzaun, lösten ihn und

erfüllen, so erhielten sie z. B. 1985 den Auftrag:

```
Aufklärung des Waldgebietes (von BRD-Seite aus) am
Bahndamm Mühlfeld mit dem Ziel der Beurteilung durch
den IM, ob dort eine neue Materialschleuse oder Wurf-
schleuse geschaffen werden kann.
```

Stasikritik an der Arbeit des Ehepaares

Nicht immer war die Stasi mit der Arbeit des Ehepaares zufrieden. So ist in einem Bericht vermerkt:

```
Es gab nicht immer die stetige Kontinuität in der
Treffdurchführung sowie in der Qualität der Informa-
tionen. In Einzelfällen wurden Aufträge ungenügend
oder nicht aus Zeitmangel realisiert. Es gab Beispie-
le, dass die Ehefrau aus Angst vor einer Dekonspirati-
on den PIM beeinflusste, die inoffizielle Tätigkeit
aufzugeben und hat in einem Fall schriftlich darum
ersucht. Die letzten Schwierigkeiten diesbezüglich
traten im Februar/März 1979 auf, wo die Ehefrau durch
den Verrat des ehem. Operativen Stasi-Mitarbeiters
Stiller, der in den Westen übergelaufen war, Bedenken
zur weiteren Zusammenarbeit hatte. Die Ehefrau wurde
ohne vorherige Absprache mit dem OM von der Zusammen-
arbeit des PIM mit uns teilweise durch ihn informiert.
Im Oktober 1973 wurde sie kontaktiert und ein Jahr
später angeworben. In der inoffiziellen Arbeit hat sie
ihren Mann unterstützt und abgesichert sowie bestimmte
Aufklärungsangaben selbst gebracht. Vom Elternhaus her
ist sie katholisch erzogen und besucht heute noch
wöchentlich mindestens einmal die Kirche.
Die von ihr angegebene Erklärung ihres Verhältnisses
zur Kirche hat sich nicht bestätigt und besteht inten-
siver als angenommen. Sie hat bis Dezember 1976 opera-
tiv mitgearbeitet, hörte dann auf, als sie in anderen
Umständen war und hat bis auf den heutigen Tag noch
keine inoffizielle Arbeit durchgeführt. 1980 soll sie
überzeugt werden, ebenfalls wieder inoffiziell tätig
zu werden.
Auf Grundlage der Zielfunktion hat der PIM Winkler
bisher brauchbare und wertvolle Informationen zu
Grenzregime, Arbeit des Verfassungsschutzes, der Bun-
deswehr, der Bayer. Grenzpolizei und des Grenzzoll-
dienstes erarbeitet. Im Freizeitbereich hat er beson-
ders Informationsstellen, Einweisungspunkte der Grenz-
überwachungsorgane und Dienststellen des Grenzzoll-
dienstes und der Bayer. Grenzpolizei aufgeklärt und
zum Teil fotomäßig dokumentiert. ... Die persönliche
Verbindung erfolgt auf VTA-Basis (= Visa für einen
Tagesaufenthalt) ca. 4 - 5 mal im Jahr ganztägig mit
Pkw. Eine Materialübergabe ca. 2 - 3 mal im Jahr an
der Staatsgrenze. Unpersönlich hat der PIM 2 DA (=
Deckadressen). - Poststellen, fiktive Anschriften -
die er bei Notwendigkeit benutzt. Zum Transport von
Material besitzt der PIM einen Transportcontainer
```

(Aktentasche). Von Mai 1974 bis November 1977 wurde
mit dem PIM zusätzlich über eine IR-Schleuse gearbeitet, da eine Arbeitsaufnahme bei der BGP vorgesehen
war.

Hans Winkler erhielt Stasi-Orden

Am 23.06.1980 unterbreitete der Leiter der Unterabteilung Meiningen, Oberleutnant B., einen „Vorschlag zur Neueinstufung des PIM
Hans Winkler als Ermittler". Am 20.10.1981 schlug er ihn gar für
die Auszeichnung mit der Verdienstmedaille der NVA in Silber vor.
In der Begründung heißt es:

Seit März 1968 arbeitet der IM mit unserer Diensteinheit zusammen und leistet eine gute politisch-operative Arbeit. Während seiner Dienstzeit bei der Bundeswehr übergab er wertvolle und sehr wertvolle Dokumente
und Informationen und hat entsprechend seinen Möglichkeiten seine Aufgaben pflichtbewußt erfüllt. In unserem Auftrag bewarb er sich bei der Bayerischen Grenzpolizei im Jahre 1974 und wurde auf Grund eines
gesundheitlichen Schadens nicht eingestellt. Gegenwärtig hat er die Aufgabe, seinen Neffen - PIM ‚Hans
Stolle' für die Tätigkeit als Z 4 (= ein Zeitsoldat,
der sich für 4 Jahre bei der Bundeswehr verpflichtet)
in ein uns genehmes Objekt der Bundeswehr im Grenzgebiet der BRD vorzubereiten und dafür Sorge zu tragen,
daß entsprechend der langfristigen Konzeption im Jahre
1982 die Einschleusung realisiert wird. Instruierungen
und Schulungen dazu erfolgen bereits. Entsprechend
seiner bisherigen guten politisch-operativen Arbeit
wurde er 1974 mit der Verdienstmedaille der NVA in
Bronze ausgezeichnet.

Zu der letztgenannten Auszeichnung ist im Protokoll vermerkt:
Nach der persönlichen Vorstellung des Genossen Major
S. als Dienstvorgesetzter am 19.10.1974 wurde zuerst
die Auszeichnung des PIM Winkler vorgenommen und dem
PIM Tanja Bieler gesagt, dass auch sie Möglichkeiten
besitzt, solche und weitere Auszeichnungen zu erhalten. Beide IM waren sichtlich gerührt, als die Urkunde
verlesen wurde und als Gratifikation zur Auszeichnung
der PIM weitere 250 DM übergeben bekam. Sie brachten
zum Ausdruck, daß an eine solche Anerkennung sie niemals gedacht hätten. Daraufhin wurde ihm erklärt, daß
solch eine Anerkennung ein weiterer Ansporn sein soll
für eine effektive operative Arbeit in den nächsten
Jahren.

Ein Unglück verhinderte übrigens, dass die DDR-Staatssicherheit
ein weiteres Familienmitglied für eine Agententätigkeit anwarb –
PIM Hans Stolle verunglückte 1982 bei Mellrichstadt tödlich.

liefen nach Hilders. Sie versprachen den
Angehörigen der DDR-Grenztruppen, bis
24.00 Uhr zurückzukehren. Tags darauf
war der Übergang geöffnet und ca. 550
DDR-Bürger nutzten zwischen 9 und
16.00 Uhr den Übergang für einen
Besuch im Westen.

7. Januar 1990

Der zurückliegende Sonntag wird den
Römhildern sicher lange in Erinnerung
bleiben als Meilenstein auf dem Weg zu
einer Städtepartnerschaft mit dem nur
wenige Kilometer entfernt liegenden
unterfränkischen Bad Königshofen. Die
Einwohner bereiteten sich auf dieses Fest
mit den bayerischen Landsleuten seit
Tagen vor, indem sie eine Spendenaktion
für deren Bewirtung gestartet hatten.
Herzlich willkommen geheißen wurden
die Gäste am frühen Sonntagmorgen vom
Rat mit Bürgermeisterin Wanda Hofmann
und von vielen Römhildern am Stadtturm.
Mit Blasmusik ging's dann gemeinsam
ins Kulturhaus, dem größten, aber beileibe nicht einzigen Treffpunkt an diesem
Tag. Denn auch im Speisesaal der LPG,
VKSK-Spartenheim, Sportlerheim, FFw-
Gerätehaus und im Veteranenklub war
alles bestens für die Gäste hergerichtet.
Erstmals konnten sie und natürlich vor
allem die Römhilder selbst wieder die
Gaststätte „Waldhaus" betreten. Das soll
nach dem Willen der Einwohner keine
Eintagsfliege bleiben. Es ist einfach
unmöglich, für den Chronisten alle aufzu-
zählen, die Anteil an diesem hervorragend
organisierten deutsch-deutschen Treffen
hatten und es zu einem kulturellen Höhepunkt in der Gleichbergstadt machten.
Mit Applaus dafür wurde nicht gespart.
(Freies Wort, 10.01.1990)

Eine Delegation aus Aubstadt, Lkrs.
Rhön-Grabfeld, wurde unter Führung von
Bürgermeister Wolfgang Anschütz in der
thüringischen Gemeinde Bauerbach, Krs.
Meiningen, von Bürgermeisterin Rosi
Fickel empfangen. Man strebe zwar keine
offizielle Partnerschaft an, vielmehr eine
enge und von Vertrauen getragene
Zusammenarbeit, erklärten sie.
(Main-Post, 09.01.1990)

Gefährlicher Arbeitseinsatz im Minenfeld
Etwa 40 Hasenthaler Bürger, Krs. Neuhaus/Rwg., kamen zu einem Arbeitseinsatz an den Tettauer Steig. Die Ortsgruppe des Kulturbundes hatte zu diesem Arbeitseinsatz aufgefordert, um den Steig im Frühjahr als Wanderweg zwischen Hasenthal und Tettau zu eröffnen. Dazu mussten eine erhebliche Menge Schadholz beseitigt und eine kleine Holzbrücke über einen Bach errichtet werden.

Zwischen 10 und 11 Uhr: 15 Hasenthaler schnitten Grenzzäune, Grenzsignalzäune, Stacheldraht und Streckmetall in einer Breite von 20 m durch. Das erste Mal bewegten sich Bürger des Kreises ungeachtet der Gefahren unkontrolliert im Minenfeld. Die Kriminalpolizei ermittelte, der Diensthabende im Rat des Kreises erstattete Meldung nach Suhl, und die DDR-Grenztruppen stellten den Zaun komplett wieder her.
(Nach: Wiegand I, 06.01.1990)

8. Januar 1990
Bei den Montagsdemos wurde der Ruf nach der Einheit Deutschlands immer lauter, Proteste gegen die SED-PDS wurden stärker.

Nachdem die CDU am 18.12.1989 den Wahlkampf schon vorfristig begann, standen die Montagsdemos in Hildburghausen 1990 unter der Regie der Parteien und Initiativgruppen. Unabhängig davon hielten sich die Redner nicht an parteipolitische Vorgaben.

Streit zwischen Bayerischer Grenzpolizei und BGS
Vorübergehend zur Seite gelegt schien der Streit um die Betreuung der Grenzübergänge in Unterfranken. Hierbei hatte sich die Bayerische Grenzpolizei benachteiligt gefühlt, da der in Oerlenbach stationierte Bundesgrenzschutz diese Aufgabe gemeinsam mit dem Zoll übertragen bekam. Finanzstaatssekretär Albert Meyer erklärte vor der Presse in Bad Königshofen, dass die Grenzpolizei immer wieder über zu wenig Leute geklagt habe. Deshalb sei man mit dem Bundesgrenzschutz in Kontakt gekommen, der eigentlich in Oberfranken einge-

Am 30. Mai 1983 schrieb Oberstleutnant P. von der HAI/KGT AKG Aufklärung in Pätz unter dem Betreff: „Ermittler Hans Winkler, Führungsoffizier Oberstleutnant B. und Perspektiv-IM Tanja Bieler" u. a.:

Die vorgegebenen Aufgaben wurden im wesentlichen erfüllt, das betraf die Instruierung der IM zum Verhalten vor feindlichen Justiz- und Untersuchungsorganen, was am 23.5.1981 erfolgte, die Einschätzung der Sicherheitslage und Neufestlegung der Perspektive vom 14.5.1982. Als Hauptzielstellung wurde die Einschleusung als Zivilbeschäftigter einer Bundeswehrstandortverwaltung festgelegt, die mit Hilfe einer möglichen Förderverbindung des PIM Tanja Bieler (ihr Vater war im öffentlichen Dienst) realisierbar erscheint. ... 1982/83 wurden mit dem Ermittler 9 Treffs durchgeführt, davon 4 Materialschleusungen über die Schleusstelle ‚Weide'. Von den operativen Materialien konnten 49 Informationen erarbeitet werden. Es wird angewiesen:
Fortführung der Zusammenarbeit mit beiden IM nach den Dokumentationen – Vorstellungen zur Einschleusung;
Sollte eine Einschleusung in die Bundeswehr realisiert werden, ist der Einsatz von Tanja Bieler als Kurier zu prüfen;
Beide IM sind weiter zu überprüfen und zu qualifizieren;
Es sind zusammenfassende Einschätzungen zu erarbeiten und die Sicherheitsakten zu aktualisieren.

Am 30.5.1986 erhielt das westliche Agentenehepaar eine neue „Auftragsstruktur". Oberstleutnant P. legte fest:

Entsprechend der wohnungs- und arbeitsmäßig gegebenen Bedingungen sowie des zumutbaren Aktionsradius (Rhön-Grabfeldkreis, Kreis Bad Kissingen und teilweise Haßberge) soll der Ermittler zu folgenden Schwerpunkten eingesetzt werden:
1. Grenzüberwachungsorgane (Personelle Angaben zu allen bekannten Angehörigen, Überwachung der Grenze, Teilnahme an allen bekannt werdenden Informationsveranstaltungen usw.)
2. Bundeswehr (Alle Handlungen von Kräften im grenznahen Raum zur DDR. Besondere Aktivitäten in den Kasernen. Neue Kampftechnik usw.)
3. US-Armee (Übungs- und Alarmhandlungen, Einsatz von Aufklärungsmitteln an der Staatsgrenze usw.)
4. OVT (Alle Angaben zum System der ELOKA des BND, der Bundeswehr und der NATO-Kräfte im grenznahen Raum, fotomäßige Dokumentation aller Objekte.
5. Grenzlage (Aufklärung von Einzelpersonen, Organisationen und Gruppierungen, die subversive Angriffe gegen die Staatsgrenze der DDR planen oder durchführen. Aktivitäten von neonazistischem oder kirchlichem Charakter, Hinweise auf gegnerische Schleu-

sungen. Bau von sog. Mahnmalen an der Staatsgrenze, Erarbeiten von Fotodokumentationen über die Einsichtmöglichkeiten in den Handlungsraum der DDR-Grenztruppen u. a.).

6. Regimeprobleme (Aufklärung des gegnerischen Verwaltungsregimes in den grenznahen Orten, Schaffung neuer Einrichtungen an der Staatsgrenze, wie z. B. Grenzinformationsstellen, deutschlandpolitische Bildungsstätten, neue Übersichtspunkte, Beschaffen spezieller Literatur je nach Anforderung und Bedarf.)

Wie es scheint, wurde das „Agentengeschäft" mehr und mehr zum Risiko. So ordnete der Stasi-Abteilungsleiter 1987 an, dass zusätzliche Tote Briefkästen (TBK) angelegt werden sollen, um die persönlichen Zusammentreffen mit dem westlichen Agenten abzubauen.

Am 16.01.1988 wurde Hans Winkler gar umfassend darüber informiert, wie er sich bei einer evtl. Festnahme durch westdeutsche Behörden zu verhalten habe. In dieser „Instruktion für das Verhalten bei einer Konfrontation mit dem Feind" heißt es u. a.:

Unter Konfrontation wird in diesem Zusammenhang verstanden: Verhaftung, Festnahme. Mit der Konfrontation besteht der operative Auftrag darin, dem Feind auch in der unmittelbaren Auseinandersetzung eine Niederlage beizubringen, ihm also nichts zu verraten. Die Bedingungen der Haft sind hart und kompliziert, aber können durchgestanden werden. Märtyrertum jeglicher Art schadet der Sache. Die Niederlage des Feindes unter diesen Bedingungen besteht darin: Sie treten dem Feind sachlich, aufrecht und bestimmt gegenüber. Der Feind darf keine Angriffsfläche für weitere Bearbeitungsmethoden oder Verschärfung der Bedingungen erhalten. ... In der Haftzeit werden alle persönlichen, materiellen und finanziellen Verpflichtungen gegenüber der Familie und gegenüber allen Angehörigen, für die Sorgepflicht besteht, vom Mitarbeiter des MfS übernommen.

In den Unterlagen befindet sich eine „Aufstellung der ausgezahlten Beträge und geleisteten Sachwerte". Zwischen 2.500 und 4.000 DM liegen die zwischen 1970 und 1986 ausgezahlten jährlichen Entlohnungen. Immerhin zifferte der Verdienst des Ehepaars aus dem gemeinsamen Agentengeschäft auf rund 30.000 DM, nach Angaben der Staatsanwaltschaft knapp 58.000 DM und zusätzlichen Sachgeschenken und großzügigen Bewirtungen. Im Verhältnis zur dürftigen Entlohnung der Ost-IM war das eine Riesensumme. Im Verhältnis zum Risiko jedoch, welches das Ehepaar jahrelang trug, war die Entlohnung durch die DDR-Staatssicherheit eher mager.

Nach der Wende wurden Hans Winkler und seine Frau Tanja Bieler enttarnt und der Mann in München angeklagt. Verurteilt wurde er

setzt werden sollte. Meyer räumte allerdings ein, dass wohl die Entfernung zwischen Oerlenbach und Oberfranken auch eine Rolle gespielt habe. Nun gelte die Regelung, dass der Bundesgrenzschutz vorübergehend die Betreuung der Grenzübergänge Trappstadt – Eicha und Fladungen – Melpers gemeinsam mit dem Zoll übernimmt. Entschieden hatte man sich in Maroldsweisach am neuen Grenzübergang Allertshausen – Hildburghausen für die Grenzpolizei, die dort den neu zu eröffnenden Übergang betreuen soll.
(Bote vom Grabfeld, 08.01.1990)

Gegen die Vorwürfe, Unterfranken stehe im Schatten von Oberfranken in bezug auf Grenzübergänge, hat sich in Bad Königshofen Finanzstaatssekretär Albert Meyer (CSU) gewandt. Er nannte die in Oberfranken vorhandene gemeinsame deutsch-deutsche Grenze mit einer Länge von 298 Kilometern. Dem stehe der Grenzzaun in Unterfranken mit 124 Kilometern gegenüber. Schon von daher, so Meyer, seien die vorhandenen 13 Übergänge für den Kfz-Verkehr gerechtfertigt. Außerdem habe schon vor der Grenzziehung eine engere Verflechtung zum heutigen DDR-Grenzgebiet bestanden. In Unterfranken hätten die Beziehungen hinter dem Grenzzaun geendet. Meyer verwies in diesem Zusammenhang auf die Übergänge Trappstadt – Eicha und Maroldsweisach – Hellingen. Diese Übergänge seien von DDR-Seite unter der Bedingung genehmigt worden, dass der Freistaat Bayern die Verbindungsstraße baut. Der Bund, so der deutschlandpolitische Sprecher der CDU/CSU-Bundestagsfraktion, Eduard Lintner, Münnerstadt, habe mittlerweile ebenfalls Mittel bereitgestellt, um Bayern unter die Arme zu greifen. Vorgesehen seien zunächst über zwei Millionen Mark, wobei zusätzlich noch einmal eine Million fließen soll. Lintner sprach sich in diesem Zusammenhang für die Einführung des Güterverkehrs am Grenzübergang Eußenhausen – Meiningen und die Öffnung des Übergangs Trappstadt – Eicha für Busse aus. Allerdings müsse dann eine Umgehungsstraße bei Trappstadt erstellt werden. Beide Politiker befürworteten eine leistungsfähige Schienenverbindung zwischen Würzburg und Erfurt. Mit der Eisenbahnlinie würde die Straße entlastet. (Main-Post, 08.01.1990)

9. Januar 1990
Nachbetrachtung zu Friedensgebeten und Demonstrationen in Meiningen
von Dr. Horst Strohbusch (Auszug):
So hatte sich nach den Wochen der Begeisterung eine Aschermittwoch-Stimmung breit gemacht. Unser politischer Alltag erschien uns grau in grau.
Analysieren wir also die gegenwärtige Lage, die uns so bedrückt und fast überall nur Pessimismus verbreitet. Man kann die Gedanken der Menschen etwa so zusammenfassen:
- ach, das wird ja doch nichts mit unserer Reform
- die SED ist ja überall noch tonangebend
- sie gibt keine Positionen freiwillig auf
- ihre Funktionäre verharren in alten Denkweisen
- die Macht der Medien ist ungebrochen.

Des Weiteren schrieb er:
Es ist jetzt an der Zeit, die Regierung und alle ihre Funktionäre erneut daran zu erinnern, daß noch immer wir das Volk sind. Wir haben ein Anrecht darauf, zu erfahren, welche Verordnungen und Gesetze beschlossen wurden.
Wir wollen Konturen sehen. Wir wollen wissen, was auf uns zukommt. Wir fordern Offenheit gegenüber dem Volk!
Was also ist es, was uns so beunruhigt? Stellen wir einige Fragen an die Partei und die Regierung.
1. In der Vorbereitung des Wahlkampfes mißbraucht die SED ihre Vormachtstellung in den Medien. Von Chancengleichheit aller Parteien kann keine Rede sein. Die Oppositionsgruppen werden deutlich benachteiligt. Wenn die SED einen fairen Wahlkampf haben will, muß sie sofort ihr Machtmonopol in den Zeitungen, in Rundfunk und Fernsehen aufgeben.
2. In diesem Zusammenhang fordern wir eine Offenlegung über die Herkunft des Parteivermögens, das sich die SED in 40 Jahren sozialistischer Herrschaft zusammengeschafft hat. Wir können ihr

im Oktober 1992 zu einer zweijährigen Bewährungsstrafe und einer Geldstrafe von 10.000 DM. Im milden Licht der Nachwendezeit betrachtet, war ja tatsächlich der Wert der von der Staatssicherheit teuer erkauften Nachrichten eher dürftig gewesen. Ehefrau „Tanja Bieler", wurde, wie erzählt wird, nach Bekanntwerden der Spionage bei ihrem Arbeitgeber mit einer Abfindung von 20.000 DM entlassen. Da sage man noch, Verbrechen lohne sich nicht!

Heinz Schober/Hans Scholz – Der Spion aus dem Coburger Land

GM Georg Kellmer aus Roßrieth warb auch seinen Coburger Schwiegersohn und dessen Ehefrau als Spione für die DDR-Staatssicherheit. Ein erster Hinweis findet sich in einem „Treffbericht" vom 02.10.1959, worin vermerkt ist:

```
In der weiteren Unterhaltung mit dem GM auf persönli-
che Fragen konnte festgestellt werden, dass sein
Schwiegersohn, der bei der Bundeswehr ist, jetzt sei-
nen Urlaub zu Hause beim GM verbrachte. Der Schwieger-
sohn ist jetzt das 3. Jahr bei der Bundeswehr und hat
den Dienstgrad Gefreiter. ... Der GM nimmt an, dass
sein Schwiegersohn noch in diesem Jahr nach Wild-
flecken versetzt wird.
```

Bevor die Werbung des neuen IM erfolgreich abgeschlossen werden konnte, wäre „Oberagent" Kellmer um ein Haar von westdeutschen Grenzwächtern enttarnt worden. Nur deren ungeschickten Verhalten war es geschuldet, dass seine geheime Tätigkeit aufflog. In den Stasiakten findet sich hierüber folgender Bericht eines Stasi-Majors vom 11.12.1959:

```
Am 3.12.1959 begaben wir uns gegen 17 Uhr ins Treffge-
biet und begannen mit dem Aufbau des Zeltes. An-
schließend wurde dieses von Hauptmann Gruber gesi-
chert. Oltn. Elm übernahm die Sicherung an der geplan-
ten Übertrittsstelle. Nach Einbruch der Dunkelheit be-
gaben sich Major Müller und Major Ferg an die Über-
trittsstelle des GM und beobachteten das gegenüberlie-
gende Gebiet. Der GM wollte um 18.30 Uhr mit seinem
Schwiegersohn erscheinen und mit diesem die Grenze
überschreiten. Major Müller und Major Ferg waren in
Zivil, da dieses vom GM Kellmer so gewünscht wurde.
Beim Anmarsch zur unmittelbaren Übertrittsstelle be-
merkten wir das Aufglimmen von 2 Zigaretten auf west-
licher Seite in der Nähe der Übertrittsstelle. Wir wa-
ren erst der Annahme, daß es sich hierbei um den GM
und dessen Schwiegersohn handeln würde. Trotzdem be-
wegten wir uns vorsichtig in Richtung des 10 m Kon-
trollstreifens. Hierbei vernahmen wir Stimmen, woraus
zu erkennen war, daß es sich nicht um den GM und des-
```

sen Schwiegersohn handelte. Inzwischen waren wir so nahe gekommen, daß es möglich war, die Stelle, aus der die Stimmen zu vernehmen waren, unter Kontrolle zu halten. Wir selbst konnten von westlicher Seite nicht eingesehen werden, da wir im Schutze des Waldes standen, während sich die Gesprächsführenden gegen den nächtlichen Horizont leicht abzeichneten.

Nach kurzer Zeit konnten wir feststellen, daß es sich bei den beiden Personen um Bayer. Grenzpolizisten oder um Zöllner aus Mühlfeld handelte. Sie redeten ununterbrochen laut aufeinander ein, wobei wir durch Gesprächsfetzen, die zu uns herüberdrangen feststellen konnten, daß sie sich über private Angelegenheiten ereiferten.

Die zwei Beamten auf westlicher Seite befanden sich ca. 5 m von der geplanten Übertrittsstelle des GM entfernt und verweilten in sitzender Haltung. Pünktlich um 18.30 Uhr erschien der GM, der den Feldweg von Roßrieth nach Mühlfeld entlang ging. Dort, wo die zwei Beamten saßen, hört der Stacheldrahtzaun auf und der GM wollte dort auf unser Gebiet kommen.

Dadurch, daß sich die Beamten so laut unterhielten, konnte sie der GM Kellmer rechtzeitig wahrnehmen und durch sein anschließendes geschicktes Verhalten der Festnahme bzw. der Kontrolle entgehen.

GM Kellmer lief, nachdem er die Beamten bemerkt hatte, an diesen vorbei, weiter in Richtung Mühlfeld. Selbige bemerkten ihn erst, als er bereits an ihnen vorbei war. Einer der Beamten rief ihm nach: „Wo wollen Sie hin?" Der GM gab im Weiterlaufen die Antwort: „Nach Mühlfeld". Daraufhin rief der Beamte: „Wo kommen Sie her?" Der GM lief dabei weiter und antwortete: „Von Roßrieth."

Die Beamten erhoben sich bei diesem Zwischenfall nicht aus ihrer sitzenden Haltung. Danach setzten sie ihre Unterhaltung in der gleichen Lautstärke wie zuvor fort. Wir waren nur 20 Meter davon entfernt. Wir beobachteten weiterhin intensiv die Beamten und konnten dabei feststellen, daß sie sich gegen 19 Uhr erhoben und den Feldweg entlang nach Mühlfeld liefen. Wir selbst blieben weiterhin an unserem Standort, da wir damit rechneten, daß der GM auf dem Rückweg auf unser Gebiet kommen würde.

Gegen 19.45 Uhr erschien dann der GM und kam auf unser Zeichen hin auf unser Gebiet herüber. Wir nahmen ihn in Empfang und begaben uns mit ihm in das ca. 300 m zurückstehende Zelt, während Oberltn. Elm zurückblieb und den Übertrittsort vor evtl. Überraschungen sicherte.

Am Rande sei hier eingefügt, beim Studium der Stasi-Unterlagen fällt auf, dass ständig die Ehrlichkeit und Zuverlässigkeit der Inoffiziellen Mitarbeiter überprüft wurde. Der Stasi längst bekannte

eine Erneuerung nur dann glauben, wenn sie dieses Vermögen umgehend sozialen Zwecken zuführt. Gleiches fragen wir auch die anderen ehemaligen Blockparteien.

3. Die Regierung Modrow wird aufgefordert, keine einsamen Entscheidungen hinter verschlossenen Türen mehr zu treffen. Als Beispiel erwähne ich:
- Zahlung von Überbrückungsgeldern an ehemalige Staatsfunktionäre einschließlich Staatssicherheit
- Planung eines Amtes für Verfassungsschutz und Nachrichtendienst

Eine Frage: Welche Rolle haben eigentlich die Minister aus den Blockparteien LDPD, CDU usw. bei der Verabschiedung dieser Gesetze gespielt? Sind sie schon wieder Trittbrett-Fahrer geworden?

4. Die SED sucht einen Ausweg aus ihrer Krise. Unter Ausnutzung aller Mittel wollte sie in den letzten Tagen die Bevölkerung manipulieren, indem sie eine Kampagne gegen den Rechtsradikalismus startete, die fast hysterische Züge annahm. Diese Attacke auf der Kundgebung am Treptower Ehrenmal war von jener Denkart, wie wir sie aus der Vergangenheit kennen: meisterlich inszeniert, nur mit einem neuen Mann, der weltmännisch elegant, mit Arbeitermütze und rotem Schal, die Massen anheizte. Als Statisten umstanden ihn blaß und unbedeutend die Vorsitzenden der Blockparteien.

War einziger Grund dieser Demonstration vielleicht nur der, die Einrichtung des Amtes für Verfassungsschutz propagandistisch zu untermauern?

Damit wir uns richtig verstehen, und ich will dieses eindeutig, unmißverständlich und dreimal unterstrichen sagen: Jeder von uns verurteilt alle Arten von Radikalismus, ob von rechts oder links. Wir verurteilen Schmierereien und Grabschändungen. Das ist unwürdig, unmenschlich, ehrlos und gegen jede ethischen Grundwerte.

Aber, so frage ich Sie, ist hier nicht sogar in einigen wenigen Köpfen eine Saat aufgegangen, die im sozialistischen Erziehungssystem gelegt wurde? Was waren denn die wesentlichen Inhalte dieser Erziehungsmaßnahmen, die im Kindergarten begannen und über die Schule bis zum Wehrdienst reichten? Es war die Erziehung zum Haß, zum Haß gegen die Kapitalisten, zum Haß gegen gläubige Menschen, überhaupt zum Haß gegen alle Andersdenkenden.

Hat dieser Haß nicht geradezu die Weichen gestellt für einen Rechtsradikalismus? Nun sind einige wenige Früchte reif geworden.

Sie bevölkern als Radikale die Szene. Jetzt möchte die SED Angst erzeugen, um sich zum Garanten für die Sicherheit aufzuspielen. Der Bumerang, den sie warf, kehrt zurück. Der Ruf nach der Einheitsfront klingt pathetisch.

Ein starker Mann muß her mit einer starken Partei. Das kann natürlich nur Herr Gysi sein. Er soll wieder Ordnung und Ruhe schaffen. Ich sage, danke, nein. Wir hatten in unserer deutschen Geschichte genügend starke Männer, die Friedhofsruhe verordneten.

Was wir brauchen, ist ein dichtes Zusammenrücken aller demokratischen Kräfte, dann haben extremistische Randgruppen keine Chance.

Die Menschen im Land haben diese Kampagne und damit die SED richtig durchschaut. Sie blicken wieder klarer. Die Aktion war ein Schuß, der nach hinten losging. Denn endlich finden sich nun auch die Oppositionsgruppen zusammen. Ich kann abschließend sagen:

Wenn sich die SED in den Konsens demokratischer Kräfte endlich einreihen will, dann gilt nicht Panikmache, dann darf die Unsicherheit dieser Tage nicht mißbraucht werden, um diktatorische Notstandsverordnungen über die Hintertreppe durchzubringen."
(Strohbusch: Das Licht kam aus der Kirche. – S. 121 f.)

10. Januar 1990
Freundeskreis für Rettung der Ruine Straufhain

Ein Freundeskreis Straufhain, der sich der Rettung der Ruine auf dem im Volk „Berg der Träume" genannten unmittelbar an der Grenze zwischen Seidingstadt, Krs. Hildburghausen, und Roßfeld, Rodach, Lkrs. Coburg, liegenden Straufhain, gründete sich in Streufdorf. 100 Besucher

Vorgänge ließ man sich lang und breit detailliert erzählen, um so feststellen zu können, wie es das Gegenüber mit der Wahrheit nimmt, ob er etwas weglässt oder hinzufügt. So z. B. auch in diesem Fall:

```
Im Zelt angekommen, befragten wir den GM, warum er
erst so spät zum Treff erscheinen würde. Er erzählte
uns daraufhin in allen Einzelheiten die Begebenheit,
die wir bereits geschildert haben, ohne daß er etwas
wegließ oder hinzufügte. Anschließend erkundigten wir
uns, warum er ohne seinen Schwiegersohn gekommen sei.
Hierauf antwortete der GM, der Grund sei ihm bisher
noch unerklärlich. Sein Schwiegersohn hätte ihn außer-
planmäßig am letzten Montag noch einmal aufgesucht und
dabei versichert, daß er am Donnerstag in Urlaub kom-
men würde. Der GM hatte am nächsten Tag Schlachtfest,
wobei der Schwiegersohn helfen sollte. Als Legende
gegenüber seinem Schwiegersohn für das Treffen an der
Grenze hatte der GM seinen Angaben nach bereits am
letzten Montag gesagt, daß er von Bekannten aus der
DDR einen Zuchthasen „Marburger Fee" erhalten soll.
Dabei hatte sich sein Schwiegersohn bereit erklärt,
den Hasen mit auf dem Gebiet der DDR abzuholen.
Auf Grund der gegebenen Lage faßten wir den Entschluß,
den GM nochmals nach Hause zu schicken, um nachzuse-
hen, ob inzwischen sein Schwiegersohn angekommen ist.
Wenn ja, sollte er diesen gleich mitbringen. Die Woh-
nung des GM befindet sich nach seinen Angaben ca.
20 Minuten vom Treffort entfernt.
```

Nach ca. 45 Minuten kehrte Kellmer unverrichteter Dinge zu seinen Führungsoffizieren zurück und berichtete, dass sein Schwiegersohn noch immer nicht zu Hause wäre. Daraufhin übergaben ihm die Stasi-Offiziere den Hasen mit dem Hinweis, an einem anderen Tag mit seinem Schwiegersohn über die Grenze zu kommen. Sie legten fest, dass Kellmer am 05.12.1959 um 11 Uhr wieder den Feldweg von Roßrieth nach Mühlfeld entlang zu gehen und ihnen dabei eine entsprechende Mitteilung über den Zehn-Meter-Streifen zu werfen habe.

Auffällig ist weiter, dass die DDR-Staatssicherheit bei jedem Treff bemüht war, „Legenden" auszuarbeiten, um eine evtl. Enttarnung ihres Zuträgers verhindern zu können. So wusste offensichtlich die Ehefrau des Kellmer zu diesem Zeitpunkt noch nichts von der illegalen Tätigkeit ihres Ehemanns, denn dieser war seitens der Stasi gehalten, ihr gegenüber zu erklären, dass er sich nach Mühlfeld begebe, um dort sein Pachtgeld zu zahlen. Weiter wurde ihm aufgetragen, wenn er mit dem Hasen auf dem Nachhauseweg von westdeutschen Grenzsicherungsorganen kontrolliert oder festgenommen werde, solle er sagen, dass er diesen in Mühlfeld erworben hätte. Erst wenn Überprüfungen in dieser Hinsicht einsetzten, solle er angeben, dass er diesen von seinem Schwager, dem Geheimen Informator (GI) „Johann", der ja in einer Gemeinde im DDR-Sperrgebiet wohnte, an der Grenze erhalten habe. Bei Vorhaltungen, warum er erst Mühlfeld und dann den Schwager als Quelle des Erhalts angab, solle er sagen, dass er deshalb log, um seinen Schwager in der DDR nicht zu gefährden.

„Kellmer" handelte eigenmächtig

Wie lief nun in der Anfangszeit der DDR-Staatssicherheit eine solche Treffvereinbarung ab. Was geschah am 05.12.1959? Gegen 9 Uhr fuhren Major Müller und Major Ferg nach Schwickershausen (Kreis Meiningen). Der Wagen wurde zwischen Schwickershausen und Rentwertshausen abgestellt. Der Anmarsch erfolgte zu Fuß, getarnt als Kontrollstreife. Sie trafen um 10.15 Uhr am Treffort ein und beobachteten das gegenüberliegende westliche Gebiet von ihrem Versteck im angrenzenden Jungwäldchen aus. Gegen 10.45 Uhr näherte sich Kellmer aus Richtung Roßrieth. Er lief auf der Straße Roßrieth – Mühlfeld, die hier direkt an der Grenze entlang führt und warf ein in Zeitungspapier eingewickeltes Päckchen über den Zehn-Meter-Streifen. Major Ferg nahm die Meldung auf und ging wieder zurück in das Wäldchen. Kellmer rief ihm dabei diensteifrig zu, dass sie den Inhalt gleich anschauen sollten. Grund hierfür war, dass sich in der Zeitungshülle neben der Meldung noch zwei Merkblätter bzw. ein Handbuch über das neue „FN-Gewehr" der Bundeswehr befanden. Die Stasi-Offiziere forderten Kellmer nun auf, DDR-Gebiet zu betreten, zumal der notierte Terminvorschlag unzureichend formuliert war. Nachdem der Agent in die DDR übergewechselt war, liefen die drei Männer 100 m ins Hinterland. Hier konnten sie sich ungestört unterhalten. Sie einigten sich auf einen Termin mit Kellmer und seinem Schwiegersohn am 12.12.1959.

Im wie üblich angefertigten Protokoll der Zusammenkunft heißt es:
Bemerkt werden muß, daß der GM wie er uns mitteilte, nicht in allen Fällen nach unseren Anweisungen verfahren ist. So teilte er seinem Schwiegersohn mit, daß es sich bei seinen Bekannten, die ihm den Hasen übergeben haben, um Offiziere der Deutschen Grenzpolizei handeln würde. Er machte noch die Bemerkung, daß sein Schwiegersohn alles wüßte. Dieser hätte sich bereit erklärt, mit uns zusammenzutreffen. Für die Zusammenkunft will er eine Karte besorgen, auf welcher die Stützpunkte von Wildflecken eingetragen wären.

Diese Eigenmächtigkeit Kellmers fand übrigens nicht die Billigung der Stasi.

Der Bericht schließt:
Um den GM nicht zu gefährden, beendeten wir die Zusammenkunft und gaben ihm die Legende: Mit Hilfe seiner mitgebrachten Handsäge auf unserem Gebiet ein Weihnachtsbäumchen abzusägen und dieses mit nach Hause zu nehmen. Dieses führte der GM auch durch. Nach seinem

waren dem Aufruf gefolgt. Zu diesem Zeitpunkt war die Ruine immer noch nicht voll zugänglich, weil die Grenztruppen einen 2,50 m hohen Zaun herumgezogen und einen Bunker eingebaut hatten.
(Nach: Coburger Tageblatt, 10.01.1990)

Menschen verlassen die DDR

Die Nachrichtenagentur dpa meldete:
Nach wie vor kehren täglich weit über tausend DDR-Bürger für immer ihrer Heimat den Rücken. Junge Familien mit kleinen Kindern, die anfangs die Mehrheit bildeten, werden immer seltener. Dafür kommen immer mehr Einzelpersonen. Auch immer mehr Menschen mit einer schlechten Schul- und Berufsausbildung, die offenbar schon in der DDR einer sozialen Randgruppe angehörten, ziehen in den Westen. Immer häufiger sind unter den Übersiedlern Alkoholiker, sozial schwache Familien und Eltern, die ihre Kinder in der DDR zurückgelassen haben, berichtet eine Mitarbeiterin eines Durchgangsheimes für Übersiedler.

11. Januar 1990

Der DDR-Ministerpräsident Modrow sagte in seiner Regierungserklärung, dass die Einheit Deutschlands nicht zur Disposition stände, er bot aber den Oppositionsparteien eine Mitarbeit in der Regierung an.

Die Regierung Modrow mit ihrer SED-PDS-Mehrheit in der Volkskammer verzögerte mit pseudodemokratischem Taktieren wesentlich die Demokratisierung des öffentlichen Lebens, dabei wurden Forderungen der Opposition und der Runden Tische kaum erfüllt bzw. die Lösung der Probleme verschleppt.

So kam es beispielsweise beim Runden Tisch am 08.01.1990 beinahe zum Eklat, weil die Forderung der Opposition nach Stasiauflösung zu zögerlich und im Schutz der Regierung Modrow als geordneter Rückzug vor sich ging. Die SED-PDS hatte nach wie vor alle Schalthebel der Macht in der Hand, also die drei Staatsfunktionen Legislative, Exekutive und Judikative. Hinzu kam der noch immer große Einfluss der „4. Staatsgewalt", der Medien. Der Rundfunk und die Nachrichtenagentur ADN blieben weiterhin staatliche Einrichtungen, und die ehemaligen SED-Bezirkszeitungen besaßen vor allem in der Lokalberichterstattung weiterhin eine Monopolstellung.

In der DDR kam es zu Demonstrationen gegen die Zahlung hoher Überbrückungsgelder für die Stasi-Mitarbeiter.

Ein neues Gesetz über Reisen von DDR-Bürgern ins Ausland wurde erlassen, es trat am 1. Februar in Kraft.

In Neuhaus/Rwg. protestierten die ca. 3.000 Demonstranten gegen die SED-PDS. Sie forderten die Zerschlagung der alten Machtstrukturen. Die Bürger zogen um 19 Uhr von der Kirche zum sowjetischen Ehrenmal. Eine Bürgerinitiative hatte zum Gedenken an die Opfer des Faschismus und Stalinismus aufgerufen. (Nach: Wolfgang Wiegand)

Im Grenzabschnitt 38 bildeten ca. 300 Personen eine Menschenkette zwischen Buttlar/DDR und Geisa/DDR, um gegen die Stasi und die SED sowie für Chancengleichheit aller demokratischen Parteien und für ein vereinigtes Deutschland zu demonstrieren.

Im Grenzabschnitt 41 befand sich am geschlossenen Bedarfs-Grenzübergang Dippach – Unterweid ein Bundesbürger am eMGZ und unterhielt sich mit einem jenseits postierten Grenzsoldaten. Auf den Rückruf eigener Kräfte erwiderte der Grenzer, dass er froh sei, dass sich jemand mit ihm unterhalte.

12. Januar 1990
Die Volkskammer stoppte die Vorbereitung des Aufbaus eines DDR-Verfassungsschutzes.

SDP und SPD schlossen sich in Meiningen zusammen, in Lauscha wurde mit 32 Mitgliedern der Ortsverband gegründet.

Übertritt sahen wir lediglich zwei Zöllner am Schlagbaum Mühlfeld - Roßrieth stehen. Diese beobachteten wir, bis diese den Heimweg nach Mühlfeld antraten. Anschließend traten auch wir den Rückweg an.

Die Anwerbung des IM „Hans Schober"

Allein zehn Schreibmaschinenseiten umfasst der am 18.12.1959 von den bereits erwähnten Majoren verfasste Bericht über die *„Zuführung des Schwiegersohnes von GM Georg Kellmer und Verpflichtung desselben am 12.12.1959 auf dem Gebiet der DDR"*. Er beginnt wie folgt:

Am 12.12.1959 wurden durch den zuständigen Mitarbeiter in der II. GA Hptm. Gruber die Streifen im Treffgebiet abgezogen. Dabei wurde dem Kompanieführer gegenüber die Legende benutzt, daß wir während der betreffenden Zeit im genannten Abschnitt Beobachtungen durchführen und dabei selbst die Grenzsicherung übernehmen. Da an diesem Tage der GM Kellmer seinen Schwiegersohn zum Treff mitbringen wollte, wurden unsererseits erhebliche Vorbereitungen getroffen, um die Sicherheit und das Gelingen des Planes nicht in Frage zu stellen. Den Pkw ließen wir wie gewöhnlich bei der Bahnunterführung zwischen Nordheim und Schwickershausen stehen und begaben uns von dort zu Fuß, aufgeteilt in zwei Gruppen, ins Treffgebiet.
Die erste Gruppe bestand aus Hptm. Gruber und Feldwebel Grosse, die beide Rucksäcke trugen, mit Maschinenpistolen ausgerüstet waren und später beim Treff die Sicherung übernehmen sollten. Die zweite Gruppe bestand aus dem Leiter der Unterabteilung-Aufklärung, Major Müller und Major Ferg. Major Müller trug einen Katalytofen und Major Ferg eine Spezialspurenlampe. Gegen 15.45 Uhr trafen wir an dem Ort ein, wo wir bereits am 05.12.1959 das Zelt aufgebaut hatten. Das Zelt hatten wir damals wieder abgebaut, und in einigen dort stehenden dichten Fichten versteckt.
Wir begannen mit dem Aufbau des Zeltes, welcher in ca. 15 Minuten abgeschlossen war und befestigten die Spurenlampe so, daß sie im Zelt ein genügendes Licht gab, um später schreiben zu können und die Gesichter der beiden Ankömmlinge zu erkennen. Das Zelt wurde noch vor Einbruch der Dunkelheit aufgeschlagen, dies war möglich, da diese Stelle, obwohl sie sich nur ca. 200 m von der Grenze entfernt befindet, nicht von westlicher Seite aus eingesehen werden kann. Das Zeltinnere hatten wir mit 3 Pelzmänteln ausgelegt, und in die Mitte des Zeltes den mitgenommenen Katalytofen gestellt.
Nachdem diese Arbeiten abgeschlossen waren, wurde Hptm. Gruber von Major Müller eingewiesen, während des Treffs das Zelt zu sichern und sich dabei so zu verhalten, daß er vom GM Kellmer und dessen Schwiegersohn nicht bemerkt wird.

Nachdem die Offiziere gegen 16.30 Uhr festgestellt hatten, dass im feindlichen Gebiet die „Luft rein" war, gaben sie Kellmer das vereinbarte Zeichen, zusammen mit seinem Schwiegersohn die Grenze zu überschreiten.

```
Der GM verstand dies sofort, wich von dem Weg, den sie
von Roßrieth kommend, nach Mühlfeld liefen, rechts ab
und überschritt nach wenigen Metern in großen Sprüngen
den 10-m-Streifen. Ihm folgte sein Schwiegersohn.
Feldwebel Grosse war zuvor eingewiesen worden, die
Sicherung der Übertrittsstelle nach Westen zu überneh-
men und während der Zeit des Treffs intensiv das
gegenüberliegende Gebiet zu beobachten und auf alle
evtl. auftretenden Geräusche zu achten.
```

Nun folgt in dem Bericht eine umständliche Beschreibung, selbst von Kleinigkeiten. So wurde z. B. sowohl ihre als auch die Bekleidung der Westbesucher detailliert beschrieben. Es folgt der Hinweis:

```
Ein Tragen von Zivil machte sich bei uns nicht mehr
erforderlich, da der GM wie er uns bei der letzten
Zusammenkunft berichtet hatte, bereits den Schwieger-
sohn auf eigene Faust eingewiesen hatte.
```

Der Kandidat benahm sich bei seiner Begrüßung keineswegs ängstlich, wie die DDR-Offiziere überrascht feststellten, ... *sondern vielmehr so, wie wenn dies kein besonderes Ereignis für ihn sei.* Ohne große Einleitung gingen die Offiziere dazu über, dem jungen Bundeswehrsoldaten zu erklären, aus welchem Grund sie mit ihm zusammen gekommen seien, was sie von ihm wollten und warum dies notwendig sei. *Er sagte zu allem, das ist ja klar. Diesen Satz sprach er einige hundert Mal während des Treffs und seiner schriftlichen Verpflichtung.* R. zeigte ihnen nach Aufforderung seinen Bundeswehr-Dienstausweis.

```
Seinen Namen sowie seine kleinen Personalien prägten
wir uns vorerst ein und notierten sie geraume Zeit
später während der weiteren Unterhaltung im Zelt, da
wir anfangs noch nicht wußten, wie er darauf reagieren
würde, wenn wir sofort seine Personalien aus dem Aus-
weis entnommen in unser Buch eingeschrieben hätten.
```

R. informierte im Verlauf des Gesprächs ausführlich über den Dienst bei der Bundeswehr bzw. die Zusammensetzung des BW-Standorts Wildflecken. Für diese reichhaltigen Auskünfte erhielt R. dann auch gleich 150 DM, die er mit Freude entgegennahm, ist vermerkt. Es wurde vereinbart, dass sein Schwiegervater künftig den Kurier zur DDR-Staatssicherheit spielen solle. Alle Vierteljahr müsse der neue IM aber einmal zu einem persönlichen Gespräch in der DDR erscheinen, wobei er jeweils illegal über die Grenze geschleust werde.

Die einstige jüdische Gemeinde in Berkach

Das kleine Dorf Berkach im Krs. Meiningen war vermutlich der einzige Ort in der DDR, in dem noch alle Einrichtungen zur Ausübung des jüdischen Glaubens vorhanden waren. Dies ging aus einer Meldung im Regionalreport des Informationsbüros West (IWE) hervor. Es sind dies neben dem Friedhof mit etwa 140 Grabstellen, die Synagoge, das Schulgebäude und das Badehaus. Eine jüdische Gemeinde gab es im Dorf nicht mehr. Begünstigt durch die abgeschiedene Lage Berkachs im Sperrgebiet der Grenze waren die Gebäude nach 1945 vor fremdem Zugriff bewahrt worden. Zwar wurde das ehemalige Schulhaus in ein Wohngebäude umgebaut, die Synagoge diente als Lagerhaus und dem Badehaus drohte Beschädigung durch die Wurzeln einer Birke, aber alle Gebäude waren in ihrer Grundsubstanz noch vollständig erhalten.

Die Antifaschistische Initiativgruppe,

deren angebliches Ziel es ist, gegen Chaos und für Sicherheit sowie Gesetzlichkeit einzutreten, trat erstmals mit einem Leserbrief gegen Gerd Krauß, einem der aktivsten Streiter des Neuen Forums in Hildburghausen an die Öffentlichkeit, der am Runden Tisch über „Treffs der Stasi und womögliche Abhöraktionen" gesprochen hatte. Der Brief war mit dem Namen Irmgard Schröter unterzeichnet.
In einer Antwort fragte Krauß am 17.01.: „Wo war sie (die Initiativgruppe, d. Verf.) denn zum Zeitpunkt, als das Kreisamt des MfS aufgelöst und mit VP und Neues Forum in Sicherheitspartnerschaft rund um die Uhr bewacht wurde, damit es nicht zur Eskalation kommt? Ich möchte nicht daran glauben, daß diese Gruppe nur verbal arbeiten kann: Aktivitäten zum Nutzen unserer Gesellschaft hat sie jedoch noch nicht entfaltet."
(s. 19. Dezember 1989 und 5. Januar 1990)

12. bis 14. Januar 1990

Auf den mit Pkw passierbaren Grenzübergängen zur DDR im Lkrs. Coburg herrschte am Wochenende reger Reise-

verkehr. Der Bundesgrenzschutz und die Bayerische Grenzpolizei meldeten für die Zeit von Freitag bis Sonntag folgende Zahlen: Rottenbach – Eisfeld: Einreise 32.359 Personen, Ausreise in die DDR 36.519 Personen; Neustadt - Sonneberg: Einreise 23.944, Ausreise 25.103; Rodach – Adelhausen/Eishausen: Einreise 6.559, Ausreise 7.544;
Burggrub – Neuhaus/Rwg.: Einreise 5.126, Ausreise 6.950.
(Coburger Tageblatt, 15.01.1990)

13. Januar 1990
Abbau der Grenzsperranlagen
Die DDR-Nachrichtenagentur ADN verbreitete die Meldung, dass der Pressesprecher des Grenzbezirkskommandos, Major Herbert Müller, am 11.01. mitgeteilt hätte, dass seit Jahresbeginn die Arbeiten zum geordneten Abbau von Grenzsperranlagen von Angehörigen der Grenztruppen der DDR fortgesetzt werden. Jetzt erfolgte die Demontage des Sperrzaunes in der Nähe von Ortschaften, Einrichtungen sowie Grenzübergangsstellen. Der Verkauf der gewonnenen Metall- und Betonteile an Betriebe und gesellschaftliche Bedarfsträger erfolge nach entsprechender Bekanntgabe durch die Grenztruppen.

Der Rhönklubzweigverein Stockheim lud zur Wanderung rund um Hermannsfeld, Krs. Meiningen, in der DDR ein. Treffpunkt der Privatfahrzeuge war um 12.30 Uhr an der Dorfschänke. Die Verantwortlichen wiesen darauf hin, dass der Reisepass nicht vergessen werden sollte.
(Main-Post, 12.01.1990)

Zeitweise geöffnete Grenzübergangsstellen im Landkreis Coburg
An diesem Wochenende wurde wieder eine Vielzahl von Grenzübergangsstellen im Lkrs. Coburg geöffnet. Neu war, dass die Tore im Metallgitterzaun zwischen Gleismuthhausen und Poppenhausen, zwischen Grattstadt und Harras sowie zwischen Brüx und Korberoth aufgeschlossen wurden. Es waren offen (erstgenannter Ort Bundesrepublik):
Fischbach – Almerswind: Samstag, 13., und Sonntag, 14.1., jeweils von 10 – 4 Uhr;

Nach seiner Verpflichtung versuchten wir den R. noch einmal die Überlegenheit des sozialistischen Lagers über das kapitalistische klar zu machen!

Doch erfolglos, wie die Diskussion ergab. Zwei Jahre Bundeswehrzeit seien offensichtlich an dem jungen Mann nicht spurlos vorübergegangen, vermerkten die Offiziere bedauernd. Sie zeigten sich aber vollkommen überzeugt, bei ihm diese Einstellung künftig durch eine gut vorbereitete und beharrliche Schulung abschwächen zu können. Ja, man gab gar der Hoffnung Ausdruck, dass seine jetzige Einstellung ins Gegenteil umschlagen werde, er also von der Überlegenheit des sozialistischen Lagers überzeugt werden könne. Mit einigem Grimm vermerkten die Berichterstatter zudem, dass ihr neuer Mitarbeiter insbesondere gegen die Einrichtung eines Sperrgebietes stänkerte, worauf sie versucht hätten, ihm dessen Notwendigkeit zu erläutern. Hierbei hätte der R. immer wieder zweifelnde Äußerungen von sich gegeben und zum Ausdruck gebracht, dass er ihren Argumenten keinen Glauben schenke. Das einzig Positive an der DDR sei, so R., dass es keine Arbeitslosigkeit gebe. Ansonsten könne er dem sozialistischen System wenig abgewinnen, lautete die für seine zukünftigen Führungsoffiziere niederschmetternde Erkenntnis ihres neuen IM. Bei der Bundeswehr sei wohl in Schulungen im Sinne des „westdeutschen Monopolkapitalismus" auf ihn eingewirkt worden, versuchten sie sich und ihre Vorgesetzten für diese unerwartete Unbotmäßigkeit ihres widerborstigen Kandidaten zu beruhigen.

Ein wenig versöhnlich stimmte der Bundeswehrsoldat seine Gegenüber aber doch noch mit der Feststellung, dass sein Schwiegervater „nicht auf Draht sei". Er hätte ihn schon viel früher zu ihnen mitnehmen können. Dies ärgerte nun wiederum seinen Schwiegervater, den GM Kellmer, denn auf dem Rückweg von der Übertrittsstelle nach Roßrieth eilte dieser ihm stets fünf Meter voraus, so dass sie sich nicht unterhalten konnten, wie aus dem „Treffbericht" ersichtlich ist.

Zuvor hatte R. zum Abschluss des drei Stunden während Gesprächs eine eigenhändige schriftliche Verpflichtung (... *Meine Mitarbeit dient zur Erhaltung des Friedens. ...*) mit seinem Familiennamen unterzeichnet. In der Verpflichtungserklärung wählte er sich den Decknamen „Heinz Schober".

Anmerkung am Rande: Zum Schmunzeln ist die Feststellung im am 18.12.1959 geschriebenen „*Vorschlag zur Anwerbung eines inoffiziellen Mitarbeiters (GM)*", in dem es zur „*Charakteristik des Kandidaten*" heißt: *Er ist ein ausgesprochener Bayer und wurde in Coburg in Bayern geboren.* Coburg war damals gerade einmal 39 Jahre beim Freistaat Bayern, nachdem es sich bei einer Volksabstimmung mit großer Mehrheit für Bayern und nicht für das damals neu gegründete Land Thüringen entschieden hatte.

„Heinz Schobers" Aufgabe war auch die Anwerbung weiterer IM

Geheimer Mitarbeiter (GM) Heinz Schobers Auftrag bestand jedoch künftig nicht nur darin, die Bundeswehr, insbesondere seinen Standort Wildflecken „auszukundschaften", sondern auch aus den Reihen von Bundeswehrangehörigen neue Stasi-Mitarbeiter zu gewinnen, wie sein geheimer Auftraggeber ausdrücklich festgelegt hatte.

Im Mai 1960 ist in einem der unzähligen Stasi-Berichte vermerkt:
`Obwohl es sich bei dem GM um einen jungen Mitarbeiter handelt, überbrachte er bisher wertvolle Materialien, so u.a. eine ABC-Schutzmaske der Bundeswehr. In seiner Auftragserfüllung läßt er sich hauptsächlich von finanziellen Gründen leiten. Für die Erfüllung komplizierter Aufträge eignet er sich jedoch nicht, da er dafür keine geistigen Voraussetzungen besitzt, also für den geplanten Eintritt nach Entlassung in den Zollgrenzdienst ungeeignet ist. Er ist aber unerschrocken und macht für Geld alles.`

Nach Ablauf seiner dreijährigen Dienstzeit ließ sich der GM gegen den ausdrücklichen Willen der DDR-Staatssicherheit aus den Reihen der Bundeswehr entpflichten. Trotz mehrmaliger Aussprache, an der auch Vorgesetzte seiner Stasi-Führungsoffiziere teilnahmen und ihn intensiv bearbeiteten, ließ sich Schober nicht dazu bewegen, weiter Dienst bei der Bundeswehr abzuleisten.

Im November 1960 verzog Heinz Schober mit seiner Ehefrau, die mittlerweile ebenfalls von ihm in seine geheime Tätigkeit eingeweiht worden war, von Roßrieth in seine Heimatstadt Coburg. Die in Meiningen geführten Stasi-Akten wurden daraufhin von der Stasi-Kreisdienststelle Hildburghausen übernommen. Die illegalen Grenzübertritte zu den Treffs mit den Führungsoffizieren fanden aber nach wie vor zwischen Mühlfeld/Roßrieth und Schwickershausen/Nordheim statt. So wurde Schober am 31.03.1961 erneut zu einer Zusammenkunft mit Stasi-Offizieren an die Übertrittsstelle befohlen. Um ein Haar wäre aber auch er zwei bundesdeutschen Zöllnern in die Arme gelaufen. Doch sie verfolgten ihren Anfangsverdacht nicht weiter, da ein Zöllner aus Roßrieth den jungen Mann vom Sehen her kannte.

Wenig schmeichelhaft fiel die Beurteilung des GM Heinz Schober durch die DDR-Staatssicherheit am 14.11.1961 aus. Hierin heißt es u. a.: *Seit seiner Entlassung aus der Bundeswehr ist zu verzeichnen, daß der GM in seiner Auftragserfüllung nachgelassen hat.* Seit Mai 1961 bestehe kein persönlicher Kontakt mehr. Der Grund war, dass Schober einen häuslichen Unfall erlitten hatte. Nunmehr sei es aber erforderlich, ordnete Hauptmann Gruber an, Schober eine Aufent-

Fischbach – Rückerswind: Samstag und Sonntag jeweils von 7 – 17 Uhr;
Brüx – Korberoth: Samstag und Sonntag jeweils von 8 – 15 Uhr;
Meilschnitz – Effelder: Samstag und Sonntag jeweils von 9 – 24 Uhr;
Wildenheid – Bettelhecken: Samstag und Sonntag von 11 – 19 Uhr;
Neustadt – Heubisch Samstag von 13 bis 24 Uhr und Sonntag von 9 – 21 Uhr;
Fürth am Berg – Mupperg: Samstag und Sonntag von 9 – 21 Uhr;
Weitramsdorf – Ummerstadt: Sonntag von 9 – 16 Uhr;
Gleismuthhausen – Poppenhausen: Sonntag von 10 – 18 Uhr;
Grattstadt – Harras: Sonntag von 9 – 17 Uhr;
Schwärzdorf – Sichelreuth: Sonntag von 13 – 23 Uhr.

Erstmalig wurde der Zaun zwischen Brüchs und Schafhausen geöffnet.

Zwischen Hindfeld, Milz und Breitensee wurde die Grenze geöffnet, zu einem Gegenbesuch der benachbarten Orte kam es am Sonntag, 21.01.1990.

13./14. Januar 1990
Rund 2.000 Wanderer folgten dem Ruf des SV Bergdorf-Höhn b. Coburg zur ersten grenzüberschreitenden Volkswanderung. Die Strecke führte über den erstmalig geöffneten Verbindungsweg Brüx – Korberoth nach Rückerswind. Für die amerikanischen Wanderfreunde musste kurzfristig eine gesonderte Streckenführung ausgeschildert werden. Es gab zwar die Zusage, dass sie durch das DDR-Gebiet mitwandern dürfen, sie hinderten sich selbst daran, da sie in Uniform zur Wanderung erschienen.
(Coburger Tageblatt, 15.01.1990)

14. Januar 1990
Der 1. Runde Tisch des Kreises Hildburghausen trat zusammen.

Für eine Verbindung Gleismuthhausen, Lkrs. Coburg – Poppenhausen, Krs. Hildburghausen, wurde eigens ein Loch in den Drahtverhau geschnitten. Der Übergang

Autenhausen war bereits vorher aufgemacht worden.
(Fränkischer Tag, 25.01.1990)

Nahezu zwei Drittel der 157 Einwohner
von Schlechtsart, Krs. Hildburghausen,
weilten am Wochenende auf Einladung
der Bürger in Eyershausen. Bürgermeister
Wolfgang Mack, Bad Königshofen, Stadtrat Wolfgang Eschenbach, Eyershausen,
und Bürgermeisterin Christa Röder,
Schlechtsart, freuten sich über die gute
Beteiligung. Die Redner erinnerten daran,
dass schon vor der Grenzziehung zwischen beiden Gemeinden enge Beziehungen bestanden.
(Main-Post, 16.01.1990)

Ein Stabsfeldwebel der Grenztruppen, 31,
desertierte. Er überschritt im Grenzabschnitt 39, NB 684 103, W Tann, die
Grenze und meldete sich in Uniform und
ohne Waffen bei einem Landwirt. Als
Gründe gab er Unzufriedenheit mit den
politischen und wirtschaftlichen Verhältnissen in der DDR sowie Perspektivlosigkeit nach seiner im Mai endenden 12-
jährigen Dienstzeit an.
Der stellv. Kommandeur der GÜST
Motzlar erkundigte sich 3 Tage später
nach dessen Verbleib, er sei mit dem StFw
befreundet und außerdem würde sich die
Familie Sorgen machen. Ihm wurde mitgeteilt, dass er in der Bundesrepublik sei
und hier bleiben wolle.
(Bayerische Grenzpolizei, BGS)

15. Januar 1990
Sturm der Geheimdienstzentrale in der Berliner Normannenstraße
Das berüchtigte Gebäude des Ministeri-
ums für Staatssicherheit in der Normannenstraße in Berlin-Lichtenberg wurde
gestürmt und teilweise verwüstet. Bis zu
diesem Zeitpunkt arbeitete hier ungehindert der kommunistische Geheimdienst.
Suhler Mitglieder der zeitweiligen Kommission des Bezirkstags übernahmen vom
15. bis 17.01.1990 mit die Bürgerwache.

In der Normannenstraße gab es ca. 3.000
Räume und Büros, in denen etwa 12.000
bis 13.000 Geheimdienstmitarbeiter tätig
waren. Insider berichteten, dass die

haltsgenehmigung bei seinen Verwandten im Bezirk Erfurt zu erteilen, um ihn dann bei diesem Besuch einer mehrtägigen Schulung
und Instruierung zu unterziehen. Denn nur dann hätte ... *der GM in
der weiteren Zusammenarbeit noch Perspektiven für uns, da er uns
laufend über die Einheiten des BGS sowie über die amerikanischen
Einheiten, die in Coburg stationiert sind, informieren kann.* Wie
vorausschauend man bei der Stasi dachte, unterstreicht die Tatsache, dass Heinz Schober 1964 mit seiner Dachdeckerfirma über längere Zeit im BGS-Standort Coburg beschäftigt war.

Anfang des Jahres 1964 fuhren die beiden GM „Klaus Winkler"
und sein Schwager „Heinz Schober" mit ihren Familien mit dem
Zug von Mellrichstadt (Abfahrt 10 Uhr) über Bebra (12.45 Uhr),
Eisenach (14.30 Uhr) nach Meiningen (17 Uhr) und von dort weiter
nach Hildburghausen (Ankunft 19 Uhr). Solche Umwege musste
man zu DDR-Zeiten in Kauf nehmen, um eine nur etwa 20 km entfernte Stadt (Meiningen) erreichen zu können.

Bei den Treffs zwischen den Beauftragten des MfS und den beiden
westdeutschen „Kundschaftern des Friedens" konnte u. a. erarbeitet
werden, dass deren Schwiegermutter, die Ehefrau des GM Georg
Kellmer, mittlerweile ebenfalls in das illegale Tun ihrer Familienangehörigen eingeweiht war. Bei nächster Gelegenheit wurde sie nun
von der Stasi gezielt darauf angesprochen und gab zu Protokoll,
dass sie seit 1959 von der Tätigkeit ihres Angetrauten für die DDR-
Staatssicherheit wisse. Ihr Mann hätte es ihr erzählt, nachdem er
von den damaligen Stasi-Mitarbeitern über Stunden in der DDR
vernommen wurde, ... *wegen gemachter falscher Angaben.*

1964 fand alljährlich ein Treffen zwischen Heinz Schober und
Beauftragten der Stasi-Kreisdienststelle Hildburghausen in Ost-
Berlin statt, dazu halbjährlich eine konspirative Zusammenkunft an
der Staatsgrenze bei Mühlfeld – Schwickershausen. Die Benach-
richtigung Schobers erfolgte über den GM Georg Kellmer. Dieser
erhielt zu diesem Zweck eine Ansichtskarte aus Meiningen, die die
Unterschrift „Wilhelm" trug. Dies bedeutete, dass der GM am folgenden Sonntag um 21 Uhr an der Übertrittstelle zu erscheinen
hatte. In einem „Verbindungsplan" des DDR-Geheimdienstes heißt
es u. a. weiter:

```
Der GM hat eine Postkarte, auf der eine Katze abgebil-
det ist. 3 gleiche Karten befinden sich in unserem
Besitz. Folgende Stufen wurden festgelegt:
- Ausgeschriebener Monatsname bedeutet: Schreiben
  einstellen, Material verstecken.
- In Ziffern genanntes Datum heißt: weiterarbeiten.
- Karte ohne Datum heißt: sofort in die DDR.
```

Ehefrau erhielt den Decknamen „Angelika Hauf"

Nun erscheint plötzlich in den Unterlagen eine GM Angelika Hauf. Hierbei handelt es sich um die Ehefrau des Schober. Auch sie wurde von ihrem Vater geworben, und zwar bereits 1962. Sie schrieb am 13.05.1964:

```
Ich war damit einverstanden und habe zugesagt und die
Verpflichtung geschrieben. Mein Mann war erst dagegen,
da er ängstlich war. Jetzt ist er damit einverstanden,
da ich dringend Geld brauche, denn ich erhielt nur
50 DM Lohn an meiner Arbeitsstelle. Seit dieser Zeit
arbeite ich auch mit. Klaus sagt mir dann, was ich
schreiben soll.
```

Was in den Stasiakten auffällt, ist die ständige Wiederholung längst bekannter Vorgänge (Anwerbung des jeweiligen IM, Verhalten, Zuverlässigkeit, Beweggründe etc.). Nach altbekannten, gebetsmühlenartig heruntergeleierten Wiederholungen folgt in einem Stasi-Bericht vom 06.10.1964 in der Akte Heinz Schober die Feststellung:

```
Der GM sah in der ganzen Zusammenarbeit nur die finan-
ziellen Zuwendungen. Besonders in der letzten Zeit
waren seine Forderungen hinsichtlich der finanziellen
Zuwendungen unverschämt. Er forderte Beträge bis zu
3.000 DM.
```

Schober halte sich zudem nicht an die Festlegungen. Der Inhalt der gebrachten Informationen sei in der Regel wertlos und es träten Widersprüche auf, notierte der Leiter der Operativ-Gruppe der Stasi-Dienststelle Hildburghausen, Görmer. So habe Schober beim Treff am 11.05.1964 mitgeteilt, dass er vom BGS-Objekt Coburg interessante Dokumente besitze, die er bereits seinem Schwiegervater Kellmer zur Weiterleitung an die Stasi übergeben hätte. Es habe sich aber herausgestellt, dass dieser von Schober keinerlei Dokumente erhalten hatte. Schobers Absicht sei lediglich gewesen, hierdurch finanzielle Zuwendungen zu erschleichen.

Weiter heißt es:

```
In Zusammenhang der Zuführung seines Coburger Stief-
bruders hat sich der GM nicht an die schriftliche
Legende gehalten und in einer leichtsinnigen Art und
Weise versucht, diesen für eine Zusammenarbeit mit
unserem Organ zu gewinnen. Der Stiefbruder hat es
abgelehnt.
```

Und auch sonst sei Schober ein wenig vorbildlicher IM. Zwar habe er selbst mittlerweile drei Verstecke („Tote Briefkästen") angelegt, doch diese wurden von ihm bisher noch kein einziges Mal beschickt, obwohl er auch Kenntnis von der Methode der „*Verkontainerung von Zellophanfolien in Gegenstände*" besitze. Zudem überwarf sich Schober wiederholt mit seinem Schwiegervater Kell-

Erstürmungsaktion von der Stasi mitinitiiert worden sei.

In der gesamten DDR kam es zu Demonstrationen wegen der Restauration der SED und ihres Sicherheits- und Spitzelapparats.

Das Präsidium des Bezirksvorstandes der SED-PDS fasste vor allem nach massivem Druck bei Protestveranstaltungen der Bevölkerung u. a. den Beschluss, die ehemalige Bezirksparteischule der SED in Schleusingen, Krs. Suhl-Land, in die Rechtsträgerschaft der Stadt Schleusingen zu übergeben.

In Hildburghausen wurde die Partei Rote Nelken gegründet. Die linke Splitterpartei fand bei der Bevölkerung keinerlei Aufmerksamkeit.

In Coburg trafen sich Hildburghausens Bürgermeister Jürgen Ließ und Coburgs Oberbürgermeister Karl-Heinz Höhn. Im Mittelpunkt standen Verwaltungsfragen, vor allem die Umstrukturierung des Verwaltungsapparats.

Die Liberaldemokraten setzten sich für die Vollbeschäftigung der Frauen ein und riefen zu Solidaritätsaktionen im humanitären Bereich auf. Die Gelder sollten nicht an das FDGB-Solidaritätskomitee abgeführt werden, sondern im Krs. bleiben und der Kinderrehabilitation übergeben werden. Eine wichtige Rolle spielte die Aufarbeitung der eigenen Geschichte in der Zeit des SED-Regimes. Es wurde gefordert, dass innerhalb der Mitgliedschaft und mit anderen demokratischen Parteien ein Konsens erreicht werden muss, dass es keinerlei Koalitionen mit der SED-PDS geben darf. Allein die Wahlkampfpraktiken der SED-PDS seien zu verurteilen, weil die Bürger, die nicht SED-PDS wählen, diffamiert und nach rechts außen gerückt werden.

Zwischen Harras, Krs. Hildburghausen, und Grattstadt, Lkrs. Coburg, öffnete sich zum ersten Mal ein Übergang für Fußgänger.

16. Januar 1990
Misstrauen gegenüber SED-PDS
Bei der 4. Beratung des Runden Tisches des Bezirkes Suhl stellte Pfarrer Bernd Winkelmann, Neues Forum, ein zunehmendes Misstrauen großer Teile der Bevölkerung der SED-PDS gegenüber fest. Als Ursachen nannte er Verschleierungs- und Verzögerungstaktik und das Festhalten an alten Machtstrukturen. Vor allem müsse festgestellt werden, dass die SED-PDS kaum Anstrengungen unternähme, um die Vergangenheit zu bewältigen. Peter Pechauf, der Bezirksvorsitzende der SED-PDS, bestätigte die Feststellungen von Pfarrer Winkelmann, er beobachte sogar einen gewissen Volkszorn. Die Machtstrukturen im ehemaligen Apparat brächten es mit sich, dass die Entflechtung um so schwerfälliger sei, je höher die Hierarchie.
(Nach: Freies Wort, 18.01.1990)

Eklat um den Bericht der Vorläufigen und zeitweiligen Kommission zur Untersuchung von Amtsmissbrauch und Korruption
Der 2. Runde Tisch des Kreises Hildburghausen tagte unter Leitung von Superintendent Dr. H. Wulff-Woesten. Ratsvorsitzender Johannes Müller berichtete, dass es im Kreistag zum Eklat gekommen wäre, als der Bericht der Vorläufigen und zeitweiligen Kommission zur Untersuchung von Amtsmissbrauch und Korruption gehört werden sollte, weil das Parlament die Kommission nicht berufen hätte. Besonders kritisiert wurde, dass ABI und weitere Bürger bereits vor Einsetzung der Kommission durch den Rat des Kreises Untersuchungen vorgenommen hätten, die nach Urteil der Kreisstaatsanwältin gesetzwidrig gewesen wären.

Der Chef des Grenzkreiskommandos berichtete vor dem Runden Tisch des Kreises Hildburghausen, dass seit 01.12.1989 bis 15.01.1990 ca. 1.350.000 Menschen die 3 strukturmäßigen Grenzübergänge im Krs. Hildburghausen Eisfeld – Rottenbach, Adelhausen – Rodach, Eicha – Trappstadt passiert hätten. 16 ehemalige Grenzpassierpunkte wurden 46-mal geöffnet, 73.641 Personen überquerten hier die Grenze.

mer, weil er sich von ihm hinsichtlich der über diesen an ihn zu übermittelnden Beträge seiner geheimen Auftraggeber betrogen fühlte.

Der Leiter der Hildburghäuser Kreisdienststelle ordnete an:
Schobers leichtsinniges und unüberlegtes Verhalten sowie die aufgetretenen Widersprüche und seine gegenwärtige labile Haltung bei der Erfüllung seiner Aufträge macht es erforderlich, den GM aus Sicherheitsgründen zu archivieren, und eine Treffruhe von ca. 2 Jahren durchzuführen.

Eingestellt wurde ebenfalls die Arbeit mit Schobers Ehefrau, der IM Angelika Hauf. GM Georg Kellmer wurde so instruiert, dass er bei seiner Tochter und seinem Schwiegersohn den Eindruck erwecken solle, dass auch er wegen ihrer Unzuverlässigkeit zur DDR-Staatssicherheit die Verbindung hätte abbrechen müssen, was natürlich nicht den Tatsachen entsprach.

Mitarbeit ruhte 13 Jahre
Nun ruhte die Mitarbeit nicht nur, wie ursprünglich vorgesehen zwei, sondern sage und schreibe 13 Jahre. Im September 1975 berichtete Schobers Schwiegervater der Stasi-Kreisdienststelle in Hildburghausen, dass sein Coburger Schwiegersohn seit kurzem bei der Stadtverwaltung Coburg als Bote angestellt sei, nachdem er aus gesundheitlichen Gründen seinen bisherigen handwerklichen Beruf nicht mehr ausüben könne. Er habe sich mittlerweile auch „charakterlich gefestigt", lobt Kellmer seinen Schwiegersohn. Doch es dauerte noch einmal zwei Jahre, bis die Verbindung neu geknüpft wurde. Am 03.04.1977 schrieb die Stasi einen unter einer Veilsdorfer Deckadresse adressierten und in Hildburghausen abgeschickten fingierten Brief an Heinz Schober, in dem u. a. steht:
Wollte Dir schon längst mal schreiben ... Ich traf unseren alten Freund Heinz Schober. Nachdem ich ihm mitteilte, dass ich Dich suchen würde .... Er hat sich wieder seßhaft gemacht. Es wäre doch schön, wenn wir wieder einmal zusammen kommen könnten. ...

GM Heinz Schober schrieb der DDR-Staatssicherheit am 08.05.1977 unter seinem richtigen Namen (nicht seinem Decknamen Heinz Schober) wohl in Erwartung neuer fetter Prämien und weniger aus ideologischen Gesichtspunkten, dass er am 14.05.1977 um 9 Uhr auf dem Omnibushalteplatz in Eisfeld eintreffe. Freude über diese positive Nachricht kam auch bei der Stasi-Kreisdienststelle Hildburghausen auf und eifrig begann man mit den Vorbereitungen für das angekündigte Treffen. Zur besagten Zeit erschien Schober aber nicht. Der Führungsoffizier wollte schon wieder wegfahren, als der Westbesucher eine Stunde später doch noch in Eisfeld eintraf. Der Grund für die Verspätung war, dass der Westbesucher vergessen hatte, die Tonbandkassetten aus seinem Fahrzeug zu entfernen. Diese durften nämlich nicht in die DDR eingeführt werden, weshalb er sie an der GÜSt Eisfeld hinterlegen musste. Im Stasi-"Treffbericht" vom 16.05.1977 heißt es hierzu:

```
Auf diesem Tonband ist nur Musik. An den Rand schrieb
der Vorgesetzte des Stasi-Berichterstatters hand-
schriftlich: Woher wissen wir das?
```

Führungsoffizier Oberstleutnant B. und IM Schober fuhren nun getrennt nach Waldau, wo sie in der Gaststätte „Bergkristall" ihr Treffen fortsetzten. Der Führungsoffizier notierte:

```
Ich fragte den Kandidaten, ob er den Inhalt des Brie-
fes von uns richtig deuten konnte, was er bejahte. Vom
Brief hat nur seine Frau Kenntnis und war der Meinung,
daß er von einem DDR-Zuchtfreund (Schober ist begeis-
terter Kleintierzüchter und hatte zu diesem Zeitpunkt
zu Zuchtkollegen in der DDR Kontakt) stammt. Er hat
ihr erst vor einigen Tagen gesagt, daß wir den Brief
geschrieben haben. Sie habe keinerlei Einwände geltend
gemacht. Nun wurde Schober über seine neue Tätigkeit
ausgefragt. So bringe er regelmäßig Post in die BGS-
Kaserne, wo er wöchentlich mindestens einmal Post hin-
bringen müsse und dabei jeweils die einzelnen
Geschäftsstellen der Hundertschaften anlaufe, berich-
tete er u.a.
```

Da er täglich nur fünf Stunden als Amtsbote arbeite, berichtete Schober weiter, besäße er die Möglichkeit, bei Notwendigkeit mit seinem Pkw inner- und außerhalb des Landkreises Aufträge für die DDR-Staatssicherheit auszuführen. Als Bedingung für eine neuerliche Zusammenarbeit, die sich natürlich auch finanziell für den Coburger auszahlen sollte, nannte der Stasi-Führungsoffizier, dass er sich künftig unbedingt an folgende Punkte halten müsse:

```
1. Einhaltung der Konspiration und Geheimhaltung.
2. Einhaltung der abgesprochenen Verhaltenslinie und
   der übertragenen Aufträge
3. Einhaltung aller festgelegten und abgesprochenen
   Termine.
```

Nun erhielt Schober erste Aufträge, und zwar:

```
1. Alle Hinweise über Treffen/Veranstaltungen zum
   17. Juni an der Grenze und im Grenzgebiet beachten
   und darüber informieren.
2. Hinweise zu erarbeiten über geplante/durchgeführte
   Angriffe auf die Staatsgrenze durch Organisationen,
   Gruppen und Einzelpersonen.
3. Informationen über Regimefragen aus dem Kreis
   Coburg und Regierungsbezirk Oberfranken sowie
   bekannt.
```

Im Mittelpunkt des Friedensgebets: die „gewendete" und wiedererstarkte reaktionäre SED-PDS

Die Friedensgebete und anschließenden Demos in Meiningen wurden immer von ca. 4.000 Bürgern wahrgenommen. Im Mittelpunkt der Textbeiträge standen wie in anderen Städten Südthüringens die angeblich „gewendete" und wiedererstarkte SED-PDS.

Dr. H. Strohbusche sagte zur gesellschaftlichen Situation:

„Unsere friedliche Revolution hat eine Tür aufgestoßen, durch die wir jetzt gehen müssen. Es ist der geschichtlich nie wiederkehrende Augenblick, unsere Zukunft in die eigenen Hände zu nehmen. Welchen Weg aber müssen wir gehen? Wie bei der Einfahrt in eine große, unbekannte Stadt liegen viele Straßen vor uns.

Es gibt aber keine Hinweisschilder in die richtige Richtung.

Ich will versuchen, einige Wege zu beschreiben, die wir fahren könnten. Heute will ich fragen, ob es nicht sinnvoll ist, wieder nach links einzubiegen, um dann am Ende dieser Straße einen anderen, einen neuen und humanen Sozialismus zu erleben. Kann ein solcher Sozialismus das Resultat unserer Revolution sein?

Die SED/PDS hat diese Gesellschaftsform erneut auf ihre Fahnen geschrieben. Sie möchte sich zwar vom stalinistischen Sozialismus der Vergangenheit trennen, aber sie hat bis heute kein klares Konzept für einen gewandelten Sozialismus. Und sie kann ein solches Konzept nicht haben, weil m. E. ein unversöhnlicher Gegensatz zwischen einer freiheitlichen Demokratie und dem Sozialismus Marxscher Prägung besteht.

Ich bin kein gelernter Philosoph des Marxismus-Leninismus, ich sehe das Problem pragmatisch. Trotzdem hoffe ich, keine Denkfehler zu machen, wenn ich feststelle:

1. Am Sozialismus als Weltanschauung wird von der SED unverändert festgehalten. Der Mißbrauch des Sozialismus durch Diktatoren wie Stalin, Ceauçescu und andere widerlege das nicht, so behauptet die Partei.

2. Die Legende von der Schändung des Sozialismus durch die Stalinisten wird stets eine Legende bleiben, weil Sozialismus zwangsläufig immer wieder zu diktatorischen Strukturen führen muß.

3. Warum sehe ich das so?

Der Sozialismus hat als Grundthese die Forderung nach der führenden Rolle der Arbeiterklasse mit seiner marxistisch-leninistischen Partei. Die Beanspruchung einer Vorherrschaft aber ist für uns unannehmbar, da sie jede Freiheit Andersdenkender verbietet.

4. Denn auf dieser Welt leben Menschen, leben Individuen, die ganz unterschiedliche Lebensorientierungen suchen. Wir sind nun einmal keine gleichgestrickten Roboter. Deshalb muß die Partei immer wieder eine staatliche Macht aufbauen, um die fundamentale Forderung nach ihrer Führungsrolle aufrecht zu erhalten.

5. Das heißt: Staatlicher Zwang und staatliche Unterdrückung sind dazu die einzigen Mittel. Unvermeidlich muß es wieder zum Aufbau eines willfähigen Machtinstrumentes kommen. Die Staatssicherheit wäre vorprogrammiert, um erneut in Gefängnissen und Zwangslagern wieder jene verschwinden zu lassen, die Zweifel am Absolutheitsanspruch der marxistisch-leninistischen Partei haben.

6. Freiheit und Meinungsvielfalt auf der einen Seite und Sozialismus auf der anderen schließen also aus. Freiheit und Humanität im Sozialismus werden nur jenen vorbehalten bleiben, die die Macht ausüben. Wehe den anderen, die eigene Ideale anstreben.

Kehren wir zu unserer Frage zurück:

Auf jener Straße in die Zukunft, die nach links abbiegt, müssen wir ein Verkehrsschild folgenden Aussehens aufstellen: Rund, weißer Grund, roter Rand. Das heißt: Durchfahrt verboten, gesperrt. Die SED/PDS, sollte sie in diese Richtung fahren, wird hier schnell ihren Strafzettel erhalten."

(Strohbusch: Das Licht kam aus der Kirche. – S. 123 ff.)

Ökumenischer Gottesdienst in der Milzer Kirche

„Wenn wir die Vergangenheit nicht aufarbeiten und aufräumen, wird es keinen

Schober wurde gleich am ersten Tag für seine Verhältnisse fürstlich entlohnt, wohl um ihn zu ködern – er erhielt 300 DM gegen Quittung. Oberstleutnant B. kündigte ihm aber gleich vorbeugend an, es werde künftig eine leistungsbezogene Entlohnung erfolgen.

Das nächste Treffen zwischen den beiden Männern wurde für den 18.06.1977 in Hildburghausen anberaumt. Dieses fand nun in einem KO (= konspirativen Objekt – ein vom MfS genutztes, gegenüber der Öffentlichkeit mit einer Legende gedecktes Objekt, Wohnung, Haus oder Liegenschaft) der „Unterabteilung Abwehr Hildburghausen" statt und dauerte von 09.30 Uhr bis 16 Uhr. Nun lieferte Schober allerhand Material ab. So unter anderem Berichte über Heimattreffen der ehemaligen Heldburger in Gemünda, der Veilsdorfer in Meeder und des Heimatkreises Sonneberg im „Grenzgasthof" Fürth am Berg,

die Volkswanderung in Creidlitz,

die Flugrallye Europas in Coburg,

die NPD-Großkundgebung am 17.06.1977 in Frankfurt, an der sich auch Personen aus dem Coburger Land beteiligten, sowie

Angaben über einen Grenzzolldienstangehörigen aus seinem Verein.

Jetzt erhielt Schober 400 DM Spitzelgeld, dazu 16 Mark der DDR für seine Auslagen. Oberstleutnant B. erachtete es zusammenfassend unbedingt erforderlich, dass Schober einen Transportcontainer übergeben werde, damit er künftig notwendige Materialien zu den jeweiligen Treffs mitbringen könne.

Aus „Heinz Schober" wurde „Hans Scholz"

Am 1. Oktober 1977 erfolgte eine neuerliche Anwerbung des GM Heinz Schober im KO „Tanne" mit einer neuen unterschriftlichen Verpflichtungserklärung und der Annahme eines neuen Decknamens, und zwar Hans Scholz. Anschließend plauderte er sein Wissen über alles Mögliche aus, so u. a. über eine Teilverlegung der BGS-Abteilung Coburg an die holländische Grenze und informierte über die bayerischen Grenzinformationsstellen.

Scholz wurde insbesondere eingesetzt

```
... zur Aufklärung von OVT und Regimefragen sowie zur
Aufklärung des BGS-Objektes Coburg und anderer Grenz-
überwachungsorgane im Arbeits- und Wohnbereich. Er
erhielt ebenfalls „Aufträge zur vorbeugenden Verhinde-
rung subversiver Aktivitäten und Handlungen im unmit-
telbaren Grenzgebiet zur DDR".
```

Alljährlich wurden von ihm nun rund 20 Informationen erarbeitet, die in der Regel als „brauchbar" eingestuft wurden. Er informierte in den folgenden Jahren entweder auftragsgemäß oder von sich aus u. a. über

eine mobile Radarstation auf der Brandsteinsebene in Coburg,

Manöver der US-Army in den Kreisen Coburg, Haßberge und Rhön-Grabfeld,

die Einführung neuer Pkw (Audi 80) bei der Grenzpolizei,

die Gaststätte auf dem Georgenberg in Rodach,

die Grenzinformationsstelle Dürrenried,

die „Bürgerdemonstration" anlässlich der zwangsweisen Eingliederung von Ermershausen nach Maroldsweisach 1978 („Der BGS war vom 19. bis 21. Mai 1978 entlang der Staatsgrenze zur DDR verstärkt eingesetzt, da die Absicht bestand, die DDR für diese Aktion um Hilfe zu ersuchen."),

die Sendeanlage des Bayer. Rundfunks auf dem Geißberg bei Bamberg,

Übergabe von Originalmaterial für die Werbung beim BGS,

Information über ein Treffen der ehemaligen Angehörigen des „faschistischen" Infanterieregiments 95 Coburg mit dem Jägerbtl. 101 Ebern der Bundeswehr im Oktober 1978,

über den Bau eines Munitionsdepots im Waldgebiet bei Esbach/Kreis Kulmbach,

über den Umzug der Grenzpolizeistation Neustadt/Coburg in das alte Amtsgerichtsgebäude 1979,

über die jeweiligen Kommandeurswechsel beim Pz.aufkl.Btl. 12 in Ebern,

über die Grenzpolizeistation Rottenbach sowie

über den Flugplatz Coburg-Steinrücken.

Aus gesundheitlichen Gründen endete die Zusammenarbeit 1983

Bis Dezember 1979 leistete der IM Schober eine *„gute nachrichtendienstliche Arbeit, hielt die stetig vereinbarten Treffs ein und lieferte im wesentlichen brauchbare Informationen"*, heißt es in einem „Vorschlag zur Neueinstufung des IM/B u. E Hans Scholz" vom 19.06.1980. IM/B und E bedeutet übrigens „Inoffizieller Mitarbeiter der Abwehr mit Feindverbindung bzw. für einen besonderen Einsatz".

Zum gegenwärtigen Zeitpunkt, so der Bericht, sei aber die Verbindung abgebrochen, der IM habe die Treffs im März und Mai 1980 nicht wahrgenommen. Die Ursache sei unbekannt. Trotzdem schlug ihn sein Führungsoffizier zur Beförderung vor. Er solle nun als E-IM (= Ermittler-IM) eingesetzt werden. Der Vorgesetzte des Führungsoffiziers konterte in einem Antwortschreiben, Scholz gebe sich zwar Mühe, die Aufträge zu realisieren, könnte jedoch bei einer planmäßigen und kontinuierlichen Arbeit bessere Ergebnisse bringen.

Neuanfang geben", stellte Pfarrer Arndt Brettschneider aus Sonneberg im Lob- und Dankgottesdienst am Samstag anlässlich der Grenzöffnung in der Milzer Kirche fest. „Die Menschen gehen wieder aufrechter, sie haben keine Angst mehr im Hinterkopf, wenn sie ihre Meinung äußern." Er ermahnte die Menschen, sich an Gott zu erinnern, da er uns Verantwortung gegeben habe. Die Menschen werden in ihren Möglichkeiten maßlos und vergessen, Gott, der Herr habe uns Kraft gegeben und er habe es möglich gemacht, dass es in friedlicher Weise zu einem Umbruch in der DDR gekommen sei. Gerade hier im Sperrgebiet habe man die Trennung der beiden Teile Deutschlands besonders gespürt. Es sei unmöglich gewesen, Menschen einzuladen, und manchen Bewohnern wurde die Aufenthaltsgenehmigung in der Grenzzone der Unsicherheit entzogen. Auch der Glaube konnte nicht frei praktiziert werden. Die Jugendweihe trat an die Stelle der Konfirmation. Doch nun sei die Zeit der Neubesinnung. Es sei nun Schluss mit der atheistischen Bevormundung und die Menschen hätten innerhalb weniger Monate gelernt, sich eine eigenen Meinung zu bilden. Da die Pfarrstelle in Milz zur Zeit vakant ist und deshalb der Gottesdienst oft entfällt, bot sich auch Pfarrer Gottfried Kraus aus Bad Königshofen an, einen Gottesdienst abzuhalten.
(Bote vom Grabfeld, 16.01.1990)

Eine Grenzöffnung zwischen Poppenhausen, Krs. Hildburghausen, und dem Seßlacher Ortsteil Gleismuthhausen, Lkrs. Coburg, nutzten die Poppenhäuser zu einem Besuch in Gleismuthhausen.

Einen informativen und erlebnisreichen Nachmittag verbrachten die Kreisvorstandschaft der Jungen Union (JU) Haßberge und einige Mitglieder am Sonntag in Rieth bei Hellingen (DDR). Die rund 30 Jugendlichen aus dem Haßbergkreis gingen in Fahrgemeinschaften bei Trappstadt über die Grenze und hielten in Eicha/DDR erstmals zu einem „Orientierungsstopp". In Rieth angekommen, wurden die Gäste im Gemeindehaus eine üppige Brotzeit mit Hausmacherwurst und Bauernbrot nebst Kaffee serviert. (Neue Presse, Ebern, 16.01.1990)

Der BGS wurde informiert, dass gegen 22.25 Uhr ca. 100 Personen sich nahe des Grenzkontrollpunktes Simmershausen – Oberweid am Durchlass zu schaffen machten, um DDR-Gebiet zu betreten. Am Hinterlandsicherungszaun wurden sie von DDR-Bürgern erwartet. Angehörige der Grenztruppen wiesen sie zurück.

17. Januar 1990
„Hessenhilfe"

Der hessische Finanzminister und spätere Innenminister der Bundesrepublik Deutschland, Dr. Manfred Kanther – er lebte bis 1957 in Hildburghausen und legte hier sein Abitur ab – besuchte den CDU-Kreisverband Hildburghausen sowie Stätten seiner Kindheit und Jugend. Den Krankenhäusern in Hildburghausen und Eisfeld sowie dem Caritasheim St. Laurentius in Hildburghausen sicherte er zur Verbesserung der Versorgung beträchtliche Hilfe mit medizinischen Geräten und Verbrauchsgütern zu.

90 Mitarbeiter des VEB Ankermechanik Eisfeld, Betriebsteil Heldburg, Krs. Hildburghausen, traten in einen anderthalbstündigen Warnstreik. Sie forderten u. a. eine Reduzierung der Verwaltungsfachkräfte, Verbesserung der Arbeitsbedingungen, Angleichen der Löhne an die des Stammbetriebs, Verbesserung der Sanitäranlagen, bessere Produktionsvorbereitung. Solche und ähnliche Forderungen wurden in Hunderten Betrieben der Region erhoben.

Am 17.01.1990 demonstrierten auf dem Marktplatz Vacha von 13.00 bis 13.40 Uhr ca. 150 Personen für höhere Löhne und bessere Gesetze.

In Neuhaus/Rwg. wurde der SPD-Kreisverband gebildet.

18. Januar 1990
„Hilfe" für die Opposition

Mit Beschluss 16/90 des Rates des Bezirks wurden Maßnahmen für die

Was war nun die Ursache für die neuerliche Einstellung der Spionagetätigkeit? Der Grund war eine schwere Krankheit des Scholz, wegen der er eineinhalb Jahre nicht arbeitsfähig war. Trotz sechsmaliger vergeblicher Verbindungsaufnahmen in den Jahren 1980 bis 1983 entwickelte Scholz nunmehr keinerlei Aktivitäten mehr im Sinne der DDR-Staatssicherheit. In den Briefen der Staatssicherheit an ihn wurde teilweise mit dem sprichwörtlichen „Zaunpfahl gewunken. Kleine Kostproben:

```
... Meine Lieben, wollt Ihr denn nicht wieder mal kom-
men? ... Braucht doch bloß einmal eine Karte zu
schreiben ... Es gibt doch allerhand zu erzählen und
Ihr wißt doch genau, daß Euer Besuch uns immer Freude
bereitet.
```

In Absprache mit dem Leiter Bereich Aufklärung beim Kommando der Grenztruppen in Pätz, Oberstleutnant Scheffel, wurde im Juli 1983 festgelegt, den IMS Hans Scholz im Oktober 1983 „abzuschreiben". Während der zweiten Phase der Agententätigkeit erhielt Scholz insgesamt 6.230 DM Agentenlohn sowie 488 Mark der DDR für seine Auslagen in der DDR.

IM „Klaus"

Schon 1971 war der untersetzte, kräftige Mann mit dem markanten Vollbart ins Visier der Staatssicherheit geraten. Die Kreisdienststelle Meiningen hatte einen ihrer Melperser IM nach Fladungen in Marsch gesetzt. Der Rentner besuchte immer im Winter seinen Bruder in Melpers und nahm dort an einer Treibjagd teil. Auch „Klaus", ein leidenschaftlicher Jäger, beteiligte sich an diesen Jagden und so lernten beide sich während der Treibjagden im Winter 1971 und 1973/74 kennen. IM „Förster", wie der Deckname des Melpersers war, erstattete seinem Führungsoffizier vom MfS jeweils Bericht über das Zusammentreffen: „Klaus", ein gelernter Gärtner, habe 1966 die DDR verlassen, seine Frau in Wallbach bei Meiningen mit Kindern zurückgelassen, lebe jetzt mit einer anderen Frau zusammen in Fladungen und sei als Abteilungsleiter in einer Waffenfabrik in Ostheim beschäftigt.

Doch das MfS sah noch keine Möglichkeit, „Klaus" anzusprechen. Doch er blieb unter Beobachtung, sein Name stand auf der Liste derer, die der Kreisdienststelle durch die PKE bei der Einreise zu melden und anschließend zu überwachen waren. So erfuhr der operative Mitarbeiter der Abt. VI, Oberleutnant Recknagel, dass die Zielperson mit einem grünen Ford am 21.07.1985 erstmals wieder in die DDR eingereist war. Im Gespräch bekam der Passkontrolleur Kenntnis, dass „Klaus" als Waffenschmied arbeitet und dienstlich auch mit Angehörigen des Zollgrenzdienstes zu tun hat.

Als „Klaus" am 25.08.1985 zum zweiten Mal einreiste, erfuhr Leutnant Happich an der Passkontrolle im Gespräch, dass „Klaus" seine Eltern und die Schwester in Ellingshausen besuchen wolle. Geschickt lenkte der Leutnant das Gespräch auf die Jagd und erfuhr, dass „Klaus" auf die Jagd geht, Jagdhunde züchtet, Prüfungen abnimmt. Weiter erzählte der arglose Reisende, dass er zwei Jagdreviere betreut, die unmittelbar an der DDR-Grenze liegen. Bei einer erneuten Einreise am 08.09.1985 wurde „Klaus" zusätzlich durch die Abteilung VIII/5 beobachtet. Der grüne Ford von Klaus stand tatsächlich auf dem elterlichen Grundstück.

Beim nächsten Mal sollte es Ernst werden mit der Kontaktanbahnung. Zur Erleichterung dieser Anbahnung plante die Abteilung VI der Bezirksverwaltung am 17.10.1985 den Einsatz eines früheren Jagdbekannten von „Klaus", der als IMS „Leutholf" für die Kreisdienststelle Meiningen tätig war.

„Geplante Vorgehensweise zur Realisierung der Aufgabe:

Herstellung des Kontaktes durch den IM zu dem BRD-Bürger auf der Grundlage gleicher Interessen.

Da der IMS „Leutholf" bis 1966 gemeinsam mit dem BRD-Bürger zur Jagd ging, bestand zwischen beiden Personen ein guter Kontakt. Der IMS sucht die Eltern des BRD-Bürgers auf und bittet sie, ihm auszurichten, er solle bei seiner nächsten Einreise bei ihm vorbeikommen, weil er ein Anliegen hat. Das Anliegen des IMS ist, dass der BRD-Bürger ihm eine Fuchsfalle besorgen soll. Zielstellung dieser ersten Kontaktphase ist, den BRD-Bürger weiter aufzuklären, seine gegenwärtige Einstellung zu den gesellschaftlichen Verhältnissen in der DDR und der BRD festzustellen, die von ihm in der BRD als auch in der DDR unterhaltenen Verbindungen/Kontakte und deren Charakter einzuschätzen, um im Ergebnis dessen seine operative Nutzbarkeit zu prüfen.

Erst danach wird über eine evtl. Kontaktierung des BRD-Bürgers durch unser Organ entschieden.

Anscheinend wurde dieser Plan dann wieder verworfen. Für das erste Kontaktgespräch wurde ein genaues Drehbuch entworfen, das alle Möglichkeiten berücksichtigen sollte. In diesem Drehbuch jedenfalls kam IMS „Leutholf" nicht vor:

```
Durch M-Fahndung wurde bekannt, dass der IM-Kandidat
„Schmied" am 09.02.1986 gemeinsam mit seiner Lebensge-
fährtin zum besuchsweisen Aufenthalt bei seinen Eltern
über die GÜST Meiningen einreisen wird. Es wurde fest-
gelegt, den ersten Kontakt an der PKE Meiningen herzu-
stellen.
Der IM-Kandidat wird nach erfolgter Einreise durch den
Genossen vom SB-1 (Sachbereich 1) unter dem Vorwand
der Vervollständigung seiner Reisedokumente in einen
Raum neben der Ausschreibehalle geschickt. Dort wird
er vom unterzeichneten Mitarbeiter erwartet, der sich
```

Runden Tische festgelegt, u. a. Bereitstellung von Büroräumen, Freistellung von der beruflichen Tätigkeit (gemäß Ministerratsbeschluss vom 01.12.1989), Bereitstellung von Druckkapazitäten und Papierkontingenten für die Herstellung von Druckmaterialien, Lizenzen für die Herstellung von Presseerzeugnissen, Ausstattung der neuen Parteien und politischen Gruppen mit Telefon- und Fernschreibtechnik, Bereitstellung finanzieller Fonds auf Antrag der jeweiligen Zentralvorstände. Zur Durchführung des Beschlusses wurde ein Bürgerkomitee gebildet, das den Vorsitzenden des Rates des Bezirkes sofort bei auftretenden Problemen informierte, der die Informationen bearbeitete bzw. an den Ministerrat der DDR weiterleitete.

Modrow steuerte nach dem alten Kurs
In den durchaus sozialismusfreundlichen Medien klang an, dass die Regierung Modrow die Entwicklung der DDR bremst, dass sie den sozialistischen Kurs unbeirrt mit einigen Demokratie-Retuschen steuert und Hilfsangebote aus der Bundesrepublik – auch aus dem kommunalen Bereich – ausschlägt. Große Teile der Bevölkerung empfanden das Verhalten Modrows und Teilen der Regierung als geschickte Rückzugsgefechte der Einheitsparteisozialisten. Die Regierung Modrow stand bei den Demos und bei den Runden Tischen in herber Kritik.

Der Rat des Bezirkes beschloss die Auflösung des Dienstleistungskombinats, es wurden volkseigene Dienstleistungsbetriebe gegründet.

19. Januar 1990
In Hildburghausen wurde der Kreisvorstand der SPD gegründet. Horst Kotzem wurde Vorsitzender, Ralf Bumann Geschäftsführer.

20. Januar 1990
Bei den Fremdenverkehrsämtern in den Haßbergen gingen tagtäglich stapelweise Briefe aus der DDR ein, mit denen sich DDR-Familien über Reiseziele und Quartiere informieren wollten. In die Gegenrichtung möchten die Bürger der Bundes-

republik, die in den letzten Tagen Reisepässe beantragten. Reinhard Soutschek von der Verwaltungsgemeinschaft Ebern zählte innerhalb von drei Wochen 800 Anträge. Die Antragsteller hatten sich gedulden müssen. Acht bis zehn Wochen dauerte es, bis das Dokument vorlag, weil die Nachfrage bundesweit sprunghaft gestiegen war.
(Fränkischer Tag, 25.01.1990)

Einen deutsch-deutschen Gottesdienst feierten ca. 800 Bürger aus Wildenheid und Hönbach.
Der Wildenheider Pfarrer Eckhard Krüger und Pfarrer Dietmar Schmidt aus Oberlind sprechen von der Dankbarkeit gegen Gott, der Zäune überwinden, Mauern durchbrechen und Wege ebnen kann, wo Menschen es kaum noch zu hoffen wagen. Der Oberlinder Posaunenchor übernimmt die würdige musikalische Gestaltung des Gottesdienstes. Bevor es zu einem fröhlichen Empfang und herzliches Miteinander kommt, richtet sich manch wehmütiger Blick auf den Hönbacher Friedhof. Er ist nur noch zum Teil erhalten. Die Grenzziehung und der „Schutzstreifen" machten selbst vor Toten nicht halt. Ein ganzes Gräberfeld wurde eingeebnet.
(Nach: Wiegand I, 20.01.1990)

21. Januar 1990
Krenz und 13 ehemalige Staatsfunktionäre wurden aus der SED-PDS ausgeschlossen.

Ein deutsch-deutsches Eisenbahnspektakel lockt zahlreiche Hobbyfotografen, Schaulustige und Dampflokfans in die Kreise Sonneberg und Neuhaus am Rennweg. Zwei Traditionszüge verkehren von Nürnberg über Probstzella nach Sonneberg. Schon im Vorfeld waren alle Fahrkarten für beide Züge ausverkauft.
(Nach: Wiegand I, 20.01.1990)

80 Personen aus der Bundesrepublik gelangten unerlaubt mit Duldung von DDR-Grenzsoldaten im Baustellenbereich des Grenzübergangs Großensee – Hönebach DDR-Gebiet (offizielle Eröffnung 02.02.1990).

von ihm die Dokumente aushändigen lässt. Dabei wird mit ihm das operative Gespräch geführt. Zielstellung dieses Gespräches ist, mit dem Kandidaten einen Termin für ein Kontaktgespräch, möglichst noch am gleichen Tag, in Meiningen zu vereinbaren.
Daraus können sich folgende Versionen ergeben:
Der Kandidat sagt zu und vereinbart einen Termin. Dann wird ihm gesagt, dass er zum Termin auf dem Parkplatz neben dem Schlossrundbau in Meiningen kommen soll.
Der Kandidat sagt zu, hat aber an diesem Tag keine Zeit. Dann wird mit ihm ein konkreter Termin für seine nächste Einreise vereinbart.
Der Kandidat lehnt eine Zusammenkunft ab. In diesem Fall wird ihm gesagt, dass er sich dies noch einmal gründlich überlegen soll. Wir werden zu gegebener Zeit auf ihn zukommen.
Nach bisherigen Ermittlungsergebnissen ist mit den ersten beiden Versionen zu rechnen. Sollte eine Terminvereinbarung für den gleichen Tag erfolgen, wird wie folgt verfahren:
Es wird ein geeignetes Objekt für die Aussprache gesucht und dort Plätze bestellt.
Am Gespräch wird Gen. Recknagel, Theo teilnehmen.
Entsprechend der Reaktion des „Schmied" auf persönliche Fragen wird auf Probleme im westlichen Grenzvorfeld eingegangen.
Zielstellung ist, den „Schmied" persönlich kennen zu lernen, ihn einschätzen zu können und das Gespräch so zu führen, dass „Schmied" nicht verängstigt wird, sondern Vertrauen zu dem MA des MfS gewinnt. Die Vorstellung erfolgt unter MA der Sicherheitsorgane, nicht unter Klarnamen. Bei positivem Verlauf wird ein neuer Termin vereinbart bzw. mit ihm über weitere Möglichkeiten, solche Gespräche zu führen, gesprochen. Ihm wird gesagt, dass er im eigenen Interesse Stillschweigen gegenüber jedermann zu wahren hat. Seiner Lebensgefährtin gegenüber soll er sagen, dass er kurzfristig einen ehemaligen Arbeitskollegen in Meiningen besucht habe, um mit diesem über seine ehemalige Arbeitsstelle zu sprechen.

Auch der Bericht über dieses Treffen ist nicht ohne Interesse:
Bericht über das erste Kontaktgespräch mit dem IM-Kandidaten „Schmied"

Am 09.02.1986 wurde der IM-Kandidat durch unterzeichnenden MA am Parkplatz neben dem Schlossrundbau in Meiningen erwartet. Gen. Recknagel, Theo hielt sich in der HO-Gaststätte „Thomas-Münzer-Keller" auf, wo die Aussprache stattfinden sollte. Dies war erforderlich, um einen entsprechenden Tisch reservieren zu können. Um 14 Uhr traf der IM-Kandidat mit dem Pkw „NIWA" ein. In seiner Begleitung war, trotz des am Morgen gegebenen Hinweises, seine Lebensgefährtin. Diese blieb im

Pkw, während der Kandidat ausstieg und den op. MA
begrüßte. Ihm wurde der Vorschlag unterbreitet, das
Gespräch bei einer Tasse Kaffee zu führen. Dies wurde
von ihm konsequent abgelehnt. Er sagte, dass er nicht
mit in eine Gaststätte geht und schlug vor, einen
gemeinsamen Spaziergang zu machen. Sein Vorschlag
wurde akzeptiert und das Gespräch wurde im Park neben
dem Schloss geführt. Ihm wurde zunächst die Frage
gestellt, warum er vor 20 Jahren so plötzlich die DDR
illegal verlassen habe. Er habe doch immerhin Familie
gehabt, seine Eltern, die Arbeit und das Jugendkollek-
tiv. Darauf stellte er die Frage, woher ich sei. Ich
sagte ihm, ich sei vom Sicherheitsorgan. Aus seiner
Antwort auf die erste Frage wurde das Gespräch entwickelt:
Mit der Frau habe es immer öfter Streit gegeben. Deshalb habe er sich auch oft bei seinen Eltern in
Ellingshausen aufgehalten. Ein weiterer Grund war,
dass er auf Grund seiner Mitgliedschaft in einem Jagd-
kollektiv mehrmals Antrag auf eine eigene Jagdwaffe
gestellt hatte und dieser Antrag stets abgelehnt
wurde. Deshalb habe er die Gelegenheit bei der Arbeit
an der Staatsgrenze kurzentschlossen genutzt und sei
in die BRD gegangen. Das Leben in der BRD war anfangs
nicht leicht gewesen. Er habe mehrere Monate an der
Autobahn bei Würzburg gebaut, nichts richtiges zu
essen, keine Arbeitsbekleidung gehabt. Nach 8 Wochen
sei er dann bereits „Kapo" (Vorarbeiter) geworden. Er
habe sich durch Fleiß und Kraft „hochgearbeitet".
Anfangs wollte er wieder in die DDR zurück, weil es
ihm in der BRD nicht gefallen habe und er seinen Entschluss bereut habe. Deshalb habe er auch einen Brief
an den 1. Sekretär der Kreisleitung Meiningen der SED
geschrieben. Allerdings habe er darauf nie eine Antwort erhalten. Ihm sei es darum gegangen, bei der
Rückkehr in die DDR straffrei auszugehen. Mit der Zeit
sei es ihm besser gegangen. Er habe Arbeit in der Waffenfabrik Schmidt in Ostheim erhalten und sich dort
bis heute zum Abteilungsleiter entwickelt. Ihm sei
das, was er in der DDR gelernt habe, in der BRD zugute
gekommen. Die Ausbildung in der DDR sei entschieden
besser und dies habe er konsequent genutzt.
Er habe sich in Fladungen eine gute Existenz, ein Vermögen geschaffen. So habe er ein eigenes Haus, ein
gesichertes Einkommen und ein gutes Bankkonto. In Fladungen sei er besonders durch seine Kenntnisse auf
jagdlichem Gebiet geachtet. Er betreue 2 Jagdgebiete,
die unmittelbar an der Staatsgrenze liegen. Im Kreis
Bad Neustadt ist er Vorsitzender des Verbandes für
Jagdhundewesen. Er ist Vorsitzender einer Jury für die
Abnahme von Jagdhundprüfungen und nimmt Prüfungen für
Hunde aus dem gesamten Gebiet der BRD sowie aus dem
Ausland ab.

22. Januar 1990

Modrow verkündete am Runden Tisch, dass Vertreter der Opposition in die Regierung aufgenommen werden. Damit wollte die SED-PDS verhindern, dass die Regierung Modrow die Vertrauensfrage stellen muss und die SED-PDS ihren noch vorhandenen Einfluss verliert.

Streiks

Im Krs. Neuhaus/Rwg. kam es zu Streiks in den Großhandelsfirmen OGS (Kombinat Obst, Gemüse, Speisekartoffeln), WtB (Waren des täglichen Bedarfs) und bei Handelstransport. Es kommt zu Störungen in der Versorgung.

Warnstreik der Belegschaft des VEB (B) Bau Unterland Heldburg. Es wurden gefordert: Demokratie, freie Wahlen, Auflösung der SED, Streichung der Überbrückungsgelder für Stasimitarbeiter sowie für Partei- und Staatsfunktionäre, Einführung eines neuen Preisgefüges, Änderung der Miet- und Subventionspolitik, Wiedereinführung der kirchlichen Feiertage, Abschaffung der Planvorgaben durch den Staat, Einführung der Marktwirtschaft, Durchführung einer Rentenreform. Die Beschäftigten verlangen die Rückführung des Betriebes in genossenschaftliches Eigentum als PGH Bau.

Etwa 40 Mitarbeiter (Kraftfahrer, Techniker, Verwaltungsmitarbeiter) des Hildburghäuser Teilbetriebs im Südthüringer Fleischkombinat traten in einen 2-stündigen Warnstreik. Gefordert wurden u. a. bessere Arbeits- und Lebensbedingungen, gerechte Verteilung der Prämien, gleicher Urlaub und gleiche Lohngruppen für alle Fahrer, Beseitigung der Privilegien im Betrieb, Einhalten von bestehenden Gesetzen für den Vieh- und Fleischtransport, Mitspracherecht an betrieblichen Entscheidungen, Durchsetzung des Leistungsprinzips. Massive Vorwürfe erhob man gegen die Betriebsleitung und insbesondere den Technischen Direktor. Ferner wurden die unhaltbaren hygienischen Bedingungen beim Fleischtransport angeprangert.

Am 03.02. äußerte sich der Betriebsdirektor in Freies Wort zum Warnstreik, er schrieb u. a.:

Mit dieser Handlungsweise wurde auch den arbeitswilligen Werktätigen die Möglichkeit zur Aufnahme ihrer Arbeit genommen, indem die Zuführung von Schlachtvieh blockiert wurde. Es entstand ein ökonomischer Verlust von ca. 11.000 Mark und Verzögerungen in der Auslieferung von Frischfleisch, die sich in der ganzen Woche bemerkbar machten.

Zu den Forderungen der Beschäftigten, vor allem wegen der unzumutbaren hygienischen Verhältnisse dieses in Teilen maroden Betriebes, die längst schon Gespräch in der Bevölkerung waren, äußerte er sich mit Halbheiten im üblichen Funktionärsdeutsch.

Für eine Schulreform

In der Sonneberger Stadtkirche kam es zu einem Friedensgebet. Im Mittelpunkt standen Bildung und Erziehung der Kinder und Jugendlichen. Die Anwesenden zeigten an einer Schulreform ein reges Interesse und erteilten dem sozialistischen Bildungssystem eine deutliche Abfuhr. Auch eine Trennung der Jugendweihe von den Schulen wurde gefordert. Es sollte den Jugendlichen und den Eltern überlassen bleiben, ob sie an der Konfirmation, Firmung oder Jugendweihe teilnehmen.

Wahlkampfbeginn und der 17. Juni 1953

Demo auf dem Hildburghäuser Marktplatz. Die Wahlen der DDR-Volkskammer kündigten sich an.

Es wurde u. a. aufgefordert, Plakate und Transparente für eine Ausstellung abzugeben, die in der Volksbuchhandlung Hildburghausen in der Unteren Marktstraße gestaltet wurde.

Breiten Raum nahm die physische und psychische Ausschaltung politischer Gegner durch die SED ein. Erstmals wurden Daten und Fakten zur Niederschlagung des Volksaufstandes vom 17. Juni 1953 und Tötungsverbrechen des SED-Regimes von H.-J. Salier genannt. Das erregte den Widerspruch der PDS, besonders Steffen Harzer äußerte sich danach in der

Innerhalb des Jagdverbandes von Unterfranken hält er Vorträge zum Jagdwesen. Am kommenden Wochenende hat er z. B. einen Vortrag in Würzburg zu halten.

Über sein derzeitiges Verhältnis zur DDR und unseren gesellschaftlichen Verhältnissen sagt er Folgendes:

Er erkennt die Erfolge, die wir erreicht haben, vorbehaltlos an. In der DDR lebt man sozial sicherer als in der BRD. Es wird viel für die einfachen Menschen getan und es gibt keine Arbeitslosigkeit. Aus diesem Grunde kann er die DDR-Bürger nicht verstehen, die in die BRD übersiedelten, obwohl sie nicht sicher sind, ob sie Arbeit und Wohnung bekommen. In der BRD müsse man viel mehr arbeiten, um seinen Arbeitsplatz zu erhalten. Bei geringsten Vergehen gegen die Arbeitsdisziplin wird ein Grund für eine Entlassung gefunden. Andererseits könne er nicht verstehen, dass es in einem Staat, in dem das erwirtschaftete Vermögen gesellschaftlich verteilt wird, nicht möglich ist, z. B. die Altbausubstanz zu sanieren. Als Beispiel gab er die Stadt Meiningen an. Ihm wurde dazu gesagt, dass der Staat nur das Geld ausgeben kann, das erwirtschaftet wurde. Bei allen Erfolgen gibt es dabei noch ein paar Probleme, die wir aber lösen werden. Das Geld wird zuerst in die Schwerpunkte, das sind die Hauptstadt und die Bezirksstädte, investiert. Dabei werden aber die kleineren Städte nicht vernachlässigt, was man z. B. in Meiningen in den Neubaugebieten, aber auch in der Fußgängerzone sehen kann.

Sein Argument wurde dahingehend anerkannt, dass es in Meiningen noch viele Gassen und Ecken gibt, wo noch einiges zu tun ist. Auch er erkannte die Argumente des operativen Mitarbeiters an.

Anschließend wurde auf das eigentliche Anliegen eingegangen. Ihm wurde gesagt, dass unsererseits Interesse daran besteht, mit ihm weitere Gespräche zu führen. Diese Gespräche würden seinen Lebensbereich in und um Fladungen, seine Arbeit im Jagdwesen und weitere Probleme in diesem Zusammenhang betreffen. Immerhin wohne er in einem Gebiet, das direkt an unsere Staatsgrenze liegt und wir wollen natürlich wissen, was dort geschieht. Ich hätte mich zu diesem Gespräch entschlossen, weil ich der Meinung bin, dass sein Schritt in die BRD vor 20 Jahren etwas unüberlegt war und das von seiner ehemaligen Mitgliedschaft in der SED noch etwas bei ihm zurückgeblieben sein muss. Ein weiterer Grund dafür war, dass er für mich auf Grund seiner Persönlichkeit für die Probleme, die uns interessieren, als kompetent gilt. Es war zu bemerken, dass ihm die Worte des operativen Mitarbeiters stark berührten. Er stellte die Frage, welche Garantien sie ihm geben könne, dass wir ihn nicht in die „Pfanne hauen". Ihm wurde gesagt, dass wir niemanden, der uns gegenüber ehrlich ist, in die „Pfanne" hauen. Im Gegenteil, wir sind nicht daran interessiert, dass ihm irgendwelche Nachteile entstehen. Ich könnte ihm darauf mein Wort geben. Daraufhin reiche ich ihm die Hand, sagt, dass ich Schmidt heiße und dass mit diesem Handschlag mein Wort gelte. Der Kandidat schlug ein und sagte, dass sein Chef ebenfalls Schmidt heißt. Ihm wurde die Frage gestellt, wie er das mit „in die Pfanne hauen" gemeint hat.

Dazu sagte er Folgendes:

Bei seinem Frisör in Ostheim hat er eine Unterhaltung mitbekommen. Eine Frau hatte vor einem Besuch in der DDR bei diesem Frisör geäußert, dass sie zwei Armbanduhren in die DDR mitnehmen will, und zwar wollte sie diese im Büstenhalter verstecken. An der GÜST Meiningen wurde ihr vom Zöllner sofort gesagt, dass sie Uhren dabei habe, die in ihrem BH versteckt seien. Daraus schlussfolgerte sie, dass es in der BRD Leute gibt, die andere BRD-Bürger in der DDR „verpfeifen". So etwas könne und wolle er nicht machen. Dem IM-Kandidaten wurde gesagt, dass wir uns mit solchen Problemen nicht beschäftigen. Worum es geht, sei bereits genannt worden. Uns würde z. B. interessieren, welche Rolle der Rhönclub spielt. Der IM-Kandidat antwortete, er sei selbst Mitarbeiter des Rhönclubs. Als Betreuer von zwei Jagdgebieten in der Rhön, muss er auch eng mit dem Rhönclub zusammenarbeiten bzw. Aufgaben übernehmen bei der Pflege der Wanderwege und beim Naturschutz. Versammlungen des Rhönclubs besuche er nicht. Er abonniere aber die „Rhönwacht". Dies sei die Zeitschrift des Rhönclubs, die monatlich erscheint. Darin seien auch oft Artikel über die thüringische Rhön veröffentlicht. Wenn mich das interessiere, könne er sie mir mitbringen. Ihm wurde gesagt, dass mich die „Rhönwacht" interessiert und er sie beim nächsten Mal mitbringen soll. Bedenken hatte er, dass ihm die Zeitschrift beim Zoll weggenommen wird. Ihm wurde zugesichert, dass dies nicht geschehen wird. Anschließend wurde ihm gesagt, dass es im Interesse seiner Person unbedingt notwendig ist, dass er über das Zusammentreffen und das Gespräch strengstes Stillschweigen bewahrt.

Seiner Lebensgefährtin soll er sagen, dass es um sein letztes Arbeitsverhältnis in der DDR ging. Sein Schweigeversprechen bekräftigte er diesmal von sich aus mit Händedruck. Es wurde vereinbart, dass der Kandidat in den nächsten 4 Wochen an einem Wochenende in die DDR einreist. Am Tag seiner Einreise werden wir uns um 14 Uhr am gleichen Ort treffen. Ihm wurde der Hinweis gegeben, dass er möglichst alleine einreisen soll. Anschließend verabschiedeten wir uns.

Das Gespräch verlief in einer offenen, ruhigen Atmosphäre. Es war zu bemerken, dass der IM-Kandidat sich innerlich auf dieses Gespräch vorbereitet hatte, denn er begann sofort, von sich zu

Presse und sagte aus, dass das nicht der historischen Wahrheit entspräche und griff auch den Redner verbal im üblichen SED-Stil an. Er betonte, dass auch SED-Mitglieder Schweres erleiden mussten und dass die Mitglieder der Blockparteien Mitschuld trügen.

Zwischen Schwickershausen, Krs. Meiningen, und Mühlfeld/Mellrichstadt, Lkrs. Rhön-Grabfeld, wurde die Grenze geöffnet.

23. Januar 1990

Es konnte in Erfahrung gebracht werden, dass ein Soldat der DDR-Grenztruppen über den GÜG Rasdorf – Buttlar wieder in die DDR zurückgekehrt ist. Dort soll er wegen Fahnenflucht in U-Haft genommen worden sein.
(Bayerische Grenzpolizei)

In Suhl wurde für den Bezirk Suhl ein Bürgerkomitee gegründet.

Im Sonneberger Kreiskulturhaus fand die erste deutsch-deutsche Verkehrsteilnehmerschulung statt. 1.500 Teilnehmer waren der Einladung des ADMV (Allgemeiner Deutscher Motorsport-Verband der DDR), der Staatlichen Versicherung der DDR, der Verkehrspolizei und der Kreisverkehrswacht Coburgs gefolgt. Im Mittelpunkt standen die Besonderheiten des Straßenverkehrs in der Bundesrepublik.

Volkspolizei ohne Parteiorganisation und Politorgane

Freies Wort berichtete:
Wie Burkhard Stahl, Leiter des VPKA Hildburghausen, informiert, gebe es seit Januar auch im VPKA keine Parteiorganisation und Politorgane mehr. Weiterhin teilte Stahl mit, daß die Kampfgruppen nicht mehr existieren und das VPKA bemüht ist, bis 31. Januar die ehemaligen Kampfgruppenbestände an Bekleidung und Ausrüstung aufzulösen. Der VPKA-Chef gab zu verstehen, daß die Deutsche Volkspolizei auch bei der künftigen Arbeit nicht auf ihre freiwilligen Helfer verzichten könne.

24. Januar 1990

Die SED-PDS-Grundorganisation beim Rat der Stadt Sonneberg hatte sich aufgelöst.

Im Kultursaal des VEB Thuringia in Sonneberg-Oberlind gab es eine Einwohnerversammlung mit 500 Einwohnern des Stadtteils Oberlind. Die Eigenständigkeit der bis 1950 selbstständigen Stadt wurde gefordert, aber auch ein Stadtteil mit hauptamtlichem Bürgermeister.

2. Runder Tisch der Kreisstadt Hildburghausen.

Eine Sondersitzung des Kreistags bestätigte die Zeitweilige Kommission zur Untersuchung von Amtsmissbrauch und Korruption und die Abberufung des Vorsitzenden des Komitees für Volkskontrolle.

Die Wahl spielte sich nach demokratischen Spielregeln ab. Insider wussten aber zu berichten, dass mutige Mitglieder bei den Wahlen „aus dem Verkehr" gezogen wurden, denn die Stimmenmehrheit lag eindeutig bei den politischen Kräften des alten Systems.

25. Januar 1990
Die Regierung der DDR beschloss die Gewerbefreiheit und erlaubte die Gründung von Unternehmen mit ausländischer Beteiligung (z. B. Joint-venture).

Gesundheitswesen auf dem Niveau eines Entwicklungslandes
Das Gesundheitswesen des Kreises Hildburghausen stand auf Grund einer verfehlten Gesundheitspolitik des SED-Staates kurz vor dem Offenbarungseid.
Ca. 120 Mitarbeiter medizinischer Einrichtungen, darunter 40 aus der Bezirksnervenklinik, traten in einen Warnstreik, demonstrierten auf dem Hildburghäuser Marx-Engels-Platz und übergaben dem Ratsvorsitzenden eine Petition.
Die Mediziner des Kreiskrankenhauses äußerten u. a.: „Die rein ärztliche Kunst hat ihre Grenzen erreicht. Wir können

erzählen. Auch seine Einstellung zu den Verhältnissen in der DDR äußerte er, ohne danach gefragt worden zu sein. Der IM-Kandidat erzählt offensichtlich gerne über sich, besonders darüber, was er in der BRD erreicht hat und über die Jagd. Er ist selbstbewusst und tritt sicher auf. Der größte Teil der Probleme, die ihn betreffen, war durch Ermittlungen bereits bekannt und entsprechen den Tatsachen. Neu ist, dass er Mitglied des Rhönclubs ist.

In der weiteren Arbeit mit dem IM-Kandidaten muss auf die Wahrung der Konspiration auch Wert gelegt werden, insbesondere bei der Wahl des Trefffortes.

Maßnahmen:
Fahndungsmaßnahmen ändern, Beobachtungsauftrag streichen.
Möglichkeiten einer konspirativen Treffdurchführung, möglichst Kreis Meiningen, prüfen.
Konkretes Material zum Rhönclub beschaffen, um den Kandidaten damit zu konfrontieren."
In der Folge kam es zu weiteren Kontaktgesprächen, am 30.03.1986 auf einem Waldweg in der Nähe von Schloss Landsberg, am 28.05.1986 im KO (= Konspiratives Objekt) „Diana". Der IM-Kandidat wurde kurz vor Rohr abgepasst. In Dillstädt wurde er auf einem Parkplatz begrüßt. Er ließ dort seinen Pkw stehen und wurde zur KD gebracht.

Für die Einordnung der Motivation des IM-Kandidaten ist Folgendes vielleicht bezeichnend:
Nach einem weiteren Treffen, am 05.07.1986, wieder in der KO „Diana" sollte am 23.08.1986 die endgültige Anwerbung erfolgen. Für beide Termine hatte Oberleutnant Recknagel ein Fahndungsersuchen an die Abteilung VIII gerichtet. Der Einreisende sollte jeweils von der GÜST Meiningen bis Themar verfolgt und überwacht werden. Zielstellung war jeweils die Feststellung von Beobachtungsmaßnahmen gegnerischer Organe gegenüber der zu beobachtenden Person. Wenn der operative Mitarbeiter den IM-Kandidaten am Bahnhof Themar aufgenommen hat, kann die Beobachtung beendet werden. Außerdem war der Kandidat und alle Verwandten in der DDR in M-Fahndung gestellt, ihre gesamte Post wurde überwacht, geöffnet und der Inhalt an die Abteilung VI gemeldet.
Im „Vorschlag zur Verpflichtung als IMB" (= IM der Abwehr mit Feindverbindung) begründet das MfS alle Maßnahmen zur Gewinnung des Bundesbürgers:

Vorschlag zur Verpflichtung als IMB
Begründung der politisch-operativen Notwendigkeit der Werbung:
Entsprechend dienstlicher Weisungen ist der Abteilung VI/2 die spezifische Aufgabe gestellt, im Rahmen der

Schleusungstunnel für DDR-Agenten bei Meilschnitz – Effelder. Ein Betonbunker befand sich sowohl vor als auch hinter dem Zaun. In den meisten Fällen waren die Schleusungsstellen verdeckt.
Sammlung: Rainer Krebs

Arbeit im und nach dem Operationsgebiet auf der Grundlage einer Bearbeitungskonzeption zielgerichtet die gegnerische Grenzkontrollstelle Eußenhausen (FO „Schanz") zu bearbeiten.
Zur systematischen/zielgerichteten Aufklärung der von dem Feindobjekt „Schanz" ausgehenden feindlichen Plänen, Handlungen, Maßnahmen und des dort tätigen Personalbestandes ist es vorrangig notwendig, eine inoffizielle Basis aufzubauen. Der IM-Kandidat unterhält persönliche Kontakte zu Angehörigen der BGP und des ZGD und besonders zu einem im FO „Schanz" tätigen Angehörigen der BGP.
Als BRD-Bürger, der im westlichen Grenzvorfeld lebt, hat er relativ gute Voraussetzungen, die Kontakte auszubauen mit dem Ziel, das FO und die dort tätigen Angehörigen der BGP und des ZGD systematisch aufzuklären und abzuschöpfen.
Die durch den IM-Kandidaten erarbeiteten Informationen können als Basis für die Einleitung weiterer zielgerichteter politisch-operativer Maßnahmen zur Bearbeitung des FO dienen."
Hier wird also recht deutlich klargelegt, dass es bei der Werbung des Kandidaten in erster Linie um das Feindobjekt (FO) geht. Deshalb wurde die Werbung auch von der Abteilung VI der BV Suhl übernommen, die ja für Passkontrolle und Reiseverkehr zuständig war.
Neben dem zielgerichteten Einsatz zur Aufklärung des FO „Schanz" besitzt der IM-Kandidat noch günstige Möglichkeiten zur Aufklärung des Grenzgebietes im Bereich der „Sennhütte" und des „Schwarzen Moores", von wo aus feindlich-negative Aktivitäten gegen die Staatsgrenze

ganz einfach nicht mehr nur durch persönliche Hinwendung unsere Patienten heilen. Was wir brauchen, ist Medizintechnik."

Analysen belegen, dass das „hoch gelobte Gesundheitswesen der DDR" nicht mehr als das Niveau der Nachkriegszeit und teils das Niveau eines Entwicklungslandes hatte.

Aus Eisfeld wurde berichtet, dass der vorläufige Höhepunkt einer seit 10 Jahren währenden Misere der Eisfelder Landambulanz ist, dass die medizinische Einrichtung über kein einsatzfähiges Fahrzeug mehr verfügt. Die Grenzkompanie Steudach half vorübergehend mit einem Trabi-Kübel. In anderen Gesundheitseinrichtungen der DDR sah es ähnlich aus.

Sitzblockade gegen Schwerlastverkehr
In Eisfeld kam es zur Sitzblockade wegen der Öffnung des Grenzübergangs für den Schwerlastverkehr. Durch die Innenstadt der Kleinstadt führen 3 Fernverkehrsstraßen (Bundesstraßen)

Ein Umdenkungsprozess bezüglich des Personenverkehrs auf der Bahnnebenstrecke Breitengüßbach – Ebern – Maroldsweisach hatte aufgrund der neuen Situation an der Grenze in der Bundesbahndirektion Nürnberg – noch (?) – nicht stattgefunden. Trotz der bevorstehenden Öffnung des Grenzübergangs bei Allertshausen war nicht an die Wiederaufnahme des Personennahverkehrs bis zum Endbahnhof Maroldsweisach gedacht, was problemlos möglich wäre, da der Schienenstrang noch immer für den Schienenverkehr genutzt wurde. Ein Bundesbahnsprecher sagte auf Anfrage, die Erfahrungen im Raum Coburg hätten gezeigt, dass die DDR-Besucher vorrangig ihr Auto benutzen würden. Personenzüge würden kaum genutzt. Der Bundesbahnbeamte weiß auch einen guten Grund hierfür: Wer auf einem Bahnhof im Bundesgebiet eine Fahrkarte lösen will, muss sie in DM bezahlen. Anders wäre es beim grenzüberschreitenden Verkehr: In der

DDR werde für das Ticket Ostgeld angenommen, zudem werde die Hälfte des Fahrpreises erlassen.
(Fränkischer Tag, 25.01.1990)

Bundesdeutsche Trabi-Tipps

Rutscht bei einem Trabi die Kupplung, hilft nach einem Tipp der ADAC-Straßenwacht Cola, die mit Trichter und Schlauch über die Ausrückgabel geträufelt wird. Diese und ähnliche Erfahrungen hatten die Gelben Engel bei rund 50.000 Pannen gemacht, die sie in den letzten drei Monaten auf unseren Straßen an Fahrzeugen aus der DDR behoben hatten. Heißt die Diagnose bei einer Panne „Kolbenfresser", bedeutete das in der Regel Abschleppen in die nächste Werkstatt. Bei DDR-Bürgern, die dabei vor fast unlösbare finanzielle Probleme gestellt wurden, hätten die Pannenhelfer folgende Lösung gefunden: Nach Herausschrauben der Zündkerzen wird Öl in die Zylinder gegossen und nach 30 Minuten Wartezeit das Fahrzeug im dritten Gang angeschoben. Nach Aussage der findigen Gelben Engel war die Erfolgsquote bei dieser Methode sehr hoch. Ein Problem stellten für alle Helfer die in der Bundesrepublik nicht mehr üblichen 6-Volt-Stromanlagen dar, da auch die ADAC-Straßenwacht über eine 12-Volt-Anlage verfügte. Die Erfahrungen zeigten, dass der Trabi einen kurzen 12-Volt-Stromstoß nicht übel nimmt. Allerdings wurde der Fahrer zuvor gefragt, ob er das Risiko aufnimmt, dass alle Kontroll-Lampen „Marke Eigenbau" durchbrennen könnten. Erst bei längeren Startversuchen werde der Anlasser beschädigt. Die ADAC-Straßenwacht hatte seit November 1989 speziell in Grenznähe ihren Dienst erheblich verstärkt.
(Fränkischer Tag, 25.01.1990)

26. Januar 1990
Der visafreie Reiseverkehr mit der Republik Österreich wurde ab 01.02.1990 vereinbart.

Straßenanbindung zwischen Hellingen und Maroldsweisach
Als 4. Grenzübergang wurde nach Fertigstellung die Straßenanbindung zwischen

der DDR ausgehen. Ferner besitzt er durch seine Mitgliedschaft in einem Zweigverein des „Rhönclubs" die Möglichkeit zur Aufklärung der Pläne und Absichten dieser revanchistischen Organisation.

Einschätzung des IM-Kandidaten

1966 wechselte er die Arbeitsstelle und arbeitete bei der Meliorationsgenossenschaft Walldorf als Traktorist und Baggerfahrer.

Im Rahmen seiner Tätigkeit wurde er für den Einsatz an der Staatsgrenze zur BRD bestätigt. Am 11.08.1966 verließ er während eines Arbeitseinsatzes an der Staatsgrenze (der Grenzzaun war zur Durchführung von Meliorationsarbeiten geöffnet) ungesetzlich im Raum Melpers die DDR. Die im Anschluss durchgeführten Ermittlungen und Befragungen ergaben keinen Hinweis darauf, dass der Kandidat die Straftat in irgend einer Weise vorbereitet hatte. Im Gegenteil, er wurde als ein einsatzbereiter und fleißiger Arbeiter eingeschätzt, der in seiner Brigade als Vorbild galt. Als Tatmotiv wurden ungeklärte Familienverhältnisse ermittelt, die zu Konfliktsituationen führten.

Der Kandidat entschloss sich kurzfristig zu der Straftat. Dies wurde durch die Erklärung des IM-Kandidaten im ersten Kontaktgespräch auch bestätigt, dass in erster Linie die Familienverhältnisse für seinen spontanen Entschluss ausschlaggebend waren.

Ein weiterer Grund, der damals nicht ermittelt wurde, war die Tatsache, dass er als Mitglied eines Jagdkollektivs und leidenschaftlicher Jäger mehrfach die Genehmigung einer persönlichen Jagdwaffe beantragt hatte, die aber durch die verantwortlichen Stellen abgelehnt wurde.

Zu seinem weiteren Werdegang in der BRD ist bekannt, dass er 2 Wochen im Notaufnahmelager Gießen weilte. Von dort aus wurde er, seinem Wunsch entsprechend, in den damaligen Kreis Mellrichstadt entlassen. Gemeinsam mit zwei ehemaligen DDR-Bürgern aus Meiningen und Melpers, die einen Tag vor ihm die DDR verlassen hatten und mit ihm gemeinsam in Gießen waren, kam er in Stetten unter. Er arbeitete bis 1968 an der Baustelle der Autobahn Würzburg – Bad Brückenau. In dieser Zeit war er nur an den Wochenenden in Stetten bzw. später in Fladungen. Wochentags war er in einer Gemeinschaftsunterkunft in Oberriedenberg untergebracht. Beim Autobahnbau wurde er nach kurzer Zeit Vorarbeiter, wobei er den Vorteil hatte, dass überwiegend ausländische Arbeiter dort tätig waren.

1968 begann er, bei der Fa. Schmidt Ostheim zu arbeiten. Es handelt sich dabei um eine Waffenfabrik, in der Revolver und Schreckschußpistolen hergestellt

Die Tunnelröhre zwischen den beiden Bunkern bei Meilschnitz – Effelder.
Sammlung: Rainer Krebs

werden. Er entwickelte sich vom Arbeiter zum Leiter einer Produktionsabteilung. Nach eigenen Äußerungen gilt er als „rechte Hand" seines Chefs, der aus Zella-Mehlis stammt. Dies nicht zuletzt deshalb, weil dieser ebenfalls ein leidenschaftlicher Jäger ist und ein Jagdgebiet im westlichen Grenzvorfeld gepachtet hat, das vom IM-Kandidaten betreut wird.

Die politische Entwicklung auf dem Gebiet der DDR bis 1966 verlief positiv. Er war Mitglied der SED, Freiwilliger Helfer der VP und Mitglied eines Jagdkollektivs in Einhausen. Funktionen übte er nicht aus. Seine gesellschaftlichen Aktivitäten waren überwiegend auf die praktische Seite ausgerichtet. Er war immer bereit, ob nach Feierabend oder an den Wochenenden, körperliche Arbeit für die Gemeinde oder die Jagdgesellschaft zu verrichten. Da er vielseitig veranlagt und kräftig war, wurde seine Mitarbeit oft benötigt. In der BRD hat er sich parteilich nicht organisiert. Er ist Mitglied des Rhönclubs, aber dies in erster Linie wegen seines Interesses am Natur- und Tierschutz. Die politischen Aktivitäten, insbesondere der revanchistische Charakter des Rhönclubs werden von ihm verurteilt. Obwohl er in das kapitalistische System der BRD integriert ist, identifiziert er sich nicht insgesamt mit den Lebensverhältnissen in der BRD. Besonders Probleme der sozialen Unsicherheit, der Ausbeutung der Arbeiter durch die Unternehmer, die Arbeitslosigkeit und der Leistungsdruck wurden von ihm erkannt und entsprechend bewertet. Diese Probleme kennt er aus eigener Erfahrung und er ist sich darüber im Klaren, dass auch er, obwohl er ein sehr gutes Verhältnis zu seinem Firmenchef hat, zu jeder Zeit auf

Hellingen, Krs. Hildburghausen, und Maroldsweisach, Lkrs. Haßberge, von Landrat Walter Keller und dem Ratsvorsitzenden Johannes Müller, Krs. Hildburghausen, freigegeben. Der Freistaat Bayern stellte DM 600.000 für die Straße bereit.

In Erinnerung an die erste Begegnung zwischen Bürgern diesseits und jenseits der Zonengrenze wurde ein Gedenkstein aufgestellt:
„1949 teilte man unser Land/
am 2.12.1989 reichten wir uns hier wieder die Hand".

Kurt Sieber, Bürgermeister der Stadt Königsberg/Fr. und Vorsitzender der FDP/Freie Bürger-Kreistagsfraktion Haßberge, betonte, dass mit dem Anschluss an die B 279 und die B 303 „die Entwicklungschancen des Zonenrandgebietes im Westen schicksalhaft mit den Veränderungen in der DDR zusammenhängen".

Eduard Lintner (Münnerstadt), MdB und deutschlandpolitischer Sprecher der CDU/CSU-Fraktion bemerkte: „Die Information unserer Landsleute in der DDR über die Realitäten in der Bundesrepublik, über soziale Marktwirtschaft, über unser sozialen Sicherungssysteme, über den Aufbau des Rechtsstaates, unseren Wunsch nach Wiedervereinigung, unsere Friedfertigkeit muss uns ein wichtiges Anliegen sein."

Bettelnde Kinder und die Aufsichtspflicht
Kurt Köhler, Obermeister der VP, meldete sich wegen der „bettelnden Kinder" an den Landstraßen und der damit verbundenen Verkehrsgefährdung zu Wort. Diese Thematik wurde in den zurückliegenden Wochen wiederholt in der Presse aufgegriffen. Die Meinungen waren geteilt. Die Eltern müssten ihrer Aufsichtspflicht besser nachkommen, um dieses unwürdige Verhalten zu verhindern. Andererseits gab es Verständnis, und es wurde bemerkt, dass manche Familie kein Geld habe, um sich Schokolade, Süßigkeiten etc. aus den DDR-"Delikat"-Läden leisten zu können.

Die Belegschaften der Brauereien Eisfeld, Heßberg und Schwarzbach streikten wegen der miserablen Arbeitsbedingungen sowie unhaltbaren hygienischen

Zustände und forderten die Herauslösung der Unternehmen aus dem Getränkekombinat Rennsteig. Auf einem Transparent der Brauer ist zu lesen: „Wir wollen nach dem Reinheitsgebot brauen – und nicht das Bier noch mehr versauen."

Die Belegschaft des Eisfelder Betriebes des Porzellanwerks Veilsdorf streikte.

Hetzschrift der SED-PDS
Die Ortsgruppe der LDPD Gellershausen forderte in einem Pressebeitrag u. a. wegen der Hetzschrift der SED-PDS-Parteizentrale Berlin „Was und Wie?" den sofortigen Rückzug der LDPD aus der Regierung Modrow und Aufkündigung der Koalitionsbereitschaft.

27. Januar 1990
Im Sonneberger Stadtteil Mürschnitz wurde nach Meilschnitz ein weiterer Grenzübergang eröffnet.

In Biberschlag, Krs. Hildburghausen, wurde eine Ortsgruppe der Thüringer CSU gegründet. Ihr Werbeslogan für die Volkskammerwahl am 18.03. war „Deutschland braucht Freiheit statt Sozialismus!". Geschäftsstellenleiter war Pfarrer Erwin Westphal. Die CSU ging in der am 20.01.1990 aus mehreren Oppositionsgruppen gebildeten DSU (Deutsche Soziale Union) auf.

Am GÜG Motzlar befanden sich nachmittags sieben Deutsche aus der Bundesrepublik unmittelbar am geschlossenen eMGZ auf DDR-Gebiet. Im eMGZ war eine Öffnung in Größe einer Metallgittermatte. Nach Rückruf und Befragung der Personen gaben diese an, dass 2 jugendliche Mofafahrer aus der Bundesrepublik die Metallgittermatte gelöst hätten. Ein in der Nähe postierender Grenzsoldat zeigte keine Reaktion.

28. Januar 1990
Nach scheinbar endlosen Diskussionen wurde der Wahltermin der Volkskammer vom 06.05. auf den 18.03. vorverlegt, am 6. Mai sollten Kommunalwahlen stattfinden. Neue demokratische Parteien und Gruppierungen waren wegen fehlender

der Straße liegen kann. Andererseits ist er aber auch der Meinung, dass man in der BRD gut leben kann, wenn man gut arbeitet.

Der IM-Kandidat widmet den größten Teil seiner Freizeit dem Jagdwesen. Er betreut das Jagdgebiet eines in Fladungen tätigen Arztes. Dieses Jagdgebiet erstreckt sich entlang der Staatsgrenze der DDR zur BRD von der „Sennhütte", gegenüber der DDR-Gemeinde Frankenheim über das „Schwarze Moor" bis zur Landesgrenze Bayern-Hessen. Weiterhin betreut er das Jagdgebiet seines Firmenchefs Schmidt, das im Gebiet der BRD-Gemeinde Willmars gelegen ist.

Der IM-Kandidat richtet in seiner Freizeit Jagdhunde, speziell Kurzhaar-Terrier, ab. Er gehört dem „Deutschen Hundezucht und -Sportverband" der BRD an und ist als Zuchtrichter im Kreis Rhön-Grabfeld tätig. Innerhalb seiner Sektion ist er als Jury-Mitglied für die höchste Leistungsklasse bestätigt. Diese Funktionen des IM-Kandidaten bringen ihn in die Lage, zu operativ interessanten Personen aus dem Operationsgebiet, speziell zu Beamten des BGP und des Zolls, Verbindungen aufzunehmen.

Charakterlich wird der IM-Kandidat als ein ruhiger und bescheidener Mensch eingeschätzt. Er ist kontaktfreudig und kann sich auf andere Menschen einstellen. Körperlich ist er etwas schwerfällig, aber sehr kräftig. Nach außen erscheint er gutmütig und offen. Er ist geistig rege und durchschnittlich intelligent.

In der bisherigen Kontaktphase wurde der IM-Kandidat zu seinen Lebensverhältnissen in der BRD, zu seinem Entwicklungsweg, zu seinen Verbindungen in der BRD sowie zum Rhönclub abgeschöpft. Die dabei von ihm geäußerten Mitteilungen, Sachverhalte und Zusammenhänge waren größtenteils überprüfbar und entsprachen den Informationen anderer Quellen. Daraus ist zu schließen, dass der IM-Kandidat bisher ehrlich und offen informierte. Aus seinem Verhalten in den Kontaktgesprächen ist nicht auf auftragsmäßigen Handeln zu schließen. Er zeigte sich neugierig, stellte keine Fragen zur Person des ihn kontaktierenden Mitarbeiters. Im ersten Gespräch wollte er lediglich den Namen des Mitarbeiters wissen und von welcher Dienststelle er kommt. Ihm wurde ein Deckname genannt und als Dienststelle Sicherheitsorgan.

Art und Weise des Bekanntwerdens des IM-Kandidaten
Der IM-Kandidat wurde im Rahmen seiner Reisetätigkeit über die GÜST Meiningen durch operative Information der PKE bekannt. Bei seiner Einreise am 21.07.1985 wurde erarbeitet, dass der IM-Kandidat Kontakt zu Beamten der GKSt Eußenhausen hat. Daraufhin wurde er überprüft und für unsere DE erfasst. Die F-10-Überprüfung ergab, dass in der Abteilung XII der BV Suhl

Die DDR-Staatssicherheit war insbesondere an den Grenzübergängen, wie hier z. B. zwischen Meiningen und Mellrichstadt immer präsent, z. B. um westliche Besucher an der Grenze zu fotografieren.
Foto: DDR-Staatssicherheitsdienst

Archivmaterial unter AOP 1 74/68 vorliegt. Durch die Abt. II der BV Suhl wurde im Jahre 1966 nach dem ungesetzlichen Verlassen der DDR durch den Kandidaten eine Vorlauf-Operativ angelegt. Anlass dafür war, dass der IM-Kandidat im Oktober 1966 ein Schreiben an den 1. Sekretär der SED-Kreisleitung Meiningen geschickt hatte, in dem er sich für seine Handlung entschuldigte und um Zusicherung bat, dass er wieder in die DDR zurückkehren kann. Daraus wurde die Möglichkeit abgeleitet, dass er im Auftrag gegnerischer Stellen in die DDR zurückgeschickt werden sollte. Auch in den Briefen an seine Ehefrau kündigte der IM-Kandidat seine Rückkehr immer wieder an. Im Jahre 1968 wurde der Verlauf-Operativ archiviert, da der IM-Kandidat sein Vorhaben, in die DDR zurückzukehren, offensichtlich aufgegeben hatte.

Die Auswertung des Archivmaterials und die geführten Ermittlungen führten zu der Entscheidung, den IM-Kandidaten zu kontaktieren. Am 09.02.1986 wurde zu dem IM-Kandidaten an der GÜST Meiningen Kontakt aufgenommen und am gleichen Tag in Meiningen ein Kontaktgespräch geführt. Im Ergebnis dieses Gespräches erklärte er sich bereit, weitere Aussprachen mit dem MA des MfS zu führen.

In der künftigen Zusammenarbeit zu beachtende Faktoren:

```
Zu beachten ist, dass der IM-Kandidat im August 1966
die DDR ungesetzlich verlassen hat. Der Verdacht, der
zu dieser Zeit bestand, dass der IM-Kandidat im Auf-
trag gegnerischer Stellen in die DDR zurückkehren
sollte, wurde in der operativen Bearbeitung von 1966
bis 1968 weder bestätigt noch entkräftigt. Im
```

Zeit im Wahlkampf eingeschränkt, eine Angleichung zu den in der Bundesrepublik bestehenden Parteien wurde deutlich.

Überrascht vom enorm hohen Verkehrsaufkommen am Grenzübergang an der Gebrannten Brücke zwischen Neustadt und Sonneberg zeigte sich der Regierungspräsident von Oberfranken, Dr. Erich Haniel. Während einer gemeinsamen Stippvisite mit dem Coburger Landrat Helmut Knauer entlang der Grenzübergänge im Lkrs. Coburg war er für eine Wiedereinführung der Bahnlinie Coburg – Neustadt – Sonneberg.
(Coburger Tageblatt, 29.01.1990)

29. Januar 1990
Erich Honecker wurde nach einem Krankenhausaufenthalt verhaftet, tags darauf aber für haftunfähig erklärt. Ein evangelisches Pfarrerehepaar nahm Erich und Margot Honecker auf.

In Sonneberg trafen sich in und an der Stadtkirche ca. 2.000 Einwohner zu einem Friedensgebet. Die Hauptlosung der Demonstrationen lautete: „Wählt nicht die SED!"

30. Januar 1990
Für eine Konföderation
Modrow besuchte Gorbatschow in Moskau. Der Generalsekretär der KPdSU und spätere sowjetische Staatspräsident stimmte einer Konföderation beider deutscher Staaten zu.

Mitarbeiter des Wehrkreiskommandos und des Grenzkreiskommandos Sonneberg diskutierten mit den Parteien zu Fragen der Zeit und zur Einheit Deutschlands. Die Angehörigen der Grenztruppen bekundeten ihre Bereitschaft, die Friedliche Revolution zu unterstützen, die Reisetätigkeit unter allen Umständen zu gewährleisten und für Ordnung und Sicherheit an der Grenze zu sorgen.
(Wiegand I)

Öffnungszeiten der Grenzübergänge im Bereich der Stadt Seßlach im Februar 1990

Samstag 3. Februar 09.00 – 17.00 Uhr
Autenhausen – Lindenau
Sonntag, 4. Februar 09.00 – 17.00 Uhr
Gemünda – Ummmerstadt
Samstag, 10. Februar 09.00 – 17.00 Uhr
Autenhausen – Lindenau
Sonntag, 11. Februar 09.00 – 17.00 Uhr
Weitramsdorf – Ummerstadt
Samstag, 17. Februar 09.00 – 17.00 Uhr
Weitramsdorf – Ummerstadt
Sonntag, 18. Februar 09.00 – 17.00 Uhr
Autenhausen – Lindenau
Sonntag, 25. Februar 09.00 – 17.00 Uhr
Autenhausen – Lindenau
Dienstag, 27. Februar 09.00 – 17.00 Uhr
Autenhausen – Lindenau
(Seßlacher Amtsblatt, Februar 1990)

Kaum eine Gegend in Deutschland war in jenen Tagen wildreicher als der Bereich zwischen dem eMgz und dem GSSZ entlang der Grenze. Zwischen diesen beiden Zäunen konnte sich das Wild in vielen Jahren nahezu ungehindert vermehren. Grenzsoldaten berichteten, die Tiere hätten in diesem Bereich nahezu alle Scheu verloren. Die Jagdgesellschaft Deutsch-Sowjetische Freundschaft lud nach Rieth und Schweickershausen, Krs. Hildburghausen, zu Treibjagden ein. Allein in Rieth wurden an einem Nachmittag 17 Wildschweine erlegt, darunter ein kapitaler Keiler.
(Bote vom Grabfeld, 01.02.1990)

31. Januar 1990

In Sonneberg wurde das Gerücht in die Welt gesetzt, dass es am 01.02. eine Währungsreform gäbe. In den Geldinstituten wurden überdimensionale Geldgeschäfte getätigt, vor allem Geld abgehoben und Kredite vorzeitig getilgt. Es kam zu großen Warenabkäufen. Auch Bundesbürger beteiligten sich wegen des enormen Währungsgefälles (bis 1 DM : 20 Mark der DDR) in Größenordnungen, vor allem Nahrungs- und Genussmittel, alle Industriewaren, Schuhe, Untertrikotagen, Foto und Optik wurden gekauft.

1. Kontaktgespräch äußerte er dazu, dass er bei Zusicherung von Straffreiheit wieder in die DDR zurückgekehrt wäre. Da er aber auf seinen Brief an den 1. Sekretär der SED-Kreisleitung Meiningen keine Antwort erhielt, habe er davon Abstand genommen. In der weiteren inoffiziellen Zusammenarbeit ist dieser Sachverhalt zu beachten und der IM-Kandidat ist regelmäßig auf Ehrlichkeit und Zuverlässigkeit zu überprüfen.
Von Bedeutung ist in diesem Zusammenhang, dass der IM-Kandidat als ehemaliger DDR-Bürger auch heute noch im Blickfeld gegnerischer Organe stehen kann. Aus diesem Grund muss größter Wert auf Einhaltung der Regeln der Konspiration gelegt werden, um Aktivitäten des Gegners, die sich gegen den Kandidaten richten, rechtzeitig zu erkennen.

Plan der Werbung und 1. Phase der inoffiziellen Zusammenarbeit

Mit dem IM-Kandidaten wurde beim letzten Kontaktgespräch der 30.08.1986 als Termin für eine weitere Aussprache vereinbart. Es ist vorgesehen, aufbauend auf das geschaffene „Vertrauensverhältnis", bei diesem Kontaktgespräch, an welchem der Ref.-Leiter wieder teilnimmt, die Verpflichtung des Kandidaten durchzuführen. Dabei muss individuell entsprechend dem Gesprächsverlauf und dem Verhalten des Kandidaten entschieden werden, ob eine schriftliche Verpflichtung vorgenommen wird oder eine Verpflichtung mit Handschlag erfolgt.

Nach dem bisherigen Stand des Kontaktes zu urteilen, steht der Kandidat der inoffiziellen Zusammenarbeit mit dem MfS nicht ablehnend gegenüber. Er betonte aber, dass er nicht über seinen Schatten springen könne. Deshalb ist es erforderlich, ihn nicht von Anfang an mit schwierigen, komplizierten Aufträgen zu überhäufen, sondern nach und nach die Anforderungen zu erhöhen und in die Einsatzrichtung zu lenken, in der der Kandidat gebraucht wird.

Es ist einzuschätzen, dass seiner Bereitschaft zur Zusammenarbeit mit dem MfS mehrere Motive zugrunde liegen. Die Tatsache, dass er die DDR ungesetzlich verlassen und seine Familie im Stich gelassen hat, belastet ihn heute noch sehr. Dies war wohl auch der Grund dafür, dass er sich erst spät, im Jahre 1985, entschied, in die DDR einzureisen, obwohl ihm bekannt war, dass er nicht mehr strafrechtlich verfolgt werden kann. Durch die Zusammenarbeit mit dem MfS will er offensichtlich eine Wiedergutmachung erreichen. Weiterhin ist einzuschätzen, dass seiner abzusehenden Bereitschaft auch politische Motive zugrunde liegen. Nach seinen Äußerungen zu urteilen, ist er nicht in allen Punkten mit den Verhältnissen in der BRD einverstanden. Dies betrifft besonders die Probleme der sozialen Unsicherheit und der Arbeitslosigkeit. Die sozialen Errungenschaften in der DDR erkennt er vorbehaltlos an. Ebenso begrüßt er die Bestrebungen der SU, der DDR und der anderen sozialistischen

Länder zur Erhaltung des Friedens und verurteilt die aggressive Politik der USA und der NATO.

Im Rahmen des Gewinnungsprozesses werden die bereits bei den vorangegangen Aussprachen geschaffenen bzw. herausgearbeiteten Anknüpfungspunkte, so u. a. seine ehemalige Mitgliedschaft in der SED, seine frühere Tätigkeit als Freiwilliger Helfer der VP, sein Interesse an weiteren Einreisen zu seinen Eltern und Geschwistern (zu ihnen besteht ein gutes Verhältnis) genutzt, um der zu erwartenden Bereitschaft des IM-Kandidaten zur Zusammenarbeit mit dem MfS eine bereitere Basis zu geben. In diesem Zusammenhang wird nochmals darauf eingegangen, dass ihm in der Zeit, als er in der DDR lebte, seitens der staatlichen Organe und gesellschaftlichen Einrichtungen sowie seines Betriebes großes Vertrauen entgegengebracht wurde, indem er die Jagdgenehmigung erhielt und für Arbeiten unmittelbar an der Staatsgrenze eingesetzt wurde.

Im Werbegespräch wird, aufbauend auf vorhandene positive Einstellung der IM-Kandidaten, auf die Notwendigkeit der Zusammenarbeit des MfS mit Personen aus dem Operationsgebiet eingegangen. Ihm wird erklärt, dass dies im Interesse der Erhaltung und Sicherung des Friedens erforderlich ist. Dazu wird ihm erläutert, dass er durch seinen Wohnsitz in unmittelbarer Nähe der Staatsgrenze einen aktiven Beitrag zur Gewährleistung der Sicherheit an der Grenze leisten kann, indem er uns über die damit im Zusammenhang stehender Probleme, die in seinem Wohn- und Freizeitbereich auftreten, informiert.

Grenzkonflikte können in bestimmten Situationen Ausgangspunkt zu ernsthaften Auseinandersetzungen zwischen beiden deutschen Staaten werden. Wir sind bemüht, solche Konflikte bzw. Anzeichen hierfür rechtzeitig zu erkennen, zu vermeiden und brauchen dazu auch seine aktive Unterstützung.
Nach dem bisherigen Verhalten des IM-Kandidaten ist einzuschätzen, dass er dazu seine Zustimmung geben wird. Eventuelle Vorbehalte, z. B. dass er nicht viel für uns machen kann, werden gesprächsweise abgebaut, wobei ihm vom klassenmäßigen Standpunkt unsere „inhaltlichen Beziehungen" aufgezeigt und dargelegt werden.
Dem IM-Kandidaten ist im Werbegespräch das Gefühl der Sicherheit zu geben, dass unsererseits alles getan wird, um seine Verbindung zu uns gegenüber außenstehenden Personen zu konspirieren. Bei ihm darf keinesfalls der Eindruck entstehen, dass er als „Spion" arbeiten soll, sondern nur im Rahmen seiner Möglichkeiten und Kenntnisse unsere Arbeit unterstützt. Ihm wird auch aufgezeigt, dass wir ihm finanzielle Auslagen zurückerstatten und ihn auch in anderer Weise, falls erforderlich, materiell und moralisch unterstützen werden.

Januar 1990
Grenztruppen der DDR
1.1 Zusammenfassende Darstellung
Auch wenn das äußere Erscheinungsbild der Grenzsperranlagen in Form von Metallgitterzäunen (MGZ), Grenzsperr- und Signalzäunen (GSSZ), Kontrollstreifen (KS) und Kraftfahrzeugsperrgräben (KSG) nicht wesentlich verändert erscheint, so hat sich doch die Bedeutung dieser Anlagen verändert. Zahlreiche Veränderungen haben sich ergeben, die oft nur dem „Insider" auf Anhieb auffallen:
Bis auf eine Ausnahme sind alle Hundelaufanlagen (HLA) beseitigt. Ebenso wurden aus den Hundefreilaufanlagen (HFLA) mit einer Ausnahme alle Hunde entfernt. Über den Verbleib dieser eingesetzten Hunde ist in den Medien wiederholt berichtet worden.
Ebenfalls konnten bis zum Ende des Berichtszeitraumes keine Signalanlagen mehr ausgemacht werden.
Ein Großteil der erst in den vergangenen drei Jahren errichteten Halogenstrahlersperren (HSp) ist zwischenzeitlich abgebaut worden. Nach Aussagen von ranghohen Offizieren der DDR-Grenztruppen ist geplant, den GSSZ bis zum Ende dieses Jahres abzubauen. Bis heute wurden zwar lediglich 4,3 km GSSZ völlig abgebaut, aber bereits fast 80 km der Signalverdrahtung vom GSSZ entfernt. Personalmangel und fehlendes Gerät scheinen den Fortgang der Arbeiten zu verzögern.
Im Hinblick auf den vorderen Zaun ist bekannt, daß ein Abbau erst zu einem späteren Zeitpunkt geplant ist. Beim Abbau der Sperranlagen sollen nach Aussagen der Grenztruppen Aspekte des Naturschutzes soweit wie möglich berücksichtigt werden.
Durch die Beendigung der „Regel-Wehrdienstzeit" und das Angebot der Dienstzeitverkürzung für bestimmte Personengruppen ist der Personalbestand bei der DDR-Grenztruppen erheblich gesunken. Dies hatte eine Auflösung von mehreren Grenzkontrollpunkten sowie eine Änderung der Grenzüberwachung zur Folge. Verstärkt wurde dieser Effekt noch durch die Einführung der 45-Stunden-Woche und die Übernahme zahlreicher zusätzlicher GÜG bzw. GKP.

Die zahlreichen Grenzbesucher verletzten in unveränderter Weise den Grenzverlauf zur DDR, da dieser als solcher kaum noch von der Bevölkerung anerkannt wird. Vermutlich wurden durch diesen Personenkreis auch wieder zahlreiche Embleme von DDR-Grenzsäulen entwendet bzw. beschädigt. Nachdem davon nur noch ein Restbestand vorhanden ist, wendeten sich die „Souvenirjäger" nunmehr auch offensichtlich den bundesdeutschen Grenzhinweiszeichen zu.

Das Verhalten der Grenzsoldaten gegenüber den eigenen Kräften ist nach wie vor freundlich. Eine im DDR-Bezirk Suhl festgestellte Abkühlung dieses Verhältnisses war nur von kurzer Dauer.

Bis zum 19.01. war im Grenzgebiet kein Hubschrauber der DDR-Grenztruppen zur Grenzüberwachung eingesetzt; die Gründe sind nicht bekannt.

1.2 Beurteilung

Die Lage an der Grenze zur DDR blieb gegenüber dem Vormonat unverändert. Durch zu erwartende weitere politische Veränderungen könnten sich in der Grenzüberwachung und hinsichtlich der Beseitigung der Grenzsperranlagen zusätzliche Änderungen ergeben. (Nach Akten der Bayerischen Grenzpolizei, leicht bearbeitet)

1. Februar 1990
Modrow schlug die schrittweise Vereinigung der beiden deutschen Staaten unter strikter militärischer Neutralität vor.

In Sonneberg streikten ca. 300 Mitarbeiter des Gesundheitswesens. Dem Ratsvorsitzenden Scheler wurde ein Forderungskatalog überbracht (mehr Urlaub, bessere Bezahlung, qualitativ und quantitativ bessere Medikamente und Medizintechnik).

Die Zeit von 40 Jahren erzwungener Anpassung und des ängstlichen Schweigens ist vorbei. Dennoch hören wir, daß Menschen in unseren Dörfern und Städten noch immer Angst haben. Vergeltung wird befürchtet. Werden Angehörige und Zuträger des ehemaligen MfS ihre Entmachtung und Entlassung als ein Zeichen wachsender Demokratie annehmen

Nach erfolgter Verpflichtung wird auf Grundfragen der Einhaltung der Konspiration eingegangen, insbesondere auf die Schweigepflicht und das Verbindungssystem. Es wird betont, dass die Grundregeln zu seiner persönlichen Sicherheit erforderlich sind und unbedingt eingehalten werden müssen.

Zum Verbindungssystem wird festgelegt:

Die Verbindung wird durch die Treffdurchführung gewährleistet. Deshalb sollte der Kandidat möglichst die vereinbarten Treff- oder Ausweichtermine einhalten. Falls er durch bestimmte Probleme daran gehindert sein sollte, wird er durch eine Postkarte an die Deckadresse „Donopskuppe" die ihm bekannt ist, einen neuen Trefftermin mitteilen. Die Postkarte erhält dabei folgende Sätze:

> „Fahre am ... nach Italien. Schicke Dir von dort aus eine Karte."

Der Reisetermin bedeutet, dass er eine Woche (7 Tage) vor dem angegebenen Termin zum Treff in die DDR einreist. Die vereinbarte Uhrzeit und der Treffort bleiben bestehen.

In der 1. Phase der Zusammenarbeit erhält der IM-Kandidat Aufträge zur Einschätzung seiner Bekannten in der BRD.

Offen berichtete er über seine vielen Bekannten im Bereich der oberen Rhön und Mellrichstadt, besonders auch über die ihm bekannten Zoll- und Grenzpolizeibeamten, über das Beschussamt in Mellrichstadt, über die Beobachtungspunkte der US-Armee und über die Sprengschächte in den Straßen des westlichen Grenzvorfeldes, die er aufzuzeichnen versprach. Seine Informationen waren sachlich, wie eben jeder von seinen Bekannten erzählen würde. Große Geheimnisse wurden durch ihn nicht verraten. Auch über die Grenzkontrollstelle „Schanz" konnte „Klaus" nichts Weltbewegendes berichten. Dem guten Bekannten, der auf der Schanz Dienst tat konnte oder wollte „Klaus" keine Dienstgeheimnisse entlocken. Am 24.02.1987 vermerkt ein Auskunftsbericht, dass seit der Werbung erst zwei Treffs durchgeführt wurden, da der IMB länger erkrankt war. Am 18.06.1988 passierte, so ein Beobachtungsbericht der Überwachungsabteilung VIII, „Klaus" morgens um 07.41 Uhr wieder einmal von der GÜST kommend Untermaßfeld, fuhr um 08.12 Uhr durch Themar und passierte um 08.32 Uhr in Schleusingen den Markt. Wie schon längere Zeit üblich, wurde der grüne Lada nicht durch Pkw verfolgt, sondern in Untermaßfeld, Themar und Schleusingen waren Beobachter postiert, die kontrollierten, ob der Lada verfolgt wird.

Wie immer hatte „Klaus" seine Ankunft mit einer Postkarte an eine Deckadresse angekündigt. Die Familie Herbert M. in Meiningen erhielt diese Zuschrift und gab sie telefonisch weiter. Dies war der letzte dokumentierte Kontakt der Staatssicherheit mit „Klaus". Hatte er kalte Füße bekommen?

Am 03.07.1989 wurde der IMK/KW-Vorgang „Klaus I" vom Führungsoffizier Günter Recknagel an den Genossen Haberland ebenfalls von der Abt. VI übergeben.

Spätestens zu diesem Zeitpunkt war der IM „Klaus" außer Dienst gestellt. Reich war er nicht geworden. Dokumentiert sind 700 Mark, die er bekommen hatte.

DDR-Bürger als IM im Westen

Eine von den MfS-Dienststellen sehr intensiv genutzte Quelle zur Informationsbeschaffung im westlichen Grenzvorfeld waren die Reise-IM. Heinz L. aus Melpers war einer von Tausenden Reise-IM.[73]

Bei den sehr restriktiven Ausgaben von Reise-Genehmigungen muss davon ausgegangen werden, dass viele von denen, die mehrmals im Jahr zu Besuch in den Westen kamen, noch dazu, wenn sie noch im Arbeitsprozess standen, einen Beobachtungsauftrag einer MfS-Dienststelle hatten. Das Alter spielte, wie man am Beispiel „Förster"[74] sieht, dabei keine Rolle bei der Beauftragung.

Heinz L. wurde von dem vorschlagenden MfS-Oberfeldwebel Kühhirt in den höchsten Tönen gelobt: In seiner Arbeit wurde er „pünktlich und gewissenschaft eingeschätzt und als ein Kollege geachtet, auf den man sich verlassen kann". Der Kandidat hat einen aufgeschlossenen und lebhaften Charakter. Er ist kameradschaftlich, höflich und hilfsbereit. Im ersten Kontaktgespräch erklärte L., dass er sehr froh ist, durch eine eventuelle Mitarbeit bei der Lösung von Aufgaben des MfS einen weiteren (neben der Tätigkeit als FHG) konkreten Beitrag zur Stärkung und Sicherung unseres Staates leisten zu können.

Beim Verpflichtungstreffen am 14.10.1976. erklärte sich der damals 30-jährige L. ohne Umschweife einverstanden, als IM für das MfS zu arbeiten, bekam den Decknamen „Günter", unterschrieb die schriftliche Verpflichtung, nahm Aufträge und Anweisungen von seinem Führungsoffizier Kühhirt entgegen. Die Treffs sollten in der KW „Gartenblick" in Wasungen stattfinden, man traf sich später auch in der KW „Waldhaus". Fast 10 Jahre kam es zu Einsätzen in Melpers und Umgebung. Erst 1986 wurde „Günter" besonders für den Einsatz im Westen vorgesehen, denn L.´s Mutter stammte aus Ostheim vor der Rhön, also aus dem Westen und hatte ihre ganze Verwandtschaft noch im Westen, in Ostheim, Stetten, Fladungen.

Im Mai 1985, sozusagen als Probelauf, wurde dem IM eine Besuchsreise in Ostheim zur Silberhochzeit seiner Cousine genehmigt.

können oder werden sie weiter verharren in den Strukturen des Misstrauens, das zu ihrer Arbeit gehörte? Wird das Volk, das gewaltlos seine Freiheit in die Hand nahm, nun gewaltfrei bleiben oder ein Miteinander in einem neuen demokratischen Rechtsstaat probieren oder wird es seine Freiheit mit aggressiver Härte verspielen? Bombendrohungen gegen Schulen und Krankenhäuser, Drohbriefe und anonyme Telefonanrufe, Angst und Angstmachen verhindern das zarte Wachsen der Demokratie.

Der Runde Tisch des Bezirkes Suhl fordert alle Menschen unseres Landes auf, grundsätzlich zur Gewaltlosigkeit in Worten und Taten zurückzukehren. Das Leben soll möglich bleiben trotz der Krise, in der sich unser Land befindet. Ausgrenzen und Abschieben von Menschengruppen wird unser eigenes Leben unerträglich belasten und gefährden. Leben gibt es nur als gemeinsames Leben.

(Freies Wort, 01.02.1990)

2. Februar 1990

Die Bevölkerung hatte die Möglichkeit, Material aus dem Abriss und dem Rückbau der Grenze käuflich zu erwerben.

Meeting gegen unzumutbare Arbeitsbedingungen im Gesundheitswesen

Ca. 80 Krankentransporteure mit 37 Krankentransportwagen und Fahrzeugen der Schnellen Medizinischen Hilfe (SMH) demonstrierten in Suhl gegen die unzumutbaren Arbeitsbedingungen und die schlechte Entlohnung. Bei einem Meeting vor der Suhler Stadthalle wurde eine Petition an den Gesundheitsminister verlesen (vor allem Forderungen nach Tarifautonomie, Lohnerhöhung, bessere Versorgung mit Ersatzteilen für die Kfz). Bernd Finsel vom Krankentransport Hildburghausen bestätigte, dass mit dem Warnstreik durch entsprechende Koordination die Versorgungsleistungen der Bevölkerung nicht beeinträchtigt wurden.

In Sonneberg-Neufang kam es zu einem Treffen von Mitgliedern der CDU Sonnebergs und der CSU Coburgs. Im Mittelpunkt der Diskussion stand die

Bewahrung christlicher Ideale und die gemeinsame Verantwortung bei der Beseitigung des DDR-Erbes.

An der Straße von Hönbach, Krs. Sonneberg, nach Großensee wurde die Grenze geöffnet.

3. Februar 1990
In Davos/Schweiz kam es zu einem Gespräch zwischen Kohl und Modrow.

Im Sonneberger Kreiskulturhaus fand im Beisein von Peter Gauweiler (CSU) die Gründungsversammlung der DSU statt.

Kreisparteitag der CDU

Der CDU-Kreisverband Hildburghausen führte seinen Kreisparteitag durch. In ihrem Wahlprogramm äußerten die Christdemokraten, dass das Wort Sozialismus aus ihrem Vokabular gestrichen worden sei, sie sprachen sich gegen jedwede sozialistischen und sozialdemokratischen Experimente aus. Sie forderten soziale Marktwirtschaft und freies Unternehmertum. Im Aufruf heißt es: „Als CDU treten wir ein für Freiheit, Einheit, Wohlstand und Bewahrung der Schöpfung. Dabei knüpfen wir an den Gründungsaufruf der CDU vom 26.6.1945, an das Märtyrertum christlicher Antifaschisten sowie das Erbe sozial fortschrittlicher pazifistischer Bewegungen."
Kreisvorsitzender: Thomas Müller, Schönbrunn (seit 1994 Landrat des Lkrs. Hildburghausen); Stellvertreter: Stephan Koch, Pfarrer in Veilsdorf und Peter Menz (Landrat von 1990 – 1992); Vorsitzende des Untersuchungsausschusses: Petra Wieczorek, Leimrieth; Kreisgeschäftsführer: Günter Heinrich, Hildburghausen.

Thüringerwald-Verein

Bei der Hauptversammlung des Thüringerwald-Vereins Coburg, der die Traditionen nach Ausschaltung des Vereins in der DDR (1950) bewahrt hatte, wurde vorgeschlagen, entsprechende Gruppen in Thüringen zu bilden und selbst aktiv zu werden. Besondere Initiative aus dem Kreisgebiet zeigen Ludwig Wächter (Saargrund), Gerd Rumfell (Schleusingen) und Peter Schachtschabel (Eisfeld).

Mit einem bundesdeutschen Bekannten war „Günter", diesen Decknamen hatte Heinz L. bei der Staatssicherheit, an diesem Silberhochzeitstag in dessen Pkw durch die Rhön gefahren. Der Bekannte erzählte ihm, dass sein Sohn derzeit seinen Wehrdienst in der BW-Kaserne in Mellrichstadt ableistet. Er bot ,Günter' an, ihm die Unterkunft seines Sohnes zu zeigen und fuhr auch prompt in die Kaserne hinein, ohne angehalten zu werden. Erst auf eindringliches Bitten von ,Günter' verließ der Bekannte das Kasernengelände wieder. Ein Besuch der Kaserne war auch später nicht sein Auftrag gewesen. Trotzdem schätzte sein Führungsoffizier Kühhirt, inzwischen Hauptmann, diesen Besuch im Westen durchaus positiv ein:
Dabei konnten durch ihn mehrere Informationen erarbeitet werden, die die Grundlage für das Anlegen von 2 IM-Vorläufen zur Arbeit im Operationsgebiet sowie zur konkreten Lageeinschätzung für den Raum Ostheim bildeten. Diese Arbeit sollte in den kommenden Jahren weiter ausgebaut werden.

Während eines Treffs in der konspirativen Wohnung „Waldhaus" sprach Kühirt mit „Günter" den nächsten Einsatz im Bundesgebiet ab. „Günter" hatte eine Einladung zum 79. Geburtstag seines Onkels bekommen. 9 Tage Aufenthalt in der BRD hatte ihm die DVP auf Geheiß der Stasi genehmigt. In dieser Zeit sollte „Günter" bereits vorhandene Kontakte zu zwei Bundesbürgern in Ostheim ausbauen „und Voraussetzungen für weitere Verbindungsaufnahmen im Juli 1987 schaffen". Das MfS hoffte dadurch, zwei neue Westspitzel zu bekommen. Die Namen dafür existierten bereits: IM-Vorläufe „Holzmann" und „Star".

Nach einem Westbesuch im Juli 1987 zum Besuch der Ostheimer Tante, die ihren 72. Geburtstag feierte, bekam „Günter" vom 4. bis 12. März 1988 eine neue Reise genehmigt, diesmal zum 50. Geburtstag seiner Cousine. Neben dem weiteren Ausbau der Kontakte zu den beiden IM-Vorläufen zu einer „stabilen Verbindung" sollte „Günter" die Möglichkeit erkunden, ein Konto bei „Star", der Filialleiter einer Bank in Ostheim war, einzurichten, ohne dies an die große Glocke zu hängen.
Der Hintergrund: Bürger aus den Grenzorten der DDR besaßen teilweise Grundbesitz in benachbarten Orten der Bundesrepublik, so z. B. Bürger aus Schafhausen im „Mellrichstädter Büchelberg", Wohlmuthhäuser hatten Besitzanteile am Weimarschmiedener „Bauernwald", Sülzfelder Bürger hatten Besitz in der Willmarser Flur. Der Büchelberg wurde treuhänderisch erst durch den Weimarschmiedener Forstmeister Großkopf, darauf durch einen Ostheimer Forstmeister verwaltet. Letzterer war wahrscheinlich der in Aussicht genommene IM „Holzmann". Die finanzielle Abwicklung der Finanzen lief über die Ostheimer Filiale des IM-Vorlaufs „Star". Während bei der Waldbetreuung nur wenig Gewinn abfiel, wurden die Summen dann wesentlich höher, wenn ein Ostbesitzer seine

Anteile verkaufte. Auch diese Transaktion lief über „Stars" Spar-kassenfiliale, der dann auch Sonderaufträge in die Wege leitete, wie etwa ein Auto über Genex zu besorgen oder Heizkörper aus dem Westen an Ostbürger liefern zu lassen. Auftragsgemäß brachte „Günter" allerhand Einzelheiten über den Bauernwald und die Kon-toführung bereits abgewickelter Anteile in Erfahrung.

Um „Star" besser „handhaben" zu können, sollte „Günter" „alle sich bietenden Möglichkeiten zur Erarbeitung von Informationen über dessen Umgangs- und Verbindungskreis, zu seinen Lebensge-wohnheiten, Stärken und Schwächen sowie Hobbys oder andere, die Persönlichkeit charakterisierende Dinge" nutzen.

Weitere Aufträge:

```
alle im Zusammenhang mit dem ,Rhönklub' stehenden Fak-
toren zu erfassen.
```

Über alle Gegebenheiten im Zusammenhang mit der Auszahlung des so genannten „Begrüßungsgeldes" berichten.

```
Auch für den Fall einer Verhaftung wurden „Günter"
Verhaltensmaßregeln mitgegeben:
Verhalten Sie sich grundsätzlich so, dass Sie selbst
keinen Anlaß für eine Konfrontation mit gegnerischen
Stellen bieten. Sollte dies dennoch eintreten, so
geben Sie unter keinen Umständen Ihre Verbindungen zum
MfS preis und weisen jeden Anwerbungsversuch des Fein-
des zurück.
Im Falle der Ausstellung eines Haftbefehles gegen Sie
wegen des ausgesprochenen Verdachtes einer nachrich-
tendienstlichen Tätigkeit, machen Sie konsequent von
Ihrem Recht der Aussageverweigerung Gebrauch und
beauftragen Sie unverzüglich einen Rechtsanwalt.
Sollte sich später ein weiterer Rechtsanwalt melden,
der sich auf eine Beauftragung durch einen Anwalt der
DDR, die diplomatische Vertretung der DDR in der BRD
oder auf Ihre Angehörigen beruft, so werden Sie diesem
Anwalt Vollmacht erteilen und allen anderen Anwälten
das Mandat entziehen.
Halten Sie unter allen Umständen, auch gegenüber Ihrem
Anwalt die Regeln der Konspiration streng ein.
```

Im Juni 1989 stand eine weitere Westreise an. Jetzt sollte „Günter" unbedingt versuchen, „Star", den Bank-Filialleiter, zu einem Besuch in der DDR zu bewegen, wahrscheinlich, um ihn „weichzu-klopfen" oder ihn in erpressungsreife Zwischenfälle zu verwickeln. Auch ein Stimmungsbild der Ostheimer Bevölkerung war von Interesse.

Bereits am 08.02.1988 wurde „Günter" anlässlich des 38. Jahres-tags der Bildung des MfS die Medaille für treue Dienste in der Nationalen Volksarmee in Silber verliehen. Die Verleihungsurkunde war vom Minister für Staatssicherheit, Mielke, persönlich unter-schrieben. Natürlich war es keine Ehrung der Volksarmee, sondern

Am 13.02. wurde in Saargrund der Thüringerwald-Verein e.V. (Zweigverein) gegründet (1. Vorstand Ludwig Wächter). In der Satzung heißt es: „Das Blessberg-massiv als Wander- und Tourismusziel der gesamten Blessbergregion mit den Land-kreisen Hildburghausen und Sonneberg sowie dem Land Thüringen zu erschließen und einer baldmöglichsten Lösung zuzuführen."
Am 22.09.1990 wurde der gesamtdeut-sche Thüringerwald-Verein auf der Sen-nigshöhe gegründet.

Die Mitarbeiter des Gesundheitswesens des Kreises Meiningen demonstrierten mit einem Schweigemarsch.

4. Februar 1990
Die SED-PDS gab sich den Namen PDS – Partei des Demokratischen Sozialismus.

Sulzdorf besucht Sülzdorf. Der Gemein-derat von Sulzdorf an der Lederhecke, Lkrs. Rhön-Grabfeld, weilte auf Einla-dung der Gemeinde Haina, Krs. Meinin-gen, deren Ortsteil Sülzdorf ist, in der dor-tigen Gemeinde. Zustande kam die Verbindung der beiden „Sulzdörfer" durch das Hainaer Ratsmitglied Marga-rete Bittner, die verwandtschaftliche Beziehungen nach Sulzdorf a. d. L. hat. (Main-Post, 06.02.1990)

Zwischen Ummerstadt, Krs. Hildburg-hausen, und Gemünda, Lkrs. Coburg, wurde offiziell der Grenzübergang für Fußgänger und Radfahrer eröffnet.

5. Februar 1990
Aus oppositionellen Parteien und Grup-pierungen traten acht Minister ohne Geschäftsbereich in die DDR-Regierung ein, die sich jetzt Regierung der Nationa-len Verantwortung nannte.

Die Bundesrepublik Deutschland schlug Verhandlungen über eine Währungs-union beider deutscher Staaten vor.

Etwa 350 Bürger folgten der Einladung zur Demo der Demokratischen Bauern-partei Deutschlands nach ihrem außeror-dentlichen Parteitag auf den Hildburghäuser Marktplatz. Die DBD bekannte sich zur Einheit Deutschlands. Es wurden auch Zusammenhänge zwischen Ökologie und Landwirtschaft verdeutlicht, der weitere Abbau der Unterschiede von Stadt und Land wurde gefordert, besonders in den Bereichen Handel und Versorgung, in der sozialen und gesundheitlichen Betreuung, weitere Schwerpunkte waren die nationale Frage und die schnellstmögliche Schaffung der Währungsunion. Es wurde dafür plädiert, dass das genossenschaftliche Eigentum in der Landwirtschaft unbedingt bei marktorientierter Produktion erhalten bleiben müsse.

Das Grenzkreiskommando informierte, dass es vielfältige Anträge zum Erwerb von Abrissmaterial des abgebauten Sperrzaunes für private Personen und gesellschaftliche Bedarfsträger gäbe. Der Verkauf erfolgte durch die Grenztruppen an die zuständigen BHG des Kreises, Interessenten hatten sich dorthin zu wenden.

Etwa 1.000 Bürger nahmen am Friedensgebet in Sonneberg teil. Oberpfarrer Dr. Jürgen Reich nahm zur Aufnahme von Erich und Margot Honecker in einer kirchlichen Einrichtung Stellung. Wirtschaftsprobleme, die sich abzeichnende deutsche Einheit, die Arbeitskräftesituation, die Abwanderung junger Menschen standen im Mittelpunkt. Anschließend formierten sich die Teilnehmer zum Schweigemarsch.

6. Februar 1990
DDR-Zaun im Angebot
Der Metallgitterzaun wurde in vielen Bereichen, wie z. B. bei Lichtentanne gegenüber Steinbach an der Haide, von Privatpersonen demontiert. Das Metallgeflecht konnte zum Preis von 10 Ostmark je Feld käuflich erworben werden. Am zurückliegenden Wochenende waren überall an der Grenze private „Bautrupps" im Einsatz.
(Neue Presse, 06.02.1990)

der Staatssicherheit, wie ja schon aus der Unterschrift ersichtlich ist, doch eine Ehrung des MfS konnte man ja doch nicht ins Wohnzimmer hängen.

Für 13 Jahre treue Arbeit für das MfS hatte „Günter" für Geburtstage und für Auszeichnungen finanzielle Zulagen bekommen, meist zwischen 50 und 150 M. Außerdem bekam er seine Treffauslagen und Fahrtkosten ersetzt. Von 1979 bis 1987 waren dies insgesamt 1.760,09 M.

Lichtenburg.

Ostheim v. d. Rhön.

Grenz- und Sicherheitsorgane der DDR

DIE VOLKSPOLIZEI, IHRE FREIWILLIGEN HELFER UND IHRE AUFGABE BEI DER GRENZSICHERUNG

Die Deutsche Volkspolizei (DVP) war im Selbstverständnis der DDR ein Organ der sozialistischen Staatsmacht, das nicht nur der Wahrung des gegenwärtigen Bestandes von Rechtsgütern (Gefahrenabwehr), sondern auch – abweichend vom westlichen Polizeibegriff – positiv der Verwirklichung angestrebter Gesellschaftsverhältnisse diente. Die Tätigkeit der DVP soll wie die jedes anderen Staatsorgans einen entwicklungsfördernden Charakter haben.

Der Begriff DVP bezeichnete vom 01.06.1945 bis zum 18.01.1956, dem Gesetz über die Schaffung der Nationalen Volksarmee und des Ministeriums für Nationale Verteidigung, alle waffentragenden Verbände der DDR.

Seit der Gründung der DDR unterstand die DVP dem Ministerium des Innern, die DVP wurde zentral von der Hauptverwaltung DVP geleitet, deren Chef Stellvertreter des Ministers des Innern war.

In der HVDVP liefen auch die Dienstzweige der DVP zusammen. Ihre wichtigsten waren: Schutzpolizei, Verkehrspolizei, Kriminalpolizei, Transportpolizei, Pass- und Meldewesen. Dienststellen der DVP in den Bezirken, Kreisen, Städten und Stadtbezirken waren: Bezirksbehörden der DVP (BDVP), VP-Kreisämter (VPKA), VP-Reviere. In Gemeinden, Stadtbezirken und Streckenabschnitten der Reichsbahn wurden polizeiliche Aufgaben verantwortlich durch den Abschnittsbevollmächtigten (ABV) wahrgenommen. Den im Range eines Unterleutnants oder Leutnants der Schutzpolizei stehenden ABV wurde im besonderen Maße die Aufgabe zugeschrieben, die Verbindung der DVP mit der Bevölkerung zu festigen. Unterstützt von ca. 130.000 Freiwilligen Helfern der DVP überwachten die ABV u. a. die Einhaltung der Meldevorschriften durch Kontrolle der Hausbücher. Im Rahmen ihrer Zuständigkeit oblag der DVP insbesondere: Straftaten, Verfehlungen und Ordnungswidrigkeiten vorzubeugen, alle Straftaten aufzudecken, zu untersuchen und aufzuklären, Verfehlungen und Ordnungswidrigkeiten zu ahnden sowie die Ursachen und Bedingungen der Straftaten, Verfehlungen und Ordnungswidrigkeiten aufdecken und beseitigen zu helfen; die Einhaltung der Ausweis-, Pass- und Meldebestimmungen zu gewährleisten; wichtige Betriebe, Anlagen und Objekte zu sichern; die ihr im Rahmen der Landesverteidigung übertragenen Aufgaben zu erfüllen. Die Uniform der DVP: hellgraugrün. Ca. 73.000 Mann. In jedem Jahr wurde der 1. Juli als „Tag der Volkspolizei" begangen.

7. Februar 1990
Im Stadtgebiet Themar wurden angeblich nationalsozialistische Schmierereien an Hausfassaden, Gartenzäunen und Lichtmasten entdeckt.

8. Februar 1990
Die Bundesregierung bot der DDR Verhandlungen und Hilfe an. Der Flüchtlingsstrom konnte nicht gestoppt werden, vor allem, weil viele junge Menschen aus der DDR keine Chance unter der Regierung Modrow sahen und die ökonomischen Verhältnisse sich zusehends verschlechterten. Täglich verließen ca. 2.000 Menschen die DDR.

Die Bürgerbewegungen drängten den Runden Tisch, Komitees zur Auflösung des AfNS zu bilden. Bis zum 08.03. sollten nach Forderung vom 20.02. die elektronischen Datenträger mechanisch zerstört werden.

Von den Grenztruppen kam die Zustimmung, dass die ca. 600 m lange Mauer bei Heinersdorf von der Interessengemeinschaft Künstler bemalt werden könnte, bevor sie Anfang Mai demontiert werden würde.

9. Februar 1990
Der Vorstand der PDS Hildburghausen teilte als Ergebnis seiner Kreisdelegiertenkonferenz mit, dass sich die PDS als Partei radikal erneuert hätte und ohne Einschränkung für die Vollendung des im Herbst 1989 begonnenen Umbruchs stände. Vorsitzender des Kreisvorstands wurde Dr. Peter Dornheim, Stellvertreter Jan Schlicht und Hans Gramann.

Ausverkauf der DDR?
Freies Wort, Hildburghausen, veröffentlicht eine Meldung unter der Überschrift „Bundis kaufen Fleisch und Wurst":
„Gleichbleibend hoch ist der Abkauf subventionierter Fleisch- und Wurstwaren durch Bundesbürger in den Verkaufsstellen unseres Kreises. Deshalb wurde vom Rat des Kreises beim Bezirk eine Aufstockung des Fleischkontingents um 150 Tonnen beantragt, damit das derzeitige Versorgungsniveau trotz der zusätzli-

chen Leistungen gehalten werden kann. Täglich gehen im Kreis etwa 14 Tonnen Fleisch und Wurst über den Ladentisch."

Bei einer Wahlkampfkundgebung der Heldburger CDU-Ortsgruppe sprach der Bundesminister für wirtschaftliche Zusammenarbeit, Dr. Jürgen Warnke (CSU), und der CSU-Bundestagsabgeordnete, Otto Regenspurger, vor 300 Zuhörern. Beide Redner traten für ein freiheitliches und friedliches Land ein. Nach einem Besuch der durch eine Brandkatastrophe am 07.04.1982 zerstörten Veste Heldburg (Französischer Bau) drückten die Politiker aus, dass es bereits Initiativen gäbe, das Bauwerk zu restaurieren, denn der Wiederaufbau Deutschlands werde sich auch in diesen Denkmälern der Vergangenheit dokumentieren.

10./11. Februar 1990
Bundeskanzler Kohl und Außenminister Genscher trafen mit Gorbatschow in Moskau zusammen. Der sowjetische Präsident überließ den Deutschen den Weg der Einigung. Damit war ein wesentlicher Punkt der deutschen Frage geregelt worden.

Die Regierung Modrow und die PDS wurden im Vorfeld nicht in die Gespräche und Verhandlungen eingeweiht. Man war hilf- und ratlos, vor allem, weil man von den Genossen in Moskau nicht informiert worden war.

Die LDPD benannte sich um in LDP (Liberal-Demokratische Partei), eine neue Parteiführung wurde gewählt.

10. Februar 1990
Beim Vorsitzenden des CSU-Ortsverbandes Maroldsweisach, Hans-Jürgen Küchle, erschien Ralf Erdmann aus Hellingen und bat um Unterstützung zur Gründung eines CSU-Ortsverbandes im Heldburger Unterland. Küchle sagte spontan seine Unterstützung zu. Ralf Erdmann machte am Samstag bei der Vollversammlung der LPG Tierproduktion in Heldburg von sich reden, als er die Führung scharf angriff. Seiner Meinung nach hat die SED-PDS die Arbeiter und

In der DVP gab es folgende Dienstgrade:
- VP-Anwärter, Unterwachtmeister, Wachtmeister, Oberwachtmeister, Hauptwachtmeister, Meister, Obermeister, Unterleutnant, Leutnant, Oberleutnant, Hauptmann, Major, Oberstleutnant, Oberst, Generalmajor, Generalleutnant, Generaloberst.

Die Aufgaben der Volkspolizei waren im Gesetz über die Aufgaben und Befugnisse der Deutschen Volkspolizei vom 11. Juni 1968 festgelegt.[1]

In diesem Abschnitt geht es in erster Linie um die Aufgaben, die die DVP im Grenzgebiet und im Grenzvorfeld zu verrichten hatte.

Die DVP war zusammen mit ihrer Untergliederung Transportpolizei ein wichtiges Glied im Bereich der Grenzsicherung der DDR. Im „System der Raum- und Tiefensicherung" hatte sie im Wesentlichen folgende Aufgaben:

* Bereits in den Wohnorten von mutmaßlichen Grenzverletzern hatte sie diese in Zusammenarbeit mit der Staatssicherheit zu überwachen.

* Zusammen mit der Transport hatte die DVP die Aufgabe, die Verkehrswege zu überwachen, mutmaßliche Grenzverletzer zu kontrollieren, zu identifizieren und zu verhaften.

* Im Grenzvorfeld waren zusammen mit den ABV und den Freiwilligen Helfern der DVP alle Personen zu überwachen, zu kontrollieren und gegebenenfalls zu überwachen.

* An den Zugangswegen ins Grenzgebiet waren Kontrollposten eingerichtet, die durch VP-Kontrollposten – allerdings nicht lückenlos – die Ein- und Ausreisenden kontrollierten.

DIE GRENZSICHERUNG 1989[2]

Ausgehend von der BdVP Suhl waren in allen Kreisstädten VP-Kreisämter eingerichtet. Die VP-Reviere waren 1983 aufgelöst und in Gruppenpostenbereiche eingeteilt. Im Kreis Meiningen waren dies:
• VPGP[3] Meiningen,
• VPGP Kaltensundheim,
• VPGP Untermaßfeld
• VPGP Römhild.

Davon hatten die drei letztgenannten Bereiche unmittelbare Verantwortung bei der Organisierung und Durchführung der Grenzsicherung im Grenzgebiet und grenznahen Gebiet.

Trotz monatlicher Besprechungen der „Organe des ZW" zum Zwecke einer lückenlosen Abstimmung der Streifenpläne der DVP und der Grenztruppen der DDR unter Kontrolle des MfS waren immer wieder Lücken im Grenzsicherungssystem vorhanden, da es

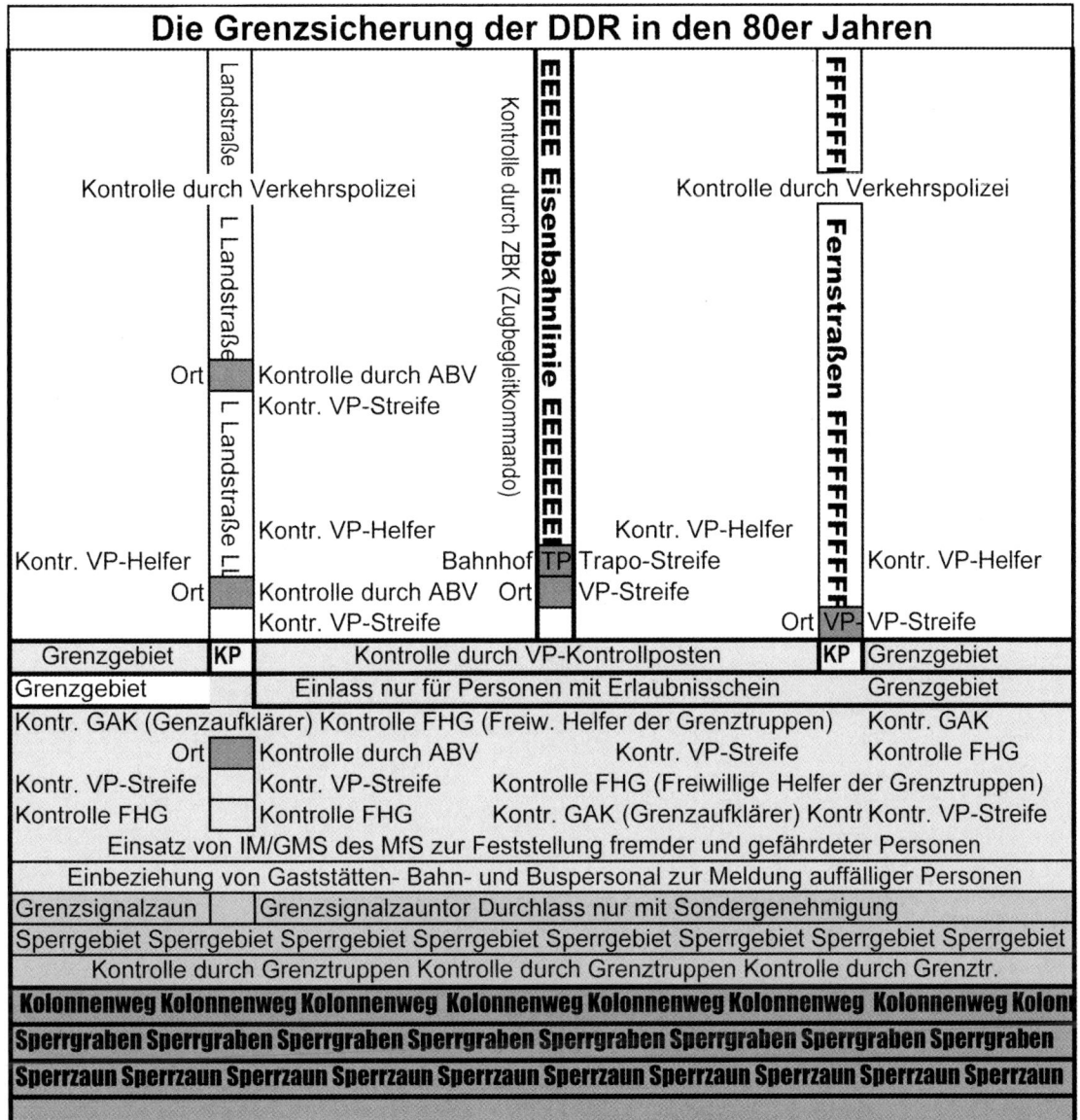

überhaupt nicht möglich war, den gesamten Raum vollkommen abzuschotten. Doch die DVP und mit ihnen die ABV wurden in den Grenzberichten der Kreisdienststellen des MfS regelmäßig negativ beurteilt:

Nur Mitte 1982 hatte die Kreisdienststelle Meiningen des MfS eine positive Einschätzung über die Arbeit der DVP im Grenzgebiet abgegeben.

```
Lage und Situation im Bestand der zur Grenzsicherung
eingesetzten Kräfte der DVP
Erstmals wurde anläßlich verschiedener Höhepunkte zu
den Pfingstfeiertagen sowohl im Grenzgebiet als auch
```

Bauern verraten. Er forderte die Absetzung der alten SED-DBD-Leitung, die sich nicht geändert und nicht dazu gelernt habe. Der Vorsitzende der LPG Bundschuh Westhausen, zu der Hellingen gehört, drohte mit dem Verkauf der Kühe an den Schlachthof Coburg, sollte diese Forderung Erdmanns erfüllt werden. (Neue Presse, 2/1990)

11. Februar 1989

Die britische Premierministerin Margaret Thatcher erklärte sich zur Einigungsproblematik reserviert. Sie betonte, Deutschland könne nur mit Zustimmung aller 35 Signatarstaaten der KSZE-Schlussakte von Helsinki vereinigt werden.

12. Februar 1990

Die LDPD lud zu einer Demo auf den Marktplatz nach Hildburghausen ein. Knapp 200 Bürger kamen trotz schlechten Wetters. Ein Vertreter der Coburger FDP appellierte an die Einwohner, ihren Platz in der DDR zu suchen und nicht das Land zu verlassen. Weiter standen im Mittelpunkt Fragen des Handwerks, Gewerbes, Handels. Eindeutig bekannte sich die LDPD zur sozialen Marktwirtschaft und zur schnellen Schaffung der Einheit Deutschlands. Wesentliche Eckpfeiler liberaler Politik seien liberal im Denken, sozial im Handeln, deutsch im Fühlen.

13. Februar 1990

Eine DDR-Regierungsdelegation unter Modrow weilte zu einem zweitägigen Besuch in Bonn. Es wurde vereinbart, eine Expertenkommission zur Vorbereitung der Währungsunion und Wirtschaftsgemeinschaft zu bilden. Die Bundesregierung lehnte einen von der DDR und dem Runden Tisch geforderten Solidarbeitrag (ohne dass ein Verwendungskonzept vorgelegt wurde) von bis zu 15 Milliarden DM ab, weil man nicht umsonst Geld in die marode sozialistische Planwirtschaft stecken wollte.

4. Runder Tisch des Kreises Hildburghausen mit Vertretern der CDU, DBD, LDPD, NDPD, des Neuen Forums, der PDS, SPD und nach entsprechenden Anträgen und Abstimmung mit jeweils 2 Vertretern der DSU (beschließende Stimme) und Grüne Liga (beratende Stimme) unter Leitung von Superintendent Dr. Hanspeter Wulff-Woesten. Des Weiteren nahmen mit beschließender Stimme Vertreter der evangelischen und der katholischen Kirche, mit beratender Stimme des FDGB, teil.

im grenznahen Raum das neue System der Sicherungsmaßnahmen der DVP wirksam.

Ersten Einschätzungen zur Folge wird die Richtigkeit dieser Maßnahmen bestätigt, da eine tatsächliche Wirksamkeit der eingesetzten Kräfte und deren Führung außerhalb des Grenzgebietes gegeben war.

So fanden zu den Pfingstfeiertagen 1982 die Aufführungen des Arbeiter- und Bauerntheaters in Bauerbach (ca. 800 Besucher) und das Waldfest in Queienfeld (ca. 5.500 Besucher) gleichzeitig statt. Während für Bauerbach eine zeitweilige Aufhebung der Passierscheinpflicht für 6 Stunden erfolgte, mußte in Queienfeld die Sicherung für drei Tage durchgängig gewährleistet werden. Die eingesetzten offiziellen und inoffiziellen Kräfte unserer DE bestätigten die Wirksamkeit dieses Systems sowie die hohe Einsatzbereitschaft der Angehörigen der Schutzpolizei, ABV und deren freiwilligen Helfern. Die Planung und Durchführung dieser Sicherungsmaßnahmen erfolgte nach dem Schwerpunktprinzip unter Beachtung des übrigen Verantwortungsbereiches sowie der Hauptangriffslinien ausgehend von der Kreisstadt und den neuralgischen Punkten entsprechend der getroffenen Festlegungen. Es kam zu keinen Vorkommnissen. [4]

Sonst hieß es:

Die ABV im Grenzgebiet und grenznahen Raum des Kreises Meiningen besitzen im Sept. 1980 zum größten Teil noch keine volle Klarheit darüber, wie und mit welchen Möglichkeiten die freiwilligen Helfer der DVP in das gesamte System der Grenzsicherung einbezogen werden müssen.

Durch gezielte Einflußnahme und Abschöpfung der in der Personenbewegung als Berührungspunkte Auftretenden (Taxi-, Busfahrer, Gaststättenleiter, VST-Personal usw.) ist weiter zu verbessern mit dem Ziel ihrer direkten Einbeziehung in das System der Raum- und Tiefensicherung. [5]

Im März 1981 hieß es:

Einen weiteren Schwerpunkt in der Durchsetzung der Grenzordnung bildet die leichtfertige Befürwortung über die Ausgabe von privaten Passierscheinen zum Besuch von Verwandten und Bekannten in der Ortschaft Milz durch den ABV, Genossen R. [6]

Im November 1982 waren die Zustände im Bereich der KD Meiningen nach Ansicht des MfS wieder „unmöglich":

Entwicklung der politisch-operativen Lage im Grenzgebiet, einschließlich grenznaher Raum.

Zur besseren Gewährleistung der Lageübersicht, insbesondere zur ständigen aktuellen Einschätzung der Wirksamkeit des Systems Tiefensicherung wurden im

Berichtszeitraum mehrere Kontrollen im gesamten Kreisgebiet durchgeführt. Als wesentliche Mängel wurden herausgearbeitet:

- Nach wie vor werden keine Kontrollen und sonstige Demonstrativhandlungen an den neuralgischen Annäherungsrichtungen und -räumen durchgeführt.
- Der Helfereinsatz ist nicht ausreichend und erfolgt unkontinuierlich.
- An den Ortsrändern der festgelegten Ortschaften sind keine Kräfte eingesetzt.
- Ab 22.00 Uhr bis 23.00 Uhr befinden sich außer einzelnen Angehörigen der DVP keinerlei Kräfte in den Schwerpunktrichtungen und -räumen.
- Es erfolgt, das wurde besonders auch in Milz und Römhild erneut bestätigt, kein abgestimmter personifizierter Kräfteeinsatz zwischen der DVP und den Grenztruppen. Ein entsprechender Bericht wurde zu den Kontrollergebnissen angefertigt und dem Stellv. Operativ, Gen. Oberst Storch, zugeleitet.[7]

Auch im Raum Sonneberg war die Einschätzung nicht besser:

Zur Durchsetzung der Weisungen des Dezernats I der BDVP Suhl wurden im Kommissariat I Absprachen mit dem Offizier VIII zur Erkennung und Analysierung von grenzgefährdeten Personen geführt und das Anlegen von Kontrollmaterialien geplant. Mit den Genossen der K I (Kriminalabteilung) wurden bisher jedoch keine konkreten Absprachen zur Kontrolle der Personen geführt. Durch den IMS „Jäger" wurde bekannt, daß die Leitungstätigkeit im GP Neuhaus-Schierschnitz nicht befriedigen kann und einige personelle Schwerpunkte bestehen. Der GP-Leiter, Gen. N., zeigt in der Dienstdurchführung eine gewisse Lustlosigkeit. Gegenwärtig spekuliert er auf eine Strukturveränderung im VPKA und den Einsatz als Innendienstleiter. Durch den IMS wurden 2 Hinweise erarbeitet, wie N. die Wirksamkeit des Tiefensicherungssystems schwächte. Dabei ist von Bedeutung, daß dies den Tag des ungesetzlichen Grenzübertrittes betrifft.

Kontrolldurchlasspunkt bei Heinersdorf. Die Volkspolizei hatte u. a. den Zugang zum Sperrgebiet zu kontrollieren.

Klaus Jakobi, Hildburghausen, plädierte hinsichtlich des entstehenden demokratischen Rechtsstaats, die Freiwilligen Helfer der Volkspolizei abzuschaffen, da sie direkt oder indirekt in das Unrechtssystem verstrickt waren, Bürger denunzierten, die sich kritisch gegenüber Staat und Partei äußerten, bei Zwangsaussiedlungen aus dem Grenzgebiet mit dabei waren, bei der Durchsetzung der Zwangskollektivierung der Landwirtschaft mithalfen, Handwerker und Geschäftsleute zur Aufgabe ihrer Selbstständigkeit nötigten usw.

Unter dem Motto Für ein geeintes, friedliches, demokratisches, wirtschaftlich gesundes Europa eröffnete die CDU im Kreiskulturhaus Hildburghausen mit 120 Teilnehmern und prominenten Rednern aus Ost und West den offiziellen Wahlkampf. Die CDU stehe für eine soziale Marktwirtschaft ein, betonten die Redner, da sie Freiheit und Wohlstand dem einzelnen wie dem Gemeinwesen garantiere.

14. Februar 1990
Die Siegermächte des 2. Weltkriegs und die beiden deutschen Staaten besprachen die Aufnahme von Verhandlungen über die deutsche Einheit („Zwei plus vier").

40 Ärzte des Kreises gründeten in der Bezirksnervenklinik einen unabhängigen Ärztlichen Kreisverband Hildburghausen. Zum Vorsitzenden wurde Dr. Winfried Bertram gewählt, Stellvertreter wurde Dr. Hans-Henning Axthelm (späterer Sozialminister Thüringens).

Mitte Februar 1990
Stasi im Untergrund?
In diesen Tagen mehrten sich die Nachrichten und Beobachtungen, dass die Stasi noch im Untergrund arbeitete. Selbst in Hildburghausen wurden Funksprüche abgehört, deren Herkunft nicht nachgewiesen werden konnten, Dossiers über Persönlichkeiten der Bürgerbewegung sowie der demokratischen Gruppierungen und Parteien wurden angefertigt. Es ist bewiesen worden, dass einige Geheimdienstleute aus dem ehemaligen Bezirk Suhl inzwischen für den sowjetischen KGB arbeiteten. Es gab auch Doppel-

agenten, die ihr Insiderwissen gleichzeitig an den amerikanischen Geheimdienst verkauften.

18. Februar 1990
Die Bürger Hellingens, Krs. Hildburghausen, organisierten ein großes Volksfest und sagten ihren Gästen aus den benachbarten Gemeinden der Bundesrepublik ein herzliches Dankeschön.

19. Februar 1990
Bundeskanzler Kohl sprach in Erfurt vor 130.000 Menschen und unterstützte die Allianz für Deutschland in ihrem Wahlkampf.

Vom Ausbauzustand des Grenzübergangs Hönbach bei Sonneberg – Neustadt b. Coburg informierte sich der Bundesverkehrsminister der Bundesrepublik, Dr. Friedrich Zimmermann. Unter anderem ging es dabei um die Wiederinstandsetzung der Eisenbahnlinie Sonneberg – Neustadt. Auf dieser Tangente, die weiter bis Coburg etwa 25 km lang wäre, würde ein Gebiet mit einer Bevölkerung von 110.000 Menschen berührt. Der elektrifizierte Ausbau des fehlenden 4 km langen Teilstückes von Neustadt nach Sonneberg würde etwa 10 – 12 Mio. DM erfordern. (Freies Wort, 20.02.1990)

Seit Mitternacht durften auch die Brummis über Henneberg, Krs. Meiningen. Der Grenzübergang wurde für den Güterverkehr bis 18 t Last im innerdeutschen Verkehr freigegeben. Schon vor ein paar Wochen hatten allerdings die „Bierkutscher" den Anfang gemacht. Ja, was tut man nicht alles, damit der beliebte Gerstensaft auch aus Bayern schnell zu uns kommen kann. Und so waren es am 19. auch meist Lkw-Fuhren der verschiedenen Brauereien, die über die neu eingerichtete Kontrollspur zügig über den Berg kamen. Bis 12 Uhr passierten 118 Firmenfahrzeuge den Übergang. Mit bis zu 400 Lkw täglich rechnete man in Zukunft am Grenzübergang Henneberg – Eußenhausen. (Meininger Tageblatt, 20.02.1990)

Am 20.9.1981 beauftragte er einen ABV während seiner Dienstdurchführung, die Kraftstoffabrechnung für den Gruppenposten vorzunehmen. Während dieser Zeit konnte dieser seinen Streifendienst im Grenzgebiet nicht durchführen. Am gleichen Tag nahm N. in den Abendstunden den ABV im PKW mit, um eine gemeinsame Kontrolle im Raum Unterland durchzuführen. Durch diese Maßnahme konnte der ABV in seinem Abschnitt nicht wirksam werden.

Weiterhin wurden durch den IMS 2 KP-Kräfte herausgearbeitet, welche ihren Dienst oberflächlich verrichten. Der IMS wird entsprechenden erzieherischen Einfluß ausüben und beide Gen. unter Kontrolle halten. Wie der IMS mitteilte, soll auf Anregung der BdVP der KP Föritz in eine Kontrollstelle umgewandelt werden. Dies ist nach Meinung des IMS unzweckmäßig und trägt nicht zur Erhöhung der Sicherheit im Grenzgebiet bei. Es handelt sich um einen Hauptzugang zum Grenzgebiet im Unterland. Der IMS wird Fakten herausarbeiten, um die Unzweckmäßigkeit dieser Maßnahme eindeutig begründen zu können.

Zur Durchsetzung der Festlegungen des Leiters der BV und Chef BDVP wurden in der Zeit vom 30.10.1981 bis 2.11.1981 durch Mitarbeiter der AG-GS im Verantwortungsbereich Kontrollen zur Sicherung des Grenzgebietes und Durchführung der Streifentätigkeit durchgeführt. Die Kontrollen erstreckten sich über den Zeitraum 21.00 bzw. 22.00 Uhr bis 03.00 Uhr. Folgende Feststellungen wurden getroffen:

- Die Wachsamkeit der Kräfte am KP Föritz und an den KSt Hasenthal und Rottmar war ungenügend. Die Mitarbeiter fuhren ohne Kontrolle in das Grenzgebiet, obwohl sie dem Posten nicht bekannt sind.
- Im Grenzgebiet wurde nur in Neuhaus-Schierschnitz am 1.11.1981 um 0.20 Uhr 1 ABV auf Streife festgestellt. Insgesamt ist einzuschätzen, daß der Kräfteeinsatz im Grenzgebiet zu gering ist.

Inoffiziell wurde zu Lücken im Grenzsicherungssystem folgendes festgestellt:
- Im Abschnitt Ziegelei-Oberlind in Richtung Unterland (Sperrzone) wurde ein ausgetretener Pfad festgestellt. Dieser Pfad wird durch Bürger aus Unterlind zum Umgehen der Kontrollstelle Unterlind genutzt.[8]

1983 liegt ein Bericht über den Zustand der VP-Posten und der ABV im Grenzbereich vor. Auch hier das gleiche Bild: Unzufriedenheit mit der Leistung in der Grenzüberwachung:

Im Januar 1983 erfolgte die Entlassung des ehemaligen ABV der Grenzortschaft Bad Colberg, Siegfried St., aus der DVP. Der ABV der Grenzortschaften Bockstadt/Herbartswind, Richard Knauer, – die Ortschaften zählen zum politisch-operativen Schwerpunktbereich Eisfeld – Veilsdorf – trägt sich mit der Absicht, evtl. noch im Frühjahr 1983 aus der DVP auszuscheiden.

In Bezug auf die „Wirksamkeit der DVP im Antrags-, Prüfungs- und Entscheidungsverfahren zur Erteilung von Erlaubnissen für den Aufenthalt im Grenzgebiet und hierbei festgestellte Mängel und Schwächen" kommt die KD Hildburghausen zu dem Schluss:

Im Rahmen einer Zuarbeit zum Stand der Realisierung der Grenzdirektive des ZK der SED vom 7.4.1982 wurde der 1. Sekretär der SED-Kreisleitung informiert, daß die politisch-ideologische Arbeit unter staatlichen Leitern des gesamten Kreisgebietes stärker auf die Wahrnehmung ihrer vollen Verantwortung bei der Beantragung von Berechtigungen zum Betreten des Grenzgebietes aus dienstlichen Gründen auszurichten ist. Es zeichnet sich das Bemühen ab, möglichst für einen großen Personenkreis die Berechtigung zu erhalten. Es wird nur die zu erledigende Arbeit mit allen Ersatz-Varianten gesehen und noch zu wenig auf die Zuverlässigkeit der Personen geachtet und dafür Verantwortung übernommen. Die Einflußnahme der DVP zur Überwindung dieser Situation wird zu wenig spürbar.[9]

Ende 1983 kam die Klage:

Während der im Berichtszeitraum stattgefundenen Beratung - Bataillon - Eishausen wurde durch den Kommandeur des Grenzbataillons, Gen. Kesselmann, Kritik an der Arbeit der DVP dahingehend geübt, daß durch den Gruppenpostenleiter - Gruppenposten Heldburg, Gen. Lunz, der Plan des Kräfteeinsatzes für Monat Januar erst am 20.1.1983 übergeben wurde. Gen. Lunz nahm an dieser Beratung nicht teil. Eine Auswertung erfolgt diesbezüglich durch den Leiter der KD mit dem Leiter des VPKA.
Durch den anwesenden Abschnittsoffizier der Arbeitsgruppe Grenzsicherung wurde auf die Gruppenpostenleiter Einfluß hinsichtlich der kurzfristigen Überwindung von Mängeln in der Verschlußsicherheit von landwirtschaftlichen Objekten im Grenzgebiet und Lagerung von Schadholz in der Nähe des Schutzstreifens genommen.[10]

Anfang 1984 meldete die KD Meiningen:

Es treten weiterhin Schwierigkeiten im GP-Bereich Römhild auf, insbesondere zu Leitungsfragen und im Verhalten des ABV von Milz. So mußten in den Nachtstunden vom 20.1.84 durch die Grenztruppen im Raum Milz verstärkt Kräfte herangeführt werden, da durch einen Grenzaufklärer unmittelbar am GSZ eine unbekannte Person festgestellt wurde, die sich nach Anruf fluchtartig entfernte. Eingeleitete Aufklärungshandlungen ergaben, dass es sich hierbei um den ABV, Genossen R. aus Milz, handelte, der nach Befragung äußerte „ich

Enttarnung eines Stasi-Objektes in Römhild

Offener Brief der Bürgerinitiative Römhild – Auf Grund umfangreicher Aufklärungsarbeiten in den Monaten Dezember 1989 und Januar 1990 konnte durch die Bürgerinitiative und den Untersuchungsausschuss zur Aufdeckung von Amtsmissbrauch und Korruption das Stasi-Objekt am Waldrand unterhalb der ehemaligen Heilstätte enttarnt werden. Mit der Aufdeckung war das Amt für Nationale Sicherheit gezwungen, das Objekt zu räumen. Ein weiterer Grund für die Auflösung war der Beschluss des Ministerrates der DDR, bis zu den Neuwahlen keinen Verfassungsschutz zu bilden. Am 29.1.1990 wurde das Objekt dem Rat der Stadt Römhild übergeben. Das Hausmeisterehepaar, das von der Stasi bezahlt wurde, blieb im Objekt. Seitdem besteht das Problem: Wem wird dieses Objekt verpachtet? Es wurde bereits vor dem 3. Runden Tisch in Römhild am 8.2.1990 eine öffentliche Ausschreibung zur weiteren Nutzung gefordert. Nachdem sich die Pläne der LPG, die von allen Vertretern des Runden Tisches begrüßt wurden, zerschlagen haben, stand das Problem neu.
Erneute Forderung der Bürgerinitiative: Öffentliche Ausschreibung des Objektes und Entscheidung darüber erst nach der Kommunalwahl am 06.05.1990; keine Übergabe des Objektes an den Berliner Betrieb, der bereits im Januar sein Interesse bekundet hatte und sofort alle anfallenden Kosten übernommen hätte.
Am letzten Runden Tisch in Berlin (12.03.1990) wurde von der Regierungskommission zur Auflösung des Amtes für Nationale Sicherheit darauf aufmerksam gemacht, daß unter dem Deckmantel von Betrieben die Stasi erneut in ihre alten Objekte einziehen will.
(Meininger Tageblatt, 19.03.1990)

20. Februar 1990

Nach Jahrzehnten erschien erstmals wieder das Meininger Tageblatt.

Seit 12.11.1989 passierten 260.000 Fahrzeuge und 2,6 Millionen Personen den Grenzübergang Hönbach zwischen

Neustadt und Sonneberg. Täglich pendelten etwa 11.000 Menschen. Zugleich wurde darauf verwiesen, dass Bürger aus allen Bezirken sowie Urlauber im Thüringer Wald den Übergang benutzen. Ebenso fuhren BRD-Bürger, die zwischen dem Kronacher und Coburger Raum pendelten, den kurzen Weg über DDR-Gebiet. (Freies Wort, 20.02.1990)

22. Februar 1990
Auf der ehemaligen F 4 (heute: B 4) zwischen Eisfeld und Lautertal (Lkrs. Coburg) protestierten seit der Grenzöffnung immer wieder auf thüringischer und bayerischer Seite die Bürger gegen den Schwerlastverkehr. Am 22.02. kam es beispielsweise zwischen 12 und 17.30 Uhr in Höhe des Zeisswerkes im Ortsteil Steudach viermal zu einer halbstündigen Sitzblockade.
In Lautertal hatten sich die Bürger in der Bürgerinitiative Lebenswertes Lautertal organisiert. Die Bürger forderten den Bau einer Umgehungsstraße.

23. Februar 1990
In einer Presseerklärung riefen drei evangelische Pfarrer aus dem Krs. Hildburghausen – Stefan Koch (CDU, Veilsdorf), Erwin Westphal (CSU, Biberschlag), Stefan Müller (SPD, Masserberg) – die Parteien auf, zu den bevorstehenden Volkskammerwahlen einen fairen Wahlkampf zu führen.

Eine Delegation des Runden Tisches unter Leitung von Superintendent Dr. Hanspeter Wulff-Woesten nahm auf Einladung des Ärztlichen Direktors der Bezirksnervenklinik Hildburghausen, Dr. Klaus Hoffmann, einen Vor-Ort-Termin wahr. In Gesprächen mit den Chefärzten wurde klargestellt, dass in der Vergangenheit keinerlei Missbrauch mit der Psychiatrie für stalinistische Zwecke betrieben wurde.
Die Delegation konnte sich ansonsten ein Bild von den untragbaren Zuständen der Unterbringung der Patienten in Friedrichsanfang und im Haus 8 machen.

wußte ja nicht, daß ihr mich meintet". Dieses Vorkommnis wurde in der ZW-Beratung im Grenzbataillon Römhild behandelt und durch den Kommandeur kritisch ausgewertet.

Nach so viel Kritik kommt ein ABV selbst zu Wort:

Aufgaben der ABV – Gespräch mit Burghardt Röder

Eine wichtige Aufgabe in der Absicherung der Grenze kam den ABV zu. Die ABV waren Angehörige der DVP, meist im Offiziersrang, die in Gemeinden, Stadtbezirken und Streckenabschnitten der Reichsbahn mit der Unterstützung ihnen unterstellter freiwilliger Helfer verantwortliche Polizeiaufgaben wahrnahmen. Einer dieser ABV, Burghardt Röder, hat nachfolgend seine Arbeit beschrieben:

Werdegang
Röder stammt aus Helmershausen. Der Vater war Ortsgruppenleiter der NSDAP gewesen. Er kam erst 1949 aus jugoslawischer Gefangenschaft, arbeitete erst in der Separation, dann musste er in den Kalibergbau nach Unterbreizbach. Bei der Einstellung hatte Herr Röder angegeben, dass der Vater Nazi war, später bei der Offiziersschule gab es deshalb nochmals Probleme. Herr Röder selbst hatte Maurer gelernt. 1962 sollte er erst zur NVA, um seine Wehrpflicht zu erfüllen. Doch dann ging er zur Polizei, weil dafür intensiv geworben wurde. Da er verheiratet war, verpflichtete er sich erst für 3 Jahre, da er so mehr verdiente. Dann wurde daraus ein Lebensberuf. Von Anfang an war er als Schutzpolizist beim VPKA Meiningen und verblieb dort bis 1990. Dann wurden Grenz-Gruppenposten gebildet (Nord, Mitte und Süd). Die Abteilung Nord ging von Kaltensundheim bis Flurgrenze Helmershausen, Mitte von Bettenhausen bis Untermaßfeld, Süd war der Bereich Römhild. Jeder Gruppenposten hatte einen Leiter, einen Politoffizier und einen (ehrenamtlichen) Parteisekretär. Bedingung bei der Einstellung war die Mitgliedschaft in der SED. Eingestellt wurde R. als VP-Anwärter. Nach einigen Tagen Ausbildung war er selbstständiger Waffenträger. Von 1962 bis 1973 war er Oberwachtmeister, dann Hauptwachtmeister, Meister, dann Obermeister bei der Schutzpolizei. Dann wurde er Schutzpolizist im ABV-Abschnitt mit denselben Aufgaben wie ein ABV, jedoch noch nicht mit gleicher Verantwortung. Dazu musste er erst einmal die 9. und 10. Klasse im Fernstudium nachholen. Schließlich wurde er als ABV eingesetzt, jedoch mehrmals zur Offiziers-Prüfung nicht mehr zugelassen, weil er nicht schwimmen konnte. Schließlich wurde er doch zugelassen und besuchte die Offiziersschule jede Woche einen Tag in Suhl. Dadurch wurde er Leutnant und zuletzt Oberleutnant.

Eine Aufgabe als Schutzpolizist im Grenzgebiet war Kontrolle im Grenzvorfeld, Kontrolle der Passierscheine.

Mit der Feuerwehr von Meiningen, der Ortsfeuerwehr, und einem LPG-Mann musste der ABV bei den Strohdiemen und den Heuhaufen Temperatur messen. Auch bei Getreidelagerung wurde gemessen, Mähdrescher wurden im Beisein des ABV abgenommen.

Einmal brannte ein Traktor nach der Kontrolle. Herr Röder als Nichtfachmann hatte den Fehler gar nicht erkennen können, doch er wurde trotzdem verantwortlich gemacht.

Aufgaben als ABV

Röder war zuständig für Helmershausen, Geba und die Radarstation der GSST von 1973 bis 1989. Urlaubsvertretung machte er innerhalb des Abschnitts bis Oepfershausen.

Allgemein hatte jeder ABV 4.000 Personen zu betreuen. An der Grenze waren es wesentlich weniger, doch war der ABV für alles zuständig. Er musste z. B. auch wissen, was in der LPG passierte.

Passierscheine musste er ausstellen für Holzarbeiten und Feldarbeiten, Schmerbach war bis 1973 noch bewohnt, letzte Bewohnerin war die Else. Röder wurde vorgeworfen, dass er zu viele Passierscheine im Umlauf hatte. Jährlich zweimal musste er für alle Passierscheinanwärter eine Einschätzung erstellen. Das war meist der gleiche Inhalt, doch wurde der Text leicht verändert.

Grundlage für den Tagesablauf war die DV 11/80.

Eine wichtige Aufgabe des ABV war die Aufrechterhaltung der öffentlichen Ordnung und Sicherheit. Bürgermeister, Betriebe, LPG, Schulen und Kindergärten mussten überprüft und kontaktiert werden. Wenn z. B. die LPG Vollzug des Ernteeinsatzes gemeldet hatte, obwohl ein Teil der Ernte noch auf dem Halm stand und es war durch die Partei gemeldet worden, dass die Vollzugsmeldung falsch war, hatte auch der ABV ein Problem.

In der DDR war jede öffentliche Veranstaltung melde- und erlaubnispflichtig. Veranstaltungen im Freien bis 23 Uhr. Für die Sperrzeitverlängerung war nicht der ABV zuständig, das machte der Erlaubnisoffizier im VPKA Meiningen. Aber zur Kirchweih erreichte Röder eine Verlängerung bis 4 Uhr.

Grenzsicherheit

Der ABV war für die Vollständigkeit der Grenzschilder an der Grenze zum Sperrgebiet verantwortlich. Die Schilder waren nummeriert. Der ABV war auch für die Schlagbäume zuständig.

Sicherheitsberatung war einmal monatlich mit ABV, Bürgermeister, einem Vertreter der Grenztruppen, Parteisekretär, oft MfS von der Kreisdienststelle.

Das Dienstzimmer war bis zum Schluss im Schwarzen Schloss. Telefonanschluss hatte Röder daheim und im Dienst. Anfangs

Der Kreisausschuss der Gesellschaft für Deutsch-Sowjetische Freundschaft rief anlässlich des 72. Jahrestages der Gründung der Sowjetarmee alle Bürger, Parteien und Organisationen auf, an einer stillen Kranzniederlegung am Ehrenmal der Sowjetsoldaten auf dem Friedhof in Hildburghausen teilzunehmen.

Die SPD Heldburger Unterland, Krs. Hildburghausen, hatte u. a. die Bundestagsabgeordnete Susanne Kastner als Gast. Die Rede des Kreisvorsitzenden Horst Kotzem stand unter dem Motto „Die SPD kämpft nicht gegen andere Parteien, sondern für das Volk". Kastner stellte fest, dass der westdeutsche Wahlkampf voll auf dem Rücken der DDR-Bevölkerung ausgetragen werde und dass der Ausverkauf der DDR für die Bundesregierung beschämend wäre.

25. Februar 1990
Gründung Förderverein Veste Heldburg e.V.

In Seßlach, Lkrs. Coburg, fand mit ca. 30 Personen aus Ost und West die Gründungsversammlung des Fördervereins Veste Heldburg e.V. – eines gemeinnützigen Vereins zum Schutze vor weiterem Verfall, zum Wiederaufbau und zur Erhaltung der Heldburger Veste – statt. Vorsitzender wurde der CSU-Europaabgeordnete Dr. Otto v. Habsburg, gleichberechtigte Stellvertreter waren die Bürgermeister Seßlachs, Hendrik Dressel, und Heldburgs Bürgermeister, Norbert Pförtner. Zum Zeitpunkt befand sich der Vereinssitz in Seßlach, der später nach Heldburg verlagert werden sollte. Ziel des Vereins ist es, in deutsch-deutscher Zusammenarbeit ideell und materiell dazu beizutragen, die einstige Fränkische Leuchte als Kulturdenkmal wieder herzustellen, sie als Stätte thüringisch-bayerischer Begegnungen der Bevölkerung nutzbar zu machen.

26. Februar 1990

In einem Leserbrief von Martha Geißenhöner aus Hildburghausen-Häselrieth an Freies Wort wird charakterisiert, wie die alten Gesetze auch im scheinbar privaten Bereich die Entwicklung behinderten.

„Unerträgliche Gesetze müssen weg

Die alten Gesichter, die alten von der SED-Regierung verfaßten Gesetze, die man kraft seines Amtes verteidigt. Warum kann man ehemaligen LPG-Mitgliedern, die ihre Felder eingebracht und hohen Inventarbeitrag bezahlt haben, sich Hühner halten, auch Eier zur Versorgung der Bevölkerung liefern, nicht ein paar Zentner Futtergetreide verkaufen? Eingaben meinerseits an den Staatsratsvorsitzenden (1987) und den Ministerrat (November 1989) blieben leider ohne Erfolg. Mit ein bißchen gutem Willen seitens der LPG würde ich eine Möglichkeit sehen, aber man hält an den Gesetzen der alten SED-Regierung fest, die unerträglich sind."

27. Februar 1990
Grenzschutzbund der DDR

Der Pressesprecher des GKK, Hauptmann Hölzel, veröffentlichte eine Meldung, dass sich innerhalb der Grenztruppen Basisgruppen des Grenzschutzbundes der DDR (GSB) bilden. Der Verband vertrete die sozialen, rechtlichen und beruflichen Interessen der ehemaligen und jetzigen Berufskader der Grenztruppen gegenüber dem Staat, der Regierung und den gesellschaftlichen Organisationen während des Dienstverhältnisses, in der Reserve und außer Dienst sowie die Interessen der Familienangehörigen. Der GSB sei eine unabhängige, überparteiliche, durch freiwilligen Zusammenschluss gebildete demokratische Organisation. Verfassungstreue und Demokratie, Kameradschaft und Solidarität, Pflichterfüllung und solide Arbeit für die Interessen des Volkes seien grundlegende Verhaltensmaximen seiner Mitglieder.

Luftrettung in der DDR

Vor dem 9. November 1989 Utopie, nunmehr fast Normalität des Alltags – Einsatzplanungen ließen sich am besten in der harten Realität der praktischen Durchführung bestätigen – oder auch verbessern. Dieser Fall trat bei der GS-Fliegerstaffel Mitte am 27. Februar 1990 ein. Schon im Dezember 1989 war die Staffel mit einer stark veränderten Lage beim Betrieb des Rettungshubschraubers „Christoph 7", Kassel, konfrontiert. Der

spielte sich alles in der Wohnung ab, bis die Frau dem ein Ende machte.

Der ABV hatte die Leitung über die Freiwilligen Helfer (FH) der VP. Diese wurden regelmäßig geschult. Feiern wurden aus einer schwarzen Kasse oder über eine Prämie fürs Helferkollektiv finanziert.

Für Kontrolle der Hausbücher waren FH ausgebildet.

Laufend erfolgten Kontrollen des ABV durch das VPKA oder durch den Gruppenpostenleiter, manchmal kam bei Staatsfeiertagen ein „Eisenschwein mit Sonderversorgung", ein größeres Fahrzeug. Für die Funktionäre gab es für solche Anlässe Sonderversorgung.

Eine weitere Aufgabe war die Personenkontrolle für Personen, die die Ausreise beantragt hatten. Außerdem gehörten Ordnungswidrigkeiten, strafbare Handlungen, Ermittlungsverfahren zum Arbeitsgebiet des ABV.

Ordnungsgeld und gebührenpflichtige Verwarnungen bis 20 Mark konnte der ABV aussprechen.

Auch bei Verfehlungen konnte man mit Mitteilung über Ordnungswidrigkeit Strafvorschläge machen.

Die meisten Leute sahen den ABV als Ansprechpartner, er wurde mit Du angesprochen.

Finanziell stand ein ABV mit 1.200 Mark nicht schlecht. Allerdings gab es allerhand Pflichtabzüge: Vom Gehalt gingen, vom Amtsleiter verfügt, 50 Mark Spende „freiwillig" ab, ebenso der SED-Mitgliedsbeitrag und die Beiträge DSF sowie Dynamo-Sportvereinigung.

Heute sieht Burgardt Röder manches anders. Er war im Sozialismus groß geworden und hat manches hingenommen. Er hat versucht, das Beste daraus zu machen.

Er meint, dass er mit seinem Beruf zufrieden war.

Zum Umbruch äußerte er: Es wäre nicht mehr lange gut gegangen. Ohne Partei und MfS ging ja nichts mehr. Alles wurde mit Gewalt und Zwang gehalten. In den 70er Jahren wäre noch etwas gegangen, wenn Änderungen gekommen wären. Die alten Leute an der Regierungsspitze hätten weggemusst, die Grenzen hätten durchlässiger werden müssen.

Drei Vorkommnisse in einer einzigen Monatsmeldung vom Dezember 1980 zeigen, mit welchen Autoritätsproblemen gerade die ABV zu kämpfen hatten:

Gegen einen 20-jährigen Jugendlichen aus Föritz wurde ein Ermittlungsverfahren wegen Verleumdung § 138 eingeleitet, da er am 4. Dezember 1980 den im Dienst befindlichen ABV im Jugendklubhaus „Karl Marx" beleidigte. Das EB wird gegenwärtig ebenfalls noch bearbeitet.

Gegen Jugendliche aus dem SP-Bereich Sonneberg wurden weiterhin 4 Ermittlungsverfahren eingeleitet.

1. Ermittlungsverfahren gemäß §§ 137, 138 (3) StGB (Beleidigung und Verleumdung) gegen einen 23-Jährigen aus Sonneberg, der bereits bei der Staatssicherheit aktenkundig ist.

   Er wird verdächtigt, am 30.11.1980 einen im Dienst befindlichen VP-Angehörigen in Schalkau beleidigt zu haben.

2. Ermittlungsverfahren gem. § 212 (1) StGB (Widerstand gegen staatliche Maßnahmen) gegen einen jungen Mann, 25, aus Sonneberg. Er hatte am 11.12.1980 im Dienstzimmer des ABV diesen ins Gesicht geschlagen und mit Gegenständen beworfen.[11]

Auch die Abteilung K der DVP war in das Geschehen an der Grenze eingebunden

Auch die Abteilung K, die Kriminalabteilung, war in das Geschehen an der Grenze eingebunden. Jede Abteilung K. hatte einen eigenen Grenzoffizier, der die Arbeit mit den Grenztruppen und dem MfS koordinierte und der auch in der gemeinsamen Arbeitsgruppe Grenze saß. Er leitete die kriminalistischen Untersuchungen der Abt. K im Grenzbereich, wobei es anscheinend Kompetenzüberschneidungen mit der Abt. IX des MfS gab, ebenso mit den selbst untersuchenden Grenztruppen. Klar ist nur, dass das MfS bei Vorfällen mit Grenztruppen und bei Untersuchungen vor dem Sperrzaun I allein die Untersuchungen führte. Doch auch hier wurde,

Auch die Abteilung K der Polizei, die Kriminalabteilung, war in das Geschehen an der Grenze eingebunden. So wurde durch sie Mitte der achtziger Jahre die Rückkehr eines DDR-Agenten, getarnt als Grenzverletzung, über die Grenze bei Allertshausen – Käßlitz dokumentiert.

Primäreinsatzbereich dieses Rettungshubschraubers überdeckte auch einen Teil des Gebietes der DDR.

Nachdem die Grenze zur DDR nicht mehr als „unüberwindbares Bollwerk" zu betrachten war, setzte sich bei der Staffel die Auffassung durch, dass humanitäre Hilfeleistung durch ein hochqualifiziertes Rettungsgerät nicht an einer deutsch-deutschen Grenze halt machen darf.

Der Grundlagenvertrag zwischen der Bundesrepublik Deutschland und der Deutschen Demokratischen Republik vom 21. Dezember 1972 in Verbindung mit einem Abkommen auf dem Gebiet des Gesundheitswesens garantierte den Deutschen beider Staaten den Anspruch auf ambulante und stationäre medizinische Hilfe. Dazu gehörte auch die Notfallhilfe.

Durch die westlichen alliierten Siegermächte bzw. den Bundesminister für Verkehr wurde Mitte Januar 1990 eine allgemeine Ausflugserlaubnis für die Rettungshubschrauber der Bundesrepublik erteilt.

Parallel dazu hatten die Grenzschutz-Fliegerstaffeln Koordinierungspläne für die Einflug- und Landeerlaubnis seitens der DDR erschlossen. Damit waren alle Voraussetzungen für grenzüberschreitende Rettungsflüge in die DDR getroffen.

Am 26. Februar 1990 ging bei der Rettungsleitstelle in Kassel die Anforderung für einen Sekundäreinsatz (Patientenverlegung) des Rettungshubschraubers „Christoph 7" von Eisenach/DDR nach Kassel ein. Ein am Vortag bei einem Autounfall schwer verletzter Bundesbürger sollte verlegt werden, da eine hinreichende medizinische Versorgung in Eisenach nicht verfügbar war. Von der Staffel wurde der Flug des „Christoph 7" für den nächsten Tag geplant. Die Grenze sollte um 13.00 Uhr überflogen werden. Bereits um 8.30 Uhr lagen alle notwendigen Genehmigungen vor. Die Spannung stieg nicht nur bei der Besatzung, sondern auch bei der regionalen Presse, was sich durch zahlreiche Anrufe mit der Frage „Wie war's denn?" schon vor Flugantritt bemerkbar machte.

Endlich! Flugantritt 12.28 Uhr. Es war schon ein seltsames Gefühl, den

Grenzzaun, der in der Vergangenheit auch eine absolute Sperre im Luftraum darstellte, Richtung Osten zu überfliegen. Nachdem die Wartburg und die Innenstadt Eisenachs unser Blickfeld passiert hatten, landeten wir auf Anweisung der Leitstelle „Weimar" in Eisenach um 13.05 Uhr auf einem Sportplatz. Dort wartete schon ein Rettungswagen der „Schnellen Medizinischen Hilfe", der zusammen mit dem Arzt und Sanitäter unseres Hubschraubers den Patienten vom Krankenhaus abholte.

Zwischenzeitlich erbrachte das Gespräch zwischen Hubschrauberbesatzung und drei anwesenden DDR-Volkspolizisten, dass gemeinsame Funkkanäle nicht bestehen. Nachdem wir um 14.00 Uhr in Eisenach gestartet waren (Grenzüberflug Ost-West mit deutlicher Erleichterung), konnte der Einsatzauftrag 40 Minuten später am Elisabeth-Krankenhaus in Kassel erfolgreich beendet werden. Künftig stellen nach meiner Einschätzung Luftrettungseinsätze in die DDR keine Schwierigkeiten dar. GS-Fliegerstaffel Mitte.
(Aus: Zeitschrift des Bundesgrenzschutzes, 17. Jahrgang, Nr. 5, Mai 1990)

Februar 1990
Grenzüberwachung
Die in der letzten Zeit beobachtete Form der Grenzüberwachung durch die DDR-Grenztruppen hatte sich im Februar nicht verändert. Kontakte zu den eigenen Kräften wurden in gewohnter Art und Weise aufgenommen. Durch die inzwischen für den grenzüberschreitenden Verkehr eingespielte Praxis der Öffnung und Nutzung von zusätzlichen Übergängen an den Wochenenden sank die Zahl der Besucher an der Grenze und damit die häufigen Nichtbeachtungen des Grenzverlaufes. Dies galt auch für Fälle, in denen sich Grenzsoldaten von durch Bundesbürger vorgenommenen Sachbeschädigungen an Teilen der Sperranlagen provoziert sahen. Souvenirjäger sind nach wie vor unterwegs, um Grenzhinweiszeichen und DDR-Embleme zu entwenden.
Im Grenzabschnitt 53 wurden zwei grenzüberschreitende Skiloipen angelegt, die teils auf Bundesgebiet und teils auf DDR-Gebiet zum Hinterlandzaun führen. Ein Skiloipenplan der seit dem 17. Februar

zumindest in den 70er Jahren, manchmal ein Spezialist der K (Hundeführer) hinzugezogen.

Die Freiwilligen Helfer der Volkspolizei

In den Jahren 1980 und 1981 berichtet das MfS über die Arbeit der Freiwilligen Helfer der VP:

März 1980: Aus mehreren inoffiziellen Einschätzungen zur Arbeit der Freiwilligen Helfer der Grenztruppen ist die Tendenz ersichtlich, dass derzeitig nur sehr wenig oder keinen Einfluss auf einen gezielten Einsatz der Kräfte in Abstimmung mit den Kräften der DVP genommen wird. Die Freiwilligen Helfer der GT in der Ortschaft Frankenheim sind sich seit Monaten selbst überlassen, d. h., der Zugführer handelt nach eigenem Ermessen bei der Schulung der Kräfte, ohne dass von seiten der Kompanie ein verantwortlicher Offizier dabei ist.

Das hat zur Folge, dass sich die Freiwilligen Helfer die Frage stellen, ob sie überhaupt noch gebraucht werden, und es besser sei, wenn sie zum Dienst als Freiwillige Helfer bei der DVP eingeteilt würden.

Analoge Erscheinungen sind in den Ortschaften Unterweid und Oberweid zu verzeichnen, wo die Freiwilligen Helfer der GT seit Monaten nicht mehr zu einem gezielten Einsatz gelangten.

Daraus ergeben sich die Schlussfolgerungen, dass die festgelegten Aufgaben zur weiteren Vervollkommnung des Systems Tiefensicherung unter besonderer Beachtung der 1979 und 1980 erfolgten Angriffe auf die Staatsgrenze im Zusammenwirken mit anderen Schutz- und Sicherheitsorganen konsequent durchgesetzt und Mängel, Schwächen und begünstigende Ursachen im Grenzsicherungssystem aufgedeckt und beseitigt werden.[12]

April 81: Mängel in der Abstimmung zwischen DVP und GT. So werden beispielsweise die Kräfte bei den Grenztruppen bei Abgängen in den Monaten April und Oktober für drei bis 4 Tage stark reduziert, so dass der übliche Posteneinsatz nicht gewährleistet ist, doch es kommen auch seitens der DVP keine zusätzlichen Kräfte in den Abschnitt.[13]

Die Hochschulabschlussarbeit des MfS-Oberleutnants Lutz Stange an der Juristischen Hochschule Potsdam gibt einen guten Einblick in die Aufgaben und das Funktionieren der DVP und ihrer Freiwilligen Helfer in die Grenzsicherung.[14]
Die freiwilligen Helfer der DVP bilden eine wesentliche Potenz bei der Gewährleistung der Sicherheit und Ordnung und bei der spürbaren Zurückdrängung des ungesetzlichen Verlassens der DDR.

Grenzhelfer der DDR-Grenztruppen im Einsatz.

Antreten der Betriebskampfgruppe bei einer Veranstaltung in Meiningen.

Im Kreis Meiningen sind 947 freiwillige Helfer tätig. Davon 253 im Grenzgebiet. Rund 850 Helfer werden durch die ABV[15] geführt und 97 freiwillige Helfer arbeiten mit der Verkehrspolizei zusammen.
Der Kreis Meiningen ist in 4 Gruppenpostenbereiche eingeteilt;
* VPGP[16] Meiningen mit 235 freiwilligen Helfern der DVP,
* VPGP Kaltensundheim mit 277 freiwilligen Helfern der DVP,
* VPGP Untermaßfeld mit 216 freiwilligen Helfern der DVP und
* VPGP Römhild mit 219 freiwilligen Helfern der DVP.

genutzten Loipen wurde zwischen dem Bürgermeister der Gemeinde Tettau und Offizieren der DDR-Grenztruppen ausgearbeitet.

Die Arbeiten zum Abbau der Grenzsperranlagen, in erster Linie zum Abbau des DDR-Hinterlandzaunes, wurden verstärkt fortgesetzt. Nachdem im Berichtszeitraum weitere 37 km abgebaut worden sind, beträgt der Gesamtabbau jetzt 42 km; das entspricht einem Anteil von ca. 14 %. Außerdem sind die Türschlösser dieses Zaunes zwischenzeitlich zum größten Teil ausgebaut.

Am 11.02. abgebaute und in die Bundesrepublik verbrachte Metallgittermatten fanden guten Absatz. Kaum noch vorhanden sind die Halogenstrahlersperren, die zum Ausleuchten von Geländeteilen bestimmt waren, die Seilsperren am Hinterlandzaun, die Grenzdurchbrüche von Ost nach West verhindern und die zusätzlichen Absicherungen des ersten Sperrzaunes, die unbefugtes Öffnen verhindern sollten (s. Ziffer 8.1).

Neuen Erkenntnissen zufolge soll im Anschluss an den Abbau des Hinterlandzaunes im Sommer dieses Jahres mit dem Abbau des ersten Sperrzaunes begonnen werden.

Nach Aussage von Generalmajor Teichmann, Chef des Stabes der DDR-Grenztruppen, soll die Stärke der Grenztruppe 15.000 bis 20.000 Mann umfassen und dem Innenministerium unterstellt werden. (Bayerische Grenzpolizei)

1. März 1990
Die DDR-Regierung beschloss die Gründung einer Treuhandanstalt zur Verwaltung des so genannten Volkseigentums.

Prognosen für die Volkskammerwahl der DDR am 18.03. wurden veröffentlicht. 53 % der Wahlberechtigten plädierten für die SPD, für das Wahlbündnis Allianz für Deutschland 24 %, die PDS 11 %, jeweils 3 % für die Liberalen, die DBD, die Grünen sowie sonstige Parteien und Wählergruppen.

Eine Expertendelegation des Lkrs. Haßberge unter Landrat Walter Keller traf zum Erfahrungsaustausch für die

Themenkreise Naturschutz, Landschaftspflege, Bau- und Verkehrswesen sowie Kultur- und Denkmalpflege im Rat des Kreises Hildburghausen ein. Die partnerschaftlichen Beziehungen zu diesen Fachbereichen wurden in den kommenden Wochen und Monaten vertieft.

Seit der Grenzöffnung waren insgesamt 1.350 Übersiedler in den Lkrs. Kronach gekommen.

2. März 1990

Im Rat des Kreises Hildburghausen kam es wegen der bevorstehenden Volkskammerwahl zu einer Krisensitzung, weil die Parteien und politischen Gruppierungen nicht genügend Wahlhelfer für die insgesamt 106 Wahlvorstände benannt hatten. Es wurde festgestellt, dass einige Gemeinden überhaupt keine Wahlvorstände besäßen. Bis 08.03. müssten pro Wahlvorstand 7 bis 10 Personen benannt werden. Der Verantwortliche für die Volkskammerwahl (Wahlleiter) war der spätere Landrat Peter Menz.

3. März 1990

Freies Wort veröffentlichte einen Aufruf des Verbandes der Berufssoldaten der DDR (VBS). Der Verband verstehe sich „als Interessenvertreter der Berufssoldaten des aktiven Wehrdienstes, der Reserve und außer Dienst, ihrer Familienangehörigen sowie Hinterbliebenen in der Gesellschaft und in den Streitkräften. Seinem Charakter nach ist er unabhängig, überparteilich und demokratisch. Wir wollen eine Traditionspflege im Geiste des Patriotismus und Antifaschismus bei konsequenter Ablehnung aller Erscheinungen von Rechts- und Linksradikalismus. Der Verband wirkt im Interesse der Friedenssicherung und Vertrauensbildung mit anderen nationalen und internationalen Soldatenverbänden zusammen. Aktive und konstruktive Mitarbeit bei der Durchsetzung der Reformen in der NVA sehen wir als eine wichtige Aufgabe."

Eröffnung eines Grenzübergangs zwischen Mitwitz, Lkrs. Kronach, und Rotheul, Krs. Sonneberg.

Davon haben die drei letztgenannten Bereiche unmittelbare Verantwortung bei der Organisierung und Durchführung der Arbeit der freiwilligen Helfer der DVP im Grenzgebiet und grenznahen Gebiet.

In den ABV-Bereichen im Grenzgebiet und im grenznahen Gebiet wurden bisher gute Fortschritte bei der Planung und Organisierung der Streifentätigkeit erreicht.

Wichtige Impulse dafür gab es bei den ersten Auswertungen der Zentralen ABV-Konferenz und der Konferenz der freiwilligen Helfer der DDR im Jahre 1982. Es kam generell zum Tragen, daß die Bereitschaft der freiwilligen Helfer der DVP zur Erhöhung von Ordnung und Sicherheit im und am Grenzgebiet und dem Schutz der Staatsgrenze vor Angriffen aus dem Territorium der DDR vorliegt.

Der Bestand der freiwilligen Helfer der DVP ins Grenzgebiet des Kreises Meiningen verdeutlicht, daß eine Vielzahl der freiwilligen Helfer auf eine langjährige Tätigkeit zurückblicken kann und über einen reichen Erfahrungsschatz verfügt. Durch die ABV wurde in der Vergangenheit jedoch versäumt, kontinuierlich und zielstrebig neue Helfer zu gewinnen. Vielfach wurde und wird durch die ABV die Auffassung vertreten, daß die Suche und Gewinnung neuer Helfer nur notwendig ist, wenn der zahlenmäßige Bestand durch Austritte, Streichungen, Ausscheiden aus Gesundheits- oder Altersgründen usw. sinkt.

Das folgende Zahlenbeispiel zur Altersstruktur der Helfer aus dem Grenzgebiet des Kreises Meiningen verdeutlicht, daß die Gewinnung neuer und jüngerer Helfer ein ständiger Prozeß sein muß.

Altersstruktur	Anzahl der Helfer
freiwillige Helfer zwischen 20 und 30 Jahren	*36*
freiwillige Helfer zwischen 30 und 40 Jahren	*78*
freiwillige Helfer zwischen 40 und 50 Jahren	*66*
freiwillige Helfer zwischen 50 und 60 Jahren	*49*
freiwillige Helfer zwischen 60 und 70 Jahren	*13*
freiwillige Helfer über 70 Jahre	*11*
	Gesamt : 253

Dieses Zahlenbeispiel beweist, daß nur 14,2 % aller freiwilligen Helfer im Grenzgebiet jünger als 30 Jahre sind.

Probleme gibt es bei der Gewinnung neuer Helfer im Alter zwischen 20 und 30 Jahren. Deshalb müssen durch alle ABV und Schutzpolizisten verstärkte Anstrengungen unternommen werden, um durch eine schrittweise Verjüngung des Helferbestandes, insbesondere im Grenzgebiet und grenznahen Gebiet, eine spürbare Erhöhung der Wirksamkeit bei der Streifentätigkeit und der gesamten Dienstdurchführung der freiwilligen Helfer zu erzielen.

Die Untersuchung hat ergeben, daß in Durchsetzung der DV[17] 33/82 des MdI[18] zur Ableistung einer Mindestdienstzeit von monat-

lich 6 Stunden pro Helfer bereits Probleme auftreten, die vorrangig auf das zu hohe Durchschnittsalter und die zu geringe Dichte zurückzuführen sind. Der Bezirksdurchschnitt der geleisteten Einsatzzeit beträgt 9 Stunden. Im Kreis Meiningen ist ein Durchschnitt von 672 Stunden zu verzeichnen. In den VPGP/G19 liegen manche Bereiche noch unter der geforderten Mindestzeit.

Durch das relativ hohe Durchschnittsalter, insbesondere in den VPGP/G, sind nur ca. 50 % aller freiwilligen Helfer zur Streifentätigkeit einsetzbar. Bei Sonder- und Fahndungsmaßnahmen stehen nur 20 – 25 % aller Helfer kurzfristig zur Verfügung.

Besonders ungünstig ist die Situation in der Grenzgemeinde Hindfeld. Dort sind nur 4 freiwillige Helfer mit einem Durchschnittsalter von 51 Jahren tätig. Eine ähnliche Situation besteht in der Grenzgemeinde Mendhausen. Hier müssen schon deshalb Veränderungen herbeigeführt werden, weil sich erneut im Jahre 1982 bestätigt hat, daß der Raum Römhild – Mendhausen – Milz eine Hauptangriffsrichtung zum ungesetzlichen Verlassen der DDR darstellt. Im Jahre 1981 gelang es zwei Tätern in diesem Raum die Staatsgrenze zu durchbrechen und im Jahre 1982 ist es sogar drei Tätern gelungen, die DDR in diesem Abschnitt ungesetzlich zu verlassen.

Mit diesem Beispiel soll verdeutlicht werden, daß es notwendig ist, generell im gesamten Grenzgebiet und grenznahen Gebiet die Wirksamkeit unter den freiwilligen Helfern beim Schutz der Staatsgrenze durch geeignete Maßnahmen zu erhöhen.

In die Auswahl geeigneter Kader müssen deshalb stärker Jugendliche und Jungerwachsene perspektivisch für diese Aufgabe durch zielgerichtete Maßnahmen und Veranstaltungen in gesellschaftlichen Organisationen, Einrichtungen und Betrieben vorbereitet und das Interesse für die Tätigkeit als freiwilliger Helfer geweckt werden.

Zur Realisierung dieser Aufgabe sollten vor allem solche Potenzen und Reserven im Gewinnungsprozeß langfristig erschlossen werden, wie

* *die zielgerichtete Vorbereitung auf die Tätigkeit als freiwilliger Helfer der Kinder von VP-Angehörigen und anderen progressiven Kräften,*

* *die planmäßige Vorbereitung und Gewinnung von freiwilligen Helfern unter Reservisten, die ihre Dienstzeit bei der NVA beendet haben,*

* *die enge Zusammenarbeit zwischen ABV und FDJ zur Gewinnung von freiwilligen Helfern, insbesondere aus den Ordnungsgruppen der FDJ.*

Haupteinsatzrichtungen der freiwilligen Helfer der DVP im und am Grenzgebiet des Kreises Meiningen

Die generellen Einsatzrichtungen der Freiwilligen Helfer der DVP sind in der Dienstvorschrift Nr. 33/82 des Ministers des Innern und Chefs der Deutschen Volkspolizei über die Arbeit mit den Frei-

3. und 10. März 1990

Stadtverordnete und oppositionelle Meininger Bürger besuchten die Partnerstadt Neu-Ulm.

4. März 1990

In der Joseph-Meyer-Oberschule Hildburghausen kam es zur Diskussion mit dem Europaparlamentarier Dr. Heinz Köhler (SPD) zu den Konturen und Konsequenzen der deutschen Einheit. Er stellte den Stufenplan der SPD Einigung statt Anschluss vor.

Im Kulturhaus Gießübel, Krs. Hildburghausen, sprach der Beauftragte der Bundesregierung für Behinderte, MdB Otto Regenspurger (CSU). Themenschwerpunkt war die Lösung sozialer Fragen.

Die Grenzübergänge Rotheul – Mitwitz, Buch – Stockheim und Emstadt – Neukirchen wurden geöffnet.

6. März 1990

Bei einem Moskau-Besuch von DDR-Regierungsvertretern erklärten beide Staaten, dass eine Vereinigung Deutschlands nicht durch den DDR-Beitritt nach Artikel 23 des Grundgesetzes der Bundesrepublik Deutschland erfolgen dürfe. Ein etappenweises Vorgehen wurde vorgeschlagen, Gesamtdeutschland dürfe nicht Mitglied der NATO werden.

Die im Thüringer Unternehmerverband organisierten Handwerker und Gewerbetreibenden des Kreises veranstalteten eine Demo vor dem Finanzamt in der Wiesenstraße in Hildburghausen, die gegen Ex-SED-Funktionäre gerichtet war, die angeblich noch an den Schaltstellen des Kreises sitzen, die in den zurückliegenden Jahren das Handwerk geschädigt und zur Existenzaufgabe gezwungen hätten. Sogar die Absetzung einiger Mitarbeiter wurde gefordert, ansonsten drohe Steuerboykott.

Das Gewerbegesetz der Deutschen Demokratischen Republik wurde erlassen, das am 01.04.1990 in Kraft trat. Gewerbeanmeldungen unterlagen somit keinen Beschränkungen mehr. In den

Kreisen wurden Gewerbeämter gegründet, so am 01.04. in Hildburghausen. Bis zur Währungs-, Wirtschafts- und Sozialunion am 01.07. kam es im Lkrs. zu 486 Gewerbeanzeigen (148 Kleinindustrie, Handwerk; 338 Handel, Gastronomie, Gaststätten). Ähnlich sah es in den anderen Kreisen und in der Bezirksstadt Suhl aus.

7. März 1990
Ca. 450 Bürger nahmen auf dem Hildburghäuser Marktplatz an einer Wahlkampfkundgebung der Allianz für Deutschland teil, verantwortlich zeichnete die DSU. Der Landwirtschaftsminister des Freistaats Bayern, Simon Nüssel, unterstützte den Volkskammerkandidaten der DSU, Dr. Gerhard Scheller, aktiv bei dessen Wahlkampf.

8. März 1990
Die 109.000 „Inoffiziellen Mitarbeiter" (IM) des Ministeriums für Staatssicherheit (ab 17.11.1989 Amt für Nationale Sicherheit) wurden von der DDR-Regierung entpflichtet.

9. März 1990
Immer mehr Eltern aus der DDR erkundigten sich bei den grenznahen bundesdeutschen Berufsschulen nach Möglichkeiten, ihre Kinder dort unterrichten zu lassen.
(Coburger Tageblatt, 09.11.1990)

10. März 1990
Die LDP organisierte als Wahlkampfhöhepunkt auf dem Hildburghäuser Markt einen Markttag mit Firmen aus der Bundesrepublik, die ihre Waren gegen DDR-Mark vertrieben. Prominenter Redner war der Hermann Rind (FDP-MdB).

11. März 1990
Nach Straßenbauarbeiten wurde für Fußgänger und Radfahrer die vorübergehende Sperrung des Grenzübergangs Sülzfeld, Lkrs. Coburg – Bad Colberg, Krs. Hildburghausen, aufgehoben.
(Coburger Tageblatt, 09.11.1990)

willigen Helfern der Deutschen Volkspolizei vom 17. Juni 1982 wie folgt festgelegt:

Die Arbeit der ABV mit den FH ... Besonderes Schwergewicht ist zu legen auf die

* *Mitwirkung bei der Durchsetzung staatlicher Kontrollmaßnahmen, Feststellung von Anzeichen der kriminellen Gefährdung von Personen und der Einschätzung ihres Verhaltens sowie bei der Unterstützung der Maßnahmen der Wiedereingliederung von aus dem Strafvollzug entlassenen Bürgern,*

* *Lösung von Aufträgen zum Schutz der Staatsgrenze und der Sicherung von Transitwegen,*

* *Streifen- und Observationstätigkeit mit dem Ziel, Straftaten, Verfehlungen und Ordnungswidrigkeiten vorzubeugen und aufzudecken sowie bei der Beseitigung ihrer Ursachen und Bedingungen mitzuhelfen,*

* *Verhütung von Rechtsverletzungen, insbesondere der Erhöhung der Sicherung im Straßenverkehr, der Durchsetzung der Brandschutzbestimmungen und der Verbesserung des allgemeinen Ordnungszustandes im Abschnitt,*

* *Einleitung bzw. Durchführung von Sofortmaßnahmen an Ereignisorten, wie Erste Hilfe für Verletzte, Sicherung von Spuren, Absperrmaßnahmen, Feststellung von Beteiligten, Zeugen oder Verdächtigen,*

* *Sicherungsmaßnahmen bei bedeutsamen Anlässen und Veranstaltungen,*

* *Durchsetzung der öffentlichen Ordnung und Sicherheit ...*

* *Zusammenarbeit mit den Kommissionen und Aktiven der Ausschüsse der Nationalen Front der DDR.*

Die Arbeit der Angehörigen des schutzpolizeilichen Streifendienstes mit den FH. Im Rahmen des schutzpolizeilichen Streifendienstes kann der Einsatz der FH erfolgen zur

* *Verdichtung des schutzpolizeilichen Streifendienstes,*

* *Überwachung gefährdeter Räume bei der Bekämpfung von Straftathäufungen und Brennpunkten der Kriminalität,*

* *Sicherung von Objekten, Personen und Sachen sowie von Ereignisorten,*

* *Durchführung von Kontroll- und Überwachungsaufgaben sowie von Sicherungsmaßnahmen bei bedeutsamen Anlässen und Veranstaltungen,*

* *Durchführung von angewiesenen zeitweiligen Objektkontrollen ...*

* *Einflußnahme auf die Einhaltung der Rechtsvorschriften zur Erhöhung der Sicherheit im Straßenverkehr."*

Den Besonderheiten des Einsatzes der freiwilligen Helfer der DVP im und am Grenzgebiet muß jederzeit Rechnung getragen werden.

Das Primat muß den Problemen der Ordnung und Sicherheit im und am Grenzgebiet und der spürbaren Zurückdrängung von Angriffen auf die Staatsgrenze zukommen.

Erfolge der freiwilligen Helfer der DVP

Es scheint wirklich so, als seien die VP-Helfer im Bezirk nicht allzu erfolgreich in der Jagd auf Grenzverletzer gewesen. Jedenfalls findet sich zwischen 1983 und 1989 kein Eintrag, dass ein VP-Helfer einen Grenzverletzer gestellt habe. So müssen einige Hinweise aus dem Nachbarkreis Eisenach als Beleg für diese Tätigkeit dienen, wo anscheinend die VP-Helfer besser motiviert waren:

* Der 56-jährige ungarische Staatsbürger Gyula F.-K., Elektromechaniker im VEB Filmtheatertechnik, in Erfurt wohnhaft, fand sein Leben nicht mehr lebenswert. Die Frau hatte sich scheiden lassen und war 1983 in die BRD ausgesiedelt worden. Er wollte nicht mehr. Besser, sich an der Grenze erschießen lassen, als so weiter leben! Am 23.08.1984 gegen 20 Uhr wurde der Ungar auf dem Weg zur Grenze am Ortsrand von Stedtfeld, Kreis Eisenach, durch einen Volkspolizeihelfer festgenommen.[20]

* Der 41-jährige Invalidenrentner Peter B. aus Leipzig lebte in einem Altersheim und hatte ständigen Streit mit seinem Zimmerbewohner. B. hatte auch keine verwandtschaftlichen Bindungen, er fühlte sich einsam. Am 08.07.1986 fuhr er mit dem Zug bis Eisenach und weiter mit KOM in Richtung Grenze bis Creuzburg, Kreis Eisenach. Er hatte noch keine konkreten Vorstellungen, wo er die Staatsgrenze durchbrechen wollte. Er ging erst mal in eine Gaststätte in Creuzburg, dort war ein Freiwilliger Helfer der DVP, der B. um 16.05 Uhr festnahm.[21]

* Auf Hinweis eines VP-Helfers konnte die DVP am 06.01.1987 gegen 16.00 Uhr auf der Ortsverbindungsstraße Förtha, Oberellen, Kreis Eisenach, den 22-jährigen Arbeiter Rolf H. aus Erfurt festnehmen. Er hatte eine Karte, einen Kompass, ein Fernglas sowie Wechselkleidung dabei. H. wollte im Raum Eisenach zur BRD durchbrechen.[22]

* Festnahme des 20-jährigen Uffz. der NVA, Jürgen K., wohnhaft in Berka, Kreis Eisenach, am 25.04.1988, 23.05 Uhr, durch einen VP-Helfer am Ortsrand von Dankmarshausen, Krs. Eisenach. K. hatte vom 22. bis 26.04.1988 Urlaub, nach Streitigkeiten im Elternhaus und unter Alkoholeinfluss fasste er den Entschluss, die Staatsgrenze nach der BRD zu durchbrechen. Er ging aus der elterlichen Wohnung zu Fuß bis zum Ortsrand von Dankmarshausen und durchschwamm die Werra bis zum Festnahmeort.[23]

* Ein Helfer der Volkspolizei fand am 30.04.1989 in Herda, Krs. Eisenach, gegen 17 Uhr, am Rand des Grenzgebiets eine Tasche mit Bekleidungsstücken und anderen Gegenständen und

12. März 1990
Letzte Sitzung des Runden Tisches
Er lehnte eine Übernahme des Grundgesetzes der Bundesrepublik Deutschland für die DDR ab. Über eine neue DDR-Verfassung sollte am 17.06.1990 abgestimmt werden.
Von der Arbeitsgruppe Sicherheit wurde der Abschlussbericht vorgelegt, in dem festgestellt wurde, dass die Stasi nicht mehr arbeitsfähig wäre, 96 % der Mitarbeiter wären angeblich entlassen worden.

Todesstreifen Landschaftsschutzgebiet
Schnell reagierten DDR-Behörden auf Forderungen der Naturschützer, den ehemaligen Todesstreifen entlang der innerdeutschen Grenze als Schutzgebiet auszuweisen. Zur Erhaltung wertvoller Landschaftsteile im ehemaligen Grenzgebiet zur Bundesrepublik wurde das Gebiet von Eisfeld bis zum Straufhain und von Eicha bis Ummerstadt im Kreis Hildburghausen als Landschaftsschutzgebiet ausgewiesen. 40 Jahre lang konnte sich dieser Grenzstreifen, so bitteres Leid er über die Menschen auch brachte, in einer absoluten Unberührtheit entwickeln. Die Natur allein hatte hier das „Hausrecht". Sie zauberte eine andernorts längst entschwundene Formen- und Farbenpracht an Pflanzen und schuf neue Entwicklungsflächen für viele selten gewordene Tierarten.
(Nach: Main-Post, 22.03.1990)

13. März 1990
Die Reisewelle rollte weiter
Vor erhöhten Anforderungen sahen sich die Angehörigen der DDR-Grenzorgane in Verbindung mit dem Reiseverkehr gestellt. Wie das Grenzbezirkskommando Suhl dem ADN mitteilte, passierten in seinem Verantwortungsbereich im Zeitraum vom 6. Februar bis 5. März mehr als 3,16 Millionen Menschen die Grenzübergangsstellen zur Bundesrepublik. Das war fast eine halbe Million Menschen weniger als im Vormonat. Doch mit einem täglichen Durchschnitt von rund 113.000 Personen erreichte der Reisestrom trotz zeitweiligem Schnee und orkanartiger Stürme eine beachtliche Höhe. Als besondere Verkehrsschwerpunkte wurden für Februar die Grenzübergangsstellen Hönbach

– Neustadt mit 542.767 und Eicha – Trappstadt mit 297.238 Reisenden genannt. Die zeitweiligen Grenzübergänge, die vorwiegend an den Wochenenden geöffnet sind, wurden von 93.324 Personen genutzt, 17.954 mehr als im Vormonat. Aufgrund fehlender Visa und ungültiger Dokumente, so Pressesprecher Major Herbert Müller, mussten in diesem Zeitraum 157 Reisende bei der Ein- und Ausreise zurückgewiesen werden. Ein DDR-Bürger habe versucht, nur mit dem Versicherungsausweis auszureisen und ein BRD-Bürger wollte nur mit dem Führerschein die Grenzübergangsstelle passieren. Trotz der umfangreichen Möglichkeiten zum ordnungsgemäßen Passieren der Grenze an den dafür vorgesehenen Stellen verzeichnete das Grenzbezirkskommando eine zunehmende Zahl von Versuchen des widerrechtlichen Überschreitens der Staatsgrenze.
(Freies Wort, 13.03.1990)

> Mit 10.731 Menschen, die in der vorangegangenen Woche die DDR verließen, war die Zahl der Übersiedler in die Bundesrepublik leicht rückläufig, teilte das Bundesinnenministerium in Bonn mit. Eine Woche zuvor waren es noch 12.129. Die Zahl der Übersiedler stieg damit seit Jahresbeginn auf 132.328.
> (Freies Wort, 13.03.1990)

Reiseverkehr am Grenzübergang Eußenhausen – Meiningen

Er hatte im Vergleich zum Januar 1990 in beiden Richtungen um rund 27 Prozent zugenommen, berichtete die Grenzpolizeiinspektion Mellrichstadt in ihrem Monatsbericht. Insgesamt wurden 668.171 Reisende gezählt. Davon waren knapp 368.000 Personen Reisende aus der Bundesrepublik. Dazu kamen noch 854 Ausländer. Auch der Kraftfahrzeugverkehr stieg deutlich. 215.357 Fahrzeuge wurden abgefertigt, über 33.000 mehr als im Januar. Am Grenzübergang Allertshausen – Hellingen und an den sonstigen, nur gelegentlich geöffneten Fußgängerpassierstellen zwischen benachbarten Grenzorten wurden insgesamt 93.102 Personen gezählt – eine Zunahme von 120 %. Die DDR-Grenztruppe hatte den Abbau ihrer

informierte die Grenztruppen. Gegen 21 Uhr konnten dann zwei junge Männer, die in den Westen flüchten wollten, gefasst werden. Es handelte sich um den 22-jährigen Carsten S. und den 19-jährigen Oliver P. aus Ost-Berlin.[24]

* Am 24.08.1989, um 18.15 Uhr, wurde der aus dem Krs. Stralsund kommende Melker Bodo S. 1.000 m nördlich Wünschensuhl, Krs. Eisenach, durch die Volkspolizei festgenommen. Den Tipp hatten Volkspolizei-Helfer gegeben. Er wollte bei Berka über die Staatsgrenze.[25]

Einschätzung der Grenzarbeit der DVP und ihrer Freiwilligen Helfer 1984 und Ende 1988

Der Abwehroffizier der DVP im VPKA Hildburghausen, Oberleutnant Dressel, berichtete über die Polizeihelfer des Kreises Hildburghausen:

Die Analysierung der Helfertätigkeit im Schwerpunktbereich Eisfeld durch den Einsatz vorhandener inoffizieller Quellen ergab in der gegenwärtigen Situation des erhöhten Kräfteeinsatzes zur umfassenden Sicherung der Staatsgrenze, daß bei 9 Helfern keine Bereitschaft vorliegt, Streifentätigkeit durchzuführen.
Im Mittelpunkt ihrer Aussagen zur Helfertätigkeit stehen solche Argumente, wie:
- ... Ich verrichte meine Tätigkeit als FH im Rahmen der gesellschaftlichen Arbeit als Vorsitzender des VKSK.
- ... Ich versehe Streifendienst, wenn ich an den Wochenenden schon meinen Betrieb kontrollieren muß.
- ... Früher habe ich nur an den Staatsfeiertagen Dienst versehen, und jetzt soll ich monatlich 6 Stunden Streifendienst leisten, das kann ich nicht.
- ... Wenn es bekannt wird, daß ich FH der DVP bin, dann habe ich in meiner Gaststätte bald keine Gäste mehr.
- ... Ich werde als FH in der FFW Eisfeld tätig.
Ursache dafür ist, daß einesteils die Auswahl und Gewinnung von FH der DVP nicht entsprechend der DV-Nr. 33/82 des Ministers des Innern erfolgt und andererseits die Arbeit mit den FH der DVP unzureichend ausgeprägt ist.
Negativ auf den gesamten Prozeß der Arbeit der DVP im Schwerpunktbereich Eisfeld und damit verbunden auf die Helfertätigkeit wirkt sich die personelle Unterbesetzung der ABV der Stadt Eisfeld auf Grund der am 7.9.1984 erfolgten Entlassung eines ABV, Unterleutnants der VP, aus den Reihen der DVP aus disziplinaren Gründen aus. Des weiteren gibt es derzeitig unter den Angehörigen der DVP insbesondere den im VPKA Hildburg-

hausen beschäftigten VP-Angehörigen, kompakte negative Diskussionen über die Führungs- und Leitungstätigkeit des Leiters des VPKA. Ursache dafür ist die Aufkündigung des Dienstverhältnisses einer Oberwachtmeisterin der VP. Die Genossin war in der Abteilung Paß- und Meldewesen/Reisewesen beschäftigt und wurde aus gesundheitlichen Gründen entlassen.

Da die Frau nach 24 Dienstjahren nicht in den Genuß der nach 25 Dienstjahren zustehenden Vergünstigungen kam, rief diese Art der Führungs- und Leitungstätigkeit Mißfallen über den Leiter des VPKA hervor.

In den Meinungsäußerungen der Genossen, insbesondere in den Abteilungen Schutzpolizei, Paß- und Meldewesen, Stab sowie Kriminalpolizei des VPKA werden folgende Tendenzen sichtbar, die sich negativ auf angestrebte Aktivitäten und Initiativen in der Dienstdurchführung auswirken:

- Ich reiße mir doch nicht den Arsch auf. Ich mache nur soviel, wie unbedingt notwendig ist. Wer weiß, wie es mir einmal geht, wenn ich krank bin. Dann werde ich auch in den Arsch getreten und vor die Tür gesetzt wie die Kollegin.
- ... Konnte die Genossin N. nicht noch das eine Jahr in der VP arbeiten. Jetzt schmeißt er sie hinaus, in einem Betrieb wäre das nicht möglich.[26]

DIE ARBEITSGRUPPE GRENZSICHERUNG DES MFS UND IHR VERHÄLTNIS ZUR DVP

Die Abteilungen und Untergliederungen des Staatssicherheitsdienstes im Bezirk und in den Kreisdienststellen sind im Abschnitt 4 dargestellt.

Bis 1986 war in der BV die Abteilung VII, in den Kreisdienststellen die Abteilung „Grenzsicherung" für Grenzsicherung zuständig. Direkt den Grenzregimentern zugeordnet waren die „Abteilung 2000", die Unterabteilungen „Abwehr" und „Aufklärung" der Hauptabteilung I in Pätz.

Die Zusammenarbeit der Abteilung „Grenzsicherung" der Kreisdienststellen mit den übrigen Grenzorganen war nicht immer reibungslos.

Die Abteilung „Grenzsicherung" meldete im Herbst 1981:
Widersprüchlichkeiten bestehen derzeitig zwischen den erfaßten Personen bei der DVP und unserer DE (Diensteinheit). Obwohl in den Absprachen zwischen dem Grenzoffizier der K und dem Arbeitsgruppenleiter Grenzsicherung monatlich eine Abstimmung erfolgt und Schwerpunktpersonen herausgearbeitet werden, ist der Prozeß der Bearbeitung noch zu langwierig bzw. die Einleitung

Sperranlagen aufgenommen bzw. fortgesetzt.
(Bote vom Grabfeld, 13.03.1990)

15. März 1990
Mitte März 1990 begannen die Gleisbauarbeiten an der Strecke Bebra – Obersuhl – Gerstungen – Wommen – Herleshausen – Eisenach. Die Strecke soll bis September 1990 befahrbar sein.
(Album der BGS-Abt. Bad Hersfeld von Hans-Karl Gliem)

Der FDGB-Kreisvorstand tagte zum letzten Mal und wurde nach Bestätigung des Geschäftsberichts, Bericht über die Verwendung finanzieller Mittel für 1989 und Bericht der Kreisrevisionskommission per Beschluss aufgelöst. Entsprechend der Satzung des gewerkschaftlichen Dachverbandes FDGB sowie dem Aktionsprogramm wurden bis 31.03.1990 in den Kreisen Geschäftsstellen gebildet. Die Industriegewerkschaften und Gewerkschaften führten selbstständig ihre Gewerkschaftsarbeit durch, sie besaßen Tarifautonomie und Finanzhoheit.

Die Mitarbeiter der Deutschen Post Hildburghausen stellten dem Minister für Post- und Fernmeldewesen der DDR bis zum 15.03. ein Ultimatum, ansonsten käme es zum Streik. Gefordert wurden u. a. eine sofortige Lohnerhöhung für alle Beschäftigten, Erhöhung des Urlaubs um zwei Tage ohne Gegenrechnung, Wiedereinführung des Treueurlaubs und Verbesserung der Arbeitsbedingungen. Im Fernschreiben heißt es weiter: „Auch der Leitungsstil der Deutschen Post Suhl sowie der Leitung des Post- und Fernmeldeamtes Meiningen muß sich schleunigst ändern. Wir verlangen eine kontinuierliche Information und Anleitung und keine Entscheidungen vom grünen Tisch, bei denen die Meinungen der Betroffenen nicht gefragt ist. Es hat sich noch immer nichts geändert!"

17. März 1990

Die Kreisgeschäftsstelle der CDU teilte mit, dass es im Kreisverband Hildburghausen kein Mitglied gäbe, das die SED nach 1986 verlassen hatte.

In der DDR griff langsam wieder Zuversicht um sich. Bei einer in Leipzig veröffentlichten Umfrage erklärten 71 % aller befragten DDR-Bürger, dass sie ihrer persönlichen Zukunft optimistisch entgegen sähen. Das waren 10 % mehr als noch im Vormonat. Positiver als bisher fiel auch das Bekenntnis zur Vereinigung der beiden deutschen Staaten aus. Wünschten Ende November 1989 nur 48 % aller Befragten einen deutschen Staat, stieg dieser Anteil nun auf 84 %. Knapp 50 % der Einheitsbefürworter sprachen sich für einen sofortigen Zusammenschluss der beiden deutschen Staaten aus.
(Main-Post, 17.03.1990)

18. März 1990
Freie Wahlen zur Volkskammer der DDR
24 Parteien und Vereinigungen stellten sich der Wahl. Wahlsieger wurde das Wahlbündnis Allianz für Deutschland (Christlich-Demokratische Union Deutschland, Deutsche Soziale Union, Demokratischer Aufbruch). Wahlsieger wurde die von der CDU geführte Allianz für Deutschland, gefolgt von der SPD und der PDS. Zum Ministerpräsidenten wurde der CDU-Politiker Lothar de Maizière gewählt.

Wahlergebnisse

	Thüringen	DDR
CDU/DA	54,1 %	41,7%
DSU	5,8 %	6,3 %
SPD	17,5 %	21,9 %
PDS	11,4 %	16,4 %
BFD/NDPD	5,0 %	5,7 %
B 90(GR-UFV)	4,1 %	4,9 %
Sonstige	2,1 %	3,1 %

Die Parteien der Allianz für Deutschland und der Bund Freier Demokraten (später F.D.P.) gingen eine Koalition ein, sie erhielt 213 der 400 Sitze. Die SPD lehnte eine Koalition deutlich ab. Ab dem 03.04. waren die Weichen für eine Große Koalition gestellt. Am 12.04.1990 stellte

entsprechender Vorbeugemaßnahmen nicht offensiv genug. [27]

Zur Entwicklung der politisch-operativen Lage im Grenzgebiet, einschließlich grenznahen Raums urteilte das MfS:

Zur besseren Gewährleistung der Lageübersicht, insbesondere zur ständigen aktuellen Einschätzung der Wirksamkeit des Systems Tiefensicherung wurden im Berichtszeitraum mehrere Kontrollen im gesamten Kreisgebiet durchgeführt. Als wesentliche Mängel wurden herausgearbeitet.
- Nach wie vor werden keine Kontrollen und sonstige Demonstrativhandlungen an den neuralgischen Annäherungsrichtungen und -räumen durchgeführt.
- Der Helfereinsatz ist nicht ausreichend und erfolgt unkontinuierlich.
- An den Ortsrändern der festgelegten Ortschaften sind keine Kräfte eingesetzt.
- Ab 22.00 Uhr bis 23.00 Uhr befinden sich außer einzelnen Angehörigen der DVP keinerlei Kräfte in den Schwerpunktrichtungen und -räumen.
- Es erfolgt, das wurde besonders auch in Milz und Römhild erneut bestätigt, kein abgestimmter personifizierter Kräfteeinsatz zwischen der DVP und den Grenztruppen.

Ein entsprechender Bericht wurde zu den Kontrollergebnissen angefertigt und dem Stellv. Operativ, Gen. Oberst Storch, zugeleitet.
In Abstimmung mit der DVP, Abt. K des VPKA Meiningen wurden auf der Grundlage inoffizieller Hinweise zu Konzentrationen Jugendlicher in Kaltenwestheim, Kaltensundheim und Bibra Auswertungsvernehmungen durchgeführt. Das Ziel bestand darin, mögliche Anhaltspunkte zum vorbeugenden Erkennen von Gefährdungen in Richtung § 213 StGB zu gewinnen und offensiv wirksam zu werden. Im einzelnen handelt es sich um Konzentrationen Jugendlicher im Alter zwischen 15 und 18 Jahren mit gemeinsamen Freizeitinteressen und bei denen keine durchgängige Kontrolle durch das Elternhaus erfolgt. Übermäßiger Alkoholgenuß, Diebstahlshandlungen im geringen Umfang, Fahren unter Alkoholeinfluß, Entziehung erzieherischer Einflüsse, nächtelanges Herumtreiben in der Nähe des Grenzgebietes u.ä. zählten immer häufiger zu den Lebensgewohnheiten. [28]

Ende 1984 berichtet der Leiter der AG Grenzsicherung, Hauptmann Klett, über Angehörige der DVP, die zur Grenzsicherung eingesetzt sind:

Inoffiziellen Hinweisen zufolge besteht unter FH der DVP des Bereiches Veilsdorf (pol.-op. Schwerpunktbereich) Unzufriedenheit hinsichtlich der Schulungstätigkeit seitens der ABV Genosse W. und Genossen F. Während der Schulungen wird sichtbar, daß die

genannten ABV, insbesondere der Gen. W. im Vergleich
zu früheren, in diesem Bereich eingesetzten ABV nicht
die erforderliche geistige Beweglichkeit besitzen und
die Schulungen insgesamt wenig Niveau aufweisen.
Im Berichtszeitraum konnte durch inoffizielle Kräfte
und Mitarbeiter der AG Grenzsicherung wiederholt die
Feststellung getroffen werden, daß sich die Kontroll-
und Streifentätigkeit im Grenzgebiet und grenznahen
Raum, insbesondere im pol.-op. Schwerpunktbereich Eisfeld spürbar verbessert hat. Hinweise über Überschnei-
dungen im Kräfteeinsatz der DVP und der GT der DDR
wurden im Vergleich zu den Vormonaten nur noch vereinzelt bekannt.
Aus dem Bereich des Gruppenpostens III Heldburg wurde
bekannt, daß wiederholt Fahrzeuge von Kurpatienten des
MdI-Sanatoriums Bad Colberg in der Sperrzone festgestellt werden und sich dadurch eine Reihe von zusätzlichen Maßnahmen zur Überprüfung und Personifizierung
unter dem Gesichtspunkt der Grenzsicherung ergeben.
Bereits durchgeführte Auswertungen seitens der DVP –
Gruppenposten Heldburg mit der Leitung des Sanatoriums
führten bisher nicht zum Erfolg.[29]

Im September 1988 urteilte die MfS-BV-über die Wirksamkeit der DVP und ihrer Freiwilligen Helfer:

Die Wirksamkeit der DVP im Berichtszeitraum entspricht
nicht den Erfordernissen. Der Anteil der Täter, die in
die Grenzsperrzone bzw. den Schutzstreifen eindringen
konnten, ist mit 40 % wesentlich zu hoch. Ursachen für
die mangelnde Wirksamkeit sind u.a.
- zunehmende Angriffe in Abschnitten/Räumen, die
  zurückliegend keine Schwerpunkte darstellten,
- keine ununterbrochene Führung der operativen Kräfte,
- Erscheinungen mangelnder Wachsamkeit und Vertrau-
  ensseligkeit – die operativen Kräfte handeln nicht
  aktiv genug,
- präsentes Auftreten an den Zugängen zum Grenzgebiet
  ermöglicht ein Erkennen und Umgehen der eingesetzten Kräfte durch die Täter.
Die durch den Leiter der BV Suhl im Juli 1988 angewiesenen Maßnahmen mit dem Ziel der sofortigen Erhöhung
der Wirksamkeit bei der Verhinderung des ungesetzlichen Verlassens der DDR führten zu einer Stabilisierung der Lage.
Aufgrund der gegenwärtigen Lage erlangt die qualitati-
ve Verbesserung der FH-Arbeit, einschließlich einer
kontinuierlichen Neugewinnung von FH eine wachsende
Bedeutung.
Obwohl Ergebnisse erreicht wurden, muß sich die Einflußnahme der GBA/MA in Zusammenarbeit mit den Grenz-
KD und der UA Abwehr auf die GT der DDR und die DVP
erhöhen, um führungs- und leitungsmäßige Verbesserungen in der FH-Arbeit zu erreichen. Beginnend bei einer

der Ministerpräsident Lothar de Maizière
sein neues Kabinett vor (CDU – 12 Minister, SPD – 7, DSU – 2, B.F.D. – 3,
DA – 1)

März 1990
DDR-Soldaten ohne Illusion
Nach der Wahl am 18.03. war bei vielen
Grenzsoldaten eine Niedergeschlagenheit
festzustellen. Sie hatten mit einem besseren Abschneiden der PDS, was mit einem
besser gesicherten beruflichen Werdegang
verbunden gewesen wäre, gerechnet.
Bei Kontaktgesprächen mit Offizieren der
DDR-Grenztruppen wurde auch bekannt,
dass Offiziere ohne Hochschulabschluss
mit einer Rückstufung in die Fähnrichlaufbahn rechnen müssen. Offizieren, die
ihre Entlassung aus dem aktiven Dienst
beantragen, sollen 50 % ihres zustehenden Ruhegehaltes erhalten.
(Bayerische Grenzpolizi)

3. April 1990
Auf der 9. Tagung des Runden Tisches
des Kreises Hildburghausen wurde auf
Vorschlag des CDU-Kreisvorsitzenden
Thomas Müller einstimmig der Beschluss
gefasst, dass der Runde Tisch seine Arbeit
einstellt, weil er im Vorfeld der Kommunalwahlen von der tatsächlichen politischen Entwicklung längst überholt wurde.

19. April 1990
In Meiningen tagte letztmalig der Runde
Tisch.

20. März 1990
Die innerdeutsche Grenze werde nach
Angaben des Bundesfinanzministerium
auch bei baldiger Schaffung der deutschen Einheit „für eine längere Zeit bestehen bleiben". Die Angleichung der Zoll-
Systeme und vor allem die Einführung
von Verbrauchssteuern in der DDR mit
einer allmählichen Anpassung an die bundesdeutschen Verbrauchssteuer-Abgaben
erforderten, dass der Warenverkehr
bestimmten Abfertigungs- und Überwachungsmaßnahmen unterworfen bleibt,
teilte das Ministerium mit. Zu gegebener
Zeit könnten die Aufgaben der Zoll-

verwaltung an der innerdeutschen Grenze entfallen.
(Meininger Tageblatt, 20.03.1990)

22 Stunden am Trabi-Steuer

(Rottenbach). Seinen sehnlichsten Wunsch, nach der Grenzöffnung endlich einmal mit dem eigenen Auto nach Spanien zu reisen, erfüllte sich ein älterer Mann aus dem Krs. Hildburghausen. 22 Stunden verbrachte er auf der Rückreise in die DDR am Steuer seines Trabant, bevor ihm kurz vor dem Grenzübergang Rottenbach – Eisfeld die Augen zufielen. Der Wagen prallte nach Angaben der Grenzpolizei gegen einen Baum und wurde total beschädigt. Der Fahrzeuglenker kam wie durch ein Wunder unverletzt davon. Mit dem Bus und den Erinnerungen an Spanien kehrte er in seinen Heimatort zurück.
(Meininger Tageblatt, 20.03.1990)

21. April 1990

Zwischen den Städten Schleusingen, Kreis Suhl-Land, und Plettenberg wurde eine Städtepartnerschaft beschlossen.

Etwa 5.000 Unterschriften sammelten Leser des Meininger Tageblatts für einen umgehenden Baubeginn und zur Schließung der Schienenlücke Meiningen – Mellrichstadt.
(Meininger Tageblatt, 21.03.1990)

26. März 1990

Die Grenzpolizeiinspektion Mellrichstadt berichtete in ihrem Jahresbericht 1989, dass es insgesamt 16 Flüchtlingen aus der DDR gelang, 1989 im Bereich der GPI Mellrichstadt die Grenzsperranlagen zu überwinden. Die „sauberste" Flucht glückte einem Arbeiter mit einer Straßenreinigungsmaschine. Der Mann sollte die F 19 zwischen den Abfertigungsanlagen der Bundesrepublik und der DDR am Übergang bei Eußenhausen reinigen. In einem günstigen Moment gab er Vollgas und schaffte es trotz Bewachung, in den Westen zu gelangen.
Mit einer Ausreisebewilligung im Zug der Familienzusammenführung passierten bis zum 9. November 1989 62 Übersiedler den Übergang bei Eußenhausen. Danach

schnelleren Gewinnung der FH nach Vorschlag der Kandidaten bis hin zur qualifizierteren Schulung/Ausbildung und den unmittelbaren Einsatz der FH bestehen noch wesentliche Reserven.[30]

DIE TRANSPORTPOLIZEI (TRAPO) ALS EFFEKTIVES HILFSINSTRUMENT DER GRENZSICHERUNG

Was war die Trapo?

Die Trapo war ein Dienstzweig der Deutschen Volkspolizei, zuständig für Ordnung und Sicherheit auf den Anlagen und in den Einrichtungen der Deutschen Reichsbahn. Die Transportpolizei war damit dem Ministerium des Innern unterstellt und Teil der Territorialverteidigung. Die Zuständigkeit der Transportpolizei umfasste nicht das gesamte Transportwesen der DDR, sondern nur den Schutz des Eisenbahnverkehrs, insbesondere der Militärtransporte. Zu ihren Aufgaben gehörte unter anderem die Kontrolle der Reisenden; hierzu wurden Zugbegleitkommandos (ZBK) eingesetzt.

Die Transportpolizei gliederte sich territorial in 8 Abschnitte, die den 8 Eisenbahndirektionen der DDR entsprachen. Von den ca. 80 Kompanien der Transportpolizei (mit ca. 8.000 Mann) wurden 17 kaserniert als Verfügungsverbände gehalten und standen somit der Territorialverteidigung unmittelbar zur Verfügung. Der Dienst in der Transportpolizei war dem aktiven Wehrdienst gleichgestellt. Die Transportpolizei war mit Maschinenpistolen und Granatwerfern ausgerüstet. Kommandeur der Transportpolizei war 1978 Oberst H. Nedwig.[31]

In Streckenabschnitten der Reichsbahn wurden polizeiliche Aufgaben verantwortlich durch den Abschnittsbevollmächtigten (ABV) wahrgenommen. Den im Range eines Unterleutnants oder Leutnants der Schutzpolizei stehenden ABV wurde in besonderem Maße die Aufgabe zugeschrieben, die Verbindung der DVP mit der Bevölkerung zu festigen.[32]

Aus der Geschichte der Transportpolizei

Parallel zur Zentralisierung des Polizeiapparates ab 01.08.1946 wurden Verbände einer Transport- und einer Grenzpolizei aufgebaut, welche erstens zum Schutz sowjetischer Reparationstransporte und zur Kontrolle des Transitverkehrs zwischen den Westzonen und West-Berlin dienten, und zweitens die sowjetischen Besatzungstruppen bei der Überwachung der Zonengrenzen unterstützen sollten.[33]
Die Verbandsstärke der Transportpolizei belief sich während dieser Zeit auf ca. 7.400 Mann. Am ersten Jahrestag des Bestehens der

Für den Schutz der Arbeiter-und-Bauern-Macht

1945–1985 40 Jahre Deutsche Volkspolizei

„Freies Wort" stellt verschiedene Dienstzweige vor – HEUTE: TRANSPORTPOLIZEI

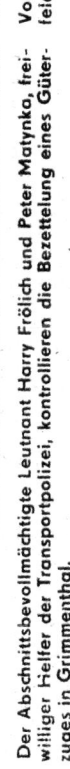

Der Abschnittsbevollmächtigte Leutnant Harry Frölich und Peter Matynka, freiwilliger Helfer der Transportpolizei, kontrollieren die Bezettelung eines Güterzuges in Grimmenthal.

Vor der Abfahrt eines Schnellzuges in Meiningen – Obermeister Rainer Hoßfeld und Hauptwachtmeister Heiko Banz im Streifendienst.

Aufn. (2): FW / Hoffmann

Ausschnitt aus „Freies Wort" vom 26. Oktober 1985 – Vorstellung des Berufszweiges Transportpolizei der DVP. Siehe auch nachfolgenden Textabschnitt.

369

kamen noch einmal über 620 meist junge Leute als Übersiedler in den Westen. (Jahresbericht GPI Mellrichstadt, veröffentlicht 3/1990)

27. März 1990
Gerangel um Waldhaus in Römhild hält an – Rat des Bezirkes Suhl tritt Gebäude ab
Am 01.04.1990 ging das gesamte Objekt Waldhaus bei Römhild vom Rat des Bezirkes Suhl an den Rat der Stadt Römhild. Die ehemals beliebte Gaststätte soll wieder eine solche werden und dazu mit der Bettenkapazität der ehemaligen Schulungsstätte schrittweise für den Tourismus erschlossen werden. Die vom Rat des Bezirkes für das Objekt für 1990 geplanten Haushaltmittel seien bereitzustellen, ab 1.1.1991 werde das dann in Verantwortung der Kommune liegen. Soweit Auszüge aus dem Bezirksbeschluss vom 18.1.1990. Eine klare Perspektive also? So dachten bis vor wenigen Tagen auch noch die Römhilder, denen ihr Waldhaus viel bedeutete. Mittagstisch und Kaffee gab es schon seit etlichen Tagen wieder. Dafür sorgten Mitarbeiter des Kulturhauses, das vorübergehend wegen Renovierung geschlossen war, und die übriggebliebene Mannschaft der Schulungsstätte. Die Stadtväter hatten sich beim Rat des Bezirkes stark gemacht, denn so schnell wie möglich sollte dem Besucher wie bis Anfang der 60er Jahre wieder mit sprichwörtliche Thüringer Gastlichkeit begegnet werden. 72 Plätze hatte die Gaststätte. Für die Sommernutzung stünden vier Bungalows mit je drei Betten, ganzjährig etwa 50 – 60 Betten im Haus und in der Villa Steinsburg zur Verfügung. Selbst wenn der Bezirksrat von seinen derzeitigen Forderungen zurücktrete, für den künftigen Rechtsträger gebe es ohnehin genügend Ärger. Stichworte: Heizung, Dach, Dachrinnen. Erfüllt werden müssten außerdem die Forderungen der Hygiene nach entsprechenden Sanitäranlagen. Der Kampf der Römhilder um das Ausflugsziel war ein jahrelanger. Es sollte nicht noch einmal Jahre dauern, bis es am Ende oder Anfang eines Spaziergangs heißt: Gehen wir ins Waldhaus. (Freies Wort, 27.03.1990)

Hauptaufgabe der Transportpolizei war die Mitwirkung bei der Grenzsicherung. Die Aufnahme zeigt die Grenzsicherungsanlagen vor Heinersdorf mit einer Lichtsperre.

DDR, am 07.10.1950, verfügte die DDR über 5.000 Mann Transportpolizei.[34] Am 01.08.1952 wurde die Transportpolizei dem MfS unterstellt.

So sollte die Transportpolizei gesehen werden
Für den Schutz der Arbeiter-und-Bauern-Macht
1945 – 1985 40 Jahre Deutsche Volkspolizei
„Freies Wort" stellt verschiedene Dienstzweige vor
HEUTE: TRANSPORTPOLIZEI[35]
Die Transportpolizei ist für die Gewährleistung der öffentlichen Ordnung und Sicherheit auf dem Eisenbahngelände zuständig. Dabei arbeitet sie eng mit gesellschaftlichen Kräften und staatlichen Leitern der Deutschen Reichsbahn zusammen und bezieht ihre freiwilligen Helfer aktiv ein.

Ihre Tätigkeit richtet sich vor allem auf den Schutz volkswirtschaftlicher Güter und des sozialistischen Eigentums sowie auf die Sicherheit im Bahn- und Reiseverkehr. Damit erfüllt sie gleiche oder ähnliche Aufgaben wie die anderen Dienstzweige der Deutschen Volkspolizei.

Eine große Verantwortung hat die Transportpolizei zum Schutz des ständig wachsenden Eisenbahngüterverkehrs. So sind beim Transport hochwertiger bzw. gefährlicher Güter Rechtsverletzungen, Straftaten, Gefahren oder Störungen zu verhindern und die Sicherheit von Objekten und Anlagen der Deutschen Reichsbahn zu gewährleisten. Damit trägt die Transportpolizei zur störungsfreien Entwicklung der Volkswirtschaft bei.

Wichtige Aufgaben obliegen diesem Dienstzweig auch im Reiseverkehr. Dabei geht es insbesondere um die Vorbeugung, Feststellung und Aufklärung von Straftaten, Verfehlungen und Ordnungswidrigkeiten.

Bei Sport- und Kulturveranstaltungen sowie bei Kinderferienaktionen sichern die Genossen der Transportpolizei den Sonderzugverkehr.

Bei ihrem Kampf um eine hohe öffentliche Ordnung und Sicherheit hat sich die enge vertrauensvolle Zusammenarbeit mit den Eisenbahnern bewährt. Das beweisen auch die vielfältigen Aktivitäten der rund 190 freiwilligen Helfer der Transportpolizei im Bezirk Suhl.

Stets umgeben von Zügen und Reisenden

Unterwegs mit Transportpolizisten auf den Bahnhöfen Grimmenthal und Meiningen

Der Morgennebel hüllt Gleise, Signale und Gebäude des Bahnhofes Grimmenthal noch in graue Undurchsichtigkeit. Das ist jedoch für die Eisenbahner kein Hinderungsgrund, einen Güterzug über den Ablaufberg zu schicken und „aufzulösen". In der „Eisenbahnersprache" heißt das, die Waggons, nach Richtungen geordnet, zu neuen Zügen zusammenzustellen. Zwischen den Richtungsgleisen des Güterbahnhofes ist Leutnant Harry Frölich unterwegs. Den Abschnittsbevollmächtigten begleitet Peter Matynka als freiwilliger Helfer der Transportpolizei. Zwei Fachleute unterwegs – der eine zuständig für den Abschnitt zwischen Grimmenthal und Veilsdorf, der andere Stellwerksmeister und Fahrdienstleiter bei der Bahn. Prüfend betrachten sie die Bezettelung der Waggons in Richtung Themar – Hildburghausen – Sonneberg.

Links: Transportpolizei am Bahnhof Friedrichstraße in Ostberlin.
Rechts: Angehörige der Transportpolizei und der Kampfgruppe der DDR bei der Überwachung des Bahnverkehrs.

Ein Mitglied der DDR-Transportpolizei bei der Überwachung des Bahnverkehrs.

29. März 1990
Dass es im Töpferhof Römhild seit etwa einer Woche nunmehr auch eine für jedermann zugängliche Verkaufsstelle gab, vernahm man mit Freude. Mit welchem Recht maßte sich aber die dortige Direktion an, ihre Waren nur in D-Mark zu verkaufen, fragte die Tageszeitung Freies Wort. „Sind die Bürger in der DDR bei diesen Herren dort bereits in Klasse II eingestuft! Sie haben wohl vergessen, daß ihr Betrieb mit hohen staatlichen Investitionen gestützt wurde, die nicht zuletzt der einfache Mann aus der DDR mit erarbeitet hat."
(Freies Wort, 29.03.1990)

31. März 1990
Der Grenzübergang Burggrub, Lkrs. Kronach – Rotheul, Krs. Sonneberg, wurde geöffnet.

1. April 1990
Die Deutsche Bundesbank schlug bei einer Währungsunion vor, die Einkommen und Renten im Verhältnis 2 : 1 umzustellen. Es kam zu Protesten in der DDR.

Nach Regierungsangaben waren zu diesem Zeitpunkt alle hauptamtlichen Mitarbeiter der Staatssicherheit entlassen worden, außer HV A (Hauptverwaltung Aufklärung). Die für Auslandsspionage vorgesehene Abteilung übergab am 30.06. ihre Räume besenrein an das staatliche Auflösungskomitee.

3. April 1990
Verbrechen der Sowjets
In der Presse des Bezirkes Suhl wurden Mitteilungen über Verbrechen in den sowjetischen Sonderlagern des Geheimdienstes in der SBZ und in der DDR publiziert.

Vom 21.08.1945 bis 1950 wurden Anhänger und Täter des Nationalsozialismus, aber auch bürgerliche Demokraten, Parteilose und Kommunisten in das ehemalige KZ Buchenwald (Speziallager Nr. 2 des sowjetrussischen NKWD) verschleppt. Unter ihnen befanden sich auch Bürger aus den Kreisen des Bezirkes Suhl. Die Opfer wurden oft von deutschen Helfershelfern denunziert. In den sowjetischen KZ in der SBZ/DDR waren mindestens 183.000 Menschen interniert worden, davon kamen 73.100 ums Leben oder wurden gezielt ermordet. Allein in Buchenwald starben 8.000 von 32.000 Inhaftierten. Die Zahlen mussten nach der Aufdeckung der Verbrechen immer wieder nach oben korrigiert werden. In den Folgemonaten wurden überall im Land weitere Untaten der Sowjets bekannt, so auch Massenhinrichtungen in der Nähe Hildburghausens.

5. April 1990
Konstituierung der Volkskammer der DDR. Abschaffung des Staatsrats. Volkskammerpräsidentin Sabine Bergmann-Pohl (CDU) übernahm provisorisch die Aufgaben des Staatsoberhaupts, Lothar de Maizière (CDU) wurde mit der Regierungsbildung beauftragt (Am 12.04. wurde er zum Ministerpräsidenten gewählt).

10. April – 2. Oktober 1990
Nachfolger des „Ministeriums für Nationale Verteidigung" der DDR wird das „Ministerium für Abrüstung und Verteidigung". Trotz Verhandlungen gelingt es nicht, die Grenztruppen dem Innenministerium zu unterstellen.

Am 12.09.1961 (also einen Monat nach dem Mauerbau) wurde mit Befehl 1/61 des Vorsitzenden des Nationalen Verteidigungsrats, Walter Ulbricht, die Deutsche Grenzpolizei (mit Wirkung v. 15.09.) in die Nationale Volksarmee (NVA) eingegliedert. Das war üblicher DDR-Etikettenschwindel: Aus „Polizisten" wurden „Soldaten". Die Grenzpolizisten wurden dem Ministerium für Nationale Verteidigung unterstellt. Das NVA-Kommando Grenze verfügte seinerzeit über schwere Waffen: Panzer Typ T 34, Sturmgeschütze SU-76, schwere Infanteriewaffen usw.

11. April 1990
Die Kinder des Kindergartens Rieth (Krs. Hildburghausen) freuten sich über eine Spende aus den bayerischen Orten Zimmerau und Sternberg. Mit dem Erlös eines Lichtbilderabends in Höhe von 580 DM

Stets müssen diese Zettel an jeder Wagenseite vorhanden sein, geben sie doch Auskunft über das Woher und Wohin. Bei solchen Kontrollen werden Rangierfehler sofort bemerkt. Sie brächten Unordnung in manchen betrieblichen Arbeitsplan – die Kunden müßten länger auf ihre Güter warten.

Der ABV hat den Bahnhofsgleisplan auf seinem Schreibtisch im Kopf und würde jede Unregelmäßigkeit sofort bemerken. Peter Matynka erläutert, welche Bedeutung Grimmenthal als Güterzugknotenpunkt hat: „Täglich werden rund 600 Güterwagen rangiert, es waren aber auch schon 800 und mehr. Da müssen viele Augen auf die Sicherheit und die Ordnung achten." Beide kontrollieren Verschlüsse und Verplombung der Waren. An einem Güterwagen von Görlitz nach Schleusingen lassen Transportpolizist und freiwilliger Helfer ihrem Ärger freien Lauf. Die Schiebetür ist nur teilweise geschlossen, blaue Matratzen leuchten heraus. „Schlamperei vom Versender, denn der versuchte, die Tür mit etwas Draht zu verknoten!" Längerer Regen unterwegs – und am Zielbahnhof ist alles durchnäßt." Der ABV macht aufmerksam, daß hier auch dem Diebstahl im wahrsten Sinne des Wortes Tür und Tor geöffnet sind, „wir wollen strafbaren Handlungen vorbeugen, deshalb kommt sofort eine Meldung an den Wagendienst". Doch nicht nur um Wagenladungen kümmert sich Leutnant Frölich. Er wacht auch über die Einhaltung der Arbeitsschutzvorschriften durch die Eisenbahner. „Verhalten sich auch nur einige nicht korrekt im Bahngelände, so sind sie ein schlechtes Beispiel für die Reisenden!"

Während der Nahgüterzug nach Sonneberg Grimmenthal verläßt, unternimmt der ABV bereits gemeinsam mit Eisenbahnern eine Dienstortbegehung in Sachen Ordnung und Sicherheit, um mögliche Gefahrenpunkte zu erkennen und zu beseitigen ...

Am späten Vormittag ist Hochbetrieb im Meininger Bahnhof. Schnellzüge aus Görlitz und Magdeburg kommen an, andere fahren ab nach Berlin und Leipzig. An den Bahnsteigen 3 und 4 sind Obermeister Rainer Hoßfeld und Hauptwachtmeister Heiko Banz als schutzpolizeiliche Streife unterwegs. Täglich sind sie für viele Reisende Fahrplanauskunft, Wegweiser und Ratgeber obwohl das nicht in den Dienstvorschriften festgeschrieben ist. Doch gern helfen sie, bietet sich dabei doch Gelegenheit, auf einiges hinzuweisen.

Größte Sorgen bereitet nicht nur den Transportpolizisten das Aufspringen auf abfahrende Züge. In diesem Jahr gab es im Bezirk dabei bereits mehrere Unfälle, davon leider auch drei tödliche. Sorglos läßt auch mancher Reisende seinen Koffer auf dem Bahnsteig stehen. „Wir sind doch nur schnell mal in die Mitropa!" oder „Wir wollten nur eine Zeitung holen!" sind dann oft gehörte Ausreden, wenn auf diesen Leichtsinn hingewiesen wird. Das Vorbeugen steht zwar im Mittelpunkt des Streifendienstes im Bahnhofsgelände, doch nehmen die Transportpolizisten auch Informationen über Unregelmäßigkeiten während der Fahrt entgegen, helfen bei vergessenem Gepäck oder liegengelassenen Handtaschen mit Ausweisen weiter.

Hochbetrieb ist für die Genossen des Gruppen-Postens Meiningen alljährlich der Wasunger Karneval. Tausende reisen mit der Bahn an, und die Kapazität kleinerer Bahnhöfe wird oft weit überschritten. Die Genossen in der blauen Uniform sorgen da für einen geordneten Transport.

Um die Gesundheit und das Eigentum der Reisenden zu schützen, sind in einer Reihe von Reisezügen Zugstreifen im Einsatz. Im Zusammenwirken mit anderen Dienstzweigen der Volkspolizei tragen die Transportpolizisten bei zu einer hohen Grenzsicherheit und zur Bekämpfung von Straftaten. Transportpolizisten begleiten gefährliche Ladungen, so zum Beispiel den Sprengstofftransport für die Kali Industrie, direkt und sichern die Übergabe auf Unterwegsbahnhöfen. Sie betreuen Sonderzüge ins Ferienlager oder greifen ein, wenn ein Mitropa-Kunde „einen zuviel genommen hat". Unangenehmes und Erfreuliches, oft dicht nebeneinander, begleitet die Transportpolizisten 24 Stunden am Tag beim Dienst zwischen Gleisen und auf Bahnsteigen.

Aufbau der Transportpolizei im Bezirk Suhl

Leitendes Organ der Transportpolizei im Bezirk Suhl war das Transportpolizeiamt Suhl, Ernst-Thälmann-Str. 12 a, 6100 Meiningen.

Die Leitung des Transport-Polizei-Amtes (TPA) hatten Oberst Wirsching bzw. Oberstleutnant Eichhorn.

Hauptmann Specht war Stellvertreter des Leiters und Stabschef.

Leiter bzw. Stellvertreter der Transportpolizei-Gruppenposten TPGP[36] 1 – 4 waren:

1 TPGP Meiningen	Leutnant Roth
2 TPGP Bad Salzungen,	Leiter Hauptmann der VP, Heß
3 TPGP Sonneberg, (19.11.1987)	Leutnant/Oberleutnant Schmidt
4 TPGP Suhl (19.11.1987)	Oberleutnant Ziegler
Leiter Kriminalpolizei	Major der Kriminalabteilung Krah
Leiter Schutzpolizei	Oberleutnant Krouzek
Leiter Zugbegleitkontrolle ZBK	Obermeister Kahl (19.11.1987)
Offizier Org./Planung	
Offizier Operativ	
Leiter Nachrichten	
Leiter Kommissariate	
Offizier LV	
Leiter Versorgungsdienste)	Hauptmann der VP Mai

An wichtigen Bahnhöfen waren ABV der TP eingesetzt.

wurden Spielsachen angekauft, von denen die Kinder bisher nur träumen konnten.
(Main-Post, 11.04.1990)

12. April 1990
Die DDR-Volkskammer wählte erstmals in ihrer Geschichte eine demokratische Regierung, es wurde eine große Koalition gebildet: Allianz für Deutschland (15 Minister), Sozialdemokraten (7 Minister) und Liberale (3 Minister). Lothar de Maizière (CDU) wurde zum Ministerpräsidenten gewählt.

Straßenprobleme in Emstadt, Kreis Sonneberg

In der Coburger Neuen Presse ist zu lesen: „'Gewaltakt' ohne Rechtsgrundlage: Austritt aus Kreis Sonneberg angedroht – Emstadter haben genug von ‚Buckelpiste' – Schlaglöcher mit einem Meter Durchmesser 'zieren' einzige Straße zum Ortsteil Emstadt. Wenn man für eine Strecke von 2 km über 5 Minuten braucht, weil man maximal 20 km/h fahren kann, wenn an den Autos der Anwohner regelmäßig Stoßdämpfer, Traggelenke und Spurstangenköpfe kaputt sind und wenn sich Busfahrer weigern, eine Linie zu befahren, dann muss es sich um eine außergewöhnliche Straße handeln. Besagte Strecke befindet sich im ehemaligen Sperrgebiet Sonneberg nahe der bayerischen Gemeinde Lautertal und verbindet die Ortsteile Truckendorf und Emstadt der 170 Einwohner zählenden Gemeinde Emstadt. Seit 1978 müssen sich die Bürger der Gemeinde Emstadt mit der Buckelpiste herumschlagen. Die ewigen Vertröstungen von oben leid, legten Bürger der drei Ortsteile Emstadt, Truckendorf und Görsdorf nach der Gemeindevertretersitzung am 21. März die Grundlage für die Revolte. In einem offenen Brief an ost- und westdeutsche Tageszeitungen informierte sie die Leser über die Misere und drohten an, falls es keine zufriedenstellende Lösung gebe, werde man die Ausgliederung aus dem Landkreis Sonneberg und die Angliederung an den Kreis Coburg beantragen."
(Neue Presse 12.04.1990)

13. April 1990

Freigabe des Thüringer Zipfels für den Verkehr.
(Album der BGS-Abt. Bad Hersfeld von Hans-Karl Gliem)

16. April 1990

Nach über 40 Jahren fand am Ostermontag wieder ein deutsch-deutscher Gottesdienst in der Friedhofskapelle in Hönbach statt. Er wurde im Beisein zahlreicher Gläubiger vom Sonneberger Superintendenten Arndt Brettschneider, dem Oberlinder Pfarrer Dietmar Schmidt und dem Wildenheider Vikar Dirk Greisbach gefeiert.
(Coburger Tageblatt, 17.04.1990)

18. April 1990

Memorandum der UdSSR gegen einen Beitritt der DDR zur Bundesrepublik Deutschland nach Artikel 23 des Grundgesetzes der Bundesrepublik Deutschland.

19. April 1990

Regierungserklärung des Ministerpräsidenten der DDR, Lothar de Maizières: Er forderte die schnelle Herstellung der Einheit Deutschlands gemäß Artikel 23 des Grundgesetzes der Bundesrepublik Deutschland.
(s. 06.03., 03.10.1990)

23. April 1990

Die Bundesrepublik schlug für eine eventuelle Währungsunion einen Umtauschkurs von 1 : 1 vor (Löhne, Gehälter, Renten, Bargeld sowie Sparguthaben bis 4.000 Mark pro Kopf, weitere Guthaben 1 : 2).

Gemeinsamer Grenzbegang im Grenzabschnitt der GSA Süd

Die Öffnung der Grenze zur Bundesrepublik Deutschland am 9. November 1989 wirkte sich zwischenzeitlich auch auf die Zusammenarbeit der Grenzbehörden beider deutscher Staaten aus. Neben zahlreichen Treffen zwischen den zuständigen Kommandeuren und Sachbearbeitern der GSA Süd 1 und der Grenzkreiskommandos Meiningen und Hildburghausen fand in der Zeit vom 23. April bis 7. Mai 1990

Aufgaben der Trapo

- Sicherheitsberatung, z. B. Sicherheitsmängel in Bahnhöfen, Streckenkontrolle,
- Kontrolle der Unfälle, Überwachung der Standzeitüberschreitungen, Durchsetzung fristgemäßer Entladung,
- Gewinnung von Transportraum durch Verhinderung von Schäden an Güterwagen der Eisenbahn,

Transportdiebstähle und Beschädigungen, ihre Bearbeitung und Aufklärung,
Diebstähle in Reisezügen und auf Bahnhöfen.

In den Zügen wurden die Fahrkarten durch das Zugbegleitpersonal überprüft, zusätzlich durch eine Zugstreife der TP. In kurzen Abständen werden Kontrollen durchgeführt und protokolliert, z. B. am

18.12.87	P 9024	17.14 MGN
19.12.87	P 9010	
19.12.87	D 757	
20.12.87	P 9026	
21.12.87	P 9024	
21.12.87	D 757	11.55 ab MGN nach Leipzig
22.12.87	P 9024	
22.12.87	P 9010	Abf.: 6.59 ab Mgn

Dazu wurde eine Kontrollplanung durch das Transportpolizei-Amt Suhl vom Stellvertreter des Leiters und Stabschef, Hauptmann Specht, ausgearbeitet, so am 30.12.1987 für die Zeit vom 30.12.1987 bis 03.01.1988

Vorkommnisse im TP-Bereich

Über ihre Tätigkeit hatten die Transportpolizeigruppenposten ein Tätigkeitsbuch handschriftlich zu führen, deren 256 Seiten für etwa 2 Monate ausreichten. Es diente der schriftlichen Erfassung von festgestellten sowie der Volkspolizei mitgeteilten Straftaten, Verfehlungen, Ordnungswidrigkeiten

a) Feststellungen von VP-Angehörigen und Mitteilungen von Bürgern über andere Gefahren und Störungen gegen die öffentliche Ordnung und Sicherheit

b) über Unzulänglichkeiten

c) angewandte Befugnisse, Rundsprüche, Durchsagen, telefonische Mitteilungen, Vorkommnisse mit VP-Angehörigen

Beispiele aus dem Tätigkeitsbuch und dem zusätzlich zu führenden Wochenlagebuch:

18.01.88   1 Anreise mit 2 Personen S. und S. mit dem Ex 157 nach Meiningen und weiter nach Wasungen. Die beiden wurden durch Zugstreife K., L. nicht gestellt.

21.01.88   Körperverletzung im P 9023. Drei Bürger, beschäftigt im VEB IKR Bitterfeld, gerieten auf der Heimfahrt nach Suhl in Streit und es kam zur Schlägerei unter Alkoholeinfluß.

21.01.88   Geringfügige Beschädigung eines Schrankenbaums durch einen Kraftfahrer, der den Schaden selbst gemeldet hatte.

25.01.88   Sackstr. Bf Suhl festgestellt, daß aus einer Palette mit Rauhfasertapete 3 Pakete à 3 Rollen auf der Strecke Quedlinburg – Suhl entwendet wurden, Empfänger war Centrum Warenhaus Suhl

27.01.88   Aus einem Kühlwagen Strecke Tangermünde – Zella-Mehlis wurde eine Blechstreifenplombe aufgerissen, 22 Tafeln Kinderschokolade aus der Schokoladenfabrik Tangermünde fehlten.

29.01.88   Brand des Tfz 119 vom E 805 Lpz – Seg zwischen Blechhammer und Hp. Hüttengrund durch techn. Defekt am Tfz. Bei Brandbekämpfung erlitten 3 Bahner Rauchvergiftung

16.02.88   Strecke Saalfeld – Sonneberg 2 Festnahmen EV gegen beide eingeleitet, Haftbefehl durch KG Mgn verkündet

08.02.89   Suizidversuch zw. Zella-Mehlis und Oberhof, Oberschenkel abgefahren Lebensgefahr   22/89

23.02.89   Jgdl. aus Berlin nach Wasungen   30/89

12.03.89   Zusammenstoß N 65455 Schmalkalden – Pappenheim gegen 13 Uhr mit einem Trabant trotz intakter Warnblinkanlage, Beifahrerin verstarb   36/89

15.06.89   Betrug zum Nachteil SE (Sozialistisches Eigentum)   77/89

30.06.89   Tätliche Auseinandersetzung mit 3 afrikanischen Bürgern   83/89

10.07.89   Brand in der Mitropa Gaststätte Mgn. 363.000 M Schaden. Als Ursache wurde Fehlerstrom in der Zwischendecke zwischen Selbstbedienungsgaststätte und Restaurant ermittelt.   86/89

20.07.89   Faschistische Symbole geschmiert   90/89

05.08.89   Walldorf – Meiningen Tödlicher Unfall durch Triebwagen   94/89

31.10.90   letzter Rapport. Keener mehr!! Schluß! Ende! Aus! Finitto!   **89/90**

erstmals auch ein gemeinsamer Grenzbegang mit Angehörigen der beiden GKK statt. In den Jahren 1977 bis 1989 nahmen an den gemeinsamen Grenzbegehungen nur Angehörige des Bundesgrenzschutzes, des Grenzzolldienstes, der Bayerischen Grenzpolizei und der US-Army teil. Nach vorheriger Absprache zwischen dem Sachbearbeiter Sicherheit der GSA Süd 1 und den Leitern der Arbeitsgruppen Grenzsicherheit der GKK Meiningen und Hildburghausen traf man sich am 23. April 1990 an der rechten Grenze des Abteilungsabschnittes, im Raum Dürrenried – Käßlitz/DDR. An insgesamt zehn Tagen wurde der 124,37 km lange Grenzabschnitt der GSA Süd 1 abgelaufen.

Der Grenzbegang hatte das Ziel, die Grenzbehörden beider deutscher Staaten eine Gesamtübersicht über den Stand der Grenzmarkierung (Grenzsteine, Hinweistafeln usw.) sowie der noch vorhandene Embleme an den DDR-Grenzsäulen zu bekommen und die entstandenen Sturmschäden zu erfassen. Nach Beendigung konnte festgestellt werden, dass durch „Souvenirjäger" zwischenzeitlich von den 251 DDR-Grenzsäulen nur noch zwei mit vollständigen Emblemen versehen waren. Auch die Hinweistafeln des Bundesgrenzschutzes und der Bayerischen Grenzpolizei sowie die Warntafeln der US-Army wurden von den Sammlern nicht verschont.

Die Zusammenarbeit zwischen den einzelnen Institutionen aus Ost und West klappte reibungslos, dies drückte sich unter anderem dadurch aus, dass wechselseitig, je nach Örtlichkeit und in Bereichen von Windbruch, auf Bundes- oder DDR-Gebiet gelaufen wurde.

Bedingt durch die rasante Entwicklung dieser noch „innerdeutschen Grenze" dürfte dies wohl der erste und zugleich letzte gemeinsame Grenzbegang von Behörden aus Ost und West im Grenzabschnitt der GSA Süd 1 gewesen sein.

(PM Ritter in: Zeitschrift des Bundesgrenzschutzes, 17. Jahrgang, Nr. 5, Mai 1990)

Der Bad Königshöfer Journalist Hanns Friedrich schrieb zu diesem letzten gemeinsamen Grenzbegang den nachfolgenden Bericht (s. auch Bd. IV):

Deutsch-deutsche Behördenvertreter gemeinsam unterwegs – Zwar keine Blasen aber doch ein leichter Muskelkater. Bad Königshofen. Zum ersten und wohl auch gleichzeitig letzten Male findet zur Zeit ein gemeinsamer Grenzgang deutsch-deutscher Behördenvertreter statt. 14 Tage lang sind die Wanderer unterwegs, um vor Ort Grenzsteine und den Verlauf der deutsch-deutschen Grenze zu überprüfen. Die Entwicklung beider deutscher Staaten, so Hauptmann Christoph Baldrich von den DDR-Grenzorganen, habe man genutzt, um diesen Grenzbegang mit den Behörden in Unterfranken durchzuführen. Noch vor einem Jahr beobachteten die DDR-Grenzer die bundesdeutschen Kollegen per Fernglas beim Grenzgang, den jede Seite für sich durchführte. Ein gemeinsamer Grenzbegang sei natürlich von Vorteil, da Probleme im Gespräch gelöst oder angesprochen werden können. Mehr als 30 Kilometer Fußmarsch hat die Wandergruppe bereits hinter sich und dabei werden natürlich auch persönliche Kontakte geknüpft. „Unsere Unterhaltung ist doch meist privater Natur", erklärt der Hauptmann der DDR-Grenztruppe in einem Gespräch mit unserer Zeitung. Polizeimeister Andreas Werner vom Bundesgrenzschutz in Oerlenbach findet den ersten gemeinsamen Grenzgang besser als den früheren jeweiligen Alleingang in West und Ost. Beim Grenzgang sind neben dem Bundesgrenzschutz auch Beamte des Zollkommissariats Bad Königshofen sowie der Grenzpolizei anwesend. Früher, so Polizeimeister Andreas Werner, sei es immer ein etwas trauriger Anlass gewesen, diesen Grenzgang durchzuführen, da mit der Gegenseite keine Kontaktaufnahme bestand. „Von unserer Seite war man immer gesprächsbereit und hat auch über den Zaun hinweg gegrüßt, dort jedoch – die Kollegen hatten den Befehl, nicht zu grüßen – keine Erwiderung gefunden." Zu dem jetzigen gemeinsamen Grenzbegang könne man nur sagen: „Es ist schön, daß sich die Zeiten geändert haben." Bla-

Eine der Illusionen, die sich hartnäckig über das Leben in der DDR halten, ist die, dass Kriminalität praktisch nicht vorkam. Das Tagebuch der TP nur für diesen Bereich zeigt ein vielleicht realistischeres Bild, wobei die Fälle des Jahres 1990 vielleicht dem Durcheinander der Wende zugeschrieben werden können:

Untersuchung von Anzeigen durch das TPA Suhl

Diebstähle waren keine Seltenheit

Nr.	Tagebuch	Datum	Vorgang
1	15/89	31.12.88	Anzeige der Fa. Werra-Möbel, Diebstahl von 13 Spanplatten aus einer Lieferung von 412 Platten Import BRD, außerdem Diebstahl einer Abdeckplane am 11.07.89 kein Ergebnis
2	13/89	14.01.89	Anzeige des Diebstahls persönlichen Eigentums im Aufenthaltsraum der Rangierer am 14.01.89
3	21/89	24.01.89	Diebstahl einer Jeansjacke aus der Turnhalle des RAW am 24.01.89 – eingestellt
4		08.02.89	Diebstahl eines Paars Damenstiefel aus dem Ex 157 zwischen Halle und Erfurt
5	32/89	09.02.89	Diebstahl eines Koffers eines Angehörigen der Sowjetarmee mit Inhalt, Gesamtwert 2.060 M, auf der Fahrt von Erfurt nach Suhl im Personenzug 9023 – vorläufig eingestellt
6	50/89	27.02.89	Diebstahl der Umhängetasche eines Zugführers aus dem Dienstabteil des D 551, Berlin-Erfurt
7		27.02.89	Diebstahl einer Geldbörse aus der Innentasche der Jacke eines Sicherheitsinspektors auf der Fahrt mit dem Bus von Hildburghausen bis Suhl. Der PA wurde anonym aus Fehrenbach an den Besitzer zurückgeschickt
8	58/89	22.03.89	Diebstahl von 5 Gußradiatoren im Bahnhof Oberhof – kein Täter ermittelt
9		23.04.89	Diebstahl persönlicher Kleidungsstücke aus der Reisetasche im Zug von Erfurt nach Meiningen – eingestellt
10	78/89	30.04.89	Diebstahl und Versuch der Verbrennung von 3 DDR-Flaggen vor dem Haltepunkt Schwallungen – es konnte trotz umfangreicher Ermittlungen kein Täter ermittelt werden
11	80/89	04.05.89	Diebstahl von 820 M Bargeld aus der Handtasche einer Kellnerin in der Küchenausgabe der Mitropagaststätte Sonneberg.

12	90/89	30.05.89	Diebstahl einer Herrenquarzuhr aus dem RAW Meiningen/Umkleideraum – ohne Ermittlung eines Täters vorläufig eingestellt.
13	103/89	21.06.89	Diebstahl einer Umhängetasche im Ex 157 von Berlin nach Meiningen – vorläufig eingestellt.
14	105/89	22.06.89	Diebstahl eines Integralhelmes, 2 Fl. Schnaps und Zigaretten in Hbm (Hochbaumeisterei) Außenstelle Walldorf, Sozialgebäude – ohne Ermittlung eines Täters vorläufig eingestellt.
15	122/89	14.07.89	Diebstahl von Genußmitteln aus der Wirtschaftseinrichtung des Ex 157, der auf dem Haltepunkt Ritschenhausen abgestellt war – ohne Ermittlung eines Täters vorläufig eingestellt.
	131/89	15.08.89	Diebstahl PE aus einem Koffer, zw. Erfurt und Meiningen, 1150 M Wert
16	155/89	18.09.89	Diebstahl eines Herrenpullovers im D 1057, Halle – Erfurt – vorläufig eingestellt.
17		09.10.89	Diebstahl eines Geldbeutels mit Inhalt aus einer Reisetasche im D 793 Meiningen – Cottbus zw. Suhl und Oberhof – vorläufig eingestellt.
18	185/89	17.10.89	Diebstahl von 82 Sperrholzplatten auf dem Bahnhof Veilsdorf – ohne Ermittlung eines Täters vorläufig eingestellt.
19	188/89	22.10.89	Diebstahl eines Rucksacks mit Inhalt aus dem D 1050 nach Meiningen – vorläufig eingestellt.
20	179/89	23.10.89	Diebstahl soz. Eigentums § 158 (1) StGB Motor, Getriebe und Tank einer Ein- und Ausdrehmaschine an der Streckenführung Bad Salzungen – Oberrohn – ohne Ermittlung eines Täters vorläufig eingestellt.
21	183/89	29.10.89	Diebstahl einer Jeanshose, 2 Pck. Kaffee, 30 M Bargeld aus dem P 9029 Sömmerda – Erfurt – Meiningen – vorläufig eingestellt.
22	Mrz 90	12.11.19	Diebstahl eines Rucksacks im Personenzug 9015 Erfurt – Meiningen
23	199/89	24.11.89	Diebstahl zweier Jagdhörner aus einem abgestellten Sonderzug der Schienentouristik – vorläufig eingestellt.
24	197/89	30.11.89	Diebstahl von Bekleidung, Schmuck und Kosmetik aus der Gepäckabfertigung des Bf Sonneberg – ohne Ermittlung eines Täters vorläufig eingestellt.

sen an den Füßen ob des langen Marsches gibt es übrigens bisher nicht. Lediglich Muskelkater verspüren so manche Grenzer ob der Wanderung, die von Oberfranken bis zum Dreiländereck in der Hohen Rhön führen wird. Zwar wird unterwegs vorwiegend über private Themen diskutiert, aber auch die Politik und aktuelle Tagesereignisse kommen nicht zu kurz. Natürlich geht es aber auch um dienstliche Angelegenheiten, wie den Ausbau von weiteren Fußgängerüberwegen und deren Öffnungszeiten."

27. April 1990
Beginn der offiziellen Gespräche der Regierungen der beiden deutschen Staaten in Bonn und Ost-Berlin über die Schaffung einer Wirtschafts-, Währungs- und Sozialunion.

28. April 1990
Die Gipfelkonferenz der Europäischen Union stimmte der Vereinigung Deutschlands zu.

Die „Zwei-plus-vier"-Gespräche begannen in Bonn, die Außenminister der beiden deutschen Staaten und der vier Siegermächte.

Tausende von Wanderstiefeln stapften über den Thüringer Waldboden. Fahnen und Wimpel wehten. Ein nicht endenwollender Menschenstrom ergoss sich auf „Deutschlands schönstem Wanderweg". In der kalten Morgenluft ein immer wiederkehrender Klang – das Lied des Tages, das Rennsteiglied. Der rund 170 km lange Höhenweg des Thüringer Waldes war ab sofort wieder in seiner vollen Länge bewanderbar. Den Startschuss gab Kronachs Landrat Dr. Werner Schnappauf. Gemeinsam mit Konrad Spindler vom Rat des Kreises Lobenstein schickte er die Wanderfreunde auf die Strecke.
(Coburger Tageblatt, 30.04.1990)

Im Hildburghäuser Schlosspark veranstalteten die Jungliberale Aktion JULIA und die Tageszeitung Freies Wort ein deutschdeutsches Kinderfest für behinderte und gesunde Kinder.

30. April 1990

Grenzöffnung zwischen Ebersdorf und Unterlind.

1. Mai 1990

Fußball zwischen Ost und West

Vor 38 Jahren nahmen die Fußballer aus Heldburg und aus Sand am Main bereits einen Anlauf, ein Freundschaftsspiel auszutragen. Doch die damaligen Behörden wollten es nicht, dass die Menschen aus beiden Teilen Deutschlands solche Verbindungen pflegten und ließen die Sportler aus Sand nicht nach Heldburg einreisen. Gleich nach dem 9. November 1989 knüpften die Verantwortlichen beider Vereine die Bande wieder neu und organisierten einen lebhaften Spielverkehr der verschiedenen Mannschaften. Nachdem die Schülervertretungen schon den Anfang mit ihrer Freundschaftsbegegnung in Heldburg gemacht hatten, trafen die 1. Mannschaften in der Maingemeinde aufeinander. 1. Mai 1990 – um 9 Uhr setzt sich die Kolonne von 12 Trabis und Wartburgs in Bewegung. Zwar verloren die Heldburger das Spiel mit 12 : 0, doch sie gewannen viele neue Erkenntnisse und viele Freunde.
(Fränkischer Tag, 11.05.1990)

Südöstlich von Hünfeld kam es zur Einweihung einer Mariengrotte am Kolonnenweg am GüG Gotthard – Ketten. Ca. 600 Personen waren anwesend, auf 25 m Länge wurde der eMGZ geöffnet. Der Kommandant des Genzüberganges erstattete Anzeige gegen Unbekannt.

Mit 50 Autos demonstrierte man für die Öffnung des Fußgänger-Grenzübergangs Theobaldshof – Andenhausen mit Pkw.

3. Mai 1990

Die Grenzgemeinde Hellingen

im Heldburger Unterland gehörte zu den 20 glücklichen Gemeinden der DDR, die, ehemals im Sperrgebiet liegend, als „Musterdorf" aufgebaut werden sollen. Diese Dörfer sollen aufgrund der bisherigen Unterentwicklung verstärkt gefördert werden. Außer Hellingen wurde im näheren Bereich noch die Gemeinde Milz, Krs. Meiningen, auserkoren. In den

25	200/89	08.12.89	Diebstahl einer Jeansjacke aus dem Waschraum im RAW Meiningen – ohne Ermittlung eines Täters vorläufig eingestellt.
26		31.12.89	Diebstahl eines Thermo-Anoraks, Schals und Lederhandschuhen in der Mitropa-Gaststätte Bf Suhl
27		02.01.90	P 7049 Bf Hibu. Umhängetasche mit Taschenrechner u.a. eines Zugführers
28		06.01.90	Diebstahl einer Handtasche mit Brieftasche und Bargeld im Zug Erfurt – Ilmenau,
29	16/90	15.01.90	Diebstahl eines Fotoapparates MTL 50 Praktica aus der Werkstatt und Fotolabor RAW Meiningen – ohne Ermittlung eines Täters vorläufig eingestellt.
30		15.02.90	Diebstahl einer braunen Lederjacke Warteraum Bf Meiningen
31		18.02.90	Diebstahl pers. Gegenstände in der Vorhalle des Bf Meiningen Bestohlener ein russischer Berufsmusiker
32		20.02.90	Diebstahl einer Handtasche mit 140 M im Ex 157 Suhl – Meiningen
33		10.03.90	Diebstahl einer schwarzen Damenhandtasche in der Vorhalle Bf Suhl

Die Geschädigten stellen jeweils nach Abschluss der Untersuchung gemäß § 198 Antrag, die Bahn (die/den Beschuldigte(n)) als Gesamtschuldner zum Ersatz des entstandenen Schadens zu verurteilen.

Grenzsicherung war eine Hauptaufgabe

Hauptaufgabe der Trapo, besonders im Grenzbezirk Suhl, war die Mitwirkung an der Grenzsicherung.

Dazu wurden im Mai 1987 neben den sonstigen Kontrollorganen Grenzsicherheitsaktive der Transportpolizei in den Dienstorten Meiningen, Sonneberg, Bad Salzungen, Vacha und Dorndorf gebildet. Für den Raum Bad Salzungen war ein Streckengrenzsicherheitsaktiv unter Einbeziehung von Kaltennordheim im Aufbau.

Dass die Transportpolizei ein sehr effektives Grenzsicherungsorgan war, ist aus der Zeitleiste leicht zu ersehen.

Einige Zahlen dazu: Nach Lapp wurden 80 % der Fluchtwilligen im Hinterland durch Transportpolizei und DVP abgefangen. Genauere Zahlen haben wir für den Bezirk Suhl, allerdings nur für die Zeit von Januar 1982 bis März 1985.

Gesamtzahl der Fluchtwilligen, die im Bezirk Suhl über die Grenze wollten	390	100 %
davon		
Verhindert durch Festnahmen der Täter am Ausgangsort durch MfS/DVP/TP	27	6,92 %
Verhindert durch Festnahmen der Täter im grenznahen Raum bzw. Grenzgebiet durch DVP/TP	283	72,56 %
Verhindert durch Festnahmen der Täter im Handlungsraum der GT der DDR	49	12,56 %
Vollendete ungesetzliche Grenzübertritte	31	7,95 %
Davon Ausschleusung bzw. Verdacht der Ausschleusung	13	3,33 %

Von den 114 % der Fluchtwilligen aus dem Bezirk 1985 wurden 18,42 % schon zu Hause festgenommen, 45,61 % im Grenzgebiet und im grenznahen Raum, 21,93 % durch Grenztruppen, 14,04 % kamen durch.[37]

TPA berät zur Lage an der Staatsgrenze

Wie wichtig auch für die Transportpolizei das Thema Grenze war, zeigt ein Protokollauszug aus einer Beratung mit den Leitern der Transportpolizei-Gruppenposten 1 – 4 sowie dem Leiter der Zugbegleitkommandos (ZBK) am 19.11.1987.

```
3.) Entwicklung der Lage an der Staatsgrenze und sich
daraus ergebende Schlußfolgerungen für das TPA Suhl
Es erfolgte nochmals eine grundsätzliche Wertung der
Entwicklung der Lage an der Staatsgrenze im Bezirk und
damit verbunden im eigenen Zuständigkeitsbereich.
Es wurde besonders aufmerksam gemacht auf die Kompli-
ziertheit der politischen Situation, des weiteren
Anhaltens und möglichen Anstiegs des Drucks auf die
Staatsgrenze durch Antragsteller und Amnestierte und
der nicht ausreichenden Wirksamkeit sowohl beim Erken-
nen von Versuchshandlungen, aber auch in der vorbeu-
genden Arbeit. Aus der Lage und Situation ergeben sich
folgende Aufgaben:
1.  In allen Bereichen ist zu sichern die Verstärkung
    der politisch-ideologischen Arbeit zum besseren
    Verständnis Dialogpolitik -Abrüstung - Erhaltung
    und Festigung des Friedens erfordern einen allsei-
    tigen sicheren Sozialismus.
2.  Durch den konzentrierten komplexen Einsatz der
    Kräfte der -S-, ABV-T- und FH in den Reisezügen,
    der Schwerpunktreisezüge sowie der Schwerpunkt-
    bahnhöfe, und darüber hinaus der Bahnhöfe Lauscha,
    Steinach, Eisfeld, Hildburghausen, Themar, Grim-
    menthal, Wernshausen, Immelborn, Zella-Mehlis,
```

nächsten Jahren sollen als Sofortmaßnahmen in Hellingen 650.000 Mark West investiert werden. So ist geplant, als ersten Schritt zum Erreichen einer saubereren Umwelt die Polytechnische Oberschule, Turnhalle und die dazugehörenden Wohngebäude mit einer kombinierten Heizungsanlage zum Preis von 100.00 Mark auszustatten.
(Fränkischer Tag, 05.05.1990)

4. Mai 1990
Ungesetzlicher Grenzabbau

Die Gemeinde Schweickershausen, Krs. Hildburghausen, hatte mit dem zuständigen Grenzkreiskommando Eishausen einen Vertrag abgeschlossen, nachdem den Schweickershäusern der Abbau des 2,5 km langen Hinterlandsicherungszaunes im Bereich der Gemeinde zugesichert wurde. Mitte April wurde dann mit dem Abbau des zugewiesenen Abschnitts begonnen. Da die Orte Schweickershausen und Ibind bei Burgpreppach einen Partnerschaftsvertrag abgeschlossen hatten, erschienen auch Mitglieder des Kleintierzuchtvereins aus Ibind mit entsprechendem technischen Gerät wie Notstromaggregat, um ihren Freunden aus der DDR beim Abbau zu helfen. Die Abbauarbeiten mussten aber wieder eingestellt werden, weil Oberfähnrich Scholz von der Grenzwache Einöd dies befahl. Seiner Meinung nach war die Aktion rechtswidrig, weil dieser Teil der Grenzanlage auch weiterhin bestehen bleiben sollte, so erklärte Bürgermeister Ulrich Klette aus Schweickershausen. Er sowie sein Rat der Gemeinde waren allerdings der Meinung, dass in dieser Angelegenheit der Oberfähnrich seine Kompetenz überschritten habe. Wie Bürgermeister Klette erklärte, hoffe man, dass in Kürze die Abbrucharbeiten fortgesetzt werden können und der Sachverhalt mit dem zuständigen Grenzkommando geklärt werde. Hauptmann Fröhlich, stellvertretender Kompaniechef der Grenzwache Einöd, erklärte auf Anfrage, dass Oberfähnrich Scholz seiner Meinung nach nicht ausreichend über den abgeschlossenen Vertrag unterrichtet war. Major Wyhrenbeck, der Kommandeur des Grenzkreiskommandos Eishausen, hatte jedoch am Handeln des Oberfähnrichs nichts auszusetzen. Nach seinen Aussagen verbiete Punkt 5 der Vereinbarung zwischen dem Grenzkreiskommando und dem Rat der Gemeinde Schweickershausen den Verkauf oder die Weitergabe der abgebauten Metallgitterplatten an Dritte ausdrücklich. Dazu erklärte Bürgermeister Klette, dass es sich in diesem Fall nicht um eine Schenkung an den Kleintierzuchtverband Ibind handeln würde. Dafür liege sogar eine amtlich genehmigte Ausfuhrbescheinigung vor. Nun herrsche in der DDR die Angst, dass ganze Abschnitte in den Westen verkauft werden und dort die „begehrte Ware" nur für viel D-Mark erworben werden könne. (Fränkischer Tag, 04.05.1990)

5. Mai 1990
Die Grenzübergänge Lindenau – Autenhausen, Almerswind – Weißenbrunn vorm Wald, Gräfenthal – Lauenstein, Spechtsbrunn/Rennsteig – Kleintettau und Unterlind - Ebersdorf wurden geöffnet.

6. Mai 1990
Kommunalwahlen in der DDR. Wahlen zu den Stadtverordnetenversammlungen der kreisfreien Städte und zu den Kreistagen.
In Thüringen: CDU – 41,9 %, SPD – 19,6 %, PDS – 10,5 %, BFD/FDP – 7,7 %, B 90 – 6,6 %, DSU – 3,3 %, Sonstige – 10,4 %

Mai 1990
Im ehemaligen Wachtturm (militärische Führungsstelle) bei Gompertshausen, Krs. Hildburghausen, wurde auf Initiative eines ehemaligen Angehörigen der Grenztruppen der DDR ein Grenzmuseum eingerichtet.

11. Mai 1990
Aufruf im Fränkischen Tag Bamberg, Ausgabe Haßberge: Der Rat der Gemeinde Bürden möchte die Möglichkeit nutzen, um die Kontaktaufnahme zu einer Gemeinde zu bewerkstelligen. Das Dorf liegt 7 km von Hildburghausen entfernt und befindet sich in landschaftlich schöner Gegend. Die Einwohnerzahl liegt bei ca. 240 Bürgern. Ratsmitglied Gerlinde Oberender schreibt: „Wir sind an

Schmalkalden ist eine Erhöhung der Präsenz zu gewährleisten.
Von besonderer Bedeutung ist, daß in den Schwerpunktreisezügen zur Unterstützung der -S- und der ABV-T- zielgerichtet FH zum Einsatz gebracht werden.
Beim Einsatz von FH ist zu gewährleisten eine ordnungsgemäße Einweisung derselben.
Verantw.: Stellvertreter Operativ, Leiter -S-.
Leiter Transportpolizei-Gruppenposten 1 - 4
Im Rahmen der Erhöhung der Präsenz ist zu sichern eine unbedingte Verstärkung der Kontrollaktivitäten in den Reisezügen und auf den festgelegten Bahnhöfen zum frühzeitigen Erkennen von Versuchen zum ungesetzlichen Grenzübertritt. Dazu sind insbesondere Befehlsstreifen der ABV-T- festzulegen und eine abstrichlose Abarbeitung der vorliegenden Streifenaufträge zu sichern. Verantwortlich Leiter -S-, Transportpolizei-Gruppenposten 1 - 4

3. Es ist zu sichern die Verstärkung des Einsatzes von FH zur Unterstützung unserer Maßnahmen in den Schwerpunktzügen der Anreise sowie den genannten Bahnhöfen, deren umfassende Vorbereitung und Einweisung vor Dienstbeginn.
Verantw.: Leiter -S-, Leiter Transportpolizei-Gruppenposten 1 - 4

4. Erhöhung der Wirksamkeit und Qualität der Arbeit zum frühzeitigen Erkennen von Entschlüssen und Vorbereitungshandlungen seitens Grenzgefährdeter, Antragsteller u.a. sowie im Rahmen des Antragsprüfungs- u. Entscheidungsverfahrens in dringenden Familienangelegenheiten.
Verantw.: Leiter -K-, -S-, ZBK, Transportpolizei-Gruppenposten 1 - 4

5. Qualifizierung der Zusammenarbeit mit den staatlichen Leitern der DR und verstärkte Einbeziehung weiterer gesellschaftlicher Kräfte.

6. Die weitere Qualifizierung der Maßnahmen des ZW mit unseren unmittelbaren Partnern und unbedingte Einhaltung der abgestimmten Maßnahmen.

7. Durch den SC (Stabschef) ist zu gewährleisten eine aktive Mitarbeit bei der Präzisierung der Grenzvarianten.

8. Durch alle Leiter ist zu gewährleisten eine tägliche konkrete Einweisung der zum Einsatz gelangenden Kräfte und Stärkung der Kontrolltätigkeit in den Streifenbereichen.
Verantw.: Leiter Transportpolizei-Gruppenposten 1 - 4
Eichhorn, Oberstleutnant der VP"

Beispiele aus dem Tätigkeitsbuch und dem Wochenlagebuch

* 21.01.1988   Grenzsicherheit: Ein Täter reiste aus Berlin kommend in Meiningen an. Übernachtung im Schloß Landsberg. Fuhr am 22. nach Hildburghausen, schloß seine zwei Koffer in zwei Schließfächer, fuhr per Anhalter nach Römhild und besuchte das Steinsbergmuseum. Danach lief er in Richtung Mendhausen. Es erfolgte Festnahme und Zuführung.

* 27.01.1988   Ein Täter aus Saalfeld wurde im Zug Nr. 18003 durch Obermeister Müller und Meister Zavenda kontrolliert und wegen widersprüchlicher Angaben zugeführt. Es wurde festgestellt, daß sie in Sonneberg eine fingierte Anlaufadresse angegeben hatten. Im Zug zwischen Saalfeld und Sonneberg wurde durch die Trapo am 27.1.1988, gegen 10.40 Uhr, der Baufacharbeiter Maik G., 20, aus Saalfeld festgenommen. Er hatte vor, im Raum Sonneberg die Staatsgrenze zur BRD durchzubrechen. G. hatte Schwierigkeiten im Elternhaus und im Betrieb.[38]

* 29.01.1988   Durch VPKA Meiningen FSTW-VK (Funkstreifenwagen der Verkehrspolizei) am Ortsausgang Melkers. Ein Täter aus Halle reiste bereits am 28.01.1988 mit Zug um 21 Uhr an. Wurde bei Rückfahrt nach Halle durch Trapo in Mitropa kontrolliert. Reiste am 29.01. mit D 551 wiederum an und wurde gestellt. Absicht 213 bestätigt.

* 08.02.1988   P 9001 Täter aus Suhl Suhl – Heinrichs – Meiningen, wollte bis Untermaßfeld zu Fuß in Richtung Henneberg – EV (Ermittlungsverfahren)/Haft

Grenzvariante „Römhild"

Ab 31.12.1988 stand nur der Lagefilm zur Verfügung, in dem neben dem Datum und der Aktennummer nur der gleichbleibende Satz stand: „Versuch, Planung oder Durchführung eines illegalen Entfernens aus dem Bereich der DDR". Bis 29.08. sind 23 Fälle verzeichnet, in denen die Trapo Verhaftungen wegen des oben angeführten Deliktes durchführte. Einmal ist eine Grenzvariante mit dem Decknamen „Römhild" aufgeführt. Grenzvarianten wurden durchgeführt, wenn Grenzalarm ausgerufen wurde und ein illegaler Grenzdurchbruch bekannt wurde.[39]

Im Rapport Nr. 38/89 wird der Vorfall näher ausgeführt:

Am 19.02.1989, um 19.40 Uhr, überwanden der 22-jährige Elektriker Tino T. und der gleichaltrige Elektronikfacharbeiter Thomas B. aus Dresden bei Behrungen, Krs. Meiningen, den Signalzaun und bewegten sich in hohem Tempo bis zum vorderen Sperrelement (600 m). Der eingesetzte Grenzposten zur Überprüfung der Dauerauslösung des GSSZ II stellte um 19.46 Uhr einen Angriff auf die

einer Partnergemeinde zum Erfahrungsaustausch, gemütlichen Beisammensein und gegenseitigen Kennenlernen interessiert."
(Fränkischer Tag, 11.05.1990)

„Noch Berührungsängste?" war die Überschrift einer Notiz in einer Sonderbeilage der Tageszeitung Fränkischer Tag in Zusammenarbeit mit dem Thüringer Tag über die B 279, die Hauptverkehrsader im Baunachgrund. Es hieß: „Enttäuschend die Reaktion der Bürgermeister in den Gemeinden des Landkreises Hildburghausen: Trotz der schriftlichen Bitte, für diese Verlagsbeilage einige Informationen zu geben, blieb das Echo schwach. Nur Kommunen, die schon intensive Westkontakte pflegen, meldeten sich zu Wort. Schade, das Interesse der Leser im Bereich zwischen Bamberg, Haßfurt und Maroldsweisach war schon im Vorfeld sehr groß. Umso erfreulicher die Zusammenstellung des Rates des Kreises Hildburghausen, die selbst ‚Kulturmuffel' neugierig macht."
(Fränkischer Tag, 11.05.1990)

14. Mai 1990
„Religionsunterricht in den Schulen der DDR wäre wünschenswert, aber dazu fehlen uns jetzt die Lehrer." Dies stellten Pfarrer Klaus Dette, Römhild, und sein katholischer Amtsbruder Alfred Rind, Wolfmannshausen, bei einer Veranstaltung des ökumenischen Arbeitskreises in Bad Königshofen fest. Mit dem durch die Bibel überlieferten Kampf des Daniel in der Löwengrube verglich Pfarrer Alfred Rind die Stellung der Kirche: „Wir dachten uns, entweder sie fressen uns, dann haben sie ganz schön daran zu kauen, oder wir kommen durch."
(Main-Post, 14.05.1990)

16. Mai 1990
Bund und Länder waren sich einig über die Schaffung eines Fonds „Deutsche Einheit" zur Unterstützung der DDR in Höhe von 115 Milliarden DM. Das Geld soll zum Großteil am Kapitalmarkt aufgenommen werden.

17. Mai 1990

Die DSU-Fraktion der Volkskammer der DDR beantragte den Beitritt der DDR zur Bundesrepublik nach Artikel 23 des Grundgesetzes der Bundesrepublik Deutschland. Der Antrag wurde in die Ausschüsse verwiesen.

18. Mai 1990

Unterzeichnung des Staatsvertrags zur Währungs-, Wirtschafts- und Sozialunion von den Finanzministern Theo Waigel, Bundesrepublik, und Walter Romberg, DDR.

27. Mai 1990
Wallfahrt über den Eisernen Vorhang

Erstmals öffnete sich für eine Wallfahrergruppe aus dem Fränkischen der Eiserne Vorhang, und zwar an der Wegesperre Zimmerau, Lkrs. Rhön-Grabfeld – Rieth, Krs. Hildburghausen. Hier durchquerten rund 200 Wallfahrer aus Bad Königshofen und dem Grabfeld die Grenzsperranlagen, wallten singend und betend über Rieth und Hellingen bis nach Poppenhausen, wo sie das Heldburger Unterland wieder in Richtung des Wallfahrtsorts Vierzehnheiligen verließen. Nachdem bei Poppenhausen niemand zum Öffnen des Tores im eMgz gekommen war, lösten die Wallfahrer mit ihren Spazierstöcken die Bolzen der schweren Tore. Als Dank und als Erinnerung an diese historische Wallfahrt 1990 stifteten die Männer ein Kreuz, das im darauffolgenden Jahr bei der Wallfahrt eingeweiht wurde.
(Nach: Main-Post, 29.05.1990)

29. Mai 1990
Letztes Friedensgebet in Meiningen

Um die Gedanken, Gefühle, Ziele und Zukunftsträume den Lesern – vor allem den jüngeren Lesern – nahezubringen, wird aus dem Buch von Dr. Horst Strohbusch *Das Licht kam aus der Kirche* das betreffende Kapitel komplett zitiert:
„Seit dem 24. Oktober 1989 wurden 25 innerkirchliche Veranstaltungen durchgeführt. Nimmt man die Friedensgebete der Vorwendezeit hinzu, könnten es um die einhundert gewesen sein. Wahrscheinlich käme es deshalb zu Wiederholungen, wenn weitere Friedensgebete besprochen

Staatsgrenze fest und nahm die Verfolgung auf. Die Grenzverletzer näherten sich, vermutlich aus der Ortslage Behrungen kommend, dem GSSZ. Diesen überstiegen sie unter Zuhilfenahme von drei gerollten Streckmetallmatten, die zuvor dem Schutz von Bäumen gegen Wildverbiss dienten. Sie überschritten den 6-m-Kontrollstreifen, überstiegen das vordere Sperrelement, wobei sie die obere Platte beim Abspringen beschädigten und vollzogen den Grenzdurchbruch. Nachdem zuerst bekannt wurde, es habe nur eine von zwei Personen den Zaun überwunden, wurde die Grenzvariante „Römhild" auf Anordnung des ODH des VPKA Meiningen, Hauptmann Simon, ausgelöst. Bei der Trapo wurde Obermeister Pakusa informiert, der die Variante besetzen ließ. Nachdem um 22.20 Uhr bekannt wurde, dass wahrscheinlich doch 2 Personen die Grenze durchbrochen haben, wurde die Grenzvariante aufgehoben und nur noch Überprüfungen in den Ortschaften durchgeführt. Am 20.02.1989 wurden die Personalien der zwei Personen ermittelt.[40]

Kidnapping

17.01.1989

Der 17-jährige Mechanikerlehrling Heiko R. aus Zella-Mehlis wurde um 17.05 Uhr von Transportpolizisten auf dem Bahnhofsvorplatz in Meiningen aufgegriffen. Er beabsichtigte, im Raum Henneberg die Staatsgrenze zur BRD zu durchbrechen.

Was hinter dieser dürren Meldung der Grenztruppen steckte, enthüllt Rapport Nr. 10/89 des diensthabenden Offiziers des Transportamtes Suhl vom 18.01.1989:

Am 17.01.1989, um 17 Uhr, informierte ein Taxifahrer aus Suhl, beschäftigt beim dortigen VEB Kraftverkehr die Streife der Transportpolizei mit folgendem Sachverhalt:

Ein junger Mann nutzte das Taxi zu einer Fahrt von Oberhof nach Meiningen. Kurz vor Meiningen forderte der Fahrgast den Taxifahrer auf, ihn nach Henneberg zu fahren, wo er seinen Bruder besuchen wollte. Der Taxifahrer lehnte ab, da er bereits andere Fahrten eingeplant habe. Er fuhr bis zum Vorplatz des Bahnhofs Meiningen, hielt an und verlangte 52 M Fahrgeld. Darauf sagte der junge Mann: „Nein, wir fahren jetzt weiter nach Henneberg!" Dabei spürte der Taxifahrer, wie ihm plötzlich ein metallisch kalter Gegenstand in den Nacken gedrückt wurde und bemerkte den Griff einer Pistole in der Hand des jungen Mannes. Aus Angst bot er dem Mann an, er könne selbst mit dem Taxi nach Henneberg fahren. Dabei plante er, er könne durch einen unmerklichen Eingriff die Zündung des Taxis funktionsuntüchtig machen, falls der Mann auf den Vorschlag einginge. Dieser lehnte jedoch ab und hielt dem Taxifahrer drei 10-Mark-Scheine hin. Der Fahrer riss sie ihm aus der Hand, stürzte aus dem Taxi und verriegelte dabei die Fahrgasttür. Dann rief er eine Streife der

Transportpolizei zu Hilfe, die den jungen Mann im Taxi überwältigte, vorläufig festnahm und dem Transportpolizei-Gruppenposten zuführte.
Bei dem jungen Mann handelte es sich um den 17-jährigen Heiko R., Mechanikerlehrling im VEB Robotron, Zella-Mehlis. Er erbrachte an seiner Arbeitsstelle schlechte Leistungen und war mit der Lehrstelle insgesamt nicht zufrieden. R. führte folgende Gegenstände mit sich: Eine Luftdruckpistole Diabolo - ein ČSSR-Fabrikat -, ein Tauchermesser, einen Kompass, pyrotechnische Erzeugnisse wie Knaller und Bündelraketen sowie einen Schulatlas. Schließlich hatte er noch ein weißes DIN A 4-Blatt bei sich, auf dem, von Hand geschrieben, stand: „Gebt sofort die Grenze frei! Nähert sich jemand dem Taxi, dann ist der Fahrer tot. Wir warten 3 Minuten, sobald wir die Grenze erreicht haben lassen wir den Taxifahrer frei!"
R. hatte den Raum Henneberg ausgewählt, weil dieser in der Nähe seines Heimatortes lag und er wusste, dass sich dort eine GÜSt befindet. Mit dem Blatt wollte er den Durchlass erzwingen und dies durch das „wir" erzwingen. Gegen R. wurde ein Ermittlungsverfahren eingeleitet. Anschließend erfolgte seine Einlieferung in die Untersuchungshaftanstalt Untermaßfeld. Ein Haftbefehl durch den Kreisstaatsanwalt Meiningen wurde am 18.01.1989 beantragt.

* 19.02.1989 Der 24-jährige Zimmerer Dieter G. aus Ost-Berlin wurde am 18.02.1989, um 17.10 Uhr, im Zug Saalfeld – Sonneberg durch eine Kontrollgruppe der Transportpolizei aufgegriffen. Der Antragsteller, seit 1988, wollte zu seinen Verwandten nach Düsseldorf.

* 16.03.1989 Auf dem Bahnhof Meiningen wurde der 20-jährige Buchbinder Thomas C. aus Leipzig am 16.03.1989, um 15.40 Uhr, durch eine Trapo-Streife festgenommen. Er wollte die Grenze zur BRD im Bereich Meiningen durchbrechen.

Rauer Umgangston

Dass mit den im Zug überprüften Bürgern nicht immer sanft umgegangen wurde, beweisen viele Beispiele, so auch aus dem Ordner „Eingaben, Beschwerden":

*   Am 15.08.1987 wollten zwei Jugendliche den bei den Grenztruppen dienenden Freund in Sonneberg besuchen. Um 5.30 Uhr fuhren sie von Eichwalde ab und kamen um 14 Uhr in Sonneberg an. Im Zug Personalkontrolle und auffällige Begleitung zur Dienststelle. Intensive Befragung, Taschenkontrolle. Mit Dienstfahrzeug zur Unterkunft von Steffen, 16 Uhr Zusammenkunft mit diesem, der sehr geknickt erschien. Mussten Bus

würden. Ihre Einmaligkeit soll nicht verwässert werden. Sie leben ja weiter. Und wer weiß, vielleicht strömen die Meininger eines Tages wieder in die Stadtkirche, weil die Zeiten es erfordern. In unserem Wenderückblick beschließen wir das letzte Friedensgebet mit zwei Vorträgen, die von Ulrich Töpfer und von mir vor den Abgeordneten des ersten frei gewählten Stadtparlamentes am 29. Mai 1990 in der Stadtkirche gehalten wurden. Alle Stadtverordneten hatten sich bereit gefunden, die vor ihnen liegende Legislaturperiode mit einer Friedensandacht zu beginnen. Einen würdigeren Höhepunkt konnten wir uns nicht wünschen.

Der Kreis der kirchlichen Veranstaltungen schließt sich, wenn zuvor Pfarrer Martin Hoffmann das Wort für seine Andacht erhält. Pfarrer Hoffmann hat uns auf den ersten Friedensgebeten der Wendezeit mit seinen Andachten Mut gemacht. Er hat Zuversicht verbreitet und immer wieder zur Friedfertigkeit aufgerufen. So setzte auch seine Andacht einen Schlußpunkt hinter eine unvergessene Zeit.

Pfarrer Hoffmann macht noch einmal deutlich, welch ungeheure Wandlung sich in den letzten Monaten vollzogen hat. Es kommt wieder auf die Beine, was vorher so verkehrt war. Dieses Friedensgebet möge dazu dienen, daß auf künftigen Versammlungen, Beratungen und Beschlußfassungen eine grundlegend menschenfreundliche und gottesfürchtige Orientierung vorherrsche. Anknüpfend an das Licht, das von den vielen Kerzen auf den Demonstrationen ausging, spricht er über Bibelworte, in denen das kleine Feuer des Kerzenlichtes eine symbolische Bedeutung von ‚brennender Begeisterung' bekommt. Er wünscht sich, daß Gedanken, Meinungen und Gefühle nicht mißbraucht werden, sondern sich immer zum Guten wenden. Denn in der Geschichte hat manche Begeisterung zum Bösen geführt. Deshalb ist es immer ratsam, bei Gott anzuklopfen und um seinen Geist zu bitten.

Ulrich Töpfer hat folgendes zu sagen:
Liebe Abgeordnete, liebe Meininger!
Ich möchte Sie zu unserem Friedensgebet herzlich begrüßen.

Ein neuer politischer Abschnitt hat in unserer Stadt begonnen. Es ist gut, daß nach einem langen Verhandlungstag die Abgeordneten, aber auch die Freunde des Friedensgebetes hier in die Kirche kommen. In die Ruhe der Kirche, um zu beten.

Es ist aber auch gut, daß dieser neue politische Abschnitt auch mit einem Friedensgebet eingeleitet wird.

Sicher ist das nicht nur eine freundliche Geste, sondern auch Verpflichtung an das, was wir im Herbst und Winter gemeinsam in dieser Stadt erlebt haben. Erinnerungen sind wichtig und tun not. Das hat auch das Volk Israel immer wieder erfahren, wenn es auf Abwegen wandelte.

Der Gott, der sie aus der Knechtschaft der Ägypter geführt hatte, der ihnen zu essen und zu trinken in der Wüste gab, half ihnen in neuen Sorgen. Dieser Gott hat auch uns geholfen, als wir die Fesseln ablegten und aufrecht zu gehen lernten. Nach den Volkskammerwahlen schien das in Vergessenheit geraten zu sein, denn es kamen immer weniger zu den Friedensgebeten. Der alte Zustand kehrte wieder ein. Denn als vor vielen Jahren die Friedensgebete hier in Meiningen ins Leben gerufen wurden, waren es auch nur wenige, die sie besuchten. Diese wenigen blieben aber dran, ließen sich nicht entmutigen und widerstanden allen Verführungen. Es hat sich gelohnt. Aus dem kleinen Funken wurde eine Flamme, aus den wenigen Kerzen ein Kerzenmeer.

Daran wollen wir uns immer erinnern.

Mit meinem Beitrag und einer Schlußandacht endet das letzte Friedensgebet der Wendezeit.

Meine Damen und Herren, liebe Mitbürger aus Meiningen!

Ein wenig gespannt war ich schon, wie viele Bürgerinnen und Bürger zu unserem heutigen Friedensgebet wohl kommen würden. Nun können wir uns freuen, daß unsere Stadtkirche sich so gefüllt hat. Das weckt Erinnerungen an die großen Tage im Herbst des letzten Jahres, als wir von dieser Stätte aus mit beitrugen zur friedlichen Wende in unserer Stadt.

Viel ist seitdem über die Ursachen, Wirkungen und Folgen dieser Revolution

nach Suhl nehmen, sollte sie nach 22 Uhr noch in Sonneberg sein, erneute Verhaftung.

* Am 30.08.1987 ein Bürger aus Steinbach-Hallenberg über die schlechte Behandlung seines Sohnes René, der am 29.08. aus dem Zug dem Transportpolizeigruppenposten zugeführt wurde. Dabei sei ihm die Jacke zerrissen worden.

Wenn Jugendliche die Überprüften waren, gar noch hippiemäßig angezogen waren, Bärte oder lange Haare trugen, hatten sie bei der Transportpolizei sowieso schlechte Karten.

Uli Töpfer[41] erzählt, was einem Freund von ihm passierte:

Oberflächlich gesehen war die DDR ein recht humaner Staat, jedenfalls der Sowjetunion der Stalinzeit gegenüber. Aber was an Unrecht geschah, wurde ja nicht öffentlich gemacht.

Es geht nicht allein um Extremfälle, von denen es nicht wenige gab, allein dieses Gefühl, man fährt von Meiningen nach Suhl, da kommt die Transportpolizei durch und man steht ständig in der Gefahr, hochgefädelt zu werden:

Ein Kumpel von mir ist ganz friedlich vom Tanz heruntergefahren, kommt die Transportpolizei: Ihren Ausweis bitte. Da nimmt er – ein ganz dürres Hemd – verschlafen Abwehrhaltung ein, die deuten das als Aggressionsversuch und schlagen ihn windelweich zusammen. Sie nehmen ihn mit auf die Polizeiwache, verhören ihn stundenlang.

14 Tage vorher hatte ich mit der Jungen Gemeinde über Verhaltensmaßregeln in solchen Fällen gesprochen – wir hatten ausgemacht: Sofort zum Arzt und bescheinigen lassen – nichts hat er gemacht. Er ist nicht zum Arzt gegangen, seine Mutter hat die Kutte gewaschen und alles wieder geflickt, es war eben alles, als wenn es nicht gewesen wäre, keine Anzeige, nichts gemacht. Und das ist eben inhuman, dass man wahllos jemanden rausgreifen und an Leib und Seele verletzen konnte.[42]

Manchmal kamen die Herren von der Trapo jedoch an den Falschen:

Am 18.07.1987 wollte ein Mitarbeiter der Motorenwerke Nordhausen während seines Urlaubs mit Frau und Kind nach Sonneberg reisen, um das Spielzeugmuseum und die Stadt anzuschauen. Sie hatten sich einen durchgehenden Zug ausgesucht, der jedoch erst um 23.47 Uhr in Sonneberg eintraf. Außerdem hatten sie keine Übernachtung gebucht.

Im Zug seien sie kontrolliert, auch eine Taschenkontrolle sei vorgenommen worden. Die Angabe ihres Reiseziels sei nicht geglaubt worden. Man habe sie in Sonneberg an weitere Transportpolizisten übergeben, die sie zum Dienststützpunkt geführt und dort nochmals befragt, durchsucht und eine Geldkontrolle vorgenommen hätten. Die Genossen hätten sich um eine Übernachtung bemüht. Nachdem alles belegt war, schlug man ihnen vor, mit dem Bus nach Saalfeld zurückzufahren, was die Familie ablehnte, worauf einer der TP meinte, „... dann müssen wir Sie eben im Kohlenkeller unterbringen." Nach Ablehnung der Fahrt nach Saalfeld habe man sie angewiesen, um 4.30 Uhr nach Nordhausen zurückzufahren. In einem Wagen des Zuges hätten sie auf die Abfahrt warten dürfen, seien jedoch laufend kontrolliert worden.

Daheim nahm sich der stellvertretende Parteisekretär der Zentralen Parteileitung der IFA-Motorenwerke der Sache an.

In einem Schreiben an den Chef der BdVP Suhl vom 5. August 1987 schrieb er:

```
Die Familie ist angesichts dieses Erlebnisses
schockiert und verärgert. Sie habe sich nichts
zuschulden kommen lassen und nach ihrer Auffassung
auch kein Recht gebrochen. Obwohl sie die erforderli-
chen Kontrollen im Grenzkreis verstehe, könne sie kein
Verständnis für die Rückreiseentscheidung aufbringen.
Die Familie fragt:
- Ist eine freie Einreise nach Sonneberg überhaupt
möglich oder hat die Familie das Recht verwirkt, die
Stadt Sonneberg zu besuchen? Die Familie hat immer
noch das Ziel, Stadt und Museum Sonneberg zu besuchen.
- Wer übernimmt nun den Verlust aus dem Fahrkostenauf-
wand?
- Wie verhält es sich mit dem aus der Maßnahme resul-
tierenden Wirkungsverlust für einen kompletten
Urlaubstag?
- Waren die Genossen der Transportpolizei voll berech-
tigt, die Entscheidungen zu treffen, ohne daß nach-
weisbar ein Rechtsbruch vorliegt?
In Vertretung des Chefs der BdVP sah sich Oberst Braun
gezwungen, nach Untersuchung des Vorfalls wesentliche
Punkte der Vorwürfe zu bestreiten:
Die betreffenden Genossen
- bestreiten, im Zug eine Geldkontrolle durchgeführt
zu haben
- sie bestreiten, daß der Satz gefallen sei, die Fami-
lie müsse im Kohlenkeller schlafen
- sie behaupten, die Anweisung zur Rückfahrt nach
Nordhausen sei nur eine Empfehlung gewesen.
Die gestellten Fragen wurden überhaupt nicht beantwor-
tet.
Intern mag es möglicherweise schon geraucht haben,
doch man sieht, welch geringe Aussichten eine
Beschwerde hatte, wenn diese, immerhin von einer SED-
Organisation gestellt, so rundweg abgeschmettert
wurde.⁴³
```

geschrieben und gesagt worden. Mit meinem letzten Beitrag will ich heute an jenes Zeichen unserer jetzt schon legendären Friedensgebete und der anschließenden Demonstration erinnern, welches stets der Mittelpunkt unseres Hoffens, Bangens und unserer Freude war.

In der Mitte unserer Andachten war immer das Licht, das Licht von Hunderten, manchmal Tausenden von Kerzen, die diese Kirche und die Straßen draußen erhellten. Sie erhellten aber nicht nur die Dunkelheit der späten Herbstabende, sie leuchteten vor allem in den Augen und Herzen der Menschen. Es war eine beglückende Erfahrung, im Schein der Kerzen eins zu sein mit ihnen allen. So war das Licht Symbol unseres Bemühens, die Schatten einer ungeliebten Staatsreform zu tilgen, um eine neue, menschenwürdigere Gesellschaft aufzubauen. Die brennende Kerze in unseren Händen wurde aber auch zum Sinnbild unserer Friedfertigkeit. Sie verhinderte, daß wir die Faust ballen konnten. Martin Luther formulierte es so:

‚Laßet die Geister aufeinanderprallen, die Fäuste haltet still.' Gerade deshalb erinnern wir uns dankbar dieser friedlichen Tage.

Unsere Kerzen mit ihrem Licht brauchten aber auch einen Halter, einen Leuchter. Denn wir mußten sie ja irgendwie tragen. Sehr zerbrechlich, sehr provisorisch aus Pappe und Papier waren die ersten selbstgebastelten Exemplare. Dokumentierten gerade sie nicht auch unsere damalige seelische Not, unsere Angst, die Unsicherheit, unsere Zerbrechlichkeit? Erst allmählich tauchten solidere Stücke aus Holz und Metall unter den Demonstranten auf.

Und mit der Stabilität unserer Leuchter, mit den Kerzen und ihrem Licht keimte bei uns allen die Gewißheit, die Wende ist unumkehrbar.

Aufbauend auf dieser Erfahrung hatte jetzt Herr Klaus Tenner, ein Kunstschmied unserer Stadt, die Idee, einen Leuchter zu formen, der das ausdrücken sollte, was uns in jenen Tagen bewegte. Das Ergebnis seiner Gedanken sehen Sie hier. Sein Kerzenhalter ist schlicht. Kein Zierat lenkt die Gedanken ab von dem

Wesentlichen, was damals in uns war. Sicherlich soll die Rundung des Leuchters die Geschlossenheit der Demonstrierenden symbolisieren. Sein nicht unbeträchtliches Gewicht will uns sagen, die vor uns liegende Zeit können wir sicher und fest angehen.

Ein kleines Kunstwerk zu beschreiben, wer ist dazu schon prädestiniert? Die Gedanken des Künstlers, die er in seine Arbeit einfließen ließ, kann der Betrachter sie erahnen und in Worte setzen? Ich gebe mir Mühe und sehe in dem Halter vielleicht auch ein Stück abgeschnittenes Kanonenrohr. Eine Waffe trägt nun ein Licht. Schwerter zu Pflugscharen. Das Gleichnis ist augenscheinlich. Die wesentliche Symbolik dieses Leuchters aber liegt wohl darin, daß aus seiner dunklen Höhlung eine weiße Kerze herauswächst, die ein Licht trägt, welches uns den zukünftigen Weg und das Leben erhellen soll.

Meine Damen und Herren!
Von diesen Leuchtern wurden 50 Exemplare hergestellt. Es wird keine Nachbestellungen geben. Ich möchte sie den ersten frei gewählten Abgeordneten unseres Stadtparlamentes überreichen mit der Hoffnung, daß wir uns immer erinnern an die Anfänge der friedlichen Revolution mit dem Kerzenlicht, das uns getragen hat.

Ein Exemplar sollte einen Platz in unserer Stadtkirche finden. Haben wir doch unter ihrem Dach Zuflucht und Hilfe erfahren. Ganz besonders freut es mich, daß ich unserem Jugendwart U. Töpfer und den Pastoren Dr. Viktor, Hoffmann, Boortz und Enke dieses kleine Geschenk machen darf. Sie waren die Demokraten der ersten Stunde, ihr mutiger Einsatz war die Basis, die uns mitgetragen hat. Auch unser Kantor Christian Glöckner sei nicht vergessen.

Nun schließt sich der Kreis. Das Ethos des Aufbruchs mit seinem Licht: Können wir es weiter in unsere Zukunft tragen? Wir wünschen es uns mit Gottes Hilfe."
(Strohbusch: Das Licht kam aus der Kirche. – S. 129 – 132)

Auch die Transportpolizei wurde vom Staatssicherheitsdienst überwacht

Die Abteilung XIX war mit Sicherungsaufgaben im Post-, Fernmelde- und Transportwesen, Bahn, Trapo betreut. In der Einheit von Abwehr feindlicher Angriffe gegen diese Bereiche, vorbeugender Arbeit zur Verhinderung von Schäden und Störungen sowie zur Unterstützung und Stabilisierung volkswirtschaftlicher Prozesse, gab es in bedeutsamen Objekten verantwortliche Mitarbeiter, die mit entsprechenden kompetenten Kadern zusammenwirkten.[44]

Die Abteilung hatte ihren Sitz in Meiningen in der Kreisdienststelle, weil in Meiningen das RAW (Reichsbahnausbesserungswerk) war. Sie war dem Stellvertreter Operativ der BV Suhl, Dr. Bruno Mangold, dienstlich unterstellt.

Aufgabe der Abteilung XIX war
- Absicherung aller Bereiche des Verkehrswesens: der Deutschen Reichsbahn einschließlich des Militärverkehrs, der zivilen Luftfahrt/Interflug und des Bereichs Wirtschaftsflug, des Kraftverkehrs sowie der Binnen- und Seeschifffahrt, der Binnen- und internationalen Speditionstätigkeit, der Hochseeflotte und der Hafenwirtschaft
- Absicherung des Post- und Fernmeldewesens
- Sicherungsaufgaben im Zusammenhang mit dem grenzüberschreitenden Verkehr (Deutsche Reichsbahn)
- Aufklärung und Bestätigung von Kadern
- Führung von IM[45]

Für die Deutsche Reichsbahn war in der HA XIX die Abteilung 1 zuständig, auf Bezirksebene dürfte dies das Referat 1 gewesen sein. Die Transportpolizei war mit Sicherheit, wie alle ähnlichen Einrichtungen, mit IM durchsetzt, dies geht schon daraus hervor, dass sie zeitweise dem MfS unterstellt war.

Die Grenztruppen der DDR

DIE GRENZTRUPPEN DER DDR IM JAHR 1989

Die Neustrukturierung der Grenztruppen

Am 16. Juni 1989 erließ der Stellvertreter des Ministers und Chef der Grenztruppen den Befehl Nr. 37/89 über Maßnahmen zur Reorganisation der Grenztruppen der DDR und Einnahme der Struktur 95 an der Staatsgrenze der DDR zur BRD. Er enthielt im Wesentlichen die Angleichung der Dislokation an die politische Territorialstruktur, die Formierung von 14 Grenzkompanien mit fest zugewiesenem Grenzabschnitt, 22 Reservegrenzkompanien, 2 Grenzausbildungszentren sowie 6 Grenzbezirks- und 17 Grenzkreiskommandos und die Auflösung der Grenzkommandos NORD und SÜD, der Grenzregimenter 6, 8, 24, 23, 20, 4, 1, 3, 9, 15 und 10 sowie der Grenzausbildungsregimenter 5, 7, 11 und 12.

Dabei wurden folgende strukturelle Veränderungen durchgeführt:

- Neustrukturierung der Führungen: Grenzbezirkskommando 4, Suhl, Standort: Sonneberg im Zusammenhang mit der Angleichung an die Territorial-Struktur mit einer unterschiedlichen Zahl unterstellter Grenzkreiskommandos in Abhängigkeit der Länge ihrer Grenzabschnitte.
- Strukturierung der Grenzkreiskommandos 401 bis 404 im Grenzbezirkskommando 4 anstelle der bisherigen Grenzregimenter 3, 9 und 15.

Grenzbezirkskommando	4	Standort	Sonneberg
Grenzkreiskommando	401	Standort	Dermbach
Grenzkreiskommando	402	Standort	Meiningen
Grenzkreiskommando	403	Standort	Eishausen
Grenzkreiskommando	404	Standort	Sonneberg

Truppenteile/Standorte der Grenztruppen der DDR im Bezirk Suhl 1989 – 1991[1]

GBK 4 Suhl, Sitz Sonneberg			
SK 411	Sonneberg	NaW	Sonneberg
StKp	Sonneberg	KfzW	Sonneberg
VNZ 412	Sonneberg	WaffenW	Sonneberg
Pik 415	Römhild		
Pik 414	Pferdsdorf		
Pik 413	Rotheul		
BauKp 419	Kaltennordheim		

31. Mai 1990
Die Volkskammer beschloss, das Vermögen der Parteien und Massenorganisationen treuhänderisch verwalten zu lassen (Regierungskommission). Das Staatswappen der DDR wurde in und an allen öffentlichen Gebäuden entfernt.

Juni 1990
Gab es bei Hildburghausen ein Katyn?
In Hildburghausen kommt es zu staatsanwaltlichen Untersuchungen zu den von den Sowjets (GPU – politische Staatspolizei in Sowjetrussland) von 1945 bis Frühjahr 1946 im Waldabschnitt Lehmrangen (OT Häselrieth), auch hinter vorgehaltener Hand „Katyn-Wäldchen" genannt (Katyn [UdSSR, Gebiet Smolensk], steht für den Ort, an dem Stalin mehr als 4.000 polnische Offiziere hinrichten ließ und die Schuld den Deutschen zuwies). Massenerschießungen erfolgten vermutlich auch nahe des Runden Steinernen Tisches sowie am Quellbrünnleinsteich – zumeist nach Denunziationen durch Deutsche (vor allem durch den inzwischen kommunistisch gesteuerten Antifa-Ausschuss). Am 3. März 1948 werden 8 (4 durch Schädelzertrümmerungen und 4 durch Genickschuss) hingerichtete Bürger ausgegraben und am 04.03.1948 auf Beschluss des Amtsgerichts Hildburghausen zur Bestattung auf dem Häselriether Friedhof freigegeben. Anschließend ließen die Sowjets das Gelände mit Kettenfahrzeugen planieren.

1. Juni 1990
Am Wochenende waren im Krs. Sonneberg folgende Grenzübergänge geöffnet: Emstadt – Neukirchen, Rückerswind – Fischbach, Effelder – Meilschnitz, Mürschnitz – Meilschnitz, Bettelhecken – Wildenheid, Friedhof Hönbach – Wildenheid, Unterlind – Ebersdorf, Heubisch – Neustadt, Mupperg – Fürth am Berg. (Coburger Tageblatt, 01.06.1990)

2. bis 4. Juni 1990
Nordöstlich von Rasdorf fand das 20. Treffen des Heimatkreises „Thüringische Rhön" mit ca. 300 Teilnehmern statt. Die Teilnehmer konnten einen kostenlosen Bustransfer nach Geisa/DDR nutzen.

13. Juni 1990

Nach der vom Gemeinderat vorgenommenen Wahl eines neuen Bürgermeisters kam es in Gompertshausen, Krs. Hildburghausen, zu tumultartigen Szenen, die in Tätlichkeiten gegen den neuen Bürgermeister Edgar Staudigel sowie Morddrohungen führten. Die Anhänger des bisherigen Bürgermeisters Erich Götz waren zunächst nicht bereit, das Ergebnis zu akzeptieren. CDU-Fraktionssprecher Erich Siebensohn stellte fest, der noch jungen Demokratie sei in Gompertshausen schwerer Schaden zugefügt worden. (Main-Post, 15.06.1990)

16. Juni 1990

Um die Mittagszeit wurden mehr als 20 Grenztore an der Grenze zwischen dem DDR-Bezirk Suhl und Unterfranken aus ihren Angeln gehoben und damit die Überwege für den Verkehr geöffnet. An den offenen Grenzübergängen werde nur noch sporadisch von der DDR-Seite kontrolliert, hieß es. (Main-Post, 18.06.1990)

17. Juni 1990

Die Volkskammer beschloss ein Gesetz über Verfassungsgrundsätze. Sich auf die sozialistische Staatsordnung beziehende Rechtsvorschriften wurden außer Kraft gesetzt.

Erstmals gedachte man in der DDR offiziell der Opfer des Volksaufstands vom 17. Juni 1953. Die Veranstaltung fand in Heinersdorf mit über 10.000 Teilnehmern statt.

Am Tag der Deutschen Einheit organisierte die CSU Mellrichstadt auf der Schanz bei Eußenhausen eine Feierstunde. Am Todesstreifen wurden wurden drei Bäume als Symbol für die Hoffnung auf einen fruchtbaren Neubeginn in einem geeinten Deutschland gepflanzt.

21. Juni 1990

Bundestag und Volkskammer verabschiedeten gleichlautende Erklärungen über die Endgültigkeit der Oder-Neiße-Linie als polnische Westgrenze.

GKK 401	Bad Salzungen/ Sitz Dermbach
KpSst	Geisa
NaK	Dermbach
1. GK	Kirslingshof
2. GK	Vacha
3. GK	Unterbreizbach
4. GK	Geisa
5. GK	Spahl
6. GK	Andenhausen
7. RGK	Buttlar
PiKdo 401	Dermbach
Pi-Gerätelager	
Med.-Punkt	Dermbach

	Hildburghausen/ Sitz Eishausen
KpSst	Hildburghausen
NaK	Hildburghausen
1. GK	Gompertshausen
2. GK	Einöd
3. GK	Ummerstadt
4. GK	Holzhausen
5. GK	Streufdorf
6. GK	Veilsdorf
7. GK	Steudach
8. RGK	Einöd
GÜSt	Eisfeld
SiZ GÜSt	Steudach
PiKdo 403	Eishausen
Pi-Gerätelager	Hildburghausen

GKK 402	Meiningen
KpSst	Meiningen
NaK	Meiningen
1. GK	Kaltenwestheim
2. GK	Frankenheim
3. GK	Erbenhausen
4. GK	Stedtlingen
5. GK	Schwickershausen
6. GK	Behrungen
7. GK	Mendhausen
8. GK	Hindfeld
9. RGK	Hermannsfeld
GÜSt	Meiningen
SiZ GÜSt	Schwickershausen
PiKdo 402	Meiningen
Pi-Gerätelager	Hildburghausen
Med.-Punkt	Meiningen

GKK 404	Sonneberg
KpSst	Sonneberg
Nak	Sonneberg
1. GK	Schalkau
2. GK	Rückerswind
3. GK	Hönbach
4. GK	Oerlsdorf
5. GK	Neuhaus-Schierschnitz
6. GK	Heinersdorf
7. GK	Neuenbau
8. GK	Lichtenhain
9. RGK	Schichtshöhn
PiKdo 404	Sonneberg
Pi-Gerätelager	Sonneberg
Med.-Punkt	Sonneberg

Nicht dem GBK 4 unterstellte Einheiten der Grenztruppe im Bezirk Suhl 1989/1990

Landeplatz Meiningen/Rohr		HS 16 Nordhausen	
OHS "Rosa Luxemburg" GT		Suhl/Friedberg	
STÜP Hildburghausen		OHS Suhl der GT	
Fähnrich-/GAK-Schule		Suhl/Friedberg	
5/27 SIK?	Dermbach?	6/27 SIK?	Römhild
SIK 27	Neustädt/Eisenach		
Funkaufklärungszentrale 16 Pätz		Funkaufklärungs-Trupp 6 Römhild	
Funkaufklärungszentrale 16 Pätz		Funkaufklärungs-Trupp 7 Sonneberg	
STÜP Meiningen/Rohrer Grund		GBK Suhl	
7/27 SIK?	Hildburghausen	8/27 SIK?	Sonneberg

388

Worterklärungen

GBK	Grenzbezirkskommando	GK	Grenzkompanie	
SK	Sicherungskompanie	RGK	Reservegrenzkompanie	
StKp	Stabskompanie	GÜSt	Grenzübergangstelle	
VNZ	Verbandsnachrichtenzentrale	SiZ GÜSt	Sicherungszug der Grenzübergangsstelle	
Pik	Pionierkompanie	PiKdo	Pionierkommando	
BauKp	Bau-Kompanie	Pi-	Pionier	
NaW	Nachrichtenwerkstatt	Med.-Punkt	Medizinischer Punkt (Krankenstation)	
KfzW	Kfz-Werkstatt	HS	Hubschrauberstaffel	
WaffenW	Waffen-Werkstatt	OHS	Offiziershochschule	
GKK	Grenzkreiskommando	STÜP	Standortübungsplatz	
KpSst	Kompanie zur Sicherstellung	SIK	Sicherungskompanie	
NaK	Nachrichtenkompanie	GAK	Grenzaufklärer	

Was war der Sinn dieser ungeheuer aufwändigen Maßnahme? In erster Linie wohl, wie auch bei der Schaffung der Grenzbeauftragten und deren Eingliederung in die Bezirks- und Kreisstruktur, der Versuch, Reibungsverluste zu vermeiden, die bei sich überschneidenden Strukturen nicht ausblieben. So hatte das Grenzregiment 3 sowohl im Kreis Bad Salzungen als auch im Kreis Meiningen mit den übrigen, in die Grenzsicherung eingebundenen Organen zusammenarbeiten müssen, das Grenzregiment 9 mit Organen der Kreise Meiningen und Hildburghausen, das Grenzregiment 15 mit Organen des Kreises Sonneberg und teilweise bis in den Bezirk Gera hinein. Nun war die Struktur eindeutig. Nur, die Erfolge dieser Strukturreform konnten nicht mehr eingefahren werden. Die sogen. Wende und die Auflösung der Grenztruppen beendeten diese letzte Reform.

Der Ausbaustand der Grenzanlagen

Die Chronik der Grenztruppen der DDR für das Jahr 1989 meldete folgenden Ausbaustand für das ganze Jahr (bis November) 1989: Folgende Ergebnisse wurden erreicht:

Staatsgrenze zur BRD	Plan	Erfüllung	Prozent
Grenzsignal- und Sperrzaun	1.210 km	1.212 km	100
Hundelaufanlage 83	230	170	74*
Grenzsignalzaunanlage 80	1.280	1.286	100
Staatsgrenze zu Berlin (W)			

* Die Errichtung der Hundelaufanlage wurde auf Befehl des Ministers für Nationale Verteidigung eingestellt.

Ab 31.08.1989 erfolgte auf Grund der Reorganisation der Grenztruppen und der damit verbundenen Neuformierung der Pioniereinheiten auf Befehl des Stellvertreters des Ministers und Chefs der Grenztruppen der Bau- und Montagestopp. Mit der Entscheidung der Regierung der DDR zur Öffnung der Staatsgrenze vom 09.11.1989 wurden die Pioniereinheiten zur Schaffung zusätzlicher Grenzübergangsstellen eingesetzt. Ab 10.11.1989 begannen Abbaumaßnahmen an der Staatsgrenze in Verantwortlichkeit der Grenzbezirkskommandos.

26. Juni 1990
Die Görsdorfer Mauer hat ein 20 m breites Loch. Pioniere der Brigade der Volksarmee von Rotheul rückten dem „unrühmlichen DDR-Bauwerk" zu Leibe. Nach harter Arbeit bescherten sie den Görsdorfern wieder den Blick in den Westen. Aber nicht nur das Auge konnte schweifen. Die ersten Grenzgänger benutzten den Durchgang zu einem Besuch ohne Umwege in Lautertal oder in Görsdorf.
(Coburger Tageblatt, 27.06.1990)

27. Juni 1990
Um 11.05 Uhr wurde auf dem unmittelbar an der Grenze liegenden Friedhof von Hönbach bei Sonneberg der Beobachtungsturm geschleift. Am Grenzzaun herrschten hektische und meist „private" Aktivitäten. Im Befehlsbereich des Grenzbezirkskommandos Suhl waren zu diesem Zeitpunkt von 302 km Signalzaun 140 km demontiert.
(Coburger Tageblatt, 28.06.1990)

1. Juli 1990
Die Währungs-, Wirtschafts- und Sozialunion trat in Kraft
Die D-Mark ist alleiniges Zahlungsmittel in beiden deutschen Staaten. Personenkontrollen an der innerdeutschen Grenze fielen weg, ebenso Notaufnahmeverfahren für Übersiedler aus der DDR.

Anmerkung:
„Die Geldzeichen der DDR standen für ein kleinbürgerliches Verständnis vom Alltag. Die Führungsriege der DDR hatte aus den existenziellen Nöten und Ängsten der kleinen Leute, die sie in der ersten Hälfte des 20. Jahrhunderts machen mussten, die Lehre gezogen, das Lebensnotwendige, das Unbedingt-Nötige bereit zu stellen. Einem solchen Verständnis von ‚Versorgung' entsprach die Ostmark: Wer sich an sie hielt oder halten musste, wurde ‚versorgt', nicht ‚bedient'. Darüber hinaus war von ihr nichts zu erwarten – es sei denn, der potenzielle Kunde hielt sehr viel Geld in seinen Händen.
Die Mark der DDR war daher eine in vielerlei Hinsicht begrenzte Währung. In ihrem Währungsgebiet war sie stets für

ein quantitativ und qualitativ begrenztes Angebot an Waren und Dienstleistungen „gut". Das gab seit der zweiten Hälfte der Sechzigerjahre Anlass zu einem ebenso begrenzten Vertrauen zu diesem Geld. Die Mark der DDR war überdies insofern begrenzt, als das Territorium ihrer Gültigkeit ebenso strikt wie sie selbst eingegrenzt war: außerhalb der DDR war sie nach dem Willen ihrer Schöpfer wertlos. Sie ließ sich daher auch nicht mit anderen Währungen auf einen Vergleich ein, sie blieb über vierzig Jahre nicht konvertibel. Auch die wiederholte propagandistische Bekräftigung, man werde sie nicht dem Vergleich aussetzen und die Mark der Werktätigen nicht den Kapitalisten ausliefern, förderte nicht gerade die Bildung von Vertrauen. Insofern repräsentierte die Mark der DDR ‚ihre Klientel' perfekt: auch die Freiheit und Freizügigkeit der Bürgerinnen und Bürger war nach dem Willen der Parteioberen auf das Gebiet der DDR beschränkt. Bei einer Währung müssen solche strikten Eingrenzungen des Aktionsradius und der Tauschmöglichkeiten die Nutzer verunsichern; die Schwäche einer solchen Währung liegt geradezu auf der Hand. Sicher, jedermann wusste, dass man auch mit vergleichsweise wenig Geld auf einem unteren Niveau in der DDR ‚über die Runden kommen' konnte. Doch als eine Geldwährung im umfassenden Sinne agierte auch im Arbeiter-und-Bauern-Staat nur die Mark der Bundesrepublik. Das Vertrauen der Bevölkerung der DDR lag nicht erst nach dem Wendegeschehen des Jahres 1989 bei der von der SED-Propaganda verschrienen ‚Mark der Kapitalisten'."
(Gries: Die Mark der DDR. – S. 73 f.)

1. Juli 1990
Als Peter Michael Diestel, Dr. Wolfgang Schäuble und Dr. Edmund Stoiber in ihren Hubschraubern am Sonntagvormittag Neustadt entgegen schwebten, sahen sie an der „Gebrannten Brücke", dem ehemaligen Grenzübergang von Neustadt nach Sonneberg, eine Menschenmenge warten, wie sie dieser Ort noch niemals erlebt hatte. Zehntausende waren aus ganz Deutschland gekommen,

Den Ausbaustand der Grenzanlagen im Endstadium des Ausbaus im September 1989 können wir aus den Beobachtungsmeldungen der BGS-Einheiten erschließen, die die Grenzanlagen vom Westen her beobachteten:

Sperranlagen an der Grenze der DDR im Bezirk Suhl – Stand: September 89

		GSA Mitte 3 Hünfeld	GSA Mitte 4 Fulda	GSA Süd 1 Oerlenbach	GSA Süd 2 Coburg	Gesamt Sept. 1989	Gesamt Januar 1988
1	Grenzzaun (GZ) Sperrmauern	58,9	56,7	117,8	179,1	413,5	421,7
1.1	Metallgitterzaun (MGZ) in km	52,0	56,7	117,8	175,9	402,4	402,4
1.2	Betonsperrmauern (Bspm) Anzahl	4	0	0	2	7	6
	Betonsperrmauern (Bspm) in km	2,9	0,0	0	1,2	4,1	4,1
1.3	Metallplattenzaun (MPZ) Anzahl	0	0	0	0	0	0,0
	Metallplattenzaun (MPZ) in km	0,0	0,0	0,0	0,0	0,0	0,0
2	Grenzsperr- und Signalzaun (GSSZ)						
2.1	Grenzsperr- und Signalzaun (GSSZ) in km	38,2	54,2	97,7	165,4	355,5	362,4
2.2	davon alt in km	0,0	4,0	8,6	5,2	17,8	58,9
2.3.	GSSZ mit Hundefreilaufanlage in km	1	5,7	6,0	10,6	3,3	20,0
2.3.1	Anzahl der Hunde	23	17	54	145	239	232
3	Kfz-Sperrgraben (Ksg) in km	30,4	28,6	87,0	102,0	248,0	254,4
3.1	davon befestigt in km	21,8	25,4	82,0	94,0	223,2	229,5
4	Kolonnenweg in km	61,7	59,0	114,1	177,8	412,6	415,2
4.1	am Grenzzaun (Nr. 1 .1 -1 .3) in km	58,4	59,0	114,1	177,2	408,7	406,2
4.2	am GSSZ in km	3,3	0,0	0,0	0,6	3,9	9,0
5	Beobachtungsbunker (Bbu) Unterstände	35	28	42	57	162,0	171,0
5.1	im Schutzstreifen Anzahl	34	28	42	57	161	169
5.1	davon aus Beton	25	28	33	39	125	139
5.2	jenseits GSSZ Anzahl	1	0	0	0	1	2
5.2	davon aus Beton	1	0	0	0	1	1
6	Beobachtungstürme (BT)	21	21	38	77	157	179
6.1	im Schutzstreifen Anzahl	20	19	38	73	150	169
	davon aus Beton	20	19	38	73	150	169
6.2	jenseits GSSZ Anzahl	1	2	0	4	7	10
	davon aus Beton	1	2	0	4	7	9
6.3	Führungspunkte (FP) Anzahl	3	3	9	24	39	46
7	Beobachtungsstände Anzahl	2	12	40	41	95	59
8	Hundelaufanlagen (Hla) Anzahl	17	2	23	7	49	28
8	Hundelaufanlagen (Hla) in km	35,0	0,6	5,7	11,6	52,9	23,7
9	Anzahl der Hunde	62	15	92	116	285	290
10	Lichtsperranlagen (Lsp) in km	10,7	0,4	0,0	36,0	47,1	58,7
10	Lichtsperranlagen (Lsp) Anzahl	7	1	0	12	20	32
11	Halogenstrahlersperren (Hsp) in km	2,5	1,7	3,6	14,8	22,6	0,0
11	Halogenstrahlersperren (Hsp) Anzahl	5	1	3	14	23	0

Ein Zug der DDR-Grenztruppen beim Aufmarsch zum Appell.

Hauptmann Walter von der Grenzkompanier Stedtlingen inspiziert 1981 die Grenze.
Foto: Erwin Ritter

Der neue Grenzsignalzaun mit Y-Abweiser und stromführenden Stacheldraht (die Aufnahme entstand bei Rieth im Heldburger Unterland) sollte auf lange Sicht den einreihigen Metallgitterzaun unmittelbar an der innerdeutschen Grenze überflüssig machen. Die Grenzstreifen wären ins Hinterland verlegt worden.
Foto: Reinhold Albert

um die Unterzeichnung des Abkommens über die Aufhebung der Personenkontrollen an den innerdeutschen Grenzen hautnah mitzuerleben. Der Festakt geriet zu einem Volksfest. So mancher hatte Tränen in den Augen, als Schäuble den Wegfall der Grenzkontrollen verkündete. Mitten auf der Linie, die noch vor wenigen Monaten nicht nur Bayern und Thüringen, sondern zwei völlig verschiedene Welten trennte, war das Podium errichtet, auf dem Schäuble und Diestel per Unterschrift die Grenzkontrollen ad acta legten. Beinahe jeder Satz der beiden Spitzenpolitiker war von langanhaltendem Beifall der Zuschauer begleitet. Für den bayerischen Grenzpolizeibeamten Erich Bauer war die Aufhebung der Kontrollen ein besonderer Moment: Er war es nämlich, der vor 17 Jahren das erste Fahrzeug abfertigte, das den Grenzübergang Rottenbach – Eisfeld passierte.
(Neue Presse, 02.07.1990)

An der Grenze bei Hönbach, Sonneberg, unterzeichneten der Innenminister der Bundesrepublik Deutschland, Wolfgang Schäuble, und der Innenminister der Deutschen Demokratischen Republik, Peter-Michael Diestel, den Vertrag zum Wegfall der Demarkationslinie.

Während des Festaktes zum Wegfall der Kontrollen an der innerdeutschen Grenze in Neustadt bei Coburg demonstrierten Mitglieder des DDR-Grenzschutzbundes für ihre Rechte. „Erst 40 Jahre missbraucht und betrogen, in den letzten Wochen nur noch belogen", stand auf einem der Plakate, die DDR-Grenzschützer im Publikum entrollten. Damit brachten sie die Angst um Arbeitsplätze und soziale Absicherung zum Ausdruck.
(Neue Presse, 02.07.1990)

Der ungehinderte Weg von Deutschland nach Deutschland
Personenkontrollen an den innerdeutschen Grenzen aufgehoben – Abkommen von Bundesinnenminister Dr. Schäuble und Minister Dr. Diestel/DDR unterzeichnet. Was wir seit 40 Jahren erträumt haben, was viele nicht mehr zu hoffen wagten, wird Wirklichkeit: Der ungehin-

derte Weg von Deutschland nach Deutschland", erklärte Bundesinnenminister Dr. Wolfgang Schäuble in einer Ansprache am Sonntag, dem 1. Juli 1990, am Grenzübergang Neustadt/Coburg – Sonneberg (DDR). Zehntausende von Menschen hatten sich diesseits und jenseits an diesem Grenzabschnitt der ehemaligen innerdeutschen Grenze eingefunden, als der Bundesinnenminister und sein DDR-Amtskollege Dr. Peter-Michael Diestel das Abkommen über die Aufhebung der Personenkontrollen an den innerdeutschen Grenzen unterzeichneten.

Beide Minister und der Innenminister des Freistaates Bayern, Dr. Stoiber, äußerten Freude und Zuversicht, unterließen es aber auch nicht, noch einmal auf den Unrechtscharakter und die schrecklichen Geschehnisse an der innerdeutschen Grenze über Jahrzehnte hinzuweisen.

Das Abkommen wurde von den Rednern als ein Stück Frieden und Freiheit für alle Deutschen und als die Überwindung eines traurigen Kapitels deutscher Geschichte, als ein „großer Tag" für Deutschland gefeiert. Lange vor Beginn des Festaktes hatten sich Menschen aus Bayern und Thüringen am Grenzübergang eingefunden. Ein richtiges Volksfest entwickelte sich, wie wir es schon kennen von der Öffnung der innerdeutschen Grenze durch die DDR am 9. November 1989.

Das Musikkorps des Grenzschutzkommandos Süd und das Musikkorps der DDR-Grenztruppen aus Suhl musizierten einzeln und zusammen, Beamte des Bundesgrenzschutzes, der Bayerischen Polizei und des Grenzschutzes der DDR verrichteten gemeinsam den notwendigen Ordnungsdienst.

Der Vertragsunterzeichnung wohnten Politiker von Bund und Land sowie hochrangige Persönlichkeiten des öffentlichen Lebens bei. Bundesinnenminister Dr. Wolfgang Schäuble fasste in seiner von viel Beifall begleiteten Ansprache das Grundanliegen „ganz Deutschland" und „persönliche Freiheit und Freizügigkeit im Lande" so zusammen:

„Mit dem heutigen Tage werden die Personenkontrollen an der innerdeutschen Grenze aufgehoben. Das Abkommen darüber werde ich mit Herrn Minister

Hundestreife der DDR-Grenztruppen im hessisch-thüringischen Bereich in den siebziger Jahren.
Foto: Hans-Michael Fritz

Bandmaßzeremonie junger DDR-Grenzsoldaten 1968. Nur noch 100 Tage bis zum Ausscheiden aus dem Grenztruppendienst, was als ungeheure Erleichterung empfunden wurde.
Foto: Hans-Michael Fritz

Ergebnisse der Grenzsicherung und Grenzüberwachung

Im Ausbildungsjahr 1988/89 versuchten 2.052 Personen (Vorjahr 2.106) die Staatsgrenze der DDR widerrechtlich zu passieren. Zum Vergleichszeitraum ist das ein Rückgang um 54 Personen = 2,6 Prozent.

Davon entfielen auf die Bewegungsrichtungen

DDR – BRD/Berlin (West)   1.972 Personen   (Vorjahr 2.066)
BRD/Berlin (West) – DDR   80 Personen   (Vorjahr   40)

Der Anteil der Verbände an den in der Bewegungsrichtung

im Grenzbezirkskommando 4, Suhl,   257 Personen,

Am 26. August 1980 erfolgte eine Visite des Sonneberger Grenzregiments durch den Stellvertreter des Ministers und Chef der Grenztruppen der DDR, Generalleutnant Klaus-Dieter Baumgarten und dem Mitglied des ZK und 1. Sekretär der Bezirksleitung Suhl der SED, Hans Albrecht, anlässlich der Übergabe eines neuen Kasernengebäudes.
Foto: Sammlung Gerhard Schätzlein

Am 13. November 1985 fand ein feierliches militärisches Zeremoniell in Sonneberg unter Teilnahme des Verbandskommandeurs, Generalmajor Janshen, der 1. Sekretäre der SED-Kreisleitungen, führende Repräsentanten des gesellschaftlichen Lebens und der bewaffneten Organe der Grenzkreise Sonneberg, Neuhaus/Rennweg und Saalfeld anlässlich der im Oktober erfolgten Auszeichnung des Regiments als "Bester Truppenteil".
Foto: Sammlung Gerhard Schätzlein

Dr. Diestel unterzeichnen. Ich danke den Verhandlungsdelegationen und allen anderen Beteiligten für ihre engagierte Arbeit.

Was wir seit 40 Jahren erträumt haben, was viele nicht mehr zu hoffen wagten, wird Wirklichkeit: Der ungehinderte Weg von Deutschland nach Deutschland. Deutsche und die meisten Ausländer dürfen ab sofort die Grenzen zwischen den beiden deutschen Staaten sowie zwischen West- und Ostberlin an jeder beliebigen Stelle ungehindert überschreiten.

Was am 9. November und hier in Neustadt am 12. November 1989 mit der Öffnung der Grenzzäune seinen Anfang nahm, vollendet sich jetzt: Nach 45 Jahren der widernatürlichen und schmerzlichen Teilung Deutschlands verschwinden die Barrieren, die uns Deutsche trennten.

In unsere Freude darüber mischt sich Trauer: Über das Leid, das diese Grenze den Menschen in Deutschland zugefügt hat. Um diejenigen, die den Versuch, sie zu überqueren, mit dem Leben bezahlt haben. Darüber, dass auch 40 Jahre nach Ende des Zweiten Weltkrieges im anderen Teil unseres Vaterlandes ein Regime geherrscht hat, das auf Menschen schießen ließ, weil sie das elementarste Menschenrecht wahrnahmen: Das Recht, sich frei zu bewegen, wohin man will.

Doch die Menschen in der DDR haben dieses Regime gestürzt. Jetzt wird Freizügigkeit hergestellt. Und sie wird hergestellt gleichzeitig mit dem Inkrafttreten des Staatsvertrags vom 18. Mai 1990 über die Währungs-, Wirtschafts- und Sozialunion. Der Zeitpunkt ist bewusst gewählt. Soll die durch den Staatsvertrag entscheidend vorbereitete staatliche Einheit für die Menschen schon jetzt erlebbare Wirklichkeit werden, bedarf es dazu voller Bewegungsfreiheit in Deutschland.

Mehr Freizügigkeit wird ab heute auch an einer anderen Grenze herrschen. Unmittelbar nach der hiesigen Veranstaltung werde ich in Waldsassen einen von sechs neuen Grenzübergängen zur Tschechoslowakei eröffnen. Die Verknüpfung der beiden Ereignisse bringt zum Ausdruck, dass wir die deutsche Einheit nicht aus isoliertem nationalem Egoismus, sondern in europäischer Verantwortung anstreben. Das vereinigte Deutschland muss Teil eines Europas der offenen Grenzen sein, Teil des solidarischen Miteinanders, das auch Osteuropa umfasst. ..."

Als ein bedeutendes Datum in der gemeinsamen deutschen Geschichte bezeichnete der Innenminister der DDR, Dr. Peter-Michael Diestel, den 1. Juli 1990. Währungs-, Wirtschafts- und Sozialunion seien jetzt Wirklichkeit. Die bisherige Grenze habe nicht nur Deutschland geteilt, sondern sei auch Ausdruck der Konfrontation und der Kälte gewesen, aber sie habe die Menschen nicht voneinander trennen können.

Dr. Diestel bezeichnete die 1.378 km lange Grenze als ein Stück grausamer Vergangenheit. Die Tränen, die an dieser Grenze geflossen seien, und das unmenschliche Leiden sollten nicht vergessen werden. Minister Dr. Diestel distanzierte sich ausdrücklich von Grenze und Schießbefehl. Er sprach sich für eine Beseitigung der bisherigen DDR-Grenzsperranlagen aus. Es sollten jedoch Teile als Mahnmale erhalten bleiben, um an die unerträgliche Trennung zu erinnern.

Die Aufhebung der Personenkontrolle in Deutschland bezeichnete Bayerns Innenminister Dr. Stoiber als ein Signal der Freiheit und der Freizügigkeit. Sie diene der Stabilisierung des Friedens. Dr. Stoiber regte die Errichtung einer Gedenkstätte an, die die Nachwelt an das menschenverachtende frühere SED-Regime erinnern solle. Der Minister kündigte an, dass ab 1. Juli 1990 die Bayerische Grenzpolizei der Landespolizei unterstellt werde. Alle Beamten würden für andere polizeiliche Aufgaben gebraucht.

Unter einem riesigen Andrang von Journalisten, Fotoreportern und Kameramännern des Fernsehens unterschrieben die Minister Dr. Schäuble und Dr. Diestel direkt an der Grenze das Abkommen zwischen beiden deutschen Staaten über die Aufhebung der Grenzkontrollen.

(Aus: Zeitschrift des Bundesgrenzschutzes, 17. Jahrgang, Nr. 7/8, 1990)

„Seit Sonntag, 10 Uhr, keine Kontrollen mehr zwischen der Bundesrepublik und der DDR – Der BGS nahm Abschied von der Grenze. Deutschland einig, eilig Vaterland

Anmerkung.

Im Interesse der Vergleichbarkeit wurden für das gesamte Ausbildungsjahr 1988/89 die Grenzabschnitte der Grenzbezirkskommandos zugrunde gelegt. Die Grenzbezirkskommandos 1 und 2 entsprechen dem Grenzabschnitt des ehemaligen Grenzkommandos NORD, Stendal, und die Grenzbezirkskommandos 3, 4, 5 und 7 dem des ehemaligen Grenzkommandos SÜD, Erfurt.

Von den 1.972 Personen in der Bewegungsrichtung DDR – BRD Berlin (West) entfallen 118 Personen = 6 Prozent auf die Grenzübergangsstellen (Vorjahr 266).

Schwerpunkttruppenteile waren in dieser Bewegungsrichtung

das Grenzkreiskommando 404, Sonneberg	mit 110 Pers.	
Festgenommen wurden insgesamt	1.916 Pers.	(Vorjahr 1.971)
davon durch die Grenztruppen	644 Pers.	(Vorjahr 601)
durch die anderen Schutz- und Sicherheitsorgane	1.272 Pers.	(Vorjahr 1.370)

Auf Grund von Hinweisen aus der Grenzbevölkerung wurden 77 Personen, mit Hilfe des Einsatzes von Diensthunden 56 Personen und nach Durchführung grenztaktischer Handlungen 359 Personen festgenommen.

In 93 Fällen (Vorjahr 91) gelang es 136 Personen (Vorjahr 135) die Staatsgrenze der DDR in Richtung BRD/Berlin (West) widerrechtlich zu passieren. Davon entfallen auf das

Grenzbezirkskommando 4, Suhl,	23 Fälle	mit 36 Personen

Schwerpunkttruppenteile waren das

...

| Grenzkreiskommando 402 Meiningen | 9 Fälle | mit 12 Personen |
| Grenzkreiskommando 404 Sonneberg | 7 Fälle | mit 13 Personen |

...

Gesamtbewegung der Grenzverletzer

	gesamt		davon entfallen auf die Richtungen			
			DDR – BRD		BRD – DDR	
	1988/1989	1987/1988	1988/1989	1987/1988	1988/1989	1987/1988
Gesamt	2.052	2.106	1.972	2.066	80	40
GBK-4	266	275	257	270	9	5

Anmerkung: BZR = Berichtszeitraum
GBK = Grenzbezirkskommando
VJ = Vorjahr
GKM = Grenzkommando MITTE

Ergebnisse der Grenzsicherung

Festnahmen	davon DDR-BRD/Berlin (West)						BRD/Berlin (West) -DDR			
	gesamt		durch Grenztr.		durch SSO		gesamt		durch Grenztr.	
	BZR	VJ	BZR	VJ	BZR	VJ	BZR	VJ	BZR	VJ
Gesamt	1.916	1.971	1.836	1.331	564	561	1.272	1.370	80	40	80	40
GBK- 4	230	246	221	241	87	78	134	163	9	5	9	5

Widerrechtliches Passieren der Staatsgrenze (Grenzdurchbrüche)

Grenzdurchbrüche gesamt (Fälle/Personen)		davon Richtung DDR-BRD/Berlin (West) (Fälle/Personen)	
BZR	VJ	BZR	VJ
Gesamt 93/136	91/135	93/136	91/135
GBK-4 23/36	21/29	23/36	21/29
Anmerkung: *			

BZR = Berichtszeitraum   GBK = Grenzbezirkskommando

VJ =   Vorjahr   GKM = Grenzkommando MITTE

Das Grenzbezirkskommando hätte also völlig zufrieden sein können: Von 266 Grenzverletzern konnten 1989 230 festgenommen werden, davon 87 durch die Grenztruppen, 134 hatten sich schon vorher im Netz der Grenzsicherung verfangen. Nur 23-mal hatten Grenzverletzer die tiefgestaffelten Sperrmaßnahmen durchbrechen können. 36 Personen waren in den Westen gekommen. Natürlich, so die DDR-Logik, hätten sich alle Grenzverletzer im Netz verfangen müssen, hätten nicht individuelle Fehler die Durchbrüche begünstigt. So werden aufgezählt:

Begünstigt wurde das widerrechtliche Passieren der Staatsgrenze insbesondere durch

- die oberflächliche und unzureichend vorausschauende Beurteilung der Lage
- die unzweckmäßige Entschlussfassung und den daraus resultierenden uneffektiven Einsatz der Kräfte und Mittel
- die Nichtbeachtung bzw. fehlerhafte Interpretation der Dienstvorschriften und anderen Bestimmungen zum Schutz der Staatsgrenze,
- das unwachsame und untaktische Verhalten von Grenzposten,
- die unzureichende Befähigung zum Erkennen von Anzeichen für den Versuch des widerrechtlichen Passierens der Staatsgrenze sowie für Handlungen beim Auftreten von Personengruppen und bei Nutzung schwerer Technik,
- das unentschlossene und fehlerhafte Reagieren von Kommandeuren aller Führungsebenen auf Veränderungen der Lage im Grenzabschnitt
- die mangelhafte Organisation des Zusammenwirkens zwischen den eigenen Kräften sowie mit den anderen Schutz- und Sicherheitsorganen.

Die Grenztruppen der DDR erreichten im Berichtszeitraum eine Wirksamkeit von 82,6 (Vorjahr 81,7) Prozent in der Grenzsicherung.[2]

Allerdings war die Westgrenze 1989 schon gar nicht mehr Hauptangriffspunkt der Fluchtwilligen: An den Grenzen zu Polen und der ČSSR wurden im gleichen Zeitraum 5.216 Fluchtwillige festgenommen. Bezeichnenderweise wird die Statistik dahingehend geschönt,

Seit Sonntag, 10 Uhr, gibt es zwischen Bundesrepublik und DDR keine Kontrollen mehr. Die Grenze hat damit de facto einen Status wie die zwischen Bayern und Hessen. Für den Bundesgrenzschutz und seine rund 560 Beamte in Oerlenbach brach damit eine neue Ära an, einer der wichtigsten Aufgabenfelder entfällt. Am Freitag wurde die letzte Streife gefahren. Der Übergang Trappstadt – Eicha am Freitagmittag: Die Abfertigungscontainer waren fast schon ‚versandfertig‘, die Kontrollen nur ‚angedeutet‘ – ein nettes Durchwinken. Noch am Sonntag wurden die Warnbaken beseitigt, die die Zufahrt verengen. Die Straße zwischen beiden Orten ist jetzt eine ganz normale Verbindung.“ (Main-Post, 02.07.1990)

Der bayerische Innenminister Dr. Edmund Stoiber hält es auch nach dem Wegfall der Grenzkontrollen an der innerdeutschen Grenze für wichtig, die Zeit der deutschen Teilung nicht in Vergessenheit geraten zu lassen. Er möchte deshalb eine Gedenkstätte an der ehemaligen Grenze einrichten, in der Relikte der Teilung Deutschlands ausgestellt werden und über besondere Geschehnisse diesseits und jenseits des Gitterzaunes informiert wird. (Neue Presse, 02.07.1990)

Letzte Grenzlagemeldung der BGS-Zentrale in Hessen

Am 30. Juni 1990 Einstellen der Grenzkontrollen an den Übergangsstellen durch GRSO sowie Einstellen der ständigen Überwachung durch eigene Kräfte. Seit Nov. 1989 sind folgende Sperranlagen abgebaut/entfernt worden: eMgz: 3,6 km, GSSZ: 88, 2 km, BT: 19 usw ... Dies ist die letzte routinemäßige tägliche Grenzlagemeldung der Zentrale in Hessen mit Sitz beim Grenzschutzkommando Mitte in Kassel. Allen Behörden und Dienststellen, die in den vergangenen Jahrzehnten seit dem 6.2.1962 in der Zentrale in Hessen mitgearbeitet haben, sowie allen Empfängern der täglichen Grenzlagemeldungen wünschen die Mitarbeiter der ZIH für die bevorstehenden Aufgaben auf dem letzten Stück des Weges zur Deutschen Einheit und in einem wiedervereinigten Deutschland die gleiche glückliche Hand,

die uns in den vergangenen Jahrzehnten gemeinsamer Arbeit geleitet hat.
(Album der BGS-Abt. Bad Hersfeld von Hans-Karl Gliem)

„Ich bin der Herbstädter Bürchermäster" „Und ich der Gleicherbercher", antwortete der Fahrer des Wartburgs. Klemens Ditterich, Herbstadt, und Günter Köhler, Gleichamberg, lernten sich kennen und waren sofort per Du. „E Katastroph" sei das bei ihm in Gleichamberg, sagte das neue Gemeindeoberhaupt. Kein Brot, keine Milch, kein Benzin – alles war am Freitag ausverkauft, gibt es erst heute wieder, gegen D-Mark. Ditterich war gekommen, um sich beim BGS mit einem Wappenteller für eine patenschaftlich verbundene BGS-Hundertschaft zu bedanken. Gemeinde und BGS hätten bestens harmoniert. 4,2 Millionen DM Zuschuss hat Herbstadt bekommen für den Ausbau von 25 km Wirtschaftswegen. Ohne die BGS-Gutachten – die Beamten nutzten die Trasse für Kontrollfahrten – hätte es dieses Geld nicht gegeben.
(Main-Post, 02.07.1990)

3. Juli 1990
Die DDR-Regierung stimmte gesamtdeutschen Bundestagswahlen zu.

Situationsbericht des Suhler Bezirkskomitees zur Auflösung der Stasi
Das Komitee lud am Freitag vor der Währungsunion ins Kulturhaus, um einen Situationsbericht zu geben vor Stasimitarbeitern zu warnen, die nach wie vor an den Hebeln der Macht sitzen. So wurde u. a. festgestellt, dass allein 13 Offiziere in besonderem Einsatz untergetaucht bzw. noch nicht enttarnt wurden.
Freies Wort (Redakteurin I. Ehrhardt) informierte:
Ihre Forderung nach schneller Untersuchung und Preisgabe der Namen fand beim Auditorium lautstarken Beifall. Besucher und Bürgerkomitee waren sich einig, daß diese ‚Offiziere' nunmehr Zeit genug hatten, über ihr Tun nachzudenken und sich, sofern sie ein Quentchen Charakter besitzen, zu stellen. Da dies bislang nicht geschah, bleibt nur der Weg über die Stasi-Akten. Doch die Bürgerkomitees

dass die Gesamtzahl der Festgenommenen mit der Zahl der Grenzverletzer gleichgesetzt wird, ganz so, als wäre sonst niemand über Polen oder die ČSSR geflohen.

Politorgane der Grenztruppen

Am Anfang dieses Berichtes stehen noch die Erfolgsmeldungen. So wurden „die Kommunalwahlen, die am 7. Mai 1989 stattfanden, durch die Angehörigen und Zivilbeschäftigten der Grenztruppen zu einem Bekenntnis zum sozialistischen Staat gestaltet. Die politische Arbeit stand mit Blick auf den XII. Parteitag der SED ganz im Zeichen der Vorbereitung des 40. Jahrestages der Gründung der Deutschen Demokratischen Republik." Dann aber lässt sich auch bei den Grenztruppen wenig mehr schönreden:
„Im 2. Ausbildungshalbjahr charakterisierte das Stimmungs- und Meinungsbild der Angehörigen und Zivilbeschäftigten der Grenztruppen die wachsende Unzufriedenheit über die Entwicklung in der sozialistischen Staatengemeinschaft und der DDR sowie der Gestaltung der Dienst-, Arbeits- und Lebensbedingungen in den Grenztruppen der DDR. Bei einzelnen Kommandeuren und Politarbeitern trat Resignation und Unverständnis zur entstandenen Lage auf, was zeitweilig zur mangelnden politischen Führung der Nachgeordneten führte.
Der erreichte politisch-moralische Zustand der Führungsorgane, Truppenteile und Einheiten gewährleistete die Erfüllung der Aufgaben auch unter den Bedingungen der Eskalation der Lage an der Staatsgrenze und bei der überstürzten Öffnung der Grenze nach dem 9. November 1989."[3]
Bis Oktober 1989 waren noch 874 Kandidaten in die SED aufgenommen worden. Bis Ende 1989 hatten jedoch 3.568 Mitglieder und Kandidaten die Partei verlassen.

Flucht über die bestbewachte Grenze der Welt

Unser Buch handelt weitgehend vom Versuch von Bürgern der DDR, ihr Land auf irgendeine Weise zu verlassen und vom Versuch des DDR-Staates, seine Bürger daran zu hindern. Dies gelang dem Staat mit Hilfe immenser Aufwendungen für Grenzanlagen und Personal an den Grenzen zur Bundesrepublik Deutschland und zu Westberlin zunehmend immer mehr.

Die Gesamtlänge der Staatsgrenze der DDR zur BRD betrug 1.380 km. Über die Situation im ehemaligen Bezirk Suhl, insbesondere im Kreis Meiningen, schrieb MfS-Oberleutnant Stange in einer Facharbeit 1983[1]:

Bei der Sicherung der Staatsgrenze zur BRD trägt der Bezirk Suhl mit ca. 400 km eine hohe Verantwortung. Der Kreis Meiningen bildet innerhalb des Bezirkes Suhl seit mehreren Jahren den absoluten Schwerpunkt bei Angriffen auf die Staatsgrenze aus dem Innern der DDR. Auf diesen Kreis mit ca. 120 km Staatsgrenze zur BRD entfallen konstant über mehrere Jahre etwa 50 % aller Angriffe auf die Staatsgrenze innerhalb des Bezirkes Suhl.

Als besonders beachtenswert muss die Tatsache angesehen werden, dass 32,1 % der Täter im Jahre 1982 aus anderen Bezirken der Republik versucht haben, im Raum Meiningen die Staatsgrenze zur BRD zu durchbrechen. Der Kreis Meiningen bietet gegenüber anderen Grenzkreisen des Bezirkes Suhl wesentlich bessere verkehrstechnische Bedingungen und andere begünstigende Umstände (geografische Lage, Waldgebiete in unmittelbarer Nähe der Staatsgrenze usw.) zur Annäherung der Täter in das Grenzgebiet.

Andere Schlupflöcher konnten weitgehend durch die Solidarität sozialistischer Bruderländer verstopft werden. Diese äußerlichen Erfolge konnten jedoch nicht darüber hinwegtäuschen, dass der Wunsch und Wille eines immer größeren Teils – besonders der Jugend der DDR – weiterhin auf Reisefreiheit gerichtet war.

Noch mehr: Wie ein Wassertopf explodiert, wenn beim Kochen der Dampf nicht mehr entweichen kann, so erzeugte die Einschließung der Bevölkerung den Überdruck, der schließlich im Gefolge günstiger Konstellationen das DDR-Regime hinwegfegte.

sind nicht befugt, dies öffentlich zu machen. Das wäre Sache der demokratisch gewählten Abgeordneten in der Volkskammer, der Stadt- oder Kreisparlamente. Wieso äußert sich das Innenministerium nicht? Sollen da schon wieder Dinge vertuscht werden? Fragen, die alle im Saale bewegten. Wird vielleicht schon wieder das Spiel mit der Angst getrieben – wer seine Meinung zu laut sagt, ist derjenige, welcher auf der Entlassungsliste obenan steht?

Das Suhler Bürgerkomitee zur Auflösung der Stasi will sich jedenfalls so einfach nicht observieren lassen, denn laut Volkskammerbeschluß wäre es nur bis zum 30. Juni legitimiert gewesen ... Zwar ist das Komitee zahlenmäßig geschrumpft, doch nach wie vor wird enorme Arbeit geleistet. Und das nicht nur bei der Sicherstellung der Stasi-Akten. Dem Komitee geht es um die Aufarbeitung der Geschichte, um die Aufdeckung der Strukturen, der engen Verflechtung des perfekten Bespitzelungsapparates mit dem SED-Staat. Das muß exakt bekannt sein, nur so kann die Öffentlichkeit verhindern, daß es jemals wieder eine derartige Bündelung von Macht gibt. Solange engagierte Bürger den Fuß in den Archiven mit den Stasi-Akten haben, können Teile dieser akribisch geführten Dokumentationen nicht einfach der Vernichtung preisgegeben werden oder sang- und klanglos verschwinden. Die Forderung der Bürgerkomitees nach Anbindung in parlamentarischen Ausschüssen, ausgestattet mit Vollmachten, ist relevant und dringend. Siegfried Geissler beispielsweise wird als Beauftragter des Landes Thüringen in einem solchen Ausschuß der Volkskammer mitarbeiten. Denkbar wäre ein solches Herangehen auch für die Suhler Stadtverordnetenversammlung.

Wie wichtig es ist, die Stasi-Vergangenheit nicht aus den Augen zu lassen, schilderte Siegfried Geissler anhand eines konkreten Befehls und detaillierter Unterlagen: Für den Fall X der Konterrevolution gab es alljährlich mehrere Spielchen (sprich Übungen!). Der obersten Bezirkseinsatzleitung gehörten 7 Personen an: zum Beispiel der SED-Chef Albrecht, sein Stellvertreter, aber auch der Chef der

Volkspolizei. Und es kommt nicht nur dem Bürgerkomitee (bei allem Dank für die Sicherheitspartnerschaft mit der Polizei) spanisch vor, daß ausgerechnet der Polizeichef des Bezirkes noch immer auf gleichem Kommando-Posten sitzt. Pläne die mit „I" gezeichnet sind und für „Internierungslager" stehen dürften, müßten Herrn Thieme also durchaus bekannt gewesen sein. Die BdVP untersteht dem Innenministerium von Herrn Diestel. Es dürfte wohl auch zu den Kuriositäten der Geschichte zählen, daß ein Justizminister Wünsche nunmehr zuständig ist für Rehabilitierungsverfahren jener Bürger, denen durch den DDR-Staat großes persönliches Unrecht geschah. Für dieses Unrecht zeichnete nämlich eben Herr Wünsche per Gesetz mit Verantwortung."
(Freies Wort, 03.07.1990)

5. Juli 1990
Beginn des Wiederaufbaus der Veste Heldburg
in Anwesenheit der Erzherzogin Regina v. Habsburg, geborene Prinzessin von Sachsen-Meiningen. – Bei der Veranstaltung präsentierte der erst wenige Tage alte Verlag Frankenschwelle Hans J. Salier seine erste Buchproduktion, die der Veste Heldburg gewidmet war.

6. Juli 1990
Aufnahme von Verhandlungen auf Regierungsebene zum Einigungsvertrag.

16. Juli 1990
Gespräche zwischen Gorbatschow und Kohl in Moskau und im Kaukasus. Zustimmung der UdSSR für die Mitgliedschaft eines geeinten Deutschland in der NATO, Abzug der Sowjettruppen innerhalb von 3 bis 4 Jahren.

22. Juli 1990
Volkskammerbeschluss über die Wiederherstellung der 1952 aufgelösten Länder (Ländereinführungsgesetz). Festlegung der Landtagswahlen auf den 14.10.1990.

Ursachen der Fluchtbewegung

Jede Aussage über Fluchtgründe wird immer mit großen Unsicherheiten behaftet sein: Aussagen bei gelungenen Fluchten waren von der Seite der DDR-Behörden kaum möglich, und wenn, dann beruhten sie auf Annahmen. Erfasste Flüchtlinge sagten zudem vor den Behörden oft das aus, was ihnen am wenigsten zu schaden vermochte, wie umgekehrt erfolgreiche Flüchtlinge bei den Westbehörden die Gründe anführten, von denen sie annahmen, sie könnten ihnen am meisten nützen. So hatten manchmal die gleichen Personen im Osten persönliche oder familiäre Probleme, in der Bundesrepublik waren sie dann aus politischen Gründen geflüchtet. Zudem waren für fast alle Fluchtwilligen ganze Bündel von Ursachen vorhanden, die sich dann zum Fluchtentschluss aufhäuften. Deswegen kann gar nicht repräsentativ sein, was über die Motive Fluchtwilliger in ganz Thüringen in den Jahren 1983 und 1988 vermerkt ist.

Besonderes Problem: Haftentlassene und gefährdete Personen
Die bereits im März 1979 begonnene Erfassung und Analysierung von gefährdeten Jugendlichen/Jungerwachsenen wurde im Mai fortgesetzt und folgende Tendenz herausgearbeitet:
Schwerpunkte bilden nach wie vor Jugendliche/Jungerwachsene, die vorbestraft sind, Haftentlassene, bei denen das Wiedereingliederungsverfahren nicht wirksam wird, und solche, die in Folge schlechter schulischer Leistungen und labiler Grundeinstellung in Konfliktsituationen mit Schule und Elternhaus geraten.

Auf Grund einer als Fallbeispiel eingeleiteten Untersuchung zur Herausarbeitung der Ursachen für den Wiederanfall eines Haftentlassenen in Richtung § 213 StGB wurden folgende Kriterien ermittelt: Aus einem inoffiziellen Hinweis der StVE ging hervor, dass sich der Haftentlassene weiterhin mit dem Gedanken trägt, die DDR auf ungesetzlichem Wege zu verlassen. Seitens des Rates des Kreises, Abt. Innere Angelegenheiten, wurde veranlasst, den Haftentlassenen in Ritschenhausen als Untermieter bei einer 84-jährigen Frau unterzubringen. Es war bekannt, dass diese Frau ihre bisherigen Untermieter gängelte, ihnen verbriefte Rechte vorenthielt und Verhaltensregeln nach eigenem Ermessen auferlegte. Gegen seinen Wunsch wurde dem Haftentlassenen ein Arbeitsplatz zugewiesen, der nicht seinen Neigungen und Fähigkeiten entsprach.
Sein vorheriger Wohnsitz war bei seinem Vater im Grenzgebiet, das er auf Gerichtsbeschluss nicht mehr betreten durfte. Dort befanden sich seine persönlichen Gegenstände und Kleidungsstücke, die ihm erst 8 Tage nach der Haftentlassung zugestellt wurden.
In dem ihm zugewiesenen Wohnraum war ihm eine Essenzubereitung bzw. die Mitbenutzung der Küche untersagt, so dass der

Genannte nur auf Gaststätten angewiesen war. Ihm fehlten die Bettwäsche, Unterwäsche und Hemden der niedrigen Preisklasse sowie ein Wecker, was im Handel nicht erhältlich war. Durch den Bürgermeister kam keinerlei Hilfe und Unterstützung, so dass in dem Haftentlassenen der Entschluss reifte, sich in Richtung BRD abzusetzen. Erst durch die Kontaktierung dieser Person mit nachfolgender Aussprache konnten die Missstände herausgearbeitet und Maßnahmen zur Verhinderung eines ungesetzlichen Grenzübertritts eingeleitet werden.

Durch den Leiter der Kreisdienststelle wurden diese Probleme auf einer Sitzung der Kreiseinsatzleitung dargelegt und in Auswertung dieser Angelegenheit weitere Maßnahmen zur Verbesserung der Wiedereingliederungsprozesse durch den Vorsitzenden des Rates des Kreises veranlasst.

Analoge Beispiele können in mehreren Fällen nachgewiesen werden, wo Jugendliche und Jungerwachsene auf Grund mangelhafter und nachlässiger Arbeit bei der Wiedereingliederung straffällig wurden.[2]

Bis Anfang 1980 wurden alle in den grenznahen Raum wieder eingegliederten Haftentlassenen durch das MfS darauf überprüft, ob möglicherweise Ansatzpunkte für erneute Straftaten, insbesondere in Richtung § 213 gegeben sind. Dabei fielen einige auf. Allerdings monierte das MfS, dass z. B. eine Person aus Behrungen entfernt wurde und eine Wohnung in Römhild zugewiesen bekam, wo es bereits genug Probleme mit negativ eingestellten Jugendlichen gäbe.[3]

Motive 1983

In 93 Fällen blieb das Motiv ungeklärt, die übrigen genannten Gründe zur Flucht:

Nichteinverständnis DDR	55	14,82 %
persönliche Gründe	55	14,82 %
Versuch des Strafentzugs	42	11,32 %
Besseres Leben in der BRD erhofft	38	10,24 %
Probleme im Beruf/Betrieb	37	9,97 %
Antrag auf Übersiedlung BRD	31	8,36 %
Ärger mit dem Elternhaus	29	7,82 %
Verwandte/Bekannte BRD	16	4,31 %
Furcht vor Strafe	13	3,50 %
Schwierigkeiten in der Ehe	10	2,70 %
Abenteuerlust	9	2,43 %

24. Juli 1990
Wegen Unstimmigkeiten über den Modus gesamtdeutscher Wahlen verließen die Liberalen das Regierungsbündnis in der DDR.

1. August 1990
Veröffentlichung des DDR-Entwurfs zum Einigungsvertrag.

3. August 1990
Unterzeichnung des Wahlvertrags in Ostberlin (5-Prozent-Klausel, Listenverbindungen).

Gefährliche Grenzanlagen
Vorsicht geboten ist bei Betreten noch bestehender Grenzanlagen im deutschdeutschen Grenzgebiet, berichtete die in Würzburg erscheinende Main-Post. Als Beispiel wird der Spanshügel bei Trappstadt, Lkrs. Rhön-Grabfeld und Hildburghausen, angeführt. Ein am Metallgitterzaun angebrachtes Schild weist darauf hin, dass das Betreten des Areals bis zum Abschluss von Aufräumarbeiten verboten ist.
(Main-Post, 03.08.1990)

8. August 1990
Die Volkskammer wandte sich an die Bundesregierung mit der Bitte, die gesamtdeutschen Wahlen auf den 14.10.1990 zu legen. Es wurde ein Anschluss der Deutschen Demokratischen Republik an die Bundesrepublik Deutschland nach Artikel 23 des Grundgesetzes vorgeschlagen.

11. August 1990
Die alten Mächte wehren sich im Schutz der Demokratie und des Bürgerlichen Gesetzbuches
In Briefen, datiert vom 11., 14., 21. und 29. August 1990, beschwerte sich Dr. Andreas Albrecht beim DDR-Justizminister zum wiederholten Mal über die „immer noch andauernde Inhaftierung" seines Vaters, Hans Albrecht, früherer SED-Bezirkschef von Suhl. Mit der Bemerkung „zur Information über die Gesetzeshüter im Bezirk Suhl" versehen, schickte er Kopien an die Südthüringer Verwaltungsbehörde. Pressesprecher

Jürgen Schuhmann nahm den Inhalt der Schreiben zum Anlass für folgenden Beitrag: Vor einem Jahr, am 25.09.1989, hatte der ungekrönte Bezirksfürst Suhls, Hans Albrecht, zum letzten Gefecht geblasen. Damals lamentierte er in einer Sitzung mit SED-Spitzenfunktionären, dass der „Klassenfeind mit der massenhaften Abwerbung von DDR-Bürgern in Ungarn und der ČSSR durch die Imperialisten in der BRD nun endgültig seine Maske fallen gelassen habe." Er forderte von allen SED-Parteiorganisationen und allen in der Nationalen Front „Vereinten" bessere Kontrolle der „Westkontakte" und „hartes Durchgreifen gegen jeden Feind des Sozialismus". In einer Rapportberatung mit dem Chef der ihm direkt unterstellten Stasi-Bezirksverwaltung gab er am Morgen des nächsten Tages die Losung aus: „Jede konspirative Handlung ist zu unterbinden, dem Klassenfeind innen und außen den Weg zu verbauen. Sogen. Friedens- und Kirchengruppen müssen noch mehr als bisher enttarnt werden." Hans Albrecht, sich als unschuldiger Häftling in Untermaßfeld fühlend, trug für viele Fehlentwicklungen zwischen Rennsteig und Rhön seit seiner „Inthronisation" im August 1968 Verantwortung. Er war Mitglied jener SED-Führung, die konsequent, ohne menschliche Gefühle achtend, den Weg der Abgrenzung zum anderen Teil Deutschlands ging, die sich eine sozialistische deutsche Nation ausdachte und die bis wenige Stunden vor ihrer Ablösung durch das Volk Mauer, Schießbefehl und Stacheldraht an der Grenze in höchsten Tönen besang. Stolz war er auf 423 km „sicherste Staatsgrenze zum imperialistischen Feind". Kein Verständnis hatte er für Tausende Menschen, die im sogen. Sperrgebiet vieler bürgerlicher Rechte beraubt waren. Keine Achtung hatte er vor besorgten Fragen der Menschen, weil Mangelwaren, Schlangestehen und Reiseverbote für ihn, seine Frau und seine Söhne nicht existierten, Ordens- und Geldsegen zum täglichen Alltag gehörten. Dies, behauptet nun sein Sohn Andreas in Briefen an das Justizministerium, sei nicht so. Die Schuld treffe ganz allein das böse, extremistische Volk zwischen Ilmenau und Bad Salzungen. Sein Vater

Hass auf die DDR	9	2,43 %
politische Motive	8	2,16 %
schulische Schwierigkeiten	7	1,89 %
Asoziales Verhalten	3	0,81 %
Zerrüttete Familienverhältnisse	3	0,81 %
Einfluss von Westmedien	2	0,54 %
Entzug der Wehrpflicht	2	0,54 %
Schwierigkeiten im Jugendwerkhof	1	0,27 %
unzureichende Wohnverhältnisse	1	0,27 %

Motive 1988

1988 wurden folgende Fluchtmotive angegeben

Antrag auf Übersiedlung BRD	76	52,41 %
Versuch des Strafentzugs	24	16,55 %
Nichteinverständnis mit der DDR	19	13,10 %
Besseres Leben in der BRD erhofft	7	4,83 %
Verwandte/Bekannte DDR	6	4,14 %
Ärger mit dem Elternhaus	4	2,76 %
Entzug der Wehrpflicht	3	2,07 %
Furcht vor Strafe	2	1,38 %
Keine Reisefreiheit	2	1,38 %
Politische Motive	1	0,69 %
Probleme im Beruf/Betrieb	1	0,69 %

In 384 Fällen musste das Motiv ungeklärt bleiben.

FLUCHTBEISPIELE

Wie sie es schafften

Einige Beispiele für die wenigen Menschen, die Ende der siebziger und in den achtziger Jahren noch die Grenzsperranlagen überwinden konnten, ohne vorher der Transportpolizei, den VP-Posten, den ABV, den Freiwilligen Helfern der VP und der Grenztruppen oder auch Teilen einer aufmerksamen Grenzbevölkerung aufgefallen und schließlich auch noch den Grenzsoldaten entgangen zu sein.

Auch das MfS, das mit Statistiken und Auswertungen aller möglichen Daten jede einzelne Flucht untersuchte, konnte kein eindeutiges Erfolgsgeheimnis für Fluchtwillige herausfinden bis auf wenige Hinweise:

Der Einheimische, der sich im Gelände auskannte, hatte die besten Karten. Das traf auf die wenigsten Fluchtwilligen zu. Umgekehrt galt auch, dass Fluchtwillige, die von außerhalb des Bezirks kamen und sich nicht einigermaßen auf der Karte über die Örtlichkeit, im Fernsehen über die Art der Grenzsperren informiert hatten, die schlechtesten Aussichten hatten, im Westen heil anzukommen. Doch auch hier gab es Ausnahmen. Wir sehen aus den Berichten, dass oft ganz einfach Glück im Spiel war, der Zufall die Waage in Richtung Gelingen oder Versagen ausschlagen ließ.

Verrottete Streckmetallzäune – 8. Oktober 1979

Drei DDR-Bürger, M., H. und G., durchbrachen durch Aufbiegen der verrotteten Streckmetallzäune bei Schwickershausen die Grenze. (Stasi Suhl)

Grenzdurchbruch am 7./8.10.1979 im Raum Schwickershausen an der Grenzsäule Nr. 1934
Am 09.07.1979 ging ein Fernschreiben an das MfS Berlin, an die BV Suhl (3 Abteilungen)
Ergänzung zur Spitzenmeldung vom 08.10.1979, ungesetzlicher Grenzübertritt DDR – Bundesrepublik im Raum Schwickershausen. Durchgeführte Untersuchungsmaßnahmen ergaben, dass sich der Grenzdurchbruch, verursacht von 3 Personen, bestätigt hatte. Vermutlich handelte es sich um die Personen M., 23 Jahre, wohnhaft in Neustrelitz, beschäftigt als Umschlagarbeiter bei der DSC der Deutschen Reichsbahn, verheiratet, 2 Kinder, vorbestraft, 1971, 1973, 1975 und 1977, sowie rechtswidriges Ersuchen auf Übersiedlung in

Drei DDR-Bürger flüchteten im Oktober 1979 bei Schwickershausen (Kreis Meiningen) in den Westen. Die Aufnahme zeigt die Dokumentation ihres Fluchtwegs. Foto: BstU-Kopie

sei nämlich selbst Opfer der Staatssicherheit geworden. In den Briefen werden Gedanken offenbar, die eines deutlich machen, Menschen, wie Hans Albrecht und seine Familie, haben auch nach einem Jahr nichts begriffen. Sie sitzen nach wie vor auf dem hohen Ross und wollen andere für dumm verkaufen.
(Nach: Freies Wort, 01.10.1990)

19. August 1990
Die SPD verließ die Regierungskoalition der DDR.

21. August 1990
BGS und ehemalige DDR-Grenzsoldaten
In der BGS-Unterkunft in Coburg geht es ab 1.10.1990 bunter zu: Erstmals wird ein Zug von Angehörigen des Grenzschutzes der DDR ausgebildet. Die Polizeianwärter für den mittleren Dienst tragen zwar im Alltagsbetrieb die Arbeitsanzüge des Bundesgrenzschutzes, bei feierlichen Anlässen jedoch dürfen die jungen DDR-Bürger – nach gegenwärtigem Stand – ihre eigene Uniform tragen. Nach Information von Polizeidirektor im BGS Christian Hagen wird aus der DDR zum 1.10. ein Kontingent von 130 Personen eingestellt, die ihre Grundausbildung schon bei der DDR-Grenztruppe hinter sich gebracht haben. Rein rechtlich sind die DDR-BGSler weiter Angehörige des Grenzschutzes der DDR und bleiben das auch. Deshalb werden diese Auszubildenden auch nicht im November mit den übrigen vereidigt. Nehmen sie aber an der Zeremonie teil, geben sie als eigener Zug in eigenem Outfit der Feier den besonderen Farbtupfer.
(Neue Presse, Coburg)

22. August 1990
Privatinitiative war in der DDR nach wie vor gefragt, um Denkmäler nicht nur zu erhalten, sondern auch wieder mehr ins Bewusstsein der Menschen zu rücken. Eine vorbildliche Leistung brachten Mitglieder des Kulturbundes, Kreisarbeitsgemeinschaft Numismatik, im Krs. Hildburghausen zum Abschluss. Sie sorgten dafür, dass das erste Denkmal der berühmten preußischen Königin Luise

außerhalb Preußens wieder an seinen alten Standort im Friedenspark (Schlosspark) von Hildburghausen aufgestellt wurde.
(Main-Post, Freies Wort, 22.08.1990)

23. August 1990
Die Volkskammer der DDR beschloss den Beitritt der DDR zur Bundesrepublik Deutschland am 03.10.1990 (294 Abgeordnete stimmten für den Beitritt: CDU/DA, DSU, SPD, F.D.P.; 62 Gegenstimmen, 7 Enthaltungen). Der Bundestag verabschiedete das Wahlgesetz.

31. August 1990
In Ostberlin wurde der Einigungsvertrag von Bundesinnenminister Wolfgang Schäuble und DDR-Staatssekretär Günther Krause unterzeichnet.

1. September 1990
Mittlerweile pendelten 4.000 DDR-Bürger im Bezirk des Arbeitsamtes Coburg, Lkrs. und Stadt Coburg, Landkreise Coburg und Lichtenfels, zur Arbeit.
(Coburger Tageblatt, 09.11.1990)

12. September 1990
Die Außenminister der 4 Siegerstaaten und der beiden deutschen Staaten unterzeichneten den „Zwei-plus-vier-Vertrag". Nach der Ratifizierung erloschen die Rechte der Siegermächte.
Die Nachkriegszeit endete.

19. September 1990
Die DDR-Regierung ernannte Joachim Gauck zum Sonderbeauftragten für den Umgang mit personenbezogenen Stasiakten (Stasi-Unterlagen-Gesetz).

20. September 1990
Die Volkskammer und der Bundestag ratifizierten den Einigungsvertrag, am 21.09. der Bundesrat (299 Abgeordnete der Volkskammer stimmten für den Einigungsvertrag, 80 dagegen, 1 Abgeordneter enthielt sich. Im Bundestag stimmten 442 Abgeordnete für den Einigungsvertrag, 47 dagegen, 3 enthielten sich der Stimme).

Der Durchbruch der drei Flüchtlinge erfolgte an diesem Wasserlauf.
Foto: BstU-Kopie

die Bundesrepublik, seit 10 Tagen von seiner Wohnung abgängig.

Die 23-jährige H. aus Neustrelitz, beschäftigt als Produktionsarbeiterin im VEB Getränkekombinat Neustrelitz, ledig, 1974 – 1976 Arbeitserziehung, Haftstrafe wegen § 249 bis 1980, am 24.09.1979 entlassen. Ehemalige Antragstellerin, in der Haft Antrag zurückgenommen.

G., 25 Jahre alt, wohnhaft in Karbin, Nebenwohnung Neustrelitz, beschäftigt als Kraftfahrer in Neustrelitz, verheiratet, 3 Kinder. Erste Spuren wurden entlang des Flusslaufes Grüne ungefähr 200 m vor dem GSZ festgestellt und erst wieder auf dem 2-m-Kontrollstreifen sichtbar. Von dort führte der Weg über den GSZ zum 250 m entfernten Waldrand und direkt zum Sperrgraben/Kolonnenweg über den 6 m KS 250 m nordwestlich der GS AE 1933. Auf dem 6-m-KS konnten 2 Fußspuren in der Größe 29 cm und 24 cm gesichert werden. Aufgrund der trockenen Bodenverhältnisse war ein exakter Abdruck, wie Profilabdruck – Hinweis auf Damen- oder Herrenschuhe nicht möglich. Der erste Streckmetallzaun der MS 66 wurde in der unteren Hälfte in einer Höhe von 70 cm aufgetrennt, vermutlich ohne Werkzeug, fortgeschrittene Korrosion am Streckmetallzaun. Der Durchbruch erfolgte an einem Wasserdurchlauf. Analoge Durchschlupfmöglichkeiten wurden durch die Täter am feindwärtigen Streckmetallzaun der MS 66 geschaffen.[4]

Flucht eines Lehrlings aus Dessau – 4. April 1982
Im Abschnitt 1.500 m südwestlich von Andenhausen, Kreis Bad Salzungen, gelang es dem 18-jährigen Lehrling Peter H. aus Dessau am 4. April 1982 gegen 00.40 Uhr die Bundesrepublik unverletzt zu erreichen. Er hatte die zwei oberen Drähte des Grenzsignalzaunes durchschnitten und es kam zur Auslösung. Die Grenztruppen

fanden dort eine Kombizange und eine Schnur. H. hatte den Streck-metallzaun der Minensperre Typ 66 überstiegen, ca. 150 m südlich wurden ein schwarzer Sturzhelm mit Gesichtsschutz, ein schwarzer Lederhandschuh und ein PVC-Etui mit Kompass gefunden. H. war mit einem Motorrad TS 250 von Neugersdorf, Kreis Löbau, bis ca. 900 m südlich der Ortslage Fischbach, Kreis Bad Salzungen, gefahren. Er ging dann zu Fuß weiter und orientierte sich an Hand einer Autokarte. Nach Überschreiten der Grenze der DDR Ost/West im Grenzabschnitt 40 d, nordöstlich Tann bat er um Asyl. Der Grenz-gänger wurde durch eine Grenzstreife des Bundesgrenzschutzes gegen 01.10 Uhr auf dem Reuterweg nordöstlich von Friedrichs-hof/Tann aufgegriffen.

Fluchtgrund

Der Flüchtling war mit den politischen Verhältnissen in der DDR nicht einverstanden. Er wollte den Zwang nicht mehr ertragen, der von dem politischen System ausging. Anfangs hätte er sich gewei-gert, in die FDJ einzutreten; schließlich habe er es seiner Lehrerin zuliebe getan. Ihm sei später ein Studienplatz unter der Bedingung angeboten worden, dass er in die SED eintreten und freiwillig 3 Jahre in der Armee dienen würde.

Fluchtweg

Der junge Mann hielt sich bei Antritt der Flucht zu Besuch bei sei-nem Stiefvater in Neugersdorf, Kreis Löbau, auf. Er will am 03.04.1982 gegen 13.00 Uhr in Neugersdorf mit seinem Motorrad TS 150, einer Weiterentwicklung der Trophy MZ, seine Flucht angetreten haben. Den Entschluss dazu habe er schon vor 1 1/2 Jah-ren gefasst. Schließlich habe eine Fernsehsendung des Westfernse-hens über die Flucht eines hohen Offiziers der Grenztruppen der DDR ihn bewogen, den Versuch ebenfalls im Grenzraum Tann zu unternehmen. Zunächst sei er in die Kreisstadt Löbau gefahren, um dann über Bautzen auf der Autobahn Dresden und Karl-Marx-Stadt (heute: Chemnitz) zu erreichen. Dann sei er zum Hermsdorfer Kreuz und weiter über Erfurt nach Gotha gelangt, von dort aus will er die Fernverkehrsstraße 247 in Richtung Meiningen benutzt haben. Nachdem er Kaltennordheim durchquert hatte, will er in einer mit Büschen bestandenen Senke nahe der Straße sein Motor-rad abgelegt haben. Dann sei er mit Hilfe seines Kompasses zu Fuß weitergelaufen und habe die Ortschaft Klings rechts liegen lassen. Zu diesem Zeitpunkt war es etwa 24.00 Uhr. Nach dem Eindringen in den Staatsforst Sauergehäu sei er auf einen einfachen älteren Zaun gestoßen, den er mühelos mit Lederhandschuhen überwinden hätte können. Nach einigen 100 m wäre er am Waldrand auf einen neueren Zaun mit Metallgittermatten gestoßen, der am oberen Rand mit 3 Reihen versehen war. Hier suchte er sich eine Stelle im Zaun, die durch unbekannte Gewalt heruntergedrückt war. Nun warf er seine Tasche und seinen Motorradhelm über den Zaun und hechtete

21. September 1990

Das größte Versandhaus in der Bundesre-publik, Quelle, in Nürnberg-Fürth erlebte einen Bestellungsboom. Der Umsatz schnellte in schier unbekannte Höhen. Verursacht hatten diese Konjunktur die neuen Kunden aus der DDR. Fast 50 % aller Pakete hatten ihren Zielort im Osten Deutschlands. Saison-Arbeitskräfte waren deshalb gefragt. Im Nürnberger Raum waren keine zu finden. Seit August ver-mittelte das Suhler Arbeitsamt deshalb 400 Frauen und Männer aus grenznahen Kreisen des Bezirks nach Nürnberg. Per Bus ging es hin und zurück. Schon die Busfahrt von etwa 5 Stunden täglich war strapaziös. Doch auch das Jobben im Ver-sandhaus war hart. Die Norm war hoch und Fehler wurden mit Leistungsabzug geahndet. Wer flink arbeitete, konnte es auf etwa 2.400 DM brutto bringen.
(Freies Wort, 21.09.1990)

22. September 1990

Gründung des gesamtdeutschen Thürin-gerwald-Vereins. Vorsitzender wurde Wolfgang Süße, Coburg (Die Familie war aus Ummerstadt zwangsevakuiert worden und floh in die Bundesrepublik).

24. September 1990

Austritt der DDR aus dem Warschauer Vertrag, dem 1955 gegründeten Militär-bündnis der europäischen kommunisti-schen Staaten unter der Hegomonie der Sowjetunion.

26. September 1990

Letzte DDR-Kabinettssitzung.

28. September 1990

Bahnstrecke Würzburg – Meiningen

Bunte Luftballons stiegen in den herbstli-chen Himmel, als gegen 10.40 Uhr die zwei schweren Dieselloks im Schritt-Tempo die einstige Demarkationslinie nach Thüringen überfuhren. Beifall in den Eisenbahnwagen und am Bahngleis, wo einige hundert Schaulustige sich einge-funden hatten. Nach mehr als 40 Jahren hatte damit der erste Zug von Würzburg kommend auf der Neubaustrecke einsti-ges DDR-Gebiet erreicht, um in Richtung Meiningen weiterzufahren. Mit Tränen in

den Augen hatten die Bürger an der Bahnstrecke den Eröffnungszug verabschiedet, der gegen 11.12 Uhr seinen Zielbahnhof Meiningen erreichte. Er wurde mit großem Jubel empfangen.
(Rhön- und Saalepost, 30.09.1991)

30. September 1991
Lückenschluss Neustadt b. Coburg – Sonneberg

Lückenschluss begeistert gefeiert – Großes Bahnhofsfest in Neustadt/Coburg
Wenn der vergangene Samstag ein gewöhnlicher Wochentag gewesen wäre, könnten Verkehrspolitiker, Bahn-Manager und Umweltschützer zufrieden sein: Hunderte von Menschen drängten sich am Nachmittag auf dem Bahnsteig am Neustadter Bahnhof, um den Premierenzug auf der wiedereröffneten Bahnlinie Neustadt – Sonneberg willkommen zu heißen und anschließend selbst mit einem der Sonderzüge erstmals auf der Schiene in die thüringische Partnerstadt zu reisen. Um 15.30 Uhr fuhr der E-Lok-gezogene Sonderzug der Deutschen Reichsbahn im Neustadter Bahnhof ein, wo Hunderte Menschen den ersten Zug auf der Strecke Sonneberg – Neustadt nach fast auf den Tag genau 40 Jahren begeistert begrüßten. Als „Leckerbissen" hatten Bundesbahn und Reichsbahn Dampfloks auf die neue Strecke geschickt, die ebenso wie der Eröffnungszug nicht nur von Kindern bewundert, sondern auch zigfach auf Fotofilme und Videobänder gebannt wurden.
(Nach: Neue Presse, 30.09.1991)

7 % der Auszubildenden in Handel und Industrie, die im Raum Coburg ihre Lehrverträge unterschrieben, wohnten in Südthüringen. Die Lehrlinge wurden vor allem in der keramischen Industrie und im Gastgewerbe ausgebildet.
(Coburger Tageblatt, 09.11.1990)

1. Oktober 1990
Die Siegermächte suspendierten in New York ihre Vorbehaltsrechte auf Deutschland bis zum Inkrafttreten des „Zwei-plus-vier-Vertrages". Der Vertrag musste

mit einem Sprung auf die Zaunkante. Danach habe er sich mit einer Rolle nach drüben fallen lassen. Zu diesem Zeitpunkt habe er Hunde bellen hören; danach seien in größerer Entfernung auch Leuchtkugeln verschossen worden. In den ersten Minuten habe er geglaubt, er befände sich bereits auf dem Bundesgebiet. Aber dann seien ihm Zweifel gekommen. Er wäre weiter in Richtung Westen geschlichen, aber nach Norden abgekommen, da die Wiese keine markanten Punkte zum Anpeilen mit dem Kompass lieferte. Schließlich habe er vor einem doppelten Metallgitterzaun gestanden, und ihm wäre klar geworden, dass er noch in der DDR war. Nach kurzer Zeit entdeckte er eine beschädigte Metallgittermatte im Zaun, die er für sein Überklettern ausnutzte. Der Flüchtling hatte vor Jahren etwas über eine Minensperre gehört. Dies fiel ihm jetzt ein. Er nahm seine Tasche und warf sie vor sich auf den Boden, um evtl. vorhandene Minen zur Detonation zu bringen. Dann warf er seinen Motorradhelm etwas weiter auf den Boden, nahm die Tasche wieder auf, die er erneut vor sich auf den Boden warf. Die genannten Gegenstände vor sich hinwerfend, erreichte er den zweiten und somit letzten Zaun, ohne eine noch intakte Mine des Minentyps PMN 6, verlegt 1968, auszulösen. An einer Stelle des Zaunes war im Laufe der Jahre ein Jungbaum so nahe am Zaun nachgewachsen, dass er einen kräftigen Seitenast als Hilfsmittel zum Überklettern ausnutzen konnte. Nach dem letzten Zaun fiel das Gelände stark ab. Auf dem Grund der Senke sei der Boden sumpfig gewesen. Nach Überwindung eines kleinen Hanges sei er in den Schutz des Waldes eingetreten. Er habe nicht gewusst, dass er sich in diesem Augenblick auf dem Gebiet der Bundesrepublik Deutschland befände. Er sei weiter nach Westen gelaufen, bis er im Walde einen gut befestigten Fahrweg erreicht hatte. In diesem Augenblick vernahm er auf dem Fahrweg Motorengeräusche. Der Flüchtling warf sich in Deckung. An dem Klang des Motors will er erkannt haben, dass es sich nicht um ein Fahrzeug der DDR hätte handeln können. Er sei aus der Deckung gesprungen, so dass er im Scheinwerferlicht gut zu erkennen gewesen sei. Der Wagen hätte sofort gehalten, und die Beamten des Bundesgrenzschutzes hätten ihn befragt, durchsucht und aufgenommen.[5]

Flucht durch das Minenfeld – 6. Dezember 1982

Der 29-jährige Michael Bender aus Jena ist ein ganz normaler DDR-Bürger, verheiratet, 3 Kinder, in der Freizeit mit Zierfischen und Lesen beschäftigt, sonst mäßig politisch interessiert. Zufrieden war er nicht, weder in politischer noch in wirtschaftlicher Hinsicht, eben ein ganz normaler DDR-Bürger. Die Zufriedenheit trug auch nicht dazu bei, dass sein Vater Verwalter auf dem Katzenstein, einem Ferienheim des MfS, und ein Bruder des Vaters ein höheres Tier in diesem Verein war. Eher war Bender durch seine Frau beeinflusst, die 1970/71, vor ihrer Ehe, einen gescheiterten Fluchtversuch unternommen hatte. Mit zwei Freundinnen hatte sie sich in

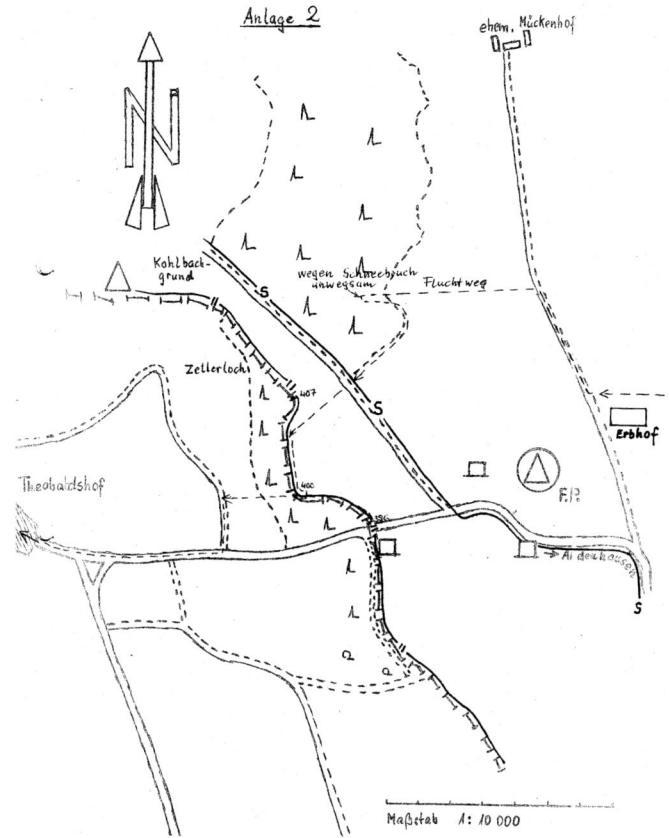

Skizze des Fluchtwegs des 29-jährigen Michael Bender, der 1982 bei Theobaldshof in den Westen flüchtete.
Foto: Sammlung Gerhard Schätzlein

2. Oktober 1990
Letzte DDR-Volkskammersitzung.

2./3. Oktober 1990
Um Mitternacht wurde vor dem Reichstag in Berlin feierlich die deutsche
Flagge gehisst. Die deutsche Teilung war
beendet. - In vielen Städten und Gemeinden des deutschen Vaterlandes wurden
würdige Feiern gestaltet und das vom
SED-Regime verfemte Lied der Deutschen gesungen.

Einigkeit und Recht und Freiheit
für das deutsche Vaterland!
Danach lasst uns alle streben
brüderlich mit Herz und Hand!
Einigkeit und Recht und Freiheit
sind des Glückes Unterpfand.
Blüh' im Glanze dieses Glückes,
blühe, deutsches Vaterland!

einem Interzonenzug versteckt, war aber in Plauen aus dem Zug
geholt und zu 1 1/2 Jahren Freiheitsstrafe verurteilt worden, einer
Strafe, die schon Narben hinterließ. Die Verbindung mit seiner Frau
Carmen ließ schon damals, Mitte 1972, in Michael B. Fluchtpläne
wachsen. Doch dann kamen die Kinder und zwischendurch die
NVA, wo er 1978/79 Dienst tat. Diese Zeit überstand er ganz gut,
weil er sich nach der Grundausbildung zu einem halben Dienstjahr
im Braunkohleabbau verpflichtet hatte. Für den Rest der Dienstzeit
hatte er in der Kleiderkammer einen angenehmen Posten. Doch
nach dem Ende der Wehrdienstzeit lief nichts mehr so richtig. Er
war wieder zu seinem alten Betrieb gekommen, der Glasfirma
Schott in Jena. Doch er kam nicht vorwärts. Um in eine bessere
Lohngruppe zu kommen, versuchte Bender noch einmal den Deal
mit der Verpflichtung zum Braunkohleabbau. Der Kaderleiter hatte
ihm zugesagt, ihn bei seiner Rückkehr zu befördern und ihm außerdem noch während seiner Zeit im Bergbau einen monatlichen
Zuschuss vom Betrieb zu zahlen. Doch nichts wurde eingehalten.
Er bekam weniger Lohn und die Beförderung blieb ebenfalls aus.

Empört gab er seine Kündigung ab, die jedoch nicht angenommen wurde. So verweigerte er die Arbeit, blieb einfach daheim und half in dieser Zeit seinem Bruder beim Hausbau. Dieser hatte nach einem Unfall eine Entschädigung von 80.000 Mark erhalten. Bender sollte danach eine Strafe wegen Schwarzarbeit bezahlen. Das war der Auslöser. Am Sonntag besprach er mit seiner Frau den Fluchtplan. Wenn die Flucht gelang, wollte er sie und die Kinder über Familienzusammenführung nachholen. Am 06.12. fuhr er morgens um 5.16 Uhr mit dem Zug von Jena nach Erfurt, von dort nach Zella-Mehlis, nach Schmalkalden und von dort mit dem Linienbus nach Bad Salzungen. Dort kaufte er sich ein gebrauchtes Rad und fuhr damit nach dem Mittagessen nach Dermbach. Nach Einbruch der Dunkelheit fuhr er nach Zella, versteckte dort das Rad in einer Hecke und lief zu Fuß hoch zum Katzenstein. Dort hatte er mit seinen Eltern über vier Jahre lang gewohnt, hier kannte er sich bis hin zur Grenze aus. Im Schutz der Dunkelheit schlich er an der Kaserne der Grenztruppen vorbei und gelangte am Erbhof vorbei auf die Straße zum ehemaligen Mückenhof. Als er zum Schutzstreifenzaun kam, dessen unterer Teil aus Metallgittermatten bestand, während der obere Teil aus Stacheldraht gefertigt war, merkte er, dass die davor gespannten Drähte unter Strom standen. Bender stemmte sich hoch, bis er auf der Metallgittermatte stehen konnte, stieg dann auf den Stacheldraht und kam mit einer Rolle auf die andere Seite. Nun musste es schnell gehen. Doch nach 20 m stieß er wieder an einen Draht, der eine Leuchtrakete auslöste. Auf dem Weg nach vorn geriet er in ein gänzlich unwegsames Waldstück. Er musste wieder zurück an den Waldrand, wo er sich an den Lichtern von Theobaldshof neu orientierte. Jetzt fand er den Kolonnenweg und den Kfz-Sperrgraben. Doch da sah er auch ein Schild, das auf die Minen hinwies. Darauf lief er am Zaun entlang in Richtung Straßensperre Andenhausen, in der Hoffnung, eine Minengasse zu finden. Doch da sah er die Lichter eines Autos, das sich auf dem Kolonnenweg rasch näherte. In höchster Angst sprang er am Zaun hoch, konnte sich oben festhalten, zog sich hoch und rollte sich darüber. Dabei zerrissen seine Wollhandschuhe. Vor ihm waren jetzt die Minen und hinter ihm hatte das Auto 50 m vor seinem Standort angehalten. Grenzposten leuchteten am Zaun entlang und kamen immer

näher. Verzweifelt stocherte Bender mit dem Griff seiner Kombizange schräg nach unten im Boden nach Minen. Es musste schnell gehen und er machte große Schritte. Die letzten zwei bis drei Meter rannte er einfach los, und kam auch über den vordersten Zaun, wobei sich einige Platten lösten. Ohne sich umzuschauen, rannte er auf Bundesgebiet und wunderte sich noch, dass er nicht beschossen wurde. Im Westen, es war inzwischen 23.15 Uhr geworden, lief er auf Theobaldshof zu und klopfte bei einem Haus, in dem noch Licht brannte. Der Mann ging dann mit ihm zur Zoll-Grenzaufsichtsstelle Theobaldshof.

Sperranlagen untergraben, 17. Juli 1984

Es scheint schier unmöglich und gelingt doch immer wieder: die Flucht in die Freiheit. So glückte auch in der Nacht von Montag auf Dienstag zwei jungen DDR-Bürgern, Brüdern im Alter von 28 und 19 Jahren, im Grenzabschnitt nahe Weimarschmieden, Lkrs. Rhön-Grabfeld, – dort reicht der Sperrgürtel der innerdeutschen Grenze bis auf wenige hundert Meter an den Ort heran – das gewagte Unterfangen, in den Westen zu fliehen. Unbemerkt und unbehelligt hatten sie die Grenzanlagen überwinden können, bevor sie sich kurz nach Mitternacht im Gasthaus „Zur Weimarschmiede" als Flüchtlinge zu erkennen gaben. Einziges Werkzeug, das ihnen die Flucht ermöglichte: zwei Handspaten.

Uwe Judis und Manuela Bernd, die Pächter des Gasthauses, schilderten das Geschehen wenige Minuten nach Mitternacht, als sich noch zwei Gäste in der Gaststube befanden: „Es klopfte und herein traten zwei Fremde; ihre Kleidung war total beschmutzt, Hände und Gesicht mit Dreck verschmiert." Erster Satz der beiden, noch nervös und aufgeregt: „Wir kommen eben von drüben und sind geflüchtet." Nachdem sich die Flüchtlinge gewaschen und gesäubert hatten, erzählten sie ihr Fluchtunternehmen.

Nach ihren Angaben passierten die beiden Brüder den ersten Grenzzaun, der gerade repariert und erneuert wird, gegen 19.00 Uhr. Innerhalb des Sperrgürtels hätten sie sich dann bis zum Einbruch der Dunkelheit versteckt gehalten. Um eventuelle Minen aufzuspüren, habe der Ältere der Brüder nach eigener Darstellung den Handspaten schrittweise vor sich hergeworfen. Im Schutze der Nacht gelangten sie dann unbemerkt an den zweiten Grenzzaun. Mit ihren Handspaten gruben und wühlten sie sich 2 Stunden lang einen Tunnel unter dem mit SM 70 gesicherten Grenzzaun hindurch, ohne bemerkt zu werden, und erreichten so unversehrt westliches Gebiet. Einziger kritischer Moment soll, so die Flüchtlinge, die Begegnung mit einem Wachhund gewesen sein, der sich aber auf die Drohgebärde des Älteren hin davongeschlichen habe. Gegen 00.30 Uhr wurde dann von Weimarschmieden aus die Polizei verständigt, die sich der Flüchtlinge annahm.

Am 17.07.1984, um 07.15 Uhr, gelang den mehrfach vorbestraften Brüdern Stefan und Thomas I. aus Meiningen, bei Helmershausen, im Bereich der Grenzsäule 1892, der Durchbruch durch die Grenzanlagen. Die Säule 1892 bildet die Nordostecke der Gemarkung Weimarschmieden. Sie durchliefen ca. 2.000 m südwestlich Helmershausen einen offenen Bauabschnitt, umgingen 4 Wachhunde an Laufseilen und überstiegen ein Signalgerät. Den Grenzzaun I mit Anlage 501 untergruben sie und kamen so ohne Auslösung durch, so meldete die Grenztruppe den Sachverhalt.

Die beiden Brüder, Stephan, 28, und Thomas Illgen, 19, stammen aus Meiningen, der Ältere ist von Beruf Elektriker, der Jüngere gelernter Schweißer und Schlosser. Stephan arbeitete als Transportarbeiter in der Schweineproduktion Rippershausen und Thomas als Stanzer in Meiningen. Als Grund für ihre „spontane Flucht" gaben sie den Wirtsleuten an, „die Nase von drüben voll zu haben", außerdem will der Ältere Schwierigkeiten mit der Volkspolizei gehabt haben. So soll auch eine Jochbeinverletzung von Auseinandersetzungen mit Volkspolizisten herrühren. Inzwischen sind die beiden Brüder im Notaufnahmelager Gießen eingetroffen.

Stefan I. wurde am 02.07.1986 bei der Einreise in die DDR an der Grenzübergangsstelle Hirschberg festgenommen und später zu 4 Jahren und 6 Monaten Haft verurteilt. Durch die Amnestie Ende 1987 kam er vorzeitig frei und wurde aus der Haft in die Bundesrepublik entlassen.[6]

Autoreifen sollte Minen hochgehen lassen – 21. März 1984

Am 21.03.1984, 10.10 Uhr, wurde durch eine befohlene Kontrolle ein Grenzdurchbruch durch eine Person DDR-BRD im Abschnitt ca. 800 m nordwestlich Eicha, Kreis Hildburghausen, bei einer Kontrolle des 2-m-Kontrollstreifens festgestellt. Bei dem Täter handelt es sich um den 34-jährigen Dietmar P., Gaststättenleiter der Konsum-Gaststätte Eicha, Kreis Hildburghausen. Der Täter verließ nach einer Auseinandersetzung mit der Ehefrau die Wohnung am 20.03.1984, 23.30 Uhr. Die Annäherung erfolgte aus der Ortschaft Eicha heraus entlang der Straße Eicha – Milz zu Fuß. Der GSZ-70 mit GSG 55 wurde ohne Auslösung überstiegen. Es wurden freundwärts ein heruntergebrochener Abweiser und Fußabdrücke festgestellt. Der Täter hat sich vermutlich am Abweiser hochgezogen. Am GSZ-70 sind Korrosionsschäden vorhanden. Das vordere Sperrelement, MS 66 mit Minentyp PM-2, wurde mittels eines Pkw-Autoreifens ohne Auslösung überwunden auf Höhe der Grenzsäule 2022, ca. 1.250 m nordwestlich Eicha. Der Grenzdurchbruch erfolgte vermutlich in der Zeit vom 21.03.84 in der Zeit von 0 Uhr bis 5 Uhr. In dieser Zeit waren im Durchbruchsabschnitt keine Grenzposten eingesetzt. Im Rahmen der befohlenen Untersuchung wurde festgestellt, dass noch nicht alle Möglichkeiten des effektiven Kräfte- und Mitteleinsatzes genutzt wurden. Es wurden Maßnahmen zur Verbesserung des Zusammenwirkens festgelegt und Maßnahmen der Auswertung befohlen.

P. ist in diesem Jahr der erste DDR-Flüchtling, der im Bereich Rhön-Grabfeld die todsichere Grenzanlage der DDR überwand. Der Mann hatte schon längere Zeit Pläne „in der Tasche", wie man in die Freiheit nach West-Deutschland kommen könnte. Ein Plan, der im übrigen funktionierte. Gegen 22.00 Uhr muss sich der Mann in Eicha auf den Weg gemacht haben, nachdem er dort seine Frau und seine 3 Kinder zurückließ.

Nahe der Zonengrenze, fand Günter S. gegen Mitternacht ein Haus, in dem noch Lichtschein aus einem Fenster drang. Dort klopfte der Flüchtling zaghaft an die Scheibe. Seine ersten Worte: „Ich komme aus Eicha und bin gerade über die Grenze gekommen." Vergessen hatte Günter S. zunächst in der Aufregung die Telefon-Nr. seiner Tante in Hessen, die er unbedingt anrufen wollte. Vergessen hatte er aber wohl noch lange nicht die Strapazen, Ängste und Probleme, die in der Nacht zum 21. März von ihm bewältigt wurden.

Die Grenzpolizeistation Bad Königshofen, die noch in der Nacht von der Breitenseer Familie verständig wurde, holte den DDR-Flüchtling auf die Station, um ihn dann an die entsprechenden Stellen weiterzuleiten. Noch gestern Vormittag hatte übrigens die DDR von der Flucht ihres Bürgers nichts bemerkt.

Gegen 10.30 Uhr begannen am 22. März die DDR-Grenzsicherungstruppen bei Breitensee mit der Spurensicherung. An verschiedenen Stellen wurde die Grenze mit Hunden abgesucht, gegen 15.15 Uhr wurde die Suche dann endgültig abgebrochen.

An der Grenze waren auf westdeutscher Seite Grenzpolizei, Zoll und Bundesgrenzschutz vertreten, die das Geschehen auf der Gegenseite per Videokamera, Foto und Notizblock registrierten. Zunächst hatte die DDR im Hinterland mit Hunden das Gelände nach Spuren abgesucht und kam gegen Mittag an den Grenzzaun.

Dort wurden verschiedene Stellen abgesucht, begutachtet und von einem Fotografen festgehalten. Per Leiter wurde sogar in den etwa 10 m breiten Minengürtel zwischen beiden Grenzzäunen fotografiert.

Mit Kompass wurde schließlich gegen 14.30 Uhr eine weitere Stelle an einer Senke eingesehen und fotografiert. Hier kam sogar eine Messlatte zum Einsatz. Ein Offizier, der später dazustieß, erhielt die entsprechenden Informationen.

Träge in der Sonne lagen an einem Telefonmeldemast zwei DDR-Grenzsoldaten, die die gesamte Szenerie fast gelangweilt beobachteten. Das Kommando zog um 15.15 Uhr endgültig ab, wahrscheinlich, ohne die genaue Grenzübertrittsstelle des Flüchtlings gefunden zu haben.

Die Beamten auf westdeutscher Seite führen dies auf den Frost in der Nacht zurück. Deshalb seien keinerlei Fußabdrücke und Spuren feststellbar.[7]

Zwei kamen durch – 13. August 1984
Zwei junge DDR-Bürger, eine Frau, 18, und ein Mann, 21, waren nach Bayern geflüchtet. Beiden gelang es, die Sperranlagen der DDR an verminter Stelle in einem Grenzabschnitt im unterfränkischen Lkrs. Rhön-Grabfeld ohne Zwischenfall zu überwinden.[8]

Nach Stasiunterlagen handelte es sich dabei um K., geb. 1963, aus Henfstädt und seine Freundin T., geb. 1966, aus Jüchsen (heute verh. K.). Sie überwanden die Sperranlagen südlich von Wolfmannshausen beim Grenzstein 1983. Da eine Auslösung der Sperranlagen nicht erfolgte, erfuhren die DDR-Grenzorgane erst durch die Westpresse von der Flucht. Es handelt sich bei dieser Flucht um den ersten Grenzdurchbruch im Bereich der Grenzkompanie Behrungen seit 1981.

(Stasi)

Durchbruch bei Klings – 4. November 1985
Bericht der Grenztruppen
Zwischen 17.40 und 18.00 Uhr durchbrach eine Person etwa 300 m westlich von Klings, Krs. Bad Salzungen, die Sperranlagen. Mit drei Holzstangen löste sie den Grenzsignalzaun aus, lief erst am Waldrand entlang, überquerte eine 200 m breite freie Fläche und überstieg das vordere Sperrelement wieder mit einer der Holzstangen, die an den Zaun gelehnt wurde. Die Alarmgruppe befand sich zur Zeit der Auslösung des Alarms auf der Führungsstelle etwa 1,5 km nördlich der Durchbruchsstelle und hatte bereits um 17.50 Uhr die Abriegelungspunkte bezogen. Sie konnte aber nur noch die Spuren auf dem Kontrollstreifen feststellen.[9]

Bericht der BGS-Abteilung Fulda
Am 04.11.1985 um 19.30 Uhr überwand der Dreher B. E., 24, Dresden, östlich von Tann die Grenzsperranlagen. Obwohl seine Mutter als Kaderinstrukteur im Reglerwerk Dresden eine hohe SED-Funktion innehatte, hatte er schon seit der Schulzeit an eine Flucht in den Westen gedacht, weil er ein bekannter Wehrdienstverweigerer war. Am 05.11.1985 war er nach Radebeul einberufen worden. Er hatte sich bei einem Rechtsanwalt befragt, welche Strafe er für Wehrdienstverweigerung zu erwarten habe. Die mindestens 22 Monate stellte er den 18 bis 20 Monaten für Republikflucht gegenüber und rechnete noch damit, dass er nach einer Republikflucht „freigekauft" würde. Er meinte also, dass er mit dem Versuch einer

Republikflucht besser davonkäme. Er wusste von einem Kameraden, der bei den Grenztruppen gewesen war, dass im Bereich Rhön weder Minen noch Selbstschussanlagen installiert waren. Er fuhr also mit dem Zug von Dresden nach Meiningen und dann nach Bad Salzungen weiter, wobei er eine Kontrolle erfolgreich überstand. Ins Sperrgebiet nach Andenhausen wollte er sich deshalb mit dem Taxi fahren lassen. Weil er aber ohne Passierschein nicht ins Sperrgebiet durfte, stieg er in Zella aus. Er lief dann zu Fuß Richtung Andenhausen, umging einen Kontrollpassierpunkt und bewegte sich gedeckt weiter Richtung Empfertshausen. Mit einem Ast berührte er den Signalzaun, ohne eine Auslösung zu bemerken, überstieg ihn und tastete sich dann mit dem Ast nach vorn. Dabei löste er ein Platzergerät aus. 5 Minuten später kam ein Fahrzeug auf dem Kolonnenweg daher, entdeckte ihn aber nicht. Mit Hilfe des Astes überstieg er den 250 cm hohen vorderen 2. Streckmetallzaun. Im ersten Zaun fand er eine Lücke und kam so im Westen zuerst zum Friedrichshof, wo er zum Schweidhof verwiesen wurde. Der Sohn des Besitzers, Horst John, fuhr ihn zum Zollkommissariat Tann.[10]

Mit Seil und Wurfanker über die Grenze – 29. August 1986

Ehepaar S. aus Bad Liebenstein, er 23, sie 19 Jahre alt, plante zusammen mit Udo B. aus Geisa und dessen Freundin Antje H. aus Vacha, aus der DDR zu fliehen, doch am 27.08.1986 entdeckten die Eltern von Udo verschiedene Fluchtmittel und verhinderten dessen Aufbruch, so dass am 28.08. die Familie S. alleine gegen 07.40 Uhr zwischen Borsch und Buttlar flüchtete und heil die Grenzsicherungsanlagen überwand. Am GSSZ II wurde eine Leiter und am GZ I zwei Seile mit Wurfanker festgestellt. Der GSSZ II wurde ohne Auslösung überwunden. Auf dem 2-m- und 6-m-Kontrollstreifen wurden Schuhabdruckspuren von 25 und 28 cm Länge festgestellt. Bei der Untersuchung wurden Mängel in der Organisation der Grenzsicherung festgestellt. Die Familie S. wohnt heute in Kaiserslautern.[11]

Den in diesem Abschnitt vorhandenen Grenzsignalzaun unterkroch der Täter an einem durch Wild verursachten ca. 20 cm tiefen Durchschlupf. Darüber schnitten sie mit dem Bolzenschneider zusätzlich eine ca. 30 x 30 cm große Öffnung in das Streckmetall.

Auf dem weiteren Annäherungsweg zur Grenze durchkrochen sie einen 1,40 m hohen Koppelzaun, indem sie die unteren Stacheldrähte mit dem Bolzenschneider durchschnitten.

Den 500 m vom Grenzsignalzaun entfernten Grenzzaun I überwand der Täter unter Nutzung des Seiles mit Wurfanker.

Der Grenzdurchbruch wurde durch Grenztruppen der DDR nach Auslösung des Grenzsignalzauns festgestellt.[12]

Flucht nach dem Karnevalstanz – 16. November 1986

Nach dem Besuch einer Karnevalsveranstaltung vom 15. zum 16.11.1986 verließ der 24-jährige Schäfer L. nach einem Streit mit seiner Ehefrau gegen 00.15 Uhr seine Wohnung in Kaltenwestheim, Krs. Meiningen. Er ging zu Fuß bis 2.500 m nordwestlich der Ortschaft Unterweid zum GSZ 55, überwand ihn mit Hilfe eines angelegten Koppelpfahles mit 4 Isolatoren, den Y-Abweiser hatte er freundwärts gebogen und ohne Auslösung überwunden. Er überwand den GZ I ohne Hilfsmittel. L. war seit 1985 im Besitz eines Passierscheines aus dienstlichen Gründen und besaß auf Grund seiner Tätigkeit als Schäfer Kenntnisse über die Bedingungen im Grenzabschnitt.[13]

Als 17-Jähriger hatte L. eine Auseinandersetzung mit einem angetrunkenen Offizier der Grenztruppen bei einer Tanzveranstaltung in Reichenhausen. Der Offizier hatte ihn „an die frische Luft" setzen wollen, weil es schon 22 Uhr war. Dabei schlug L. dem Offizier 3 Zähne aus. Er wurde eine Woche später vom ABV verhaftet, kam in die JVA Meiningen und wurde zu 6 Monaten Freiheitsentzug verurteilt, die er im Jugendhaus Halle absitzen musste. Nach einer Tanzveranstaltung hatte er einmal einen Hasen geklaut und gebraten, was ihm eine Geldstrafe von 300 Mark eintrug.

L. war verheiratet, hatte ein Kind und besaß ein im Rohbau befindliches Haus. Neben den Schafen der LPG hielt er noch 20 genehmigte und 20 illegale Schafe, die ihm ca. 17.000 Mark jährlich brachten.

Am Abend des 15. November war er mit seiner Frau bei einer Tanzveranstaltung in Kaltenwestheim und gegen 00.30 Uhr mit ihr angetrunken nach Hause gegangen. Er wollte nun noch einmal zum Gasthof „Stern" zurück, seine Frau nicht. So ging er, von der Frau unbemerkt, weg. Dabei kam ihm der Gedanke, er könne auch in den Westen. Er ging also bis zum Ortsausgang Richtung Unterweid, bog dann nach Norden in Richtung Großer Hoflar ab. Am Waldrand zog er die weißen Turnschuhe, die hellblaue Hose und die Strümpfe aus, weil er fürchtete, entdeckt zu werden Als er sich am Abweiser hochziehen wollte, riss er die gesamte obere Zaunbefestigung ab und bekam dabei einen elektrischen Schlag. Er zog sich an einem Betonpfosten hoch, stellte sich barfuß auf einen Stacheldraht und sprang auch noch in eine Dornenhecke, wobei er sich Schnitt- und Risswunden zuzog. Den doppelten Metallgitterzaun überstieg er, gelangte gegen 01.30 Uhr auf Bundesgebiet und meldete sich gegen 01.30 Uhr bei der Familie Oskar Witz, wo ihn der Grenzzolldienst abholte. Nach Meldung der Zentrale in Hessen vom 09.02.1987 sei Bodo L. wieder in die DDR übergesiedelt. Nach Auskunft von Oskar Mihm aus Kleinfischbach sei L. am 17./18. Mai in Kleinfischbach gewesen, habe die Familie Mihm besucht und sich für die Aufnahme in der Fluchtnacht bedankt. Er gab an, bei Audi in Ingolstadt Arbeit gefunden zu haben und am 28. Mai, einem Feiertag, wollte er seine bestellte Familie von einem Berg oberhalb seiner Fluchtstelle grüßen.[14]

Mit Stangen und Wurfanker die Grenze überwunden – 29. Dezember 1988

In der Nacht vom 28. zum 29. 12. 1988 vollendete Erhard S., 26, einen ungesetzlichen Grenzübertritt DDR – BRD nordwestlich der Ortschaft Pferdsdorf. Der in Vacha wohnhafte Veterinäringenieur näherte sich dem GSSZ II, den er mit einer selbst gefertigten, drei Meter langen Übersteighilfe aus Derbstangen überkletterte, ohne diesen auszulösen. Anschließend überquerte er den 6-m-Kontrollstreifen und überstieg den Grenzzaun I mittels eines an einem 2,35 m langen Seil befestigten Wurfankers.

Seit seiner Geburt ist Erhard S. im Grenzgebiet des Kreises Bad Salzungen wohnhaft und hat detaillierte Regimekenntnisse in den Bereichen Geisa/Pferdsdorf/Sünna.

Erhard S. entstammte einer fortschrittlichen Angestelltenfamilie. Der Vater war Lehrer für Mathematik an der Oberschule in Bad Salzungen, die Mutter an der gleichen Bildungseinrichtung als Hortnerin. Nach dem Besuch der 10-klassigen polytechnischen Oberschule erlernte S. in der LPG (T) Sünna

den Beruf eines Zootechnikers. Seinen Grundwehrdienst leistete er anschließend im Wachregiment „Friedrich Engels" Berlin ab.

Im Anschluss daran studierte er an der Fachschule für Veterinärwesen und wurde als Veterinäringenieur im Kreis Meiningen eingesetzt. Auf persönlichen Wunsch wurde S. in den Krs. Bad Salzungen umgesetzt. Hier leistete er seit dem 01.10.1986 in der Gemeinschaftspraxis „Feldathal" eine gute fachliche Arbeit und erfüllte alle beruflichen Aufgaben im Außendienst zur vollen Zufriedenheit seiner Vorgesetzten und mit Disziplin und hoher Einsatzbereitschaft. Unter seinen Arbeitskollegen fand er Achtung. Er hatte einen guten Ruf.

Im Freizeitbereich arbeitete er aktiv im Ortsausschuss der Nationalen Front und im Vorstand der Sparte Kleintierzüchter des VKSK mit. Er zeigte Interesse an der Mitarbeit in der Feierabendbrigade seines Wohnortes.

Widersprüche traten in seinem gesellschaftspolitischen Verhalten auf. Während er in Diskussionen die sozialistischen Verhältnisse in der DDR bejahte, zeigte er kein Interesse am Beitritt zum FDGB. Charakterlich wird Erhard S. als kontaktfreudig, aufgeschlossen, hilfsbereit und kameradschaftlich eingeschätzt.

Seit 1985 lebte S. in einer Lebensgemeinschaft mit der N. N. im Wohnhaus seiner Großmutter. Aus dieser Lebensgemeinschaft entstammte ein Kind.

Erhard S. hatte nicht die Absicht, mit seiner Freundin die Ehe einzugehen, wollte aber doch die sozialpolitischen Vorteile ausschöpfen, die eine Lebensgemeinschaft bot.

In der Zeit vom 08.04. bis 17.04.1988 führte Erhard S. eine Privatreise in die BRD zur Teilnahme an der Konfirmation seines Cousins durch. Nach der BRD-Besuchsreise war er stark vom westlichen Konsumangebot beeindruckt.

Er wirkte äußerlich stets ungepflegt, und seine Kleidung war unordentlich. Aus diesen und anderen Gründen kam es zwischen der Lebensgefährtin und Erhard S. in den letzten Monaten zunehmend zu ernsthaften Zerwürfnissen. Die Frau löste deshalb die Lebensgemeinschaft und verzog unter Mitnahme des Kindes am 25.12.1983 mit polizeilicher Abmeldung beim VPKA Bad Salzungen per 31.12.1988, um anderwärts ihre berufliche Tätigkeit auszuüben. Nach unbestätigten Informationen soll Erhard S. ursprünglich die Absicht gehabt haben, seiner Lebensgefährtin in ihren neuen Arbeitsbereich zu folgen. Stattdessen entschloss er sich zur Flucht über die Sperranlagen[15]

Flucht nach Streit mit der Ehefrau – 5. Februar 1989

Am 05.02.1989, in der Zeit zwischen 22.00 und 23.30 Uhr, begingen Karl-Heinz Z., 36, Einrichter im VEB EKS, Neuhaus-Schierschnitz, verheiratet/ 2 Kinder, Kurt M., 37, Arbeitsvorbereiter im VEB EKS, Neuhaus-Schierschnitz, verheiratet, 1 Kind, und dessen Sohn Kai, 17, Schüler der 10. Klasse der OS Neuhaus-Schierschnitz im Raum der Ortschaft Sichelreuth einen ungesetzlichen Grenzübertritt zur BRD. Die Untersuchungen ergaben:

Die beiden Männer nahmen an einem Skatturnier in der Gaststätte „Bätz" in Gefell/Krs. Sonneberg teil. Anschließend hatten sie die Absicht, noch zum Karneval zu gehen. Beide befanden sich bereits zu diesem Zeitpunkt in einem angetrunkenen Zustand. Gegen 21.00 Uhr betrat Kurt M. die eheliche Wohnung, wo es zwischen ihm und seiner Ehefrau zu einer Auseinandersetzung kam, da er angetrunken war und die Wohnung wieder verlassen wollte. Im Ergebnis der Auseinandersetzung verließ M. kurz nach 21.00 Uhr die Wohnung und begab sich mit Z. in Richtung der Hauptstraße nach Sichelreuth. Der sich in der Wohnung aufhaltende Sohn Kai folgte seinem Vater mit dem Ziel, ihn nach Hause zurückzuholen.

Die Genannten näherten sich von der Ortschaft Sichelreuth kommend, in südlicher Richtung entlang dem Flusslauf der Föritz dem Sperrbauwerk im Bereich des GSSZ. Mittels eines mitgeführten Bolzenschneiders öffneten sie gewaltsam ein Vorhängeschloss an der Arretierungsstange, die die Gitterelemente gegen ein unbefugtes Hochschieben sicherte und entfernten die Stange. Da das Sperrbauwerk nicht in die Signaleinrichtung des GSSZ eingebunden war, gelangten sie unbemerkt durch ein von ihnen hochgeschobenes Gitterelement in den Schutzstreifen.

Entlang des Flusslaufes der Föritz erreichten sie den Zaun der ehemaligen MS 66, überstiegen diesen ohne Hilfsmittel und begaben sich durch die Föritz auf BRD-Territorium.[16]

Mit zwei Leitern über die Grenzsperren – 23. August 1989

Zwischen dem 22.08. um 21 Uhr und dem 23.08.1989 um 6.00 Uhr gelang K. K., 31, und seinem Cousin, H. K., 25, beide aus Jüchsen und im Besitz eines Passierscheins für die Sperrzone im gesamten Krs. Meiningen, 1.500 m westlich Berkach die Flucht in die Bundesrepublik. Sie näherten sich von Nordheim/Grabfeld der Grenze, wobei sie zwei Leitern mitführten. Mit einer überwanden sie unbemerkt den Signalzaun. Danach bewegten sie sich weiter unter Mitnahme der zweiten Leiter zum vorderen Zaun, den sie überstiegen. Zuvor überwanden sie ohne Auslösung eine einsatzbereite R-67-Linie. Die Flucht blieb zunächst unbemerkt.[17]

Es war ein ganz normaler Werktag im August in Jüchsen. K. K. war mit seinem Star-Moped in Meiningen gewesen. Er hatte schließlich Zeit dazu,

Am 23.8.1989 gelang dem 31-jährigen Kurt Krieg und seinem Cousin, dem 25-jährigen Heiko Krieg, beide aus Jüchsen bei Berkach (Kreis Meiningen), die Flucht in die Bundesrepublik. Sie näherten sich von Nordheim/Grabfeld der Grenze, wobei sie zwei Leitern mitführten. Mit einer überwanden sie unbemerkt den Signalzaun. Danach bewegten sie sich weiter unter Mitnahme der zweiten Leiter zum vorderen Zaun, den sie mit dieser überwanden. Die Flucht blieb zunächst unbemerkt.
Foto: Sammlung Gerhard Schätzlein

nachdem er seine Arbeit in Vachdorf im Juli aufgegeben hatte. Sein Cousin H. K., Maler von Beruf, war auch dabei gewesen. Die beiden steckten in letzter Zeit immer öfter zusammen. Zum Leidwesen von Frau Steffi machte sich Kurt gleich nach dem Abendessen wieder fort – in die Dorfwirtschaft. Erst um 23 Uhr kam er wieder zurück, war aber noch nicht müde, sondern setzte sich an den Fernseher. Steffi fielen schon die Augen zu. Gerade als sie ins Bett wollte, klopfte es ans Fenster. Cousin Heiko kam herein. Er wollte mit Kurt noch ein Fernsehspiel anschauen – im Westfernsehen natürlich. Es war schon nach drei Uhr, als Steffi wach wurde. Das Baby schrie. Kurt war noch immer nicht im Bett. Der Fernseher war aus, die beiden Männer weg. Naja, das kam schon ab und an vor. Steffi war zu müde, um sich weiter Gedanken zu machen. Sie wusste nicht, dass die beiden Männer auf dem Weg zur Grenze waren.

Die beiden hatten beschlossen, in den Westen zu gehen und das, obwohl Heiko SED-Mitglied war. Kurt hatte insgesamt eine negative Phase. Er schimpfte auf Partei und Regierung und sah sowieso keine Perspektive für sich, nachdem er seine Arbeit verloren hatte und sich von Schwarzarbeit ernährte. Schon 1975 hatte er einen ungesetzlichen Grenzübertritt versucht, war erwischt worden und hatte dafür 14 Monate im Knast gebüßt. Und 1987 war ihm deswegen auch noch eine Besuchsreise in den Westen abgelehnt worden. Das hatte das Fass zum Überlaufen gebracht. Heiko war vom Westen fasziniert, besonders von der Bundesliga. Er und Kurt waren bis nach Bratislava gefahren, als Bayern München 1988 dort im Europapokal spielte. Heiko hatte sich extra deshalb eine Polaroid-Sofortkamera gekauft. Er und Kurt kamen mit Uli Höneß und Jupp Heinkes ins Gespräch. Heiko ließ sich Arm in Arm mit den beiden ablichten und war danach der beneidete Star der Fußballanhänger im Kreis Meiningen. Kurt brauchte nicht lange zu drängen. Heiko hatte schon lange mit dem Gedanken gespielt, in den Westen zu gehen. Im Frühjahr, als die Grenze über Ungarn sich öffnete, hatte er schon einmal seine Freundin Diana gefragt, ob sie sich vielleicht vorstellen könnte ... Doch die hatte entrüstet abgelehnt und im Juni erst hatte er an eine frühere Freundin geschrieben, die jetzt im Westen war und sie gebeten, sie solle sich als seine Cousine ausgeben, damit er auch einmal in den Westen fahren kann.

Kurt und Heiko hatten lange überlegt, wie sie sich aus dem Staub machen sollten. Schließlich hatte den Ausschlag gegeben, dass Heiko 1984 bei den Grenzpionieren gewesen war. Er hatte selbst die Minen im Bereich Berkach mit abgebaut und wusste mit Sicherheit, dass die Grenze dort minenfrei war. Das Gelände kannte er in- und auswendig.

Kurz nach 24 Uhr waren die beiden aufgebrochen. Kurt hatte das Moped aus dem Schuppen geschoben, Heiko hatte eine Leiter von daheim mitgebracht und nahm auch noch eine zweite bei Kurt mit. Er setzte sich, beide Leitern geschultert, hinter Kurt aufs Moped. Dann fuhren sie los in Richtung Queienfeld. Den Queienfelder Berg hinauf musste Kurt ganz schön Gas geben mit der schweren Last hintendrauf. Wenn nur der ABV nicht wach wurde, an dessen Haus sie gerade vorbeiknatterten!

Kurz vor Queienfeld legten sie das Moped in den Straßengraben und liefen zu Fuß weiter. Sie umgingen Queienfeld rechts und liefen teils auf Feldwegen, teils quer durch das bereits abgeerntete Feld nach Südwesten. Die etwa 7 Kilometer zogen sich lang hin. Man musste ja leise sein, sich immer wieder umschauen und umhören. Da tauchte am Horizont vor ihnen ein Turm auf. Der Führungsturm auf dem Reinhardsberg! Auch wenn Heiko aus Erfahrung wusste, das die Kameraden ab 12 Uhr schliefen, war es doch ratsam, dem Turm nicht allzu nahe zu kommen. Nach einem Haken in Richtung Schwickershäuser Talsperre trafen sie am Roßriether Wäldchen auf den Grenzsignalzaun. Jetzt sollte sich die Grenzerfahrung Heikos bewähren. Er hatte Kurt eingeschärft, ja nicht zwei Drähte des Signalzauns zur Berührung zu bringen. Also schoben sie die längere, drei Meter lange Leiter vorsichtig schräg an den Zaun. Dadurch entstand eine 35 cm breite Lücke, durch die Heiko durchschlüpfte, sich die zweite Leiter reichen ließ und diese dann vorsichtig auf der „feindwärtigen" Seite abstellte. Bevor Kurt nachstieg, tastete Heiko vorsichtig am Boden entlang. Da fühlte er auch schon den dünnen Draht eines „Platzers", eines Signalgeräts. Wäre das losgegangen, hätten sie gleich sitzen bleiben können, denn die Alarmgruppe im Führungsturm wäre in jedem Fall schneller als sie am vorderen Streckmetallzaun gewesen. So stiegen sie vorsichtig über den Draht, durchquerten vorsichtig ein 200 m tiefes Waldstück, liefen über eine Wiese, ohne die dort verspannten Signalgeräte auszulösen und überkletterten schließlich mit der zweiten Leiter den Doppelzaun der ehemaligen Minensperre 66. Noch 30 Meter weiter, dann waren sie im Westen. Um 3.30 Uhr waren sie in Roßrieth, um 4 Uhr in Sondheim und meldeten sich bei der Grenzpolizei.

Bei der Vernehmung in Mellrichstadt konnten sich die Beamten nicht erklären, wieso noch kein Grenzalarm ausgelöst war. Tatsächlich merkten LPG-Arbeiter der LPG Berkach um 10 Uhr als Erste, dass am Signalzaun eine Leiter lehnte. Erst dann kam die Untersuchungsmaschinerie in Gang. Um 18 Uhr hatten sie dann Zeit, daheim anzurufen. Heiko erreichte das Kulturheim in Jüchsen und erzählte der Inhaberin, sie solle seinem Vater ausrichten, dass er und Kurt in Mellrichstadt, im Westen seien. Kurt hatte wenigstens seiner Frau eine Nachricht hinterlassen. Heiko hatte niemandem etwas gesagt, nicht einmal seiner Freundin und sich einfach so aus dem Staub gemacht. Nach den Befragungen mussten die beiden Flüchtlinge nach Gießen, wo sie die üblichen Aufnahmeformalitäten über sich ergehen ließen. Sie hatten bereits eine Anlaufadresse: Onkel Günter in Sinsheim-Dühren bei Heidelberg. Arbeit hatten beide schnell und ein vorläufiges Unterkommen beim Onkel. Den Gedanken an daheim versuchten beide erst einmal zu verdrängen.[18]
Fortsetzung im Abschnitt „Die Botschaftsflüchtlinge".

Blutige Fluchten

Einer blieb am Minenzaun – 6. März 1978

Um Mitternacht wurde N., 16, Kieselbach, Krs. Bad Salzungen, im Abschnitt Straße Dippach – Leimbach wegen Versuchs des Grenzdurchbruchs DDR – Bundesrepublik, nach Auslösung der Anlage 501, verletzt festgenommen. N. wurde mit Verletzungen der linken Gesichtshälfte und des linken Oberschenkels in die Medizinische Akademie Erfurt überführt. Die Überprüfung des Grenzsignalzauns ergab, dass 2 Personen den GSZ ohne Auslösung überwunden hatten. Bei der 2. Person handelte es sich um H., 16, aus Merkers, Krs. Bad Salzungen. Dieser kam am 7. März 1978 in einer Gaststätte in Heringen, Lkrs. Bad Hersfeld-Rotenburg, an und machte später folgende Angaben:

Zwischen 22 Uhr und 22.30 Uhr wollten er und sein Arbeitskollege, beide 16-jährig, den Metallgitterzaun mit Selbstschussanlagen SM 70 übersteigen. Nach Überwinden des Zauns, er benutzte die Schutzkästen als Kletterhilfe, hörte er einen scharfen Knall und sah, rückwärtsblickend, nur noch einen roten Schein. Die Untersuchungen ergaben, dass N. und H. durch den ortskundigen L., 16, aus Vitzeroda bis zum Grenzsignalzaun geführt worden waren. L. wurde am 07.03.1978 durch die DVP verhaftet. Die Täter waren alle im VEB Kalikombinat Werra/Merkers beschäftigt. Um 23.30 Uhr, nordöstlich von Widdershausen, Planquadrat NB 72 41, jenseits des Metallgitterzauns, bemerkten westliche Grenzorgane umfangreiche Suchaktionen. Um 0.45 Uhr kam ein Krankenwagen aus Dippach. Zum Fahrzeug wurde eine auf einer Trage liegende stöhnende Person getragen. Am Morgen des folgenden Tages erfolgte weitere Spurensicherung auf DDR-Gebiet. Der schwer verletzte junge Mann verstarb wenige Tage später[21]

Von Splittern durchsiebt - 7. August 1982

Am 7. August 1982, 11.15 Uhr, flüchtete bei Willmars, Lkrs. Rhön-Grabfeld, von Ost nach West der ledige Kunstschmiedelehrling Chr. U. K. Der junge Mann aus Berlin-Grünau hatte sich in Ost-Berlin gründlich auf seine Flucht vorbereitet. An Hand von Karten nahm er an, dass der Streckenabschnitt der Zonengrenze bei Willmars nicht so stark bewacht wird. So machte er sich in seinem Urlaub auf, und es gelang ihm, sich unbemerkt im Wald zu verstecken. 1.800 m westlich von Stedtlingen hatte er den Grenzsignalzaun ohne Auslösung überwunden. Vor Überwinden der DDR-Grenzsicherungsanlagen löste er mit einem Baumast die am 3 m hohen Metallgitterzaun angebrachte SM 70 aus. Dies tat er absichtlich, weil er glaubte, den Zaun nach Auslösung besser überklettern zu können. Bei der Explosion der Selbstschussgeräte wurde K. durch Splitter am ganzen Körper erheblich verletzt. Die sehr starke Detonation traf den Flüchtling an der gesamten hinteren Körperhälfte, die von Splittern durchsiebt wurde. Blutüberströmt gelang es dem Schüler, dennoch über den Metallgitterzaun zu klettern. Der ca. 400 m von der Durchbruchsstelle entfernte Grenzposten konnte den Durchbruchsabschnitt nicht einsehen. 1.150 m musste der Ostberliner Goldschmied schwer verwundet zurücklegen, bis er endlich in Sicherheit war. Er schleppte sich nach Willmars, von wo aus seine Einlieferung ins Kreiskrankenhaus Mellrichstadt veranlasst wurde. Ab 12.20 Uhr wurde im gegenüberliegenden Abschnitt eine BGS-Streife, ausgerüstet mit Fototechnik, beobachtet.

Es war Sonntagmorgen um 11,15 Uhr, als die Bewohner von Willmars plötzlich eine Detonation hörten. Das war aber nichts Besonderes. Schon öfters waren Minen hochgegangen, so dass keiner an einen Flüchtling von drüben dachte. Maria Schorr, 65, kochte für ihren Enkel Mittagessen, als sie durch das offene Küchenfenster Hilferufe hörte. Ihr Enkel, Friedhelm Landgraf, sah am Treppenabsatz einen schwer verwundeten jungen Mann stehen. Er half ihm die Stufen hoch, wo der Flüchtling erschöpft zusammenbrach.

Am 7. August 1982 flüchtete bei Willmars, Lkrs. Rhön-Grabfeld, von Ost nach West der ledige Kunstschmiedelehrling Christoph Ulrich Kautz. Maria Schorr eilte dem jungen Mann zu Hilfe. Das Pressefoto zeigt sie mit dem Hemd des bei der Flucht Schwerverletzten.
Foto: Main-Post

Während Maria Schorr dem jungen Mann ein großes Glas Cola zur Stärkung des Kreislaufs gab, telefonierte der Enkel mit der Polizei. Erst von Willmars aus wurde von der Polizei die Einlieferung des Schwerverletzten in das Krankenhaus in Mellrichstadt veranlasst. Der junge Mann erzählte Frau Schorr, die ihn zur Beruhigung immer wieder über die Wange strich, dass er sich seit zwei Tagen im Wald versteckt habe, um auf eine günstige Gelegenheit zu warten.

„Bin ich jetzt in Sicherheit?", fragte der junge Goldschmied. Frau Schorr gab ihm zu essen, was der Ausgehungerte dankbar annahm. Da er aber wegen der starken Schmerzen stöhnte und das Blut überall am Oberkörper durch das von Minen zerrissene Hemd kam, machte sich Frau Schorr Sorgen, dass der Verletzte sterben würde. „Es sah so aus, als ob er ohnmächtig würde", sagte Frau Schorr. Als die Polizei mit drei Einsatzwagen ankam, fing der Junge an zu zittern und wollte aufstehen. „Brauchst keine Angst zu haben, Bub, die tun dir nichts", tröstete Frau Schorr den Jungen. Schnell war dann auch der Notarzt da und brachte den Schwerverletzten ins Krankenhaus. Noch jetzt kann Frau Schorr kaum schlafen, denn der Flüchtling, der auf sie einen sauberen und guten Eindruck machte, ging ihr nicht aus dem Kopf.

„Ich werd´ ihn im Krankenhaus besuchen und ihm Geld schenken, dann freut er sich bestimmt." Das blutdurchtränkte Hemd will die hilfsbereite Frau dem Flüchtling zum Andenken aufbewahren und dieses überreichen, wenn er wieder gesund ist."[22]

Im Splitterhagel liegen geblieben – 5. November 1982

Im Abschnitt 2.000 m südwestlich von Ruppers, Krs. Meiningen, wurde nach Auslösung von Splitterminen der Sperranlage SM 70 Gerd R., 39, Dessau, schwer verletzt festgenommen. Beim Versuch, die Minensperre zu überwinden, wurden 14 Minen ausgelöst und R. am linken Bein und Rücken schwer verletzt. Grenzbewohner in Willmars hörten mehrere Detonationen, BRD-Grenzbeamte hörten Hilferufe und Stöhnen und sahen, wie DDR-Grenzsoldaten eine verletzte Person auf einer Trage wegtrugen. Die Festnahme erfolgte durch Gefreiten F. und Soldaten K. des Grenzregiments 3, Dermbach. Die Bergung wurde eine halbe Stunde später abgeschlossen und R. nach Leisten der Ersten Hilfe in das Bezirkskrankenhaus Meiningen eingeliefert. R. hatte eine schwarze Arbeitskombination mit Baskenmütze an und führte einen Hirschfänger, einen Seitenschneider, einen Mittelschneider, eine 15 m lange Leine und ein Kartenblatt mit sich.[23]

Durch Splitterminen schwer verwundet – 5. September 1984

Die Menschen

Sie hatten viel gemeinsam, die beiden jungen Männer aus Kaltenwestheim, die am 4. April 1984 gegen 17.00 Uhr ihre Wohnungen verließen. Jeder gab an, den anderen besuchen zu wollen. Die Familien fanden nichts Besonderes dabei, da die beiden fast täglich nach Feierabend beieinander waren.

Nach außen sah bei den beiden 26-Jährigen alles glänzend aus: Beide waren verheiratet, beide hatten ein Kind, beide lebten in guten Verhältnissen, beide hatten sich neue Wohnungen geschaffen, hatten es im Beruf zu etwas gebracht, absolvierten ein Fernstudium zum Ingenieur.

Klaus K. hatte den Beruf eines Baufacharbeiters erlernt, wo er auch nach erfolgreichem Lehrabschluss und auch nach der Ableistung seines Grundwehrdienstes von 1977 bis 1979 bis zu seinem ungesetzlichen Verlassen der DDR tätig war. Von 1979 bis 1982 hatte er erfolgreich an der Meisterausbildung im Maurerhandwerk teilgenommen und wurde in der Folge als Bauleiter und stellv. Vorsitzender der PGH eingesetzt. Er wurde seinen Funktionen gerecht, leistete eine gewissenhafte Arbeit und erreichte gute Planerfüllungen.

Durch die PGH wurden überwiegend bauliche Maßnahmen im Grenzgebiet realisiert, deshalb war K. im Besitz einer Berechtigung zum dienstlichen Aufenthalt im Grenzgebiet. In der Vergangenheit hatte K. in Objekten des Grenzregiments 3 Dermbach Baumaßnahmen durchgeführt und geleitet. In dem seit 1982 begonnenen Fernstudium als Ingenieur für Hochbau erfüllte Koch seine Studienverpflichtungen.

Ihm war seine berufliche Perspektive, die vorsah, dass er ab Herbst die Funktion des Vorsitzenden der PGH übernehmen soll, bekannt.

Seinem Auftreten im Arbeitsbereich nach stand er der gesellschaftlichen Entwicklung der DDR sowie der Politik von Partei und Regierung aufgeschlossen gegenüber. Negative oder abfällige Bemerkungen dazu wurden nicht bekannt.

Die Familie lebte in guten materiellen Verhältnissen und hatte sich durch Um- und Ausbau moderne Wohnverhältnisse geschaffen. K. besaß einen „Volkswagen Käfer" und ein größeres Sparguthaben.

Gisbert G. erlernte nach der erfolgreichen Beendigung der 10. Klasse der POS den Beruf eines Instandhaltungsmechanikers im VEB WAB Meiningen und nahm nach der Beendigung seines Grundwehrdienstes im Mai 1979 in der Meliorationsgenossenschaft eine Tätigkeit als Produktionsarbeiter auf. Er erlangte in diesem Betrieb die Befähigung zur Bedienung einer Drängrabenfräse und wurde wegen seiner qualifizierten Arbeit als stellvertretender Brigadier eingesetzt.

Da keine negativen Hinweise über Greifzu vorlagen, wurde er auf Grund seiner Arbeitsleistungen und guten Arbeitseinstellung für die Durchführung von Meliorationsarbeiten im Schutzstreifen des Grenzgebiets im Kreis Meiningen bestätigt und hatte bis zur Straftat eine gültige dienstliche Berechtigung zum Aufenthalt in diesem Sperrbereich in Besitz, da er ebenfalls die Personentransporte von und zum Arbeitsplatz durchführte.

1982 hat G. ein Fernstudium an der Ingenieurschule Gotha mit dem Ziel des Abschlusses als Tiefbauingenieur aufgenommen und erreicht gute Ergebnisse.

In gesellschaftlicher Hinsicht ist er im Arbeitsbereich nicht in Erscheinung getreten. Negative Äußerungen zu der gesellschaftlichen Entwicklung in der DDR wurden nicht bekannt. Mit der Begründung, dass im Betrieb keine Aktivitäten vorhanden sind, trat G. im Februar 1984 aus der DSF aus.

Beide hatten also beruflich glänzende Aussichten, alles schien bei ihnen bestens zu stehen. Beide hielten es jedoch nicht für nötig, SED-Mitglied zu werden.

Allerdings kriselte es in beiden Ehen. Die Kinder allein waren kein Kitt mehr. Getrennte Urlaube waren die Regel, wie man überhaupt immer mehr getrennte Wege ging. Vielleicht war dies zusammen mit Verwandtenbesuchen aus Westdeutschland ein Grund, dass es an diesem Abend nicht bei einem gegenseitigen Besuch blieb. Hatten diese Männer irgendeinen Grund unzufrieden zu sein? Kein Mensch ahnte auch nur, dass sie seit längerer Zeit planten, in den Westen zu gehen.

Mit dem Pkw „Moskwitsch" der PGH hatte K. auf Grund seiner Funktion die Berechtigung zur Kfz-Benutzung, fuhren die beiden wenig später vom gemeinsamen Wohnort über die nicht ständig besetzte Kontrollstelle der DVP auf der Verbindungsstraße Bettenhausen – Stedtlingen in das Grenzgebiet.

Der Grenzübertritt
Sie stellten gegen 18.30 Uhr vor der Ortslage der Grenzgemeinde Oberharles, ca. 12/13 km von Stedtlingen entfernt, den Pkw gedeckt im Bereich einer Feldscheune ab und liefen unter Mitführung eines Rucksackes und eines Seiles in Richtung des ca. 150 m entfernten Grenzsignalzaunes. G. hatte in der Melioration im 500-Meter-Sperrgebiet gearbeitet. Dabei wurden Rohre von einem Meter Durchmesser bis unter Minenfeld und Todesautomaten verlegt. Durch diese Rohre wollten die beiden flüchten. Kämen sie durch, so hatten sie sich überlegt, hatten sie nur noch den Signalzaun zu überwinden.

Diese Annäherung wurde durch einen Obermeister der VP, Dienststelle VPKA Meiningen, der sich zur Jagdausübung auf einem Hochsitz aufhielt, aus einer Entfernung von ca. 200 m beobachtet.

Um einen Grenzdurchbruch zu verhindern, lief der Volkspolizist in Richtung der Grenzverletzer. Nach einer Schrecksekunde stürzten K. und G. ins Auto zurück. Seiner Aufforderung zum Stehenbleiben entzogen sie sich durch die Flucht mit dem Pkw. Der Obermeister gab daraufhin aus ca. 100 m Entfernung mit seiner Jagdwaffe einen Schrotschuss auf das Fahrzeug ab und traf es an der rechten Vorderseite.

Gegen 19.00 Uhr fuhr der Moskwitsch mit überhöhter Geschwindigkeit durch Henneberg und Hermannsfeld.

Auf Grund der vom Obermeister um 19.05 Uhr an den ODH des VPKA erfolgten Meldung wurde um 19.20 Uhr für den Gruppenposten Mitte der genannten Dienststelle die Grenzvariante „Schlossberg" ausgelöst, zusätzliche Kräfte der Volkspolizei, einschließlich Freiwillige Helfer, zur Fahndung nach den Flüchtigen eingeführt und entsprechend den abgestimmten Maßnahmen das operative Zusammenwirken mit dem Grenzregiment 9, Meiningen, hergestellt.

Die flüchtigen Täter fuhren über die Verbindungsstraßen der Gemeinde Einödhausen über Henneberg, Hermannsfeld, Haselbach bis Gleimershausen. Der Pkw wendete gegen 19.10 Uhr an der geschlossenen Schranke des Schlagbaumes hinter Gleimerhausen Richtung Bettenhausen und bog in den Verbindungsweg nach Stedtlingen ein, wo er gegen 19.30 Uhr letztmalig gesehen wurde.

Er wurde ca. 700 m nordwestlich der letztgenannten Gemeinde in einem Hochwaldmassiv auf einem Waldweg ca. 300 m von der Ortsverbindungsstraße Stedtlingen – Bettenhausen am 05.09.1984 gegen 8.30 Uhr aufgefunden.

Der Auffindeort war von dieser Straße aus nicht einsehbar.

Um 20.00 Uhr war die Einsatzbereitschaft der Kräfte der DVP zur Abriegelung und Kontrolle des Handlungsraums hergestellt, das Zusammenwirken mit dem Grenzregiment 3 und GR 9 war organisiert. Doch das Gebiet, in dem die beiden verschwunden waren, war durchgängig über mehr als 5 Quadratkilometer mit dichtem Wald bedeckt. So konnten die Flüchtigen gegen 0.30 Uhr am 05.04. den 3 m hohen Grenzsignalzaun erreichen und überwinden.

„Die durchgeführten Untersuchungen", so die untersuchende Abteilung IX später, „einschließlich des Einsatzes eines Fährtenhundes haben keine Hinweise erbracht, in welchem Bereich sich die Grenzverletzer vom Standort des Pkw aus durch das durchgängige Hochwaldmassiv dem Handlungsraum der Grenztruppen genähert haben, den 1975 errichteten 3 m hohen Grenzsignalzaun ohne Auslösungen überwanden und unerkannt in den Schutzstreifen eindrangen.

Die während der Untersuchungen durchgeführten Überprüfungen haben die Funktionstüchtigkeit des Grenzsignalzaunes ergeben.

Es wird geschlussfolgert, dass sich die Täter auf dem vom Abstellort des Pkw aus zum Grenzsignalzauntor Nr. 161 führenden Waldweg angenähert haben könnten.

Zu dem Bewegungsablauf der Grenzverletzer vom Grenzsignalzaun bis zu dem ca. 1.200 m entfernten vorderen Sperrelement können, wegen nicht vorgefundener tatrelevanter Spuren, keine Aussagen getroffen werden.

Es wurde nur ca. 150 m vom Grenzsignalzauntor Nr. 161 eine in Richtung BRD führende Schuh-

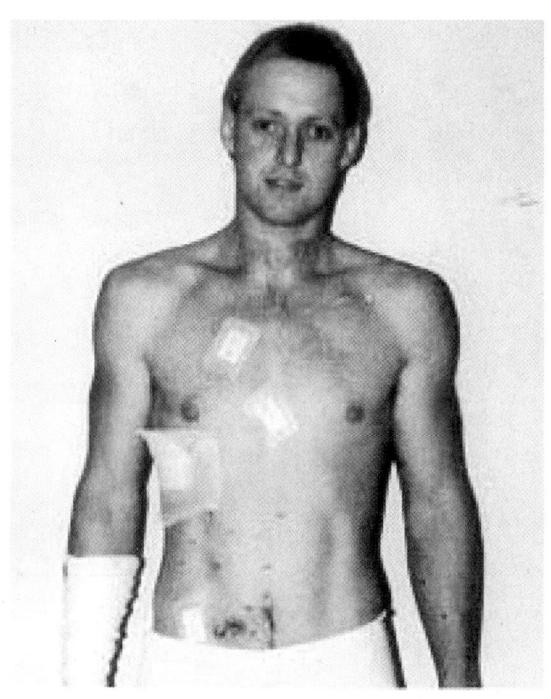

Gisbert Greifzu aus Kaltenwestheim flüchtete 1984 zusammen mit Klaus Koch in den Westen und wurde von einer Splittermine getroffen. Die Aufnahme zeigt die erlittenen Verletzungen.

biss die Zähne zusammen und warf das Seil über den Zaun zurück. Gisbert versuchte den Überstieg einige Meter weiter weg. Als er das Seil über den Zaun warf, wollten die Haken nicht greifen, doch dann blieb das Seil mit einem Knoten an der Zaunkrone oben hängen. G. zog fest daran, das Seil gab nicht nach. Er stieg hoch, schon war er an der Zaunkrone und wollte gerade den rechten Fuß auf die andere Seite schwingen, da gab es einen gewaltigen Knall. Ein greller Blitz zuckte auf. Wie Dolche trafen ihn unzählige Splitter. Gleich darauf noch eine Explosion und dann noch einmal „Ich bin getroffen", ächzte G. Geblendet und in Panik lief er zunächst ein Stück zurück auf DDR-Gebiet, wollte aufgeben. Aber dann riss er sich zusammen. „Du musst es packen", sagte er sich und nach mehreren Versuchen kam er hinüber. Mit letzter Kraft zog er sich am Seil über den Zaun, wo er, fast bewusstlos, hinunterplumpste. Es war 0.45 Uhr. 4 Minen der Anlage SM 70 – eine untere, zwei mittlere und eine obere Mine – hatte Gisbert ausgelöst, schilderte er später seinen Besuchern. Hinter ihm aber war der Teufel los. Fahrzeuge, Suchscheinwerfer. Spurenlampen blinkten durch die Nacht.

eindruckspur, die mit denen auf dem 6-m-Kontrollstreifen vorgefundenen gleichen Spuren identisch ist, festgestellt.

An den Kolonnenweg grenzt ein Hochwaldmassiv. Die in diesem, ca. 15 m vor dem Kolonnenweg, dislozierten Signalgeräte, deren Auslösedrähte in Höhe von 40 bis 90 cm gespannt sind, waren nicht ausgelöst."

Um 0.40 Uhr hatten die Flüchtigen den ersten Grenzzaun in der Höhe der Grenzsäule Nr. 1910 erreicht. Auf dem kontrollfähigen 6-m-Kontrollstreifen des Grenzzaunes I mit Anlage SM 70 fand die Staatssicherheit 11 Schuheindruckspuren mit teilweise erkennbarem Winkelprofil, Länge 28 bis 29 cm, in Richtung BRD. K. K. überstieg den Zaun mit Unterstützung von G. vollkommen unbekümmert. Als Übersteighilfen benutzte er dunkle Kästen, die am Zaun befestigt waren, und das Seil, das sie zum Übersteigen des Zauns mitgebracht hatten. Vorne hatten sie einen Doppelhaken aus Rundstahl befestigt. Ohne Probleme und Zwischenfälle erreichte er die Zaunkrone, doch verstauchte er sich beim Herunterspringen beide Füße. Ein Stöhnen konnte er nicht unterdrücken. Doch er

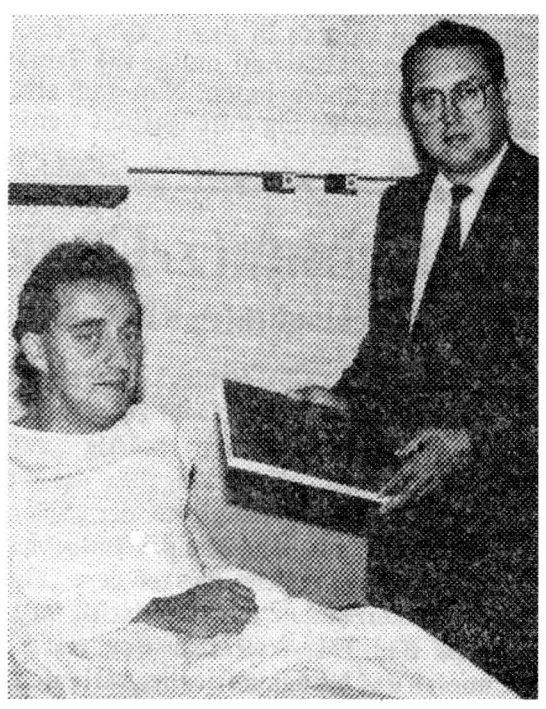

Der Bundestagsabgeordnete Eduard Lintner besuchte den Verletzten im Krankenhaus in Mellrichstadt.

417

1986 besuchte Gisbert Greifzu die Grenzübertrittsstelle.

Klaus Koch an der Übertrittsststelle 1986

K. schleppte den blutenden und stöhnenden G. über die Grenze, immer bergab, bis er unten im Tal Licht sah und verbarg ihn im Gebüsch. Vielleicht kamen sie ja auch über die Grenze und suchten nach ihnen. Auf westlicher Seite regte sich noch gar nichts. Unmöglich, gemeinsam weiterzugehen. Also machte sich K. K. allein auf den Weg, hinunter ins Tal. Ein Kilometer mit verstauchten Füßen!

1.30 Uhr: Helmut und Hilda Berkes, die in Willmars im ersten Haus in Richtung zur DDR-Grenze wohnten, hatten kurz vor ein Uhr eine Detonation gehört, dann krachte es noch zweimal. Kurze Zeit hörten sie vor ihrem Haus auf der Straße Hilferufe. „An der Grenze liegt mein Kamerad schwer verletzt", rief ein Mann, „er darf nicht verbluten." Der Mann, berichtete Helmut Berkes, sei selbst blutverschmiert gewesen, weil er seinen Freund ein Stück auf dem Rücken geschleppt hatte.

Helmut Berkes handelte schnell: Er rief Rettungsstelle und Polizei an. Inzwischen war auch ein Fahrzeug der Zollbehörde zur Stelle, das sofort zur Grenze fuhr. Dort fanden die Beamten den Schwerverletzten und brachten ihn in ein Krankenhaus. Kurz darauf traf auch der Wagen der Rettungsleitstelle ein, der den leicht verletzten Flüchtling, der bis dahin in der Küche des Berkes-Hauses betreut worden war, ebenfalls zur Versorgung in die Klinik brachte.

Im Krankenhaus Mellrichstadt erholten sich die beiden Flüchtlinge. Auch G. G. war bald wieder auf dem Weg der Besserung. MdB Eduard Lintner und der stellv. Landrat Josef Volkmuth, Niederlauer, erkundigten sich nach seinem Befinden und ließen sich von der Flucht erzählen. Im Krankenhaus von Mellrichstadt hatten die Ärzte rund 100 Splitter aus seinem Körper entfernt. Trotzdem lebte G. G. am Rande des Todes, denn noch immer saßen zwei Splitter in unmittelbarer Herznähe, und kein Arzt wagte, sie zu entfernen.[24]

Spektakuläre Fluchten

Mit dem Tauchanzug durch die Werra – 29. November 1984

In der Nacht vom 28. zum 29.11.1984 gelang zwei Männern aus Bad Salzungen bei Vacha ein äußerst spektakulärer Grenzdurchbruch.

Es handelte sich um W., 36, Bauschlossermeister, beschäftigt als Brigadier Hauptmechanik beim BT Barchfeld im Landbaukombinat Suhl. Der geschiedene Mann leistete von 1966 bis 1968 seinen Wehrersatzdienst in der Volkspolizei ab, war 1971 bis 1976 bei der Volkspolizei/Schutzpolizei, aus der er als VP-Meister ausschied. Er war bis zur Flucht als

In der Nacht vom 28. zum 29.11.1984 gelang zwei Männern aus Bad Salzungen bei Vacha ein äußerst spektakulärer Grenzdurchbruch. Sie schwammen mit Tauchanzügen durch die Werra. Das Foto zeigt die Stelle, an der die Flüchtlinge in den Fluss stiegen.

Freiwilliger Helfer mit der Volkspolizei verbunden. Seit 1971 war er SED-Mitglied.

F., der zweite Mann, 25, Kellner, sein Geld verdiente er als Kraftfahrer und mithelfender Familienangehöriger in einer Annahmestelle für Sekundärrohstoffe.

1978 und 1979 leistete er seinen Wehrdienst im Aufklärungsbataillon 11 der 11. Panzerdivision ab, eine 2-monatige Reserveübung des Motorisierten Schützenregiments (MSR 23). Mit seiner geschiedenen Ehefrau teilte er noch die Wohnung.

Er war ebenfalls freiwilliger Helfer der DVP. Mit W. verband den Jüngeren der Tauchsport, den beide in der GST Bad Salzungen, Sektion Tauchsport, ausübten. Der Brigadier war Vorsitzender dieser Sektion. Er besaß die Qualifikationsstufe T1, die höchste Qualifikation der DDR, die ihn zur Durchführung von Tauchsport mit Überschreitung der Seegrenze der DDR berechtigte. 1983 wurde er als „Bester Ausbilder" der GST ausgezeichnet. Durch

seine Unterstützung konnte F. innerhalb 2 Jahren die Tauchsport-Qualifikaton B erhalten.

Am 28.11. borgte sich der Brigadier vom BT Barchfeld im Landbaukombinat Suhl einen Kleintransporter B 1000 aus, weil er damit Sauerstoffflaschen der GST nach Merkers bringen wollte.

Gegen 18.30 Uhr verließ F. das Haus, weil er, wie er seiner Frau sagte, einen Kollegen besuchen wollte.

Er traf sich jedoch mit W., der aus dem Geräteraum der GST-Grundorganisation Tauchsport in Bernshausen zwei Neopren-Taucheranzüge, zwei Druckluftflaschen, einen Unterwasserkompass und zwei Druckregler geholt und im Kraftwagen verstaut hatte. Die beiden fuhren nach Dorndorf und stellten dort den Wagen ab. Etwa 5 km von der Staatsgrenze entfernt stiegen sie in die Fulda, schwammen unter Wasser in die Werra und überwanden im Bereich der Werrabrücke die dort befindliche Sperranlage. Dieses Sperrbauwerk „Werra/Vacha"

Das 1978 errichtete Sperrbauwerk Werra/Vacha im Überblick.

Das Sperrbauwerk Werra/Vacha mit drei hochgezogenen Rechen.
Foto: BStU/Sammlung Gerhard Schätzlein

Geräteraum der GST, Abteilung Tauchsport in Benshausen. Hier entnahmen die Flüchtlinge die Tauchanzüge.
Foto: Kopie BstU

wurde 1978 errichtet, um ein Durchschwimmen der Werra zu verhindern. Auf einer Länge von 45 m waren 9 Gittersperrelemente von je 5 m Breite angebracht. Durch das Hochwasser vom 20./21.11.1984 waren bei einem Pegel von 2,60 m die Brechbolzen von drei Sperrgittern gerissen. Deshalb waren diese Gitter bis zur Wasseroberfläche hochgezogen.

Gerade der Sicherungsabschnitt II des I. Grenzbataillons um die Werrabrücke als eine der wahrscheinlichen Hauptrichtungen von Grenzverletzern war stark abgesichert.

Ein Grenzposten stand in dieser Nacht auf dem B-Turm der Werrabrücke, ein Posten am südlichen Ufer der Werra, ein Posten auf der Werrabrücke Oberzella, ca. 1 km oberhalb.

Außerdem waren Kräfte der DVP und Freiwillige Helfer im Bereich außerhalb des Sperrgebiets im Einsatz.

Einer der Posten hörte in der Nacht ein sekundenlanges Plätschern, sonst nichts.

Am 29.11.1984, um 9.15, Uhr meldete DPA, dass ein 36-jähriger ehemaliger VP-Angehöriger und ein 25-jähriger ehemaliger NVA-Angehöriger in den Raum Rotenburg/Bundesrepublik angekommen seien.

Die Stasi befürchtete, wahrscheinlich zu Recht, *daß beide Verdächtige über spezielle Kenntnisse verfügten, deren Preisgabe in den Sichtungsstellen der imperialistischen Geheimdienste u.a. feindlichen Einrichtungen der Bundesrepublik den Interessen der DDR Schaden zufügen könnten.*

Ein durch die Stasi veranlasster Anruf einer Bundesrepublik-Bürgerin im Notaufnahmelager Gießen erhärtete den Verdacht, dass die beiden von Geheimdiensten verhört würden. Sie waren dort noch nicht eingetroffen, wie dies im Normalfall geschehen wäre.

Nach späteren Informationen des MfS hatten sich die hochfliegenden Pläne des Duos in der Bundesrepublik nicht erfüllt. Die beiden waren längere

Zeit arbeitslos. Sie kamen mit den gesellschaftlichen Verhältnissen nur schwer zurecht. Ihre Pläne über eine Anstellung als Taucher, auch im Ausland, hatten sich noch nicht verwirklicht.

Die Bezirksverwaltung des MfS berichtete:
Am 29.11.1984 zwischen 1 Uhr und 1.30 Uhr gelang zwei Tauchsportlern der Grenzdurchbruch durch die Werra. Der 36-jährige Uwe W. aus Bad Salzungen, Werkstattleiter im VEB Landbau in Barchfeld war Leiter der Tauchsportgruppe der GST (Gesellschaft für Sport und Technik) Bad Salzungen. Zusammen mit dem 25-jährigen Arbeiter Holger F. aus Bad Salzungen holte er die Tauchausrüstung aus dem GST-Gebäude. Mit dem betriebseigenen B-1000 fuhren sie bis Dorndorf und stellten das Fahrzeug am 28.11. gegen 21 Uhr am nördlichen Ortsrand ab. Dann liefen sie zur 100 m entfernten Werra, legten die Tauchausrüstung an und schwammen getaucht bis zur 5 km entfernten Grenze. Das wegen Hochwasser geöffnete und durch Grenzposten gesicherte Sperrbauwerk an der Werra nördlich Vacha untertauchten sie. Die Grenzposten konnten sie wegen der Verschmutzung des Wassers nicht feststellen.[25]

Flucht durch Wasserabflussrohre – 1. Oktober 1986

Im Abschnitt 1.600 m nordwestlich von Geismar, Kreis Bad Salzungen, gelang es am 1. Oktober 1986 vermutlich zwischen 18.30 bis 20.00 Uhr dem Schlosser Stephan G., 24, Geisa, in die Bundesrepublik durchzubrechen. G. fuhr mit einem Pkw von Geisa nach Geismar, stellte diesen bei seinem Onkel auf dem Grundstück ab und ging zu Fuß in Richtung Grenze. G. hatte das vordere Sperrelement mit Hilfe einer 2 m langen Stahlstange überwunden. Den Grenzsignalsicherungszaun II bezwang er, ohne ihn auszulösen. Bekannt wurde der Grenzdurchbruch durch die Information seiner Mutter, dass ihr Sohn aus Setzelbach, Lkrs. Fulda, angerufen hatte und mitteilte, er sei gut angekommen. G. war im Besitz eines Passierscheins für den Schutzstreifen und hatte dort in der vergangenen Woche gearbeitet. Wie der BGS berichtet, öffnete Goldbach am 1. Oktober 1986, um 19.15 Uhr, in der Nähe von Geisa einen Wasserdurchlass im Sig-

Ein Mitarbeiter der Staatssicherheit kriecht durch das Durchlassrohr, durch das am 1.10.1986 eine Flucht gelang. Foto: Kopie BStU

Der verschlossene Durchlass durch den Grenzsignalzaun. Foto: Kopie BStU

nalschutzzaun und überkletterte den einreihigen Metallgitterzaun. Um 22.30 Uhr meldete er sich bei der Familie Gregor Reinhardt in Setzelbach.[26]

Gute Vorbereitung ist alles: Steig- und Kletterhilfen – 28. Dezember 1986

Der Kunstschmied Thomas D., 24, hatte eine Nebenwohnung in Berlin-Friedrichshain. Seit dem Heiligabend war er bei seinen Eltern in Oberweid im Sperrgebiet, Krs. Meiningen. In Vorbereitung seines geplanten ungesetzlichen Grenzübertritts fertigte der Täter selbstständig 2 Steigeisen, 2 Handübersteighilfen, eine ca. 2,10 m lange, aus Stahlseil, Holzsprossen, Karabinerhaken und Hundeleine bestehende Steigleiter sowie ein ca. 5,25 m langes Seil mit Wurfanker.

In der Nacht vom 28. zum 29.12.1986 verließ er, von den Eltern unbemerkt, die Wohnung und lief bis zum südlichen Ortsrand von Oberweid. Dort bemerkte er vermutlich die Aktivitäten der Grenztruppen, die im Zusammenhang mit einer Grenzsignalzaun-Auslösung standen. Er umging Oberweid am ostwärtigen Ortsrand in nördlicher Richtung bis zum Grenzsignalzaun. In das Streckmetallfeld des Grenzsignalzauns schnitt er mit einem Bolzenschneider ein Loch, wobei er die Signalleitung durchtrennte und dadurch um 4.07 Uhr eine Auslösung verursachte. Den ca. 500 m entfernten Grenzzaun I überwand er mit Hilfe eines an einem Seil befestigten Wurfankers und vollzog gegen 4.30 Uhr den Grenzdurchbruch. Die zur Abriegelung befohlene Alarmgruppe erreichte wegen ungünstiger Straßen- und Witterungsverhältnisse den Abriegelungsabschnitt zu spät.

In einer Werkzeugtasche führte er die bereits genannten Hilfsmittel sowie einen Bolzenschneider, eine schwarz eingefärbte Stabtaschenlampe, 1 Paar schwarze Lederhandschuhe und einen schwarzen wollenen Gesichtsschutz mit sich.[27]

Am 31.8.1987 flüchtete ein DDR-Bürger bei Kaltenwestheim mit einer Raupe in den Westen. Die Aufnahme zeigt den niedergewalzten Grenzzaun.
Foto: Kopie BstU

Die brutale Tour: Alles niedergewalzt – 31. August 1987

Der in Walldorf wohnhafte Raupenfahrer Winfried M. durchbrach am 31.08.1987 erheblich betrunken im Raum nordwestlich von Kaltenwestheim bei der Grenzsäule 1808 mit seiner Raupe die Grenzanlagen. Nach einer heftigen Auseinandersetzung mit seiner Frau C. setzte sich der aus Geba gebürtige M., wohnhaft in Walldorf, am 30.08.1987 betrunken auf sein Moped, um in den Westen zu fliehen. In Rippershausen suchte er Bekannte auf, bei denen er sich „ausweinte" und ihnen erzählte, er wolle über die Grenze. Die Bekannten schlossen ihm das Moped weg und versuchten, ihm das Vorhaben auszureden. Schließlich lief M. nach Walldorf zurück. Am nächsten Tag, einem Montag, kam M. halbwegs ausgenüchtert in seinen Betrieb. Er sollte eine dort reparierte Raupe B 1000 aus der Werkstatt zur Baustelle nach Kaltensundheim überführen. Die Raupe war jedoch noch nicht fertig. Derweil musste M. für jedes aus der Werkstatt geholte Fahrzeug eine Runde ausgeben. Weil er auch selbst noch Nachdurst hatte, kaufte er einen Kasten Bier und eine Flasche Schnaps. Bis M. sich gegen Mittag mit zwei Kollegen in Bewegung setzte, waren Bier

und Schnaps vertilgt und M. hatte seinen Rausch gewaltig aufgewärmt. Unterwegs kam ihm wieder die Demütigung in den Sinn, dass er immer noch nicht den B 1000 fahren darf, obwohl er seinen Führerschein schon seit einiger Zeit zurückerhalten hatte. Auf der Baustelle unmittelbar an der Grenze verwickelte M. gleich bei seiner Ankunft den Brigadier in einen Streit deswegen. Der Streit zog sich über die Mittagspause hin. Der Brigadier forderte M. auf, seinen Rausch auszuschlafen und mit den Lkw-Fahrern zurückzufahren. Doch M. blieb im Bauwagen sitzen, während die Brigademitglieder ihre Arbeit aufnahmen.

M. jedoch hatte sich entschlossen, abzuhauen. Er nahm den Schlüssel seiner (sowjetischen) Raupe T 100/8 vom Haken und begab sich zum Fahrzeug. Bevor ihn jemand daran hindern konnte, startete er das Fahrzeug und fuhr an einigen Kollegen vorbei 1.500 m parallel zum Grenzzaun. Zu einem Kollegen sagte er. „Servus, machs gut!" Links des Grenzsignalsicherungszaun-Tors 60 fuhr er dann mit Vollgas auf die Grenze zu, walzte den Grenzsignalzaun II nieder, der dabei auslöste und dann 500 m weiter auf die Grenze zu, überwand einen 1,2 m tiefen und 2,5 m breiten Graben, zerstörte den feindwärtigen Zaun und gelangte auf BRD-Gebiet, wo die Raupe stecken blieb. Da war es 14.35 Uhr. Grenzposten waren im Durchbruchsabschnitt nicht eingesetzt, die Alarmgruppe der

Die von der Raupe gezogene Schneise. Sie ist im Hintergrund zu sehen.
Foto: Kopie BstU

Grenzkompanie Andenhausen, die 3 km entfernt eingesetzt war, konnte bei ihrer Anfahrt nur noch die Spuren entdecken.

Zu Fuß kam M. an einen Bauernhof, wo er sich wusch und vom Zoll abgeholt wurde. Nach Befragung wurde er zur BGS-Kaserne in Fulda gebracht und kurz verhört.

Am 01.09.1987 kam M. nach Gießen, sein Aufnahmeverfahren dauerte bis zum 4. September. Er erhielt 220 DM Starthilfe und wurde dann in das Wohnheim Homberg eingewiesen.

Bei Beginn seiner Arbeit als Baggerfahrer quetschte er sich am ersten Tag den Finger, wurde nicht übernommen, bekam Arbeitslosengeld und sollte am 19.10.1987 einen 12-wöchigen Baggerführerlehrgang in Fritzlar besuchen.

M. aber drückte sich und entschloss sich am 16.10.1987, von der BRD enttäuscht, zur Rückkehr in die DDR, nachdem ihn auch seine Frau mehrfach brieflich dazu aufgefordert hatte. Er ließ sich von seinem Stubenkameraden zum Grenzübergang Herleshausen fahren. In der DDR wurde er ins Zentrale Aufnahmelager Röntgenthal eingewiesen.[28]

Nach dreimaligem vorangegangenen Informationsaustausch über die Staatsgrenze zwischen Grenztruppen und Bundesgrenzschutz konnte durch eine zivile Arbeitskraft der DDR am 01.09.1987 die von

einem Grenzverletzer genutzte Planierraupe T-100 auf das Hoheitsgebiet der DDR zurückgeführt werden. Zur Übernahme der Raupe musste die zur Rückführung eingesetzte Zivilperson das Hoheitsgebiet der BRD in einer Tiefe von 5 m betreten. Nach Übernahme der Raupe sprach der Polizeidirektor die zur Sicherung eingesetzten Angehörigen der Grenztruppe an. „Sie können Ihrem Kommandeur danken, dass die Verbindungsaufnahme heute früh so gut geklappt hat und dass alles so reibungslos abgelaufen ist!"[29]

Noch einmal: Wasserabflussrohre – 4. November 1987

In den Abendstunden des 04.11.1987 durchbrachen vier Personen ca. 1.200 m südwestlich von Oberweid, Krs. Meiningen, unter Ausnutzung eines

Durch einen Wasserdurchlass gelang am 4.11.1987 eine Flucht bei Oberweid.
Foto: Kopie BstU

Vorgefundene Bekleidungsstücke bei Oberweid.
Foto: Kopie BstU

Fluchtrekonstruktion durch die DDR-Staatssicherheit.
Foto: Kopie BstU

Spurensuche nach erfolgreicher Flucht an einer Bahnbrücke bei Vacha.

Orientierungsaufnahme von der Unterkriechstelle am GSSZ II ca. 700 m nw Vacha. Der Pfeil 1 weist auf die Überstiegsstelle an der Grenzmauer. Pfeil 2 zeigt auf die Ortschaft Philippsthal.

Wasserdurchlasses an der Anze die Grenze zur BRD. Zur Annäherung wurde der am 10.11.1987 in Kaltennordheim festgestellte Pkw Wartburg genutzt, den die Nutzer vermutlich am Fundort abgestellt hatten. Bei der bisherigen Untersuchung wurde in der Verrohrung eine 1,7 m lange Alu-Stehleiter sowie ca. 350 m freundwärts des Grenzsignalsicherungszauns II 4 Paar Gummistiefel, 9 Socken und eine Strickmütze gefunden. Der Befehl zur zusätzlichen Absicherung der Wasserdurchlässe war nicht erfüllt worden. Die Verrohrung mit 500 m Länge, einem Durchmesser von 1 m begann 10 m freundwärts des Grenzsignalsicherungszauns II und endete auf dem vorgelagerten Hoheitsgebiet. Bei einem Täter handelt es sich vermutlich um Dieter B. aus Berlin-Weißensee, seine Eltern waren in Oberweid wohnhaft.[30]

4 m hohe Grenzmauer überwunden –
25. Februar 1988

Im Abschnitt 1.000 m nordwestlich von Vacha, Krs. Bad Salzungen, überwand am 25.02.1988 in der Zeit zwischen 19 und 22 Uhr der Schlosser Reinert F., 36, Vacha, die Grenze zur BRD. F. näherte sich aus der Ortslage Vacha entlang des Bahndammes der ehemaligen Bahnlinie Vacha – Philippsthal, Lkrs. Bad Hersfeld-Rotenburg, bis zum Grenzsignalsicherungszaun II an. Nachdem F. eine Unterkriechschutzplatte gewaltsam entfernte, band er die 2 untersten Drähte hoch und unterkroch den Zaun, ohne sie auszulösen. Er ging weiter in nördliche Richtung bis zur 4 m hohen Grenzmauer und über-

wand diese mit Hilfe eines 10 m langen Seiles. Am nächsten Tag wurde seine Frau, Kabelmechanikerin im VEB Kabelwerk Vacha, von der Stasi vernommen, ohne dass ihr Angaben über den Grund gemacht wurden.

Ihr Mann hatte ab und zu im Streit von „Abhauen" gesprochen, doch sie hatte nie geglaubt, dass er das wirklich machen würde. Bei der Befragung stellte es sich heraus, dass R. am 21.09.1987 im Bereich der Grenzübergangsstelle Schönberg festgestellt wurde. Vor einem halben Jahr hatte er mitgeholfen, Grenztore zu bauen und zu installieren.[31]

Übersichtsaufnahmen von der Überstiegsstelle bei Vacha.

Teilübersichtsaufnahme von der Grenzmauer auf der BRD-Seite mit dem darüberliegenden Seil.
Fotos: Kopie BstU

Durchbruch per Lkw

Mit dem W 50 bei Oberzella – 18. Juni 1988

Die Grenzanlagen zur BRD durchbrachen am 18.06.1988, um 23.22 Uhr, der Lehrling Lars S., 17, und der Arbeiter Jörg P., 22, beide Dorndorf, Krs. Bad Salzungen, ca. 1.100 m nördlich von Oberzella, Krs. Bad Salzungen. Sie näherten sich mit einem Lkw W 50 (Werkstattkoffer) auf der F 84 dem Schutzstreifen und durchbrachen unter Missachtung des Stoppschildes mit hoher Geschwindigkeit den geschlossenen Schlagbaum an der Werrabrücke bei Unterzella. Um 23.19 Uhr hatten sie das Tor im Grenzsignalsicherungszaun II ca. 850 m nordostwärts von Oberzella durchbrochen. Die Grenzverletzer setzten mit Abblendlicht ihre Fahrt etwa 500 m in Richtung Grenze fort. Das Fahrzeug geriet in den Kfz-Sperrgraben und stürzte um. Die Grenzverletzer überwanden den Grenzzaun I und vollendeten den Grenzdurchbruch. Der in der Nähe des Grenzsignalzaun-Tors eingesetzte Kommandeur im Sicherungsabschnitt nahm nach der Befehlserteilung an die ihm unterstellten Kräfte mit Pkw Typ UAS die Verfolgung auf, erreichte jedoch den Ereignisort zu spät. Gegen 23.40 Uhr informierte das VPKA Bad Salzungen den Stab des Grenzregiments 3 Dermbach darüber, dass der Eigentümer des Tatfahrzeugs der Kreisbetrieb für Landtechnik (Stadtlengsfeld) sei und von einem Abstellplatz in Dorndorf entwendet worden war. Das Fahrzeug wurde am 19.06.1988 von 2.50 bis 3.10 Uhr geborgen und in das Objekt der 1. Grenzkompanie Vacha abgeschleppt.[32]

Zwei Lehrlinge durchbrachen am 18.6.1988 bei Oberzelle die Grenzsperranlagen.

Geöffnetes Führerhaus des Lkw W 50, mit dem die Lehrlinge Grenzsperranlagen durchbrachen.
Foto: Kopie BstU

Mit einem W 50 bei Heinersdorf – 17. September 1988

Ein Kraftfahrer beim VEB Kraftverkehr Sonneberg, 28, in Sonneberg wohnhaft, der seit 1981 im Besitz eines dienstlichen Passierscheines für die Sperrzone des Krs. Sonneberg und seit 1985 für die Orte Heinersdorf und Hönbach im Schutzstreifen war, beteiligte sich wie in den Vorjahren an der Speisekartoffeleinkellerung im Krs. Sonneberg.

Seit dem 14.09.1988 belieferte er die im Schutzstreifen liegende Ortschaft Heinersdorf mit Speisekartoffeln.

Analog zu den Vorjahren wurde zur Belieferung ein Lkw Jelcz sowie für Nebenstraßen und Gassen jeweils ein Lkw W 50 eingesetzt.

Um am Wochenende die Einkellerungsaktion in Heinersdorf abzuschließen und die schwer zugänglichen Haushalte beliefern zu können, war der Lkw W 50 ordnungsgemäß beim VEB Kraftverkehr Sonneberg beantragt und am 16.09.1988 zwischen 16.00 Uhr und 17.00 Uhr beladen worden.

Am 17.09.1938, gegen 07.15 Uhr, fuhren die Lkw vom Güterbahnhof Sonneberg über Jagdshof in Richtung Heinersdorf.

Im vom Beschuldigten gefahrenen Lkw W 50 fuhren keine weiteren Personen mit. Die Kontrollstelle der Grenztruppen der DDR in Heinersdorf wurde gegen 7.45 Uhr von beiden Fahrzeugen passiert.

Entsprechend einer vorherigen Vereinbarung begannen zwei Männer im Jelcz-Lkw am Ortseingang Heinersdorf mit der Auslieferung der Speisekartoffeln, während der 28-Jährige die Wohnhäuser in der Bergstraße von Heinersdorf beliefern sollte.

Im Rahmen der Tatortuntersuchung am 17.09.1988 wurde festgestellt, dass der Beschuldigte mit dem Lkw W 50 über die Bergstraße auf die ehemalige Ortsverbindungsstraße Heinersdorf/DDR – Welitsch/BRD fuhr und nach dem gewaltsamen Durchbrechen der in diesem Bereich vorhandenen Grenzsicherungsanlagen in die BRD gelangte.

Dabei wurde das Tor im Grenzzaun I wie auch das Tor Nr. 31 in der vorderen Grenzmauer 31 demoliert. Ohne weitere Probleme überquerte der Lkw die Staatsgrenze 47 m links vom Grenzstein 101. In der BRD fuhr der Mann weiter bis nach Welitsch hinein.

Entsprechend den Aussagen seiner Lebensgefährtin informierte sie der Beschuldigte in etwa 3 Telefonaten darüber, dass er den Entschluss zum ungesetzlichen Grenzübertritt spontan gefasst und er aus Verärgerung über seinen nicht erfolgten Einsatz im Ausland die DDR ungesetzlich in die BRD verlassen hat.

Daraufhin leitete die Bezirksverwaltung für Staatssicherheit am 19.09.1988 ein Ermittlungsverfahren ein, der Staatsanwalt in Meiningen, Engmann, beantragte einen Haftbefehl, den Richter Müller vom Kreisgericht Suhl am 27.09.1988. unterzeichnete.

Die Untersuchung ergab:

Der Beschuldigte entstammt einer Arbeiterfamilie und wuchs mit seinen beiden Geschwistern in geordneten familiären Verhältnissen auf. Von 1966 bis 1976 besuchte er die POS in Sonneberg, wo er den Abschluss der 10. Klasse erreichte. Seinem Wunsch entsprechend, erlernte er bis 1978 im VEB Kraftfahrzeuginstandsetzung Suhl, Betriebsteil Sonneberg, erfolgreich den Beruf eines Kraftfahrzeugschlossers und war danach bis 1979 in seinem Ausbildungsbetrieb tätig.

Von Mai 1979 bis Oktober 1980 leistete er seinen Grundwehrdienst als Wehrersatzdienst in der VP-Bereitschaft „Magnus Poser" in Meiningen ab. Im Anschluss daran arbeitete er bis 1983 im VEB Ultra-Möbel Sonneberg als Kraftfahrer und von 1984 bis 1985 als Kfz-Schlosser bei der Firma „Karl Am Ende" in Sonneberg. Um sich finanziell zu verbessern, bewarb er sich beim VEB Kraftverkehr Sonneberg, Abteilung Spedition, und war dort ab 01.04.1985 als Kraftfahrer tätig. Entsprechend einer Einschätzung des VEB Kraftverkehr Sonneberg vom 19.09.1988 war der Beschuldigte in seinen Arbeitsleistungen sehr schwankend. Darüber hinaus mussten mit ihm Auseinandersetzungen im Meisterbereich wegen verspäteten Erscheinens zur Arbeit und Nichteinhaltung von Standzeiten bei Transportkunden geführt werden.

Den Aussagen von Zeugen zufolge hoffte er, als Kraftfahrer in einem befreundeten afrikanischen Staat in den „Brigaden der Freundschaft" delegiert zu werden. 1987 hatte er sich darum beworben.

Ebenfalls am 19.09.1988 hatte der Staatsanwalt Durchsuchungen der Räume des Arbeitsplatzes des Beschuldigten in Sonneberg in Auftrag gegeben.

Am 22.09.1988 unterzeichnete der Staatsanwalt eine Anordnung zur Beschlagnahme von Postsendungen von seiner oder an seine Lebensgefährtin und erließ eine Verfügung zur Einsicht in die Konten des Westflüchtlings.

Die beschlagnahmten Gegenstände wurden am 09.10.1988 größtenteils an die Lebensgefährtin oder an den Betrieb zurückgegeben, da sie keine Beweismittel darstellten.

Da sich der Beschuldigte außerhalb des Staatsgebietes der DDR aufhält und seine Rückkehr in die DDR nicht abzusehen ist, wurde das Ermittlungsverfahren/Fahndung am 14.10.1988 durch den Staatsanwalt des Bezirkes Suhl vorläufig eingestellt.[33]

Mit Feuerwehr Lkw W 50 durch GSZ und Seilsperre – 1. August 1989

Die Personen:

1. Ingo B., 26, Ilmenau, beschäftigt beim Rat des Kreises Ilmenau, im Schlauch- und Gerätestützpunkt der Freiwilligen Feuerwehr Ilmenau als stellvertretender Lagerleiter, geschieden seit 29.06.1989, Inhaber eines dienstlichen Passierscheines für die Sperrzone der Kreise Hildburghausen, Sonneberg und Neuhaus sowie für den Schutzstreifen der Orte Massenhausen, Krs. Hildburghausen, Imstadt, Hönbach und Roth, Krs. Sonneberg. Seinen Grundwehrdienst leistete B. vom 04.05.1982 bis 28.10.1983 im Grenzregiment 9 Meiningen, 1. Grenzbataillon Römhild, als Fernmeldemechaniker ab. B. entstammt einer Angestelltenfamilie. Beide Elternteile waren im VEB Gablona Schmuckwaren Neuheim BT Ilmenau beschäftigt. Durch das Elternhaus erfolgte eine positive Erziehung. Er hatte den Abschluss der 10. Klasse der OS.

2. Heike R., 22, Ilmenau, beschäftigt im Bezirkskrankenhaus Suhl als Krankenschwester. Heike R. ist die Freundin des B., deretwegen seine Ehe geschieden wurde.

Das Paar hatte die DDR und das Leben in diesem Staat satt, es wollte sich im Westen eine neue Existenz aufbauen. Ingo B. kannte aus seiner Dienstzeit an der Grenze das Grenzregime und die Sperranlagen. Seine Stellung bei der Feuerwehr ausnutzend, hatte er sich ausgerechnet, dass es möglich sein müsste, mit dem Lkw das Tor im Grenzsignalzaun zu durchbrechen. Den zur Tatausführung benutzten Lkw lieh sich B. am 01.08.1989 für einen privaten Möbeltransport aus. Er hatte alles gut geplant. Was er nicht kannte, war das Sperrseil vor diesem Zaun und dies hätte beinahe den Durchbruchsversuch verhindert:

Am 01.08.1989, 14.06 Uhr, erfolgte die Dauerauslösung am GSSZ/II/Tor 31 unmittelbar an der Landstraße 1. Ordnung Milz – Eicha auf Höhe der Einmündung der Straße zum Ortsteil Hindfeld.

Durch die Alarmgruppe der Grenztruppe wurde im angegriffenen Bereich im Schutzstreifen auf Höhe des Kolonnenweges der armeegrüne Lkw W 50, polizeiliches Kennzeichen OM 84 - 21 mit leichten Beschädigungen festgestellt.

Halter des Fahrzeuges ist der Rat des Kreises Ilmenau, Schlauch- und Geräte-

Am 1.8.1989 flohen die 22-jährige Krankenschwester Heike R. und der 26-jährige Berufsfeuerwehrmann Ingo B. aus Ilmenau bei Hindfeld in Richtung Breitensee in den Westen. Mit einem Feuerwehrauto durchbrachen sie die Grenzsperranlagen und wurden von den bundesdeutschen Zollbeamten Baudenbacher und Baldur Arbes in Empfang genommen.
Foto: Josef Kleinhenz

stützpunkt der Freiwilligen Feuerwehr.
Nach der Spurenlage und Zeugenaussagen
erfolgte der ungesetzliche Grenzübertritt
durch 2 Personen unter Nutzung des LKW.
Die Täter näherten sich mit hoher Wahrscheinlichkeit aus dem Kreis Hildburghausen bis zum GSSZ II an.
Durch die Zeugin Fuchs Evelin geb.
26.09.1966, wohnhaft in Milz, Ortsteil
Hindfeld, Dorfstr. 35 „Wildenburg" wurde
ausgesagt, dass um ca. 14.00 Uhr ein Lkw
mit zwei Personen in Uniform am GSSZ-Tor
anhielt.
Eine Person ging zunächst zum Tor, stieg
wieder ein und fuhr dann in Richtung Tor.
Nach dreimaligem Versuch durchbrach der
Lkw das Tor. Danach unternahm der Fahrer
noch 2 - 3 Versuche, um die in einer Entfernung von 7,10 m hinter dem Tor vorhandene Seilsperre zu überwinden, was
schließlich gelang. Darauf setzten die
Täter zügig ihre Fahrt bis zum festgestellten Standort des Lkw fort. Die Entfernung zwischen GSSZ-Tor und vorderem
Sperrelement (ein Zaun der ehemaligen
Minensperre 66) beträgt 415 m, das Gelände ist offen und wird landwirtschaftlich
genutzt. Am vorderen Sperrelement angekommen, holten sie eine Leiter aus dem
Wagen und überkletterten die Grenzsperranlagen in Richtung Westen. In Breitensee
angekommen, bekamen sie einen furchtbaren
Schreck als sie in der Dorfstraße einen
„Trabi" wahrnahmen. Er gehörte einem
Rentnerehepaar aus der DDR, das in der
Grenzgemeinde zu Besuch weilte, wie sie
später erfuhren. Schließlich wurden sie
von der Familie Hubert und Anna Bötsch
herzlich aufgenommen, bevor sie von bundesdeutschen Grenzorganen in Empfang
genommen wurden. Auf dem K 6 wurden Spuren von 2 Tätern gesichert. Am vorderen
Sperrelement wurde BRD-seitig eine Feuer-
wehrsteckleiter in einer Länge von 2,70 m
aufgefunden, die die Täter zur Überwindung benutzten.

Im Bericht der Staatssicherheit ist der letzte Absatz
von Interesse:
Die R. hatte enge Verbindungen zu der am
23. 4. 86 über die Güst Eisfeld ausge-
schleuste ehemalige Studentin der medizinischen Fachschule Suhl, Gabriele A., 20,
wohnhaft in Oeslau Kreis Coburg, und zur

ehemaligen DDR-Bürgerin Isabell M., 22,
wohnhaft in Berlin W, die am 28. 8. 1987
einen ungesetzlichen Grenzübertritt mit
Durchschwimmen der Donau/Staatsgrenze der
SR Rumänien und SFR Jugoslawien vollendete. Zu beiden Tätern lagen keine Hinweise
über ein beabsichtigtes ungesetzliches
Verlassen der DDR vor.
In einem beigefügten Bericht der HA I/Grenztrup-
pen/Unterabteilung Grenzsicherheit Suhl vom
01.09.1989 wird weiter ausgeführt:
Die R. ist erfaßt für die Abteilung XX
der BV (Bezirksverwaltung) Suhl. Sie wird
in einer OPK (Operative Personenkontrolle) bearbeitet, da sie Verbindung mit
Gabriele A. und zu Isabell M.
unterhielt.[34]

Trabant als Fluchtmittel – 6. Juni 1989

Erstmeldung der Grenztruppen:
Am 6.6.89 um 21.45 Uhr gelang der Fam.
Blau (Ehepaar und 1 Kind) und dem Ehepaar
Schüler, gebürtig aus Milz (Kreis Meinin-
gen), bzw. Eicha, Kreis Hildburghausen,
die Flucht über die Grenzsperranlagen
zwischen Milz und Breitensee. Die Perso-
nen fuhren an den Signalzaun GSSZ-II,
überwanden diesen mit einer auf ihren
Pkw-Trabant konstruierten Leiter, über-
stiegen den vorderen Zaun und erreichten
kurz vor Eintreffen der Alarmgruppe das
Bundesgebiet.
Die Bezirksverwaltung Suhl des MfS meldete an
den Bezirk:
Ministerium für Staatssicherheit
BV Suhl, Leiter
Suhl, 8. 6. 1989

Information über einen Grenzübertritt mit
spektakulären Mitteln DDR - BRD im Raum
Eicha/Kreis Hildburghausen - 5 Personen
Am 6. 6. 1989 gegen 22.25 stellte ein
Angehöriger der Grenztruppen der DDR an
der Ortsverbindungsstraße Milz, Kreis
Meiningen und Eicha, Kreis Hildburghausen
unmittelbar am Grenzsicherheitsschutzzaun
II einen PKW Typ Trabant 500 mit einer
tischähnlichen Winkeleisenkonstruktion in
den Abmessungen 120 x 150cm 75 cm hoch,
die mit Saugnäpfen auf dem PKW-Dach befestigt war, sowie ein Krad Typ „ETZ"
fest. Halter des PKW und des Krades ist
Blau, Frank-Peter, geb. am 2. 9. 63 in

Milz, wohnhaft in Milz Dorfstr. 8, parteilos, Hausmeister im Lehrlingswohnheim der LPG (P) Römhild.

Die bisherigen Untersuchungen ergaben in der Zeit zwischen 20 Uhr und 22.25 vollendeten die Personen Blau, Frank-Peter, dessen Ehefrau Blau, geb. Ehrhardt, Kerstin geb. 17. 11. 62 in Hildburghausen, Ing. für Planung im VEB LTA Westenfeld, den Sohn Blau Daniel, geb. 6. 12. 84 und das Ehepaar Schüler, Thomas, geb. 30.10.62 in Gleichamberg, wohnhaft Häfenmarkt 6, Hildburghausen, parteilos, Schweißer im KfL Hildburghausen, Schüler geb. Mook, Beatrice, geb. 30. 10. 62 in Hildburghausen, parteilos, stv. Stationsschwester in der Kreisgesundheitseinrichtung Hildburghausen, nordwestlich der Ortschaft Eicha, Kreis Hildburghausen, Bez. Suhl einen ungesetzlichen Grenzübertritt DDR – BRD auf spektakuläre Art und Weise zur Überwindung des GZ I wurde eine 2 m lange Leiter benutzt. Zu den Personen ist bekannt:

Blau, Frank-Peter verzog 1987 von Milz, Kreis Meiningen nach Eicha und wohnte mit seiner Familie im Haus seiner Schwiegereltern in Eicha. Als Parteiloser trat er bisher im Wohnort nicht negativ in Erscheinung. ... Er war aktiver Fußballer der Sportgruppe Eicha und spielte in der Kapelle „Analog" Kreis Meiningen, sowie bei den „Milzer Dorfmusikanten" mit. Durch seine aktive gesellschaftliche Tätigkeit hatte er einen großen Umgangs- und Verbindungskreis. Blau führte vom 26.7. bis 1. 8. 87 eine Privatreise in die BRD zum Besuch seiner Tante Blau, Hildegard in Gladbeck durch. Blau ist im Besitz eines privaten Passierscheines für die Sperrzone Kreis Meiningen. Die Eltern des Blau sind im Kreis Meiningen wohnhaft. Er hat noch 3 Geschwister.

Blau Kerstin, geb. Ehrhardt absolvierte ein Studium als Diplomingenieur (Ökonom) im Zeitraum von 1981 bis 1985 und arbeitete seit dem Studienabschluß im LTR Westenfeld als Ökonom. Sie ist Mitglied der CDU, Gemeindevertreter-Mitglied des Rates der Gemeinde Eicha seit den Kommunalwahlen 1989. Sie wurde 1989 als Schöffe für das Kreisgericht Hildburghausen gewählt. Ihre Verpflichtung als Schöffe war für den 7. 6. 89 vorgesehen. Die Blau

besaß im Wohngebiet einen guten Leumund, war beliebt und wurde geachtet. Ihre politische Grundhaltung wurde als positiv eingeschätzt.

Auf der ersten Seite steht handschriftlich der Vermerk: Genossen Albrecht vorlegen 8. 6. (Unterschrift)[35]

Was sich ereignete

Februar 1989: Vier junge Leute sitzen aufgekratzt im Trabi auf der Fahrt von Suhl nach Hildburghausen. Frank Peter und Kerstin Blau waren mit ihren Freunden Thomas und Beatrice Schüler im Hallenbad Suhl gewesen. Man war angenehm entspannt. Es war wenig Verkehr auf der Straße. Niemand hatte es eilig, die Blaus wussten ihren Sohn bei Kerstins Mutter gut aufgehoben, gerade die richtigen Voraussetzungen, um in der Enge des Wagens ins Gespräch zu kommen. Es ging um Barbara. Sie war eine gute Bekannte aus Milz, die Anfang 1989 auf Besuch in den Westen zu Verwandten gefahren und drüben geblieben war. „Uns hat das so geschockt, wir dachten: Die hats drauf, die hats gemacht", sagte Kerstin, „das hat uns dauernd beschäftigt, dass Barbara drüben geblieben ist." „Dabei ist sie doch auch verheiratet und hat ihren Mann hier allein sitzenlassen, ich könnte das nicht!", entgegnete Beatrice. „Aber wer weiß, vielleicht hat er es doch gewusst und war einverstanden", gab Thomas zu bedenken, „es gibt ja immer noch die Möglichkeit auf Familienzusammenführung. Vielleicht haben sie darauf spekuliert." „Ich war auch ein wenig neidisch", warf Frank-Peter ein. „Ihr wisst, dass ich 1987 auf Besuch im Westen war. Wenn Daniel nicht gewesen wäre, ich wär' auch drüben geblieben." „Und an mich hast du gar nicht gedacht?", regte sich Kerstin auf. „Ich befürchtete damals so etwas: Ich stand am Bahnhof in Hildburghausen, als er wegfuhr und war mir nicht sicher, ob ich ihn wiederseh'. Es war ein ganz sonderbares Gefühl: Er sitzt jetzt im Zug und fährt fort in eine andere Welt." Alle hingen ihren Gedanken nach. „Ich war ja auch 1988 drüben", erzählte Kerstin weiter, „erst voriges Jahr. Ich war ganz begeistert. Der Antrag ging über die Tante in Essen, aber der Aufenthalt war bei Bekannten in Bad Nauheim. Ich war ohne Kind dort. Es war herrlich: Bad Nauheim ist eine Kurstadt, es war Sommer, es war wie in einer anderen Welt."

Frank Peter: „Ich war ja auch überwältigt. Schon als ich in Bebra einfuhr, dachte ich ‚Das kann nicht wahr sein!' Vorher dacht´ ich mir, dass das, was man im Fernseh´n vom Westen sieht, dass das genauso getürkt ist, wie vieles bei uns."

„Könnt' ich doch auch einmal nüber", sagte Beatrice sehnsüchtig. „Dass es bei uns geklappt hat, liegt sicher an Kerstin, sie ist eben eine Frau mit Perspektive", meinte Frank Peter halb im Scherz. Dabei war das sicher mitentscheidend: Kerstin war nach ihrem Studium 1985 als Betriebswirtin nach Eicha zurückgekommen und bei der LTA (Landtechnischer Anlagenbau) Westenfeld beschäftigt. Sie sollte auch gleich in die LDPD eintreten, wählte jedoch als Alternative die CDU. Man musste zwar nicht Mitglied einer Partei sein, hatte es jedoch leichter, wenn man etwas werden wollte. Als Mitglied der SED hätte man natürlich wesentlich weiter kommen können. Kerstin wurde 1989 auch gleich Mitglied der Gemeindevertretung. Die Ost-CDU war im Grunde auch nichts weiter wie die SED, es wurde halt mehr auf christlich gemacht. Man musste eben auch mit dem Strom schwimmen, auch wenn es in Eicha eine CDU-Mehrheit gab. Sie war auch schon aufgefordert worden, als Bürgermeisterin zu kandidieren, da Eicha einer der wenigen Orte war, in dem die CDU den Bürgermeister zu stellen hatte. 1989 wurde sie als Schöffe für das Kreisgericht Hildburghausen gewählt. Ihre Verpflichtung als Schöffe war für den 7. Juni 1989 vorgesehen. Sie hatte auch in der CDU beste Aussichten, da sie eben ‚eine Frau mit Perspektive' war: Sie war jung, 26 Jahre alt, sie hatte studiert, der ideale Nachwuchskader. Mit Frank-Peter lebte Kerstin seit 1984 zusammen, seit der Sohn Daniel geboren war. 1987 wurde geheiratet. Beide wohnten im Haus von Kerstins Mutter, Frau Ehrhardt in Eicha. Kerstin verdiente recht gut, ca. 1.000 Mark mit der Sperrzonenzulage.

„Mit Perspektive hast du eben auch Beziehungen, und mit Beziehungen kommst du auch in den Westen", stellte Thomas fest. „Wir durften aber auch nur fahren, weil der Daniel da war", stellte Kerstin richtig. Das stimmte. Erfahrungsgemäß kamen fast alle zurück, die daheim Ehepartner und Kind hatten. Auf die Zugkraft des Ehepartners allein war dagegen kein allzu großer Verlass. Deswegen war für die Schülers vorerst nichts drin mit Westbesuch. Sie waren auch nicht irgendwie in

Erscheinung getreten, beide parteilos, er Schweißer im KfL Hildburghausen, sie Stationsschwester im Krankenhaus, da gab es keine Punkte bei den Behörden, allerdings auch nichts Negatives zu vermerken. „Euch bleibt nur übrig, abzuhauen", stellte Frank Peter lakonisch fest. Seit Frank Peter im Westen gewesen war, war er unzufrieden mit allem und jedem, obwohl seine Frau immer wieder sagte, er brauche doch gar nicht unzufrieden zu sein, es gebe doch eigentlich gar keinen Grund.

Frank Peter hatte Schreiner in Bibra gelernt bis 1985/86. Er machte schon damals sehr viel Musik in einer Musikkapelle. Die Kapelle bestand aus 6 Mann, die schon fast professionell in ganz Südthüringen Unterhaltungs- und Tanzmusik machten. Er verdiente mit der Musik recht gut und war viel unterwegs, deshalb suchte er sich den weniger anstrengenden Beruf als Hausmeister im Lehrlingswohnheim – LPG-Gebäude in Römhild. Eigentlich wirklich kein Grund, unzufrieden zu sein.

Durch ihren relativen Wohlstand konnte die Familie Blau auch öfters nach Ungarn in Urlaub fahren, das Land, in dem man doch etwas geboten bekam. Aber es bedrückte immer, dass man nicht weiterfahren konnte, nach Wien, nach Österreich. 1988 waren Blaus noch einmal in Ungarn. Es hat sie vieles „angekotzt". Man bekam Essensschecks. Wenn die Kellner merkten, dass man aus der DDR kam, wurde man wie 4. Klasse behandelt. Der nächste Punkt, der Blaus bedrückte, war eben, dass Peter unbedingt zur Armee sollte. Mit 18 wäre er gern auf drei Jahre zum Musikkorps gegangen. Da hätte er sich aber für 12 Jahre verpflichten müssen. Das wollte er wieder nicht. Jetzt war er 25, hatte Frau und Kind und musste befürchten, jetzt noch wie der letzte Dreck behandelt zu werden. Die Bemerkung mit dem „Abhauen" war also nicht nur so dahingesprochen, sondern schon ein „Köder", und Thomas schluckte ihn auch bereitwillig: „Dann hau´n wir doch ab!", sprach er es aus. Es gehörte schon viel Vertrauen dazu, über so etwas offen zu sprechen, aber jetzt war es heraus und es wurde mehr als Gerede, als Frank Peter zustimmte. „Einverstanden!", sagte er, „wir gehen mit." Den Männern war das bitterer Ernst. Die Frauen auf dem Rücksitz aber protestierten: „Ihr spinnt doch! Hört auf, was soll denn das!" Den Frauen war total schlecht bei dem Gedanken, abzuhauen, alles aufzugeben, zurückzulassen. Doch die Männer entwickelten schon Fluchtpläne. Ein Glück, so empfanden es jedenfalls Beatrice und Kerstin, dass die Fahrt zu Ende war. Frank Peter setzte die Schülers vor ihrer Wohnung in Hildburghausen ab und fuhr nach Eicha weiter. Für heute war Schluss mit dem Thema.

Fluchtpläne

Wenn die Frauen gehofft hatten, es wäre vorbei mit der „Spinnerei", dann hatten sie sich getäuscht. Von dem Tag an aber gab es kein Zurück mehr. Die vier trafen sich regelmäßig, um die Flucht zu planen. Den Ausschlag gab, dass die Blaus im Sperrgebiet wohnten, unmittelbar am Grenzsignalzaun. Frank Peter stellte klar: „Wenn wir gehen, dann nur, wenn wir das Risiko überschauen können und das geht nicht in Ungarn oder in der Tschechei, sondern nur bei uns." Es war eine schlimme Zeit. Allen war klar, dass das Vorhaben lebensgefährlich sein könnte. Peter aber war der Meinung, dass bei vernünftiger Planung die meisten hinüberkommen. Er war der Planer und Schülers verließen sich blind auf ihn. Sie wollten weg. Sie hatten allerdings auch nicht so viel zu verlieren. Sie hatten keine Kinder. Sie wollten raus. Den Weg über den Ausreiseantrag hielten sie für sinnlos. Man wurde nur schikaniert und den Weg wollten sie nicht gehen. Beatrices Bruder war schon drüben. Die ganze Familie musste damals in den Knast, die Kinder kamen ins Kinderheim. Sie wohnten in Hildburghausen und als Paten von Daniel erhielten sie zu Ostern eine Einreiseerlaubnis ins Sperrgebiet. Auch Blaus hatten erwogen, einen Ausreiseantrag zu stellen, wussten aber von einem aus Mendhausen, der dann das Sperrgebiet verlassen musste und das wollten sie nicht auf sich nehmen. Kerstin hatte wahnsinnig Angst und hoffte dauernd, Peter würde den Plan aufgeben, aber für ihn war das gar kein Thema mehr. Er hatte innerlich mit der DDR abgeschlossen. Es stank ihm, wenn er die Zeitung aufschlug oder wenn er bei der Lehrlingsausbildung das „Gelaber" anhören musste. Oder wenn Daniel vom Kindergarten heimkam und lauthals sang: „Mit fliegenden Fahnen ziehen wir in den ersten Mai. Wir grüßen die Partei ...", oder wenn er ständig fragte, warum Peter noch nicht bei den Soldaten war. Die Frauen mussten mitmachen, auch wenn sie noch gar nicht voll dahinter standen. Aber es

wäre ihnen nicht in den Sinn gekommen, sich von ihren Männern abzuseilen. Frank Peter hatte es gewagt, auch Barbaras Mann ins Vertrauen zu ziehen, eigentlich ein Leichtsinn erster Ordnung, denn sicher war dieser unter Bewachung der Staatssicherheit. Aber er war sofort bereit mitzumachen und kam jedesmal zu den Vorbesprechungen.

Allmählich wurden auch die Frauen mit dem Gedanken an Flucht vertraut. Für Kerstin Blau gab es jetzt so viele Kleinigkeiten, die sie aufwiegelten, auch im Betrieb, wo sie Frauenvorsitzende war. Die Versammlungen, die sinnlosen Diskussionen – sie versuchte, ohne das auszukommen.

Zu ihren Familien sagten Blaus kein Wort. Besonders Frau Blau fiel es schwer, die Schwester und die Mutter auszugrenzen. Aber Frank Peter und Kerstin wussten, dass die Verwandten „dran" sind, wenn sie Mitwisser waren, und die geschulten Ermittler der Stasi hätten das mit Sicherheit herausgefunden.

Als es schließlich endgültig feststand, dass sie abhauen, fuhren Peter und Kerstin so oft wie möglich an der Grenze entlang nach Milz. Der 1. Zaun, der Grenzsignalzaun, verlief direkt an der Straße. Dabei war es günstig, weil Peters Eltern in Milz wohnten. Peter fuhr also die Grenze entlang mit Moped, mit Fahrrad, mit Auto, Kerstin joggte, sie ging mit dem Kleinen spazieren. Beide schauten immer: Heut' sind die Grenzer hier, oder heut' liegen sie da. Der Drang an die Grenze blieb im Dorf nicht unbemerkt. Weil Kerstin immer an die Grenze lief, sagte man ihr schon ein Verhältnis mit einem Grenzer nach. Auf den wahren Grund kam zum Glück niemand.

Zwischen Gleichamberg und Hindfeld war ein Jägersitz. Dort hinauf setzte sich Frank Peter. Er hatte sich ein gutes Fernglas gekauft und beobachtete die Grenze und die Grenzstreifen. Dabei wurde er auch beobachtet. Einmal stand er an der Grenze mit dem Motorrad und wurde angehalten. Zum Glück sahen die Grenzer das Fernglas nicht. Sie sahen nur den Ausweis und das Bild von Peters Sohn Daniel.

Ein System war bei den Grenzstreifen nicht herauszufinden. Aber die Grenzsoldaten hatten bei Milz einen Führungsturm und um 10 Uhr stiegen sie immer von dem Turm herunter. Dann gingen sie hinten am 2. Grenzzaun (Grenzsignalzaun) auf die Betonstraße und fuhren dort entlang und dann legten sie sich an 2 Stellen hin, sie gingen aus dem Auto heraus und schoben Wache, regelmäßig. Der Grenzsignalzaun (der 1. Richtung DDR) hatte Niederspannung. Die Zentrale war in Mendhausen und da wussten die Aufsichtsführenden genau, in welchem Bereich etwas nicht in Ordnung ist. Am Zaun waren etwa alle 200 m Rundumleuchten, nach innen rot, nach außen grün angebracht. Die leuchteten auf, wenn der Zaun berührt wurde. Also mussten die Flüchtlinge den ersten Zaun frei überwinden, damit der Alarm nicht ausgelöst wird. Hinter dem GSZ waren im Niedersprungbereich, etwa 2 m hinter dem Zaun, etwa 1 m hoch mit Stolperdraht Leuchtraketen installiert, aber nur an Stellen, wo der Abstand zum 2. Zaun besonders klein war. Frank Peter fand eine Stelle, an der der Abstand zum 2. Zaun über 500 m war. Dort waren keine Signalraketen installiert. Allerdings musste man dort auch über eine kleine Anhöhe laufen und konnte die vorderen Sperranlagen erst sehen, wenn man kurz davor stand.

Aber wie kommt man über den Signalzaun, ohne ihn zu berühren? Schließlich war der Zaun über 2 m hoch. Die Verschwörer hatten bereits viele Pläne erwogen und verworfen, bis Thomas auf die Idee mit dem Dachständer kam. Thomas war Schlosser. Er machte aus Leichtprofilen bei sich im Betrieb ein Gestell, einen Dachgepäckträger, damit war eine Höhe von 2,20 – 2,30 m zu erreichen. Wie bei einem Tisch war in 2,20 m Höhe eine ebene Platte, von der aus die Flüchtlinge über den Zaun springen wollten. Das Gestell wollten sie dann am Fluchttag bereits daheim montieren, allerdings durfte ihnen dann niemand begegnen, am wenigsten ein Grenzerfahrzeug. Aber im Sperrgebiet war auch kaum Verkehr. Sie hatten auch geplant, hinter sich Spieße auszulegen, damit nachfolgende Fahrzeuge hineinfahren und nicht weiter fahren können. Aber sie hatten dann Bedenken, es könnte ein unbeteiligter Motorradfahrer einen Unfall erleiden und unterließen das dann. Weil sie wussten, dass es gar nicht so einfach ist, aus so großer Höhe herunterzuspringen, fuhren sie mit dem Auto in einen Wald bei Hildburghausen. Die Plattform hatten sie im Kofferraum. Dort im Wald übten sie das Springen. Den Sohn Daniel wollten sie über den Zaun werfen und Thomas, der sehr groß war, sollte ihn auffangen.

Ein Problem war nun noch, wie das Ehepaar Schüler am Fluchttag nach Eicha ins Sperrgebiet kommen sollte.

Doch Kerstin hatte durch ihr Amt im Rat der Gemeinde neben anderen Vorteilen auch das Privileg, dass sie Leute auch ohne Passierschein mit in die Sperrzone nehmen konnte.

Fluchtvorbereitung

Die Flucht war also beschlossen. Nur Barbaras Mann hatte kalte Füße bekommen. Zwei Tage vorher sagte er, er ginge nicht mit. Er hatte schließlich die Hoffnung auf Familienzusammenführung.

Ursprünglich sollte die Flucht am Freitag, dem 2. Juni, stattfinden. Dazu musste sicher sein, dass am vorderen Zaun keine Streife postiert ist. Frank Peter fuhr dazu erst am Abend an der Grenze entlang und bemerkte, dass zwar von Milz her der Wachablauf nach dem üblichen Schema verlief. Von Eicha her sah er jedoch, dass eine Streife durch das Tor in den 500-m-Streifen hineinfuhr. Da war es ihm zu unsicher. Sie hatten vereinbart, dass Kerstin die Schülers holen sollte, wenn Peter um 21 Uhr noch nicht daheim wäre. Er kam aber schon um 20.30 Uhr zurück und sie bliesen die ganze Sache ab. Mit Schülers war vereinbart, dass sie sich in der nächsten Woche bereithalten sollten. Kerstin war eigentlich heilfroh, weil sie insgeheim hoffte, es würde doch nichts.

Es geht los

Am Dienstag, dem 6. Juni, fuhr Frank Peter um 18 Uhr mit dem Motorrad los, um die Grenzstreifen zu beobachten. Nachdem niemand in den 500-m-Streifen gefahren war, blieb er draußen und Kerstin fuhr vereinbarungsgemäß nach Hildburghausen. Schülers fielen aus allen Wolken, doch ließen sie alles stehen und liegen und fuhren mit nach Eicha. Nun musste Kerstin in Richtung Milz joggen, damit die Ausreißer sicher sein konnten, dass niemand in den 500-m-Streifen hineinfährt. Peter fuhr mit dem Motorrad zurück, als er Kerstin herlaufen sah. Inzwischen baute Thomas das Gestell aufs Auto. Als Peter zurückkam, fuhr Thomas zur Absicherung mit dem Motorrad voraus. Nachdem er zurückgekommen war, stiegen Beatrice und Daniel ins Auto und Frank Peter fuhr mit dem Auto hinter ihm her.

Daniel wusste von nichts, Kerstins Eltern und ihre Schwester auch nicht. Kerstin hatte nur einen Zettel geschrieben und in die Wohnung gelegt, dass ihre Eltern das Sorgerecht für Daniel übernehmen, falls ihnen irgend etwas passiert. Blaus hatten alle Papiere vorbereitet. Sie hatten alle Zeugnisse dabei, ebenso ihr ganzes Westgeld – 700 DM – und 40.000 Ostmark.

Sie fuhren dann hinaus in Richtung Milz. Thomas, der auf dem Motorrad vorausgefahren war, gab mit der Lichthupe ein Zeichen, dass die Luft rein ist. Es war schon ziemlich finster, 3/4 11 Uhr und es hatte etwas geregnet. Thomas kam entgegengefahren und Kerstin entgegengejoggt. Sie trafen sich hinter Eicha nach einer kleinen Rechtskurve. Dort konnte Frank Peter links bis an den Zaun heranfahren.

Nun ging es los: Zuerst stiegen die beiden Frauen auf die Plattform, um hinüberzuspringen, doch da traf sie wie ein Schock die Breite des Zauns mit den Abweisern (ca. 1,20 m), die sie zu überspringen hatten. Darauf waren sie nicht gefasst, das hatten sie nicht trainiert. Trotzdem sprangen sie mit Todesverachtung los. Kerstin kam gut drüben auf, doch Beatrice blieb an einem Draht hängen, zum Glück ohne größere Verletzung. Die Männer warfen die Leiter nach, die Frauen packten sie und rannten los. Nun sprang Thomas und fing Daniel auf, den ihm Peter herüberwarf und rannte ebenfalls los. In dem Moment – Peter stand noch auf der Plattform – kam ein Auto von Eicha her. Die hatten wahrscheinlich die Lichthupe gesehen.

Frank Peter stand nun dort oben und überlegte: „Springst du überhaupt noch?" Er sprang doch und rannte den anderen nach. Er hörte noch die Bremsen des Fahrzeugs quietschen.

(Im Nachhinein erfuhr Peter durch einen guten Bekannten aus Hindfeld, der damals bei den Grenztruppen war, dass das Streifenfahrzeug bei den Fahrzeugen anhielt und die Fluchtstrecke ableuchtete, aber niemand war zu sehen. Sie konnten die Verfolgung gar nicht sofort aufnehmen, weil sie nicht ohne Meldung in den 500-m-Streifen hineindurften. Sie mussten erst einmal zur Wildenburg fahren, einem Gehöft an der Straßenkreuzung Eicha/Milz, Hindfeld/Breitensee, wo ein Meldepunkt war und dort Meldung erstatten. Erst dann konnten sie ins Sperrgebiet einfahren.)

Durch das Auto waren die Flüchtlinge total in Panik geraten. Sie befürchteten, dass die hinter ihnen herkommen. Sie rannten, was sie nur konnten. Doch das Laufen wurde durch den mannshohen nassen Raps erschwert, der auf dem 500-m-Streifen angepflanzt war. Kerstin verlor bald die

Jogginghose, so nass und schwer war sie. Zum Glück konnten sie bald in Schlepperspuren weiterlaufen, die beim Spritzen am Vortag eingedrückt waren. Thomas, der Daniel trug, konnte bald nicht mehr. Peter trug nun das Kind weiter, doch bald musste auch er langsam machen, weil er total ausgepumpt war. Kerstin, die das weiter vorne bemerkte, schoss durch den Kopf: „Ich muss zurück, muss ihm helfen, oder ist es nicht besser, erst über den Zaun zu kommen, dass wenigstens einer drüben ist ..." Vor allem Beatrice jammerte immer wieder: „Wann kommt er denn, der 2. Zaun, Ihr habt doch gesagt, es ist nicht weit." Sie waren alle vollkommen erschöpft.

Zum Glück rannte dann Daniel selbst noch mit. Endlich war die Anhöhe erreicht und die Frauen konnten schon die vorderen Sperranlagen sehen. Links und rechts war nichts zu sehen und nun dachten sie: „Wir schaffen es." Sie waren zwar ziemlich sicher, dass sie vorne niemand erwartet, aber vollkommen sicher waren sie nicht. Sie hatten schon unwahrscheinliche Angst. Doch nun war es nicht mehr schlimm. Sie mussten nun nur noch den Graben überqueren, die Leiter an den Zaunpfosten lehnen und hinüberspringen. Aber ohne Leiter hätten sie das, erschöpft wie sie waren, nie geschafft. Dabei hatten sie vorher diskutiert, ob sie die Leiter überhaupt brauchten. Die Frauen stiegen zuerst hinüber, sprangen herab und erreichten als Erste Bundesgebiet.

Geschafft

An einem Feldweg entlang liefen die Flüchtlinge nun in Richtung Breitensee, dessen Lichter sie, wie jeden Tag, sehen konnten. Sie waren schon fast in Breitensee, als am Zaun, etwa 1 km von ihrem Fluchtpunkt entfernt, die Suchscheinwerfer der Verfolger zu sehen waren. Sie gingen in Breitensee ins erste Haus, in dem noch Licht war. „Wo kommt ihr denn her?", wurden sie gefragt. „Wir kommen vo d´r Äich", sagten sie. Da gab es ein Hallo. Die Leute kannten Peters Eltern noch von früher. Die Flüchtlinge bekamen erst einmal zu essen und zu trinken. Die Schwiegertochter musste Kleider holen, weil Kerstin ja ihre Jogginghose verloren hatte und alle nass waren. Daniel verschwand gleich unter dem Tisch und spielte mit Matchboxautos.

Flucht der Familie Blau bei Milz – Breitensee am 6.6.1989.
Foto: Ministerium für Staatssicherheit der DDR

Stasi-Spurensicherung der spektakulären Flucht zwischen Eicha/Milz und Breitensee am 6.6.1989.
Foto: Ministerium für Staatssicherheit der DDR

Sie waren drüben. Sicher hatten sie sich dann gleich in den Armen gelegen, erleichtert, dass sie es geschafft hatten, aber es war keine Euphorie, nur Leere und Erschöpfung nach der unheimlichen Anspannung. In das Gefühl des Glücks mischte sich, zumindest bei Kerstin, auch gleich die Frage: Wie geht es jetzt weiter? Was wird jetzt mit uns?
Noch in der Nacht kam die Grenzpolizei von Königshofen und nahm sie mit. Dabei fuhren sie die Grenze entlang und sahen erst einmal, was dort für ein Trubel war. Das war zwei Stunden später. Es war Wahnsinn: Hubschrauber, Autos, alles erleuchtet.
Die Leiter stand auch noch am nächsten Tag dort, sie wurde erst von Stasi und Kripo untersucht und auch von der Grenzpolizei fotografiert.

Die Untersuchungen in Eicha
Frau Ehrhardt, Kerstins Mutter, erzählte, was sie nach der Flucht mitmachte:
Ich wusste überhaupt nichts, ich hatte nicht die geringste Ahnung. Am Abend kam Kerstin mit dem Kleinen in die Gaststätte. Beim Weggehen sagte sie zu Daniel: ,Drück die Oma noch einmal!' Ich sagte: ,Na, wenn ich nicht zu spät heimkomme, sehen wir uns ja noch einmal.'
Es war an sich ein lustiger Abend in der Wirtschaft. Es wurde viel gelacht. Um 12 Uhr schloss ich die Wirtschaft. Es war so halb eins. Da klingelte es. Als ich verwundert die Tür öffnete, waren es der ABV und ein Grenzhelfer vom Ort. Ich war gleich erschrocken und dachte mir: Das ist kein gutes Zeichen. Ich fragte: ,Ist was passiert? Mit den Kindern?' ,Nein, naja,' wandten sie sich. ,Habt ihr

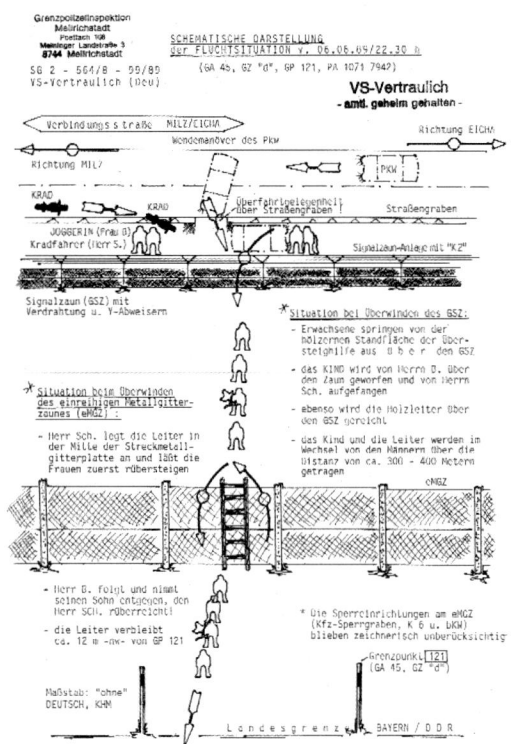

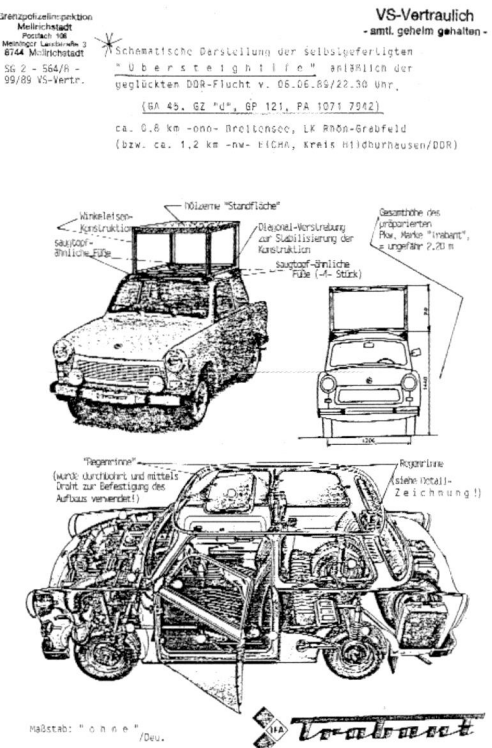

Der Fluchtweg über die Sperranlagen bei Eicha/Milz am 6.6.1989.
Zeichnung: Detlef Deutsch

Für die Flucht am 6.6.1989 umgebauter Pkw Trabant.
Zeichnung: Detlef Deutsch

denn so einen blaugrünen Trabant?' ,Ja, Peter hat so einen!' Er hatte öfters mal Wagen und Wagenfarbe gewechselt. Ich sollte nun nachsehen, ob das Auto noch da ist. Dabei fragte ich nochmals: ,Ist was passiert?' Da sagten sie: ,Ja, das Auto steht irgendwo.' Ich dachte nur an einen Unfall und sah im Schlafzimmer der Kinder nach. Da waren die Betten leer. Im Gedanken bei dem Unfall vermutete ich, dass vielleicht dem Peter etwas passiert sei und Kerstin schon im Krankenhaus wäre. Sie gingen darauf wieder fort und versprachen uns Bescheid zu geben. Aber die Nacht zog sich hin und die Kinder kamen nicht. Dann hörte ich einen Trabant die Straße herauffahren, aber er fuhr vorbei und bog ins Bürgermeisteramt. Dann kam wieder ein Auto und fuhr wieder hoch. Da hielt es mich nicht mehr daheim. Ich wollte schauen, was los ist. Da richteten sie schon ein Zimmer ein für die Kripo, wie ich im Nachhinein wusste. Ich fragte: ,Ist denn ein Unfall passiert?' ,Ein direkter Unfall

nicht, du kannst ruhig schlafen', wurde mir bedeutet. Gegen Morgen weckte ich meinen Mann, weil die Kinder immer noch nicht da waren. Er versuchte, mich zu beruhigen: ,Die haben schon x-mal in Milz übernachtet, du machst dir viel zu viele Sorgen' und schlief weiter. Ich hatte doch keine Ruhe, da klingelte es und da stand die Kripo oder Stasi von Hildburghausen vor der Tür. Sie beantworteten keine Fragen. Wir erfuhren nur, dass es mit der Grenze etwas zu tun hatte. Wir mussten aus dem Haus und wurden in der Wirtschaft jeder für sich in ein Zimmer gesteckt und von zwei Mann verhört. Daheim wurde das Haus auf den Kopf gestellt. Als wir abends heimkamen, war die Wohnung versiegelt. Bis Nachmittag wusste ich noch nicht, ob sie hinübergekommen waren.

Dann wurde ich nach den Freunden der Kinder gefragt, denn es waren ja mehrere Spuren. Da dachte ich mir: ,Die hätten nicht gefragt, wenn sie geschnappt worden wären.' Das war für mich schon eine kleine Beruhigung. Es war aber trotzdem das Gefühl: Man sieht sich nicht mehr, so als hätte der Tod für immer Schluss gemacht. Ich hatte sehr an Daniel gehangen.

Weil ich dieses absolute Gefühl der Ungewissheit nicht mehr ertrug, ging ich zum Staatsanwalt nach Meiningen in der vagen Hoffnung, wenigstens den Jungen wieder sehen zu können.

Der sagte mir sofort, die Tat der Kinder wäre das schwerste Staatsverbrechen und Verrat an der DDR und ich sollte mir keine falschen Hoffnungen machen.

Bei den Verhören wurde ich nicht angeschrien und nicht bedroht. Aber die hätten alles herausgefunden. Zum Glück wussten wir alle überhaupt nichts, im Gegenteil: Die Leiter im Auto wollte ich an dem Tag eigentlich zum Fensterputzen in die Wirtschaft mitnehmen.

Frau Blau: Wir haben von Gießen aus das erste Mal in Heldburg bei meinem Bruder angerufen: Sie sollten ausrichten, es ginge uns gut. Die Schwägerin Margitta hat das auch gleich ausgerichtet. In der Wirtschaft war zwar auch Telefon, aber wir trauten uns nicht, dort anzurufen.

Frau Ehrhardt: Wir wussten, dass wir in der Öffentlichkeit beobachtet wurden, jede Regung, jede Träne. Auch die Eltern Blau wurden verhört. Sie hatten am nächsten Tag über Bayern III gehört, dass 5 Flüchtlinge wohlbehalten die Grenze überwunden hatten. Im Dorf wurde von vielen der Mut gelobt, aber nicht von allen.

Natürlich wussten wir, dass die Post abgefangen werden sollte. Ich fand aber trotzdem Leute, die mir ihre Adresse bzw. Absender gaben, damit unser Briefwechsel funktionieren konnte. Die eine Frau, die das mitgemacht hatte, legte die Briefe in einem Versteck in der Nähe eines Baumes ab, wo ich sie abholte und die Antworten hinterlegte. Wir grüßten uns bei Begegnungen kaum. Andere hatten Angst und baten mich, gar nicht darüber zu sprechen. Andere haben mich mit Sicherheit ausspionieren sollen. Wie ich noch in Römhild im Robotron schaffte, fuhr ich einmal in die Gärtnerei, um Grabschmuck zu kaufen, da kam mir einer entgegen, auf einmal drehte er um und fuhr mir nach und sprach mich in der Gärtnerei an. Für ihn gab es nur ein Thema – die Familie Blau – und darüber wollte ich nicht sprechen. Er fragte nach ihrem

Aufenthalt, denn er habe mit seiner Frau einen Besuchsschein nach dem Westen bekommen und wolle sie aufsuchen. Ich sagte, ich wisse nicht, wo sie sind, es gehe keine Post durch, bei der Bekannten seien sie nicht.

Die Verhöre im Westen

Die Grenzpolizei fuhr die Flüchtlinge nach Königshofen, wo sie etwa eine Stunde blieben. Sie wurden dann weiter nach Mellrichstadt zur Grenzpolizeiinspektion gefahren, wo sie bis 1/2 4 Uhr bleiben mussten. Auch der Sohn Daniel musste so lange aufbleiben. Sie wurden von einem Ermittlungsbeamten namens Detlev Deutsch verhört. Er holte dem Kleinen Bananen und etwas zu spielen. Die Flüchtlinge übernachteten dann in Eußenhausen, um 9 Uhr, am 7. Juni, wurden die Männer jedoch schon wieder zum Verhör abgeholt. Sie sollten die Grenzanlagen beschreiben, wurden über die ganze Gegend befragt. Wichtig waren vor allem die Abläufe, Wachwechsel usw. Peter wurde allein von Detlev Deutsch befragt, Thomas von einem anderen Polizisten. Das ging bis zum Nachmittag, nur durch ein gemeinsames Essen unterbrochen. Die Vernehmer waren alle in Zivil. Amerikaner oder auswärtige Vernehmer waren nicht dabei. Die Flüchtlinge hatten nicht das Gefühl, dass man ihnen nicht traute. Dann bekamen sie eine Fahrkarte nach Gießen. Das war das Allerekelhafteste, was Kerstin bisher überhaupt erlebt hatte. Das Lager war total überfüllt. Es war kurz vor den Wahlen in der DDR und da durften viele aus den Lagern und Zuchthäusern ausreisen. Es war schlimm, diese ausgemergelten Gesichter zu sehen. Die Flüchtlinge sollten erst im Flur schlafen, ein Horror. Überall gab es Schlangen, beim Essen, bei den Behörden, überall musste man 3 bis 4 Stunden anstehen und es gab an die 10 Behörden. Dann noch die Streitereien der offiziell Ausgereisten um ein Paar Turnschuhe oder einen Jogginganzug. Das Wochenende verbrachten Blaus zum Glück bei ihren Bekannten in Bad Nauheim. Bis Dienstag, 13. Juni, mussten sie in Gießen bleiben.

Beatrice und Thomas zogen zu Beatrices Bruder nach Stuttgart. Die Blaus zogen nach Würzburg zu Barbara, die damals im Westen geblieben war. Die Nummer hatte ihnen ihr Mann gegeben und sie hatten die Nummer auswendig gelernt. Blaus hatten Barbara von Gießen aus angerufen. Sie fiel aus allen Wolken. Zuerst wohnten Blaus bei Barbara in Würzburg. Sie hatte eine Wohnung von ihrem Cousin, der sich in England aufhielt. Dort wohnte Familie Blau ein Vierteljahr und fand dann eine Wohnung in Riedenheim. Peter bekam sofort Arbeit, da gab es keine Probleme, weil sie alle ihre Zeugnisse dabei hatten. Die Schreinerausbildung von Peter wurde anerkannt, Kerstins Betriebswirtsausbildung dagegen nicht. Sie konnte aber für ein Jahr eine Umschulung als EDV-Kaufmann machen und hatte anschließend einen guten Job, bis das 2. Kind kam. In Riedenheim fanden sie auch gleich einen Kindergartenplatz für Daniel und über Mittag fanden sie jemand, der ihn nahm.

Als die Wende war, fühlten sie sich in keiner Weise elend oder betrogen, weil ja nun ihre ganze Flucht eigentlich umsonst war. Im Gegenteil, sie freuten sich ungeheuer und haben es auch nie bereut. Durch das, was sie im Westen lernen mussten, um zu existieren, hatten sie einen Vorsprung, den sie auch heute noch besitzen. Für ihre 40.000 Ostmark hatten die Blaus bei der Bank nur wenig über 3.000 DM erhalten und dabei wurden noch alle Hunderter einzeln geprüft. Mit dem ersten Auto wurden sie übers Ohr gehauen, das alles waren Lehren. An Übergangsgeld erhielten sie nur etwa 400 DM.

Irgendwann einmal haben sie natürlich gemerkt, dass der Westen gar nicht so golden war, aber immer noch besser, als da, wo sie hergekommen waren. Wenn Peter die 5 Jahre betrachtet und sieht, was er sich geschaffen hat, dann weiß er, dass es sich gelohnt hat, sich zu schinden und nicht, wie drüben zwar Geld zu haben, aber dafür nichts zu bekommen und sich immer irgendwie betrogen vorzukommen. Man war doch nur geführt worden. Wichtig ist eben die persönliche Freiheit, obwohl auch hier manches Ärgernis ist, wie z. B. das Fehlen von Kindergartenplätzen, genauso wie in der DDR nicht alles schlecht war.[36]

Flucht mit dem Kehrfahrzeug – 24. Mai 1989

INFORMATION über einen vollendeten ungesetzlichen Grenzübertritt DDR - BRD im schweren Fall durch einen Bürger aus Meiningen[37]

Am 24. Mai 1989, um 8.40 Uhr, vollendete H. W., geb. am: 09.07.1926, Meiningen, Kraftfahrer im VEB Stadtwirtschaft Meiningen, verheiratet, 4 Kinder (27, 21, 19 und 16 Jahre), Mitglied des FDGB, der DSF und ZV, auf spektakuläre Weise unter Missbrauch seines dienstlichen Einsatzes mit einer Straßenkehrmaschine Typ W 50 im Bereich GÜST Meiningen den ungesetzlichen Grenzübertritt.

Die bisherigen Untersuchungen ergaben:

W. nahm am 24.05.1989 gegen 2.00 Uhr an seiner Arbeitsstelle seine berufliche Tätigkeit auf. Zur Realisierung seines Auftrags empfing er im Betrieb gegen Unterschrift seinen unter Verschluss aufbewahrten Passierschein und fuhr anschließend mit der Kehrmaschine zur GÜST Meiningen, an der er gegen 7.40 Uhr eintraf.

Die Reinigungsarbeiten im Bereich der GÜST führte W. seit 1981 insgesamt 21-mal durch.

Nach Eintreffen der avisierten Kehrmaschine wurde die Identitätskontrolle ordnungsgemäß durchgeführt und das Fahrzeug durch das Kontrollterritorium in den Grenzstreckenabschnitt geleitet. W. wurde durch den verantwortlichen Offizier der Grenztruppen der DDR entsprechend der Grenzordnung eingewiesen und belehrt. Gegen 8.30 Uhr wurde mit den Reinigungsarbeiten in dem 369 m langen Grenzabschnitt begonnen.

Bis zum unmittelbaren Grenzverlauf lief der verantwortliche Offizier der Grenztruppen, Major Huck, ständig vor dem Reinigungsfahrzeug, rechts von ihm ein zur Sicherung eingesetzter Grenzposten und neben dem Fahrzeug ein Zivilbeschäftigter der Grenztruppen der DDR.

Ca. 3,50 m vor dem unmittelbaren Grenzverlauf forderte Major Huck W. durch Handzeichen auf, das Fahrzeug zu stoppen und zu wenden. Dieser Anordnung wurde Folge geleistet. Bei der zweiten Annäherung an die Staatsgrenze beschleunigte W. ca. 1 m vor der Grenzlinie plötzlich das Fahrzeug, so dass der am Grenzverlauf zurückgebliebene Offizier zur Seite springen musste, um nicht überfahren zu werden, und fuhr in Richtung GKST Eußenhausen auf das BRD-Territorium. Dort wurde die Kehrmaschine abgestellt.

Bei der Untersuchung des Vorkommnisses wurden keine Verstöße gegen bestehende Befehle und Weisungen durch Angehörige der Grenztruppen der DDR und Mitarbeiter der Passkontrolleinheit Meiningen festgestellt.

Nach sofort eingeleiteten Maßnahmen zur Rückführung des Fahrzeuges erfolgte in der Zeit von 14.03 bis 14.13 Uhr durch den Polizeihauptkommissar Braun der Grenzpolizeiinspektion Mellrichstadt/BRD die Übergabe an die DDR.

Die kriminaltechnischen Untersuchungen des Fahrzeuges ergaben keine Hinweise auf weitere während des ungesetzlichen Grenzübertrittes DDR – BRD im Lkw versteckte Personen.

In einer dienstlichen Erklärung schrieb der Kommandant der GÜSt Meiningen, er habe die Arbeiten mit dem Leiter der PKE abgesprochen, die Reihenfolge der Arbeiten festgelegt und die Sicherung auf der Grundlage der DV 718/0/004 organisiert:

- im Raum der Sicherstellung durch PKE
- im Grenzstreckenabschnitt durch einen Posten der Grenztruppen unter Führung des Major Huck zwischen Arbeitsabschnitt und Staatsgrenze
- im Kontrollterritorium war die Sicherung durch PKE, GZA und einen Grenzposten der Grenztruppen von der alten Führungsstelle geplant.

Zur Person

W. ist seit 1953 in Meiningen wohnhaft, arbeitet seit 1968 im VEB Stadtwirtschaft Meiningen. In diesem Betrieb qualifizierte er sich zum Führen einer Straßenkehrmaschine.

Von seinen Arbeitsstellen wurde ihm eine gute fachliche Arbeit und hohe Einsatzbereitschaft auch außerhalb der normalen Arbeitszeit bescheinigt. Er erhielt mehrere Auszeichnungen und wurde als Bestarbeiter und Aktivist gewürdigt, nahm regelmäßig an gesellschaftlichen Veranstaltungen des VEB Stadtwirtschaft teil, betätigte sich aktiv im Rahmen der ZV und trat positiv mit Hinweisen an die DVP zur Erhöhung von Ordnung und Sicherheit in Erscheinung.

Stasi-Dokumentation: Pfeil 1 – Durchfahrt der Straßenkehrmaschine, Pfeil 2 – Wendestelle der Straßenkehrmaschine.

Übergabe der Kehrmaschine, mit der dem DDR-Bürger Wetzel 1989 die Flucht über den Grenzübergang Henneberg – Eußenhausen gelang.
Foto: Bayerische Grenzpolizei

Charakterlich wird er als ruhig und ausgeglichen eingeschätzt.

Er ist seit 1976 im Besitz eines dienstlichen Passierscheines zum Betreten des Sperrgebietes, der 1983 zum zeitweiligen Aufenthalt im Schutzstreifen an der Staatsgrenze DDR – BRD erweitert wurde. Die letzte Bestätigung erfolgte am 04.01.1989.

Seit 1973 reiste die Ehefrau insgesamt 11-mal im Rahmen von privaten Reisen zum Besuch bzw. zur Pflege ihrer Mutter in die BRD. Die letzte genehmigte Reise erfolgte für den Zeitraum vom 02. bis 14.05.1989 zum 50. Geburtstag ihrer Schwester, von der sie nicht fristgemäß zurückkehrte.

Am 12.05.1989 erhielt Helmut W. von seiner Ehefrau ein Telegramm mit dem Wortlaut:

„Kann nicht kommen, Mutti krank. Warte bitte Brief ab", worüber er am 16.05.1989 das VPKA Meiningen informierte. Am 19.05.1989 erfolgte zu diesem Sachverhalt seitens des Leiters der Abteilung Pass- und Meldewesen des VPKA Meiningen, Oberleutnant Makswitat eine Aussprache mit W., in deren Verlauf dieser mitteilte, am gleichen Tag einen Brief von seiner Ehefrau aus der BRD erhalten zu haben. Seine Frau hatte geschrieben, dass seine Frau wegen der erkrankten Mutter nicht zurückkommt. Ihr täte es leid, dass sie die Familie und vor allem ihren Mann im Stich lassen müsse, aber aufgrund des labilen Gesundheitszustands der Schwester müsse sie die Pflege der Mutter übernehmen.

Er sei über diesen Brief derart betroffen gewesen, dass er ihn sofort verbrannt habe. Ihm wurde in dieser Aussprache vorgeschlagen, sich unverzüglich postalisch an seine Ehefrau zu wenden, sie aufzufordern, in die DDR zurückzukehren, und ihr mitzuteilen, dass sie ein Mehrfachvisum für Reisen in die BRD zur Pflege ihrer erkrankten Mutter beantragen könne und dieses auch genehmigt werde.

W. versicherte, diese Vorschläge sofort verwirklichen zu wollen und einen entsprechenden Brief an seine Frau zu richten.

Wegen seines Auftretens und Verhaltens während der Aussprache sowie aufgrund seines Alters und seiner Gesamtpersönlichkeit sah sich das VPKA Meiningen nicht veranlasst, den Passierschein des W. einzuziehen. Lothar R., der Grenzoffizier der K., war über die Vorladung des W. informiert worden und zu Ende des Gesprächs anwesend. Auch er hatte sich aufgrund des Gesprächseindrucks dafür ausgesprochen, W. den Passierschein zum Befahren der GÜSt zu belassen.[38]

Durch übereinstimmende Aussagen der im Haushalt der Familie lebenden Kinder wurden die Angaben zum Inhalt dieses Briefes bestätigt. Darüber hinaus äußerten sie, dass ihre Mutter W. in diesem Brief auf die Möglichkeit verwiesen habe, dass die in der DDR verbliebenen Familienangehörigen in die BRD übersiedeln könnten. Daraufhin ließ sich ein Sohn am 21.05.1989 vom Rat des Kreises Meiningen, Abt. I/A, ein Antragsformular für ständige Ausreise aus der DDR aushändigen. Im Verhalten des Vaters wäre seit dieser Zeit eine gewisse Deprimiertheit erkennbar gewesen.

Gegen W. wurde durch Staatsanwalt Furch ein Ermittlungsverfahren gemäß § 213 Abs. 1 und 3 Ziff, 1 und 2 des StGB eingeleitet.[39] Das Kreisgericht Meiningen erließ einen Haftbefehl unter dem Aktenzeichen RS 26/89, weil W. bei der Überquerung der Staatsgrenze Leben und Gesundheit eines Sicherungspostens gefährdete.[40]

Am 28.06.1989 stellte Staatsanwalt Furch das Ermittlungsverfahren gegen W. vorläufig ein, da er sich außerhalb des Staatsgebiets aufhielt und eine Rückkehr nicht abzusehen war.

Trotz allem wurden durch das MfS auch Rückgewinnungsmaßnahmen geprüft.

Die Luft als Bundesgenosse – Durch die Lüfte in den Westen

Ballon eins – Blinder Alarm

W., ein parteiloser Tischler im VEB Südthüringer Möbelwerk Themar, BT Eisfeld, von 1/77 – 2/78 Grenzsoldat im Grenzregiment 9, verheiratet, 1 Kind, wohnhaft in Eisfeld, versetzte am 18.01.1989 die Staatssicherheit in helle Aufregung. Der Sohn hatte in der Schule damit angegeben, „dass er bald mit seinem Vater Ballon fliegen wird". Nachdem in der Vergangenheit einiges Spektakuläre vorgefallen war, traute man auch dem W. eine solche Tat zu, insbesondere, da ihm eine Westreise 1988 verwehrt worden war. Zur Erhärtung des Verdachts schickte man W. eine ganze Kolonne an IM auf die Haut.

FIM „Waltraud", FIM „Thomas", IM/GMS „Lutz Maier", „Markus Detmann", „Karl Brunner", „Birnstiel" sowie IMS „Horst Flieger" für den Arbeitsbereich Ballon – Flugzeug.

Die Berichte der IM zeigten bald, dass der Mann seinen Arbeitsaufgaben voll gerecht wurde, ein Eigenheim gebaut hatte, sich kaum politisch äußerte, die Familie sehr zurückgezogen lebte.

Am 29.03.1989 wurde unter Legende[41] in der POS „Artur Becker" ermittelt, wo der Sohn unterrichtet wurde. Dort stellte sich heraus, dass der Sohn sich gerne in den Mittelpunkt stellte, überheblich auftrat und gerne übertrieb.

Legendiert besichtigte GMS „K. Brunner" die Wohnung und die Garage des W., fand nur Holzbearbeitungsmaschinen, jedoch keinerlei Anzeichen eines Ballonbaus.

Darauf wurde die Volkspolizei informiert. Nachdem W. eine Privatreise nach Westdeutschland beantragt hatte, wurde eine Aussprache des Grenzoffiziers der Abt. K. und des Sachbearbeiters N. des MfS mit W. „organisiert".

Im Ergebnis wurde der Verdacht ausgeräumt, die Privatreise zum 75. Geburtstag des Onkels genehmigt. W. reiste aus und kehrte zum festgelegten Zeitpunkt wieder zurück.[42]

Ballonflucht 2 – im letzten Moment gescheitert

Am 6. September 1983 gegen 14 Uhr war der Volkspolizeimeister Weiß vom Volkspolizeikreisamt Sonneberg in seiner Freizeit auf Pilzsuche im

Raum Sonneberg. Seine Ausbeute war nicht gerade üppig und er war mit dem Ergebnis noch nicht zufrieden. Da fiel ihm noch ein Waldstück in Nähe der Gaststätte Blockhütte bei Neufang ein, das ihm als pilzreich bekannt war. Er ging, die Augen fest auf den Boden gerichtet, seines Weges und stutzte, als er plötzlich auf einer Waldlichtung Merkwürdiges entdeckte. Was sollte der Pkw Skoda-Oktavia Kombi in dieser gottverlassenen Gegend? Vorsichtig näherte er sich dem Fahrzeug, wobei ihm auffiel, dass neben diesem verschiedene Gepäckstücke lagen. Vollends war seine berufliche Neugier geweckt, als er drei schlafende Personen entdeckte. Er erkundete das Gelände vorsichtig weiter und fand, mit Reisig verdeckt, Propangasflaschen, Wolldecken und andere Gegenstände. Ihm schwante, dass die drei Personen gerade im Begriff waren, ebenso spektakulär zu flüchten, wie vor kurzem die Familien Strelzyk und Wetzel bei Naila.

Nun war Eile geboten – der Volkspolizist verständigte auf dem schnellsten Weg seine Kollegen im VPKA Sonneberg. Wenig später nahmen seine Kollegen die drei Personen fest und sicherten den Ereignisort für die Spurensicherung ab. Die drei, M., 30, Agrotechniker aus Hildburghausen, seine 21-jährige Ehefrau, Laborantin und ein 21-jähriger Zerspanungsfacharbeiter aus Leimrieth, hatten in der Nacht zwischen 3 Uhr und 6 Uhr erfolglos versucht, einen selbst gebastelten Ballon zu starten und mit ihm die DDR zu verlassen.

M. trug sich seit seinem Aufenthalt im Strafvollzug 1976 mit dem Gedanken, die DDR zu verlassen. Zusammen mit seinem Bekannten aus Leimrieth kam er Anfang 1982 zur Überzeugung, dass eine Flucht mit dem Ballon am wenigsten riskant war. Angeregt wurden sie dabei durch die „Flucht des Jahrzehnts", wie das Magazin „Stern" in der Bundesrepublik die Ballonflucht von Naila bezeichnete, und so beschlossen sie den gleichen gefahrvollen Weg. Sie sahen diese Fluchtmöglichkeit als wenig risikoreich und sicher an und wurden hierin vor allem durch den im ARD-Fernsehen gezeigten amerikanischen Spielfilm „Mit dem Wind nach Westen" bestärkt, der die Nailaer Flucht zum Inhalt hatte. Hierdurch seien sie zu der Auffassung gelangt, wie später in den Ermittlungsakten vermerkt ist, dass ein „Angriff auf die Staatsgrenze

mit einem selbst gebauten Heißluftballon" möglich sei.

Dazu entlieh sich M. seit Frühjahr 1982 Literatur über Luftballons aus der Stadt- und Kreisbibliothek Hildburghausen und betrieb im Sommer 1983 zielgerichtet Studien in der Deutschen Bibliothek in Leipzig. Er kam auf einen Bedarf von 600 m² Dederonstoff (Windblusenstoff), Stahlseile und ca. 8 Propangasflaschen. Die beiden Männer kauften nun ab Frühjahr 1983 in fast allen Bezirksstädten der DDR dunkelfarbigen Dederonstoff in kleinen und größeren Mengen für insgesamt 19.500 M. In einem gedeckten Gelände bei Leimrieth testeten sie einen Versuchsballon von 3 m Durchmesser. Euphorisch vom ausgezeichneten Ergebnis des Probelaufs wurde im Juli 1983 mit der Arbeit begonnen. Deshalb begannen die beiden mit der Herstellung des eigentlichen Ballons in der Wohnung von M. in Hildburghausen. Sie mussten 12 elliptische Segmente herstellen, von denen eines 25 m lang und bis zu 4 m breit war. Damit wurde ein Ballonumfang von 50 m erreicht. Doch der gekaufte Windblusenstoff reichte bei weitem nicht aus. Deshalb entschloss sich M., den restlichen Stoff bei der Herstellerfirma, VEB Greika Greiz, zu entwenden, denn weitere Käufe wären aufgefallen. So sprach M. seinen Freund P. an, einen 30-jährigen Facharbeiter im VEB Schrauben- und Normteilewerk Hildburghausen, der ebenfalls in Hildburghausen wohnhaft war. M. hatte mit dem Mann verschiedene Einbrüche verübt und ihm gestohlene Gegenstände verkauft. Die gemeinsame Vergangenheit hatte ein Vertrauensverhältnis aufgebaut, so dass er dem P. ohne weiteres seine Fluchtabsichten anvertrauen konnte. P. lehnte zwar eine Beteiligung an der Flucht ab, weil er seine Freundin nicht verlassen wollte, er war aber sofort bereit, mitzuhelfen. So fuhr er M. mit seinem Auto nach Greiz, wo dieser 1.266 m² Anorakstoff im Wert von 36.400 Mark entwendete. P. übernahm auch die Fertigung der Gondel und des Brenners. Er stellte im Juli/August in einem Zimmer seiner Wohnung die Ballongondel her. Unter dem Vorwand, eine Gartenschaukel bauen zu wollen, ließ er dazu von seinem Bruder einen Metallrahmen zusammenschweißen, der eine Grundplatte aus einer Sprelacartplatte 110 x 104 cm trug und von einem Geländer in 90 cm Höhe umfangen war. Den Brenner ließ er aus einem Kupferrohr und einer Spirale mit

o.: Der Startplatz bei Sonneberg-Neufang.
m.: Die Ballonhülle füllt sich.
u.: Der recht professionell aussehende Ballonkorb mit dem Brenner.

o.: M. und sein Helfer beim Nähen der Ballonhülle.
m.: Bei der Arbeit am Ballon, vorne der Ventilator, der zum Lüfter umgebaut wurde.
u.: Frau M. beim Nähen der Ballonhülle.

5 Windungen ebenfalls vom Bruder herstellen unter dem Vorwand, ein Heizgerät zum Verformen von Plaste zu benötigen. Für den Lüfter entwendete M. in der LPG Pfersdorf einen Ventilator, den er mit einem Scheibenwischermotor in Gang brachte. Begünstigt wurde das Vorhaben durch die Tatsache, dass der Einbruch in die Stofffabrik zwar bemerkt wurde, die Verantwortlichen jedoch nicht feststellen konnten, was gestohlen wurde und deshalb keine Anzeige erstatteten. Ebenso bemerkte zwar die LPG Pfersdorf, dass sich jemand auf dem LPG-Gelände aufgehalten hatte, nicht jedoch, dass etwas abhanden gekommen war. Deshalb unterblieben auch dort intensive Nachforschungen.

Die DDR-Staatssicherheit dokumentierte die gescheiterte Flucht.
Foto: BStU

Der Fortschritt in der Arbeit überzeugte auch die lange skeptische Frau von M., die an der Fertigstellung des Ballons mithalf.

M. selbst ging bereits seit einiger Zeit keiner Arbeit mehr nach. Er arbeitete nur noch an der Ballonhülle, die die ganze Wohnung in Beschlag nahm. Deshalb musste er sich in Acht nehmen, dass niemand die Wohnung betrat. M. wohnte in einer abseits gelegenen Wohnung in einem LPG-Gelände. Das hatte den Vorteil, dass er von seinem Arbeitsplatz in der Küche den ganzen LPG-Hof überblicken und Besucher vor der Haustür abfangen konnte.

So erblickte er den ABV, wie er auf das Haus zustrebte, ging wie zufällig hinaus und verhinderte so dessen Eintreten. Der ABV hatte über die Aufnahme eines Arbeitsverhältnisses reden wollen.

Nicht verhindern konnte er jedoch, dass ein 62-jähriger Bekannter in die Wohnung kam und die Unmengen Stoff erblickte. Dieser zweifelte zwar, dass alles mit rechten Dingen zugehe, meinte aber dann, es sei nicht seine Sache, solche Sachen aufzuklären.

Auch ein Bekannter, von dem er eine elektrische Nähmaschine auslieh, um, wie er sagte, Segel für Surfbretter herzustellen, wurde argwöhnisch. „Du wirst doch nicht gar einen Ballon bauen wollen?", sprach er M. direkt an. Doch der widersprach heftig. Er habe einen größeren Auftrag für Segel.

Der Bekannte unterhielt sich mit seinem Schwiegervater über die Angelegenheit, doch der winkte ab. Er hielt es für unmöglich, einen Ballon herzustellen. So konnten die zukünftigen Ballonfahrer ungestört weiterarbeiten. Sie schwelgten schon in Zukunftsträumen. Die spektakuläre Flucht sollte sich im Westen richtig bezahlt machen. Dazu fertigten die drei von ihren Arbeiten Farbfotos, die sie teuer an die Westpresse zu veräußern gedachten.

Obwohl die Mithelfer immer wieder betonten, sie wollten nach ihrer Flucht nicht als Kriminelle dastehen, hielt dies M. nicht davon ab, immer wieder Einbrüche zu begehen.

So brach er im Mai 1981 in das Intershopgeschäft Wittenberg ein und entwendete Waren im Wert von

3.560 Valutenmark. Im Januar und Dezember 82 erbeutete er in der Intershop-Verkaufsstelle Erfurt Waren im Wert von 6.200 VM, im Februar 83 betrug die Beute aus einem Einbruch ins Intershopgeschäft des Interhotels „Thüringen Tourist" in Suhl 2.800 VM. Seit Juni 1982 suchte er auch die Station „Junge Techniker" in Hildburghausen, die VEB Sportschuhfabrik Ilmia Stadtilm und die LPG Pferdsdorf heim, wo er Waren im Wert von 2.000 Mark erbeutete. 4.000 Mark war der Wert der Beute aus zwei Einbrüchen im VEB Lederwerk Weida Leder im Juni und Juli 1982.

Bei einem seiner Beutezüge verursachte M. bei Gotha einen Verkehrsunfall, fuhr sein Auto zu Schrott. Darauf wurde ihm die Fahrerlaubnis entzogen.

Jetzt wurde es nötig, ein neues Fahrzeug zu beschaffen. Speziell für den Transport des Ballons nach Sonneberg-Neufang kaufte M. einen Pkw-Kombi in Leipzig.

Um die Gondel am Ballon zu befestigen, fassten die drei 6 Stahlseile mit Teppichband ein und nähten sie dann in jedes Segment des Ballons ein. Die Stahlseile stammten aus der Seilerei in Hildburghausen, wo sie mit der stichhaltigen Begründung erworben wurden, man brauche Seile für die Herstellung einer Gartenschaukel.

Nun fehlten noch die Propangasflaschen. Dazu brach M. am 03.09.1983 in die Flüssiggasabfüllerei Eisfeld ein und entwendete dort 6 Propangasflaschen.

Als Startplatz hatten die Ballonfahrer eine Waldlichtung nördlich von Sonneberg-Neufang ausgekundschaftet.

Dieser Startplatz entsprach ihren Anforderungen, die da lauteten:

Erreichbarkeit mit einem Kfz, um den Antransport des Ballons mit Zubehör zu erleichtern;

Vorhandensein einer Waldlichtung für das Auslegen des Ballons;

Nichtvorhandensein natürlicher Hindernisse, wie Freileitungen usw.;

Keine Ortschaften und belebtes Gelände in unmittelbarer Nähe, um ein Feststellen der Brennergeräusche oder der Lichterscheinungen bzw. ein Entdecken des aufsteigenden Ballons zu vermeiden;

Sicherheit vor Grenzsicherungskräften, so dass der Startplatz nicht im Grenzgebiet liegen durfte;

3 mögliche Windrichtungen, die entsprechend des vorhandenen Grenzverlaufs den Start und das Überwinden der Staatsgrenze ermöglichten.

Diesen von den Fluchtwilligen an den Startplatz gestellten Anforderungen entsprachen ein Müllabladeplatz zwischen Leimrieth und Bedheim sowie das Gebiet zwischen Harras und Eisfeld, die als mögliche Starplätze in Betracht gezogen worden waren, nicht. Ein Gebiet bei Heldburg wurde als Startplatz verworfen, da es sich im Grenzsperrgebiet befand.

Der Platz war 4,5 km von der Grenze entfernt und lag nicht im Sperrgebiet. Bei einem Startplatz in der Nähe von Hildburghausen hatten sie Angst vor der Radarstation auf dem Stadtberg Hildburghausen. Außerdem konnte in Neufang der Wind von Nordosten bis Südwesten blasen, immer würde er sie in die Bundesrepublik tragen.

Am 5. September beluden sie den Pkw und stellten ihn um 6 Uhr nahe der Wohnung von Frau M. ab. Diese fuhr in der Nacht den Pkw nach Neufang zum Startplatz, während die beiden Männer mit einem ausgeborgten Motorrad folgten. Sie kamen auch unbemerkt an den vorgesehenen Startplatz. Doch in der Dunkelheit war es unmöglich, den Ballon so schnell zusammenzubauen und in die Luft zu bringen. So beschlossen sie, ihre Sachen wieder zusammenzupacken, den Tag zu verschlafen und in der nächsten Nacht erneut die Ballonfahrt durchzuführen. Der eifrige Pilzsucher, der sicherlich mit Ehrungen überhäuft wurde, kam ihnen jedoch zuvor.

Die Abteilung XX des MfS schlug nun vor, die Verhandlung vor dem Bezirksgericht Suhl in Meiningen vor geladener Öffentlichkeit ablaufen zu lassen. Dazu waren folgende Personen vorgesehen: mittlere leitende Kader und operative Mitarbeiter der Abt. VII, Ref. Grenzsicherung, Abt. VIII, VI, III, AGL, AG 22, Leiter der Kreisdienststellen und 3 Genossen der HA I, 5 verantwortliche Offiziere der Grenztruppen, 8 Angehörige der DVP der Arbeitsrichtungen I und II der BDVP Suhl, 6 Gruppenpostenleiter der VP aus dem Grenzgebiet des Bezirks Suhl, 10 zuverlässige freiwillige Helfer der VP und der Grenztruppen.

In einer dreitägigen Hauptverhandlung am 07., 08. und 11.05.1984 wurden unter dem Vorsitz von Oberrichter Strozynski folgende Urteile gesprochen.

M. erhielt eine Freiheitsstrafe von 10 Jahren, N. N. aus Leimrieth erhielt eine Freiheitsstrafe von 4 Jahren, Frau M. erhielt eine Freiheitsstrafe von 3 Jahren, P. erhielt eine Freiheitsstrafe von 6 Jahren[43]

Die Grenztruppen meldeten:

Im Waldgebiet südostwärts des Schönberges, Richtung Wölfeinsthal bei Sonneberg, wurden durch die DVP gegen 14.40 Uhr der Versandarbeiter T., 29, die Laborantin T., 20, beide aus Hildburghausen, und der 20-jährige M. aus Leimrieth, Kreis Hildburghausen, festgenommen. Die Täter trafen seit 1982 systematische Vorbereitungen, um mit einem Heißluftballon in die Bundesrepublik zu gelangen. Am Tatort wurden ein Ballon, ein Korb und drei Gasflaschen sichergestellt. T. war verheiratet und vorbestraft. M. war ohne Arbeit und mehrfach vorbestraft.[44]

Die Geschichte einer gelungenen Ballonflucht – Mit dem Wind nach Westen – Der lange Arm der DDR-Staatssicherheit

In der Nacht des 16. September 1979 stiegen die Ehepaare Strelzyk und Wetzel mit ihren jeweils zwei Kindern in Thüringen in die Gondel eines selbst gebauten Heißluftballons. Die Luftreise führte sie nur einige Kilometer nach Westen, aber in eine andere Welt. Nach der glücklichen Landung im bayerischen Naila sollte sich für die beiden jungen Familien mehr als nur der Wohnort verändert haben. Die spektakuläre Flucht aus der DDR sicherte ihnen nicht nur im Westen, sondern auch im Osten große Aufmerksamkeit. Bevor sich die Strelzyks auch nur halbwegs in ihrer neuen Heimat eingelebt hatten, waren ihnen schon die Mitarbeiter der DDR-Staatssicherheit auf den Fersen. Fortan blieb kein Schritt der Familie unbeobachtet. Als Doris und Peter Strelzyk zudem im Westen Menschenrechtsverletzungen in der DDR anprangerten, wurden sie zu Staatsfeinden, die die Stasi nach allen Regeln der geheimdienstlichen Kunst bespitzelte (die Akten über sie wiegen mehr als 25 kg) mit dem Ziel, ihre Existenz zu vernichten.

Der Auslöser für die spektakuläre Flucht der beiden Familien lag schon einige Jahre zurück. Es war die Niederschlagung des Prager Frühlings 1968, die viele Menschen in der DDR nachhaltig schockierte. Zudem wurde Doris Strelzyks gerade einmal 15-jähriger Bruder Kurt wegen versuchter Republikflucht – er wollte über die tschechoslowakische Grenze nach Bayern gelangen – zu einer zwanzigmonatigen Haftstrafe ohne Bewährung verurteilt.

Irgendwann im März 1978 unterhielten sich Günter Wetzel und Horst Strelzyk über Fluchtmöglichkeiten. Sie waren sich schnell einig, dass wegen der Grenzsperranlagen nur der Luftweg in Frage kommt und kamen auf den Gedanken, einen Heißluftballon zu bauen. Strelzyk, der während seiner Militärzeit bei der NVA als Flugzeugmechaniker ausgebildet worden war, errechnete: Für acht zu transportierende Personen müsste der Ballon ein Volumen von 2.800 m³ haben, wofür 850 m² Stoff erforderlich seien. Zudem müsse im Balloninneren eine Temperatur herrschen, die mindestens 80 Grad über der Außentemperatur liege.

Die Umsetzung des Projektes war unendlich kompliziert, schließlich herrschte in der DDR Mangelwirtschaft. Petra Wetzel und Doris Strelzyk nähten im Hausflur 48 Stoffbahnen zu einer riesigen Ballonhülle zusammen. Im September 1978 war die Ballonausrüstung vollständig. Die Zeit der Erprobung war vor allem auch eine Zeit der Rückschläge. Schließlich plagten die Wetzels Zweifel am Gelingen des Vorhabens und sie stiegen aus. Doch die Strelzyks ließen sich nicht entmutigen. Mitte Mai 1979 folgte auf einer Waldwiese bei Neuenbeuthen ein neuerlicher Ballontest, der endlich gelang.

Jetzt wartete die Familie auf den richtigen Wind. Sie benötigten Nordwind. Aus dieser Richtung weht der Wind aber nur selten, und so war man jeden Abend nach dem Hören des Segelflugwetterberichts in Bayern 3 enttäuscht. Der ganze Juni verging ohne geeignetes Flugwetter. Doch am 3. Juli 1979 war der große Tag gekommen. Gegen 1 Uhr nachts erreichten sie den Startplatz zwischen Wurzbach und Lobenstein, etwa 12 km von der Grenze entfernt.

Im Nu war der Ballon zusammengebaut. Jeder Handgriff saß. Mächtig erhob sich die Ballonhülle schließlich in den dunklen Nachthimmel. Nach etwa 25 Minuten erreichte der Ballon eine Höhe von etwa 1.900 m. Plötzlich wurde es dunkel. Der Ballon war in die Wolkendecke eingetaucht und saugte sich mit Wasser voll. Das Gewicht stieg, und der Ballon sank. Er verlor schnell an Höhe. Die Lichter von Häusern waren schon zu sehen und die

Brennerflamme wurde immer kleiner, da der Gasvorrat zur Neige ging. Schließlich setzte die Gondel nach 34 Minuten Luftfahrt hart auf dem Waldboden auf. Die Ungewissheit war groß. Zum Entsetzen der Familie Strelzyk stellte sich heraus, dass sie mitten im Sperrgebiet gelandet waren. Die Familie irrte durch die Nacht – und fand nach etwa 8 km zum Startplatz zurück. Hier verwischten sie fein säuberlich ihre Spuren.

Erschöpft und enttäuscht – aber unentdeckt kehrten die Strelzyks wieder nach Hause zurück. Schnell waren sie sich einig, es noch einmal zu versuchen. Wieder mit einem Heißluftballon.

Der Fahndungsapparat in der DDR lief auf Hochtouren. So wurden nicht weniger als 800.000 Arztrezepte von der Stasi erfasst, weil Medikamente im Ballon, den 17 Tage nach dem Absturz ein Kollektivjäger entdeckte, gefunden wurden. Die Strelzyks konnten versichert sein, dass Volkspolizei und Stasi nicht eher ruhen würden, bis sie gefasst waren.

Jetzt konnte auch wieder die Familie Wetzel für den neuerlichen Fluchtplan gewonnen werden. Am 14. August 1979 lief eine öffentliche Fahndung gegen die unbekannten Republikflüchtlinge. Im Ballon zurückgelassene Gegenstände waren in allen Zeitungen abgebildet. Nun galt es für die Familien Strelzyk und Wetzel, sich erst recht zu beeilen. Sie schätzten ihre Chancen selbst auf nur 1 : 99!

Der 15. September 1979 war unerträglich schwül, ein Gewitter braute sich zusammen. Die letzten Bahnen des Ballons wurden genäht. Dann musste die riesige Ballonhülle umgedreht werden. Der Stoffberg wog immerhin 175 kg. Das Gewitter zog ab und es herrschte ideales Flugwetter. Ohne zu zögern, wurde mit den Flugvorbereitungen begonnen.

Die Wetzels und Strelzyks fuhren zu einer Wiese zwischen Unterlemnitz und Heinersdorf, dicht an der Bahnlinie Lobenstein – Triptis. Um 01.30 Uhr begannen sie mit dem Aufbau des Ballons. Und nach einigen kleineren Pannen hob sich das Ungetüm in den klaren Nachthimmel. Plötzlich fing ein Stück Stoff Feuer, weil durch die Schräglage beim Start der Brenner zu nahe an die Hülle gekommen war. Wetzel erstickte mit einem Feuerlöscher die Flammen, sonst wären sie unweigerlich abgestürzt.

Der Ballon stieg ohne Probleme bis auf 2.500 m Höhe. Das Gas ging zur Neige, die Gondel schwebte langsam zur Erde zurück und setzte hart auf. Die beiden Männer liefen etwa 400 m bis zur nächsten Straße und sahen ein Auto ankommen. Sie versteckten sich.

„Das sind doch westdeutsche Polizisten!", rief Günter Wetzel laut. Sie liefen zum Polizeiauto, rissen die Tür auf und fragten die Beamten Hamann und Gölkel: „Sind wir hier im Westen?" „Nein", antwortet der eine verblüfft, „in Oberfranken." Sie hatten es geschafft.

Die Ballonflucht wurde im Westen schon einige Zeit vor der Landung bemerkt. Die Polizisten hatten gegen 02.40 Uhr einen hellen Feuerschein am Himmel gesehen. Später meldete eine Frau aus Naila die Landung eines Flugkörpers bei der Ortschaft Finkenflug. Und auch in der DDR wurde der Ballon bemerkt. Um 02.50 Uhr meldeten Grenzsoldaten „.... einen Ballonflugkörper in beträchtlicher Höhe festgestellt, welcher sich mit langsamer Fluggeschwindigkeit in Richtung Staatsgrenze bewegt." Schon kurz nach ihrer gelungenen Flucht wurden IM der Staatssicherheit auf die Geflüchteten angesetzt. Als besonders aktiv erwies sich der in Naila lebende IM „H. Schneider". Er sorgte dafür, dass schon in der Nacht zum 17. September Flugblätter in die Briefkästen von Naila gesteckt wurden, in denen er gegen die Flüchtlinge agitierte: „Die haben das Leben ihrer Kinder auf's Spiel gesetzt. Es kann sich nur um Verbrecher handeln!"

Am 18. September 1979 bestellte Stasi-Chef Erich Mielke die Chefs der Bezirksverwaltungen von Gera, Erfurt und Suhl ein und beschimpfte sie in seiner berüchtigt cholerischen Art mit den Worten „Vaterlandsverräter", „Hurensöhne" und „elende Versager". Er drohte gar, die Bezirksfürsten an die Wand zu stellen. Der Stachel saß offensichtlich ungeheuer tief. Erich Mielke kündigte an: „Wir müssen den Strelzyk in der BRD weich machen!"

Die Angehörigen der Geflüchteten wurden in der DDR in eine Art Sippenhaft genommen und zu mehrjährigen Haftstrafen verurteilt, obwohl sie völlig unschuldig waren.

Die abenteuerliche Flucht löste weltweit eine ungeheure Resonanz aus. Ja, eine amerikanische Filmfirma produzierte gar einen Spielfilm darüber. Er wurde in der Bundesrepublik Deutschland ab 1982 im Kino unter dem Titel „Mit dem Wind nach Westen" gezeigt.

In den zehn Jahren bis zur Friedlichen Revolution in der DDR wurde den Strelzyks von der Stasi übel mitgespielt. Über Jahre hinweg gab es Drohungen am Telefon und im Briefkasten, Spitzel im Gästebett und bei der Arbeit, ein Sprengstoffanschlag, zerschlagene Fensterscheiben, Ränke und Heimtücke. Nachdem die deutsche Teilung endlich überwunden ist und sie wieder in ihrer alten thüringischen Heimatstadt Pößneck leben, entschlossen sich Doris und Peter Strelzyk, ein Buch zu schreiben, in dem sie ihren und den Leidensweg ihrer Angehörigen und Freunde ausführlich schildern. Das Buch trägt den Titel „Schicksal Ballonflucht – Der lange Arm der Stasi".

In einem Vorwort heißt es: „Doris und Peter Strelzyk haben erlebt, wie groß die Entfernung zwischen Deutschland und Deutschland, DDR und Bundesrepublik tatsächlich war. Sie haben die brutale Härte eines Systems am eigenen Leib auch dann noch erfahren, als sie meinten, es längst glücklich hinter sich gebracht zu haben!"[45]

Flucht mit Flugzeugen

GA 54, Raum Ludwigsstadt

2 Fluchten mit Agrarflugzeugen innerhalb sieben Jahren:

Eine 4-köpfige Familie flüchtete am 24.08.1979 in einem gestohlenen einmotorigen DDR-Sportflugzeug, Hochdecker, Typ „Wilga" (polnisches Fabrikat). Der Vater besaß nur einen Segelflugschein, ein US-Hubschrauberpilot war bei der Landung durch Einweisung über Funk behilflich.

Am 18.08.1987 flüchtete ein Ehepaar mit zwei Kindern in einem einmotorigen DDR-Agrarflugzeug, Tiefdecker, Typ Z-37, der Vater war Berufspilot in einem DDR-Agrar-Chemischen Flugzentrum und im Raum S F90 zum Sprüheinsatz eingesetzt. Er nahm seine Familie an einem vorher verabredeten Landeplatz bei der Zwischenlandung auf und flog nördlich Ludwigsstadt in das Bundesgebiet ein. Die Maschine wurde am 20.08.1987 an die DDR übergeben.[46]

Im Juni 1989 erhielt das Kommando der Grenztruppen die folgende Meldung:

Am 21.6.89, zwischen 16.45 Uhr und 17.22 Uhr, wurde eine Luftraumverletzung durch ein einmotoriges Flugzeug Typ Cessna ab Hellingen, Kreis Hildburghausen, bis Hoerschel bei Bad Hersfeld festgestellt. Das Flugzeug flog in einer Höhe von 1,5 km und wurde durch 2 Hubschrauber verfolgt. Der Ausflug aus dem DDR-Territorium erfolgte 1.200 m nordwestlich Wartha, Kreis Eisenach.[47] Über diesen Vorfall wurde bisher nichts weiter bekannt.

Ein Fluchtfall besonderer Art – der Fall Rauschenbach

Am 2.6.1981, 13.15 Uhr, wurde der HA I des MfS bekannt, daß der Bürger der DDR Rauschenbach, Klaus, geb. am 13.1.1942 in Altenburg, wohnhaft gewesen in 6200 Bad Salzungen, Str. des 7. Okt. 3, Bez. Suhl, Regimentskommandeur des Grenzregiment 3 Dermbach der Grenztruppen der DDR, Dienstgrad Oberstleutnant gegen 14.00 Uhr fahnenflüchtig wurde. Er durchbrach im Schutzabschnitt 3/VII, 1.200 m ostwärts der Ortschaft Walkes, Kreis Bad Salzungen, die Staatsgrenze DDR - Bundesrepublik unverletzt. R. war seit dem 13.10.60 bei den bewaffneten Organen beschäftigt. Die Untersuchung der Fahnenflucht wurde seitens der Grenztruppen durch eine Kommission unter Leitung des Stellvertreters des Ministers und Chef der Grenztruppen geführt.

Die Westpresse meldete den weiteren Fortgang:

Oberstleutnant Rauschenbach, der Kommandeur des DDR-Grenztruppenregiments Florian Geyer in Dermbach, wechselte am 2. Juni bei einer Grenzinspektion in die Bundesrepublik über und ging am 4. Juni freiwillig in die DDR zurück. Dies bestätigte Regierungssprecher Lothar Rühl vor der Presse in Bonn. Vor seiner Rückkehr habe ein Angehöriger der Ständigen DDR-Vertretung in Bonn in Begleitung von dessen Frau dem Volksarmeeoffizier Straffreiheit zugesichert. Rauschenbach befindet sich jetzt zu Hause in Freiheit. Rühl schilderte den Vorgang so: Rauschenbach sei am 2. Juni in voller Uniform über die Grenze gewechselt und dort zunächst von einer Streife des BGS aufgenommen worden. Der Offizier habe unter „starker nervlicher Belastung" gestanden und sei zuvor auch an seinem Heimatort zur Untersuchung in einer Nervenklinik gewesen[48].

Rauschenbach wurde später in seiner Heimatstadt Leipzig Chef der GST (Gesellschaft für Sport und Technik).

Das MfS verbreitete folgende Einschätzung des Vorfalls:

```
Rauschenbach hatte am 2. 6. 81 gegen
14.00 im Sicherungsabschnitt Geisa, Bez.
Suhl die Grenzsicherungsanlagen über-
wunden und war nach der BRD gelangt.
Fachärztlich wurde inzwischen festge-
stellt, daß diese Handlung durch eine
abnorme Erlebnisreaktion auf der Basis
einer chronischen Überforderungsituation
ausgelöst wurde und die psychische Ver-
fassung als krankwertig und behandlungs-
bedürftig einzuschätzen ist.
```

Über seinen Aufenthalt in der Bundesrepublik erzählte Rauschenbach nach seiner Rückkehr der HA I Folgendes (auszugsweise):

Er hatte sich nach Erreichen westdeutschen Gebietes in die nächstgelegene Ortschaft Habel begeben. Durch Zivilpersonen erfolgte die telefonische Information des Grenzzolldienstes über das Erscheinen des uniformierten Rauschenbach und anschließend mittels Pkw des Grenzzolldienstes die Zuführung zur Zolldienststelle in Tann. Zu diesem Zeitpunkt wurde Rauschenbach die mitgeführte Dienstpistole sowie alle Unterlagen abgenommen. Es wurden Fragen gestellt, ob er im Auftrag der Sicherheitsorgane der DDR nach der BRD gekommen sei. Während der folgenden Unterbringung in der Grenzzolldienststelle setzte die durchgängig beibehaltene Absicherung ein, indem ständig mindestens eine Person bei Rauschenbach war. Beim Grenzzolldienst wurde das später beim Bundesgrenzschutz fortgeführte besondere Interesse für die inhaltlichen Belange der Schusswaffengebrauchsbestimmung der Grenztruppen der DDR spürbar, wobei von der BRD-Seite ausschließlich vom Schießbefehl gesprochen wurde.

Noch in den Nachmittagsstunden des gleichen Tages wurde Rauschenbach vom BGS übernommen. Mittels eines Hubschraubers, in dem sich ein Brigadegeneral, zwei Offiziere und zwei weitere Angehörige des BGS befanden, wurde Rauschenbach von Tann aus zur Staatsgrenze geflogen, wo er die Stelle seines Grenzübertritts zu zeigen hatte. Der Hubschrauberflug wurde durch Angaben von DDR-Grenzposten bestätigt.

Anschließend wurde R. gegen 17.00 nach Fulda zu einer dort gelegenen BGS-Kaserne geflogen und in einem Klubraum untergebracht.

In Folgendem aufgekommene Suizidabsichten konnte Rauschenbach nicht verwirklichen, da er selbst bei Benutzung der Toilette und einer Dusche unter Aufsicht war. Die sich auf wenige Belange wie der Bestätigung der Namen der Kompaniechefs der Grenzkompanien des Grenzregiments sowie einer Begrenzung des Sicherungsabschnitts des GR 3 beziehende Befragung wurde verbunden mit der erneuten Fragen nach Aufträgen durch die Staatssicherheitsorgane der DDR verknüpft mit Zweifeln an der Lauterkeit seiner Person in der Form, dass es nicht denkbar wäre, dass ein Offizier bei der Fahnenflucht keine Geheimdokumente bei sich habe. Darüber hinaus wurde ihm angekündigt, dass er nach Gießen ins Notaufnahmelager käme und er eine harte Zeit durchmachen würde, wobei Befragungen durch amerikanische Dienststellen und die Bundeswehr in Aussicht gestellt wurden.

Um 0.15 Uhr des 03.06.1981 wurde Rauschenbach nach vorheriger Einkleidung mit Zivilsachen durch zwei männliche Personen übernommen. Diese stellten sich unter dem Namen „Reinhold" und „Günther" vor. Sie erklärten, dass sie vom Nachrichtendienst BND kämen und aus Gründen der Sicherheit die Überführung des Rauschenbach nach München erfolgen würde, um ihn dem Zugriffsbereich der DDR zu entziehen. Die anschließende Fahrt mit Pkw nach München erfolgte mit Geschwindigkeiten bis 180 km/h in Begleitung von 3 Sicherungsfahrzeugen, die untereinander in Sprechfunkverbindung standen. Nach einer der Desorientierung dienenden Fahrt durch eine Reihe von Haupt- und Nebenstraßen in München erfolgte gegen 5.30 Uhr die Ankunft in einem nicht lagemäßig bekannten Appartementhaus. „Reinhold" begab sich zunächst allein in das Gebäude und holte nach 10 Minuten Rauschenbach und „Günther" nach. Mittels Fahrstuhl bis zur 4. Etage wurde eine Wohnung erreicht, an deren Klingel Rauschenbach den Namen P. Walter las. „Reinhold" erklärte, Rauschenbach solle die Wohnung als die seinige betrachten, da er für mehrere Tage Gast sei und in der Zeit keine Befragungen stattfinden würden, damit R. innerlich zur Ruhe komme.

Weiter wurde ihm erklärt, dass der BND wiederum aus Sicherheitsgründen dem R. den Aufenthalt im Notaufnahmelager Gießen ersparen wolle, dass aber von dort ein Mitarbeiter käme und einschließlich der Ausstellung eines Personaldokuments alle Formalitäten erledigen würde. Im Folgenden kam eine 50- bis 55-jährige männliche Person mit dem Namen „Kurt" hinzu und gab an, dass die Wohnung seine Zweitwohnung sei und dass er für Rauschenbach als Betreuer fungiere. Von ihm und weiteren vier Sicherungskräften wurde Rauschenbach am Vormittag im Rahmen einer Stadtbesichtigung in ein Textilkaufhaus gebracht, dessen Lage und Bezeichnung nicht bekannt ist. Dort erfolgte gegen Quittung die Einkleidung Rauschenbachs mit Zivilkleidung auf Kosten des BND. Weiterhin wurde er aufgefordert, sich die nächsten Tage einen Bart wachsen zu lassen, um sein Äußeres zu verändern. Es wurde für die bevorstehenden Pfingstfeiertage eine Autotour in das Bayerische Hochland angekündigt. Gesprächsweise wurde Rauschenbach durch die BND-Mitarbeiter, wie schon durch den BGS zu verstehen gegeben, dass die nächste Zeit für ihn hart würde. Im Zusammenhang damit wurde erneut die Frage gestellt, weshalb er keine Geheimdokumente in die BRD gebracht habe und es wurde vermutet, dass er solche bereits dem BGS übergeben oder sie in Grenznähe versteckt habe. Gegen 21 Uhr des 03.06.1981 traf eine männliche Person in der Wohnung ein und stellte sich mit dem Namen Bergmann vor. Er teilte Rauschenbach mit, dass seitens der DDR-Regierung auf diplomatischem Weg die Bitte geäußert worden sei, dass ein Regierungsvertreter und ein Rechtsanwalt eine Gegenüberstellung mit ihm durchführen wollen.

Bergmann versuchte Rauschenbach zu bewegen, diese Gegenüberstellung abzulehnen, indem er riet, nicht darauf einzugehen und dass es für die BRD-Seite ein Leichtes sei, auf diplomatischem Weg der DDR mitzuteilen, die Bereitschaft Rauschenbachs läge nicht vor. Doch dieser bestand auf einem Treffen mit dem DDR-Vertreter und mit seiner Ehefrau. Darauf versuchte am nächsten Morgen „Reinhold" erneut, ihn von dem Treffen abzubringen. Dabei gebrauchte der BND-Mitarbeiter Argumente wie, dass seine Ehefrau sich von ihm lossagen wird, dass er mindestens 15 bis 20 Jahre Gefängnis zu erwarten habe und dass ihm danach nur wenige beruflichen Möglichkeiten freiständen. Das Regime in der DDR würde ihm keine Ruhe geben und er würde seines Lebens in der DDR nicht mehr froh. Im Verlauf des Tages wurde er außerdem ständig animiert, alkoholische Getränke zu sich zu nehmen, was er jedoch weitgehend ablehnte, um nicht aus Trunkenheit unbedachte Handlungen durchzuführen. Schließlich wurde er am 04.06.1981 nach der gegen 15.00 Uhr telefonisch erhaltenen Mitteilung, das Zusammentreffen würde in Bonn stattfinden, durch „Reinhold" mittels Pkw zu einer nicht näher bekannten Dienststelle und danach zum Polizeipräsidium in München gebracht. Dort erhielt er zunächst Gelegenheit, allein mit seiner Ehefrau zu sprechen, gegenüber der er sofort seine Rückkehrabsichten in die DDR erklärte. Danach kam er mit dem sich mit dem Namen Hirt vorstellenden Vertreter der BRD-Regierung und dem amtierenden Leiter der ständigen Vertretung der DDR in der BRD, Genossen Schindler, sowie zwei anwesenden Rechtsanwälten in Verbindung. Diesem Personenkreis gegenüber bestätigte er seinen Willen, in die DDR zurückzugehen. Hirt erwiderte darauf, dass er sich über die gefundene vernünftige Lösung freue und darüber, dass er wieder zu Frau und Kindern zurück könnte. Im Anschluss daran erfolgte ohne Zwischenfälle die Rückführung Rauschenbachs über die GÜST Hirschberg in die DDR. Alle ihm durch die BRD-Behörden abgenommenen Unterlagen, Dokumente und persönlichen Gegenstände einschließlich der Uniform und der Pistole mit 6 Patronen waren ihm in München im Polizeipräsidium zurückgegeben worden.

Das Protokoll unterschrieb Major Möhwald.

Am 26.04.1984 meldete die „Welt", dass Rauschenbach Selbstmord begangen habe, am 28.04.1984 Lebenszeichen von Rauschenbach. Der ehemalige Oberstleutnant der DDR-Grenztruppen, Klaus-Dieter Rauschenbach, lebe offensichtlich doch noch und hat keinen Selbstmord begangen. Eine andere Todesversion handelte davon, dass er in Leipzig unter eine Straßenbahn gestoßen wurde und verstarb.

Offensichtlich lebt Klaus-Dieter Rauschenbach auch heute noch in Leipzig.

Natürlich war die Flucht eines Regimentskommandeurs überall das Hauptthema jeder Unterhaltung. Die Stasi hörte mit:

- Im Mittelpunkt der Diskussionen der Grenzbevölkerung in den letzten Tagen (des Oktobers 1981) stand das Interview mit dem ehemaligen Regimentskommandeur Rauschenbach, das vom BRD-Fernsehen gesendet wurde. Es ist einzuschätzen, dass ein Großteil der Grenzbevölkerung diese Sendung empfangen hat.

Die Handlungsweise von Rauschenbach wird allgemein verurteilt und Unverständnis darüber geäußert, dass er straffrei ausging, nicht zur Rechenschaft gezogen wurde und heute eine so wichtige Position in der Planung einnimmt.

Einzeldiskussionen tendieren in folgende Richtungen:

- Es sei unverständlich, dass westlichen Reportern ein Interview mit Rauschenbach ermöglicht wurde, der streng gesehen ein Staatsverbrechen begangen hat. Entweder schlafen unsere Behörden oder Rauschenbach weiß so viel, dass man sich nicht traut, ihn einzusperren.

- Es war schon zu allen Zeiten so, die kleinen Verbrecher fängt man und die großen Verbrecher lässt man laufen, ob Rauschenbach in der DDR oder Gijom (Guillaume) in Westdeutschland.

- Den Schaden, den uns Rauschenbach durch seine Sauferei und die Nachwirkungen zugefügt hat, kann er nie mehr in Ordnung bringen.

Der Sattlermeister N.N. äußerte gegenüber einer Quelle: *Es sei kein Wunder, wenn es in der DDR mit der Planung oft nicht hinhaut. Denn wenn noch mehr so Geisteskranke in verantwortlichen Funktionen sitzen, kann schon einiges danebengehen. Unsere Funktionäre können wohl einer Person was vormachen, nicht aber der Bevölkerung einer ganzen Stadt.*[49]

Gescheitert!

An den Sperranlagen gescheitert – 27. Februar 1972, bei Sonneberg

Am 27.02.1972, 22.50 Uhr, versuchte Norbert H., 20, Mupperg, Krs. Sonneberg, in der Nähe des Heimatortes die Minensperre zu überwinden. Dabei kam es zur Detonation und N. H. wurde schwer

verletzt. Es wurde ihm der rechte Oberarm abgerissen und es kam zu Splitterverletzungen im Gesicht- und Brustbereich. Die Bergung, Festnahme und Einlieferung in das Krankenhaus von Sonneberg erfolgte gegen 23.27 Uhr.

Unverständliche Milde für Durchbruchsversuch – 16. Dezember 1972

Eine 50-jährige Technokeramfacharbeiterin aus Sonneberg, beschäftigt bei VEB Keramische Werke Hermsdorf, Betrieb Sonneberg, vorbestraft wegen Staatsverleumdung, wurde am 16.12.1972 um 2.55 Uhr nach Umgehung des Kontrollpunkts Hönbach unter Anwendung körperlicher Gewalt durch Grenzsoldaten festgenommen. Als Motiv gab sie an, sie wolle endlich ein freier Mensch sein und keiner Diskriminierung ausgesetzt sein. Außerdem lebte der Vater ihres ersten Kindes, ein Guinese, in der BRD. Die Frau hatte drei Kinder, von denen zwei vorbestraft waren. Der jüngste, 17, lebte noch bei ihr im Haushalt.

Die Frau führte, so die Stasi, einen unmoralischen Lebenswandel, war als HWG-Person bekannt und wurde 1964 und 1967 wegen Staatsverleumdung bestraft und deshalb kriminalpolizeilich erfasst und weil sie die Kreisdienststellen des MfS in Meiningen und Sonneberg unter, wie diese meinen, fadenscheinigen Vorwänden aufgesucht hatte.

Die Frau wurde psychiatrisch begutachtet und als affektlabil eingestuft. Vom Untersuchungsorgan wurde vorgeschlagen, dass Ermittlungsverfahren wegen Verdachts des ungesetzlichen Grenzübertritts, vorsätzlichen Eindringens in die Sperrzone und wegen staatsverleumderischer Äußerungen gem. § 148 Abs.1 Ziff. 1 einzustellen, da sich die Beschuldigung als nicht begründet erwiesen hatte. (!) Aus diesem Grund war auch der Haftbefehl aufzuheben, da kein Fluchtverdacht vorlag.[50]

Angetrunken am Kontrollstreifen – 12. Mai 1973

V., ein verheirateter Werkzeugmacher aus Heubisch, 30, beschäftigt als Werkzeugmacher im VEB Piko Sonneberg, wurde am 12.05.1973, um 1.35 Uhr, beim Versuch des ungesetzlichen Verlassens der DDR im Raum Isaak – Unterer Bensweg direkt am 6-m-Kontrollstreifen festgenommen.

Er kam in angetrunkenem Zustand aus der Gaststätte und ging auf direktem Weg in Richtung Grenze. Er übersprang den 1,50 m breiten Spurenstreifen, überwand den Signalzaun mit einer Höhe von 2,30 m und setzte den Weg trotz Ertönens der Signalhupe fort. Den Signalzaun überwand er am Ende des Wirkungskreises der Scheinwerfer, um auf direktem Weg zur Grenze zu kommen. Er kam noch bis zum 6-m-Kontrollstreifen, der vor der vorderen Sperranlage angelegt war. Dort konnte ihn die Alarmgruppe, die beim Ertönen der Signalhupe ausgerückt war, stellen.

Für seine Tat konnte V. kein Motiv angeben. Er berief sich darauf, dass er betrunken vom Weg abgekommen und gegen seinen Willen ins Sperrsystem geraten sei. Die Abt. K der VP glaubte ihm nicht, schlug vor, den Haftbefehl aufrecht zu erhalten und ihm eine Aufenthaltsbeschränkung für alle Grenzkreise aufzuerlegen.[51]

18. August 1973

B., ein 20-jähriger Maurer beim Straßentiefbaukombinat in Meiningen, wohnhaft in Kloster Veilsdorf, Krs. Hildburghausen, wurde am 18.08.1973, um 3 Uhr, durch Volkspolizisten auf der Straße Eisfeld – Harras kurz vor der Merbelmühle gestellt und festgenommen.

B. wollte schon immer in den Westen. Der aktuelle Anlass waren Auseinandersetzungen mit den Eltern. Durch Straßenbauarbeiten an der GÜST Eisfeld kannte er sich dort aus. So versuchte er dort den Durchbruch unter Mitnahme einer 2-m-Leiter, einer Eisenplatte, 20 x 30 x 1cm, einer Mullbinde sowie eines Kameraobjektivs. Er verließ das Haus, begab sich über Wiesen in das Waldgebiet Richtung Eisfeld, bog 1 km vor Eisfeld rechts ab, durchquerte die Werra und lief am Wald entlang weiter in Richtung Bockstadt, gegen 21 Uhr versuchte er unter Mitnahme seiner Leiter, den Schutzstreifen zu durchqueren, wurde bemerkt und zum Stehenbleiben aufgefordert. Trotz eines Warnschusses ergriff er die Flucht ins Hinterland und wurde gegen 3 Uhr auf der Straße von Eisfeld nach Veilsdorf festgenommen, als er schon fast wieder zu Hause war.

(Grenzkartei Stasi Suhl)

Fluchtversuch bei Hönbach mit Waffengewalt verhindert – 21. Dezember 1973

Der 24-jährige Rainer Langbein aus Hönbach wollte nach einer alkoholreichen Weihnachtsfeier und einem Streit mit seiner Verlobten über die Grenze. Auf dem Friedhof von Hönbach, Kreis Sonneberg, nur 75 Meter vor der Grenze, wurde er um 22.20 Uhr von einem Grenzposten gestellt. Auf Warnschüsse reagierte er nicht und beschimpfte die beiden Grenzposten, die ihn vor dem Signalzaun stellten. Ein Feldwebel aus Sonneberg, der mit zwei Grenzhelfern heranfuhr, deutete die Beschimpfungen als Bedrohung der Grenzposten, eröffnete mit der Maschinenpistole das Feuer auf L. und traf ihn im Fußrist rechts und in der linken Wade. Sofortige Überführung ins Kreiskrankenhaus Sonneberg erfolgte, anschließend Überführung ins VP-Krankenhaus Leipzig. In Sonneberg wurde Langbein zu 6 Monaten Haft und einem Aufenthaltsverbot in sämtlichen Grenzkreisen verurteilt.

„Schüsse waren gerechtfertigt"
Der mutmaßliche Flüchtling ist bereits gestellt. Zwei Posten stehen vor ihm, ihre Maschinenpistolen haben sie umgehängt. Plötzlich fallen Schüsse. Er ist getroffen, bricht zusammen. So geschehen im Winter 1973 an der Grenze bei Hönbach. 18 Jahre später läuft gegen den Schützen ein Ermittlungsverfahren wegen Verdachts des Mordes und anderem. Noch hat die Staatsanwaltschaft beim Bezirksgericht Meiningen keine Anklage erhoben.

Das Opfer von damals hat überlebt: Rainer Langbein sieht jedoch in seiner Strafanzeige keinen Rachefeldzug, sondern er sucht ein Stück Gerechtigkeit.

Für den 32jährigen Hönbacher ist es noch heute unbegreiflich, weshalb geschossen wurde. Immer wieder rekonstruiert er die Vorgänge in jener Nacht – versucht die Beweggründe des Täters zu ergründen: Kurzschlußreaktion oder pure Lust am Schießen? Befehl von oben oder einfach nur ein Mißverständnis?

Rainer Langbein erinnert sich: Da war diese Weihnachtsfeier, bei der er viel zu viel getrunken hatte. Und dann dieser Streit mit seiner Verlobten und die böse Auseinandersetzung mit seinen Eltern. Alles drehte sich. Alles war so grenzenlos traurig. Er wollte nur noch weg. Der Todesstreifen kam immer näher.

Plötzlich fielen Warnschüsse: Der 24jährige drehte ab, ging parallel zur Grenzlinie weiter; Richtung „Gebrannte Brücke". Dort wurde er von zwei Grenzposten gestellt. Mit erhobenen Armen stand er vor den Männern und schimpfte, „was das Zeug hielt".

Quer über das Feld kam nunmehr ein Lkw auf die Gruppe zugefahren. Kaum hatte das Scheinwerferlicht die drei Männer erreicht, wurde auch schon aus dem noch fahrenden Fahrzeug mit einer Maschinenpistole geschossen. Rainer Langbein wurde getroffen und brach zusammen.

Nachdem die beiden Grenzhelfer, die mit im Lkw gefahren sind, Erste-Hilfe-Maßnahmen eingeleitet hatten, wurde der Verletzte zur Grenztruppe in die Coburger Allee gebracht und dort in eine Zelle gesperrt: Erst als das Wachpersonal dort bemerkt, daß die Wunden stark bluteten, wurde der Militärarzt angefordert. Der ordnete die sofortige Überführung ins benachbarte Krankenhaus an.

Dr. Peter Vorndran diagnostizierte: Rechts Steckschuß im Fußrist, im linken Bein ein Durchschuß der Wade. Beide Beine mußten eingegipst werden. Und obwohl der Arzt die Transportfähigkeit des Patienten ausdrücklich verneinte, wurde er noch in der Nacht ins Haftkrankenhaus nach Mäusdorf bei Leipzig gebracht.

Durch die schlechten Straßenverhältnisse und die Fahrweise des Transportfahrzeuges hatte sich der Kürschnerdraht, der die Fußwurzeln verbinden sollte, wieder gelöst. Die Folge davon ist ein traumatischer Plattfuß und damit verbunden ein bleibender Schaden: Die Fußwurzeln von Rainer Langbein sind nie mehr richtig zusammengewachsen, so daß sich die Zehen teilweise übereinander gelegt haben.

Es folgten vier Wochen Einzelhaft, drei Monate Doppelzelle und schließlich die Verhandlung in Sonneberg. Zwar wurden dem 24jährigen die schweren Verletzungen als Strafmilderung angerechnet, die übliche Geldstrafe in Höhe von 50 bis 500 Mark war jedoch „aus erzieherischen Gründen" nicht möglich. Rainer Langbein: „Mir wurde klargemacht, daß bei solchen Schießereien die Gefahr bestünde, daß der BGS, der gerne zurückschießen würde, hierdurch eine Rechtfertigung finden würde und den Dritten Weltkrieg anzetteln könnte."

Das Urteil lautete schließlich: Sechs Monate Freiheitsentzug und eine Aufenthaltsbeschränkung auf sämtliche Grenzkreise. Außerdem erfolgte die Ausweisung aus Hönbach. Rainer Langbein lebte von da an in Suhl.

1976 verkürzte das Kreisgericht Sonneberg die ausgesprochene Aufenthaltsbeschränkung. In der Begründung hieß es: „Er hat durch besonders gute Arbeitsleistungen, durch Einsatzbereitschaft und durch positives Verhalten in seinem Wohnort unter Beweis gestellt, daß er die richtigen Lehren aus seiner Straftat gezogen hat." Ins Grenzsperrgebiet, also in seinen Heimatort, durfte der 27jährige dennoch nicht zurück.

Wer der Feldwebel war, dem er „sein neues Leben" zu verdanken hatte, wußte Rainer Langbein bis vor kurzem nicht. Doch vor etwa sechs Wochen kam es zur Gegenüberstellung:

„Es war schon ein komisches Gefühl, als er mir plötzlich Auge in Auge gegenüberstand", stellt Langbein fest. Er hatte ihn gekannt – vom Sehen.

Dem ehemaligen Feldwebel hingegen war das Treffen mit Rainer Langbein „nicht unangenehm". Man müsse heutzutage alles mit anderen Augen sehen; meint der 48jährige Sonneberger, der jedoch betont, kein Wendehals zu sein.

Der Schütze: „Ich glaube, Rainer Langbein will sich rechtfertigen." Rechtfertigen? Weswegen? „Na, weil er doch damals einen Fehler gemacht hat." Mit Gerechtigkeit habe die Strafanzeige nichts zu tun. „Ich war im Recht, als ich geschossen habe", sagt er und verweist auf die Befehle und Vorschriften, an denen er auch heute nicht zweifelt. Zwar sei die menschliche Seite bei all den Anweisungen auf der Strecke geblieben, über „wir sind ja alle so erzogen worden". Der Täter sieht sich nicht als Opfer. „Wer sich als Opfer des Staatsapparates fühlt, ist ein Idiot. Keiner kann sich in so kurzer Zeit ändern!"

Der Anklage der Staatsanwaltschaft sieht der Sonneberger gelassen entgegen. Die Aussagen von Rainer Langbein seien an einigen Stellen verfälscht. Der 48jährige wundert sich sowieso, wie ein derart betrunkener Mann sich so genau an Details erinnern kann.

Ausschlaggebend für die Schüsse war für den Feldwebel, daß Rainer Langbein nicht die Hände erhoben hatte, sondern zum Schlag gegen die Posten ausgeholt haben soll. Außerdem habe er nicht auf die Person gezielt, sondern ganz bewußt in den Boden. Die Treffer wären Querschläger.

Daß die beiden Grenzhelfer im Lkw ihm mehrmals zugeredet haben, doch nicht zu schießen, weil es sich bei der verdächtigen Person um einen Bekann-

ten handle, mit dem man reden könne, streitet der Sonneberger entschieden ab. Sie hätten erst ihren Mund aufgemacht, als es schon zu spät war.

Das Ermittlungsverfahren, das noch in der Tatnacht von der NVA gegen den Feldwebel eingeleitet wurde, war schon am nächsten Morgen außer Kraft gesetzt. Weshalb? Darüber schweigen die Akten.[52]

Das MfS hatte mitgehört – 22. November 1984

Am 22.11.1984 klopfte es um 19 Uhr an die Tür der Ernst-Thälmann-Straße 1 in Themar, Krs. Hildburghausen. Als der Bewohner öffnete, standen davor zwei Volkspolizisten. „Sind Sie Frank Walter K.?", fragte der Erste. Als dieser bejahte und nach dem Grund des Besuchs fragen wollte, sagte der Zweite: „Kommen Sie mit, Sie sind verhaftet!" „Was ist denn los, Frank", rief eine Frauenstimme aus dem Zimmer. Gleich riss der erste Polizist die Tür auf: „Und Sie sind Frau Jacqueline W.?" K.'s Freundin Jacqueline W., Zahntechnikerstudentin in der Medizinfachschule in Meiningen, konnte nur nicken. „Kommen Sie auch gleich mit, für Sie haben wir auch einen Haftbefehl." Er hielt beiden die Papiere unter die Nase. „Sie können noch bleiben, während wir die Wohnung durchsuchen. Wir haben einen Durchsuchungsbefehl dabei." Zwei Männer in Zivil, die sich bisher im Hintergrund gehalten hatten, begannen die Wohnung routiniert zu durchsuchen. Verzweifelt sahen sich Frank und Jacqueline an. Protestieren hätte sowieso nichts genützt. Irgendjemand musste sie verraten haben. Wie viele andere hatten die beiden 18-Jährigen immer wieder auch im Freundeskreis darüber gesprochen, wie beschissen es in der DDR ist. Sie hatten über West-Fernsehsendungen diskutiert. Im Vordergrund stand nicht in erster Linie die Politik, sondern das Leben, das sie in ihrem Staat erwartete, die Gängelung, die Öde, die Verbote, die Bespitzelung. Frank hatte über seinen Arbeitsplatz geschimpft. So schlecht war die Arbeit als Kfz-Elektriker im Volkseigenen Gut Henfstädt ja gar nicht, aber was er verdiente, das reichte hinten und vorne nicht für alle Wünsche. Natürlich hatten sie auch, wie Tausende andere jungen Leute, darüber gesprochen, wie man hinüber kommen könnte, hatten Erfahrungen ausgetauscht von Antragstellern, die eingesperrt wurden, die ihre Arbeit verloren, die trotzdem jahrelang nicht ausreisen durften, weil sie die Reisefreiheit einklagen wollten, weil sie ein

Recht auf Ausreise in ein Land ihrer Wahl durchsetzen wollten. Ja, und sie hatten auch über die Möglichkeit gesprochen, wie sie die Grenzanlagen überwinden könnten, die ja jetzt nicht mehr ganz so tödlich waren. Einiges wussten sie ja über die Grenzsperren, schließlich war es ja nur 10 Kilometer Luftlinie in den Westen. Ja, wenn man Flügel hätte. Nein, sie hatten keine Flügel, dafür aber die Wände anscheinend Ohren. Die gefundenen Karten und die mitgeschriebenen Gespräche würden ausreichen, sie für einige Jahre in Haft zu setzen.[53]

Viereinhalb Jahre Haft für Schüsse auf Kameraden

Den „Tag der Arbeit" (1. Mai) des Jahres 1986 werden wohl alle Beteiligten bis an ihr Lebensende nicht vergessen. Gegen 17 Uhr schrillt das Telefon bei der Grenzpolizeistation Maroldsweisach. Die beiden diensthabenden Beamten haben sich schon auf den Feierabend eingestellt, um an diesem schönen Frühlingstag, an dem sie Dienst schieben müssen, wenigstens noch am Abend mit ihrer Familie etwas unternehmen zu können. Sie fürchten allenfalls, dass sie noch zu einem Verkehrsunfall gerufen werden, denn auf der B 279 von Fulda nach Bamberg/Coburg, die den Dienstbereich quert, herrscht dichter Ausflugsverkehr. Dass es Arbeit in Zusammenhang mit der nahen innerdeutschen Grenze geben könnte, erwarten die Polizeibeamten nicht. Was soll sich da schon ereignen, zumal heute der 1. Mai ist - höchster Feiertag im „Arbeiter- und Bauernparadies", wie ein Besucher an der Grenze spöttisch bemerkte. Diesem hatten die Grenzpolizisten während ihrer Streifenfahrt am Nachmittag den Eisernen Vorhang erklärt.

Am anderen Ende der Telefonleitung meldet sich eine aufgeregte Stimme. „Bei uns im Hof sitzt ein DDR-Soldat!" Der aufnehmende Fernschreibangestellte Bernhard Marschall stutzt und fragt ungläubig. „Was sitzt bei euch im Hof?" „Na, a DDR-Grenzsoldat! Dar is völlich fertich!", fährt die Anruferin im schönsten Fränkisch fort. Nun lässt sich Marschall Name und Adresse der Anruferin geben und sichert zu, dass gleich eine Polizeistreife bei ihr erscheinen wird.

Daraufhin schmeißt er den Hörer auf die Gabel und ruft seinen Kollegen. „Stell dir vor, was passiert ist. Auf einem Aussiedlerhof in Ermershausen Richtung Schweickershausen sitzt ein DDR-Grenzsoldat, der soeben geflüchtet ist!" Der Polizeibeamte, übrigens Mitautor dieses Buches, ist sichtlich überrascht. Er ist zwar unmittelbar an der Grenze aufgewachsen und leistet seit nahezu zehn Jahren bei der Grenzpolizeistation Maroldsweisach Dienst. Doch ein solches außergewöhnliches Ereignis hat er noch nicht miterlebt. In Windeseile sind die notwendigen Utensilien gepackt und mit Raute 11/44, so der Funkrufname des VW-Käfers, eilt die Streifenbesatzung dem Ereignisort entgegen. Allzu schnell kommt man nicht gerade vorwärts, denn der Käfer, eines der letzten Autos dieses Typs bei der bayerischen Polizei, hat gerade einmal 45 PS unter der Haube.

Die Beamten biegen nun von der B 279 kommend in die schon jahrzehntelang unterbrochene Gemeindeverbindungsstraße Ermershausen – Schweickershausen ein. Die Aussiedlerhöfe liegen etwas abseits und in dem der Grenze am nächsten liegenden Hof ist schon auszumachen, dass etwas Ungewöhnliches geschehen ist. Alle Familienmitglieder haben sich im Hof versammelt. Auf einem Stuhl sitzt, ein Glas Wasser in der Hand haltend, tatsächlich ein blutjunger DDR-Grenzsoldat. Er zittert an Armen und Beinen und seine Bekleidung ist ziemlich ramponiert, wie es scheint, vom Überklettern des einreihigen, drei Meter hohen Metallgitterzauns, wobei er sich zudem die Hände aufschnitt. Seine Dienstwaffe, eine Kalaschnikow, führt er nicht mit. Er erklärt, dass er seinen Streifenkameraden überlistet habe und so flüchten konnte. Es seien auch Schüsse gefallen.

Der junge Mann wird nun zur Dienststelle verbracht und es wird die vorgesetzte Grenzpolizeiinspektion Mellrichstadt informiert. Als sich die Grenzpolizisten wenig später vorsichtig der vermutlichen Grenzübertrittsstelle an der Wegesperre Schweickershausen nähern, ist auf der östlichen Seite ein Riesenauflauf Uniformierter und Zivilisten auszumachen, die alle aufgeregt durch die Gegend laufen. Unter den Fahrzeugen sind auch einige Rot-Kreuz-Fahrzeuge festzustellen. Den Beamten schwant, dass der junge Mann seinen Streifenführer niedergeschossen haben muss. Auf Befragen räumt der Geflüchtete dies dann auf der Dienststelle ein.

Die „Neue Presse Coburg" berichtete damals über den spektakulären Fall:

„DDR-Grenzsoldat geflüchtet – Streifenkameraden niedergeschossen und lebensgefährlich verletzt –

ERMERSHAUSEN. – Am Donnerstag gegen 16.30 Uhr ist einem 19jährigen Soldaten der DDR-Grenztruppe die Flucht über die deutsch-deutsche Grenze bei Ermershausen (Landkreis Haßberge) gelungen. Mit vollkommen zerrissener Uniform, verkratzten und zerschnittenen Händen meldete sich der Soldat bei einem Landwirt nahe der Grenze.

Nach bisherigen Informationen befand sich der 19jährige mit dem Feldwebel Frank Quickert der DDR-Grenztruppe auf Streifengang, direkt am Grenzzaun. Der Grenzzaun ist bei der ehemaligen Verbindungsstraße Ermershausen – Schweickershausen mit einem großen Tor versehen, über das der Soldat in den Westen gelangte. Zuvor hatte er viermal auf seinen Kameraden geschossen und diesen lebensgefährlich verletzt, als dieser die Flucht vereiteln wollte.

Nach Augenzeugenberichten wurde kurz nach Bekanntwerden der Flucht ein Verletzter auf DDR-Seite abtransportiert. Die Stelle, an der die Flucht gelang, ist nach Auskunft der Behörden nicht vermint. Ein zweiter Zaun, der elektronisch gesichert ist und lautlose Alarmierung auslöst, befindet sich rund 500 Meter hinter der Fluchtstelle.

Der Soldat kletterte nach ersten Angaben ohne Stahlhelm und Waffen über den Grenzzaun. Wie weiterhin zu erfahren war, soll der Soldat bei seinem ersten Gespräch mit der Bevölkerung bekundet haben, er habe den Plan zu einer Flucht in den Westen bereits seit seinem 14. Lebensjahr gehabt. Am Freitag wurde der Flüchtige dem Ermittlungsrichter in Bamberg vorgeführt. Die DDR will die Auslieferung beantragen."

Im in Bad Königshofen erscheinenden „Bote vom Grabfeld" war zu lesen:

Durch vier Schüsse auf den Kollegen gelang die Flucht – ERMERSHAUSEN. Verletzt ließ ein 19jähriger DDR-Flüchtling seinen Kameraden hinter dem 2,50 Meter hohen Metallgitterzaun zurück, als er am ersten Mai gegen 17 Uhr über die deutsch-deutsche Grenze in den Westen flüchtete. Bei einem Landwirt in Ermershausen meldete er sich, der ihn der Grenzpolizeistation Maroldsweisach übergab.

Wie gestern bekannt wurde, befand sich der 19jährige DDR-Soldat am ersten Mai gegen 17 Uhr auf einem Kontrollgang an der Grenze mit seinem Kollegen. Als dieser einen Fotoapparat auf-baute, um im Westen einiges aufzunehmen, eröff-nete der 19jährige ihm, daß er in die Bundesrepu-blik fliehen wird. Da ihn der Kamerad an der Flucht hindern wollte, griff der 19jährige zur Waffe und gab daraus vier Schüsse auf ihn ab. Verletzt blieb der DDR-Soldat auf dem Gebiet der Deut-schen Demokratischen Republik zurück. Von dort wurde er eine halbe Stunde später von DDR-Grenz-soldaten ins Hinterland zur ärztlichen Behandlung gebracht.

Der Flüchtling überwandt nach den Schüssen auf seinen Kollegen den Metallgitterzaun in Richtung Westen. Er ließ bei der Flucht seine Maschinenpis-tole zurück. Knapp vier Meter von der DDR-Grenze entfernt, entledigte er sich dann des Trage-koppels. Auf bayerischer Seite fand man das Koppeltragegestell, an dem nicht nur ein Bowie-messer zu finden war, sondern auch ein gefülltes Magazin, indem sich etwa 60 Schuß scharfe Muni-tion befanden. In der Tasche war weiterhin eine Rolle Toilettenpapier.

Wie Regierungsrat Max Walleitner vom Grenzpoli-zeipräsidium in München in einem Gespräch mit unserer Zeitung erklärte, wurde der junge geflüch-tete DDR-Soldat der Staatsanwaltschaft in Bam-berg mittlerweile überstellt. Am gestrigen Vormit-tag setzten Grenzpolizei und Bundesgrenzschutz vor Ort ihre Ermittlungen fort. Auf DDR-Seite waren die Behörden ebenfalls aktiv. Mit einer Meßlatte überprüfte man den Fluchtweg ebenso wie mit einer Kamera die Spurensicherungen vor-genommen wurden."

Über den weiteren Fortgang informierte der in Bamberg erscheinende „Fränkische Tage" wenige Tage später:

Bamberger Haftbefehl gegen geflohenen Volksar-misten – DDR-Feldwebel in Lebensgefahr – Ermershausen (ib) – Gegen den 19jährigen DDR-Soldaten, der Ende letzter Woche bei seiner Flucht über die deutsch-deutsche Grenze bei Ermershau-sen (Lkr. Haßberge) einen Kameraden der DDR-Volksarmee niedergeschossen hat (wir berichteten), ist auf Antrag der Staatsanwaltschaft in Bamberg Haftbefehl erlassen worden. Bei seiner Verneh-mung durch den Ermittlungsrichter gab er an, in unmittelbarer Nähe des Metallgitter-Grenzzaunes auf den ihn begleitenden Feldwebel geschossen

und ihn im Oberschenkel getroffen zu haben. Anschließend habe er seine Maschinenpistole weg-geworfen und sei über den Metallgitterzaun geklet-tert. Wie die Justiz weiter mitteilte, wurde der Feld-webel Frank Q. einer Information des DDR-Generalstaatsanwalts zufolge lebensgefährlich verletzt. Die amtliche DDR-Nachrichtenagentur ADN berichtete, der Generalstaatsanwalt werde die Auslieferung des Flüchtlings bei den zuständi-gen Stellen in der Bundesrepublik beantragen.

Der Auslieferung in die DDR wurde seitens der Bundesrepublik abgelehnt und es kam im März 1988 zu einem mehrtägigen Prozess vor dem Land-gericht Bamberg. Der junge DDR-Grenzsoldat wurde wegen Mordversuchs zu einer Jugendstrafe von viereinhalb Jahren verurteilt.

Gerichtsreporter informierten über den Prozess:
19jähriger schoß sich Weg in die Freiheit frei – Am 1. Mai 1986 flüchtete S. M. bei Ermershausen – Anklage lautet auf versuchten Mord. Bamberg – Ein russisches Maschinengewehr der Marke Ka-laschnikow war ‚Blickfang' auf dem Richtertisch, hinter dem gestern die Mitglieder der Jugendkam-mer am Landgericht Bamberg saßen: Mit einer Waffe gleichen Typs hatte am 1. Mai 1986 der damals 19 Jahre alte Soldat der Nationalen Volks-armee der DDR, S. M., auf dem Schutzstreifen der innerdeutschen Grenze nahe Ermershausen (Land-kreis Haßberge) einen 24 Jahre alten Feldwebel durch mehrere Schüsse lebensgefährlich verletzt und war danach über den 2,95 Meter hohen Streck-metall-Zaun in die Bundesrepublik geflüchtet. Seit gestern muß sich der jungenhaft wirkende, in Leip-zig geborene und zum Maschinenschlosser ausge-bildete Angeklagte wegen versuchten Mordes vor der Kammer verantworten.

Unmittelbar nach der Flucht war er zunächst fest-genommen und in Untersuchungshaft gebracht worden. Im Juni kam er jedoch wieder auf freien Fuß und fand zunächst Aufnahme bei einer Familie in Schlüchtern, die ihm Arbeit und Wohnung besorgte. Von dort jedoch zog er nach einigen Monaten weg. Am 14. Juli 1987 kam M. dann erneut in Untersuchungshaft.

Sein Lebensweg muß, wie er ihn gestern vor der Kammer darlegte, eher durchschnittlich verlaufen sein. Als er sechs Jahre alt war, trennten sich die

Eltern und er lebte – bis er 15 war – bei seiner Mutter. Weil diese unter einer psychischen Krankheit („Verfolgungswahn") litt, zog er zum Vater, trat nach Abschluß der Polytechnischen Oberschule, die unserer Realschule entspricht und die er mit der Gesamtnote „Gut" absolvierte, eine Lehre als Maschinenschlosser an. Seine Hobbys hatten mit dem Wasser zu tun: Surfen und Wasserskifahren.

S. M. war Mitglied der FDJ, weil ihm das ‚System' in jungen Jahren noch gleichgültig war. Seit Beginn seiner Lehre, stand er ihm aber ablehnend gegenüber, fiel sogar wegen ungenügender Leistungen im Fach Staatsbürgerkunde durch. Um die Prüfungen zu bestehen, habe er sich dann bewußt um Leistung bemüht, sei auch wieder in die FDJ eingetreten.

Die ‚Eingrenzung der Freiräume bezüglich Reisen, Autokauf' usw. hat dem besonnen wirkenden und geschliffen formulierenden Angeklagten nach eigenen Aussagen am meisten zu schaffen gemacht. Fluchtgedanken habe er schon vor der Lehre gehegt. Während seines Wehrdienstes aber hätten sie sich konkretisiert. Durch die in der Armee ausgeübten Schikanen sei sein Haß gegen das System der DDR weiter gewachsen. Am 22. April 1986 sei er dann zur Grenztruppe versetzt worden.

In Vorbereitung auf die geplante Flucht nähte er seine Zeugnisse in die Uniform ein und wartete auf die entsprechende Gelegenheit zur Flucht. Große Angst habe er vor einer sogenannten Tiefenkontrolle seines Spinds gehabt, bei der man die eingenähten Papiere unweigerlich hätte finden müssen.

Am 1. Mai 1986 eröffnete sich ihm die Chance zur Flucht. Kurz vor 14 Uhr habe er erfahren, daß er zusammen mit Feldwebel Q. in den Schutzstreifen unmittelbar vor dem letzten Grenzzaun geschickt werde. Zu zweit sollten sie Fotoaufnahmen von Spaziergängern auf der westlichen Seite machen. ‚Ich stand unter Vollzugszwang und wollte es endlich hinter mich bringen', sagte er dem Gericht gestern auf die Frage, warum er ausgerechnet an diesem Tag flüchtete. In einem offenen Unterstand habe sich der Feldwebel dann mit dem Aufbau der Kamera beschäftigt; sein Gewehr habe Q. ca. 1 Meter von sich entfernt an eine Holzbank gelehnt. S. M. erklärte, er selbst habe auf der Bank gesessen, die Kalaschnikow in Händen.

Er habe Q. angerufen ‚Ich hau jetzt ab!' Als Q. sich daraufhin umdrehte, habe er aus der auf ‚Dauer-

feuer' gestellten Maschinenpistole drei Schüsse abgegeben. Auf dem Boden liegend soll der Feldwebel nach seiner Waffe gegriffen haben. Da hat S. M., so sagte er dem Gericht, noch einmal ‚vor Schreck, aus Angst' auf die Beine des Mannes geschossen. Der Schreck habe ihn enthemmt, kommentierte er das Geschehen. Das letzte Hindernis für den Republikflüchtigen bildete der 2,95 Meter hohe Metallgitterzaun. M. versuchte zunächst, mehrere Schrauben durch Schüsse zu beschädigen, um eine Angriffsfläche zu bekommen. Als dies nicht gelang, hievte er sich mühevoll hoch und setzte mit Schwung über den Zaun. Auf der anderen Seite angekommen, war seine Uniform zerrissen und er selbst ‚körperlich fertig', wie eine Zeugin seinen Zustand beschrieb.

Er selbst habe die Schüsse auf den Kameraden zwar menschlich für nicht in Ordnung, rechtlich aber ‚für legal' gehalten. Sein Argument: ‚Wenn die Grenztruppen der DDR den ausdrücklichen Befehl bekommen, auf Republikflüchtlinge zu schießen, dann habe er mit seinem Wunsch nach Freiheit noch weitaus mehr Recht, sein Ziel mittels Gewalt zu erreichen. Eine Notwehrsituation entstehe ja allein daraus, daß die Freiheit des Einzelnen eingeschränkt wird, so M.'s eigenwillige Rechtsauffassung.

Der Vorsitzende Richter machte S. M. auf verschiedene Widersprüche zu seinen vorangegangenen Aussagen aufmerksam und darauf, daß das überlebende Opfer Q. in seinen Vernehmungen aussagte, S. M. habe die Kalaschnikow geräuschlos entsichert und ihm eben nicht zugerufen ‚Ich hau jetzt ab!' Trotz der aufgezeigten Differenz blieb der Angeklagte gestern bei seiner Einlassung, er habe Q. diesen Satz zugerufen und erst geschossen, als er glaubte, Q. greife zu seiner eigenen Kalaschnikow. M. sagte der Kammer noch, daß er heute eine andere Einstellung zu seiner Tat habe, daß es halt ziemlich egoistisch war, ihn anzuschießen!'

Ein gutes Zeugnis stellte ein Ehepaar aus Schlüchtern dem Angeklagten aus, das ihn nach der Tat durch Vermittlung von Bekannten in der DDR in sein Haus nahm, ihm dann Arbeit und Wohnung besorgte. S. M. sei sehr deprimiert gewesen, habe oft unvermittelt geweint und Alpträume gehabt. Die Tat habe ihn außerordentlich stark belastet.

Zweieinhalb Stunden lang hatte am Vormittag des zweiten Verhandlungstages das Plädoyer des

Verteidigers gedauert, der in der Tat keinen versuchten Mord, sondern eine gefährliche Körperverletzung darstelle. Er sprach in diesem Zusammenhang von den für M. äußerst belastenden ‚Wechselbädern‘ zwischen Untersuchungshaft und Freiheit, die ihn schließlich dazu gebracht hätten, dem Gefängnis den Vorzug zu geben. Dem Nebenkläger gehe es, so mutmaßte der Verteidiger, um die Interessen der DDR, die mit einer hohen Freiheitsstrafe ein für Fluchtwillige abschreckendes Beispiel an die Hand bekäme.

Der Verteidiger begann seine umfangreichen Ausführungen mit dem Hinweis auf die ‚banalen Dinge‘, wie Auslandsreisen und Bekleidung, die M.s Unzufriedenheit mit dem System der DDR heraufbeschworen. Die DDR sei ein völlig anderes Land hinter dem Zaun. Er, der Anwalt, wolle in seinem Prozeß nicht politisieren - dies sei ihm auch bei seinem Aufenthalt in Leipzig ans Herz gelegt worden -, aber er müsse immerhin die Lebenssituation der Menschen darstellen, sonst ‚würde ich die Sache meines Mandanten verraten‘.

Sein Mandant sei unreif, unausgegoren, ein ‚Traumtänzer‘ gewesen. Er habe ewig an Flucht gedacht, aber keinen genauen Plan gehabt. Die Tatsache, daß M. nicht schon Minuten früher auf den vor ihm laufenden, mit schwerer Kameraausrüstung beladenen Feldwebel geschossen hat, zeige, daß er nicht bedenkenlos gehandelt habe. Die wichtigste Frage sei, wie man die Aussagen des Opfers Q. und die des Angeklagten bewerte.

In seinem Plädoyer stellte der Verteidiger fest, die Tatsache, daß sein Mandant an seinen Aussagen mehrfach gefeilt habe, sei darauf zurückzuführen, daß dieser kein Unrechtsbewußtsein für seine Tat habe. Er sei total überrascht gewesen, als er kurz nach der gelungenen Flucht in einem westlichen Gefängnis landete. Nach Überzeugung des Anwalts wollte sein Mandant allein auf die Beine des Feldwebels schießen. Daß er diesen am Bauch getroffen habe, liege an der großen Streubreite der Waffe.

Dieser Auffassung mochte sich die Kammer bei der Urteilsbegründung am Abend nicht anschließen. Bei Schüssen aus kurzer Entfernung auf einen ca. 1,7 Meter großen Menschen hätte M. die Beine treffen müssen, wenn er es nur gewollt hätte. Daß bei dem noch sehr unreifen jungen Mann Jugendstrafe greifen müsse, sei keine Frage gewesen. Strafmildernd rechnete die Kammer dem Angeklagten zugute, daß dieser nicht vorbestraft sei. Zu seinen Lasten wirke sich aus, daß er das höchste Rechtsgut – ein Menschenleben – in Gefahr gebracht, dabei Kriegsgerät benutzt hat und das Opfer sein ganzes Leben lang unter den Folgen der Gewalttat wird leiden müssen. In der Urteilsbegründung hieß es u.a., M. habe gewußt, daß die Waffe tödliche Wirkung haben kann und der Kamerad auf einen solchen Angriff nicht gefaßt war. An der Glaubwürdigkeit des Opfers Q. ließ die Kammer – anders als es die Verteidiger in ihrem Plädoyer getan hatten – keinen Zweifel.

Fest stehe, daß M. heimtückisch gehandelt und die Wehrlosigkeit seines Streifenführers ausgenutzt habe. Für Q. habe keine Chance bestanden, sich zur Wehr zu setzen, selbst wenn ihm M. noch zugerufen hätte ‚Jetzt hau ich ab!‘ Ob er diesen Satz gerufen habe oder nicht, sei letzten Endes unerheblich.

Das Leben als das alles überragende Rechtsgut sei, so der Vorsitzende Richter, im Bewußtsein eines jeden Menschen tief verankert. Dies gelte auch für den Angeklagten, der dafür selbst Beweise geliefert habe. Das von M. ins Feld geführte Recht auf Freizügigkeit dürfe also unter keinen Umständen als Rechtfertigung für eine solche Tat angesehen werden. Der Haftbefehl gegen S. M. wurde aufrechterhalten.“

Im Mai 1990, wenige Monate nach der Friedlichen Revolution in der DDR, war folgender Beitrag in der in Bamberg erscheinenden Tageszeitung ‚Fränkischer Tag‘ zu lesen:

Die Sonne läutete den Sommer ein, die Ausflügler ahnten an diesem Tag noch nicht, dass sich unter die Sonnenstrahlen gefährliche andere Wellenlängen gemischt hatten, die aus dem Kernkraftwerk Tschernobyl stammten, das wenige Tage vorher, von der Weltöffentlichkeit noch unbemerkt, nach einer Kernschmelze in die Luft geflogen war. Die Maienluft inspirierte einen DDR-Grenzsoldaten zu einer Tat, über die er noch heute nachdenkt: Er schoß bei einem Streifengang seinen Streifenführer – einen Feldwebel – mit seiner Dienstwaffe nieder und floh über ein Grenztor bei Ermershausen in den Westen. Die ersehnte Freiheit genoß er nur wenige Tage: Wegen versuchten Mordes wurde er vor der Jugendkammer des Landgerichts Bamberg zu einer Haftstrafe von vier Jahren und sechs

Monaten verurteilt. Die sitzt er derzeit noch in der Justizvollzugsanstalt St. Georgen/Bayreuth ab.

Den Fall, der vor vier Jahren für großes Aufsehen sorgte und selbst die Außenministerien in Bonn und Ost-Berlin beschäftigte, hat der FT nachgezeichnet.

„Eine delikate Angelegenheit, damals", hieß es bei der Justiz in Bamberg. Nach der gelungenen Flucht kam der junge Grenzsoldat, Jahrgang 1966, bei einem Aussiedlerhof an der Straße Ermershausen – Schweickershausen an. Nach ersten Vernehmungen der Grenzpolizei in Maroldsweisach und der Staatsanwaltschaft in Bamberg kristallisierte sich bald heraus, daß der Grenzsoldat seinen Streifenführer angeschossen haben muß. Deshalb wurde von Ost-Berlin aus ein sogenanntes Zulieferungs-Ersuchen an den Generalstaatsanwalt gestellt. Aufgrund der bestehenden Gesetzeslage sei dies aber abgelehnt worden, teilte ein Sprecher der Justiz in Bamberg mit.

Statt dessen wurde ein anderer Weg gewählt: Da von der DDR-Justiz bei diesem „komplizierten Verfahren" (so ein Justizsprecher) eine Beweisaufnahme stattfand, reisten Vertreter der bundesdeutschen Staatsanwaltschaft und der Verteidiger des Grenzsoldaten zur Beweisaufnahme ans Bezirksgericht in Leipzig. Drei Tage dauerte diese Beweissicherung. Die Gutachten und Beweismittel wurden der Bamberger Justiz überlassen, bevor im März 1988 die Hauptverhandlung vor der Jugendkammer des Landgerichtes begann.

Trotz der Angaben des Angeklagten, wonach er auf die Beine des Streifenführers gezielt habe, damit dieser seine Flucht nicht vereitele, wertete das Gericht die Tat als versuchten Mord und verurteilte den Grenzsoldaten nach bundesdeutschem Recht zu einer Freiheitsstrafe von viereinhalb Jahren.

Der Mitautor des Buches wurde damals als Zeuge zum Prozess vor dem Landgericht Bamberg geladen. Eine ungewöhnliche Situation für einen erfahrenen Polizeibeamten – saßen ihm doch bei der Vernehmung zahlreiche Beobachter aus der DDR im Rücken. Die herausragende Frage des Vorsitzenden Richters war, ob dem DDR-Grenzsoldaten die vorläufige Festnahme erklärt wurde. Eine Frage, die zwar vom juristischen Standpunkt berechtigt war, aber der Wirklichkeit an der Grenze völlig widersprach. Warum sollten wir einen geflüchteten DDR-Bürger die vorläufige Festnahme erklären, zumal zu diesem Zeitpunkt überhaupt nicht bekannt war, dass er den Streifenpartner niedergeschossen hatte?

Verkettung unglücklicher Umstände – 5. November 1986

Udo B., ein 21-jähriger Tischler aus Geisa, hatte bereits am 29.08. mit seiner Freundin Antje und dem Ehepaar S. die Flucht geplant, doch er war von seinen Eltern an einer Teilnahme gehindert worden. Darauf kam Udo B., der ein auffälliges Motorrad fuhr, in die Ermittlungsmaschinerie des MfS. Außerdem hätte er Anfang 1987 zur Volksarmee einrücken müssen. So beschloss er, allein über die Grenze zu gehen, weil auch Antje H., die in Meiningen studierte und in einem Internat wohnte, nicht bereit war, mitzugehen. Von dem anfangs geplanten gewaltsamen Grenzdurchbruch mit einem Traktor, Typ „K 700" nahm er Abstand. Er war nach Grenzregimeerkundungen im Raum Geisa unter der Legende des Pilzsuchens zu der Auffassung gelangt, dass ein solches Vorhaben zu risikovoll wäre. Er entschloss sich deshalb, die Grenzsicherungsanlagen mit Leiter und Wurfanker zu überwinden. Er fertigte auf seiner Arbeitsstelle eine dreiteilige Leiter und einen Wurfanker, die er auf dem Gartengrundstück seiner Eltern versteckte. Unter Mitnahme der Tatmittel begab er sich zur festgelegten Durchbruchsstelle und überwand den ca. 400 m entfernten GSSZ II mit Leiter. Beim Durchqueren des Schutzstreifens löste er von ihm nicht bemerkte Signaleinrichtungen aus. Er wurde im Bereich Geisa/DDR und Rasdorf/BRD gegenüber Point Alpha beim Versuch des Überkletterns des GZ 1 festgenommen.

B. war bereits zur Hälfte den eMGZ hochgeklettert, als er durch den zur Abriegelung eingesetzten Grenzposten, Gefreiter R. und Soldat G., am 05.11.1986, gegen 5:04 Uhr angerufen wurde. Vergeblich bat B. noch die US-Soldaten, die an der Grenze den Vorfall beobachteten, mehrmals um Hilfe. Er warf noch eine schwarze Fliegerjacke, ein Paar Bergschuhe und eine ca. 7 m lange Leine mit Knoten und Wurfanker über den Zaun. Dann musste er sich hinlegen, wurde dann zur Anschlussstelle des Grenzmeldenetzes transportiert und zu Fuß weggeführt. Von dem Vorhaben hatten 10 weitere

Personen (enge Bekannte, Verwandte) Kenntnis, ohne dies zur Anzeige zu bringen. Teilweise bestand auch die Absicht einer Tatbeteiligung, wovon aus unterschiedlichen Erwägungen Abstand genommen wurde.

Durch Kräfte des MfS wurden am 18. November 1986 gegen 10 Uhr am jeweiligen Wohnort der 23-jährige Traktorist Jörg H. aus Geisa, Krs. Bad Salzungen, und die 18-jährige Studentin Antje H. aus Geisa, Nebenwohnung Lehrerinstitut Meiningen, festgenommen. Beiden wurden Vorbereitungshandlungen zur Straftat gemäß § 213 nachgewiesen. Des Weiteren hatten sie Kenntnis von der Straftat gemäß § 213 des Udo B., der am 05.11.1986 im Abschnitt Geisa festgenommen wurde. Antje H. wurde am 10.03.1987 durch das Kreisgericht Bad Salzungen wegen § 213 mit § 236 zu einem Jahr und 10 Monaten Freiheitsstrafe verurteilt. Auch Bertram (Jörg?) H. wurde wegen der Flucht von Udo B. verurteilt, und zwar zu 16 Monaten. Udo B. selbst erhielt drei Jahre und 6 Monate Haft. Udo B. und Antje H. wurden beide am 12.08.1987 von Karl-Marx-Stadt aus in die Bundesrepublik abgeschoben.[54]

Nicht alle blieben im Westen – Rückkehrer hatten es nicht leicht

Im Westen mussten Flüchtlinge aus der DDR in der Regel erst einmal eines der Auffanglager durchlaufen, die in Marienfeld, Gießen, Uelzen und Friedland existierten. Neben den Aufnahmebehörden hatten dort auch die Mitarbeiter westlicher Geheimdienste – BND, Bundesverfassungsschutz, ihre Büros, worin sie die Flüchtlinge nach allem ausfragten, was ihnen interessant erschien. Besonders Armeeangehörige wurden darüber hinaus von Geheimdiensten verhört. Danach waren sie jedoch freie, unbewachte Bürger.

Abgesehen von Kindern, die von Amts wegen in die DDR zurückgeschickt wurden, herrschte und herrscht für alle Deutschen, also auch für DDR-Bürger, Reisefreiheit. Jeder konnte auch wieder in die DDR zurückkehren. Doch Rückkehrer hatten es immer weniger leicht in der DDR.

Nicht, dass die DDR nicht gerne die Tatsache der Rückkehr publizistisch ausgeschlachtet hätte. Doch dem standen sicherheitspolitische Bedenken entgegen. Die Dienstvorschrift über Aufnahme, Kontrolle und Eingliederung von Rückkehrern und Zuziehenden vom 20.12.1978 des Ministeriums des Innern sagte darüber:[55]

```
Die Aufnahme von Bürgern, die ihren Wohn-
sitz in nichtsozialistischen Staaten oder
Westberlin hatten und ihn wieder in der
DDR nehmen wollen, ... deren Kontrolle
und Eingliederung in das gesellschaftli-
che Leben sind von hoher politischer
Bedeutung. Sie sind so zu verwirklichen,
dass
- die Sicherheit für die DDR, für ihren
  Bruderbund mit der UdSSR ... unter
  allen Bedingungen gewährleistet wird.
  Zuverlässig ist das Eindringen von
  Personen, die im Auftrag von Organisa-
  tionen, Einrichtungen, Gruppen oder
  Personen, die einen Kampf gegen die
  DDR führen, ... zu verhindern.

Die Aufnahme von Bürgern der DDR in die
Deutsche Demokratische Republik ist abzu-
lehnen, wenn im Verlauf der Durchführung
des Aufnahmeverfahrens Feststellungen
getroffen werden, die die Aberkennung der
Staatsbürgerschaft der DDR oder den
Widerruf der Verleihung der Staatsbürger-
schaft der DDR ... nach sich ziehen.
```

Die Staatsbürgerschaft kann wegen grober Verletzung der staatsbürgerlichen Pflichten im Interesse des Schutzes und der Sicherheit der DDR aberkannt werden, wenn der Bürger

a) Handlungen gegen die Interessen der DDR, ihre Souveränität, gegen den Frieden, die Menschlichkeit oder die Menschenrechte beging

b) ...

c) ein Verbrechen oder wiederholt Straftaten beging

Es war also gar nicht so leicht, wieder in die DDR aufgenommen zu werden. Gerade Leute, die „illegal" die DDR verlassen hatten oder gar solche, die fahnenflüchtig geworden waren, hatten immer schwere Straftaten begangen. In der Regel ließ sich die DDR auf nichts mehr ein und schob die Rückkehrwilligen wieder ab wie in den folgenden beiden Fällen.

Verdacht auf Agententätigkeit – 15. März 1978

In der Nacht vom 15.3. zum 16.3.1978 durchbrach der BRD-Bürger Michael Str., 26, aus Philippsthal/OT Heimboldshausen, 600 m nördlich von Vacha die Staatsgrenze Bundesrepublik – DDR unverletzt. Die Anlage 501 hatte er an einem Betonpfahl überklettert, ohne die Anlage auszulösen. Der Grenzsignalzaun 70 konnte S. durch Auseinanderbiegen von Drähten übersteigen. In der Nähe von Gehaus hielt er sich bis zum Mittag des 16.03.1978 in einer Scheune auf. Am 16.03.1978 gegen 17.30 Uhr wurde der in Zwickau gebürtige Mann durch den ABV in der Ortslage Stadtlengsfeld festgenommen. Er war seit dem 28.02.1978 ohne Beschäftigung, vorher Hilfsarbeiter in der Fa. „Werra-Plastik GMBH u. Co. KG" Philippsthal. Der ehemalige DDR-Bürger war am 14.09.1977 aus dem Strafvollzug der DDR aus der Staatsbürgerschaft der DDR in die BRD entlassen worden.

In der Erstbefragung gab der Mann an, daß er am 15.03.1973 gegen 13.30 Uhr seine Wohnung in Philippsthal verlassen hat, um in die DDR zu gelangen. Er habe anschließend in den Abschnitten Thalhausen und Siechenberg die Staatsgrenze beobachtet, um eine geeignete Übertrittsstelle aufzuklären. Da es noch hell war, sei er anschließend in die Ortslage Philippsthal zurück und habe in der Gaststätte „Villa Koch" Alkohol getrunken. Gegen 13.30 Uhr habe er die Gaststätte verlassen, sei zum Siechenberg gelaufen und habe ca. 50 m vom Kamm des Berges in Richtung Thalhausen die Staatsgrenze zur DDR durch Überklettern der Grenzsicherungsanlagen überschritten. Strobel habe anschließend den Kolonnenweg überquert und sei auf die asphaltierte Straße ehemals Sachsenheim – Oberzella gelangt. Am Ende der Straße habe er einen Grenzposten und eine Kfz-Kolonne der Grenztruppen beobachtet. Er habe nach rechts die Straße verlassen, eine Hundesperre und ein Signalgerät umgangen und habe dann den dort befindlichen Signalzaun überklettert, indem er Stacheldraht abgerissen hat. Nach seiner Aussage umging Str. den Ortsteil Unterzella und passierte die nicht besetzte Kontrollstelle der Grenztruppen der DDR an der Werrabrücke Oberzella. Er begab

sich zur Hauptverkehrsstraße Dorndorf – Vacha und lief in Richtung des Kontrollpunkts KP-01 Dorndorf. Er umging den KP, überquerte die Eisenbahnanlage und begab sich in Richtung Happberg. Er stieß dort auf die Hundesperre der Volkspolizei. Daraufhin begab er sich zurück zur Hauptverkehrsstraße Dorndorf – Vacha und lief bis in die Ortslage der Stadt Vacha. Die Stadt Vacha verließ er in Richtung Völkershausen, passierte die unbesetzte KT-02 Busengraben und gelangte gegen 23.00 Uhr in die Ortschaft Völkershausen. Von Völkershausen habe er sich dann zu Fuß über Oechsen nach Gehaus begeben. Am Ortsausgang übernachtete Strobel in einer Feldscheune. Am 16.03.1978 lief er dann weiter in Richtung Stadtlengsfeld, wo er gegen 17.30 Uhr durch den ABV kontrolliert und festgenommen wurde. Strobel hatte die Absicht, unbemerkt nach Dorndorf und von dort nach Bad Salzungen oder Eisenach zu gelangen. Er wollte mit dem Zug nach Leipzig fahren, wo er Bekannte und seine Eltern aufsuchen wollte, die in Leipzig wohnen sollen. Sein Vater sei Offizier des MfS, von dem er sich Unterstützung erhoffte, damit er in der DDR bleiben könne.

Str. ist ehemaliger DDR-Bürger. 1970 wurde er als Soldat auf Zeit (SaZ) zu den Grenztruppen eingezogen. 1971 wurde er im Abschnitt Weilroda fahnenflüchtig. 1972 kehrte er an der gleichen Stelle in die DDR zurück. Er wurde zu 10 Jahren Freiheitsentzug verurteilt. Davon musste er 5 Jahre in der StVA Bautzen absitzen. Am 14.09.1977 sei er dann aus der Staatsbürgerschaft der DDR entlassen und in die BRD abgeschoben worden. Ein BRD-Bürger, der zum gleichen Zeitpunkt aus dem Strafvollzug der DDR in die BRD entlassen wurde, hätte ihm den Vorschlag unterbreitet, mit nach Philippsthal zu kommen. Aus diesem Grunde hätte er nach dem Aufenthalt im Aufnahmelager Gießen seinen Wohnsitz in Philippsthal/OT Heimboldshausen genommen. (Die weitere Bearbeitung erfolgt durch die HA IX/6)

In der Vernehmung des Strobel, der am 15.03.1973 im Abschnitt des Siechenbergs bei Vacha widerrechtlich in die DDR eingedrungen ist, wurde durch die KA IX/6 erarbeitet, daß er während des Aufenthaltes in der BRD erneut vom US-Geheimdienst angeworben wurde und den Auftrag erhalten hatte, in die DDR zurückzukehren, um den 1972 am amerikanischen Geheimdienst begangenen Verrat wieder gut zu machen. Strobel wurde beauftragt, zunächst in der BRD wohnhaft zu werden. Er sollte sich dann so verhalten, daß er in eine schlechte soziale Lage gerät. Wenn er dieses erreicht hätte, sollte er in die DDR eindringen und diesen Schritt so begründen, daß er kein Geld zur Verfügung hätte, um mit der Eisenbahn oder einem anderen Verkehrsmittel legal in die DDR einzureisen. Auf Grund der schlechten sozialen Lage in der BRD sollte er um die Wiederaufnahme in der DDR bitten. Nach dem widerrechtlichen Durchdringen der Staatsgrenze der DDR sollte sich Str. nicht sofort stellen, sondern versuchen, bis nach Leipzig zu gelangen. Dort sollte er sich an seinen Vater wenden und diesen als Fürsprecher für die Wiederaufnahme in der DDR nutzen. Str. erfüllte am 15.03.1978 seinen Auftrag.

Nach der Verbüßung der Freiheitsstrafe, die ihn wegen widerrechtlichen Eindringens in die DDR erwartete, sollte er in Leipzig wohnhaft werden und warten, bis ihn in Leipzig ein Verbindungsmann des amerikanischen Geheimdienstes aufsucht und mit ihm das weitere konkrete Vorgehen abspricht. (Die Aussagen von Str. sind noch nicht bestätigt. Sie decken sich jedoch mit den bereits gewonnenen Erkenntnissen über die Arbeitsweise des amerikanischen Geheimdienstes)
Str. wurde schnell in die Bundesrepublik abgeschoben. Seine schnelle Rückkehr aus der DDR wurde in Philippsthal mit Verwunderung aufgenommen. Es wird angenommen, daß Str. etwas mit den DDR-Behörden zu tun hat. Zu seiner Grenzüberschreitung ist in der Öffentlichkeit in Philippsthal nichts bekannt geworden. Auch die lokalen Zeitungen haben nichts dazu geschrieben. [56]

Sehnsucht nach der Mutter – 11. November 1985

Der legal eingereiste ehemalige DDR-Bürger Matthias P., 31, aus Dresden wurde nach seiner Einreise in die BRD im Flüchtlingswohnheim in Bad Hersfeld untergebracht (Weheneberger Str. 63). Er kam jedoch im Westen nicht zurecht und hatte Sehnsucht nach seiner Mutter, deren Führung ihm fehlte. Er hatte einen Rückbürgerungsantrag an die DDR gestellt, jedoch keine Antwort erhalten. Am Abend des 11.11.1985 ging er im Wohnheim auf das Zimmer 208, in dem sich die DDR-Flüchtlinge trafen. Zwei junge Männer, Olaf und Andreas, sowie Mandy, eine junge Frau, waren bereits da. P. erkärte den anderen, wahrscheinlich zum wiederholten Mal, er habe Heimweh und wolle zurück. Da bot Olaf an, ihn nach Philippsthal an die Grenze zu fahren, dort könne er hinüber. Also fuhren die vier nach Philippsthal-Weidenhain. Dort an der Mauer machte Mandy noch eine Blitzaufnahme der drei Männer. Über einen Mauervorsprung bei der Druckerei Hoßfeld stieg P. über die Mauer und lief zum B-Turm, der jedoch nicht besetzt war. Matthias P. kam zurück und wurde von Olaf auf ein Licht in der Ferne gewiesen. Er lief darauf zu, kam an die Werra und schwamm in Kleidern bis ans andere Ufer. Dort lief er etwa 100 m weiter, stieß kurz vor einem Zaun an einen Draht, der einen Schuß auslöste. Hinter dem Zaun forderten ihn zwei Soldaten zum Stehenbleiben auf. Auf seiner Seite nahmen ihn drei Soldaten fest. Nach drei Minuten wurde ein Tor geöffnet, ein Fahrzeug fuhr vor, besetzt mit 5 Uniformierten, die ihn zum Bataillon nach Sünna brachten. Dort wurde er von 22.45 bis 10.15 Uhr am nächsten Tag verhört. Während seine Kleidung an der Heizung trocknete, erhielt er trockene Unterwäsche und Decken zum Einwickeln. Um 10.45 Uhr des 12.11. wurde Matthias Pahl über Eisenach nach Wartha gebracht. Am Grenzübergang wurden ihm seine Papiere übergeben. Ein Zollbeamter bat einen westdeutschen Pkw-Fahrer, Pahl in den Westen mitzunehmen. In Herleshausen wurde er dem westdeutschen Zoll übergeben. [58]

Diese Rückkehrer waren offensichtlich in der DDR unerwünscht.

In den Auffanglagern Hagenow, Gera, Wartha und Marienborn wurden die Rückkehrer zunächst registriert und dann in die zuständigen Aufnahmelager weitergeleitet, wo sich für diesen Zweck geschulte Funktionäre eingehender mit den Einzelschicksalen der Rückkehrwilligen beschäftigten. Das Aufnahmeverfahren, die Entscheidung über Aufnahme oder Ablehnung wurde grundsätzlich durch die Arbeitsgruppe VP im ZAH[59] getroffen und war innerhalb von drei Monaten abzuschließen. Zentrale Aufnahmeheime existierten in Eisenach, Aufnahmelager Röntgenthal[60], Schönebeck und Barby an der Elbe. Eine Kommission beriet die Entscheidung vor:

* dem Offizier K im Bezirksheim
* einem verantwortlichen Offizier der Abteilung Pass- und Meldewesen
* einem verantwortlichen Mitarbeiter der Abteilung Innere Angelegenheiten des Rates des Bezirkes
* einem Mitarbeiter der Bezirksverwaltung des MfS.

Wenn der Leiter der Arbeitsgruppe im Zentralen Aufnahmeheim positiv über die Aufnahme entschieden hatte, war der Rückkehrwillige damit noch lange nicht aus dem „Schneider".

Rückkehrer, deren Aufnahme entschieden war, waren in ein Bezirksheim einzuweisen. Für den Bezirk Suhl stand das Bezirksheim bzw. das Bezirksaufnahmeheim in Schmalkalden. Im Bezirksheim waren von Angehörigen der Kriminalpolizei Aufgaben zur weiteren sicherheitsmäßigen Überprüfung der dort eingewiesenen Rückkehrer durchzuführen. In beiden Heimen wurden die Rückkehrwilligen durch IM provoziert und angezapft, durch Abhörgeräte überwacht und in endlosen Befragungen ausgeforscht.

Die HA IX/6, die Untersuchungsabteilung des MfS, hatte in jedem Rückkehrerheim ihre Leute neben der Abteilung K der Volkspolizei, nicht ohne Grund, wie die erste Rückkehrergeschichte zeigte:

Die meisten Rückkehrer allerdings waren im Westen gescheitert. Sie waren mit Illusionen und falschen Vorstellungen in den Westen gekommen. Ihnen fehlte die Wärme des Elternhauses, die Fürsorge vieler gesellschaftlicher Einrichtungen, denen sie vorher hatten entfliehen wollen, so wie vielleicht die beiden nächsten Beispiele.

30. März 1978

Gegen 16.10 Uhr wurde W., 18, aus München im Grenzstreckenabschnitt der GÜST Meiningen wegen des Versuchs des Grenzdurchbruchs Bundesrepublik – DDR festgenommen. W. hatte im August 1976 die DDR illegal verlassen und wollte zu seinen Eltern nach Schmölln zurück.[61]

2. Mai 1989

Nach Durchführung „grenztaktischer Handlungen" im Zusammenwirken mit der Volkspolizei und dem Abschnittsbevollmächtigten von Hellingen, Krs. Hildburghausen, wurde der 22-jährige Steffen S., aus Gera gebürtig, am 02.05.1989 um 0.08 Uhr 2.000 m südwestlich Hellingen festgenommen. Er hatte die Staatsgrenze zwischen Maroldsweisach/ Ermershausen und Hellingen von West nach Ost überschritten, überwand den einreihigen Metallgitterzaun und löste am Grenzsignalzaun Alarm aus. S. war Angehöriger der 3. Grenzkompanie Oerlsdorf gewesen und hatte am 26.07.1988 Fahnenflucht aus dem Grenzdienst begangen.[62]

Rückkehrer hatten nach § 213 StGB eine Freiheitsstrafe bis zu zwei, in schweren Fällen bis zu fünf Jahren zu erwarten. Ein besonderes Risiko ging der Rückkehrer ein, der fahnenflüchtig geworden war. Ein Fahnenflüchtiger wie Steffen S. musste gemäß § 254 StGB mit Freiheitsstrafen von einem bis sechs Jahren, in schweren Fällen, die fast immer vorlagen, mit Freiheitsstrafe bis zu 10 Jahren rechnen, wie auch Thomas S. im nächsten Fall:

25. November 1982

Nach Führung taktischer Handlungen durch Kräfte der DVP am 25.11.1982 konnte gegen 4.45 Uhr in der Ortslage Räsa, Ortsteil von Unterbreizbach, Kreis Bad Salzungen, die Festnahme wegen Versuchs des Grenzdurchbruchs BRD – DDR des 22-jährigen Thomas S., ehemaliger Angehöriger der NVA Bad Salzungen, der vom 14. zum 15.06.1981 in diesem Abschnitt fahnenflüchtig in die BRD wurde, erfolgen. Die Eltern von S. sind in Räsa wohnhaft. Am 25.11.1982 gegen 2.55 Uhr stellte der eingesetzte Grenzposten ca. 1.200 m nordwestlich von Pferdsdorf auf den 6-m-KS den Grenzverletzer fest. Nach Abgabe eines Warnschusses flüchtete er in Richtung GSZ. Drei gezielte Feuerstöße blieben ohne Erfolg. Um 3.04 Uhr wurde der GSZ ausgelöst. Gegen 4.45 Uhr erfolgte dann die Festnahme.

Eine Ausnahme unter den Rückkehrern scheint der nachfolgende Fall zu sein. Andreas W. soll die Grenze mehr als fünfmal in beiden Richtungen durchbrochen haben. Für ihn und seine Gefährten scheint der illegale Grenzübertritt ein nervenkitzelnder Sport gewesen zu sein.

3. Im Rahmen der Abschöpfungstätigkeit wurde zum ungesetzlichen Grenzübertritt des Andreas Wrabetz am 28.03.1981 Folgendes bekannt.

Zum Weg in der BRD

In Heukenroth meldete sich W. telefonisch bei der BGP. Er wurde durch diese nach Stockheim und weiter nach Ludwigsstadt gebracht. Dort erfolgte die Neueinkleidung und am gleichen Tag die Überführung nach Nürnberg. In Nürnberg sei W. durch verschiedene Dienststellen zum ungesetzlichen Grenzübertritt und über das Motiv befragt worden. Danach wurde W. in das Aufnahmelager Gießen überführt. Von Gießen wurde W. zur Cousine der Großmutter eingewiesen. Bei dieser hielt er sich 2 Tage auf. Seit 21.04.1981 ist W. in Neustadt/ Coburg wohnhaft. Er ist als Maschinenarbeiter in einer Plastefabrik in Neustadt tätig.

Zum Motiv:

W. brachte gegenüber dem Großvater zum Ausdruck, dass er sich in Neuhaus-Schierschnitz ständig beobachtet gefühlt habe. Der ABV Schabacker müsste irgend etwas gegen ihn gehabt haben und könnte ihn nicht leiden. Er habe deshalb jede seiner Handlungen ständig überwacht und auch einen VP-Helfer direkt auf ihn „angesetzt". Weiter brachte W. zum Ausdruck, dass er durch den Vater nicht entsprechend seines Alters behandelt wurde. Wegen seiner Schichtarbeit habe er nur wenig Verbindung zu seinen Eltern gehabt. Von seinen Eltern fühlte er sich nicht verstanden und zog sich deshalb stark zurück. Beim Besuch brachte er gegenüber dem Großvater zum Ausdruck, dass er nun sein Elternhaus nicht mehr sehen werde und dies auch bedauert. In die DDR wolle er aber nicht mehr zurück. Am 16.08.1981 gegen 14.50 Uhr trat ein Jugendlicher in Zivil im Bereich der Bergmühle auf BRD-Gebiet als Kontaktpartner zu Angehörigen der

Grenztruppen der DDR in Erscheinung mit dem Wortlaut:
Guten Tag Herr NN, wenn Sie meiner Mutter nochmals sagen, es wäre besser gewesen, ich wäre auf eine Mine getreten, lasse ich es in die Zeitung bringen.
Dieser Jugendliche wurde als der ehemalige DDR-Bürger Andreas W., 19, identifiziert, der in Neuhaus-Schierschnitz wohnhaft gewesen war, bevor er am 28.03.1981 ungesetzlich die DDR verlassen hatte.
(OPK „Fotograf" – Reg.-Nr. II 260/81)

September 1982
Im Ergebnis taktischer Handlungen der Grenztruppen, der DVP und der KD MfS Sonneberg, konnte durch die DVP in der Ortschaft Neuhaus-Schierschnitz im Kreis Sonneberg am 10.09.1982, 14.45 Uhr, der 21-jährige Andreas W. aus Neustadt/BRD, Lkrs. Coburg, nach Grenzübertritt BRD – DDR unverletzt festgenommen werden. Die Übertritt erfolgte 1.000 m nordwestlich von Heubisch, Krs. Sonneberg, in der Nacht von 08. zum 09.09.1982, zwischen 23.00 bis 1.00 Uhr. Der GZ I sowie der GSZ wurden überwunden ohne Auslösung. Am Durchbruchsabschnitt feindwärts des GZ I wurden ein Trommelrevolver, ein Hirschfänger und ein Doppelglas gefunden. W. hatte am 28.03.1981 die Staatsgrenze DDR–BRD im Sicherungsabschnitt VIII Neuhaus-Schierschnitz/GR 15 Sonneberg durchbrochen.

In Weiterführung der Untersuchung sowie im Ergebnis der Vernehmung des W. konnten am 10.09.1982, 22.30 Uhr, durch Kräfte der DVP in der Ortschaft Neuhaus-Schierschnitz, Krs. Sonneberg, der 21-jährige Robby M. und der 20-jährige Udo W., beide wohnhaft in Neustadt/BRD, Lkrs. Coburg, unverletzt festgenommen werden. Beide hatten die Staatsgrenze BRD – DDR in der Nacht vom 09. zum 10.09.1982 1.000 m nordwestlich von Heubisch im Sicherungsabschnitt VI, Grenzregiment 15 Sonneberg, durchbrochen.

Wer im Grenzgebiet gewohnt hatte, durfte dieses nicht wieder betreten, wurde damit seiner Heimat beraubt, weswegen er zumeist wieder zurück wollte: Die Staatssicherheit vermutete jedoch in fast jedem Fall Spionage im Auftrag westlicher

Geheimdienste. Unter diesen Umständen stand natürlich eine Wiedereingliederung unter denkbar ungünstigen Vorzeichen. Ein großer Teil der Rückkehrer erwies sich deshalb wieder als potentieller Westflüchtling, was wiederum die Staatssicherheit zu bestätigen schien.

Die Eingliederung von Rückkehrern wurde sorgfältig überwacht. Alle Maßnahmen zur Eingliederung waren „durch die Leiter der Abteilungen Innere Angelegenheiten der Räte der Kreise, Städte und Stadtbezirke mit dem VPKA und der Kreisdienststelle des MfS abzustimmen".

Die Eingliederung musste durch die Leiter der Abteilungen Innere Angelegenheiten der Räte der Kreise, Städte und Stadtbezirke in Zusammenarbeit mit den Sicherheitsorganen, den Leitern der Fachorgane der örtlichen Räte, den Leitern der Betriebe und Einrichtungen oder Vorsitzenden der Genossenschaften kontrolliert werden. Bei Mängeln waren unverzüglich Maßnahmen in Abstimmung mit dem VPKA und der Kreisdienststelle des MfS zur Beseitigung einzuleiten.

Am 24.06.1989 um 2.23 Uhr wurden der 29-jährige Günter P., seine 25-jährige Lebensgefährtin Michaela G. und deren 3-jährige Tochter Patricia, die in Schonungen, Lkrs. Schweinfurt, wohnten, 3.000 m südlich Stedtlingen, Krs. Meiningen, durch den Kommandeur des II. Grenzbataillons festgenommen. Den vorangegangenen mehrmaligen Zurückweisungen vom DDR-Gebiet wurde nicht Folge geleistet. Nach der Festnahme erfolgte die Zuführung zur Einheit und die Übergabe an die zuständigen Organe des MfS.

INFORMATION über einen ungesetzlichen Grenzübertritt BRD – DDR im Raum Stedtlingen/Kreis Meiningen
Am 24.06.1939 gegen 2.20 Uhr erfolgte durch die Grenztruppen der DDR die Festnahme der BRD-Bürger
Günther Poller, geb. 19.10.1959
Beruf: ohne
zuletzt: ohne Beschäftigung
seit Herbst 1988 arbeitslos
seit 1982 ohne festes Arbeitsrechtsverhältnis
Vorstrafen: fünf Vorstrafen zumeist wegen Eigentumsdelikten

parteilos, kein Mitglied von Massenorganisationen
Familienstand: geschieden, 3 Kinder (BRD) und Michaela Gleichmann, geb. 30.05.1965, wh.: Schonungen, Krs. Schweinfurt, Beruf: Verkäuferin, zuletzt: ohne Beschäftigung, seit 1985 arbeitslos. Vorstrafen: laufendes Strafverfahren wegen uneidlicher Falschaussage, parteilos, kein Mitglied von Massenorganisationen. Familienstand: verheiratet, 2 Kinder, die ihr gemeinsames Kind Patricia, 3, mit sich führten, als diese Personen nach wiederholter Zurückweisung durch die Grenztruppen das Territorium der DDR nicht wieder verließen, sondern durch Rufen um „politisches Asyl" baten bzw. äußerten, lieber erschossen zu werden, als wegzugehen.
Die Untersuchungen ergaben:
Beide Personen gehen keiner Arbeit nach, seit etwa Februar/März 1989 begingen sie in der BRD 35 bzw. 30 Diebstahlshandlungen, wobei insbesondere Zigarettenautomaten ausgeraubt wurden. Durch die Festgenommenen wurden Gelder in umfangreichem Maße erbeutet. In der Nacht vom 22. zum 23.06.1989 versuchten die genannten Personen gemeinsam mit einem Kumpan erneut, einen Zigarettenautomaten in Schweinfurt auszurauben, um damit Geld für ihren Lebensunterhalt, insbesondere aber für Genußmittel, zu erhalten. In Zusammenhang mit dieser Straftat kam es zur Zuführung der Personen Poller und Gleichmann, nach Auffassung beider wegen der Teilnahme an der genannten Handlung und offen stehenden Strafverbüßungen von ca. 20 Monaten Freiheitsentzug zur Haftfahndung nach Poller durch die BRD-Polizei.
Aus Angst vor Strafverfolgung und der möglichen Einweisung der Tochter Patricia in ein Heim beschlossen sie, über die Staatsgrenze in die DDR einzudringen, um hier ständigen Wohnsitz zu nehmen. Vom Verlassen der BRD über eine Grenzkontrollstelle wurde wegen der vermuteten Haftfahndung Abstand genommen.
Durch zwei ebenfalls an kriminellen Handlungen der Personen beteiligte BRD-Bürger wurde das Paar mit seinem dreijährigen Kind am 23.06.1989 um 22.00 Uhr mit dem Pkw Opel „Commodore" des einen Mittäters über Münnerstadt, Mellrichstadt, Völkershausen an die Staatsgrenze zur DDR

gebracht, wo sie gegen 23.00 Uhr eintrafen.

Nach Verlassen des Pkw begaben sie sich unter Mitnahme des Kindes Patricia zum vorderen Sperrelement und bewegten sich ca. 2 Kilometer in südöstlicher Richtung an diesem entlang bis zum Festnahmeort. Die Komplicen unterstützten die Flüchtlinge durch Hupen und Geben von Lichtsignalen, um die Grenztruppen der DDR auf die Personenannäherung aufmerksam zu machen.

Nach Abschluss der Untersuchung, in deren Ergebnis von der Einleitung eines Ermittlungsverfahrens abgesehen wurde, erfolgte die Ausreise des Poller und der Gleichmann mit ihrem Kind Patricia am 24.06.1989 um 15.35 Uhr über die GÜST Meiningen. Auf Ersuchen Pollers erklärte sich ein Mercedesfahrer bereit, die Personen in seinem Pkw mit in die BRD zu nehmen.

Durch Beobachtungsmaßnahmen der PKE Meiningen wurde festgestellt, dass Poller unmittelbar vor dem Passieren der Staatsgrenze der DDR den Pkw nach kurzem Halt verließ und sich zu Fuß auf BRD-Territorium begab, um offensichtlich gedeckt die Grenzkontrollstelle Eußenhausen zu umgehen.

MfS-Einschätzung der Lage an der Grenze im September 1988

Die Angriffe auf die Staatsgrenze der DDR im Bezirk Suhl mit dem Ziel des ungesetzlichen Verlassens der DDR haben sich weiter erhöht.

Die Wirksamkeit bei der Verhinderung des ungesetzlichen Verlassens der DDR beträgt in diesem Jahr bisher 87,0 %. Das bedeutet gegenüber dem gleichen Zeitraum des vergangenen Jahres einen Rückgang um 1,2 %.

Bereits während vergangener Leitungsberatungen herausgearbeitete Ursachen für den erhöhten Täteranfall, wie die anhaltende Einwirkung von Massenmedien der BRD und gegnerischer Zentren und Einrichtungen auf die Bevölkerung der DDR, behalten ihre volle Gültigkeit.

Die detaillierte Darstellung und Vermittlung von angewandten Mitteln und Methoden vollendeter ungesetzlicher Grenzübertritte führt dazu, dass jene Räume, in denen ein Durchbruch gelang, immer wieder angegriffen werden.

Als Motive der überwiegenden Mehrzahl der Täter zur Begehung einer Straftat gemäß § 213 StGB wurden u. a. herausgearbeitet:

- persönliche, meist selbst verschuldete Konfliktsituationen in Familie, Schule, Betrieb;
- Entziehung vor Strafverfolgung;
- Unzufriedenheit mit Warenangebot und Reisemöglichkeiten in der DDR.

Der Anteil von Ersuchenden auf Übersiedlung in die BRD an der Gesamttäterzahl ist gegenüber vergangenen Jahren angestiegen und beträgt bis zum 31.08.1988 17,5 %.

Für die unmittelbar operativ-vorbeugende Arbeit ist bedeutsam, dass der überwiegende Teil der angefallenen Übersiedlungsersuchenden sofort nach Aussprechen der Ablehnung des Übersiedlungsersuchens durch die Abt. Innere Angelegenheiten mit der Tatvorbereitung bzw. -durchführung begann.

Von den 18 Tätern, die bisher im Jahr 1988 einen ungesetzlichen Grenzübertritt im Bezirk Suhl vollendeten, waren 10 Täter im Bezirk wohnhaft (davon 8 Täter in der Grenzsperrzone bzw. grenznahen Raum).

Zu beachten ist, dass der überwiegende Teil der insgesamt 37 Täter aus dem Bezirk, die mit Straftaten gemäß § 213 StGB anfielen, aus dem Kreis Bad Salzungen kam (13 Täter). Dieser Kreis bildet bereits seit mehreren Jahren einen territorialen Schwerpunkt für Täter aus dem Bezirk Suhl, die im Heimatkreis die Staatsgrenze der DDR angriffen.

Der Anteil der Täter aus dem Bezirk Suhl an der Gesamttäterzahl ist gegenüber dem Vergleichszeitraum des Vorjahres um ca. 2 % rückläufig. Als Hauptangriffsrichtungen im Bezirk Suhl bestätigten sich erneut die Kreise Meiningen und Sonneberg mit 66,4 % der Gesamtangriffe.

Positiv ist dabei hervorzuheben, dass relativ wenig Täter aus dem Kreis Meiningen die Staatsgrenze im Bezirk Suhl angriffen, um die DDR ungesetzlich zu verlassen.

Aus der Analyse der Begehungsweisen vollendeter ungesetzlicher Grenzübertritte geht hervor, dass der überwiegende Teil der Täter durch den Wohnsitz in der Grenzsperrzone/grenznaher Raum, Passierschein für den Schutzstreifen oder durch ehemaligen Dienst bei den Grenztruppen der DDR Kenntnisse besaß zu

- Regimeverhältnissen im Grenzgebiet und bei den GT der DDR;
- Wirkungsweise der Grenzsicherungsanlagen;
- örtlichen Gegebenheiten im angegriffenen Bereich.

Diese Kenntnisse wurden zielgerichtet zur Begehung der Straftat eingesetzt und wirkten sich entsprechend negativ auf das Grenzsicherungssystem aus. [63]

Fluchtstatistik

Nach Lapp unternahmen rund 2/3 der Grenzverletzer in den 70er und 80er Jahren den Fluchtversuch an der innerdeutschen Grenze, etwa 25 Prozent an der Grenze zu Westberlin, der Rest versuchte es über die Seegrenze/Küste.

Davon wurden zwischen 90 und 95 Prozent der Grenzverletzungen bzw. der versuchten oder vorbereiteten Grenzdurchbrüche verhindert, 85 Prozent bereits in der Tiefe des Territoriums der DDR, also im grenznahen Raum, im Grenzgebiet selbst vor dem Schutzstreifen sowie schon im Landesinneren. ...

An der innerdeutschen Grenze wagten zwischen Ende 1974 und Ende 1979, also in einem Zeitraum von rund 5 Jahren, knapp 5.000 Menschen die Flucht in Richtung BRD.

4.000 Menschen (= 80 Prozent) wurden durch Volks- und Transportpolizei vor dem Schutzstreifen festgenommen, 740 Grenzverletzer fassten die Grenztruppen selbst (= 14,5 Prozent), nur 230 Personen gelang der Grenzdurchbruch. Das entsprach einer Erfolgsquote – aus Sicht der Flüchtlinge - von nur etwa 5 bis 6 Prozent. Auf Bezirksebene fehlten bisher solche statistischen Angaben. Gegen Ende der 80er Jahre dürfte die „Erfolgsquote" sicher noch geringer geworden sein.[65]

In der Gauckbehörde wurde jedoch eine – leider unvollständige – Aufstellung des Staatssicherheitsdienstes, BV Suhl, gefunden, die einen guten Einblick über Fluchtwillige, Flüchtige und ihre Erfolge und Misserfolge vermittelt:[66]

Übersicht 1: Flucht im Bezirk Suhl

Tabelle: Übersicht zu strafrechtlich relevanten Handlungen gemäß § 213 StGB im Bezirk Suhl

Wie in der Allgemeinstatistik aufgeführt, sind die erfolgreichen Grenzübertritte sehr gering, allerdings mit 5,9 bis 11,2 Prozent höher als das DDR-Mittel. Die „Nullrunde" 1985 mag darauf zurückzuführen sein, dass nur drei Monate zur Verfügung standen.

Übersicht zu strafrechtlich relevanten Handlungen gemäß § 213 StGB im Bezirk Suhl

Übersicht zu strafrechtlich relevanten Handlungen gemäß § 213 StGB im Bezirk Suhl	Personen insgesamt 1982	Personen insgesamt 1983	Personen insgesamt 1984, 1-11	Personen insgesamt 1985, 1-3	Personen insgesamt 1986	Personen insgesamt 1987	Personen insgesamt 1988	Personen insgesamt 1989, 1-8
Gesamtanfall, davon	135	104	134	17				135
Verhindert durch Festnahmen der Täter am Ausgangsort	10	2	11	4				
Verhindert durch Festnahmen der Täter im grenznahen Raum bzw. Grenzgebiet durch DVP/Sicherheitsorgane sozialistischer Staaten	97	77	99	10				
Verhindert durch Festnahmen der Täter im Handlungsraum der GT der DDR/der soz. Staaten	20	17	9	3				
Vollendete ungesetzliche Grenzübertritte	8	8	15	0				24
Ausschleusung bzw. Verdacht der Ausschleusung	0	0	13	0				

Zwischen 71 und 73 Prozent aller Fluchtversuche wurden durch die DVP beziehungsweise die Transportpolizei im Vorfeld bzw. auf der Fahrt zum Durchbruchsort festgenommen. Eine recht hohe Zahl an Fluchtwilligen wurde bereits am Heimatort abgefangen. Dies zeigt in steigendem Maß die vorbeugend erfolgreiche Arbeit der Staatssicherheit – vorbeugend nur im Sinn einer frühen Festnahme. Dass das MfS im Sinn einer tatsächlichen Vorbeugung tätig wurde, wird weiter unten aufgezeigt. Die Grenztruppen selbst konnten zwischen 14,8 und 17,6 Prozent der Flüchtlinge selbst abfangen, eine höhere Erfolgsquote als dies DDR-weit der Fall war. Die niedrige Erfolgsquote 1984 mag auf die Umstellungsprobleme auf das neue Grenzsystem mit dem Wegfall von Minen und SM 70 zurückzuführen sein.

Übersicht 2 Handlungen gem. § 213 im Bezirk Suhl durch eigene Bürger

Dazu Tabelle: Übersicht zu strafrechtlich relevanten Handlungen gemäß § 213 StGB im Bezirk Suhl durch Bürger aus dem Bezirk

Übersicht zu strafrechtlich relevanten Handlungen gem. § 213 StGB im Bezirk Suhl durch Bürger aus dem Bezirk								
Übersicht zu strafrechtlich relevanten Handlungen gemäß § 213 StGB im Bezirk Suhl durch Bürger aus dem Bezirk	Personen insgesamt 1982	Personen insgesamt 1983	Personen insgesamt 1984, 1-11	Personen insgesamt 1985, 1-3	Personen insgesamt 1986	Personen insgesamt 1987	Personen insgesamt 1988	Personen insgesamt 1989
Gesamtanfall, davon	37	28	42	7				43
Verhindert durch Festnahmen der Täter am Ausgangsort	7	2	9	3				
Verhindert durch Festnahmen der Täter im grenznahen Raum bzw. Grenzgebiet durch DVP/Sicherheitsorgane sozialistischer Staaten	18	16	16	2				
Verhindert durch Festnahmen der Täter im Handlungsraum der GT der DDR/der soz. Staaten	11	7	5	2				
Vollendete ungesetzliche Grenzübertritte	1	3	12	0				18
Ausschleusung bzw. Verdacht der Ausschleusung	0	0	1	0				

Der Anteil der eigenen Bürger an den Fluchthandlungen betrug

1982   27,41 %
1983   26,92 %
1984   31,34 %
1985   41,18 %

wobei 1985 eben nicht voll aussagekräftig ist, jedoch vielleicht eine Tendenz anzeigt.

In dieser Übersicht ergeben sich gravierende Unterschiede zur DDR-Statistik:
Etwa doppelt so viele Bürger als im statistischen Mittel wurden bereits am Heimatort festgenommen, ein Zeichen auch für eine stärkere Durchsetzung des Grenzbezirks mit Zuträgern, als dies in der übrigen DDR der Fall war. Dafür wurden wesentlich weniger Fluchtwillige bei der Anreise gefasst, einfach, weil der Anreiseweg meist viel kürzer war und für viele eine Berechtigung für den Aufenthalt in Grenznähe bestand. Deswegen hatten es die Bürger des Bezirks auch wesentlich mehr als andere direkt mit den Grenztruppen zu tun, die zwischen 25 und 30 Prozent aller Vorgänge mit einer Festnahme abschließen konnten. Hatten 1982 nur 2,7 Prozent aller Fluchtwilligen ihr Vorhaben mit Erfolg abschließen können, so steigerte sich die Erfolgsquote im nächsten Jahr auf 10,7 Prozent und 1984 auf atemberaubende 28,6 Prozent. Über ein Viertel aller, die aus dem Bezirk eine Flucht in diesem Jahr wagten, kamen auch durch!

Übersicht 3: Angriffe auf die Grenzkreise

Angriffe auf die Grenze in den Grenzkreisen insgesamt.

Wie diese Übersicht aufzeigt, war der Kreis Meiningen das Hauptangriffsziel aller Fluchtwilligen. Zwischen 44 und 56 Prozent aller Fluchtbewegungen hatten diesen Grenzkreis zum Ziel. Dies lag sicher an der guten Erreichbarkeit für Fluchtwillige aus der Gesamt-DDR über die B 19 und die beiden Eisenbahnstrecken von Suhl und von Eisenach. An zweiter Stelle lag der Kreis Sonneberg mit zwischen 17 und 26 Prozent aller Fluchtanstrengungen. Trotz einer sehr langen Grenze war Hildburghausen ein relativ sicherer Kreis. Ein wesentlicher Grund dafür war, dass in den Heldburger Zipfel kaum ein Fremder gelangen konnte. Während die Fluchtbewegungen im Kreis Neuhaus mit seinem kurzen Grenzabschnitt stetig gegen Null gingen, bewegte sich der Anteil des Kreises Bad Salzungen im Schnitt bei 10 Prozent.

Angriffe auf die Grenze in den Grenzkreisen insgesamt				
Angriffe auf die Grenze in den Grenzkreisen insgesamt	Personen insgesamt 1982	Personen insgesamt 1983	Personen insgesamt 1984, 1-11	Personen insgesamt 1985, 1-3
Bad Salzungen	17	9	14	3
Hildburghausen	15	17	14	2
Meiningen	59	50	76	9
Neuhaus	8	6	1	0
Sonneberg	35	22	31	3

Spurensicherung auf westlicher Seite unmittelbar an der innerdeutschen Grenze nach der spektakulären Flucht bei Schweickershausen/Ermershausen im Mai 1986 durch Beamte der Bayerischen Grenzpolizei und BGS-Beamte.
Foto: Hanns Friedrich

Übersicht 4 Grenzangriffe durch Bürger des Bezirks Suhl

Angriffe auf die Grenze in den Grenzkreisen durch Bürger des Bezirks Suhl

Für diese Übersicht sind auch für 1989 aussage-fähige Zahlen vorhanden. Die Zahlen hier unter-scheiden sich auffällig von den Gesamtzahlen des Angriffs auf die einzelnen Grenzkreise. Über die Grenzen des Kreises Meiningen wollten von den eigenen Leuten nur 1/3 statt über 50 Prozent bei den Gesamtfluchtzahlen. Die Zahlen der anderen Kreise bis auf den Kreis Sonneberg bewegten sich auf ähnlichem Niveau. Nur der Kreis Sonneberg wurde in einem wesentlich höheren Maß von ein-heimischen Fluchtwilligen als von sonstigen DDR-Bürgern als Station zum Weg über die Grenze benutzt.

Angriffe auf die Grenze in den Grenzkreisen durch Bürger des Bezirks Suhl								
Angriffe auf die Grenze in den Grenzkreisen durch Bürger des Bezirks Suhl	Personen insgesamt 1982	Personen insgesamt 1983	Personen insgesamt 1984, 1-11	Personen insgesamt 1985, 1-3	Personen insgesamt 1986	Personen insgesamt 1987	Personen insgesamt 1988	Personen insgesamt 1989, 1-7
Bad Salzungen	7	3	6	2				21
Hildburghausen	6	5	7	4				10
Meiningen	12	6	20	4				27
Neuhaus	1	1	0	0				4
Sonneberg	11	13	9	2				34

Übersiedlung – Ausreise

ANTRÄGE AUF STÄNDIGE AUSREISE UND IHRE FOLGEN – ÜBERSIEDLUNG UND AUSREISE

Während die Flucht durch die Grenzsperranlagen bis zum Abbau der Minensperren und Selbstschussanlagen immer mehr zu einer Angelegenheit für Lebensmüde, Desperados oder Ortskundige wurde, sahen in zunehmendem Maß DDR-müde Bürger einen Antrag auf ständige Ausreise, verbunden mit der Entlassung aus der Staatsbürgerschaft der DDR, als mögliche Alternative, die mehr und mehr genutzt wurde, wie einige wenige Meldungen belegen.

Beim Rat der Stadt Meiningen häuften sich im April 1983 Anträge von BRD-Bürgern auf Übersiedlung in die DDR (nach Meiningen). Im Berichtszeitraum lagen 2 Anträge von Altersrentnern und ein Antrag einer arbeitsfähigen Familie vor, die aus politischen und wirtschaftlichen Gründen übersiedeln wollen.[1]

Zum 31.12.1984 ließ die DDR-Regierung 40.900 Antragsteller auf „ständige Ausreise" in den Westen ausreisen.
Während die Partei- und Staatsführung diesen Bereich mit allen Mitteln verhindern oder wenigstens zurückdrängen wollte, sah sie lange Zeit in Besuchsreisen ins westliche Ausland eine Möglichkeit, den Druck, der sich in der Bevölkerung aufbaute, zu mindern.
Es sieht allerdings nicht so aus, als ob das viel genutzt hätte. Im Gegenteil: Viele Aussagen[2] belegen, dass ein Besuch im Westen vielfach erst den Wunsch auf ein ständiges Leben dort ausgelöst hätte.

Legale Möglichkeiten der Ausreise

Nach Errichtung der Mauer am 13. August 1961 wurden zunächst alle Anträge auf Übersiedlung abgelehnt. Im ersten Halbjahr 1962 durften dann wieder einige 100 Personen, meist im Rentenalter, im Rahmen der Familienzusammenführung in die Bundesrepublik ausreisen.
Im Zusammenhang mit dem Grundlagenvertrag vom 21. Dezember 1972 ist vereinbart worden, auch Probleme der Familienzusammenführung zu lösen, und zwar durch Zusammenführung von Ehegatten, den Umzug von Eltern, die von ihren Kindern betreut werden sollen, und in besonderen Ausnahmefällen auch die Genehmigung zur Eheschließung und die Ausreise des in der DDR lebenden Verlobten.

Insbesondere seit der Schlussakte der Konferenz über Sicherheit und Zusammenarbeit in Europa vom 1. August 1975, die auch von der DDR unterzeichnet wurde, beantragten viele Bewohner der DDR unter Berufung auf die Menschenrechte die Ausreise aus der DDR. Um diesen meist erfolglosen Bemühungen Nachdruck zu verleihen, legten viele Ausreisewillige ihre Arbeit nieder, demonstrierten öffentlich gegen die Verletzung der Menschenrechte oder wandten sich an westliche Organisationen. Die Behörden in der DDR hatten darauf seit 1976 in zahlreichen Fällen mit Verhaftungen und Verurteilungen wegen asozialen Verhaltens oder Hetze reagiert. Seit dem Inkrafttreten des 2. Strafrechtsänderungsgesetzes vom 7. April 1977 führen solche auf die Menschenrechte gestützten Ausreiseanträge häufig auch zu einer Freiheitsstrafe wegen „Beeinträchtigung staatlicher oder gesellschaftlicher Tätigkeit" nach § 214 StGB.[3] Dem § 214, vorher zum Schutz von Bürgern während ihrer gesellschaftlichen Tätigkeit eingerichtet, wurde 1977 ein neuer Absatz 1 vorgeschaltet:
(1) Wer die Tätigkeit staatlicher Organe durch Gewalt oder Drohungen beeinträchtigt oder in einer die öffentliche Ordnung gefährdenden Weise eine Mißachtung der Gesetze bekundet oder zur Mißachtung der Gesetze auffordert, wird mit Freiheitsstrafe bis zu drei Jahren oder mit Verurteilung auf Bewährung, Haftstrafe, Geldstrafe oder mit öffentlichem Tadel bestraft.[4]
Vielfach wurden Antragsteller auf Übersiedlung zusätzlich nach § 249 bestraft, welcher „der

Bekämpfung und Verhütung asozialen Verhaltens" und damit „der Gewährleistung der öffentlichen Ordnung und Sicherheit" dienen sollte. Häufig legten Antragsteller die Arbeit nieder, um so einer Entlassung zuvorzukommen oder um damit ihren Anspruch auf Ausreise zu bekräftigen.

Absatz (1) lautete: *Wer das gesellschaftliche Zusammenleben der Bürger oder die öffentliche Ordnung und Sicherheit beeinträchtigt, indem er sich aus Arbeitsscheu einer geregelten Arbeit entzieht, obwohl er arbeitsfähig ist, wird mit Verurteilung auf Bewährung, Haftstrafe oder mit Freiheitsstrafe bis zu zwei Jahren bestraft.*[5]

Die Ordnung 0118/77 des MdI wurde auch aufgrund der Gesetzesänderungen notwendig.

Verordnung vom 30. November 1988 über Reisen von Bürgern der Deutschen Demokratischen Republik nach dem Ausland (GBl. Nr. 25 S. 271)

Ständige Ausreisen, also Übersiedlungen in den Westen, konnten nach der neuen Verordnung dann genehmigt werden, wenn Eltern mit ihren minderjährigen Kindern, für die sie ein Erziehungsrecht besaßen, zusammengeführt werden sollten; wenn Minderjährige, deren Eltern gestorben waren, von Geschwistern oder Verwandten, die im Ausland leben, betreut werden sollten; wenn die Zusammenführung alleinstehender Volljähriger mit ihren Verwandten, die ausschließlich im Ausland leben, erfolgen sollte oder wenn alleinstehende Volljährige auf Grund ihres physischen oder psychischen Zustandes von ihren Eltern oder Geschwistern und – sofern diese verstorben waren – von ihren Verwandten, die im Ausland leben, gepflegt und betreut werden sollten. Schließlich konnten Ausreiseanträge zur Eheschließung sowie zur Zusammenführung von Ehegatten genehmigt werden, sofern die Ehe mit Zustimmung der DDR-Organe geschlossen wurde oder ein Ehegatte mit Genehmigung der zuständigen staatlichen Organe seinen Wohnsitz im Ausland genommen hat. Darüber hinaus konnten Übersiedlungen auch aus anderen humanitären Gründen genehmigt werden, wenn dadurch keine Beeinträchtigung gesellschaftlicher Rechte anderer Bürger hinsichtlich ihrer Lebensqualität, vor allem bei der Versorgung, Betreuung und Fürsorge, eintrat, beziehungsweise keine

Nachteile für die Volkswirtschaft oder die öffentliche Ordnung zu erwarten sind.

Die vorliegenden Bestimmungen waren Kann-Bestimmungen. Gründe, nach denen Reisen oder Ausreisen nicht genehmigt werden konnten, wurden auch aufgeführt, z. B. der Schutz der nationalen Sicherheit und der öffentlichen Ordnung, der Geheimnisschutz und die Ableistung des Wehrdienstes. Eine Ablehnung konnte erfolgen, wenn „im Zusammenhang mit der Antragstellung Handlungen gegen die Rechtsordnung der DDR begangen oder ausschließliche Zuständigkeiten der staatlichen Organe der DDR mißachtet werden" oder „Privatreisen oder ständige Ausreisen zu Bürgern der DDR erfolgen sollten, die sich entgegen den Rechtsvorschriften der DDR im Ausland aufhalten". Mit diesen Bestimmungen sollten zum einen Antragsteller auf Übersiedlung davon abgehalten werden, ihrem Ausreiseantrag durch öffentliche Bekundungen oder Kontakte mit Behörden der Bundesrepublik Nachdruck zu verleihen; zum anderen wurde deutlich gemacht, dass in den Fällen, in denen jemand bei einer genehmigten Reise im Westen bleibt, mit einem Nachzug seiner Familie aus der DDR im Wege der Familienzusammenführung nicht gerechnet werden kann. Weiter konnten Übersiedlungsanträge abgelehnt werden „zum Schutz der Rechte der Bürger, der Prinzipien der sozialistischen Moral und sozialer Erfordernisse". Eine wichtige Neuregelung bezüglich der Reisen und Ausreisen bestand darin, dass ab Inkrafttreten „die rechtlichen Gründe für eine ablehnende Entscheidung" dem Antragsteller mitgeteilt werden mussten. Sollte eine Behörde der Beschwerde eines Antragstellers gegen einen ablehnenden Bescheid nicht stattgeben, konnte der Antragsteller diese Entscheidung künftig gerichtlich nachprüfen lassen. Die Behörden mussten künftig innerhalb von dreißig Tagen, in dringenden Fällen in drei Tagen über Reiseanträge entscheiden. Bei den Ausreiseanträgen betrug die Frist drei bzw. sechs Monate. Das SED-Zentralorgan „Neues Deutschland" wertete die erweiterten Reise- und Ausreiseregelungen als einen „bedeutsamen Akt des guten Willens" und einen „Beitrag gewissermaßen für ein gutes, friedliches und gutnachbarliches Zusammenleben in unserem Haus Europa, in unserer Welt". Der Bundesrepublik wurde vorgeworfen, ihrerseits „noch immer eine Reihe von Hindernissen gegen den Reiseverkehr" zu praktizieren. Dazu gehörten eine „völkerrechtswidrige Staatsbürgerschaftsdoktrin, die Tätigkeit der Erfassungsstelle in Salzgitter, die Machenschaften von Geheimdiensten und anderen entspannungsfeindlichen Kräften". Eine Durchführungsbestimmung dazu wurde am 14. März 1989 veröffentlicht.

Wer entschied über die Genehmigung eines Ausreiseantrags?

Anhand der Zusammensetzung der Arbeitsgruppe Übersiedlung beim Rat des Kreises Meiningen wissen wir, aus welchen Bereichen der Verwaltung und der Sicherheitskräfte die Mitglieder solcher Arbeitsgruppen kamen. Die Anträge selbst waren schriftlich beim Rat des Kreises vorzulegen.

Mitglieder der AG Übersiedlung beim Rat des Kreises Meiningen am 04.01.1980[6]
* Leiter der Abteilung Inneres, Gen. Müller, H.
* MfS Kreisdienststelle, Gen. Sauer:
* VPKA, Paß- und Meldewesen, Gen. Krämer
* Leitend. Mitarbeiter für O + G, Gen. Müller J.
* VPKA, Abt. K - Gen. Uhlworm
* Mitarbeiter für WE/Genehmigungen Genossin Prosch

Diese Arbeitsgruppen entschieden die Anträge. Strittige oder schwierige Fälle wurden an die AG Übersiedlung des Bezirkes weitergereicht, in Einzelfällen sogar an das Innenministerium.[7]

Zur Entwicklung der Ersuchen auf Übersiedlung 1984 – 1988[8]

Zu Beginn des Jahres 1984 hatten aus dem Bezirk Suhl 225 Bürger, darunter 56 Kinder, Ersuchen auf Übersiedlung in die BRD bzw. Berlin-West gestellt.

In den ersten Monaten des Jahres 1984 erfolgten aufgrund zentraler Festlegungen umfangreiche Übersiedlungen, in deren Rahmen 1984 insgesamt 212 Personen, darunter 60 Kinder, aus dem Bezirk Suhl übergesiedelt wurden.

Die genehmigten Übersiedlungen führten bei vielen Bürgern, die sich mit Übersiedlungsabsichten trugen, inspiriert durch die BRD-Medien zu einer gesteigerten Erwartungshaltung hinsichtlich der Genehmigung ihrer Ersuchen in Form von 366 Fällen mit 768 neuen Ersuchern. Dieser Zeitraum wurde als günstiger Moment zur Genehmigung der Ersuchen betrachtet.

Motive und Beweggründe für die Ersuchenstellung waren vor allem
- illusionäre Vorstellungen über die Lebensweise in der BRD bzw. den westlichen Ländern, beeinflußt durch die BRD-Medien,
- bessere Befriedigung übertriebener materieller Interessen in der BRD,
- persönliche Konfliktsituationen und Ausbrechen aus gescheiterten Verhältnissen,
- Beeinflussung durch Verwandte, Bekannte und übergesiedelte Personen bzw. Verblendung durch den Lebensstandard eines Teils der BRD-Bürger,
- Reaktion auf nicht genehmigte Besuchsreisen zu Verwandten bzw. Bekannten in der BRD bzw. Berlin-West,
- persönliche Differenzen mit staatlichen Organen bzw. Leitern,
- feindliche Einstellung zu unserem Staat, Ablehnung der gesellschaftlichen Verhältnisse in der DDR,
- Durchsetzung persönlicher Forderungen in der Auseinandersetzung mit staatlichen Organen.

Durch die Bereiche Inneres und alle am Zurückdrängungsprozeß Beteiligten wurde unter Führung der Kreisleitungen der SED mit hohem Aufwand an der Durchsetzung der Ordnung Nr. 0143/83 gearbeitet. In 172 Fällen mit 302 Personen konnte eine Abstandnahme von dem gestellten Ersuchen erreicht werden, was einer Wirksamkeit von 39 % entsprach. Die Arbeitsgruppen 0118/77 leisteten dabei eine zielstrebige Arbeit. Erfolge im Zurückdrängungs- und Verhinderungsprozeß wurden vor allem dort erreicht, wo schnell auf neue Ersuchen reagiert wurde und berechtigte Anliegen der Ersucher ausgeräumt wurden. Bewährt in der Argumentation gegenüber den Ersuchern haben sich besonders solche Themen wie die Fragen der sozialen Sicherheit und Geborgenheit in der DDR. In der Einflußnahme auf die Ersucher haben sich besonders die Bildung betrieblicher Arbeitsgruppen sowie der erstmalige Einsatz von Beauftragten in den Betrieben bewährt.

Probleme in der Arbeit und wirksame Einfluß-nahme zur Erreichung einer Abstandnahme zeigten sich u.a. darin, daß

- nur ungenügend die Arbeitskollektive für die politisch-ideologische Einflußnahme vorbereitet und eingesetzt wurden,
- die persönliche Verantwortung zur Führung dieser Prozesse der Zurückdrängung auf untere Leitungsebene delegiert wurde,
- ideologischen Gesprächen durch Kollegen und Leiter ausgewichen wurde und gegenüber den Argumenten der Ersucher resigniert wurde,
- der Vorfeldarbeit nicht die notwendige Aufmerksamkeit geschenkt wurde.

In vielen Fällen ist ein zu passives Verhalten der Arbeitskollektive zu verzeichnen gewesen. So wurden nicht alle gesellschaftlichen Potenzen im Zurückdrängungsprozeß genutzt und nicht immer die vorhandenen möglichen Bezugspersonen eingesetzt. Ein Großteil der Ersucher war ungenügend in das gesellschaftliche Leben integriert. In 490 Schreiben wandten sich 1984 Ersucher an staatliche Organe, in denen sie solche Formulierungen wie „die Menschen in der DDR sind unfrei", „sie werden willkürlich behandelt" u.a.m. zum Ausdruck brachten. Am Ende des Jahres 1984 betrug der Bestand an Ersuchenden auf Übersiedlung 197 Fälle mit 486 Personen. Von Beginn an waren der Kreis Ilmenau, die Bezirksstadt Suhl sowie alle Kreisstädte und Zella-Mehlis territoriale Schwerpunkte der Ersuchenstellung. In diesen Kreisstädten wiederum konzentrierten sich diese Personen besonders in den Neubaugebieten, so in Ilmenau in den Neubaugebieten „Am Stollen" und Pörlitzer Höhe" und in der Bezirksstadt in „Suhl-Nord" und „Ilmenauer-Straße".

In diesen Neubaugebieten waren zahlreiche Arbeitskräfte aus der gesamten Republik angesiedelt worden, so betrug der Anteil der angesiedelten Personen aus anderen Bezirken an der Gesamtzahl an Ersuchern im Kreis Ilmenau 1984 über 60 %.

Betriebliche Konzentrationen von Ersuchern waren bereits zu diesem Zeitpunkt im WftG Ilmenau mit 14 Personen, Kombinat Spielwaren Sonneberg mit 8 Personen und im Gesundheitswesen der Bezirksstadt mit 7 Personen zu verzeichnen.

1985 wurden im Bezirk Suhl 190 neue Ersuchen auf Übersiedlung von 374 Personen gestellt.

Demgegenüber standen 88 Abstandnahmen von 150 Personen, was einer 'Wirksamkeit von 42 % entspricht. In die Prozesse der Verhinderung und Zurückdrängung wurden die Fachorgane zunehmend einbezogen. Zur Organisierung der Abstandnahmen wurde der Differenzierungsprozeß weitergeführt, konkrete Einschätzungen zu den einzelnen Fällen vorgenommen und Zurückdrängungskonzeptionen erarbeitet. Es erfolgte vor allem eine Konzentration auf die Fälle, wo günstige Voraussetzungen zur Erreichung einer Abstandnahme vorhanden waren. Doch nicht immer und überall sowie in jedem Einzelfall wurde entsprechend den Erfordernissen personenbezogen und auf Abstandnahme hin zielstrebig gearbeitet. Nicht immer war die Gesprächsführung ausreichend gründlich vorgenommen worden und die Veröffentlichungen des „HD" umfassend in die Argumentation einbezogen. In einigen Kreisen und dort besonders in den Kreisstädten, so in Sonneberg, Meiningen und der Bezirksstadt war die Tendenz zu verzeichnen, daß sich Ersucher zu Gruppen zusammenschlossen, sich in ihrem Vorgehen gegenseitig bestärkten und in ihrem Verhalten gegenüber den staatlichen Organen abstimmten. Als Motive für die Stellung von Ersuchen traten verstärkt die eingeschränkten Reisemöglichkeiten für DDR-Bürger und das unbefriedigende Warenangebot zur Versorgung in den Mittelpunkt.

Im Jahre 1986 traten 205 neue Fälle von Ersuchen mit 405 Personen auf, in 90 Fällen mit 152 Personen konnte eine Abstandnahme erreicht werden, was einer Wirksamkeit von 38 % entsprach.

Unter den Neuzugängen befanden sich allein 29 Hochschulkader, das waren 7,2 % des Zugangs insgesamt.

In der Arbeit zur Zurückdrängung und Verhinderung von Ersuchen bewährten sich solche Maßnahmen wie

- Berichterstattungen von staatlichen Leitern vor der Arbeitsgruppe,
- die verstärkten operativen Kontrolleinsätze in Betrieben und Einrichtungen,
- eine zielgerichtete Vorfeldarbeit speziell in den Wohngebieten, die Bemühungen um die Einbeziehung aller gesellschaftlichen Kräfte.

Eine wirksame Arbeit wurde dabei im Kreis Schmalkalden geleistet und es wurde im Bezirk eine Verallgemeinerung der dort gewonnenen

Erfahrungen und Erkenntnisse angestrebt. Dabei ging es darum, die 9. Änderung der Ordnung 143/83 in die Praxis umzusetzen, 1986 haben von 362 wahlberechtigten Ersuchern 118 = 32,6 % von ihrem Wahlrecht Gebrauch gemacht, dabei traten solche Differenzierungen auf wie Bad Salzungen 100 % Wahlbeteiligung, Hildburghausen 11,1 %.

Im Ergebnis einer Analyse wurden 1986 als Motive bei Ersuchstellungen ermittelt:

- 38 % wollen bei Verwandten in der BRD leben,
- erwarten teilweise eine höhere Erbschaft,
- 14 % lehnen die gesellschaftlichen Verhältnisse in der DDR ab,
- 11,2 % nehmen als Begründung die Einschränkung der persönlichen Freiheit,
- 10,4 % nehmen als Begründung die Einschränkung der Reisefreiheit,
- 5,6 % fühlen sich von staatlichen Organen ungerecht behandelt,
- 4,8 % berufen sich auf eine nicht wunschgemäße berufliche Entwicklung,
- Rest 6 % haben Begründungen wie freie Wohnortwahl, unzureichende Versorgung, eingeschränkte religiöse Freiheit u.a.

In der Mehrzahl der Fälle sind dazu die Motive ineinander verflochten.

in 1045 Schreiben wandten sich 1986 Ersucher an zentrale Organe und das ZK mit der Bitte oder Forderung der Genehmigung ihrer Übersiedlung.

Erstmals stellten 2 kirchliche Würdenträger Ersuchen auf Übersiedlung.

In 10 Fällen kehrten Personen von Besuchsreisen aus der BRD nicht zurück, was in 3 Fällen zu Ersuchen führte. Nach Rückkehr von Besuchsreisen wurden in 6 Fällen Übersiedlungsersuchen gestellt. Die Anzahl der Anträge auf Eheschließung mit Übersiedlungsersuchen stieg an, resultierend aus dem Kennenlernen von BRD Bürgern bei Touristenreisen in der ČSSR und Ungarn sowie bei Einreisen von Verwandten und Bekannten.

Ende 1986 waren 82 Ersucher ohne ARV und 12 Ersucher hatten eine Tätigkeit in kirchlichen Einrichtungen aufgenommen.

1987 waren 242 neue Fälle mit 323 Personen an Ersuchern zu verzeichnen, in 141 Fällen mit 167 Personen konnten Abstandnahmen erreicht werden. Die Wirksamkeit betrug somit 47 %. Diese positive Tendenz ist u.a. zurückzuführen auf

- die Übertragung bewährter Leitungsmethoden auf alle Kreise und Bereiche,
- die personelle Stärkung der Arbeitsbereiche und
- die Maßnahmen, diese Tätigkeit verstärkt in den Mittelpunkt der Führungs- und Leitungstätigkeit zu rücken.

In den Bereichen Inneres kamen zusätzliche, aus Betrieben und Einrichtungen delegierte Kader, zum Einsatz.

Auch wurde ein engeres Zusammenwirken mit allen beteiligten Partnern gewährleistet.

Trotz umfangreicher Anstrengungen und vielfältiger Aktivitäten konnten die Ergebnisse in der Arbeit nicht voll befriedigen.

Der Besuch des Gen. Honecker in der BRD löste neue Erwartungshaltungen aus.

Bei vielen Ersuchern verfestigte sich eine hartnäckige Einstellung zur Durchsetzung ihres Anliegens.

Dazu trugen u.a. bei

- die Berichterstattung westlicher Medien, die Propagierung von Botschaftsfällen,
- erfolgte Übersiedlungen und Erwartung weiterer Rückverbindungen von übergesiedelten Personen,
- Verbindungen zu Verwandten und Bekannten, die intensiver gestaltet wurden.

Zur Durchsetzung ihrer Übersiedlungsabsichten wurde vor Straftaten nicht zurückgeschreckt bzw. ein Verhalten an der Grenze zur strafrechtlichen Relevanz geführt.

Ein Teil der Übersiedlungen wirkte sich nachteilig auf die Erreichung von Abstandnahmen aus. Argumente unsererseits zur Lage von übergesiedelten Personen in der BRD, die zurück in die DDR wollten, wurden als bloße Propaganda abgetan.

Im Rahmen der 1987 durchgeführten allgemeinen Amnestie kamen im Bezirk Suhl 57 Ersucher auf Übersiedlung zur Entlassung. 6 Personen nahmen im Rahmen der durchgeführten Wiedereingliederungsmaßnahmen von ihrem Ersuchen Abstand, 4 amnestierte Strafentlassene traten als neue Ersucher in Erscheinung.

Ende 1987 waren 78 Personen ohne ARV und 17 Personen hatten eine Tätigkeit in einer kirchlichen Einrichtung aufgenommen.

Das Jahr 1988 führte zu einem erneuten (seit 1985 kontinuierlichen) Ansteigen der Ersuchstellungen. 274 neue Fälle mit 574 Personen traten neu als Ersucher auf, in 130 Fällen mit 233 Personen konnten bei einer Wirksamkeit von 41 % Abstandnahmen erzielt werden.

Bei vielen Ersuchern ist eine langfristige Planung ihrer Ersuchstellung zu verzeichnen. Viele Ersucher vertreten ihre Übersiedlungsabsichten immer hartnäckiger, die Straftaten an der Staatsgrenze und der Druck auf die Staatsgrenze nehmen zu. Stark angestiegen sind Ersuchen wegen Nichtrückkehr von Familienangehörigen zu Besuchsreisen, allein im IV. Quartal 1988 kam es bei 67 Personen aus diesem Grund zu einer Ersuchstellung, das entspricht 48 % der Neuersuchstellungen.

Die Anträge auf Eheschließungen mit BRD-Bürgern nehmen weiter zu.

Ersuchen werden zunehmend mit (nicht immer echten) Familienzusammenführungen, Pflege von (oftmals entfernten) Verwandten und zu erwartenden Erbschaften begründet.

Auch führten abgelehnte Besuchsreisen zu weiteren Ersuchstellungen, die Fragen der Reisefreiheit und die unbefriedigende Versorgungslage wurden als Argumente bei Ersuchstellungen stärker in den Mittelpunkt gerückt.

Zwischen den Ersuchern wurden engere Kontakte geknüpft und das Vorgehen und Verhalten weiter untereinander abgestimmt.

Durch Ersucher auf Übersiedlung aus Ilmenau wurde die Botschaft des Königreiches Dänemark in der Hauptstadt der DDR und durch Ersucher aus Sonneberg die Stadtkirche von Eisfeld besetzt.

Durch die Bereiche Inneres wurden Ablehnungen im Jahre 1988 gegenüber 609 Ersuchern hinsichtlich der Genehmigung ihrer Ersuchen ausgesprochen.

Diese Entscheidungen wurden von der überwiegenden Mehrheit der Ersucher nicht akzeptiert und sie bestanden weiterhin auf der Durchsetzung ihrer Vorhaben.

Per 31.12.1988 betrug der Bestand an Ersuchenden auf Übersiedlung 381 Fälle mit 934 Personen, darunter 332 Kindern.

Am 16. März 1987 erfuhr SED-Sekretär Lindenlaub vom Leiter seiner KDfS, Dömming, welche Aktivitäten die Übersiedlungsersuchenden im Kreis Hildburghausen zur Erreichung einer Wohnsitzänderung entwickeln.

Danach
- wird der Inhalt von schriftlichen Ersuchen gegenüber den Staatsorganen fordender und provokativer
- werden zunehmend Kontakte zu Feindorganisationen in der BRD, zu NSA-Botschaften in Berlin und die Beschaffung von Dokumenten und Unterlagen von BRD-Behörden, in denen Wohnung, Arbeitsplatz und Lehrstellen für die Kinder zugesichert werden.[9]

Die Lageentwicklung unter den Antragstellern auf ständige Ausreise und des Privatreiseverkehrs von Bürgern des Bezirkes nach nichtsozialistischen Ländern und Staaten am 29. August 1989

Die nächste Meldung wurde am 29.08.1989 erstellt. Darin berichtete das MfS:

Seit dem 1.1.89 bis zum 28.8.89 stellten 551 Personen (348 Erwachsene/203 Kinder) neu Antrag auf ständige Ausreise, das entspricht einer Zunahme um 59 %.

Schwerpunkte sind dabei nach wie vor die Kreise Suhl 147 neue Antragsteller (ASTA), Ilmenau 127 neue ASTA. In Schmalkalden ist eine Zunahme von 41 ASTA zu Jahresbeginn auf 92 ASTA zu verzeichnen.

Die Wirksamkeit der Zurückdrängung ist spürbar zurückgegangen. Per 01.01.1989 wurde lediglich bei 56 Personen = 10,2 % eine Abstandnahme erreicht.

Anteil daran haben

Ilmenau	24,4 %
Bad Salzungen	15,7 %
Schmalkalden	2,0 %
Meiningen	2,0 %
Neuhaus	0,0 %

In der Zeit vom 01.01. bis 28.08.1989 reisten 581 Personen (366 Erwachsene/215 Kinder) für ständig aus. Sie wurden aus der Staatsbürgerschaft der DDR entlassen. Das sind 39,1 % der Gesamtantragsteller. Davon entfallen auf die Kreise

Ilmenau	183 Personen
Suhl	88 Personen
Sonneberg	87 Personen
Meiningen	74 Personen

Somit gibt es im Bezirk mit Stand vom 28.08.1989 848 (542 Erwachsene/306 Kinder) ASTA.

Die Gesamtzahl der ASTA hat sich trotz der erfolgten ständigen Ausreise nicht verringert.

Diese Entwicklung ist darauf zurückzuführen, daß der Einfluß entspannungsfeindlicher Kräfte aus der BRD, insbesondere der Funkmedien, und von Verwandten unter Mißbrauch des Reiseverkehrs bzw. von Rückverbindungen ehemaliger DDR-Bürger sich weiter erhöht hat und wesentlich die Motive zur Antragstellung bestimmt.[10]

Einige Schicksale von Tausenden

Die Karteikarten einer Übersiedlerkartei des Bezirks Suhl, Abteilung Inneres im Staatsarchiv Meiningen, jetzt in der Zweigstelle Suhl, ergeben aufeinander gelegt eine Höhe von insgesamt 2,80 m. Sie bestehen aus ca. 6.000 Karteikarten. Teilweise gehören bis zu 6 Karteikarten zu einem Vorfall, andererseits sind in einem Antrag sehr oft mehrköpfige Familien zusammengefasst, so dass vorsichtig geschätzt von 6.000 bis 8.000 Übersiedlungsantragstellern im Bezirk Suhl gesprochen werden kann.[11] Diese Karteikarten enthalten verkürzt die Lebensschicksale Tausender DDR-Familien. Auch ihr Leben ist ein Teil der „Grenzerfahrungen" in der ehemaligen DDR.

Familienzusammenführung

* Bei Antritt ihres Studiums (Geschichte und Sport) in Greifswald 1972 lernte eine 1954 geborene Römhilderin einen noch verheirateten Mann kennen, mit dem sie sich 1974 verlobte. Der Mann war von Mai 1973 bis Juli 1974 in Haft und wurde dann in die BRD abgeschoben. Seit März 1975 wurde ihm die Einreise als unerwünschte Person verweigert. Am 30.10.1975 stellte die Frau Antrag auf Übersiedlung in die BRD, was ihre Exmatrikulation zur Folge hatte. 18.11.1975: Ablehnung; 06.01.1976 Ablehnung; 17.02.1976 Zwischenbescheid; 16.03.1976 Ablehnung. Bei der letzten Ablehnung betonte die Frau, jetzt als Internatshelferin tätig, sie werde weiter Anträge stellen, bis die Behörden zustimmen. Rot ist auf der Karteikarte vermerkt: Ziffer 3/13.8.76.

* Nachdem ihre Tochter zwecks Heirat nach Westberlin übersiedeln durfte, stellten die Eltern Gerhard, 46, und Elfriede, 45, beide freischaffende Künstler aus Sonneberg, am 31.12.1984 Antrag auf Übersiedlung in die BRD zwecks Familienzusammenführung. Das Ersuchen wurde zurückgewiesen, da beide nicht antragsberechtigt waren. Im November 1985 wurde der Mann inhaftiert. Mit Rotstift ist beim Mann vermerkt: Antrag auf Übersiedlung in die BRD SV 10.6.86, bei der Frau: Antrag auf Übersiedlung in die BRD 31.07.86.

* Die Pflege einer Tante in Tann/BRD war der Grund für den Antrag auf Übersiedlung eines Klempners aus Oberalba, 26, seiner als Krankenschwester tätigen Frau, 26, und der Tochter, 1. Außerdem habe die Tante den Klempner als Erben eingesetzt. Der Antrag wurde am 16.11.1989 genehmigt. Da war die Familie schon einen Tag in Tann.

* Um zusammen mit der Mutter zur Tante zu ziehen, stellte ein Ingenieur, 35, aus Ilmenau zusammen mit seiner 33-jährigen Frau, Bibliothekstechnikerin, der Tochter, 7, und dem Sohn, 3, am 20.01.1989 Antrag auf Übersiedlung in die BRD. Dieser wurde am 18.05.1989 abgelehnt, am 13.10.1889 genehmigt.

* Zu ihrer Schwester wollte eine arbeitslose 46-Jährige aus Zella-Mehlis mit ihrem Sohn, 12, und stellte deshalb Antrag auf Übersiedlung in die BRD, am 15.02.1986, abgelehnt am 12.04.1988, am 24.04.89 genehmigt, am 12.05.1989, nachdem die Frau 1984 und 1988 nicht an der Wahl teilgenommen hatte.

* Ein Ehepaar, Arzt, 41, und Ärztin, 40, in Schönbrunn, Kreis Hildburghausen, mit ihren 3 Söhnen 15, 13 und 12, wollten am 27.03.1984 zu einem Cousin in der BRD, um mit ihm nach Australien auszuwandern. Abgelehnt – keine Antragsberechtigung. Am 22.12.1987 kam dann doch die Genehmigung.

* Eine 5-köpfige Familie aus Bad Liebenstein stellte am 14.03.1989 und vorher am 11.07.1987 Antrag auf Übersiedlung in die BRD. Sie bestand aus: Vater Dieter, 30, Mutter Elke, 26, Tochter Manuela, 7, Sohn Alexander, 5, Tochter Juliane, 1. Der Vater hatte bei Stellung des Antrags als Kraftfahrer gearbeitet ohne ARV, die Mutter arbeitete als Wirtschafts-

hilfe im Caritas-Heim Bad Liebenstein. Neben vielen anderen Gründen gaben sie an, zur Mutter der Frau ziehen zu wollen, die von einer DFA-Reise (Reise in dringenden Familienangelegenheiten) im Januar 1987 nicht zurückkehrte. Das Ansuchen wurde am 07.06.1988 abgelehnt, weil die Verordnung vom 15.09.1983 darauf nicht zutreffe, da die Mutter die DDR illegal verlassen hatte. Der zweite Antrag hatte jedoch Erfolg. Die Familie konnte am 18.08.1989 ausreisen.

*   Für sich und ihre Kinder Katharina, 12, und den eben erst geborenen David stellte eine OP-Schwester aus Suhl, 28, einen Antrag auf Übersiedlung in die BRD. Sie sei geschieden, ein zweiter Mann habe sie, hochschwanger, verlassen. Nervlich habe sie das alles so mitgenommen, dass sie sich mit Selbstmordgedanken trage. Als einzigen Ausweg sehe sie die Übersiedlung zu ihren Eltern nach Rödental. Am 07.09.1984 erfolgte Ablehnung, am 16.11.1984 Abstandnahme, am 13.02.1985 Ablehnung, am 28.05.1986 Erlaubnis zur Übersiedlung, aber nur für sie und ihren jetzt 2-jährigen Sohn. Die Tochter musste hier bleiben.

*   Ein 17-jähriges Mädchen aus Hasenthal, Verkaufslehrling im Konsum-Kaufhaus Sonneberg, stellte im Februar 1976 einen Übersiedlungsantrag zu ihrer leiblichen Mutter. Das Mädchen war als 1-jähriges Kind in Leipzig in einem Kinderwagen verlassen aufgefunden und in ein Kinderheim gebracht worden. Später wurde bekannt, dass die Mutter 1960 die DDR illegal verlassen hatte. Nachdem Nachforschungen nach ihr ergebnislos geblieben waren, wurde das Kind von Leuten aus Hasenthal adoptiert. Anfang 1976 meldete sich die leibliche Mutter, die nun in der Nähe von Pegnitz in Bayern wohnte und forderte ihre Tochter auf, in die BRD zu kommen. Die Arbeitsgruppe lehnte eine Übersiedlung ab. Auf Drängen gab die junge Frau eine schriftliche Erklärung ab, dass sie weder jetzt noch in Zukunft in die BRD übersiedeln wolle.

Unzufriedenheit mit den Verhältnissen im Land

Obwohl es kein Grund für die Genehmigung einer Übersiedlung war, scheuten doch viele Übersiedlungswillige sich nicht, unverblümt über die Zustände in der DDR aus ihrer Sicht herzuziehen bzw. sie zu interpretieren:

*   Ohne Angabe von Gründen stellte ein 31-jähriger Instandhaltungsbrigadier aus Wasungen für sich und seine Familie, Frau, 29, Einpacker im Metallwerk Wasungen, Söhne 6 und 1 Jahr alt, Antrag auf Übersiedlung in die BRD. Er sei mit den Verhältnissen in der DDR nicht mehr einverstanden, die Medien berichteten täglich über Planerfüllung, doch in den Geschäften gäbe es nichts zu kaufen. Alle Ostblockländer öffnen sich dem Westen, warum nicht wir? Am 17.11.1989 übersiedelte die Familie.

*   Eine Familie aus Pfaffenbach, Kreis Schmalkalden, ein 33-jähriger Angestellter, seine 31-jährige Frau, der 11-jährige Sohn und die 5-jährige Tochter, stellte am 04.05.1989 Antrag auf Übersiedlung in die BRD. Grund waren Unzufriedenheit mit der Politik, mit Handel und Versorgung, mit dem Wahlsystem und dem Personenkult.

*   Seinen ganzen Ärger schrieb sich ein Ehepaar, 35 und 34 Jahre alt, von der Seele. Er, stellvertretender Objektleiter der HO Neuhaus, und sie als Objektleiterin wussten, was sie schrieben:
    *   Keine Besuchsreisen in die BRD
    *   Total eingeschränkte Reisemöglichkeiten
    *   schlechte Versorgung bei Obst und Gemüse
    *   katastrophale Versorgung mit Baumaterial und Ersatzteilen für Autos
    *   Wartezeiten auf Pkw von 20 Jahren
    *   keine Möglichkeiten für Telefonanschluss
    *   keine Aussicht auf Reformen
    *   keine Perspektive für die Zukunft (privat und wirtschaftlich)

Am 04.12.1989 wurde die Ausreise genehmigt, also zu einer Zeit, als die DDR bereits offen war wie ein Scheunentor.

Ausreiseerlaubnis durch Heirat

Eine Sachbearbeiterin in einem Glaswerk in Ernstthal, knapp 20, Kandidat der SED seit 1974, lernte einen US-Bürger bei dessen Besuch in E. kennen. Sie hatte vor, ihn zu heiraten und gemeinsam in E. zu wohnen. Der Mann wollte US-Bürger bleiben. Die AG lehnte den Antrag ab, weil die Kriterien der Anweisung 03/68 nicht erfüllt seien, worauf die Frau ihren Antrag zurückzog.

Eine 20-jährige Telefonistin aus Meiningen stellte am 08.04.1975 Antrag auf Übersiedlung in die Bundesrepublik, weil sie zu ihrem Verlobten Walter K. nach Völkershausen bei Mellrichstadt ziehen wollte. Wenig später zog sie ihren Antrag wieder zurück: Der angeblich Verlobte hatte inzwischen geheiratet und verbüßte zusätzlich eine längere Freiheitsstrafe.

Eine 26-jährige Sachbearbeiterin beim VEB Kraftverkehr aus Siegmundsburg hatte bei einem Urlaub in Ungarn 1975 einen BRD-Bürger aus Castrop-Rauxel kennen und lieben gelernt. Der Mann hatte sie mehrmals besucht. Am 16.08.1976 stellte sie Antrag auf Übersiedlung in die BRD zwecks Eheschließung, der am 19.11.1976 abgelehnt wurde, endgültig! Seit Juli 1976 wurde der Frau ein PM 12 ausgestellt. Weitere Anträge wurden abgelehnt am 19.11., 20.12.1976, 15.2.1977. Bei der letzten Vorsprache ließ sich die Frau zu staatsverleumderischen und provokatorischen Äußerungen hinreißen, dann kam am 15.12.1977 doch die Genehmigung. Gemäß Ziffer 3 und Übersiedlung in die BRD am 30.12.1977.

Eine 19-jährige Küchenhilfe aus Sonneberg hatte ein Verhältnis mit einem Polen, war mit ihm verlobt und hatte ein Kind von ihm, als dieser mit den Eltern in die BRD übersiedelte. Am 17.09.1977 reiste er wieder in die DDR ein, um bei seiner Verlobten zu bleiben. Als man ihn am 04.11.1977 auswies, beging er eine strafbare Handlung und wurde zu 6 Monaten Freiheitsentzug verurteilt. Da die Frau mit ihrem Verlobten nicht in der DDR leben konnte, stellte sie Antrag auf Übersiedlung in die BRD, der am 05.06.1978 genehmigt wurde. Am 21.06.1978 reiste sie aus.

In Ungarn hatte 1982 eine 19-jährige Studentin am Institut für Lehrerbildung (IfL) Meiningen aus Pappenheim einen ehemaligen ČSSR- und späteren Bundesbürger kennen gelernt. Verlobung wurde Ende 1981 in der ČSSR gefeiert. Am 05.03.1982 stellte das inzwischen exmatrikulierte Mädchen Antrag auf Heirat und Übersiedlung in die BRD. Am 20.12.1983 erfolgte die Ausreise nach Bretten/Sprantal bei Pforzheim.

Am 11.11.1983 stellte eine 19-jährige Spielwarengestalterin Antrag auf Übersiedlung in die BRD, weil sie einen Mann aus Westberlin kennen gelernt hatte und von ihm ein Kind erwartete. Sie musste bis zur Vaterschaftsanerkennung warten, bis sie im März 1984 übersiedeln konnte.

Eine Frau, 36, Gebrauchswerberin aus Suhl mit Sohn, 7, hatte Anfang 1988 in der ČSSR einen Bundesbürger aus Frankfurt am Main kennen gelernt. Seitdem hatten sie sich mehrmals getroffen und Anfang Oktober 1988 verlobt. Am 09.02.1989 stellte die Frau einen Übersiedlungsantrag, wobei sie sich auf § 10 Abs. 2 Buchstabe c der RVO bezog. Eine Entscheidung wurde nicht mehr getroffen.

Eine 25-jährige Technologin am Porzellanwerk Veilsdorf aus Goßmannsrod stellte am 27.01.1989 einen Antrag auf Übersiedlung in die Bundesrepublik mit Antrag auf Genehmigung der Eheschließung. Bei einem Urlaub in Bulgarien hatte die Frau ihren späteren Ehemann kennen gelernt. Die Heirat fand im Mai statt, die Genehmigung wurde im Juni 1989 erteilt.

Wegen häufiger Einreisen einer Frau aus Benteln, BRD, zu einem 31-jähriger Mann in Zella-Mehlis war dessen Ehe geschieden worden. Jetzt, am 22.08.1989, stellte der Mann Antrag auf Eheschließung mit der BRD-Bürgerin und auf ständige Ausreise in die BRD.

Die Beziehung zu einer BRD-Schönen aus Obertshausen (6053) war der Grund für den Antrag eines Maurers, 23, aus Zella-Mehlis auf Übersiedlung in die BRD am 06.06.1989. Im September reiste er illegal zu seiner Verlobten.

Freigekauft

Weil sie keine Möglichkeit hatten, eine eigene Zahnarztpraxis aufzubauen, versuchten ein 35-jähriger Zahnarzt am Landambulatorium Geisa und seine 31-Frau mit ihrer 3-jährigen Tochter illegal in den Westen zu gelangen, wobei sie am 03.04.1975 inhaftiert wurden. Aus der Haft stellten sie Antrag auf Übersiedlung in die BRD. Am 10.11.1976 wurde die Frau mit ihrer Tochter, am 01.08.1977 der Mann aus der Haft in die Bundesrepublik entlassen – sprich: freigekauft.

Eine kurvenreiche Karriere hatte der 23-jährige Horst B. aus Wernshausen bereits hinter sich, als er am 05.07.1975 Antrag auf Übersiedlung stellte. 1969 war er wegen illegalen Grenzübertritts (§ 213), 1973 wegen Körperverletzung, 1975 wegen Widerstands gegen die Staatsgewalt verurteilt worden. Im Februar 1978 wurde B. aus dem Strafvollzug entlassen. Im Juni des gleichen Jahres war er schon wieder inhaftiert. Es wurden Kontrollmaßnahmen durch die VP nach § 48 auferlegt. Nur 2 Monate nach seiner Entlassung im Juni 1979 wurde B. schon wieder inhaftiert wegen der §§ 249 und 214 – Beeinträchtigung der öffentlichen Ordnung und Sicherheit durch asoziales Verhalten und Beeinträchtigung staatlicher oder gesellschaftlicher Tätigkeit. Am 26.05.1981 wurde B. aus dem Strafvollzug in die BRD entlassen.

Versorgungs- und Wohnungsprobleme

Versorgungs- und Wohnungsprobleme waren die Hauptgründe, weshalb ein zur Zeit in Haft befindliches Ehepaar aus Schleusingen, Fabrikarbeiter, 23, sie, technische Kraft im Kindergarten, 21, am 05.04.1984 Antrag auf Übersiedlung in die BRD auch für Tochter Nancy, 2, stellte. Weitere Gründe wollten sie nicht angeben, da sonst Verhaftung erfolgte. Es half nichts. Zum Zeitpunkt der Abstandnahme am 20.9.1984 waren beide in Haft.

Übersiedlungsanträge mit schlimmen Folgen
Haft/Freiheitsstrafe
Verlust des Arbeitsplatzes

* Ein 33-jähriger Abteilungsleiter Ökonomie aus Suhl war 1970 zu einer Freiheitsstrafe wegen § 213 verurteilt worden. Am 18.10.1982 stellte er Antrag auf Übersiedlung in die BRD für sich, seine Frau, 25, und den Sohn, 3, weil er durch seine Vorstrafe Nachteile in seinem Beruf erdulden müsse. In einer Aussprache im Betrieb HOG „Oberer Hof" am 02.11.1988 wurden alle Vorwürfe zurückgewiesen. Er habe schließlich 1975 – 1980 ein Fernstudium abgelegt und sei danach Abteilungsleiter geworden. „Aufgrund des Inhalts des Ersuchens wurde Anzeige gemäß §§ 106 und 214 StGB erstattet." Der Mann hatte sich auf die Konvention von 1966 und die Schlussakte von Helsinki berufen.
* Ein Krankentransporteur des DRK Sonneberg, 36, stellte am 24.08.1987 Antrag auf Übersied-

lung in die BRD zusammen mit seiner Frau, 34, die im VEB Sonni arbeitete und seinen Söhnen, 14 und 5 Jahre. Er und seine Familie seien mit den politischen und wirtschaftlichen Verhältnissen nicht mehr einverstanden. Sie beriefen sich auf die Internationale Konvention für Menschenrechte Art. 12, Punkt 2. In der Folge verloren Mann und Frau ihre Arbeitsstelle. Der Mann kam als Hausmeister beim Pfarramt Sonneberg unter. Nach neuer Antragstellung am 17.01.1989 kam am 23.03.1989 die Genehmigung.

* Horst B., ein 34-jähriger Gärtner der LPG „1. Mai" in Streufdorf, wohnhaft in Bedheim, hatte im Oktober 1988 einen Übersiedlungsantrag gestellt, zusammen mit seiner gleichaltrigen Frau, die als Lehrerin an der POS Bedheim angestellt war, und den beiden Kindern, 11 und 3 Jahre alt. In seinem schriftlichen Antrag hatte das Ehepaar geschrieben, das gesamte Wirtschafts- und Sozialsystem in der DDR sei ineffektiv und krank. Sie seien nicht gewillt, durch die Ausbeutung ihrer Arbeitskraft diesen Zustand weiter zu unterstützen. Es gäbe keine Meinungsfreiheit, die Lügen und Halbwahrheiten der Medien seien unerträglich, für ihre Kinder gäbe es keine Zukunft. Martina B. kündigte an, sie werde in Zukunft mit Schülern und Kollegen öffentlich über Missstände in Politik und Wirtschaft diskutieren, Horst betonte, dass er nicht bereit sei, die DDR mit der Waffe zu verteidigen, die Grenzsicherung sei für ihn Wahnsinn. Bei der Wiederholung ihres Antrags am 18.01.1989 war Horst B. in den Heizraum der LPG versetzt worden, Martina B. war als Lehrerin abgesetzt worden und fand nun Beschäftigung als Technische Mitarbeiterin der Kreisstelle für Unterrichtsmittel in Hildburghausen, nach der zweiten Antragstellung wurde ihr auch diese Arbeit genommen. Doch am 22.06.1989 wurde der Antrag auf ständige Ausreise genehmigt.

* Ein 19-Jähriger aus Sonneberg, Telefonist im Kreiskrankenhaus, stellte im Juni 1979 an die DDR-Kommission für Menschenrechte einen Übersiedlungsantrag. Er berief sich in seinem Antrag auf die Verfassung der DDR und brachte zum Ausdruck, dass sein Antrag unwiderruflich sei. B. hatte bei der Musterung als

Einziger seines Jahrgangs den Dienst mit der Waffe abgelehnt. Er unterliege negativen Einflüssen aus der BRD und müsse als Gegner der DDR eingeschätzt werden. Als Antragsgründe trug die Abteilung Inneres/Aussiedlerangelegenheiten zusammen: B. habe ein gestörtes Verhältnis zu Stiefvater und Mutter. Ihm war 1977 ein Urlaub nach Ungarn verweigert worden. Bei einer Vernehmung im VPKA sei er ungerecht behandelt worden. In der DDR gäbe es keine freie Meinungsäußerung. Folgen: Aus Gründen der Sicherheit wurde das Arbeitsverhältnis im Krankenhaus gelöst. Durch Vermittlung Inneres in Verbindung mit dem Amt für Arbeit fand B. Arbeit als Montierer beim VEB Ultra-Möbel in Sonneberg. Am 25.07.1979 wurde der Antrag abgelehnt. Er sei gesetzwidrig, für eine Übersiedlung beständen keine Voraussetzungen. Außerdem wurde B. aufgrund von Fehlschichten und laufendem Zuspätkommen nach der GVO vom örtlichen Organ als kriminell Gefährdeter erfasst. Bald darauf wechselte B. die Wohnung. Im Betrieb verstieß er laufend gegen die Arbeitsdisziplin, die auch nach Erteilung eines „Strengen Verweises" und einer „Rüge" am 10.11.1980 nicht besser wurde. 1980 häufte B. über 500 Fehlstunden an. Am 14.03.1984 wurde B. endlich aus der Staatsbürgerschaft entlassen.

Eltern müssen es büßen

* Eine 21-jährige Industriearbeiterin aus Effelder stellte einen Übersiedlungsantrag, um einen Mann aus Hof/Bayern zu heiraten, den sie im Urlaub kennen gelernt hatte. Der Antrag wurde am 26.10.1983 abgelehnt, da die Voraussetzungen für eine Genehmigung nicht vorhanden seien. Die Ungnade von Partei und Behörden traf nicht nur die Tochter, sondern auch den Vater. Dieser, SED-Mitglied, war früher Angehöriger der DVP, Abt. F, gewesen und hatte 1983 als Sicherheitsbeauftragter im VEB Spielzeugland fungiert. Er verlor seinen Posten und musste froh sein, als Produktionsarbeiter im Betrieb bleiben zu können.

* Ein 54-jähriger Mann aus Meiningen war von 1949 bis 1969 bei der VP und stand im Rang eines Leutnants. Er hatte innerhalb der Abt. K des Trapo-Amtes Meiningen in einer speziellen Abteilung eine verantwortungsvolle Tätigkeit inne. Er übte lange Zeit die Funktion des OFH aus. Er war auch danach noch in der Lage, über die Transportpolizei und Eisenbahnprobleme des Bezirkes Suhl Auskunft zu geben. Deshalb war er als ständiger Geheimnisträger zu bezeichnen. 1973 kam die Tochter auf dem Wege der „illegalen" Schleusung in den Westen. Darauf wurden die Eltern wegen staatsfeindlichen Menschenhandels inhaftiert. Dem Mann wurde die VP-Rente gestrichen. Die Frau wurde aus ihrer Arbeitsstelle als Kadersachbearbeiterin entfernt. Beider Mitgliedschaft in der SED wurde gestrichen. Nach der Haftentlassung hatte das Ehepaar Schwierigkeiten bei der Wiedereingliederung. Dem Ehepaar wurde 1976 ein PM 12 ausgestellt. Ablehnung bzw. Rückweisung des am 10.01.1975 gestellten Antrags auf Übersiedlung in die BRD am 04.02.1975, am 10.12.1975 und am 26.04.1977. Außerdem wurde der Mann aus dem Informationsfluss IA 30 herausgenommen.

Ein Roman für sich

* Am 28.11.1976 stellte ein 55-jähriger Molkereiarbeiter aus Sonneberg Antrag auf Übersiedlung in die BRD für sich, seine Frau, 53, seine Söhne Enrico, 17, und Chen, 12. Der Rückkehrer, 1956, gab als Grund für seinen Antrag neben wirtschaftlichen und Wohnungs-Problemen die Ablehnung eines Antrags auf Übersiedlung in die BRD seines ältesten Sohnes Henry, 19, an, den dieser am 16.08.1976 gestellt hatte. Auch der zweite Antrag von Henry wurde am 16.12.1976 abgelehnt. Am 12.11.1977 wurde er wegen staatsfeindlicher Hetze inhaftiert. Nachdem inzwischen der Vater Kurt Vollinvalide geworden, die Mutter Anni ins Rentenalter gekommen war, wurden beide aus dem Bestand IA 30 herausgenommen. Ihnen wurde eine Übersiedlung angeboten, jedoch ohne Sohn Chen. Dieser hatte eine Bäckerlehre angetreten und war 1982 für den Wehrdienst gemustert worden, wo er angab, er lehne den Dienst mit der Waffe ab. Inzwischen hatte Sohn Enrico die um ein Jahr jüngere Sabine geheiratet. Ein Onkel von ihr war Major der NVA und 1978 Kampfgruppen-

kommandeur einer Hundertschaft. Sabines Vater war Staatsanwalt. Er wurde suspendiert und arbeitete 1978 als Kellner, wahrscheinlich auch, weil ein Sohn 1977 8 Monate Freiheitsentzug wegen Vorbereitung zum ungesetzlichen Verlassen der DDR verbüßen musste, am 14.03.1978 aus der StVE entlassen und mit Aufenthaltsbeschränkung für das 5-km-Sperrgebiet belegt wurde. Wie bei allen anderen, wurde dieser Antrag am 25.08.1978 abgelehnt. Sabine hatte ihre Arbeit aufgegeben, was Enrico damit begründete, dass beide nach wie vor mit einer Übersiedlungsgenehmigung rechnen und so lange ein Verdienst reichen würde. Mit Bleistift ist auf den Karteikarten von Kurt, Enrico und Chen vermerkt: 22.03.84.

Haft nach Antragstellung
* Ein Mann aus Dietzhausen legte sich bei Antragstellung am 26.04.1984 demonstrativ in die Abteilung Inneres, als sein Antrag zurückgewiesen wurde. Wegen des § 214, Beeinträchtigung staatlicher und gesellschaftlicher Tätigkeit, nahm man ihn sofort in Haft. Am 08.06.1984 nahm er in der Haft Abstand, wiederholte ihn am 12.08.1984 in der Haft. Die Entlassung aus dem Strafvollzug erfolgte am 24.04.1985

„Besserung" nach Haft
* Weil er sich unfrei fühlte und mit der Politik der DDR nicht einverstanden war, stellte ein 23-jähriger Maschinenarbeiter aus Viernau Antrag auf Übersiedlung in die BRD. Er verlor seinen Beruf und wurde wegen § 249 inhaftiert. Einen Tag nach seiner Haftentlassung nahm er seinen Antrag auf Übersiedlung in die BRD am 27.01.1978 zurück. „Er hat eingesehen, dass es besser ist, in der DDR zu bleiben. Auch will er seine Eltern in der DDR nicht verlassen."

Zur Rücknahme gepresst
* Ein Reparaturschlosser, 32, aus Breitungen stellte am 31.03.1975 Antrag auf Übersiedlung in die BRD. Er erhoffte sich in der BRD größere Vorteile, weil dort sein Vater lebte. Die VP leitete am 21.04.1975 ein Ermittlungsverfahren wegen einer Trunkenheitsfahrt ein und

drohte, seiner Freundin die Aufenthaltsberechtigung für den Grenzkreis Sonneberg zu entziehen. In einem Gespräch am 25.11.1976 nahm der Antragsteller von seinem Vorhaben Abstand. Erst am 08.11.1989 stellte er wieder einen Antrag auf Übersiedlung in die BRD zu seinem Vater in Wiesbaden, der sich von selbst erledigte.

* Weil die Eltern gestorben waren und der Bruder Selbstmord begangen hatte, wollten sich Onkel und Tante aus der BRD eines 18-jährigen Jungen annehmen, der jetzt im Kinderheim Marisfeld lebte, und legten einen Antrag vor. Der Junge selbst stellte am 14.08.1975 einen Antrag auf Übersiedlung in die BRD. In der Aussprache beim Rat des Kreises Suhl zog er am 03.10.1975 zurück mit der Begründung, „daß diese Antragstellung eine unüberlegte Handlung war und er sich durch seine Verwandten in der BRD habe beeinflussen lassen".

* Gemeinsam mit ihrem Freund Jörg D. stellte eine Kerammalerin aus Lichte am 26.03.1984 Antrag auf Übersiedlung in die BRD. Sie besitze nur einen P 12, könne nicht einmal nach Ungarn und in die ČSSR reisen, würde sogar aus dem Zug nach Sonneberg herausgeholt und käme deshalb zu spät zum Arzt. Sie wolle gemeinsam mit Jörg in die BRD. Am 31.05.1985 nahm sie den Antrag zurück. Sie wolle sich jetzt mit dem Freund nach der Heirat in der DDR eine gemeinsame Existenz aufbauen.

Ablehnung zieht illegale Grenzübertritte nach sich
* Eine Familie aus Meiningen, Vater Kfz-Schlosser, 32, Mutter, 31, Hausfrau, Sohn, 2, und S. Marco, 1 Jahr alt, stellte am 11.11.1975 Antrag auf Entlassung aus der DDR-Staatsbürgerschaft. Sie wollte zur Mutter der Frau, die gleich nach deren Geburt in den Westen gegangen war und das Kind bei den Großeltern gelassen hatte. Der Antrag wurde am 11.12.1975 abgelehnt. Erneute Antragstellung am 07.11.1977. Diesmal mit der Begründung, die Familie könne sich nicht mehr mit der Politik identifizieren. Erneute Ablehnung: Es lägen keine objektiven Gründe vor. Am 26.02.1978

verließ der Mann illegal die DDR. Nachfolgend stellte die Frau für sich und ihre Söhne Antrag auf Übersiedlung in die BRD wegen Familienzusammenführung.

* Ein 36-jähriger Mann aus Ilmenau hatte am 06.10.1987 für sich, seine Frau, 32, und seine 9-jährige Tochter Antrag auf Übersiedlung in die BRD gestellt. Die Frau musste deshalb ihre Arbeit aufgeben, der Mann wurde am 05.08.1988 wegen Versuchs des illegalen Grenzübertritts nach § 213 inhaftiert, gemäß § 349 StPO in die BRD nach Worms entlassen. Die Genehmigung für die Frau erfolgte am 09.03.1989.

Ermittlungsverfahren mit Haft gegen Bürger aus Schmalkalden 10.05.1989

Die Einleitung eines Ermittlungsverfahrens mit Haft gegen einen Bürger aus Schmalkalden

Am 10.05.1989 wurde gegen den Fleischer N. L. aus Schmalkalden, 1 Kind, geschieden, vorbestraft 1985 und 1987, ein Ermittlungsverfahren mit Haft gemäß § 214, Abs. 1 StGB (Beeinträchtigung staatlicher oder gesellschaftlicher Tätigkeit) eingeleitet.

Die bisherigen Untersuchungen ergaben:

L. entschloss sich, Ende Februar 1989, im Mai 1989, noch vor den Kommunalwahlen, einen Antrag auf ständige Ausreise in die Bundesrepublik zu stellen, da er sich von einem zukünftigen Leben in der BRD bessere Reise- und Konsumtionsmöglichkeiten als in der DDR erhoffte.

Diese Entschlussfassung erweiterte er Mitte April 1989 dahingehend, am 07.05.1989 durch eine Demonstrativhandlung in Erscheinung zu treten, um hierdurch entweder die umgehende Genehmigung zur Ausreise nach der BRD oder seine Inhaftierung mit Entlassung aus dem Strafvollzug in die BRD zu erreichen.

In April 1989 fertigte er aus Tapetenresten einen Buchstaben „A", um diesen am Fenster seines Wohnzimmers anzubringen sowie ein Plakat mit dem Text „Ich wähle die Ausreise", welches er an seiner Korridortür anbringen wollte.

In Durchsetzung seines Zieles stellte er am 03.05.1989 einen formlosen Ausreiseantrag in die BRD, welchen er per Einschreiben an den Rat des Kreises Schmalkalden, Abteilung Innere Angelegenheiten, sandte. Durch die Abteilung Innere Angelegenheiten wurde er am 05.05.1989 zu einer

Aussprache vorgeladen, bei der ihm ein Überdenken dieses Schrittes nahegelegt und er für den 08.05.1989 zu einer erneuten Aussprache vorgeladen wurde.

Zur Bekräftigung seiner Absicht brachte er am 07.05.1989 gegen 17.00 Uhr den Buchstaben „A" sowie das selbst gefertigte Plakat an seinem Wohnzimmerfenster bzw. der Korridortür an.

Als die von ihm erwartete Reaktion nicht eintrat, setzte er die Mitarbeiter der Abteilung Innere Angelegenheiten beim Rat des Kreises Schmalkalden in der Aussprache am 03.05.1989 von seiner Handlungsweise in Kenntnis. Er wurde darüber belehrt, dass derartige Handlungen strafbar sind und er zukünftig die Gesetze der DDR einzuhalten hat.

Diese Belehrung akzeptierte L. nicht und drohte zur Erreichung der Genehmigung zur Ausreise in die BRD an, mit einem Plakat im Stadtgebiet von Schmalkalden in Erscheinung zu treten oder einen ungesetzlichen Grenzübertritt zu begehen.

Die aus diesem Anlass am 08.05.1989 durch die Deutsche Volkspolizei durchgeführte Befragung wurde erneut zur Belehrung genutzt, zukünftig die Gesetze der DDR einzuhalten und derartige Demonstrativhandlungen zu unterlassen. Auch diese Belehrung akzeptierte er nicht und wiederholte die bereits gegenüber der Abteilung Innere Angelegenheiten beim Rat des Kreises Schmalkalden geäußerten Androhungen.

Leuthäuser fertigte am 09.05.1989 im Zeitraum von ca. 10.30 bis 11.00 Uhr in seiner Wohnung aus einem Tapetenrest der Größe von ca. 70 cm x 100 cm, unter Verwendung eines blau-farbenen Kugelschreibers sowie eines Bleistiftes, ein Plakat mit dem aus Druckbuchstaben bestehenden Text „Ich will raus!! Ich will in die BRD!!!" an und begab sich anschließend aus seiner Wohnung zu Fuß in Richtung des Rates des Kreises Schmalkalden. Etwa 200 m vor dem Gebäude entnahm er das Plakat aus einem Einkaufsbeutel, hielt es mit beiden Händen in Brusthöhe und lief auf diese Weise weiter zum Rat des Kreises. Seinen Aussagen zufolge begegneten ihm etwa 10 unbekannte Personen, die den Text des Plakates lasen, aber keine Reaktion darauf zeigten. Nach dem Erreichen des Rates des Kreises stellte er sich mit dem Plakat vor den Haupteingang, von wo nach ca. 2 Minuten seine Zuführung erfolgte.[12]

Die Staatssicherheit beobachtete und lenkte ausreisewillige Bürger

In einer Vorlage der Abteilung für Sicherheitsfragen der Bezirksleitung für das Sekretariat der Bezirksleitung am 04.04.1989 unter Leitung der Genossen Linke, Leiter der Abteilung für Sicherheitsfragen, und Sommer, Stellvertreter des Rates des Bezirkes für Inneres, ging es ausschließlich um Maßnahmen zur Verhinderung und Zurückdrängung von Übersiedlungsersuchen. In Punkt 8 der Beschlussvorlage wurde gefordert:

„Die Sicherheitsorgane haben die Verhinderung und Zurückdrängung von Übersiedlungsersuchen noch wirksamer zu unterstützen. Mit gezielten Informationen zur Person und den Motiven der Übersiedlungsersuchenden nehmen sie umfassend Einfluß auf die wirksame personenbezogene Arbeit. Die Anstrengungen sind weiter auf die vorbeugende Verhinderung von Übersiedlungsersuchen zu richten, indem solche Absichten im Anfangsstadium erkannt, vorhandene Konflikte festgestellt, die zur Übersiedlungsabsicht wirkenden Einflüsse des gesellschaftlichen Umfeldes aufgedeckt und Maßnahmen zur Verhinderung eines Ersuchens veranlasst werden.“[13]

Gleichzeitig sollen die Sicherheitsorgane verhindern, dass verhinderte Übersiedler den Weg über die Grenze suchen oder Demonstrativhandlungen durchführen.

Verantwortlich für diese Maßnahmen sind die Genossen Linke, Leiter der Abteilung für Sicherheitsfragen, Lange, der Leiter der Bezirksverwaltung des MfS, und Thieme, der Chef der BDVP. Die Staatssicherheit bemühte sich nach Kräften, diesen Anforderungen gerecht zu werden:

Ausreiseerlaubnis aus Furcht vor Gewaltmaßnahmen

Gegen N., einen dreißigjährigen Mann aus dem Kreis Hildburghausen, wurde am 20.12.1979 ein Ermittlungsverfahren gem. § 220 StGB mit Haft eingeleitet. Am 10.06.1980 wurde er aus der Haft in die Bundesrepublik entlassen. Der Mann hatte an der Fachschule Schmalkalden die Ausbildung zum Maschinenbauingenieur abgeschlossen und hatte als Operativtechnologe im VEB Zeiß, Eisfeld, eine hoffnungsvolle Zukunft vor sich. Nach etwa einem Arbeitsjahr fing er an zu trinken, baute überall ab und hatte Disziplin-Probleme. Ihm wurde gekün-

digt. Dann fand er eine Anstellung als Dreher im VEB „Mechanik" in Brünn. In immer kürzeren Abständen kamen nun Haftstrafen, immer wegen Staatsverleumdung und Beleidigung. Schon vor dem letzten Haftende in Bautzen war das MfS sich einig geworden, dass der Mann engstens beschattet werden musste, weil er noch in der Haft gedroht hatte, er würde sich den Weg in den Westen notfalls mit Gewalt freimachen. Vier IM wurden dazu eingesetzt: IMV „Nowak", GMS „Knauer", GMS „Hopf" mit Tätigkeitsschwerpunkt in den Gaststätten von Brattendorf. In Brünn, besonders in der Gaststätte „Reichshof", kam GMS „Horst" zum Einsatz. Zusätzlich wurden alle zuverlässigen inoffiziellen Kräfte im Schwerpunktbereich Eisfeld, besonders in Eisfeld, Harras, Bockstadt/Herbartswind und Veilsdorf, zu Meldungen über das Auftauchen und eventuelle Äußerungen des Mannes angehalten. Die eingehenden Meldungen ließen es geraten erscheinen, den Mann bereits 15 Tage nach seiner Haftentlassung zu inhaftieren und dann in die Bundesrepublik abzuschieben, weil sonst die Gefahr bestand, dass er ohne Rücksicht auf Leben und Gesundheit von Menschen gewaltsam einen Weg in den Westen suchen würde.[14]

Ausreise nach 3-jähriger Leidenszeit

Am 9. Dezember 1979 stellte ein 34-jähriger Mann aus dem Kreis Bad Salzungen einen Antrag auf Übersiedlung in die Bundesrepublik, das war Grund für die Staatssicherheit, Bad Salzungen, einen Operativen Vorgang „Außenseiter" zu eröffnen. Der Schlosser beim VEB Automobilwerk Eisenach hatte Maschinenbau studiert und als Ingenieur im gleichen Betrieb gearbeitet. Während dieser Tätigkeit hatte er versucht, die DDR ungesetzlich zu verlassen und war zu einer Bewährungsstrafe von 17 Monaten verurteilt worden. Von 1971 bis 1973 arbeitete er als Technologe in der Werkzeugfertigung des Hartmetallwerks Immelborn. Hier prangerte er immer wieder an, dass die DDR nicht „frei" sei und die Gewerkschaften nicht die ihnen zustehenden Aufgaben erfüllten. 1973 wurde der Mann leitender Ingenieur im neu gebildeten Bauelementewerk Erfurt, Werk III, Wernshausen. In dieser Tätigkeit wurde ihm 1978 unter dem Vorwurf des Vertrauensmissbrauchs nach § 165 der Prozess gemacht, und er wurde zu 6 Jahren Freiheitsentzug und 10.000 Mark Geldstrafe verurteilt. Am

3. Dezember 1979 wurde er amnestiert und bekam eine Arbeit als Kugelschleifer im Wälzlagerwerk in Schweina. Er lehnte jede gesellschaftliche Betätigung ab, ging 1981 nicht zur Wahl und verkaufte seinen Hausanteil an den Schwager. Auch die Frau gab ihre Arbeit auf, weil sie mit in den Westen wollte. Wegen verschiedener Westkontakte, der Antragstellung und des Hausverkaufs vermutete das MfS Westfluchtpläne. Am 23. Juli 1982 durfte die Familie entsprechend der Ordnung 0118/77 des MdI in den Westen ausreisen, wo sie bei Verwandten unterkam.[15]

Erfolgreicher IM-Einsatz
Ein 23-jähriger Sonneberger, im HO-Kreisbetrieb Sonneberg beschäftigt, stellte am 19. März 1985 ein schriftliches Übersiedlungsersuchen an das Ministerium des Innern und trat seitdem als hartnäckiger Übersiedlungsersuchender in Erscheinung. Deshalb wurde er seit dem 30. Januar 1986 wegen des Verdachts auf Westflucht überwacht. Der Mann war 1978 wegen Diebstahls sozialistischen Eigentums (§158, 161) und 1985 wegen Beihilfe zur Vorbereitung eines ungesetzlichen Übertritts verurteilt worden. *Begünstigend durch den Umstand, daß S. enge persönliche Beziehungen zu einer jungen Frau unterhielt, konnte er über die IM ,Jeremias', ,Dieter Noll' und ,Peter Funke' durch einen Komplex gegenseitig abgestimmter Maßnahmen und angewandter Legenden so beeinflußt werden, daß er an seinem Übersiedlungsersuchen zu zweifeln begann und es schließlich am 22. April 1986 bei der Abteilung Innere Angelegenheiten schriftlich zurückzog.* Daraufhin wurde der Operative Vorgang abgeschlossen, die IM jedoch weiter eingesetzt.[17]

Die „Vorsorge" der DVP bringt nicht nur positive Ergebnisse
Ein Ehepaar, er 43, Gebäudereiniger, und sie 34, Raumpflegerin, aus Zella-Mehlis wurde durch das VPKA Suhl wegen Verdachts § 213 vorgeladen. Diesen Verdacht bezeichneten sie als bösartige Verleumdung und stellten sofort am 10. Oktober 1984 einen Antrag auf Übersiedlung in die Bundesrepublik, auch für die Söhne Thomas, 11, und Gregor, 4, der am 15. März 1988 abgelehnt wurde. Dabei hatten sie sofort ihr ARV gekündigt und begonnen, Hausrat zu verkaufen. Am 21. Februar 1989 stell-

ten sie einen neuen Antrag. Handschriftlich ist vermerkt: „Ü 18.5.89".[18]

Einwirkung gesellschaftlicher Organe zwecks Rücknahme
B., ein wegen § 213 zu 1 Jahr, 10 Monaten vorbestrafter Mann aus Zella-Mehlis, 22, stellte im Dez. 1974 einen Übersiedlungsantrag zusammen mit seiner damaligen Verlobten Evi S., seiner späteren Frau, einer 19-jährigen Serviererin. Er fühle sich in der DDR unter Zwang, könne hier kein Leben nach seinen Vorstellungen führen, fühle sich ausgebeutet. Er berief sich auf die Allgemeine Erklärung der Menschenrechte Art. 13, Abs. 2 und Art. 15, Abs. 2. B. verweigerte den Wehrdienst und übersandte seinen Wehrdienstausweis an das Ministerium für Nationale Verteidigung. Am 20. Januar 1976 wurde der Antrag abgelehnt, am 7. Juli 1976 wieder vorgelegt. Dadurch verlor B. seinen Arbeitsplatz. Im Oktober 1976 fand er einen Unterschlupf als Küster im Ev. Pfarramt Zella-Mehlis. Am 1.10. wurde der Antrag durch die Arbeitsgruppe Übersiedlung befürwortet, jedoch durch das MdI endgültig abgelehnt, da die Antragstellung ungesetzlich sei. Das Ehepaar B. war damit nicht einverstanden und drohte, weitere Anträge als offene Briefe zu stellen. Über das örtliche Organ wurden Maßnahmen eingeleitet, dass über die Nationale Front und Wohnbezirks-Partei-Organisation ständig auf diese Bürger eingewirkt wird, um die Rücknahme des Antrags zu erwirken.

Ausgrenzung eines Antragstellers und seiner Familie
Wie eine Familie systematisch ausgegrenzt wurde, die einmal gewagt hatte, einen Ausreiseantrag zu stellen, zeigt der nachfolgende Brief einer jungen Frau aus Sonneberg an den Rat des Bezirkes Suhl, Abteilung Innere Angelegenheiten:[19]
Betrifft: Antrag auf ständige Ausreise in die Bundesrepublik Deutschland
Am 23. März 1988 stellte ich den Antrag auf „Übersiedlung in die Bundesrepublik Deutschland". Diesen Antrag erhielt ich bis zum heutigen Tag aufrecht. Er wurde von mir am 21.05.1989 durch ein Formular auf ständige Ausreise in die Bundesrepublik Deutschland" ergänzt und zusätzlich eine erneute Begründung, die ich ergänzend zu der im vergangenen Jahr anfertigte, beigefügt.

Die Begründung meiner Antragstellung möchte ich hier nachfolgend wiederholen. Meinem Antrag liegen ausschließlich objektive und moralische Angaben zu Grunde und ich fordere deshalb nachdrücklich die Bestätigung meines Antrages auf ständige Ausreise in die Bundesrepublik Deutschland!

Seit März 1985 lebe ich mit meinem Lebensgefährten zusammen. Mir war seit Beginn unserer Beziehung bekannt, daß er auf Grund zwischenmenschlicher Beziehungen 1984 den Antrag auf Übersiedlung in die BRD gestellt hatte, diesen jedoch schon im gleichen Jahr wieder zurücknahm. Dies tat er aber nur, um seine Familienangehörigen von dem durch seine Antragstellung entstandenen extremen Konflikt mit den Behörden unseres Landes, der DDR, zu entbinden. Zuvor wurde meinem Lebensgefährten von den zuständigen Genossen der Abteilung Innere Angelegenheiten im Rat der Stadt Sonneberg zugesichert, daß er durch seine ehemalige Antragstellung keinerlei Nachteile im privaten als auch gesellschaftlichen Leben hätte. Diese Zusicherungen erwiesen sich jedoch im höchsten Grade als unrealistisch und wirklichkeitsfremd! Seitdem ich mit meinem Lebensgefährten Sandro Meusel zusammenlebe, scheiterten alle Bemühungen, uns eine zufriedenstellende und positive Zukunft in der DDR zu schaffen.

Wir stehen beide noch am Anfang unseres Lebens und sehen in der DDR keine Möglichkeit mehr, uns eine gesicherte Existenz aufzubauen und uns eine positive Perspektive zu schaffen. Für mich steht nunmehr unwiderruflich fest, daß ich bis zur Bestätigung meiner Antragstellung kämpfen werde, nicht zuletzt um dem vorzubeugen, daß mein jetzt 7-jähriger Sohn Rene eines Tages ebenfalls von dieser politischen Diskriminierung betroffen sein wird. Ich erkläre nochmals nachdrücklich, daß ich mit allen mir zur Verfügung stehenden Mitteln bis zur Bestätigung meiner Ausreise in die BRD kämpfe, um mir dort eine neue Existenz aufzubauen, neue Perspektiven zu schaffen, deren Grundlage nicht auf Behördenwillkür beruht und auf Grund ungerechtfertigter Vorurteile von vornherein zum Scheitern verurteilt ist! Auch wird es mir dann wieder möglich sein, mich weiterzubilden, zu qualifizieren und einen Sinn meines Lebens zu finden.

1984, bevor ich meinen Lebensgefährten kennenlernte, trat ich der SED bei. Daraufhin war ich für mehrere Jahre FDJ-Sekr. der GEG Technik in Sonneberg. Zusätzlich trat ich der MMM-Arbeitsgruppe in unserem Stammbetrieb der GHG Technik in Suhl bei. Während der Zeit meiner Parteizugehörigkeit zur SED hatte ich ausreichend die Möglichkeit, mich mit dem Wesen und der Arbeitsweise der Mitglieder der SED zu befassen und diese Erkenntnisse zu werten.

1985, nachdem ich meinen jetzigen Lebensgefährten kennengelernt hatte, ersuchte ich den Parteisekretär meines Betriebes, mich zur Bezirksparteischule zu delegieren. Auf mein mehrmaliges Ersuchen hin erhielt ich jedoch keine Zusage und auch keinen Bescheid. Es wurden im Bezug auf eine Delegierung keinerlei Anstrengungen unternommen, woraufhin es auch nie zu einer solchen kam. Der Grund dafür ist mir inzwischen bekannt, wie auch die nachfolgenden Beispiele belegen werden. 1986 stellten mein Lebensgefährte und ich einen Wohnungsantrag für eine 3-Raumwohnung im Wohnungsamt Sonneberg. Trotz steter Bemühungen und mehrerer eigener Initiativen, war es uns nicht möglich, eine Wohnung zu erhalten. Jedes Jahr wurden wir erneut vom Koll. Blask im Wohnungsamt Sonneberg auf ein weiteres vertröstet. Selbst die Bemühungen, eine der Um- und Ausbauwohnungen, die die FDJ-Kreisleitung für jugendliche Paare zur Verfügung stellte, zu erwerben, blieben für uns erfolglos. Es ist eine Tatsache, daß eine Realisierung der Planaufgabe des letzten Parteitages nicht erfolgen kann, da unser Wohnungsproblem bereits 3 Jahre im Rückstand liegt und somit keine Möglichkeit mehr besteht, die Wohnungsprobleme in der DDR bis 1990 allumfassend zu lösen.

Im November 1985 bewarb sich mein Lebensgefährte als Hausmeister im Rat der Stadt Sonneberg. Bei meiner persönlichen Rücksprache erhielt ich durch den Koll. der Kaderabteilung eine Zusage in Bezug auf die Bewerbung meines Lebensgefährten. Auch wurde uns in Aussicht gestellt, die im Haus befindliche Hausmeisterwohnung nach Instandsetzung beziehen zu können. Zudem wurde mir der Vorschlag unterbreitet, ebenfalls eine Tätigkeit in einem der Büros des Hauses aufzunehmen. Die Möglichkeit hierfür wäre ohne weiteres gegeben. Nach Erhalt der Kaderakte und der Information, daß mein Lebensgefährte vor längerer Zeit einen Antrag auf Ausreise in die BRD gestellt hatte, wurden unverzüglich seine Bewerbung als Hausmeister und alle anderen Zusagen und Vorschläge zurückgewiesen.

Durch meine gesellschaftliche Tätigkeit als FDJ-Sekr. stand ich mit der FDJ-Kreisleitung in reger Verbindung. Ende des Jahres 1986 bemühte sich eine Kollegin der FDJ-Kreisleitung darum, mich abzuwerben und als Mitarbeiterin in der Kreisleitung zu gewinnen. Sie sprach mich daraufhin persönlich an und erhielt nach mehreren Auskünften zu meiner zukünftigen Tätigkeit in der Kreisleitung mein Einverständnis. Innerhalb kürzester Zeit erhielt ich jedoch mit der Begründung, mein Lebensgefährte sei ehemaliger Antragsteller auf Ausreise in die BRD gewesen, eine Absage in Bezug auf die vorangegangenen Vereinbarungen. Es wurde mir mitgeteilt, daß ich unter diesen Umständen keine Tätigkeit in der FDJ-Kreisleitung ausüben könne. Während meiner Tätigkeit als FDJ-Sekr. in der GHG Technik Kulturwaren und meiner Zugehörigkeit zur SED beantragte ich eine Reise in das Nicht-Sozialistische Wirtschaftsland Bundesrepublik Deutschland oder auch Frankreich. Reisen der Art werden regelmäßig bei Anleitungen und anderen Versammlungen der FDJ-Sekr. angepriesen. Diese Reisen stehen allen Jugendlichen der DDR zur Verfügung, können jedoch nur in Anspruch genommen werden, wenn alle unbekannten Kriterien erfüllt werden. Ohne eine Begründung zu erhalten, wurde mein Antrag für solch eine Reise abgelehnt. Lediglich die Auskunft, ich sei für Reisen in Länder mit besonderen Visa-Bedingungen und für Reisen in NSW-Länder nicht zugelassen, wurde mir schriftlich zugesandt. Die für mich und die meisten Jugendlichen in der DDR einzige Möglichkeit, eine Reise der Art unternehmen zu können, war für mich somit ohne jede Begründung zurückgewiesen worden! Eine Vorschrift und Tatsache, mit der ich mich als junger, in der DDR lebender Mensch, rigoros abzufinden habe. Es ist eine eindeutige Mißachtung der Menschenrechte durch die Behörden der DDR, wie durch Art. 13, 1 u. 2 der Erklärung der Menschenrechte vom 10. Dezember 1948 belegt wird, wenn Menschen eines Landes nicht das Recht in Anspruch nehmen dürfen, in Länder ihrer Wahl zu reisen. Bevor also die DDR-Regierung Kritik an der Wahrung der Menschenrechte anderer Staaten üben will, sollte sie sich im eigenen „demokratischen Staat" mit verschiedenen Punkten der Erklärung der Menschenrechte vertraut machen und identifizieren!

1986 brachte ich durch meine Cousine in Erfahrung, daß im Rat des Kreises Sonneberg Abtlg. Amt für Arbeit, in der sie selbst zu dieser Zeit tätig war, ein Arbeitsplatz frei geworden wäre. Ich erklärte ihr, daß ich an dieser Tätigkeit im Rat des Kreises Sonneberg interessiert sei. Sie bemühte sich daraufhin persönlich um meine Einstellung. Binnen weniger Tage teilte sie mir jedoch mit, daß es auf Grund meiner Beziehung zu einem ehemaligen Antragsteller nicht zu einer Einstellung kommen könne und für mich deshalb auch keine Möglichkeit bestehen würde, im Rat des Kreises Sonneberg irgend eine andere Tätigkeit auszuüben!

Ende des Jahres 1985 nahm mein Lebensgefährte eine Tätigkeit in der GHG Technik Kulturwaren Sonneberg auf. Bei seinem Einstellungsgespräch wurden ihm durch den BT Direktor K611, Motschmann verschiedene Zusagen im Bezug auf eine Qualifizierung zum Meister und zum Laageristen der Abtlg. Spielwaren im Lagerbereich im Aussicht gestellt. Die Delegierung sollte nach einem halben Jahr Einarbeitungszeit erfolgen. Als mein Lebensgefährte bereits ein Jahr im Betrieb arbeitete und seitens der BT-Leitung keinerlei Anstrengungen in Bezug auf die in Aussicht gestellten Perspektiven unternommen wurden, kümmerte ich mich persönlich darum. Da im Stammbetrieb selbst kein Meisterlehrgang vorgesehen war, erkundigte ich mich in der VEB Piko Sonneberg, ob die Möglichkeit bestehe, einen Koll. aus einem anderem Betrieb an einem dort stattfindenden Lehrgang beteiligen zu können. Darauf erhielt ich eine Zusage. Ich teilte dies der BT Leitung der GHG Technik BT Kulturwaren mit, erhielt daraufhin aber wiederum keinerlei Unterstützung. Mein Lebensgefährte hatte während dieser Zeit in der GHG Kulturwaren keinen festen Arbeitsplatz, mußte die verschiedensten Arbeiten für ein Minimum an Lohn ausüben. Zudem wurde uns noch mitgeteilt, daß er nicht zum 1. Laageristen ernannt werden könne, da er dazu ja keine Qualifizierung hätte und bereits eine geeignete Arbeitskraft gefunden wurde. Danach bemühten wir uns noch um eine Delegierung des BT Kulturwaren zur „Berlin Initiative". Das für jeden Jugendlichen in der DDR die Möglichkeit besteht, an der Berlin Initiative teilzunehmen, war mir durch die FDJ-Kreisleitung im Sonneberg bekannt.

Nach mehreren Anstrengungen war es uns gelungen, eine Delegierung durch den Betrieb selbst zu erreichen. Dieser Delegierungsantrag wurde jedoch von der Abteilung Innere Angelegenheiten im Rat des Kreises Sonneberg grundlos zurückgewiesen! Seit 1986 arbeitet mein Lebensgefährte in der Kohlehandlung FA Siegfried Escher. Durch Herrn Escher selbst wurde für meinen Lebensgefährten ein innerbetrieblicher Passierschein beantragt, was sich dringend notwendig machte, um die im Sperrgebiet wohnenden Familien mit Kohle beliefern zu können. Dieser Antrag wurde ebenfalls grundlos abgewiesen! Bei den ohnehin geringen Verdienstmöglichkeiten in der DDR trat dadurch noch zusätzlich eine finanzielle Verschlechterung ein. An Hand meiner persönlichen Erfahrungen kann ich behaupten, dass die Politik in der DDR in vielen Beziehungen nicht im Sinne des Bürgers dieses Landes betrieben wird, sondern allein um die Interessen der Partei der SED zu wahren und mit aller Gewalt 100 Jahre alte Theorien, die auf den heute existierenden Sozialismus nicht mehr anwendbar sind, aufrecht zu erhalten. Der Preis dafür sind die ständig wachsende Unzufriedenheit, die mehr als schlechte Befriedigung der Bevölkerung, Unterdrückung der Meinungsfreiheit, wie enorme und unrealistische Beschneidung der Reisefreiheit der Menschen dieses Landes und die Tatsache, daß der Bürger dieses Landes einer ständigen Bevormundung von Behörden und anderen staatlichen Institutionen unterliegt. Ein Recht auf Selbstbestimmung existiert in der DDR nicht. Auch das übernimmt die Staatsführung dieses Landes. Nach meiner Antragstellung am 28.03.1985, der ich die gleichen Argumentationen zu Grunde legte, wurde ich in meinem Betrieb, der GHG Technik Kulturwaren Sonneberg, von meiner Brigade ausgeschlossen, und trotz meiner geleisteten Arbeit bei Prämienvereinbarungen maximal benachteiligt. Auch von dem Computerlehrgang, welcher im Betrieb selbst stattfand, wurde ich ausgeschlossen, obwohl dieser eigens für meinen Arbeitsplatz vorgesehen war. Auf Grund dieser Ungerechtigkeiten und der Tatsache, daß mein monatliches Gehalt sehr niedrig war, kündigte ich in der GHG Kulturwaren Sonneberg.

Daraufhin bewarb ich mich im VSB Kohlehandel Sonneberg als Dispatcher. Dort wurde mir, nachdem ich des öfteren telefonisch nachfragte und persönlich vorsprach, mitgeteilt, daß eine Einstellung nur erfolgt, wenn ich bereit sei, meinen Antrag auf Ausreise in die BRD zurückzunehmen. Dafür wurde mir durch den BT Direktor Koll. Naundorf ein Schreiben vorgelegt, daß ich in genau dieser Form nachschreiben sollte und bei ihm persönlich bzw. in der Abteilung Innere Angelegenheiten in Sonneberg abgeben sollte. Weiterhin sagte er mir, wenn ich nicht bereit sei, meinen Antrag auf ständige Ausreise in die BRD zurückzunehmen, könnte und dürfte er mich nicht einstellen, da er angewiesen sei, den Betrieb „sauber" zu halten und solche Leute dem Betrieb fernhalten müsse.

Jetzt bin ich seit zwei Monaten arbeitslos und möchte hiermit versichern, daß dies völlig gegen meinen Willen der Fall ist, da ich mich ja um Arbeit bemüht habe. Nun muß ich davon ausgehen, daß eine Einstellung in einen sozialistischen Betrieb nur dann erfolgen wird, wenn ich meinen Antrag auf Ausreise in die BRD zurücknehmen werde. Da ich in der DDR keine Möglichkeit mehr sehe, wieder ein Arbeitsverhältnis aufnehmen zu können und mich der Willkür der zuständigen Betriebsleiter und den Schikanen nicht mehr unterwerfen werde, sehe ich prinzipiell davon ab, in der DDR wieder ein Arbeitsverhältnis einzugehen.

Ich werde meinen Antrag auf Ausreise in die BRD, solange ich lebe, aufrecht erhalten und alles für die Bestätigung meiner Ausreise in die Bundesrepublik Deutschland tun! Zuletzt möchte ich noch hinzufügen, daß mir bekannt ist, daß in der Verordnung der DDR keine rechtliche Grundlage besteht, die für die Grundlegung meiner Antragstellung zutreffend ist, obwohl ihm menschliche und humanitäre Argumentationen zu Grunde liegen! Es ist eine unverrückbare Tatsache, daß ich ein in der DDR lebender Mensch bin, der arbeitslos ist, für den keinerlei Zukunfts-Chancen in der DDR bestehen, für den weder eine positive Alternative für die Zukunft, noch irgend eine Perspektive existieren. Aus diesen Gründen, die eigens durch Behörden und andere staatliche Organe willkürlich herbeigeführt wurden, die real existierende Tatbestände sind, fordere ich die Bestätigung meines Antrages auf Ausreise in die Bundesrepublik Deutschland! Ich möchte noch darauf hinweisen, daß Möglichkeiten zur Publikation meines Schreibens bestehen!
Sonneberg, den 29.05.1989

Aktuelle Lageentwicklung auf dem Gebiet des ungesetzlichen Verlassens der DDR und der Antragstellung auf Ausreise am 19.9.1989

Unter dem Einfluß der gegenwärtigen zügellosen Hetz-, Verleumdungs- und Abwerbungskampagne des Gegners verstärkten sich die Bestrebungen von Bürgern des Bezirkes, ihre ständige Ausreise in die BRD zu erreichen bzw. die DDR ungesetzlich zu verlassen.

In den Begehungsweisen des ungesetzlichen Verlassens der DDR unter Mißbrauch der Territorien anderer sozialistischer Länder und von Privatreisen in die BRD sowie nach Berlin-West traten zunehmend Leiter, mittlere leitende Kader, Angehörige der medizinischen und technischen Intelligenz in Erscheinung. Seit dem 1.7.89 haben 41 Angehörige medizinischer Einrichtungen des Bezirkes die DDR ungesetzlich verlassen, darunter 8 Angehörige des BKH Suhl und 5 Angehörige des BKH Meiningen.

Kombinate und Betriebe des Bezirkes weisen folgende Anteile auf:

VEB Fajas Suhl – 4 Personen (darunter 3 EDV-Bereich)
WfTG Ilmenau – 4 Personen
RAW Meiningen – 4 Personen
Robotron-Elektronik Zella-Mehlis – 3 Personen und Meiningen
Mikroelektronik Ilmenau – 3 Personen
Kalibetrieb „Werra" – 3 Personen
Deutsche Reichsbahn – 3 Personen
Sportgeräte Schmalkalden – 2 Personen
Kombinat Spielwaren Sonneberg – 2 Personen
EKS Sonneberg - 2 Personen
Mikroelektronik Neuhaus – 2 Personen
Kaltwalzwerk Bad Salzungen – 2 Personen.

Die Entwicklung auf dem Gebiet der Antragstellungen auf ständige Ausreise aus der DDR ist nach wie vor ansteigend. Obwohl auf der Grundlage des Beschlusses des Sekretariats der Bezirksleitung vom 26.7.89 in den einzelnen Bereichen Aktivitäten zur Zurückdrängung und Verhinderung unternommen wurden, konnte diese Tendenz noch nicht beeinflußt werden.

Seit dem 1.1.89 traten 781 Personen neu als ASTA in Erscheinung, darunter im August 192 Personen und 50 Personen vom 1.9. bis 15.9.89.

Das entspricht einer Steigerung um 73,2 % seit Jahresbeginn.

In der Altersstruktur der ASTA zeichnet sich eine Zunahme bei jüngeren Jahrgängen ab.

20 % der ASTA sind 18 – 25 Jahre und 45 % 26 – 40 Jahre alt.

Im Vergleich zum Vorjahreszeitraum sind die erreichten Zurücknahmen von Anträgen auf ständige Ausreise rückläufig. Seit 1.1.89 wurden 70 Zurücknahmen erreicht. Den höchsten Anteil an Zurücknahmen erreichten die Kreise Ilmenau – 38, Bad Salzungen - 11 und Meiningen – 9. Im Kreis Neuhaus wurde keine Zurücknahme erreicht und in den Kreisen Schmalkalden eine, Hildburghausen und Sonneberg je zwei, Suhl-Stadt drei und Suhl-Land vier.

Seit 1.1.89 reisten 636 Personen für ständig nach der BRD/Berlin-West aus. Dazu kommen weitere 77 Rentner und Personen, die in das NSA für ständig ausreisten.

Insgesamt haben seit Jahresbeginn 1.107 Bürger des Bezirkes die DDR ungesetzlich bzw. mit staatlicher Genehmigung verlassen.

Die im Beschluß des Sekretariats der Bezirksleitung vom 26.7.89 gestellten Aufgaben zur vorbeugenden Verhinderung und Zurückdrängung von ASTA und anderen negativen Erscheinungen im Reiseverkehr ins NSA stellen eine einheitliche Orientierung und Ausrichtung für die politisch-ideologische Arbeit auf diesem Gebiet dar. In Durchsetzung dieses Beschlusses wurden durch die Kreisleitungen der SED weiterführende Aktivitäten ausgelöst.

Im Rahmen der Tätigkeit der Kreiseinsatzleitungen erfolgte auf der Grundlage erkannter Schwerpunkte ein koordiniertes Vorgehen Verantwortung tragender Kräfte.

Die politisch-ideologische Arbeit im Prozeß der Zurückdrängung von Antragstellungen auf ständige Ausreise sowie zur Verhinderung des ungesetzlichen Verlassens der DDR durch die Parteiorganisationen, den FDGB, die FDJ, die Nationale Front u.a. Massenorganisationen in den Kombinaten, Betrieben, Einrichtungen und Wohngebieten erreichte nicht die Zielpersonen, und es gibt Erscheinungen von Resignation, Gleichgültigkeit und zum Teil Ratlosigkeit von Genossen bei konkreten Fragen von Werktätigen.

Es verstärken sich die Auffassungen von progressiven Bürgern, daß verantwortliche staatliche Leiter, Parteifunktionäre und gesellschaftliche Kräfte der

Auseinandersetzung aus dem Wege gehen, mit ihrer Argumentation die Werktätigen nicht erreichen und keine überzeugenden Antworten finden.

Im direkten Vergleich zu den Dokumenten des VIII. Parteitages der SED, in denen die Lösung von derzeit akut in Erscheinung tretender Probleme bereits im Mittelpunkt stand, wird die „rosarote" Berichterstattung der DDR-Medien zu den ökonomischen Erfolgen und der monatlichen Planerfüllung, die im krassen Widerspruch zum Alltag stehen, kritisiert. Das ständige Fehlen von Warensortimenten im Einzelhandel, die unkontinuierliche Versorgung mit Material und Ersatzteilen, die ungenügenden Dienst- und Serviceleistungen und die immer schlechter werdende Versorgung mit Frischobst und Südfrüchten seien gravierende Beweise für diese Feststellungen.

Zunehmend werden Probleme konkret angesprochen, die einer zentralen Lösung bedürfen, und in diesem Zusammenhang Fragen aufgeworfen, wie

- Warum gibt es keine aktuellen Informationen durch unsere Massenmedien? Warum bezieht die DDR in ihrer Informationspolitik eine „Defensivposition"?

- Warum werden Mangel und Mißstände nicht offen angesprochen, um diese unter aktiver Einbeziehung breiter Bevölkerungskreise zu überwinden?

- Warum wird der Widerspruch zwischen den angestrebten Wirkungen unserer Ideologie und der tatsächlichen Stimmung, Meinung und Reaktion der Bevölkerung, die vorrangig durch materielle Bedingungen geprägt wird, ständig größer?

- Warum wird das ständig propagierte Leistungsprinzip in der Praxis nicht konsequent und umfassend durchgesetzt?

In der Auseinandersetzung mit ASTA überwiegt nach wie vor die Tendenz, daß sich die Gesprächsführung im Zurückdrängungsprozeß hauptsächlich auf die Mitarbeiter der Abteilungen Innere Angelegenheiten reduziert.

In den Wohn- und Arbeitsbereichen der Antragsteller erfolgt keine systematische, wirkungsvolle Arbeit gemäß der Verfügung Nr. 192/88 des Vorsitzenden des Ministerrates. Bei den dort wirkenden gesellschaftlichen Kräften werden zum Teil innere Haltungen wie - egal wie wir mit den ASTA arbeiten, am Ende wird ihnen doch die Ausreise genehmigt – sichtbar, obwohl nach außen hin beteuert wird, alles zur Zurückdrängung zu unternehmen.

Personen, die den Entschluß zur Antragstellung auf ständige Ausreise fassen, werden nicht rechtzeitig erkannt. Zum Zeitpunkt der Antragstellung gemäß der RVO bzw. des Erstgespräches in der Abteilung Innere Angelegenheiten wird bereits mit verfestigten „Motiven" aufgetreten und sich jeglicher Argumente verschlossen.

Die steigende Anzahl von Antragstellungen auf ständige Ausreise, die Zunahme des ungesetzlichen Verlassens über sozialistische Staaten, Besetzungen von diplomatischen Vertretungen in sozialistischen Ländern und Angriffe auf die Staatsgrenze der DDR machen deutlich, daß die politisch-ideologische Diversion in Vorbereitung des 40. Jahrestages der Gründung der DDR und des XII. Parteitages der SED mit besonderer Schärfe vorgetragen, bei großen Teilen der Bevölkerung Wirkungen erzielte. Geschickt wurden von den imperialistischen Massenmedien vorhandene Mängel, wie Versorgungsfragen, die Situation im Bereich PKW und Kfz-Ersatzteile, Mißstände in Betrieben – uneffektive Technologien, Mangel in der Disziplin, Ordnung und Sauberkeit, aber auch solche Argumente der Reise- und Pressefreiheit ausgenutzt, um emotional einzelne Bevölkerungsgruppen anzusprechen. Begünstigend wirkten sich dabei die veränderten Lageentwicklungen in einigen sozialistischen Ländern, insbesondere in der UVR, Polen und UdSSR, aus, die von der Bevölkerung mit Besorgnis verfolgt werden.[20]

WEITERE REAKTIONEN DER BEVÖLKERUNG DES BEZIRKES ZU AKTUELLEN PROBLEMEN AM 25. SEPTEMBER 1989

Im Mittelpunkt der Diskussionen unter Werktätigen in den Kombinaten, Betrieben, staatlichen Institutionen, gesellschaftlichen Einrichtungen und Genossenschaften sowie unter allen Bevölkerungsschichten stehen in unverminderter Breite nach wie vor das anhaltende ungesetzliche Verlassen der DDR durch eine Vielzahl von DDR-Bürgern, Fragen nach den Ursachen dafür sowie die dazu *praktizierte Informationspolitik in den Massenmedien der DDR.*

Bürger aller Bevölkerungsschichten verurteilen die stabsmäßige Inspirierung und Organisierung dieser „Massenbewegung" durch die BRD, zeigen Unverständnis für die Bürger, die irregeleitet ihre gesicherte Existenz und ihre Heimat verraten, und kritisieren die Haltung der ungarischen Regierung, die sich gegen die DDR und die Stabilität in Europa insgesamt richte. Das führe zu berechtigten Zweifeln an der künftigen Bündnistreue der UVR im Rahmen des Warschauer Vertrages.

In den umfangreichen Diskussionen dominieren Meinungen, die die Ursachen für das ungesetzliche Verlassen der DDR über die UVR nicht ausschließlich in der BRD-Massenkampagne, sondern auch in der innenpolitischen Entwicklung der DDR sehen.

Die jetzige Praxis der Berichterstattung würde die Medien immer unglaubwürdiger machen und das angestrebte enge Vertrauensverhältnis zwischen Partei und Volk erheblich schmälern.

Werktätige des Bereiches Forschung des VEB Werk für Technisches Glas Ilmenau äußerten: „Wir möchten einmal so leben, wie es in der Zeitung steht."

- Das Referat des Gen. Albrecht zur Eröffnung des Parteilehrjahres, in dem Probleme des Handels und der Dienstleistungen zwar aufgezählt, aber keine Strategie zur Lösung der Probleme dargelegt wurde.

Die darin gestellten Anforderungen an einen Kommunisten seien utopisch und illusionär, so könne nur einer reden, der alles hat und für das Fußvolk nur noch Pflichten bereithalte.

11 weitere Genossen der APO Grundfondswirtschaft machen ihre Mitgliedschaft davon abhängig, ob ihre Erwartungen an den XII. Parteitag der SED, wie z.B.

. *Abbau von Bürokratie,*

. *gleiche Rechte und Pflichten für jedes Parteimitglied,*

. *Verbesserungen im Bereich Handel und Dienstleistungen,*

. *Ausrüstung unserer Bürger mit Valuten bei Reisen in das NSW erfüllt würden.*

Die Mehrzahl der Genossen des Bezirkes schätzt ein, daß beim gegenwärtigen Umtausch der Parteidokumente sich sehr deutlich zeigen werde, wel-

cher Genosse auch in komplizierten Situationen durch aktives Mittun der Partei die Treue halte und nicht gleich resigniere. Mehr denn je käme es jetzt darauf an, daß verantwortliche Funktionäre der Kreisleitungen und der Bezirksleitung der SED das offene Gespräch mit den Arbeitern suchen müßten. Genossen der LPG (T) Marisfeld schätzen beispielsweise ein, daß es der Parteiarbeit wenig nütze, wenn Funktionäre an Leitungssitzungen und Mitgliederversammlungen teilnehmen, aber den Gesprächen mit Genossenschaftsbauern in den Ställen aus dem Wege gingen. Parteiliche Argumentationen und parteiliches Auftreten an der Basis würden dem Vertrauensverhältnis Partei – Volk gegenwärtig mehr Gewinn bringen als noch so gut gemeinte Referate „von Oben".[21]

DIE AUSEINANDERSETZUNG UM EIN NEUES KONZEPT DER AUSREISE[22]

Die Vorbereitung

Der Kampf um die Ausreise aus der DDR wurde um die Jahreswende 1988/89 zum beherrschenden Problem der Innenpolitik der DDR. Die DDR-Führung sah sich in einer brisanten Zwangslage.

Einerseits

- wurde die KSZE-Schlussakte für die DDR wichtig: Sie fühlte sich als Staat gleichberechtigt in die Gemeinschaft europäischer Staaten aufgenommen,

- hatte sie durch den Beitritt zu internationalen Verträgen und Vereinbarungen deren Inhalt für sich und ihre Mitbürger für verbindlich erklärt,

- nahm für sich in Anspruch, ein Staat des Friedens und der sozialen Wärme zu sein[23];

andererseits

- wollte die SED-Führung die daraus erwachsenen Pflichten jedoch nicht akzeptieren: „Wir werden die Schlussakte im Rahmen unserer Gesetze erfüllen", erklärte Honecker, wohl wissend, dass zur Realisierung des Menschenrechtsteils die Änderung von DDR-Gesetzen notwendig gewesen wären. Doch am Reiseverbot in den Westen änderte sich für die meisten DDR-Bürger nichts, Familienzusammenführungen waren nur in Ausnahmefällen möglich, die Chance zur freien Information blieb nur begrenzt über westliche Massenmedien möglich. Immerhin durften DDR-Bürger unter Berufung auf die KSZE die Ausreise aus der DDR beantragen, wurden jedoch von der DDR-Bürokratie häufig drangsaliert,

- sahen sich Behörden und MfS anhand der geltenden Rechtslage zu unschönen Zwangsmaßnahmen gegen Antragsteller und ihre Familien gezwungen, was trotz aller Anstrengung nicht unbemerkt blieb,
- wurde die Arbeitskraft der Abteilungen für Inneres der Bezirke und Kreise durch die Bearbeitung und den Versuch der Zurückdrängung so in Anspruch genommen, dass andere Arbeit liegen blieb,
- wurde die Arbeit besonders der zuständigen Abteilung VII des MfS durch die Beobachtung und Bespitzelung, teilweise auch durch direkte „Bearbeitung" der Antragsteller für andere Bereiche gelähmt,
- durchdrang die Forderung nach Reisefreiheit immer weitere Schichten der Bevölkerung.

Zwar hatte die DDR-Führung am 30.11.1988 eine neue RVO[24] erlassen, die in der Bevölkerung zwiespältig aufgenommen wurde. Einerseits wurde es begrüßt, dass es nun „eine gesetzliche Regelung zu dieser Problematik gibt, die durch jeden Bürger eingesehen werden kann", und „Fragen der Besuchsreisen bzw. Ausreisen gesetzlich exakt" geregelt wurden.

Andererseits befürchteten die Menschen, „dass Bürger mit Inkrafttreten der RVO noch zur Ausreise ermutigt werden, dass die RVO ja doch nur Bürgern nützt, die Verwandte im Westen haben, dass diese Verordnung zu viele Einschränkungen enthält und den staatlichen Organen zuviel Spielraum ... lässt", also ein „Gummiparagraph" ist. Die „Möglichkeiten zur Genehmigung eines Antrags auf ständige Ausreise seien eher geringer geworden." [25]

Der Zustand wurde auch nach dem Erlass der RVO vom 30.11.1988 immer unhaltbarer, weil sie die Probleme nur halbherzig angepackt hatte. So schrieb ein nicht genannter Mitarbeiter der Bezirksleitung Suhl am 2. Dezember 1988 an den Vorsitzenden des Rates des Bezirkes, Genossen Zimmermann:[26]

Aus gegebener Veranlassung erachte ich es als unbedingt notwendig, nochmals auf einige ausgewählte Probleme im Zusammenhang mit der Führung der Prozesse bei der Verhinderung und Zurückdrängung von Übersiedlungsersuchen aufmerksam zu machen und in diesem Zusammenhang meine Position zu diesen Fragen darzustellen. ...

So wird im Jahr 1988 gegenüber 1987 ein Anstieg der Ersuchen um 23,7 % und ein Rückgang hinsichtlich der Wirksamkeit der Zurückdrängung um 8 % deutlich.

Der Intelligenzgrad der Ersucher hat sich weiter erhöht, so daß gegenwärtig ca. 25 % des Gesamtbestandes über einen Hoch- bzw. Fachschulabschluß verfügen. ...

Am 16. August 1989 fand beim Leiter der Abteilung für Sicherheitsfragen beim ZK der SED, Wolfgang Herger, eine Beratung statt. Das ZK der SED hatte sein Politbüromitglied Egon Krenz beauftragt, auf diesem Weg eine generelle Lösung des Problems der illegalen Ausreisen und der Botschaftsbesetzungen anzugehen.

Teilnehmer waren:

Generalleutnant Ahrendt, amtierender Minister des Innern und Chef der DVP

Generalmajor Hötling, Sektorenleiter in der Abt. für Sicherheitsfragen

Generalmajor Bengelsdorf, Sektorenleiter in der Abt. für Sicherheitsfragen

Oberstleutnant Buchecker, polit. Mitarbeiter in der Abt. für Sicherheitsfragen

Oberst Hackenberg, Mitarbeiter des Ministeriums für Staatssicherheit

- Es ging um eine grundlegende Veränderung des Systems des Antrags-, Prüfungs- und Entscheidungsverfahrens für Privatreisen nach sozialistischen und nichtsozialistischen Staaten sowie Westberlin, mit welcher der administrative Aufwand reduziert werden kann,
- um eine Analyse des Standes der Durchsetzung der bisherigen Verordnung vom 30.11.1988 und die Durchführungsverordnung vom 14.03.1989. Was hat sich bewährt, was muss auch im Hinblick auf die Festlegungen der KSZE-Folgekonferenz in Wien geändert werden, welche Konsequenzen sind aus Änderungen zu erwarten?

Am 23. August 1989 fand in Berlin ein weiteres Treffen der Zentralen Auswertungs- und Informationsgruppe (ZAIG) statt, das zu folgenden Ergebnissen kam:

Im Ergebnis getroffener Vereinbarungen fand am 23.8.1989 in der Zeit von 9.00 bis 10.15 Uhr beim amtierenden Minister des Innern und Chef der Deutschen Volkspolizei, Gen. Generalleutnant Ahrendt, eine Beratung statt, in deren Verlauf das konkrete Vorgehen bezüglich der erteilten Aufträge durch den Leiter der Abteilung für Sicherheitsfragen, Gen. Herger, am 16.8.1989 erörtert wurde.

Gen. Ahrendt erläuterte die gestellten Aufträge und die damit verbundenen Zielstellungen (der Inhalt entspricht den im Vermerk vom 17.8.1989 enthaltenen Festlegungen).

Seitens des Ministeriums des Innern wird für die Erarbeitung der entsprechenden Vorlagen der Leiter der HA PM (Paß- und Meldewesen), Gen. Oberst Lauter, verantwortlich gemacht.

1. Es wurde festgelegt, zunächst die 1. Aufgabe – grundlegende Änderung des Antrags-, Prüfungs- und Entscheidungsverfahrens (APEV) in Angriff zu nehmen und zum Abschluß zu bringen. Seitens des MfS wirkt an dieser Aufgabe die HA VII mit und gewährleistet, daß die aus der Sicht des MfS zu beachtenden Sicherheitserfordernisse strikt gewahrt werden. Sie führt – wie festgelegt – eigenständig die erforderlichen Beratungen und Abstimmungen mit den zuständigen Linien und Diensteinheiten durch.

In Erwägung zu ziehen sind Konsultationen mit Kreisdienststellen des MfS, ohne den wahren Zweck erkennen zu lassen.

Während der Beratung wurde vom Gen. Oberst Gerbitz der Entwurf eines Vorschlages zur Rationalisierung des APEV für Privatreisen nach sozialistischen und nichtsozialistischen Staaten übergeben.

Die 1. Beratung zu diesem Entwurf findet am 30.8.1989 im Ministerium des Innern statt.

2. Zum Problem Analyse/Stand der Durchsetzung der RVO bezogen auf den Privatreiseverkehr nach nichtsozialistischen Staaten und Westberlin sowie der Ausarbeitung von Varianten, wie dieser Reiseverkehr erweitert werden kann, erfolgt eine erste gemeinsame Beratung nach Abschluß der grundlegenden Überarbeitung des APEV.

Seitens des MfS wurde vorgeschlagen, zu dieser ersten Beratung grundsätzliche Zielvorstellungen, Möglichkeiten und Varianten zu erörtern. Seitens des Ministeriums des Innern wird zu diesem Zweck zuvor Grundlagenmaterial übergeben. Zu dieser Zusammenkunft erfolgt eine gesonderte Einladung. Der Teilnehmerkreis setzt sich aus den verantwortlichen Mitarbeitern zusammen, die an der Erarbeitung der Reiseverordnung mitgewirkt haben.

Das Protokoll fertigte Oberst Hackenberg vom MfS, der gleich noch vermerkte:

Gen. Generaloberst Mittig, Stellvertreter des Ministers, teilt mit, daß er den Genossen Minister über den Inhalt der stattgefundenen Beratung beim Leiter der Abteilung für Sicherheitsfragen im ZK der SED am 16.8.1989 informiert hat.

Der Genosse Minister hat die getroffenen Festlegungen zum Vorgehen seitens des MfS gebilligt.

Die Alternativen

Am 12. September 1989 legte die Hauptabteilung IX/AKG „Gedanken zur grundsätzlichen Lösung der aktuellen Probleme zu ständigen Ausreisen von DDR-Bürgern" vor, das Ergebnis der vorhergegangenen Beratungen. Darin werden die Nachteile der bisherigen Lösung und die Vorteile einer mutigen Lösung gegenübergestellt:

Nationale Interessen der DDR und ihre internationalistischen Verpflichtungen zur Stärkung der Ausstrahlungskraft des Sozialismus gebieten es, unverzüglich eine dauerhafte, für unsere Bürger verständliche und auch international akzeptierte Lösung zum Recht jedes DDR-Bürgers auf Ausreise und Rückkehr in sein Land zu finden und zu praktizieren.

Dazu muß die DDR gewährleisten, daß ihre Gesetze und Verordnungen, ihre Praxis und Politik mit ihren völkerrechtlichen Verpflichtungen völlig übereinstimmen und mit den Bestimmungen der Erklärung über die Prinzipien und mit anderen KSZE-Verpflichtungen in Einklang stehen.

Die Lösung des Problems kann durch folgende Regelungen erfolgen:

1. Bürger der DDR erhalten grundsätzlich das Recht, jederzeit aus der DDR in beliebige Staaten auszureisen. Auslandsreisen werden stets befristet. Ausreisebeschränkungen werden eng begrenzt auf unverzichtbare Erfordernisse des Schutzes der nationalen Sicherheit, der öffentlichen Ordnung,

Gesundheit, Moral und der Rechte und Freiheiten anderer.

2.1. Variante:

Genehmigungen für ständige Ausreisen bleiben an das Vorliegen der geltenden humanitären Gründe gebunden. Wer keine Genehmigung zur ständigen Ausreise erhält, hat zur Durchsetzung dieses Bestrebens zwei Möglichkeiten, nämlich

- Ausnutzung einer befristeten Auslandsreise zur Nichtrückkehr,
- widerrechtliche Grenzpassage.

Die 1. Variante ist rechtlich ein Verbot der ständigen Ausreise mit Erlaubnisvorbehalt. Die völkerrechtlichen Regelungen sehen dagegen eine Erlaubnis mit Verbotsvorbehalt vor.

2. Variante:

Bürger der DDR erhalten grundsätzlich das Recht zur ständigen Ausreise. Die Genehmigung erfolgt zeitlich im Rahmen der gesellschaftlichen Erfordernisse.

Die Einschränkungen werden entsprechend den völkerrechtlichen Regelungen festgelegt unter Berücksichtigung des Erfordernisses, daß die DDR nicht zum Ausbildungsland für die BRD werden darf.

Genehmigungen für ständige Ausreisen werden nicht erteilt, soweit das der Schutz der nationalen Sicherheit, die Aufrechterhaltung der öffentlichen Ordnung, die Gesundheitsfürsorge, die Moral und die Rechte und Freiheiten der in der DDR wohnhaften Bürger erfordern.

Genehmigungen können auch für spätere Jahre erteilt werden, um die Gewährleistung des Ausreiserechts für jeden Antragsteller deutlich zu machen.

Angesichts der rechtlichen Folgen bei Nichtrückkehr von befristeten Auslandsreisen werden es sich Ausreisewillige gründlich überlegen, ob sie die DDR auf diese Weise für ständig verlassen.

Die Regelung wäre völkerrechtskonform und hätte gegenüber der 1. Variante nur den scheinbaren Nachteil, daß der Kreis der Antragsberechtigten wesentlich erweitert ist.

3. DDR-Bürgern, die Anträge auf ständige Ausreise gestellt haben, werden befristete Auslandsreisen aus diesem Grunde nicht verwehrt.

4. Die Strafbarkeit der Nichtrückkehr wird aufgehoben. Solche Handlungen werden – auch im Versuchsstadium – als Ordnungswidrigkeiten verfolgt. In Anlehnung an entsprechende Regelungen bei Devisenverstößen werden die Ordnungsstrafen bis auf 100.000 Mark erhöht. Die Höhe der Ordnungsstrafe wird maßgeblich bestimmt durch das Entwicklungsstadium und die Höhe des Schadens, der der DDR durch die Rechtsverletzung entstanden ist.

5. Mit der vollendeten Nichtrückkehr verzichtet der Rechtsverletzer außerdem zugunsten der DDR auf seine in der DDR vorhandenen beweglichen und unbeweglichen Sachen, Rechte, künftigen Gewinne und anderen materiellen Vorteile. Sie werden zugunsten des Haushaltes der örtlichen Organe, in deren Verantwortungsbereich der Nichtrückkehrer seinen letzten Hauptwohnsitz hatte, vereinnahmt.

Bei Rückkehr in die DDR leben nur sozialversicherungsrechtliche Ansprüche, die in der DDR vor der Nichtrückkehr bestanden, wieder auf.

6. Die vollendete Nichtrückkehr führt für sich nicht zum Verlust der Staatsbürgerschaft.

Zeitweilige Einreisen solcher Personen in die DDR mit Personaldokumenten anderer Staaten oder Westberlins werden nicht gestattet. Zeitweilige Einreisen mit Personaldokumenten der DDR werden nur gestattet, wenn die ausgesprochene Ordnungsstrafe wegen Nichtrückkehr vorher beglichen wurde.

Die Realisierung der vorgeschlagenen Regelungen könnte rechtlich wie folgt geschehen:

- Änderung des Paßgesetzes oder
- Änderung der RVO durch eine 2. Durchführungsbestimmung unter Einfügung der ordnungsstrafrechtlichen und weiteren Konsequenzen bei nicht fristgerechter Rückkehr und bei Nichtrückkehr.
- Eine Änderung des § 213 StGB wäre nicht sofort zwingend erforderlich, weil es schon jetzt möglich ist, Zuwiderhandlungen gegen § 213 StGB in leichten Fällen als Ordnungswidrigkeit zu betrachten und zu ahnden.
- Änderung entsprechender innerdienstlicher Regelungen.
- Aufhebung der Regelungen zum Treuhandvermögen in Verbindung mit der Neuregelung des Vermögensverlustes.
- Geprüft werden müßte ggf. das Erfordernis, wegen der Anhebung der Ordnungsstrafenobergrenze auf 100.000,- M das OWG[27] zu ändern.

Gegenüber der bisherigen Praxis bietet der Lösungsvorschlag folgende Vorteile:

* *Die übergroße Mehrheit aller DDR-Bürger könnte ohne gesetzliche Beschränkungen ins Ausland reisen. Wer für ständig ausreisen will, kann die staatliche Genehmigung abwarten oder rechtswidrig mit persönlich empfindlichen Nachteilen durch Nichtrückkehr im Ausland bleiben. Damit entfallen Botschaftsbesetzungen und analoge spektakuläre Aktionen.*

* *Die dauernde Möglichkeit zu Auslandsreisen entzieht überstürzten Entscheidungen zur Nichtrückkehr den Boden und läßt DDR-Bürgern Zeit, auch hinter die Fassaden der BRD zu blicken und so die Vorzüge und Werte des Sozialismus real einzuordnen.*

Neue rechtliche Regelungen sollten den DDR-Bürgern umfassend erläutert werden, um sie durch die Möglichkeit der Abwägung aller Risiken ungesetzlichen Handelns zu veranlassen, sich gesetzestreu zu verhalten.

Die Zahlen, die am 3. Oktober vom Innenministerium und MfS an Egon Krenz übermittelt wurden, waren alarmierend und besorgniserregend:

* Vom 01.01. bis 30.09.1989 hatten ca. 114.000 Personen die DDR verlassen, davon waren

* 78.000 Personen für ständig ausgereist,

* 36.000 hatten die DDR illegal verlassen.

* Allein im September 1989 hatten 56.000 Personen die DDR illegal verlassen oder waren ständig ausgereist.

* Aus Ungarn waren 23.600 Personen über Österreich in die Bundesrepublik gekommen.

* 1.651 Personen waren von genehmigten Privat-, Touristen- oder Dienstreisen nicht wieder zurückgekommen.

Welches Spiel spielte Krenz?

Unter dem Eindruck dieser Horrorzahlen und mit der Zusatzinformation, dass die Genehmigung der Ausreise der Botschaftsflüchtlinge in Prag und Warschau „objektiv die Verschärfung der Situation begünstigt" hat und eine solche Verfahrensweise „von der Mehrheit der Werktätigen – bis weit in die Reihen der Partei – nicht verstanden und deshalb auch nicht unterstützt" wird, übermittelte Egon Krenz, der Empfänger der Arbeitsergebnisse am 03.10.1989, dem Genossen Erich Honecker die

erarbeiteten Lösungsvorschläge, für die er drei Varianten zur Wahl stellte.

1. Variante

Öffentliche Forderung an die BRD-Regierung, sofort die Staatsbürgerschaft der DDR mit allen Konsequenzen anzuerkennen (keine weitere Aufnahme von DDR-Bürgern in ihren Botschaften) und gleichzeitige Veröffentlichung des Vorschlages, die Reisemöglichkeiten für DDR-Bürger zu erweitern, wenn die BRD die Staatsbürgerschaft der DDR anerkennt (Angebot zur Aufnahme von Verhandlungen zwischen den Regierungen der DDR und der BRD). Diese Variante müßte von einer breiten politisch-ideologischen Kampagne im Inneren und von einer großangelegten außenpolitischen Offensive begleitet werden (vorher Abstimmung mit der Sowjetunion und anderen Bruderländern), das könnte mit den Spitzengästen zum 40. Jahrestag der DDR geschehen.

Die 1. Variante hätte vor allem propagandistischen Effekt, würde aber kaum zu einer Lösung führen. Sie birgt die Gefahr in sich, die Beziehungen zur BRD zu verhärten.

2. Variante

Zeitweilige Schließung aller Grenzen der DDR, verbunden mit der öffentlichen Mitteilung, daß die Regierung der DDR bis zu einem bestimmten Zeitpunkt (noch vor Weihnachten/Neujahr) erweiterte Reisemöglichkeiten schafft und alle Anträge auf ständige Ausreise auf der Grundlage der DDR-Gesetze und der Wiener Abschlußerklärung prüft und entscheidet. Nochmalige Aufforderung der Regierung der DDR an die DDR-Bürger in den BRD-Botschaften, umgehend in die DDR zurückzukehren, wo ihre Anliegen sofort geprüft und positiv entschieden werden. Gleichzeitig wird die BRD-Regierung öffentlich aufgefordert, sofort die Staatsbürgerschaft der DDR mit allen Konsequenzen anzuerkennen.

Die 2. Variante könnte die Lage im Inneren bis zur Nichtmehrbeherrschbarkeit anheizen. Außerdem müßten alle Grenzen abgeriegelt werden (Einsatz der Landstreitkräfte und der Kampfgruppen wäre nötig, da sich der Druck auf die Grenze zur ČSSR und zur VR Polen genauso verstärken würde wie auf die Grenze zur BRD und zu Berlin-West, die

Grenzen zur ČSSR und zur VR Polen aber kaum gesichert sind).

3. Variante

Sofortige öffentliche Mitteilung, daß die DDR die Reisemöglichkeiten für DDR-Bürger erweitern wird (Prinzip: Jeder DDR-Bürger kann einen Reisepaß erwerben und erhält ein Visum für Reisen in jedes Land, wenn damit keine weiteren Verpflichtungen für den Staat verbunden sind. Einschränkungen gelten für Geheimnisträger, noch Wehrpflichtige oder solche DDR-Bürger, gegen die ein Verfahren läuft. Einschränkungen können auch aus Gründen der nationalen Sicherheit – wie in jedem anderen Land – geltend gemacht werden.) Gleichzeitige Mitteilung, daß die DDR das Recht gewährt, daß jeder DDR-Bürger sein Land verlassen und auch wieder in sein Land einreisen kann.

Die 3. Variante ist die beste, weil sie auf eine strategische, also dauerhafte Lösung zielt. Sie würde allerdings den Verlust von weiteren Zehn- oder sogar Hunderttausenden Bürgern bedeuten.

Alle drei Varianten sollten mit dem Appell der Regierung der DDR an alle Bürger verbunden sein, im Lande zu bleiben, da der Sozialismus Platz und Perspektive für alle hat.

Die Entscheidung über eine dieser 3 Varianten sollte mit der Rede zum 40. Jahrestag der DDR veröffentlicht werden.

Überraschenderweise schlug Krenz Honecker vor, sich für die zweite Variante zu entscheiden, obwohl er die Risiken kannte und benannte.

Was Krenz damit bezwecken wollte, warum er sogar den Einsatz von Armee und Kampfgruppen in Kauf nehmen wollte, wird er heute wohl nicht mehr erklären wollen.

Wollte er Honecker damit in eine aussichtslose Situation bringen? Krenz schrieb:

ZENTRALKOMITEE
HAUSMITTEILUNG

| Genossen | Mitglied des Politbüros |
| Erich Honecker | Egon Krenz |

Diktatzeichen	Datum
	3.10.89
Erledigungsvermerk	

Lieber Genosse Erich Honecker!

In der Anlage übermittele ich Dir drei Varianten zur generellen Lösung des Problems der illegalen Ausreisen.

Ich habe die Vor- und Nachteile dieser Varianten deutlich gemacht. Eine Ideallösung gibt es nicht. Ich würde die zweite Variante empfehlen verbunden mit der öffentlichen Mitteilung der Regierung der DDR, daß auf Grund der Nichteinhaltung der Zusagen der BRD-Regierung und der Fortführung der Abwerbung von DDR-Bürgern die zuständigen Organe der DDR die Entscheidung getroffen haben, in Übereinstimmung mit den Regierungen der ČSSR und der Volksrepublik Polen die geltenden Reisebestimmungen für die Ausreise in die ČSSR und in die VR Polen sowie in die Ungarische Volksrepublik vorübergehend außer Kraft zu setzen.

Seitens der DDR werden entsprechende Reiseverordnungen vorbereitet, die erweiterte Reisemöglichkeiten schaffen. Gleichzeitig wird mitgeteilt, daß alle Anträge auf ständige Ausreise auf der Grundlage der Gesetze der DDR geprüft und entschieden werden. Von der zeitweiligen Unterbrechung des Reiseverkehrs sind humanitäre Angelegenheiten nicht betroffen.

Ich bitte um Entscheidung.

Mit sozialistischem Gruß
Egon Krenz

Der Gesetzesvorschlag

Erich Honecker entschied sich jedoch unter dem Druck der Ereignisse weitgehend für die dritte Variante. Der Entwurf des neuen Reisegesetzes mit allen notwendigen Änderungen der bisher geltenden Bestimmungen wurde am 17. Okt. 1989 fertig und sollte am 27. Oktober 1989 dem Politbüro durch die beauftragten und zuständigen Egon Krenz, Erich Mielke, Friedrich Dickel und Oskar Fischer vorgelegt werden.

Gesetz über

Reisen von Bürgern der Deutschen Demokratischen Republik

in das Ausland – Reisegesetz –

§ 1

(1) Die Bestimmungen des Gesetzes gelten für Reisen von Bürgern der Deutschen Demokratischen Republik in das Ausland.

(2) Reisen im Sinne dieses Gesetzes sind Dienst- und Privatreisen sowie ständige Ausreisen.

§ 2

(1) Bürger der Deutschen Demokratischen Republik haben das Recht, in das Ausland zu reisen und jederzeit in die Deutsche Demokratische Republik einzureisen.

(2) Bürger der Deutschen Demokratischen Republik haben das Recht, entsprechend den paßrechtlichen Bestimmungen einen Reisepaß der Deutschen Demokratischen Republik zu erwerben.

§ 3

(1) Für Reisen in das Ausland sind ein Paß der Deutschen Demokratischen Republik und eine darin eingetragene Genehmigung in Form eines Visums erforderlich. Soweit zwischenstaatlich vereinbart, können Reisen in das Ausland paß- und visafrei erfolgen.

(2) Die Dauer von Dienst- und Privatreisen wird befristet.

(3) Die Genehmigung begründet keinen Anspruch auf den Erwerb von Reisezahlungsmitteln.

§ 4

(1) Zum Schutz der nationalen Sicherheit sind Genehmigungen zu versagen.

(2) Weitere Gründe für die Versagung von Genehmigungen sind der Schutz der öffentlichen Ordnung, Gesundheit oder Moral oder der Rechte und Freiheiten von Bürgern sowie die Gewährleistung des Geheimnisschutzes.

Gegen eine nach diesem Gesetz getroffene Entscheidung ist das Rechtsmittel der Beschwerde und gegen Beschwerdeentscheidungen die gerichtliche Nachprüfung - ausgenommen solche gemäß § 4 Abs. l zulässig.

§ 6

Der Ministerrat der Deutschen Demokratischen Republik kann bei Vorliegen außergewöhnlicher gesellschaftlicher Erfordernisse zeitweilig einschränkende Festlegungen zur Erteilung von Genehmigungen treffen.

Für Ausländer, einschließlich Staatenlose, mit ständigem Wohnsitz in der Deutschen Demokratischen Republik finden die Bestimmungen dieses Gesetzes – mit Ausnahme des § 2 Abs. 2 – Anwendung.

§ 8

Die zur Durchführung dieses Gesetzes erforderlichen Rechtsvorschriften erlassen der Ministerrat sowie der Minister des Innern und Chef der Deutschen Volkspolizei.

(1) Dieses Gesetz tritt am   in Kraft.

(2) Mit Inkrafttreten dieses Gesetzes erhält der § 18 Abs. l des Gesetzes vom 5. Dezember 1975 über die Anwendung des Rechts auf internationale zivil-, familien- und arbeitsrechtliche Beziehungen sowie auf internationale Wirtschaftsverträge - Rechtsanwendungsgesetz – (GBl. I Nr. 46 S. 748) folgende Fassung:

„Die Voraussetzungen für die Eingehung einer Ehe bestimmen sich für jeden der beiden Eheschließenden nach dem Recht des Staates, dessen Bürger er ist."

(3) Gleichzeitig erhält der § 213 des Strafgesetzbuches der Deutschen Demokratischen Republik – StGB – vom 12. Januar 1968 in der Neufassung vom 14. Dezember 1988 (GBl. 1/1989 Nr. 3, S. 34) folgende Fassung:

„§ 213 Gefährdung der Grenzsicherheit

(1) Wer widerrechtlich die Staatsgrenze der Deutschen Demokratischen Republik passiert wird mit Geldstrafe, Verurteilung auf Bewährung, Haftstrafe oder mit Freiheitsstrafe bis zu zwei Jahren bestraft.

(2) Ebenso wird bestraft, wer Bestimmungen des Transits durch die Deutsche Demokratische Republik verletzt und dadurch eine erhebliche Beeinträchtigung des Transitverkehrs verursacht.

(3) In schweren Fällen der Tat nach Abs. l wird der Täter mit Freiheitsstrafe von einem Jahr bis zu fünf Jahren bestraft. Ein schwerer Fall liegt insbesondere vor, wenn

1. die Tat Leben oder Gesundheit von Menschen gefährdet;

2. die Tat unter Mitführung von Waffen oder unter Anwendung gefährlicher Mittel oder Methoden erfolgt;

3. die Tat unter Anwendung oder Androhung von Gewalt gegen Grenzsicherungsanlagen oder der zum Schutz der Staatsgrenze tätigen Personen begangen wird.

(4) Der Versuch ist strafbar. Vorbereitung ist in den Fällen des Abs. 3 strafbar.

Anmerkung:

Zuwiderhandlungen gegen die gesetzlichen Bestimmungen oder auferlegte Beschränkungen über Ein- und Ausreise oder des Transits können in leichten Fällen als Ordnungswidrigkeit verfolgt werden."

Tatsächlich wurde dieses Gesetz am 9. November verabschiedet. Seine – irrtümlich – sofortige Umsetzung bewirkte die Öffnung der Grenzübergänge und letztlich den Untergang der DDR.

Es kann nur darüber spekuliert werden, ob eine frühere Umsetzung den Untergang hätte aufhalten können.

Kommunalwahlen

Ein kleines Vorkommnis im Vorfeld

Am 28. Januar 1989, einem Samstag, führte das VPKA Ilmenau Straßenkontrollen durch. Dabei überprüfte die VP auch ein Auto aus Meiningen. Der Fahrer, Oliver Benkert, ein Monteur aus Meiningen, war mit dem Wagen seines Bruders in Ilmenau zu Besuch. Nichts besonderes, nachdem sich auch der junge Mann überhaupt nicht auffällig verhielt. Warum die Polizisten trotzdem auch die Papiere und eine Aktentasche durchsuchten, bleibt deren Geheimnis, eher natürlich des MfS. Jedenfalls fanden die Gesetzeshüter bei Oliver unter anderem ein Schriftstück, das sie veranlasste, Benkert mit auf die Wache zu nehmen und das MfS zu verständigen. „Ein Brief an Christen der DDR und ihre Gemeindevertreter zu den Kommunalwahlen 1989" war das Schriftstück überschrieben. Die Stasileute hatten schnell bei einem Abgleich mit ihrem Datenspeicher festgestellt, dass Oliver Benkert ein Mitglied des hinlänglich bekannten „Gesprächskreises für Frieden und Ökologie" in Meiningen war. Bald fanden sich deshalb zwei Herren der Staatssicherheit in der Wache ein, denen das Schreiben übergeben wurde und die, ohne sich vorzustellen, das Verhör übernahmen.

Im Rahmen der Prüfungshandlungen gab Benkert an, das Schriftstück am 23.1.1989 vom Leiter des „Gesprächskreises für Frieden und Ökologie", Kreisjugendwart Ulrich Töpfer/Meiningen, erhalten zu haben.
Intern war der Bezirksverwaltung des MfS bereits am 24.1.1989 bekannt geworden, daß im genannten „Gesprächskreis" derartige Pamphlete für den innerkirchlichen Gebrauch kursierten.
Zur Unterbindung der Verbreitung dieser Schriften wurde im Zusammenwirken mit dem stellvertretenden Vorsitzenden des Rates des Bezirkes für Inneres festgelegt, beim Landesbischof der Evangelisch-Lutherischen Kirche in Thüringen zu protestieren. Deshalb fand am 26.1.1989 ein Gespräch des Abteilungsleiters Inneres des Rates des Bezirkes, Genossen Luck, mit dem Mitglied des Landeskirchenrates der Evangelisch-Lutherischen Kirche

in Thüringen, Oberkirchenrat Kirchner in Eisenach statt. Kirchner wurde über diese feindlich-negativen Aktivitäten informiert und von ihm Schritte zur Unterbindung solcher Handlungen gefordert. Im Ergebnis dieses Gespräches sicherte der Oberkirchenrat die Einziehung der bei Töpfer verteilten bzw. vorliegenden Exemplare des „Briefes" zu. Kirchner lehnte die in dem „Brief" vertretenen Auffassungen und Orientierungen ab. Das sei kein Weg der Kirche.[1]
Er bedankte sich bei Gen. Luck für das Gespräch und begrüßte den damit eingeschlagenen direkten Weg zur Klärung solcher Vorkommnisse. Diese Vorgehensweise könne sich auf das Staat-Kirche-Verhältnis nur positiv auswirken.[2]

Eigentlich hätte es nach der Intervention diese Schrift überhaupt nicht mehr geben dürfen. Das bei Benkert festgestellte Exemplar wurde auf der Grundlage der Anordnung über das Genehmigungsverfahren für die Herstellung von Druck- und Vervielfältigungserzeugnissen eingezogen. Auf der Grundlage zentraler Orientierungen und nach Abstimmung mit dem MfS Berlin wurde entschieden, gegen Benkert keine strafrechtlichen Maßnahmen durchzuführen.

Weitere Exemplare des „Briefes" stellte das MfS im Bezirk bisher nicht fest. Was aber regte das MfS und die staatlichen Stellen so an diesem Schreiben?

Die Verfasser, eine Initiativgruppe „Absage an Praxis und Prinzip der Abgrenzung", der Friedenskreis der Bartholomäus-Gemeinde, der Friedensgebetskreis der Golgatha-Gemeinde und die Projektgruppe Ökologie – Menschenrechte der Arche Berlin-Brandenburg schrieben darin am 6. Januar 1989 unter anderem:

Es war und ist unser Anliegen, zur Überwindung der durch Praxis und Prinzip innerer und äußerer Abgrenzung bewirkten Stagnation der sozialistischen Entwicklung unseres Landes beizutragen und die positiven Impulse der Demokratisierungsbemühungen in einigen sozialistischen Ländern

Osteuropas aufzunehmen. Unsere Anregung, daß Friedens- und Umweltgruppen der Gemeinden aus ihrer Mitte Kandidaten für die Kommunalwahl am 7. Mai 1989 vorschlagen sollten, zielt darauf ab, die gesetzlichen Möglichkeiten zu nutzen, um einen Schritt zur Überwindung der inneren Abgrenzung des staatlichen Machtsystems gegen eigenständige Verantwortung der Bürger zu tun.

Wir wissen uns einig mit vielen Menschen unseres Landes – Christen und Nichtchristen –, daß die Mitwirkung unabhängiger Abgeordneter in den örtlichen Volksvertretungen darauf gerichtet sein sollte,
– daß die großen Probleme der Versorgung (besonders mit Frischwaren), der Umweltvergiftung, des baulichen Verfalls, der Sozial- und Gesundheitsfürsorge, des Umgangs mit Ausländern, des Alkoholismus etc., vor denen wir allerorts stehen, offengelegt und angegangen werden;
- daß Fälle von Behördenwillkür, Korruption und Begünstigung aufgedeckt und verfolgt werden;
- daß ein offener und öffentlicher gesellschaftlicher Dialog über Weg und Ziel unserer Gesellschaft möglich wird;
- daß sich eigenständige Interessengruppen und Bürgerinitiativen bilden und ihre Anliegen öffentlich bekunden und vertreten;
- daß die Ausschüsse der örtlichen Volksvertreter mehr Initiativen gegenüber den Räten entwickeln und mehr eigene Beschlußvorlagen erarbeiten.

In seiner Rede auf der 7. Tagung des ZK der SED forderte Erich Honecker den VKSK, den DTSB und die Freiwillige Feuerwehr auf, sich mit eigenen Kandidatenvorschlägen an die Mandatsträger, d.h. die Parteien, den FDGB, die FDJ, den DFD, den Kulturbund, den Konsum oder die VdgB zu wenden (ND vom 2. 12. 88). Sollte nicht, was für Kleingärtner, Sportler und Feuerwehrleute gilt, auch für Friedens- und Umweltgruppen gelten? Was ist zu tun?

Noch im Januar sollten sich diejenigen, die zur Kandidatur bereit sind, beim örtlich zuständigen Gemeinde-, Stadt- oder Stadtbezirksrat eine Bescheinigung über ihre Wählbarkeit gemäß § 15 des Wahlgesetzes (GBl. I Nr. 22/1976) einholen. Unmittelbar nach dem Wahlaufruf der Nationalen Front am 26.1.1989 sollten sich die interessierten Gruppen mit ihrem Kandidatenvorschlag an einen

der o.g. Mandatsträger wenden und ihn begründen. Zwischen dem 8.2. und dem 8.3. erfolgt die Prüfung der Kandidaten. Wichtig ist dann die Teilnahme an öffentlichen Tagungen der Ortsausschüsse der Nationalen Front, bei denen gemäß § 18 des Wahlgesetzes die Kandidaten vorgestellt und über ihre Reihenfolge entschieden werden soll. Sie sollen zwischen dem 9. und 30.3. stattfinden. Zu beachten sind auch die Hinweise, die in der Rede von Werner Kirchhoff auf dem 7. Plenum des ZK der SED (NO vom 05.12.1988) über die Wahlvorbereitungen gegeben werden.

Jeder Wähler, auch wenn er nicht an der Aufstellung zusätzlicher Kandidaten teilnimmt, sollte sich über das Wahlgesetz informieren und über seine Reformwürdigkeit nachdenken sowie Wahlveranstaltungen besuchen.

Lassen Sie uns gemeinsam an der uns mit vielen Nichtchristen verbindenden Hoffnung auf mehr Gerechtigkeit, Freiheit und Menschenwürde in der DDR festhalten.

Wäre die Forderung nach eigenen Kandidaten für unabhängige Gruppen öffentlich und in großem Umfang praktiziert worden, wären die Folgen nicht absehbar gewesen. So aber gelang es, diese Initiative weitestgehend zu unterdrücken. Jedenfalls sind keine solchen Kandidatenvorschläge öffentlich geworden.

Positive Einschätzungen

Das MfS, BD Suhl schenkte der Kommunalwahl große Aufmerksamkeit.[3] Nachdem es im Untergrund immer mehr gegrollt hatte, galt die Kommunalwahl am 07.05.1989 als Gradmesser der tatsächlichen Stimmung in der Bevölkerung. Die Berichte – sowohl vor der Wahl, als auch danach – klangen einleitend recht ermutigend.

In Gesprächen mit den Bürgern konnten die Wahlhelfer feststellen, daß es prinzipielle Zustimmung zur Friedens- und Sozialpolitik unseres Staates gibt und insgesamt eine positive Wahlatmosphäre herrscht.

In vielen bisherigen Wahlveranstaltungen wurde zu den anstehenden Problemen, wie Herstellung einer *hohen Ordnung und Sauberkeit, Handelsfragen, innerstädtisches Bauen u.a., offen Stellung genommen und Lösungswege aufgezeigt.*

Sie haben aber auch gezeigt, daß zu vielen Fragen des gesellschaftlichen Lebens eine noch gezieltere politisch-ideologische Arbeit geleistet werden muß, um jedem Bürger deutlich zu machen, daß von der Gesellschaft nicht nur gefordert werden kann, das persönliche Leben zu verbessern, sondern daß ein jeder seinen eigenen Beitrag erhöhen muß, um die Wirtschafts- und Sozialpolitik erfolgreich fortzuführen.

Kritik im Vorfeld der Wahl

Wenn es bei den Berichten jedoch in die Einzelheiten geht, merkt man, dass den Wahlhelfern die Kritik überall knüppeldick entgegenschlug und das von „normalen" Bürgern.

In den Städten und Gemeinden Meiningen, Hildburghausen, Birx, Frankenheim, Utendorf, Helmershausen, Erbenhausen, Bettenhausen, Reurieth, Herpf und Gleichamberg wurden Kritiken zu Fragen des Handels und der Versorgung, des Straßenzustandes und des Umweltschutzes vorgebracht. So wurden bei der Überbringung der Wahlbenachrichtigungen durch Bürger der Grenzgemeinde Frankenheim und der Gemeinden Helmershausen, Bettenhausen und Reurieth der gegenwärtige Straßenzustand in diesen Gemeinden kritisch angesprochen. Einwohner der Gemeinden Erbenhausen und des Grenzortes Birx bemängelten die schlechte Straßenbeleuchtung in ihren Wohnorten. In Meiningen wurde vor allem die Warenrepräsentation, die Sortimentsbreite, das Angebot bei Kinderschuhen, Damen- und Herrenunterwäsche, die Bereitstellung von Baumaterialien sowie die Versorgung mit Frischgemüse heftig kritisiert.

In der Gemeinde Gleichamberg treten Diskussionen über Baumaßnahmen im Objekt der GSSD (Großer Gleichberg) auf. Es werden Befürchtungen laut, daß sich die Qualität des Trinkwassers für die Gemeinde weiter durch eine zunehmende Wasserverschmutzung durch Fäkalien, Schmier- und Treibstoffe verschlechtern werde. ... In den Städten und Gemeinden Ilmenau, Suhl, Oberweid, Oberhof, Wasungen, Kaltensundheim, Hildburghausen wur-

den Kritiken zu Fragen der Wohnungspolitik, des Handels und der Versorgung, des Straßenzustandes sowie zum privaten Bauwesen vorgebracht.

Erpressungen vor der Wahl

Es blieb nicht bei der Kritik. Das absurde Streben nach 100 Prozent Wahlbeteiligung, nach 100 Prozent Zustimmung war ideale Voraussetzung für viele Erpressungen der kommunalen Entscheidungsträger. Dies betrifft einzelne Bürger, die jetzt eine günstige Gegelegenheit sehen, sich einen Vorteil zu verschaffen oder den Verantwortlichen die Quittung für ihre Fehlleistungen durch Nichtwahl zu geben. Die Berichte sprechen es klar an:

In einer Vielzahl vorgebrachter Wahlvorbehalte durch einzelne Bürger in allen Kreisen kommt das Streben nach persönlichem Vorteil zum Ausdruck. In erpresserischer Weise wird versucht,

- *Wohnungsprobleme schnell zu klären,*
- *Baugenehmigungen zu erhalten,*
- *private Reisen ins NSW genehmigt zu bekommen,*
- *Telefonanschlüsse u.a. zu erhalten.*
* *So wurde z.B. durch eine Frau, wohnhaft in Großbreitenbach, die Nichtteilnahme an der Wahl angekündigt, da sie vom Rat der Stadt Großbreitenbach keine Zustimmung zum Einbau einer Gasheizung in ihr Wohnhaus erhalten habe. Der Einbau einer Elektroheizung wurde von ihr abgelehnt, da damit eine Neuverlegung von elektrischen Leitungen verbunden sei.*
* *Ein Bürger, Instandhaltungsmechaniker im VEB Glaswerk, wohnhaft in Großbreitenbach-Altenfeld, macht die Wahlteilnahme abhängig von der sofortigen Bereitstellung einer 21-kW-Forsterheizung für sein Wohnhaus, obwohl ihm bekannt ist, daß die Wartezeit vier Jahre beträgt.*
* *Ein Bürger, wohnhaft in Hildburghausen, Therapeut in der Bezirksnervenklinik Hildburghausen, äußerte Wahlvorbehalte, weil er unzufrieden über die Verteilung fester Brennstoffe in Hildburghausen ist, insbesondere da ihm seine Beantragung zur Kokslieferung abgelehnt worden sei.*

* Ein Bürger, wohnhaft in Reurieth, OT Trostadt, will nur wählen, wenn vorher die Straße Reurieth – Trostadt wieder in einen „vernünftigen passierbaren" Zustand versetzt wird.
* In den Gemeinden Herpf und Dreißigacker traten Bürger mit Wahlvorbehalten auf Grund nicht gelöster Wohnungsprobleme und fehlender Bereitstellung von Baumaterialien in Erscheinung.
* Ein Bürger, wohnhaft in Gleichamberg, Leitungskader in der LPG (T) Zuchtzentrum Gleichamberg-Linden, Mitglied der DBD, tritt dabei mit Diskussionen auf, daß man sich nicht mehr alles gefallen lassen müsse; jetzt vor den Kommunalwahlen sei eine günstige Gelegenheit, eine Wahleingabe zu verfassen.
* Ein Antragsteller auf ständige Ausreise in die BRD aus Schmalkalden äußerte, daß er erst zur Wahl gehe, wenn „die Bullen" ihm die Bearbeitung seines Antrages zugesichert hätten. Habe man früher in Vorbereitung der Wahl zum Beispiel eine Wohnung „rausschlagen" können, klappe es heute vielleicht mit der „Übersiedlung", denn „die seien ja auf jede Stimme angewiesen".
* Ein Bäckermeister aus Steinbach-Hallenberg brachte zum Ausdruck, daß ihm die Wahl gerade rechtkomme. Jetzt, da die Oberen ihn geärgert und seine BRD-Reise abgelehnt hätten, würde er zur Wahl Ablehnungen aussprechen und „auch was auf den Schein schreiben".

Neben einzelnen Bürgern beteiligten sich erstmals bei dieser Wahl in einem solchen Ausmaß Bürgergruppen und ganze Ortsteile und Gemeinden an dem neuen Sport, aus einer Wahl Vorteile herauszuschlagen.
* Bürger der Gemeinde Utendorf äußerten, daß die Einwohner nicht zur Wahl gehen werden, wenn die PGH „Elektro" Meiningen die Fernsehgemeinschaftsantennenanlage nicht bis zum Wahltag installiert habe, damit sie in Betrieb genommen werden könne.
* Analoge Diskussionen gibt es in der Gemeinde Herpf.
* Auf Grund nicht erfolgter Straßenbauarbeiten beabsichtigen die Einwohner des Straßenzuges Hildburghausen, Am Grieß, sich nicht an den Kommunalwahlen zu beteiligen. Es seien zwar neue Häuser gebaut worden, aber seit Jahren wate man durch Schlamm. „Wann soll sich denn sonst etwas ändern; wenn nicht jetzt durch die Androhung einer Nichtteilnahme an der Wahl?"
* Bürger der Grenzgemeinden Ober- und Unterweid machten in Vorbereitung der Kommunalwahl mit mehreren Eingaben an den Rat der Gemeinde in Oberweid auf die seit längerer Zeit unzureichende Belieferung der Orte mit Gemüse/Obst und Frischfisch aufmerksam. Obwohl sich der Bürgermeister von Oberweid bereits mit dem Rat des Kreises Meiningen in Verbindung gesetzt habe, sei dieses Problem bis zum gegenwärtigen Zeitpunkt nicht zur Zufriedenheit der Bevölkerung gelöst worden.
* Einwohner der Grenzgemeinde Hermannsfeld, Ortsteil Haselbach, äußerten, daß sie als Nichtwähler in Erscheinung treten würden, falls nicht kurzfristig eine Verbesserung in der Versorgung der Gemeinde erfolge. Seit Wochen ist die einzige Verkaufsstelle geschlossen und vor allem Rentner sind auf die Hilfe und Unterstützung anderer Bürger beim Einkauf in Nachbarorten angewiesen. Vielfach wurde die Meinung geäußert, daß sich die Versorgungssituation in Haselbach seit 40 Jahren nicht verbessert, sondern verschlechtert habe.
* Bewohner eines Hauses in Wasungen, insgesamt 11 Familien, drohten die Nichtteilnahme an der Kommunalwahl an. Seit 10 Jahren bemühen sich die Hausbewohner intensiv darum, daß die Elektroinstallation in Ordnung gebracht und in jede Wohnung fließendes Wasser gelegt wird. In mehrfachen Aussprachen beim Rat der Stadt Wasungen wurden zwar über Jahre Versprechungen zur Abänderung abgegeben, aber nicht eingehalten. Am 4.4.89 sollte beim Rat der Stadt mit den Hausbewohnern erneut eine Aussprache zu diesen Problemen geführt werden, die aber ohne Angabe von Gründen durch den Rat der Stadt abgesagt wurde.
* Im Zusammenhang mit einer Vielzahl vorgebrachter Wahlvorbehalte, in denen das Streben nach persönlichem Vorteil zum Ausdruck kommt, äußerte eine Technische Mitarbeiterin, wohnhaft in Schmalkalden, daß man in

Vorbereitung des 7. Mai ebensolche Praktiken wie der Staat an den Tag legen müsse. So seien beispielsweise die neuen Regelungen zum BRD-Reiseverkehr nur „Lockmittel für die Kommunalwahl". Indem man dem Staat die Stimmabgabe in Aussicht stelle, könne man versuchen, Wohnungsprobleme u.a. schnell zu klären.

Kritik an Wahl und Wahlmodus

Die SED-Bezirksleitung und der Rat des Bezirkes können ihrem MfS nicht vorwerfen, sie seien unzulänglich unterrichtet worden. Sie wussten sicherlich zu Recht, dass der Großteil der Bevölkerung seine sozialistischen Pflichten erfüllte, teilweise sicher mit leisem Murren, das sich jedoch immer noch positiv als „aufbauende Mitarbeit" interpretieren ließ. „Die da oben" erfuhren aber auch, dass immer mehr Bürger die Wahlen in der DDR als Farce empfanden und dies auch offen aussprachen, wenn die Wahlscheine, wie DDR-weit üblich, von den Kandidaten für den Gemeinderat oder Kreistag ausgetragen wurden. Nicht wenige Bürger hatten jetzt auch den Mut, in Wahlversammlungen mit ihrer Kritik aufzutreten.

* Im Kreis Ilmenau wurden mehrere Wahlhelfer ihrem politischen Auftrag nicht gerecht. So rechneten beispielsweise Wahlhelfer die Übergabe der Wahlbenachrichtigungskarten an Bürger ab, die bereits verstorben sind.

* Mängel in der politisch-ideologischen Arbeit in Vorbereitung der Kommunalwahlen wurden im gesamten Betrieb des StFB Hildburghausen sichtbar. Die Mehrzahl der Mitarbeiter der Fasanerie des StFB Hildburghausen wollen „auf die Schnelle" die Möglichkeit des Sonderwahllokals nutzen, um wegen der Wahl nicht den Sonntag „zu opfern". Ihrer Meinung nach seien die Wahlen in der DDR sowieso nicht demokratisch und so sei es auch egal, wann man „gezwungenermaßen" zur Wahlurne gehe.

* Diskussionen, wie z.B. „Am 7. Mai gehen wir auf keinen Fall zur Wahl. Wir machen uns doch nicht zum Lackel und springen, wenn andere rufen", sind typisch.

* Im Bereich der Kombinatsleitung des VEB (B) Wohnungsbaukombinat „Wilhelm Pieck" Suhl sowie im Bereich Handel und Versorgung des Rates des Bezirkes Suhl wird im Zusammenhang mit der zu erwartenden Wahlteilnahme die Auffassung vertreten, daß eine Wahlbeteiligung von 99 Prozent ein unrealistisches Bild geben würde. Erfahrungsgemäß gingen sowieso 10 bis 20 Prozent aller Bürger nicht zur Wahl. Von den zum Teil erpresserisch vorgebrachten Wahlvorbehalten solle sich der Staat nicht einschüchtern lassen. In jedem Falle sei es richtiger, auf diese Prozente in der Wahlbeteiligung zu verzichten, anstatt Bürgern unverschämte Zugeständnisse zu machen, nur damit sie zur Wahl gehen würden.

* Beschäftigte des DRK-Krankentransports Ilmenau finden es nicht gerechtfertigt, daß jedesmal zu den Wahlen eine höchstmögliche Wahlbeteiligung und frühzeitige Stimmabgabe von den staatlichen Leitern gefordert werde. Die angestrebte Wahlbeteiligung von über 90 Prozent sei reine „Augenwischerei"; denn es sei unwahrscheinlich, daß es ausgerechnet in der DDR keine „Regimegegner" geben solle. Eine Wahlbeteiligung von 70 bis 80 Prozent sei real und die DDR brauche sich keine Wahlmanipulierung durch die BRD vorwerfen zu lassen.

Reaktionen von Pfarrern, kirchlichen Amtsträgern zu den Kommunalwahlen

Am 03.05.1989 meldete die Bezirksverwaltung des MfS ihre Erkenntnisse über die Reaktionen von Pfarrern, kirchlichen Amtsträgern zu den Kommunalwahlen.

Von den Kirchenleitungen der im Bezirk vertretenen Evangelisch-Lutherischen Kirche in Thüringen (ELKiTh) und Evangelischen Kirchen der Kirchenprovinz Sachsen wurden in Vorbereitung der Kommunalwahlen keine feindlich-negativen Orientierungen bzw. Verhaltenslinien für die kirchlichen Amtsträger und Christen gegeben. Bischof LEICH brachte auf der Synode des ELKiTh vom 13. bis 16.04.1989 zum Ausdruck, dass die Entscheidung zur Teilnahme an der Wahl und zur Stimmabgabe persönliche Sache jedes Bürgers sei, eine Reglementierung des Wahlverhaltens christlicher Bürger lehne er ab.

Er erklärte wörtlich:

„Grundsätzlich sehe ich die Aufgabe der Kirche nicht darin, über Wahlbestimmungen zu informieren und den Gemeindemitgliedern öffentlich Ratschläge für ihr Wahlverhalten zu geben ...

Die Wahl ist eine Anfrage an den Bürger ... Darin liegt die Aufforderung, alle Möglichkeiten zu ergreifen, um die eigene Überzeugung eindeutig auszudrücken. Ob die Möglichkeit Ja oder Nein ist, muss jeder einzelne für sich selbst entscheiden."

Die für den Kirchenkreis „Henneberger Land" zuständige Kirchenleitung der Kirchenprovinz Sachsen gab ebenfalls keine feindlich-negativen Orientierungen bzw. Verhaltensweisen für kirchliche Amtsträger und Christen heraus.

Ausgehend von diesen Positionen der Kirchenleitungen, den Erfahrungen der letzten Jahre sowie weiteren vorliegenden Erkenntnissen ist damit zu rechnen, dass sich die Mehrheit der kirchlichen Amtsträger einschließlich der kirchenleitenden Positionen an den Kommunalwahlen beteiligen wird.

Gleichzeitig ist einzuschätzen, dass insbesondere durch die kirchlichen Amtsträger Positionen wie die des Bischofs LEICH auf dem Superintendentenkonvent vertreten werden und dass auf alle Versuche des Staatsapparates sowie gesellschaftlicher Organisationen, Pfarrer bereits im Vorfeld der Wahlen hinsichtlich einer frühzeitigen Wahlbeteiligung am 07.05.1989 festzulegen, sehr sensibel reagiert wird.

Erkenntnisse zu bedeutsamen Vorhaben und Verhaltensweisen zu den Wahlen liegen bisher zu folgenden Amtsträgern sowie kirchlichen Mitarbeitern vor:

Verweigerung der Annahme der Wahlbenachrichtigung und Ankündigung der Nichtteilnahme an den Wahlen durch die Pfarrer von Tiefenort, Sünna, Kieselbach, Frauensee und deren Ehepartner der Superintendantur Vacha.

Die Nichtteilnahme an den Wahlen wird von einem Pfarrer dahingehend begründet, dass er mit der Gesamtpolitik nicht einverstanden sei. In der DDR bestünden für ihn „verkrustete politische Strukturen", welche nicht bzw. nur zögernd verändert würden, obwohl die Mängel erkannt worden seien.

Einen weiteren Grund sehe er in der aus seiner Sicht unbefriedigenden Klärung der Ereignisse im Zusammenhang mit dem Gebirgsschlag vom 13.03.1989.

Ein weiterer Grund zur Nichtteilnahme an den Wahlen bestehe für ein Pfarrersehepaar in der Ablehnung einer Privatreise der Ehefrau in die BRD im Juni 1988. Ein weiterer Pfarrer und seine Frau traten bei vergangenen Wahlen bereits als Nichtwähler in Erscheinung. Ihre Nichtteilnahme resultiert aus der Ablehnung der gesellschaftlichen Verhältnisse in der DDR.

Von der Pastorin von Frauensee und ihrem Ehemann wurden die Wahlbenachrichtigungen entgegengenommen mit der Bemerkung „eigentlich wollten wir ja nicht wählen".

In ihrer Begründung argumentiert die Pastorin hinsichtlich der Gesamtpolitik. Auch in ihren Augen verändere sich zu wenig und zu langsam. Weiterhin argumentiert sie damit, dass die Wahlen in der DDR für sie nicht demokratisch seien. Vorbehalte äußerte sie gegenüber der Kandidatur des ehemaligen Bürgermeisters von Frauensee, Genossen Schmidt, für den Kreistag. Diese Kandidatur lehne sie ab.

Im Ergebnis der Einflussnahme des Gemeindekirchenrates konnten bei einem anderen Pfarrer die Wahlvorbehalte abgebaut werden. Er hatte die gleichen Grundargumente wie die drei bereits genannten kirchliche Amtsträger genannt.

Dieses offensichtlich abgestimmte Vorgehen der genannten Pfarrer und der enge Zusammenschluss der Kirchengemeinde Frauensee, Kieselbach und Tiefenort ist Ausdruck des sich vollziehenden Differenzierungsprozesses innerhalb der Superintendantur Vacha.

Die Nichtteilnahme an den Wahlen kündigten der Kreisjugendwart aus Benshausen, die Pfarrer von Sülzfeld, Gehlberg, Suhl, Stützerbach, Manebach, die Vikarin von Böhlen und der Vikar von Elgersburg an.

Ein weiterer Seelsorger äußerte sich mehrfach öffentlich gegen eine Wahlbeteiligung, da er mit der Politik des Staates in den Bereichen Volksbildung, Umweltschutz und Wehrdienst nicht einverstanden sei. ... versucht ständig, seine feindlichnegativen Positionen zur aktiven Einbeziehung von

Jugendlichen und Jungerwachsenen gegen den Staat zu nutzen. Ein anderer Pfarrer behält sich eine Entscheidung zur Wahlteilnahme vor. Seinen Aussagen zufolge habe die Wahl sowieso auf die Entwicklung in der DDR keinen Einfluss und werde von einem Großteil der Bevölkerung als „Akt der Pflicht" angesehen.

Ein dritter Pfarrer brachte zum Ausdruck, dass er nicht wählen werde, da er im Zusammenhang mit der Streichung des „Sputniks" von der Presseliste der DDR die Unmündigkeit der DDR-Bürger erneut erkannt habe. Pfarrer N. macht seine Wahlteilnahme davon abhängig, ob es „Schwierigkeiten bei der Einreise einer Posaunengruppe aus der Partnergemeinde in der BRD vom 04. bis 07.05.1989 gibt".

Der Diakon von Albrechts, der bereits 1986 Nichtwähler war, wisse noch nicht, ob er wählen gehe, da die Wahlen in den Massenmedien der DDR als „Ausdruck der Gesamtpolitik des Staates" dargestellt würden.

Der Prediger der Baptisten in Schmalkalden lehnt eine Wahlteilnahme mit der Begründung ab; da „die Wahlergebnisse sowieso manipuliert und das Wahlgeheimnis verletzt" würden.

Bekannt wurde auch eine beabsichtigte Streichung der Kandidaten durch Pfarrer Winkelmann und Ehefrau in Bischofrod, das Ehepaar Fahr, Mitarbeiter im Einkehrhaus Bischofsrod, und durch Kreisjugendwart Töpfer von Meiningen.

Töpfer und Winkelmann fordern dazu auf, in Vorbereitung und Durchführung der Kommunalwahlen gesellschaftliche Aufgaben mit dem Ziel der Kontrolle der Vorbereitung der Wahlen und des Wahlablaufes zu übernehmen. Alle rechtlich gesicherten Möglichkeiten, wie die Kontrolle der Wahllokale auf Übereinstimmung mit der Wahlordnung (z.B. problemlose Benutzbarkeit der Wahlkabine) und die Teilnahme an der Auszählung der Stimmen sollen voll ausgeschöpft werden.

Winkelmann betonte, daß es unmöglich sei, wie die Bürger in den Gemeinden zur Wahl gedrängt werden, um mit als erste Gemeinde den Wahlabschluß melden zu können. Eine solche Beeinflussung lehne er ab. In Gesprächen mit den Dorfbewohnern habe man ihm gesagt, daß man sich nicht traue, erst später zu wählen bzw. die Wahlkabine aufzusuchen. Man müsse dann damit rechnen, vom

Bürgermeister u.a. bei der Vergabe von Brettern und Baumaterialien benachteiligt zu werden. Nach Auffassung WINKELMANNS werde mit der Aufforderung, in den frühen Vormittagsstunden wählen zu gehen, die Mündigkeit der Bürger eingeschränkt.

Durch einzelne Mitglieder der „kirchlichen Basisgruppe"

* „Gesprächkreis für Frieden und Ökologie" Meiningen,
* „Umweltgruppe" Schmalkalden,
* „Friedenskreis" Ilmenau,
* ESG Ilmenau.
* „Einkehrhaus" Bischofrod

wurden Vorhaben bekannt, den Ablauf der Wahl zu „überwachen" und insbesondere an der öffentlichen Stimmungszählung teilzunehmen.

Einige kirchliche Amtsträger beabsichtigen, insbesondere als Reaktion auf Aufforderungen, in den frühen Morgenstunden wählen zu gehen, bewußt erst nach Abschluß des Gottesdienstes das Wahllokal aufzusuchen und gezielt die Wahlkabine zu nutzen.

In bisher zwei Fällen distanzieren sich Familienmitglieder von evangelischen Pfarrern von deren positiven Haltung und bekundeten ihre Absicht, nicht an den Wahlen teilzunehmen. Es handelt sich dabei um ein Familienmitglied des Superintendenten BRETSCHNEIDER/Sonneberg, wohnhaft in Milz, sowie um Ehefrau und Tochter des Pfarrers von Zella-Mehlis.

Die Zweifel kirchlicher Amtsträger an der Richtigkeit des Wahlsystems bzw. ihrer distanzierten Haltung dazu wurde ebenfalls auf dem Konvent des Kirchenkreises „Henneberger Land" am 12.04.1989 sichtbar.

Der für den Kreistag Suhl-Land kandidierende Diakon Baumbach/Schleusingen äußerte im Anschluß, daß man ihn nur deshalb zum Konvent geholt hatte, um ihn dort „fertig zu machen". Er habe nur Vorwürfe zu spüren bekommen, warum er als kirchlicher Angestellter kandidierte.

Im Zusammenhang mit den bevorstehenden Wahlen wird unter Amtsträgern der evangelischen Kirche sehr häufig die Frage der sogenannten Ermeßbarkeit des Staates diskutiert. Es sei gängige Praxis, daß einerseits ein Teil der Bürger mit Eingaben Forderungen erhöben und die Nichtwahl androhten und andererseits staatliche Organe im Interesse einer hohen Wahlbeteiligung Probleme anpackten und lösten, deren Klärung zu anderen Zeitpunkten nicht möglich erschienen sei. Der Staat organisiere sich mit einem solchen Herangehen ein Teil der Probleme selbst und fahre besser, wenn er statt dessen auf einige Wählerstimmen verzichte.

Die Pfarrer des Kirchenkreises Sonneberg stellten auf einer Zusammenkunft im März 1989 fest, daß es noch nie eine solche „miese Stimmung" wie gegenwärtig im Vorfeld der Wahl gegeben habe. Ursächlich dafür seien eine verschlechterte Versorgungslage, unzureichendes Ersatzteilangebot und Engpässe im Dienstleistungssektor sowie in der Volkswirtschaft.[4]

Reaktion von Antragstellern auf ständige Ausreise

Die Reaktion von Antragstellern auf ständige Ausreise zu den Kommunalwahlen war nach den Erkenntnissen der Staatssicherheit differenziert. Der überwiegende Teil reagierte gleichgültig, desinteressiert und bekundete offen seine Nichtteilnahme.

Die Antragsteller, die aus humanitären Gründen die ständige Ausreise beantragten, brachten zum Ausdruck, daß sie keine negative Haltung zu unserem Staat und deshalb auch keinen Grund haben, nicht zur Wahl zu gehen.

Unter den Antragstellern traten verstärkt Spekulationen auf, dass noch vor den Kommunalwahlen eine größere „Übersiedlungsaktion" zu erwarten sei.

Ergebnis und Analyse der Kommunalwahl vom 7. Mai 1989

Mit dem Ergebnis der Wahl hätten die Verantwortlichen voll zufrieden sein können. Die Wahlbeteiligung betrug im Bezirk 99,48 %. Nur der Bezirk Erfurt hatte eine höhere geschafft. Davon waren nur 0,09 % ungültig. Von den gültigen Stimmen hatten sich nur 3.303 Bürger, das sind 0,79 % gegen den Einheitsvorschlag der Nationalen Front ausgesprochen. DDR-weit hatte es immerhin 1,15 % Nein-Stimmen gegeben. *Um ihr Nein zu bekunden, war den Bürgern allerdings nur die* Möglichkeit geblieben, alle auf dem Stimmzettel aufgelisteten Kandidaten durchzustreichen, und zwar jeden Namenszug einzeln; dies wurde dann als „Stimme gegen den Wahlvorschlag" gewertet; ein Kandidat galt nur dann als nicht gewählt, wenn sein Name von mehr als der Hälfte der Wähler seines Bezirks vollständig gestrichen war. Ein Schrägstrich über den gesamten Stimmzettel wurde als Stimme für den Wahlvorschlag und für alle Kandidaten gezählt. Kirchliche Gruppen berichteten in einem „Extrablatt", daß Bürger, die den Behörden als potentielle Nichtwähler bekannt waren, nicht in die Wählerlisten eingetragen waren oder keine Wahlbenachrichtigung erhalten hätten. Andere, die zur Wahl gegangen seien, hätten festgestellt, daß für sie schon gewählt worden war. Für den Wahltag hatte die SED-Führung umfangreiche Sicherheitsvorkehrungen getroffen und in einem Schriftstück mit dem Titel „Konzeption zur Gewährleistung von Ordnung und Sicherheit" den Ordnungshütern genaue Anweisungen erteilt. Darin wurden u.a. „progressive Bürger" aufgefordert, in den Wohnbezirken mitzukontrollieren und „antisozialistische Schmierereien" rechtzeitig zu melden. Frühzeitig mitgeteilt werden sollte auch das Verhalten von Mietern, das „im Widerspruch zu den Normen des Zusammmenlebens in den Wohnbezirken" stehe, damit „Verleumdungen und Schmähungen gegenüber dem Staat" unterbunden werden könnten. Die Betriebe hatten empfohlen, daß Betriebsangehörige gemeinsam zur offenen Stimmabgabe in die Wahllokale gehen sollten[5].

Eindrucksvolles Bekenntnis für unsere Politik zum Wohle des Volkes hatte denn auch das „Freie Wort" seinen Wahlbericht überschrieben.

Beim Vergleich mit heutigen Wahlen war es ein Spitzenergebnis für den Bezirk Suhl, nicht jedoch im Vergleich zu früheren Wahlen.

Negative Wahlbilanz

Auf den ersten Blick, zu diesem Schluss kommt auch das MfS, war die Kommunalwahl vom Mai 1989 ein „eindrucksvoller" Erfolg.

	Bad Salzungen	Hildburg-hausen	Ilmenau	Neuhaus am Rennweg	Meiningen	Schmalkal-den	Sonneberg	Suhl/Land	Suhl/Stadt
Wahlberechtigte insgesamt	69000	43 935	53103	28 952	52562	49477	45886	34332	42451
Abgegebene Stimmen insgesamt	68730	43768	52776	28847	52351	49236	45627	34178	42081
Wahl in %	99,61	99,62	99,23	99,64	99,6	99,51	99,44	99,55	99,13
Ungültige Stimmen absolut	12	7	135	4	36	24	7	35	110
Ungültige Stimmen in %	0,02	0,02	0,26	0,01	0,07	0,05	0,02	0,1	0,26
Gültige Stimmen absolut	68718	43761	52641	28843	52315	49212	45620	34143	41971
Gültige Stimmen in %	99,98	99,98	99,74	99,99	99,93	99,95	99,98	99,9	99,74
für den Wahlvorschlag absolut	68435	43572	51916	28719	51763	48917	45413	33732	41454
für den Wahlvorschlag in %	99,59	99,57	98,62	99,57	98,94	99,4	99,55	98,8	98,77
Gegen den Wahlvorschlag absolut	283	189	725	124	552	295	207	411	517
Gegen den Wahlvorschlag in %	0,41	0,43	1,38	0,43	1,06	0,6	0,45	1,2	1,23

Die Wahlen am 7. Mai 1989 wurden von der Bevölkerung als ein wahrer aktuell-politischer Höhepunkt im 40. Jahr der Gründung der DDR empfunden.

Bereits in den frühen Morgenstunden des Wahlsonntags gaben die Mehrheit der Bürger des Bezirkes ihre Stimme den Kandidaten der Nationalen Front der DDR.

Werktätige aus allen Bereichen der Volkswirtschaft, Beschäftigte der Gesundheitseinrichtungen und der Volksbildung, Angestellte der staatlichen Institutionen, Angehörige der bewaffneten Organe, Rentner, Hausfrauen u.a. bekundeten vielfach während der Stimmabgabe das feste Vertrauen in die Politik der Partei und des Staates sowie zu den zu wählenden Kandidaten.

Hervorgehoben wurden die Vorbereitung und Durchführung der Wahlen sowie die vorläufigen Wahlergebnisse als Ausdruck des festen Bekenntnisses für die Politik des Friedens und zur Stärkung des Sozialismus sowie der sozialistischen Demokratie.

Dann aber kommt in den Berichten das für die DDR-Kommunalpolitiker weit weniger angenehm zu schluckende „aber":

Trotz der eindrucksvollen Bilanz sind folgende bisherige Erkenntnisse und Tendenzen zu beachten:

Von vielen Bürgern wurde bereits vor dem Wahltag im Sonderwahllokal gewählt, so z.B. in der Bezirksstadt fast die Hälfte der Wahlberechtigten. Diese Tendenz ist gegenüber früheren Wahlen zunehmend, zumal verstärkt die Nutzung der Sonderwahllokale propagiert wurde. Offensichtlich wird von vielen Bürgern diese Form der Wahlteilnahme wahrgenommen, um den Sonntag für andere Belange frei zu haben.

In den Kreisen des Bezirkes ist differenziert in einigen Städten und Gemeinden eine Zunahme von öffentlichen Streichungen von Kandidaten sowie der Kabinenwähler um etwa 50 % gegenüber früheren Wahlen insbesondere durch Jungwähler bis zu 25 Jahren – etwa 60 % der Kabinenwähler – sowie durch kirchlich gebundene Personen zu verzeichnen. So z.B. in Suhl, Suhl-Goldlauter, Benshausen, Marisfeld, Viernau, Christes, Bad Salzungen, Barchfeld, Bad Liebenstein, Ummerstadt, Gellershausen, Ilmenau, Elgersburg, Langewiesen, Meiningen, Wasungen, Bettenhausen, Obermaßfeld, Lauscha, Oberweißbach, Schmalkalden, Steinbach-Hallenberg, Brotterode, Breitungen und Sonneberg.

In der Gemeinde Wolfmannshausen/Krs. Meiningen traten 80 % der Wahlberechtigten als Kabinenwähler auf.

Ersten Erkenntnissen zufolge werteten besonders die Erst- und Jungwähler das Aufsuchen der Wahlkabine als einen Ausdruck des von ihnen auch in der DDR erwartenden „Demokratisierungsprozesses" nach dem Vorbild der UdSSR.

Von den über 200 im Bezirk wohnenden kirchlichen Würdenträgern beider Konfessionen haben 28 – 1986 sieben – nicht gewählt. Die leitenden Amtsträger, wie z.B. der Visitator des Aufsichtsbezirks Süd der ELKITh, OKR HOFFMANN/Meiningen und der katholische Bischofsvikar HOEMER/Meiningen, kamen ihrem Wahlrecht nach.

Schwerpunkte der Nichtteilnahme an den Wahlen sind die Kreise Bad Salzungen mit neun und Ilmenau mit sechs Amtsträgern. So nahmen, wie bereits vorher angekündigt, fünf Pfarrer der Superintendentur Vacha nicht an den Wahlen teil. Der Pfarrer von Kieselbach lehnt die gesellschaftliche Entwicklung in der DDR ab und unterhält aktive Verbindung zu negativen Kräften des politischen Untergrundes. Mit gleicher politischer Einstellung und besonders durch diesen beeinflußt, nahmen auch der Kreisjugendpfarrer aus Tiefenort, der Pfarrer aus Sünna und die Pastorin aus Frauensee nicht an den Wahlen teil. Im Kreis Ilmenau beteiligten sich die Pfarrer Klemm, Manebach und der Pfarrer von Unterpörlitz nicht an den Wahlen, da sie mit Teilen der Innenpolitik der DDR nicht einverstanden seien. Auch sie unterhalten Verbindung zu Exponenten des politischen Untergrundes, so z.B. zum Arbeitskreis „Solidarische Kirche" nach Erfurt und Gera sowie zum Arbeitskreis „Gerechtigkeit" in Leipzig, die wiederholt mit feindlich-negativen Aktivitäten in Erscheinung traten. Zwei katholische Geistliche aus Sonneberg machten von ihrem Wahlrecht nicht Gebrauch, nahmen jedoch an der Stimmauszählung teil.

Nicht gewählt haben auch die Organisatoren sogenannter kirchlicher Basisgruppen, wie z.B. der Kreisjugendwart Töpfer, Meiningen, der Kreisjugendwart aus Suhl und der Sozialdiakon aus Albrechts.

Vertreter mehrerer dieser kirchlichen Basisgruppen, kirchliche Würdenträger sowie einzelne Antragsteller auf ständige Ausreise (ASTA) nahmen z.B. in Meiningen, Ilmenau, Sonneberg, Schmalkalden, Bibra und Bedheim an den Stimmauszählungen teil, ohne dabei feindlich-negativ aufzutreten.

In Bibra war der Pfarrer, der selbst Antrag auf ständige Ausreise gestellt hatte, mit Mitgliedern der Jungen Gemeinde anwesend und wollte am 8.5.1989 die Namen von Nichtwählern vom Bürgermeister in Erfahrung bringen.

Im Zusammenhang mit den Folgen des Gebirgsschlages im Kreis Bad Salzungen gab es zur Wahl keine Probleme. Die Bürger der Gemeinde Völkershausen und Wölferbütt beteiligten sich mit 100 % an den Wahlen.

In einigen Wahlkreisen war zu verzeichnen, daß verstärkt Spitzenkandidaten auf den Stimmzetteln gestrichen wurden, so z.B. der Oberbürgermeister KUNZE an der OHS „Rosa Luxemburg" der Grenztruppen der DDR,

der 1. Sekretär der Kreisleitung Ilmenau, Genosse STÖRMER an der TH Ilmenau, der ehemalige 1. Sekretär der Kreisleitung Meiningen, Genosse PFAFF, in der 13. VP-Bereitschaft, da sie nach Auffassung der Wähler in den Wählerforen nicht überzeugend aufgetreten seien.

Vorwiegend aufgrund von Verärgerungen über kommunalpolitische Probleme wie Nichteinhaltung früherer Wahlversprechen zu Wohnungsfragen, Werterhaltungsmaßnahmen, Versorgungsproblemen u.a. kam es z.B. in

Oberpörlitz zu	3,24 %
Ilmenau zu	2,99 %
Elgersburg zu	1,53 %

Gegenstimmen zur Stadtverordnetenversammlung/Gemeindevertretung sowie in

Ilmenau Wahlkreis 3 – Technische Hochschule/Neubaugebiet – zu	3,39 %
Wahlkreis 1 – Altbaugebiet (stark sanierungsbedürftig) zu	5,39 %

Wahlkreis 4 – Neubaugebiet Unterpörlitzer Höhe
3,47 %
Oberpörlitz zu   *3,78 %*
Elgersburg zu   *2,04 %*
Gegenstimmen zum Kreistag.
Die in den Kreisen Ilmenau, Meiningen und Suhl vermehrt aufgetretenen Gegenstimmen resultieren nach vorläufigen Erkenntnissen überwiegend aus kommunalpolitischen und persönlichen Vorbehalten. Nur in Einzelfällen wurden negative Positionen zu den Kommunalwahlen bekannt.[6]

Am 23.05.1989 reichte die Stasi einen weiteren Bericht über die Kommunalwahlen nach:
Progressive Bürger bezeichneten das Wahlergebnis als Ausdruck des festen Vertrauens der Bevölkerung in die Politik der Partei und Regierung.
Die überwiegende Mehrheit der Bürger nahm die Veröffentlichungen kommentarlos zur Kenntnis. Wiederholt wurde zum Ausdruck gebracht, daß man nichts anderes erwartet hätte.
Feindlich-negative Personen äußerten, daß es bei diesem Wahlsystem egal sei, ob man wählen würde oder nicht, denn auch dann sei ein Wahlergebnis um die 90 Prozent gesichert. Die hohe Beteiligung und die überwiegende Anzahl der Stimmen für den Wahlvorschlag wurde erreicht, da man die Nicht- und Kabinenwähler registriere und diese mit Schwierigkeiten rechnen müßten. Es wäre besser, mit dem Strom zu schwimmen, da man sowieso nichts ändern könne. In Leipzig seien Bürger auf die Straße gegangen und hätten zu einem Wahlboykott aufgerufen, um zu erreichen, daß auch in der DDR nach dem sowjetischen Vorbild zwischen Kandidaten gewählt werden könne. In der DDR sei man aber noch nicht so demokratisch.
1989 traten im Bezirk 2.184 Personen (2.193 nach dem amtlichen Endergebnis, 1986 - 1214) als registrierte Nichtwähler in Erscheinung. Darunter

74 - 3,4 %	Erstwähler (Vergleich 1986 - 3 %)
295 - 13,5 %	im Alter bis 25 Jahre (Vergleich 1986 - 12,8 %)
923 - 42,3 %	im Alter von 26 bis 40 Jahren (Vergleich 1986 - 38,7 %)
608 - 27,8 %	im Alter von 41 bis Rentenalter (Vergleich 1986 - 30,8 %)
282 - 13,0 %	im Rentenalter (Vergleich 1986 - 14,7 %)
1270 - 58,2 %	Angehörige der Arbeiterklasse (Vergleich 1986 - 52,4 %)
10 - 0,5 %	Genossenschaftsbauern
315 - 14,4 %	Angestellte
94 - 4,3 %	Angehörige der Intelligenz
37 - 1,7 %	Handwerker/Gewerbetreibende
458 - 20,9 %	ohne Beruf oder Arbeitsrechtsverhältnis, Hausfrauen, Rentner
266 -12,2 %	Antragsteller auf ständige Ausreise
0026 - 1,2 %	kirchliche Amtsträger
213 - 9,8 %	Zeugen Jehova

Die bekanntgewordenen Gründe und Motive für die Nichtteilnahme an den Kommunalwahlen sind bei

19,6 %	feindlich-negative Grundeinstellungen bzw. ablehnende Haltungen zur sozialistischen Staats- und Gesellschaftsordnung
12,5 %	Religiöse Gründe
11,9 %	Unzufriedenheit mit der Bereitstellung von Wohnraum
11,4 %	Nichteinverständnis mit der Versorgung mit Baumaterial, Ersatzteilen. Dienstleistungen u.a.
7,0 %	zivilrechtliche Probleme, Nichteinverständnis mit Maßnahmen der DVP, der Gerichte u.ä.
4,9 %	ungeklärte kommunale Probleme
4,1 %	individuelle persönliche Probleme
3,8 %	Nichteinverständnis mit abgelehnten Aus- oder Einreisen
23,8 %	keine konkreten Gründe/Motive bekannt
1 %	Gründe, wie plötzliche Erkrankungen oder Fehler in den Wählerlisten

Die mit Wahlvorbehalten in Vorbereitung der Wahlen in Erscheinung getretenen Personen haben bis auf einen geringen Prozentsatz gewählt. Unter diesen Personenkreisen wurde die Wahlvorbereitung als günstige Möglichkeit für die Durchsetzung persönlicher Forderungen nach Wohnraum, für Baugenehmigungen, Energieanschlüsse,

Instandsetzungsarbeiten, Reisegenehmigungen sowie zur Lösung kommunalpolitischer Probleme angesehen.

Als territoriale Schwerpunkte von Nichtwählern zeichneten sich die Bezirksstadt sowie die Kreisstädte Hildburghausen, Meiningen, Ilmenau und Sonneberg ab.

Die Ursachen dafür liegen vor allem in ungelösten kommunalen Problemen, wie Verkehrs- und Versorgungsprobleme, sowie im Zusammenhang mit innerstädtischen Baumaßnahmen.

In diesem Zusammenhang bestätigten sich die bereits während der Wahlvorbereitung aufgetretenen kommunalen Probleme, die nicht wesentlich abgebaut werden konnten. Die diesjährigen Kommunalwahlen zeigten, daß

- die Anzahl der Wahlvorbehalte zur Druckausübung auf staatliche Organe und aufgrund der Nichtrealisierung von Forderungen oder Bitten aus Eingaben, Vorschlägen, Hinweisen und Kritiken zugenommen haben,
- durch die verstärkte Nutzung der Sonderwahllokale die Wahlhandlung zunehmend nicht als gesellschaftlicher Höhepunkt, sondern als formaler Akt angesehen wird,
- die Zahl der Kabinenwähler z.T. erheblich angestiegen ist,
- öffentliche Bekundungen, wie Streichungen, Zerreißen von Wahlzetteln u.a. zugenommen haben.

In der Gemeinde Friedrichshöhe/Krs. Hildburghausen erhielt der als Kandidat für die Gemeindevertretung aufgestellte N., Günter, wohnhaft in: Friedrichshöhe, Dorfstr. 6b, Leiter der Abteilung F/E im VEB Glasschmuck Lauscha, parteilos, Mandatsträger des FDGB, nicht die für die Wahl erforderliche Stimmenmehrheit. Mit 15 Gegenstimmen von 22 wahlberechtigten Bürgern gilt er als nicht gewählter Kandidat.

Ursachen liegen im subjektiven Fehlverhalten des N. und seiner Ehefrau im Wohnort.

Kein Hinweis auf Wahlfälschungen im Bezirk?

Am 8. Mai zogen Kirchen und Oppositionsgruppen aus allen Teilen der DDR das Wahlergebnis in Zweifel und prangerten gravierende Verstöße gegen das Wahlgesetz einer von mehreren Bürgerrechtsinitiativen verfassten, in Ostberlin verbreiteten Erklärung, hieß es: *„Nach unseren Ergebnissen liegt Wahlfälschung vor."* Auf einer Veranstaltung in der Ostberliner Elisabeth-Kirche, zu der die „Kirche von unten" geladen hatte, erklärten die Vertreter von 12 oppositionellen Basis-Gruppen, Beobachtungen der Stimmenauszählungen in Ostberlin und Leipzig hätten einen Anteil der Nein-Stimmen von 3 bis 20 % ergeben. Der Ostberliner Pfarrer Rainer Eppelmann sagte: *„Nach einer fast lückenlosen Überwachung der Auszählung durch kirchliche und oppositionelle Gruppen im Bezirk Friedrichshain, es hätten sich Differenzen zugunsten der Regierenden ergeben, die den Verdacht des Wahlbetrugs nahelegten; bei der Auszählung in 79 von insgesamt 89 Wahllokalen hätten die Beobachter einen Nein-Anteil gezählt, der 6,93 % entspreche. Oft hätten die Wahlleiter nicht zwischen Ja- und Nein-Stimmen unterschieden. Für den gleichen Bezirk meldete ND nur 1,89 % Ablehnung. Mehrere Oppositionsgruppen wendeten sich am 12. Mai mit Eingaben an den Staatsrat und baten um ‚eine Überprüfung der von uns festgestellten Unrichtigkeiten der Auszählungsergebnisse'. So hätten Beobachtungen des Friedenskreises in Berlin-Weißensee in 22 Wahllokalen eine Zustimmung zur Einheitsliste von nur 70,54 ergeben.*[7]

Auch im Bezirk Suhl wurden Stimmen laut, es sei hier ebenfalls nicht mit rechten Dingen zugegangen.

So berichtet das MfS:

Unter feindlich-negativen Personen, u.a. den Organisatoren sogenannter kirchlicher Basisgruppen, gab es nach den Veröffentlichungen des Wahlergebnisses Enttäuschung über die hohe Wahlbeteiligung. Vereinzelt wurde behauptet, das Wahlergebnis sei, bezogen auf die Wahlteilnahme, manipuliert.

Entgegen den Ankündigungen kirchlicher Kräfte, insbesondere der Basisgruppen, umfangreiche Maßnahmen zur „Kontrolle" des ordnungsgemäßen Ablaufes der Wahlen durchzuführen, blieben diese teilweise aus bzw. ohne die beabsichtigte negative Wirkung.

Ein einziges Ergebnis dokumentierte die Stasi selbst:

```
Die Bürgermeisterin von Rabenäußig/Krs.
Sonneberg, Genn. Marianne MICHEL, strich
eine Person persönlich von der Wählerli-
ste, um eine 100%ige Wahlbeteiligung
dokumentieren zu können. Diese Handlung
wurde durch den Nichtwähler im Ort
öffentlichkeitswirksam diskutiert.
```

Dass durch die Kommunalwahl und ihr Ergebnis die Glaubwürdigkeit der SED und der staatlichen Organe nachhaltig beschädigt wurde, wie dies für die übrige DDR offensichtlich ist, lässt sich für den Bezirk Suhl nicht belegen.

Dass Wahlfälschungen in der DDR allgemeine Praxis waren, belegt indirekt ein Schreiben der Evangelischen Konferenz der Kirchenleitungen der DDR, die bei ihrer 124. Tagung vom 02.06.1989 und 03.06.1989 in Berlin folgendes Schreiben verfasste:

Meinungsbildung zu Anfragen im Zusammenhang mit der Kommunalwahl

Der Konferenz sind aus den Gliedkirchen besorgte Anfragen zu einzelnen Ergebnissen der Kommunalwahlen am 7. Mai 1989 vorgetragen worden. Viele Eingaben sind an staatliche Stellen und an Kirchenleitungen gerichtet worden. Die Besorgnis wird durch Antworten staatlicher Organe, es sei alles korrekt verlaufen und durch die gelegentliche Ankündigung, die Eingeber müßten sich für ihr Verhalten verantworten, noch verstärkt.

Wir sind erschrocken über die beobachteten Unstimmigkeiten bei der Auswertung der Wahl. Wir sind beunruhigt über das Übergehen von Eingaben und Einsprüchen. Wir verstehen die Empörung, die manche ergriffen hat. Wir sind besorgt darüber, daß Resignation erneut bestätigt werden konnte. Diesen Weg dürfen wir nicht weitergehen, denn es geht um das gerechte und friedliche Zusammenleben in unserer Gesellschaft. Autorität und Stabilität des Staates brauchen Durchschaubarkeit und Wahrhaftigkeit.

Wir bitten deshalb die Staatsführung dringend, eine konkrete und schnelle Beantwortung der im Zusam-

menhang mit den Kommunalwahlen eingereichten Eingaben und Anträge zu veranlassen.

Wir brauchen für unser Land Ermutigung zur Wahrhaftigkeit für den einzelnen Bürger, auch durch die Weiterentwicklung gesellschaftlicher Strukturen.

Wir brauchen um des Friedens Willen eine weitere Stärkung des Rechts. Dazu gehört auch eine Weiterentwicklung des Wahlverfahrens, damit jeder Bürger aktiv Auswahlentscheidungen treffen kann und eindeutig über die Wertung der Stimmen unterrichtet ist. Wir würden es begrüßen, wenn bald ein Auftrag zur Auswertung der bisherigen Durchführung der Wahlen und der vorgelegten Eingaben und Einsprüche mit dem Ziel der Neugestaltung künftiger Wahlen erteilt würde.

Wir gehen davon aus, daß niemand wegen der Wahrnehmung staatsbürgerlicher Rechte Nachteile erfährt. Auch unser Land braucht kritische Rückfragen, und es ist nur eine scheinbare Entlastung, unbequeme Fragesteller als Gegner abzustempeln. Wir bitten Gemeindeglieder und Mitarbeiter unserer Kirchen, ihre Anfragen sachlich vorzubringen, damit immer deutlich bleibt, daß wir aus der Mitverantwortung für das Ganze, in die uns unser Glauben stellt, reden und handeln. Dazu gehört Entschiedenheit ebenso wie Umsicht, übertriebene Aktionen oder Demonstrationen sind kein Mittel der Kirche. Auch der Einsatz für Wahrheit und Wahrhaftigkeit muß in der Liebe geschehen.

Für die Verteilung dieses Schreibens in der Evangelischen Landeskirche in Thüringen wurden insgesamt 1.300 Exemplare in Eisenach hergestellt.

Als Empfängerkreis wurden alle Superintendenten und Kreiskirchenräte festgelegt, die in eigener Verantwortung über die weitere Verteilung entscheiden sollen. Eine Kanzelabkündigung soll nicht stattfinden.

Die Kirche hatte sich mit diesem Schreiben, wenn auch im Ton verbindlich, weit aus dem Fenster gelehnt. Dies war mit Sicherheit den vielen Gruppen zu verdanken, welche die Wahl argwöhnisch verfolgt und versucht hatten, jede Täuschung zu dokumentieren.

Eine dieser Gruppen war der „Gesprächskreis für Frieden und Ökologie" Meiningen. Diese Gruppe beließ es nicht bei der Beobachtung und Dokumentation der Wahl und ihrer krummen Wege. Sie schickte darüber hinaus, wie das jederzeit infor-

mierte MfS urteilte, eine „Provokatorische Eingabe" an den Genossen Egon Krenz.
IM waren an der Entstehung der Eingabe beteiligt
und berichteten darüber:
Im Ergebnis eines gemeinsamen Wochenendes des
„Gesprächskreises für Frieden und Ökologie" Meiningen vom 26. bis 28. Mai 1989 im „Evangelischen Einkehrhaus" Bischofrod wurde die Erarbeitung einer „Eingabe" in Auswertung der
Kommunalwahlen vom 7. Mai 1989 an den Vorsitzenden der Zentralen Wahlkommission, Genossen
Egon Krenz, beschlossen und inhaltlich vorbereitet.

Durch den Kreisjugendwart Ulrich Töpfer, Leiter
des „Gesprächskreises für Frieden und Ökologie",
wurde der Entwurf der „Eingabe" den Mitgliedern
des Kreises während einer Zusammenkunft am
29. Mai 1989 zur Diskussion gestellt.
Nach einer nochmaligen Überarbeitung der „Eingabe" durch Töpfer wurde diese dann am 5. Juni
1989 durch die Mitglieder der Gruppe bestätigt und
am 6. Juni 1989 per Einschreiben abgeschickt.

In der Eingabe an Herrn Egon Krenz, Vorsitzender
der Zentralen Wahlkommission, Marx-Engels-
Platz, Berlin, 1020
stellt der Gesprächskreis nach Zitierung aus Texten
der Ökumenischen Versammlung der Kirchen vor
allem Fragen. Fragen waren weniger angreifbar.
*Zu viele Fragen und Probleme sind für uns im
Zusammenhang mit den Wahlen ungeklärt und
bereiten uns Schwierigkeiten, eindeutig die Möglichkeit demokratischer Mitbestimmung zu erkennen. Deshalb bitten wir Sie, unsere Fragen wohlwollend zur Kenntnis zu nehmen und in
Überlegungen zur konkreteren Gestaltung des
Wahlgesetzes einfließen zu lassen.*

In der Sache wird dem MfS klar, dass in der Eingabe *die veröffentlichten Wahlergebnisse angezweifelt, das Wahlverfahren generell kritisiert und
eine Reformierung des Wahlrechts in der DDR
gefordert* wird.

Mit manchen Feststellungen geht der Gesprächskreis um Uli Töpfer aber schon zur Sache, wenn er
schreibt:

*Die Medien vermitteln ein Bild der DDR, in der es
kaum Schwierigkeiten gibt, in der alles zum Besten
bestellt ist. Konkrete Daten und Informationen
über den wirklichen Stand mancher Dinge in der
DDR werden hinter verschlossenen Türen verhandelt und unterliegen einer strengen Geheimhaltung. Dabei erleben wir in vielen Bereichen der
Gesellschaft Defizite. Wirkliches Mitdenken und
Mitplanen wird oft als staatsfeindlich abgeurteilt
und als Verleumdung der Politik der DDR gewertet.*

In seiner Kritik an der Auswahl und Aufstellung
der Kandidaten und den sie aufstellenden Organisationen geht der Gesprächskreis schon an die
Grundlagen der Macht der SED:
*Die von den Parteien und Massenorganisationen
aufgestellten Kandidaten zu den Volkswahlen
widerspiegeln nicht die Meinungsvielfalt der
Bevölkerung der DDR und bringen keine Alternative zu politischen Sachfragen, sondern höchstens
zu dem Grad der Verwirklichung der schon vorgegebenen und andernorts entschiedenen Politik.
Erst durch einen reellen Meinungsstreit, gerade
auch unter Abgeordneten, gibt es objektive Lösungen, die dann mehrheitlich getragen und in die
Praxis umgesetzt werden können. Dabei muß es
jedem Staatsbürger möglich sein, an einer Willens-
bildung durch die Aufstellung der Kandidaten seiner Wahl Einfluß nehmen zu können.
Eine weitere Voraussetzung zum Mitplanen und
Mitregieren ist die Möglichkeit der Aufstellung
mehrerer Kandidaten für ein Mandat, unter denen
dann durch den bewußten Akt des Ankreuzens ausgewählt werden muß. Dabei darf das Vorschlags-
recht für Kandidaten nicht nur auf einige Organisationen, Vereinigungen und Parteien beschränkt
bleiben. Denn dadurch werden automatisch Bevöl-
kerungs- und Interessengruppen, die sich nicht
organisieren können und wollen, aus dem Prozeß
der Kandidatenfindung und -nominierung ausgeschlossen.*

Nicht angreifbar ist der Verweis des Gesprächskreises auf das Wahlgesetz. Dem MfS, der Nationalen
Front, und der DDR-Regierung konnte dies aber
nicht recht sein, da hier konkrete Rechtsverletzungen durch die Behörden und die beteiligten Parteien und Oganisationen angeprangert wurden:

Im Wahlgesetz der DDR ist die Möglichkeit vorgesehen, Änderungen auf dem Wahlzettel vornehmen zu können. Allerdings gibt das Wahlgesetz keine Auskunft darüber, was überhaupt geändert werden kann und wie entsprechende Änderungen gewertet werden. Selbst Wahlhelfer und Vertreter von Wahlkommissionen konnten dies nicht eindeutig beurteilen. Ist die Entscheidung über die Wertung von Änderungen letztlich in die Befugnis des jeweiligen Wahlleiters gestellt und kann somit unterschiedlich gehandhabt werden?

Logischerweise müßte die Streichung eines Kandidaten von der Einheitsliste der Nationalen Front als Votum gegen diese Einheitsliste gewertet werden, da diese als solche abgelehnt wurde. Das wird auch dadurch untermauert, daß die Stimmenergebnisse der einzelnen Kandidaten nicht öffentlich bekanntgegeben werden, sondern nur die Ergebnisse zum gesamten Wahlvorschlag.

Nicht alle Bürger der Stadt Meiningen erhielten eine Wahlbenachrichtigungskarte, obwohl sie seit Jahren in Meiningen polizeilich gemeldet und den Behörden bekannt sind. Dabei ist eine vorgesehene Streichung von Bürgern aus der Wählerliste den Betreffenden unverzüglich mitzuteilen.

In der DDR gibt es laut Gesetz geheime Wahlen, wobei jeder Bürger das Recht und nicht die Pflicht zur Wahl hat. In der Praxis wird das aber ganz anders gehandhabt. Nicht nur, daß ein Zwang zur Wahl ausgeübt wird, oftmals unter Androhung von Repressalien, er werden auch vorgesetzte oder vertraute Personen über das Wahlverhalten informiert und angewiesen, zusätzlichen Druck auszuüben.

Wie geheim sind die Wahlen, wenn Außenstehende vom Wahlverhalten einzelner Bürger Kenntnis erhalten?

Auch der Gesprächskreis hatte keine schlüssigen Beweise für Wahlbetrug, jedoch gab es Unstimmigkeiten, die auf Unregelmäßigkeiten hinwiesen. Töpfer kleidete den Hinweis auf diese möglichen Unregelmäßigkeiten in Fragen, um so nicht in juristischen Schwierigkeiten zu geraten.

Bei den vergangenen Wahlen wurden die Ergebnisse der Stimmenauszählung der Kreisstädte veröffentlicht. Bei der letzten Wahl bekam man nur die Ergebnisse auf Kreisebene zur Kenntnis. Wir erachten es für dringend notwendig, daß die Wähler selbst über die Stimmenanteile der einzelnen aufgestellten Kandidaten informiert werden.

Auch nach den letzten Wahlen sind wir darüber verwundert, daß bei der Veröffentlichung einzelner Wahlergebnisse niedrigere Zahlen an Nein-Stimmen und von ungültigen Stimmen bekanntgegeben wurden, als bei Auszählungen ermittelt werden konnten. Diese Tatsache hat uns sehr betroffen gemacht. Wir wissen nicht, wie wir sie werten sollen und können nur schwer damit umgehen.[8]

Als Folge der Vorgänge um die Kommunalwahl wurde in den folgenden Monaten die Stimmung nicht nur unter den Oppositionsgruppen, sondern unter der gesamten Bevölkerung gegenüber der herrschenden Klasse immer negativer, wie das auch Berichte der Bezirksverwaltung des MfS belegen.

Botschaftsflüchtlinge

Schon zu Beginn der 80er Jahre wurden Botschaftsbesetzungen zu einem Mittel, ohne Gefahr für Leib und Leben, der DDR zu entkommen, auch Bürger aus dem Bezirk Suhl waren an Botschaftsbesetzungen beteiligt:

* 6. April 1984
  35 DDR-Bürger, die vor 5 Wochen in die bundesdeutsche Botschaft in Prag flüchteten, kehrten in die DDR zurück, nachdem ihnen die baldige Ausreise in die Bundesrepublik Deutschland zugesichert worden war.

* 25. Juni 1984
  Die Ständige Vertretung der Bundesrepublik Deutschland in Ostberlin wurde vorübergehend „wegen Überfüllung" geschlossen. In der Vertretung hielten sich 55 DDR-Bürger auf, die ihre Ausreise erzwingen wollten. Nach Zusicherung von Straffreiheit und baldiger Ausreise verließen sie am 5. Juli die Ständige Vertretung.

* 15. Januar 1985
  Die letzten von insgesamt 168 DDR-Bürgern, die sich seit Oktober in der Prager Botschaft der Bundesrepublik aufgehalten hatten, kehrten in die DDR zurück. Eine zügige Bearbeitung ihrer Ausreiseanträge wurde ihnen zugesichert.

* 9./10. September 1988
  Besetzung der dänischen Botschaft in Ost-Berlin durch 18 Thüringer Ausreisewillige, darunter befanden sich die Erfurter Lehrer Mayer und Küppers. Die 18 erzwangen ihre Ausreise in die Bundesrepublik.[1]

* 16./17. April 1989
  Zwei Männer aus dem Kreis Hildburghausen betraten die Botschaft der Bundesrepublik in Prag und weigerten sich, sie wieder zu verlassen. Einen Tag später fanden sich auch die Ehefrauen ein.[2] Das Ehepaar A.[3], er Kraftfahrer, sie Disponentin im VEB Schrauben- und Normteilewerk Hildburghausen, hatten einen Sohn in Hildburghausen gelassen. Beim Ehepaar B.[4] war der Mann von Beruf Elektromonteur, sie Verkäuferin im HO-Kreisbetrieb Hildburghausen. Die Tochter beider war bei den Eltern in Hildburghausen geblieben. Die Männer hatten sich beim Grundwehrdienst 1985 bis 1988 kennen gelernt. Sie waren bisher politisch zurückhaltend angepasst gewesen und nicht als Antragsteller auf ständige Ausreise in Erscheinung getreten. Die A.s hatten Verbindungen in die Bundesrepublik, Frau A. zum Onkel in Frankfurt/M., er zur Mutter, die in die Bundesrepublik übergesiedelt war.

* 31. Mai 1989
  Antragsteller auf ständige Ausreise aus Ilmenau: 1 Abteilungsleiter und SED-Mitglied bis 1989, 1 Monteur im VEB-Werk für Technisches Glas, 1 Kraftfahrer und 1 Betriebshandwerker, 1 Zahnarzt und 1 Technologe im VEB Werk für Technisches Glas besetzten am 31.05.1989 die Ständige Vertretung der BRD mit dem Ziel, für sich und ihre Angehörigen kurzfristig die ständige Ausreise zu erzwingen. Eine der Familien unterhielt aktive Verbindungen zu Mayer und Küppers, die mit 16 weiteren Thüringern die Botschaft des Königreiches Dänemark besetzt hatten.
  Nach Zusicherung der Straffreiheit verließen die Besetzer am 02.06.1989 die Ständige Vertretung der BRD. Drei von ihnen wurde die Genehmigung ihres Antrages auf ständige Ausreise zugesagt, den anderen die Prüfung ihres Antrages im Rahmen der Reiseverordnung mitgeteilt.[5]

* Seit dem 3. August 1989 befanden sich zwei Bürger aus Barchfeld/Werra in der Botschaft der BRD in Prag, um eine ständige Ausreise aus der DDR zu erpressen, der 27-jährige Mike W., Bäcker, und Olaf K., 22, Berufsunteroffizier der NVA im MSR 23, Dienststelle Bad Salzungen. Die beiden lebten in einem Haushalt zusammen. Sie verließen am 31.07. mit dem Pkw ihren Wohnort. Aufgrund von Hinweisen lag der begründete Verdacht zu einem ungesetzlichen Grenzübertritt vor.
  Eine von beiden für Anfang August beantragte Touristenreise nach Ungarn wurde abgelehnt. Darauf hatte sich Olaf K. bei seiner

Dienststelle beschwert und sein Entlassungsgesuch angekündigt.

Fahndungsmaßnahmen blieben ohne Erfolg. Mike W. war verheiratet und hatte zwei Töchter. Als er sich seiner homosexuellen Neigungen sicher war, versuchte er 1977 vergeblich, über Ungarn in den Westen zu gelangen. Olaf K. hatte seine Homosexualität fast vollständig verborgen. Als Soldat war er bestens beurteilt.

* 6. September 1989

Das MfS meldete Personen des Bezirkes, die sich in „erpresserischer Absicht" in diplomatischen Einrichtungen der BRD aufhielten.

Nach bisherigen Erkenntnissen befanden sich insgesamt 23 Personen aus dem Bezirk in der

- Ständigen Vertretung der BRD in der Hauptstadt der DDR (10 Personen)
- Botschaft der BRD in Prag (13 Personen).

In der Botschaft der BRD in Budapest befanden sich keine Personen aus dem Bezirk.[6]

* 18. September 1989

In der Prager BRD-Botschaft befanden sich wiederum 400 ausreisewillige DDR-Bürger, in der BRD-Botschaft Warschau waren es über 100.

* 19. September 1989

In der Prager BRD-Botschaft erhöhte sich die Zahl der DDR-Bürger auf über 500.

Der Berliner Rechtsanwalt Prof. Dr. Wolfgang Vogel sowie die BRD-Staatssekretäre Walter Priesnitz und Jürgen Sudhoff, begleitet vom Leiter der Ständigen Vertretung der BRD in der DDR, Franz Bertele, versuchten in der Prager BRD-Botschaft, die inzwischen über 1.000 Ausreisewilligen zur Rückkehr in die DDR zu bewegen. Vogel erneuerte die verbindliche Zusage der DDR-Regierung, dass alle Rückkehrer innerhalb der folgenden sechs Monate in die BRD ausreisen dürften. 200 DDR-Bürger nahmen das Angebot an und fuhren in Bussen in die DDR zurück.

* 27. September 1989

Eine Lösung für die rund 400 DDR-Ausreisewilligen, die sich in der Warschauer BRD-Botschaft aufhielten, sei „auf gutem Wege", erklärte ein Sprecher des polnischen Außenministeriums.

* 28. September 1989

In der Prager BRD-Botschaft hielten sich über 2.000 DDR-Bürger auf. Ihre Lage war katastrophal. Nur 50 der sich in Warschau befindenden ausreisewilligen DDR-Bürger folgten dem Angebot von Rechtsanwalt Vogel, nach Rückkehr in die DDR bereits in den nächsten Wochen in die BRD ausreisen zu dürfen, ferner ihre Habe mitnehmen zu können. Ihnen wurde angeboten, dass Familienangehörige übersiedeln dürfen und künftige Besuchsreisen in die DDR gestattet werden.

Am Rande der UNO-Vollversammlung in New York konferierte Außenminister Hans-Dietrich Genscher mit seinen Amtskollegen aus der DDR, der UdSSR und der ČSSR. UdSSR-Außenminister Eduard Schewardnadse sagte zu, in „Kontakten mit anderen Regierungen" auf eine Verbesserung der Lage der DDR-Flüchtlinge in Prag hinwirken zu wollen.

* 30. September 1989

Entgegen zuvor mehrmals erklärter Ablehnung gestattete die DDR-Regierung den rund 5.500 ausreisewilligen DDR-Bürgern in Prag und den etwa 800 in Warschau die Übersiedlung in die BRD. Dazu meldete ADN unter der Überschrift „Humanitärer Akt":

In dem Bestreben, die nicht von der Regierung der DDR herbeigeführte unhaltbare Situation in den Botschaften der BRD in Prag und Warschau zu beenden, hat die Regierung der DDR nach Konsultationen mit den Regierungen der ČSSR und der VRP sowie mit der Regierung der BRD veranlaßt, daß die sich in diesen Botschaften rechtswidrig aufhaltenden Personen aus der DDR mit Zügen der Deutschen Reichsbahn über das Territorium der DDR in die BRD ausgewiesen werden. Der Vorgang vollzog sich – auf Vorschlag der Regierung der DDR im Verlauf der Nacht vom 30. September zum 1. Oktober. (...)

(Neues Deutschland, 02.10.1989)

* 1. – 6. Oktober 1989

In den Botschaften der Bundesrepublik Deutschland in Prag und Warschau befanden sich auch 161 Familien mit 279 Personen aus dem Bezirk Suhl.

Das MfS listete auf, woher sie kamen[7]:

Datum	Fluchtort	Kreis	Ort	Familien	Personen
01.10.89	Prag	Bad Salzungen	Bad Salzungen	6	12
			Geisa	1	1
			Vacha	1	3
01.10.89	Warschau	Bad Salzungen	Bad Salzungen	2	3
			Geisa	2	7
			Immelborn	1	1
			Wiesenfeld	1	4
			Tiefenort	1	1
			Schweina	4	4
			Bremen	1	1
			Merkers	1	1
06.10.89	Warschau		Bad Salzungen	1	2
06.10.89	Prag	Hildburghausen	Hildburghausen	3	5
			Wiedersbach	1	4
			Themar	1	3
			Stressenhausen	1	1
			Crock	2	2
			Waffenrod	1	1
			Gießübel	1	1
			Bachfeld	1	1
06.10.89	Warschau	Hildburghausen	Themar	1	1
			Hildburghausen	1	2
06.10.89	Prag	Ilmenau	Ilmenau	20	28
			Frauenwald	1	1
			Oberpörlitz	1	1
06.10.89			Ilmenau	12	28
			Geraberg	2	4
			Großbreitenbach	2	2
			Geschwenda	2	2
06.10.89	Warschau	Ilmenau	Manebach	1	4
			Ilmenau	1	1
06.10.89	Prag	Meiningen	Meiningen	5	7
		Diana Krieg	Jüchsen	1	1
06.10.89		Meiningen	Meiningen	6	8
06.10.89	Warschau	Meiningen	Meiningen	3	3
			Meiningen	2	5
06.10.89	Prag	Neuhaus	Neuhaus		
			Mellenbach-Glasbach	1	5

			Lichte	3	7
			Unterweisbach – Leibis	2	3
			Großbreitenbach	1	1
			Lauscha	2	1
06.10.89	Warschau	Neuhaus	Lichtenhain	1	1
			Buchbach	1	2
01.10.89	Prag	Schmalkalden	Schmalkalden	1	3
			Rotterode	1	1
			Steinbach-Hallenberg	1	2
			Fambach	1	1
			Mittelstille/ Breitenbach	1	1
			Trusethal	1	1
06.10.89	Prag	Schmalkalden	Schmalkalden	5	7
			Niederschmalkalden	1	1
01.10.89	Prag	Sonneberg	Rauenstein	2	4
			Sonneberg	7	18
			Hasenthal	1	1
06.10.89	Prag	Sonneberg	Sonneberg	4	11
01.10.89	Warschau	Sonneberg	Sonneberg	1	1
01.10.89	Prag	Suhl-Land	Zella-Mehlis	7	9
			Erlau	1	1
06.10.89	Prag,	Suhl-Land	Oberhof	3	4
			Schleusingen	1	2
			Erlau	1	2
			Zella-Mehlis	4	9
06.10.89	Warschau	Suhl-Land	Oberhof	2	2
			Zella-Mehlis	2	3
01.10.89	Prag	Suhl	Suhl	5	10
01.10.89	Warschau	Suhl	Suhl	1	3
06.10.89		Suhl	Suhl	2	6
				161	279

Das angegebene Datum war wahrscheinlich der Zeitpunkt, zu dem die Botschaftsflüchtlinge bei ihrer Ausreise ihren Ausweis abgeben mussten.

Eine von den vielen Flüchtlingen aus dem Bezirk war Diana Krieg aus Jüchsen.

Botschaftsflüchtling Diana Krieg

Die 1970 geborene Diana Krieg war ein Mädchen, wie es in der DDR gern gesehen wurde. Aufgeweckt, fleißig und staatstreu. Sie arbeitete als Kellnerlehrling in Meiningen, war mit ihrer Arbeit zufrieden, mit ihren Kollegen, mit ihrem Leben insgesamt. Auch wenn sie nicht unkritisch war, stellte sie nichts in Frage, man war nicht mit allem einverstanden, aber das war eben so. Schon in der 10. Klasse der POS war sie FDJ-Sekretär der Klasse gewesen und jetzt, mit ihren 19 Jahren, war sie bereits Kandidat der SED.

Zufrieden war Diana auch mit ihrem Heiko. Wenn man zwei Jahre miteinander ging, dann war das schon ein festes Verhältnis, für das MfS wurde die 18-jährige Diana Krieg die „Verlobte" des „Verräters" Heiko Krieg. Immerhin lebten und wohnten sie zusammen, auch wenn von Heirat noch nicht geredet wurde. Verräter war der 25-jährige Heiko, SED-Mitglied, Fußballass bei der BSG „Traktor" Jüchsen und Motor des Jüchsener Karnevals, seit er am 23. August 1989 die Fronten gewechselt hatte: Heiko Krieg war in der Nacht vom 22. zum 23. August zusammen mit seinem Cousin über die Grenze in den Westen gegangen.

Diana hörte davon am 23. mittags auf der Arbeit. Heiko hatte um 10 Uhr das Gespräch aus Mellrichstadt in die DDR angemeldet, um 1/2 12 Uhr war das Gespräch da. Heiko hatte das Sportheim angerufen und seinen Vater informieren lassen. Die Nachricht war dann wie ein Lauffeuer durch das ganze Dorf gegangen. Auf der Arbeit war Diana noch einigermaßen gefasst. Doch ließ sie sich vorzeitig nach Hause fahren. Im Bus mit so vielen Leuten zusammen, von denen sicher schon einige die Geschichte gehört hatten, das hätte sie nicht ertragen. Daheim angekommen schaute Diana gleich bei Steffi, der Frau von Kurt Krieg, vorbei. Die war noch schlimmer dran, allein gelassen mit zwei kleinen Kindern. Beide weinten zusammen, doch schien es Diana, als ob Steffi trotz ihrer Lage ruhiger mit dem Geschehnis umgehen konnte. Für sie war klar, und das sagte sie auch den Vernehmern von der Stasi, die am nächsten Tag vorbeikamen. Der Kurt soll drüben bleiben und sie will auch hinüber.

Für Diana war das alles nicht so klar. Sie war nicht empört, sie fühlte sich allein gelassen. Für sie war es fast wie Sterben, wie ein Abschied für immer. Sie hatte Heulkrämpfe, tagelang. Dann kam die große Wut. Auf Heiko. „Lass ihn sausen! Er verdient mich ja doch nicht. Die Steffi hat wenigstens einen Abschiedsbrief hingelegt bekommen. Für mich hat er keine Zeile geschrieben, der Schuft!" Beim nächtelangen Grübeln erinnerte Diana sich, dass Heiko schon im Frühjahr, als das mit Ungarn aufkam, so durch die Blume angefragt hatte: „Könntest du dir vorstellen, im Westen zu leben?" Damals hatte sie rigoros „Nein" gesagt, doch heute? Endlich bekam Diana eine Ansichtskarte von Heiko aus Sinsheim/Dühren. Darin schrieb er ganz knapp: „Grüße aus Sinsheim. Überleg es Dir." Mehr nicht! In ihrer Verwirrung und Aufgewühltheit ging Diana Anfang September nach Meiningen zur KdVP. Sie war als einzige von allen Angehörigen nicht verhört worden und ging jetzt mit viel Naivität dorthin, um zu fragen, ob sie nicht ihren Freund besuchen könnte, um ihn zu überreden, wieder mit zurückzukommen. Sie wurde in ein Zimmer im ersten Stock geführt. Als sie sich in den Lederstuhl setzte, fiel ihr auf, wie abgewetzt die Stuhllehnen waren, auf denen ihre Hände ruhten. „Sicher vom Angstschweiß der vorher darin Gesessenen", dachte Diana bei sich. Sie selbst hatte überhaupt keine Angst, sie war fest überzeugt, dass ihr Vorschlag nur vernünftig wäre und die Polizei auch nichts dagegen haben könnte. Die drei Männer, die ihr im Zimmer gegenüber saßen, waren alle auch ganz nett zu ihr. Ob sie sich denn zutrauen könnte, Heiko zur Rückkehr zu überreden? So ganz genau wusste das Diana auch nicht. Sie wollte bei Heiko sein, aber auch daheim bleiben. Die Drei blickten auch recht skeptisch drein. Sie sollte doch erst einmal versuchen, ihn telefonisch zu überreden. Das versprach Diana beim Hinausgehen, doch so allmählich machte sie sich mit dem Gedanken vertraut, auch in den Westen zu gehen. Mit ihrem älteren Bruder sprach sie über ihre Entscheidungsnöte. Der sah sie an und meinte: Viel schlimmer als jetzt kann es sowieso nicht mehr werden mit dir! Fahr hinüber, du bist jung, mach was daraus! Nach dem, was sie im Westfernsehen sahen und hörten, waren die günstigsten Aussichten über die BRD-Botschaft in Prag. Der Bruder riet ihr, den Termin ihrer Reise in die ČSSR auf das Europapokalspiel einer bun-

Diana und Heiko Krieg sind glücklich, endlich im Westen zu sein.

hatten Angelzeug dabei. Sie erzählten laut, dass sie Angelurlaub in der ČSSR machen wollten. Auch der fünfte Mann gab ein weit entferntes Ziel an, während Diana ihre Geschichte vom Besuch des Europapokalspiels beisteuerte. Am Grenzübergang musste Diana auf den Gang, während die anderen gefilzt wurden, so sehr, dass Diana dabei glatt übersehen wurde. Doch durften alle weiterfahren. Im Morgengrauen kamen sie in Prag an. Keiner aus dem Abteil blieb im Zug, alle stiegen aus. Da standen sie nun alle, die sich vorher über ihr Reiseziel angelogen hatten und fragten sich: Wo geht denn da der Weg zur Botschaft der BRD? Da kam ein älterer Mann vorbei, der ein wenig Deutsch konnte, den fragten sie und er zeigte ihnen die Richtung. Die Angler ließen ihr Angelzeug stehen und alle sechs liefen eilig in die angegebene Richtung. Bald kamen sie vor der Botschaft an. Am Tor standen zwei Wachposten, die aber nichts unternahmen. Die Sechs liefen am Tor vorbei, um die Botschaft herum und kamen über einen bereits ausgetretenen Pfad zum Gelände hinter der Botschaft. Dort standen bereits viele Menschen, die auf sie zukamen, als sie sie erblickten. Von den Menschen im Botschaftsgelände unterstützt, kletterten die Ankömmlinge über den gusseisernen, mit Spitzen versehenen, hohen Zaun. Diana weiß nicht mehr, ob neben den Leuten in ihrem Abteil noch weitere aus dem Zug in die Botschaft kamen, doch muss es so gewesen sein, denn von Stunde zu Stunde wurden es mehr Leute.

Sie wurden ins Haus gewiesen, wo sie sich anmelden mussten. Die Familien mit Kindern wurden vorerst in der Botschaft untergebracht, die Alleinstehenden in Armeezelten auf dem Botschaftsgelände, später mussten alle mit Zelten vorlieb nehmen. Fast alle Zelte fassten 10 Personen. Teilweise standen auch mitgebrachte Zelte auf dem Gelände. Toiletten gab es in der Botschaft, vielleicht auch außerhalb. Es war sehr viel Solidarität und Hilfsbereitschaft zu verspüren. Man hätte einen Hundertmarkschein hinlegen können, er wäre nicht weggekommen. Essen gab es aus Gulaschkanonen, da wurden erst die Familien mit Kindern vorgelassen. Die Flüchtlinge waren in der Mehrzahl zwischen 20 und 45, viele Familien mit Kleinkindern. Einer hatte ein Radio dabei, da wurde sehr viel Westradio gehört, wo in den Nachrichten über die Situation in

desdeutschen Mannschaft in der ČSSR gegen Nitra zu legen, mit dieser Ausrede könnte sie sicher hinüber, denn damals hatte die Bundesliga viele Fans in der DDR. So lag nun auch der Abfahrtstermin fest, der 26. September. Diana konnte sich nicht mehr vor einer Entscheidung drücken. Am Bahnhof kaufte sie eine Fahrkarte nach Nitra. Sie bekam sie ohne Nachfragen, ohne Probleme.

Neben dem Bruder wusste nur die Freundin Martina von Dianas Vorhaben. Sie übernahm den Rest von Dianas Schicht, damit sie pünktlich zum Zug kam. Als Martina in das Lokal trat, drückten sich beide Mädchen noch einmal. Dann ging Diana weg, ohne sich umzudrehen.

Im Meininger Bahnhof setzte sie sich in den Zug und fuhr nach Dresden, wo sie umsteigen musste. Er hatte Verspätung, doch der andere Zug wartete. Kaum war sie im Anschlusszug, fuhr er auch schon weg. Diana war einfach in irgendein Abteil gestürzt, in dem schon 5 Leute saßen. 4 von ihnen

Heiko Krieg während seiner Militärzeit in der DDR.
Foto: Sammlung Gerhard Schätzlein

den Botschaften gesprochen wurde. Jeder erzählte von sich und seiner Situation. Nach 5 Tagen war der ganze Hof voll, ständig kamen neue dazu, in den letzten Tagen war auch das Tor geöffnet und jeder konnte hineinkommen. Es war weder Angst noch Unruhe zu verspüren. Auf den Gängen waren Betten aufgebaut.

Am 5. Tag, dem 1. Oktober nachmittags, war Diana in der Botschaft auf der Toilette, da sagte einer: Der Genscher kommt heute! Alle redeten durcheinander, alle waren furchtbar aufgeregt. Was würde Genscher mitbringen? Dann kam Genscher am Abend. Auf dem Balkon zum Hof hielt er mit Lautsprechern seine berühmte Rede. Als er sagte: „Sie können noch heute ausreisen ...“, gingen die weiteren Worte im Jubel unter. Alle gingen in die Zelte und packten ihre Sachen. Am selben Abend wurden sie mit Bussen zum Bahnhof gebracht, wo ein Zug auf sie wartete, der sie über die DDR nach Hof und Nabburg brachte.[8]

An der Grenze zur DDR stiegen Leute zu, die den Flüchtlingen die Personalausweise abnahmen. In den Bahnhöfen der DDR, die der Zug, ohne abzubremsen, durchfuhr, standen Polizisten. Mit im Abteil saß ein etwa 30-jähriger Mann. Diana kann nicht vergessen, welch gebrochenen Eindruck dieser Mann machte. Sie glaubte, dass er aus dem Gefängnis gekommen sein musste.

Andere Botschaftsbesetzer erinnern sich noch genauer an den Moment, als der Zug in den Grenzort der DDR, Reichenbach, einfuhr:
Im vogtländischen Reichenbach kamen beschlipste DDR-Bedienstete in den Zug, nahmen – letzter, absurder Hoheitsakt des Honecker-Staates – den Passagieren die Ausweise ab und ließen die blauen Heftchen in einem schwarzen Aktenkoffer verschwinden. Keine Minute dauerte die Prozedur.
Kaum hatten die Kontrolleure den Zug verlassen, da prasselte aus den Abteilfenstern ein Alu-Münzregen auf sie hernieder: Pfennige, Groschen und Markstücke klirrten auf den Asphalt des Bahnsteigs, Papierflieger aus DDR-Geldscheinen, den sogenannten Kosakendollars, segelten hinterher.[9]

Untergebracht wurden die Botschaftsflüchtlinge in Nabburg, in der BGS-Kaserne der GSA Süd 4. Ob ein Teil der Flüchtlinge auch an andere Standorte verteilt wurde, weiß sie nicht mehr. Am 3. Oktober wurden die Botschaftsflüchtlinge in BGS-Bussen nach Gießen gebracht. Sie wurden hingefahren, relativ schnell wurde der Aufnahmeschein ausgefüllt und am Abend ging es zurück nach Nabburg. Dort gab es auch eine Kleiderkammer und anderes. Wer schon wusste, wohin er wollte, der bekam eine Fahrkarte und so kam Diana am 4. Oktober in Heidelberg an. Sie wusste die Telefonnummer schon von daheim und hatte von Nabburg aus angerufen. Als sie in Heidelberg ankam, warteten Heiko und Kurt mit dem Onkel Günter auf sie. Nach einigen Wochen bei Familie Schulze bekamen sie eine Neubauwohnung zusammen mit Kurt und seiner Familie. Nach der Grenzöffnung war auch Steffi mit den Kindern herübergekommen. Bis Mai 1990 wohnten sie in dieser Wohnung, bis Diana und Heiko in Sinsheim-Dühren eine Wohnung beka-

men, von einem, der ebenfalls als Flüchtling aus der Tschechoslowakei gekommen war. Von dem Vermieter-Ehepaar wurden sie wie eigene Kinder behandelt. Auch von anderen Leuten bekamen sie viele Sachen geschenkt. Zum Einzug kamen die Nachbarn und brachten Geschenke, von überall gab es Einladungen. Sie hatten alle sofort Arbeit bekommen, Heiko bei einer Stuckateurfirma, Diana in einer Fabrik, die Bügelbretter und Wäscheständer herstellte. Auch auf der Arbeit wurden sie gut und kollegial behandelt. Allerdings war auch die Mundart eine Hilfe bei der Eingliederung, denn aufgrund ihrer fränkischen Mundart wurden die Jüchsener gar nicht als „Ossis" angesehen.

Diana blieb bis August 1991 in Sinsheim, dann kriselte es in der Beziehung und Diana wollte zur Mutter zurück, die krank geworden war. Heiko glaubte damals, besser allein durch das Leben kommen zu können. Zwar war er öfters daheim, aber erst im Frühjahr 1993 kehrte er wieder nach Jüchsen zurück. Eineinhalb Jahre hatten sich Heiko und Diana nicht gesehen. Beim Maitanz in Jüchsen sahen sie sich erstmals wieder. Heiko ging auf Diana zu und sie verhielt sich auch nicht mehr ablehnend und so zogen sie bald wieder zusammen. Tochter Vanessa wurde am 24. Februar 1995 geboren, geheiratet wurde am 20. Mai 2000. Heiko hat ein eigenes Verputzer-, Maler- und Stuckateurgeschäft, wobei ihm Diana nach Kräften hilft.

Die Botschaftsmisere läutet das Ende der DDR ein

Zwei Eckpunkte des Untergangs der DDR stehen im Zusammenhang mit den Botschaftsbesetzungen. Der Erste ist der 29. September 1989, der Tag, an dem sich die DDR gezwungen sah, die Botschaftsflüchtlinge in Prag und Warschau ausreisen zu lassen. Der „SPIEGEL" beschreibt den Augenblick der Entscheidung:

Freitag, 29. September 1989 – Ost-Berlin
Gegen 17 Uhr endet die Festversammlung „40 Jahre Volksrepublik China" in der Staatsoper zu Ost-Berlin. Nach dem Absingen der „Internationale" eilen die 1.400 Jubelgäste zu den Garderoben.

Die Politbüro-Mitglieder müssen noch bleiben. Honecker hat die Genossen angewiesen, sich nach dem Festakt im Apollosaal, dem prachtvollen Kammermusik- und Empfangsraum des Hauses, einzufinden – zwecks „Information über einen Sachverhalt höchster Dringlichkeit".

Bei Kronleuchterschein, an kahlen Tischen zwischen Stuckmarmorsäulen, beginnt die wohl ungewöhnlichste Sitzung der Geschichte des DDR-Politbüros.

Mit starrer Miene teilt der Generalsekretär den Gralshütern des Arbeiter-und-Bauern-Staates Ungeheuerliches mit: Morgen Abend sollen vier Reichsbahn-Züge die Botschaftsbesetzer vom Bahnhof Prag-Liben aus über Dresden ins bayerische Hof bringen. Auch die in Warschau Wartenden, so Honecker, „muss man in den Westen entlassen".

Wohl jedem der Anwesenden ist bewusst: An diesem Tag – 28 Jahre nach dem Bau der Mauer, 8 Monate nach den letzten Todesschüssen an der deutsch-deutschen Grenze – geht eine Epoche zu Ende:

Jahrzehntelang hatte der SED-Staat Republikflüchtige einsperren oder auf dem Todesstreifen an der Grenze erschießen lassen. Nun plötzlich sieht sich die DDR genötigt, Ausreisewillige auf Regierungskosten, in volkseigenen Zügen, vor aller Welt, zum Klassenfeind zu transportieren – nur, um die bombastische 40-Jahr-Feier der „Tätärä" zu retten, wie der renommiersüchtige Staat verspottet wird.

Wohl um die Jämmerlichkeit der Aktion zu bemänteln, betont Honecker, Prag habe um die Räumung der Botschaft gebeten. Die Genossen fürchteten, die Unruhe könne auf das ganze Land ausstrahlen und die tschechische Opposition ermutigen.[10]

Der nächste Eckpunkt war der 4. Oktober 1989.

Mittwoch, 4. Oktober 1989 – Dresden

Als bekannt wurde, dass wiederum Botschaftsflüchtlinge über Dresden in den Westen fahren dürfen, 15 Transporte mit insgesamt über 12.000 Menschen, versammelten sich vor dem Bahnhof Dresden nach vorausgegangenen nächtlichen Krawallen gegen Abend über 20.000 Menschen, von denen 2.500 in den Bahnhof eindrangen.

Der Bahnhof gleicht mittlerweile einem Pulverfaß. 2.500 Demonstranten dringen in die Kuppelhalle ein. Auf den Vorplatz drängen 20.000 Menschen – erwartet von acht Hundertschaften Polizei, die mit Helm, Schild, Schlagstock und Reizgas-Geschossen ausgerüstet sind.

Um 21 Uhr stürmen die Vopos mit Gebrüll auf die Demonstranten in der Halle zu, greifen Einzelne heraus und versuchen, sie aus dem Gebäude zu prügeln. Die Aktion endet im Steinhagel.

Mit Wasserwerfern, die DDR-Bürger bisher nur aus dem Westfernsehen kannten, beginnt um 23.11 Uhr die Räumung der Kuppelhalle – die wohl gewalttätigste Phase in der sonst weithin gewaltlosen Revolution dieses Herbstes nimmt ihren Lauf. Gekürzt.

Mit Tränengas und Schlagstöcken treiben die Vopos die Menschen auf dem Vorplatz auseinander. Wahllos schnappen sich Greiftrupps Randalierer, friedliche Demonstranten und unbeteiligte Passanten.

Für 224 Menschen endet die Nacht im Polizeigebäude in der Kurt-Fischer-Allee. Die Festgenommenen bekommen weder zu essen noch zu trinken, viele werden körperlich mißhandelt.

Um 1.58 Uhr donnert der erste Flüchtlingszug mit überhöhter Geschwindigkeit durch den geräumten Bahnhof. Das Lageprotokoll der Stasi vermerkt: „Keine besonderen Vorkommnisse.[11]

Im Ergebnis dieser gewalttätigen Auseinandersetzung begann den führenden Leuten der Regierung aber auch der Opposition klar zu werden, dass weitere Gewalt zu einer unkontrollierbaren Explosion mit unwägbaren Folgen führen würde.

Matthias Bath kommt in einer Besprechung der Dissertation des Besetzers der dänischen Botschaft, Wolfgang Mayer, zu folgendem Schluss:

Das Ministerium für Staatssicherheit (MfS) der DDR, dessen eigentliche, nach innen gerichtete Aufgabe in der ideologischen Gesinnungsüberwachung der Bevölkerung und der Unterdrückung abweichenden Verhaltens bestand, reagierte auf die Ausreisebewegung hysterisch. Bereits seit dem Mauerbau hatte das Hauptgewicht der „Abwehraktivitäten" des MfS in der Bekämpfung von Republikflucht und Fluchthilfe gelegen. Seit Mitte der siebziger Jahre kam der Kampf gegen die Ausreisebewegung hinzu. Schließlich war das MfS fast ausschließlich mit dem „Zurückdrängen" des ständig *anwachsenden Heeres von Übersiedlungswilligen, insbesondere mit dem „Zersetzen" und „Liquidieren" von Zusammenschlüssen, beschäftigt. Die eskalierende Ausreise- und Fluchtwelle überforderte das MfS am Ende quantitativ und bescherte der DDR-Bevölkerung die für die Entwicklung der Revolution von 1989 erforderlichen Freiräume.*

Damit gewinnt die Flucht- und Ausreisebewegung aber eine weitaus größere Bedeutung für das Ende der DDR, als ihr gemeinhin zugestanden wird. Die Darstellung der „Revolutionsgeschichte" des Jahres 1989, die sich bislang schwerpunktmäßig auf die Aktivitäten meist linksorientierter Bürgerrechtler konzentriert, bedarf so gesehen gewichtiger Ergänzungen.[12]

Über diese Beurteilungen kann man geteilter Meinung sein. Sicher band der Kampf gegen die Anträge auf ständige Ausreise – siehe dort – sehr viele Kräfte nicht nur des MfS, sondern noch mehr der DVP und der Abteilungen Inneres der Räte der Kreise und Bezirke. Aber ob dadurch die DDR-Bevölkerung größere Freiräume erhielt, kann aufgrund der vorliegenden Unterlagen bezweifelt werden.

Andererseits fehlten wertvolle Kräfte bei der Durchsetzung des Umbruchs und besonders bei der Entwicklung eines demokratischen Aufbaus. Für die Zurückgebliebenen war das Handeln der Ausreisenden teilweise doch auch eine Art von Fahnenflucht. Und gegen die Botschaftsbesetzungen war auf Kreis- oder Bezirksebene sowieso kein Kraut gewachsen.

Die Grenzen im sozialistischen Ausland werden löchrig – Suche nach einem Loch im Eisernen Vorhang

Mit Frau und Kind über die GÜST – 27. April 1981

Der 38-jährige Berufskraftfahrer Gustav U. aus Gräfenthal, der im grenzüberschreitenden Verkehr (GÜV) eingesetzt war, baute unter der Schlafkoje seines Lkw Jelcz, polizeiliches Kennzeichen OA 30 – 38, ein Versteck, schleuste darin unentdeckt seine Ehefrau Marlis, 28, und seinen 8-jährigen Sohn Marko über die Grenzübergangsstelle Hirschberg in den Westen. U. schrieb nach Gräfenthal. ... *M. und M. lagen im Bett versteckt, bis wir am 27.4.1981, 06.00 Uhr in Bayern waren. Wir löschten die Ladung in München und fuhren auf einem kleinen Umweg über Frankfurt nach Gießen zum Notaufnahmelager. Dort wurden alle Formalitäten geregelt. Den LKW gab ich auf der Polizei ab. Der liebe Apostel, den wir auf dem Weg nach Gießen besuchten, betete für uns und ganz speziell für Euch alle in Gräfenthal.*

Die Stasi sah als Motiv der Straftat subjektive Fehleinschätzungen, resultierend aus einem verfestigten religiösen Glauben, besonders hinsichtlich der Wahrung der persönlichen Freiheiten.

Um alle Hintergründe der Tat aufzuklären, setzte das MfS eine Unmenge Inoffizieller Mitarbeiter (IM) ein.

„Peter Licht" und „Ernst Will" sind IMS im Arbeitsbereich und während der Fahrten im GÜV. Die IMS „Transit", „Dietmar Weiß" und „Linda", sowie der GMS „Bernd Birke", die nicht im GÜV eingesetzt waren.

Neu wurden am 14.12.1982 genannt. IM/GMS „Joachim Henkel", „Peter Weber" und „Bernd Krauß" mit dem Ziel des subversiven Missbrauchs des GÜV.

In Gräfenthal wurden zur Kontrolle der verbliebenen Verwandten die IM „Peter III", „Helmut Richter" und die GMS „Uwe Koch" und „Carola" eingesetzt.[1]

(AOP 1102/82 „Transport")

Festnahme am Grenzübergang Eisfeld – 18. Oktober 1986

Kräfte des Kontrollpunktes der DVP stellten am 18. Oktober 1986 die Anfahrt eines Pkw in Richtung Grenzübergangsstelle Eisfeld fest. Die sofortige Alarmierung führte zur Festnahme des Täters, eines 24-jährigen Kraftfahrers aus Suhl, durch die PKE. Der Täter entschloss sich zu einem ungesetzlichen Verlassen der DDR, indem er mit seinem Pkw „Trabant" die Grenzübergangsstelle Eisfeld durchbrach.

Mit dem Ziel der Aufklärung der Regimebedingungen fuhr er mit seinem Pkw zum Kontrollpunkt der DVP und gab während der Kontrolle an, sich verfahren zu haben. Er sei auf dem Wege zu einer Musikveranstaltung in der benachbarten Kreisstadt. Zur Unterstreichung seiner Glaubwürdigkeit hatte er seine Ehefrau mitgenommen, die er nicht in das Vorhaben eingeweiht hatte.

In den Abendstunden des gleichen Tages fuhr er erneut mit seinem Pkw zur vorgesehenen Durchbruchsstelle. Er passierte den Kontrollpunkt der DVP, indem er einem BRD-Pkw hinterherfuhr und dem Haltezeichen der Kradstreife der DVP nicht Folge leistete.

Er wurde im Grenzübergangsstellen-Bereich durch die zwischenzeitlich alarmierten Kräfte der PKE festgenommen[2]

Von Kräften der Personenkontrolleinheit im Zusammenwirken mit der DVP wurde am 18.10.1986 gegen 18 Uhr in der Vorkontrolle (Ausreise) der Grenzübergangsstelle Eisfeld eine männliche und weibliche Person festgenommen. Sie wollten mit einem Pkw Trabant 601 die Staatsgrenze über die GÜST Eisfeld durchbrechen. Die Grenzverletzer klärten ab den Mittagsstunden die Kontrollmaßnahmen der DVP in Eisfeld auf. Gegen 17.50 Uhr fuhren sie mit dem Pkw hinter einem BRD-Pkw zur Kontrollstelle der DVP. Nachdem der Pkw abgefertigt war und grünes Licht zur Weiterfahrt erhielt, fuhren sie mit dem Trabi sofort hinterher. An der Vorkontrolle der GÜST Eisfeld reihte sich der Trabi hinter dem BRD-Pkw wieder ein, wo sofort die Festnahme durch die PKE und einer eingesetzten Kradstreife der DVP erfolgte. Die Handlungen der Festnahme wurden durch die Insassen von 3 Pkw der BRD beobachtet.[3]

In Berlin gescheitert – 15. August 1973

L., ein Maschinenarbeiter im VEB Schrauben- und Normteilewerk Hildburghausen, 19, wohnhaft in Hildburghausen, versuchte am 15.08.1973 in Berlin-Mitte am Alexanderufer über die Grenzanlagen in den Westen zu gelangen. Er fuhr am 14.08.1973 morgens mit seinem Krad von Hildburghausen Richtung Berlin. Weil sein Motorrad in Erfurt einen Defekt hatte, stellte er es dort ab und fuhr mit dem Zug weiter. Er übernachtete in Dessau und traf am 15.08.1973, gegen 16.30 Uhr, in Berlin ein. Im Bereich der Charité sah er die Möglichkeit, den Grenzdurchbruch zu verwirklichen. Er begab sich auf das Gelände der Charité, verschaffte sich Zutritt zu einer Werkstatt, baute dort einen Ventilator aus und schlüpfte durch das Loch in das dahinter liegende Grenzgebiet. Er schlich dann in Richtung Staatsgrenze und war gerade dabei, einen Zaun zu durchschneiden, als er von Grenzsoldaten gestellt wurde.
L. wurde bereits 1971 wegen Passvergehens und Diebstahls zu 3 Jahren und 20 Monaten Freiheitsentzug verurteilt. Am 09.12.1972 wurde er amnestiert.
Streitereien mit seiner Ehefrau und Schwiegermutter führten am 27.07.1973 zur Trennung. Bei L.´s Mutter war längeres Wohnen nicht möglich, auch der Vater in Meiningen wies ihn am 13.07.1973 aus der Wohnung. So sah L. keinen anderen Ausweg, als die Flucht in den Westen.
(Nach: Grenzkartei Stasi Suhl)

Mit Taucheranzügen durch die Ostsee: gescheitert – 2. September 1973

Zwei Männer aus Meiningen und einer aus Haina wollten von Warnkenhagen aus mit Taucherausrüstung über die Ostsee in den Westen schwimmen, nachdem sie den Versuch, die DDR über die ČSSR

zu verlassen, im April 1973 abbrechen mussten. Die Meininger holten W. am 31.08. in Kirchmöser ab. Sie fuhren dann nach Berlin weiter, wo sie um 21.30 Uhr ankamen. Am nächsten Tag kauften sie für jeden eine Taucherausrüstung. Um 12.29 Uhr fuhren sie von Berlin über Schwerin nach Wismar, von dort mit dem Bus nach Klütz, wo sie gegen 20 Uhr ankamen. Dort suchten sie vergebens eine Übernachtungsmöglichkeit und wollten von dort nach Warnkenhagen, verliefen sich und übernachteten in einem Buswartehäuschen. Am 02.09.1973 suchten sie um 10 Uhr die HOG „Zum Zoll" auf, wo sie gegen 14 Uhr aufgrund eines Hinweises aus der Bevölkerung verhaftet wurden. Sie hatten für 15 Uhr ein Taxi nach Warnkenhagen bestellt, dort wollten sie gegen 21 Uhr die Grenzposten und Grenzboote beobachten, um anschließend unter Ausnutzung der Dunkelheit über die Ostsee die DDR zu verlassen.
Der Mann aus Haina, W., war seit 04.05.1973 Angehöriger der NVA, Dienststelle Kirchmöser. Wegen einer geplanten DDR-Flucht im März 1972 war er bereits deliktmäßig erfasst.
Der ältere Meininger, 21, Beifahrer der GHG OGS Meiningen, war auch schon wegen des Versuchs der DDR-Flucht sowie krimineller Delikte vorbestraft, der 18-Jährige arbeitete als Dachdecker.
Die Strafen: Der NVA-Soldat aus Haina erhielt 7 Jahre Freiheitsstrafe, der ältere Meininger 5 Jahre, der Jüngere 3 Jahre 9 Monate. Alle 3 mussten staatliche Kontrollmaßnahmen gemäß § 48 Abs. 1 hinnehmen. Außerdem erhielten sie ein unbefristetes Aufenthaltsverbot für alle Grenzkreise.
(Nach: Grenzkartei Stasi Suhl)

Alles vergebens – 8. November 1973

Aufgrund einer Sendung im BRD-Fernsehen entschloss sich ein 26-jähriger Porzellanbrenner aus Schmiedefeld, die BRD-Botschaft in Warschau aufzusuchen, um in den Westen zu gelangen. Am 29.10. wurde er aus Furcht vor diplomatischen Verwicklungen abgelehnt. Er solle es anders versuchen. Deshalb fuhr er mit einem Schnellzug nach Berlin. Er versuchte, an den Grenzübergangsstellen Friedrichstraße und Chausseestraße Möglichkeiten aufzuklären, sah, dass dort ein Fluchtversuch aussichtslos war und probierte daraufhin die Flucht über die Staatsgrenze. Dabei wurde er von einem Schupo kontrolliert und aus dem grenznahen Bereich verwiesen. Am 01.11.1973 fuhr er mit dem Zug nach Saßnitz, um mit der Fähre über die Grenze zu kommen, doch er fand dazu keine Möglichkeit. Er übernachtete in einem Hotel in Saßnitz, fuhr nach Stralsund zurück und stieg in den Schnellzug Stralsund nach Hamburg-Altona, nachdem er sich eine Fahrkarte bis Rostock gekauft hatte. Nach Abfahrt des Zuges suchte er nach Verstecken, entdeckte in der Toilette eine Deckenluke, konnte sich aber wegen seines Körperumfangs dort nicht verstecken. Er verließ den Schnellzug, verbrachte die nächsten drei Tage in Rostock, wobei er durch Teilnahme an einer Hafenrundfahrt Möglichkeiten zum Betreten eines ausländischen Schiffes aufklären wollte. Es fanden jedoch zur Zeit keine Hafenrundfahrten statt.

Auf Parkplätzen in Rostock nahm er nun Kontakt zu westdeutschen Pkw-Fahrern auf und bat sie, ihn in die BRD auszuschleusen. Ein Mercedesfahrer vereinbarte, ihn um 10.00 Uhr, am 08.11.1973, am Ortsausgang Grevesmühlen in Richtung Dassow mitzunehmen. Als Kennzeichen sollte er eine Rätselzeitung in der rechten Hand halten. Am 08.11. fuhr L. deshalb von Rostock über Wismar nach Grevesmühlen. Dort mietete er im Hotel „Bauernkrug" ein Zimmer, begab sich auf der F 105 zum Ortsausgang, um auf den Mercedes zu warten. Dort erfolgte seine Festnahme.

Zum Motiv nannte L. Auseinandersetzungen im Betrieb und mit seiner Verlobten sowie zu geringe Verdienstmöglichkeiten in der DDR. Er erhoffte sich außerdem bessere Lebensbedingungen in der Bundesrepublik.

Gegen L. wurde ein Ermittlungsverfahren gem. § 213 StGB eingeleitet und Haftbefehl erlassen. (AKG, Grenzkartei Stasi Suhl)

FLUCHT AUF KRUMMEN WEGEN

Fluchthilfe

Nachdem die Grenzsperranlagen immer undurchlässiger wurden, boten sich fluchtwilligen DDR-Bürgern seit Ende der 60er Jahre „Fluchthelfer" an, wenigstens denen, die in der Lage waren, selbst oder durch Dritte die im Allgemeinen beträchtlichen Geldleistungen zu erbringen, die solche Fluchthelfer forderten. Der Grenzpolizei kamen natürlich immer wieder gelungene und auch misslungene Fluchtversuche zur Kenntnis, die so angelegt waren. Fluchthelferorganisationen wurden daher meist nur für sehr hohe Geldbeträge tätig. Dabei stand dahin, ob ihre Gehilfen, die das Fluchtunternehmen durchführten, stets zuverlässig waren. Der Fluchtwillige jedenfalls musste sich ihnen so gut wie ohne jeden weiteren Einfluss auf den Ablauf des Unternehmens überlassen und trug selbstverständlich dennoch jedes Risiko. Wer die Dienste solcher Unternehmer in Anspruch nahm, musste auch um das Risiko wissen. Immer öfter gelang es auch der Staatssicherheit, in die professionellen Schleuserorganisationen einzudringen. Strafbar war organisierte Fluchthilfe aus der DDR in der Bundesrepublik freilich als solche nicht, da ja allen Deutschen das Grundrecht der Freizügigkeit im ganzen Bundesgebiet durch Artikel 11 des Grundgesetzes gewährleistet war.[4]

11. September 1973

Ein 25-jähriger Mann aus Oberschönau, Krs. Schmalkalden, setzte alles daran, in den Westen zu kommen. Über U., einen Westberliner Bürger, versuchte er, mit einer Menschenhändlerorganisation ins Geschäft zu kommen und führte dazu im Oktober 1970, im April 1971 und im April 1973 Verhandlungen. Beim ersten Treffen hatte der Fluchtwillige dem U. 800 Drachmen und 500 DM zur Begleichung von Unkosten übergeben. Im April 1971 übergab er dem Westberliner Passbilder, damit dieser gefälschte Pässe herstellen konnte. Der Schriftverkehr mit dem Westberliner lief über K., eine Freundin des Fluchtwilligen in Ostberlin. Im April 1973 übergab der Mann dem U. nochmals eine alte Münze im Wert von 800 DM und forderte ihn nochmals auf, die Ausschleusung zu forcieren. Unabhängig davon suchte er während eines Urlaubsaufenthalts in der VR Polen mit der K. im September 1973 nach Gelegenheiten, die DDR zu verlassen. Er traf einen BRD-Bürger, der mit ihm zur Gaststätte „Wiking" in Danzig ging, weil dort Matrosen von BRD-Schiffen verkehrten. Ein Matrose vom BRD-Motorschiff „Helene Hussmann" war bereit, ihn auf das im Sperrgebiet des

Danziger Hafens liegende Schiff zu bringen. Dabei wurde der DDR-Bürger am 11.09.1973 festgenommen.

Das MOG Berlin verurteilte den Oberschönauer zu 8 Jahren und 6 Monaten Freiheitsstrafe. Sein Trabant, ein Automagnettongerät und zwei Gehäuselautsprecher wurden eingezogen. Er musste eine Schadenersatzzahlung von 20.669,70 M leisten.

Verurteilt wurde der Mann nach den §§ 97 Abs 2: § 98 Abs 1 i.V.m. 108; 100 Abs. 1; 21 Abs. 3; 213 Abs. 1 u. 2 Ziff. 2; 177 Abs. 1; 181 Abs. 1 Ziff. 1 StGB; 19 Abs 1 Ziff 3 Devisengesetz: 245 Abs. 1 StGB; 63 StGB.

(Grenzkartei Stasi Suhl)

16. September 1973

Eine Vertragssachbearbeiterin, 21, aus Zella-Mehlis hatte 1972 in Berlin einen 26-jährigen Westdeutschen aus Bad Salzuflen kennen gelernt und sich mit ihm verlobt. Eine Heirat wurde von den DDR-Behörden nicht genehmigt. Ihr Verlobter schleuste sie deshalb mit einem Opel-Leihwagen nach Westberlin aus.

(Grenzkartei Stasi Suhl)

24. Oktober 1973

Eine 22-jährige Studentin aus Ilmenau wurde im Auftrag eines Westdeutschen aus Köngen, 23, durch die Schleuserorganisation „Lenzlinger – Aramco AG, Zürich" ausgeschleust. Der Schleuser, am 18.01.1950 geboren, war der Staatssicherheit bekannt.

(Grenzkartei Stasi Suhl)

DDR-Flucht: Eben Vertrauen

Ungewöhnlich hoch ist der Anteil der Ärzte unter DDR-Flüchtlingen. Einer der Gründe: die von Fluchthelfern geforderten horrenden Preise, die Mediziner eher aufbringen können als andere.

(DER SPIEGEL 1973, Nr. 30, S. 28)

Fluchthilfe: Mehrere hundert DDR-Flüchtlinge pro Monat

Statt der erwarteten 50 verlassen inzwischen mehrere 100 Flüchtlinge monatlich die DDR. Bonn ist ratlos, wie die Verpflichtung des Transitabkommens erfüllt und der Fluchtstrom eingedämmt werden kann.

(DER SPIEGEL 1973, Nr. 32, S. 26)

„Morgen um sechs bist du in Michendorf"

Seit die Transitstraßen von und nach West-Berlin ohne Fahrzeugkontrollen zu passieren sind, kommen wieder mehr DDR-Flüchtlinge in die Bundesrepublik: als blinde Transitpassagiere. Bonn beklagt „eine beängstigende Entwicklung", Ost-Berlin beanstandet „Missbrauch" der Transitwege. Schuld geben beide Seiten vor allem den kommerziellen Fluchthelfern, Abenteurern, Händlern und Kriminellen, die bis zu 40.000 Mark pro Flucht kassieren.

(DER SPIEGEL 1973, Nr. 34, S. 24)

14. Oktober 1973

Ein 27-jähriger Schleuser aus Westberlin tätigte im Auftrag der Menschenhändlerorganisation „Dittmann" in Westberlin, war vorbestraft und wurde am 20.10.73 bei einem Schleusungsversuch verhaftet. Am 14.10. hatte er erfolgreich einen Mann geschleust. (Grenzkartei Stasi Suhl)

16. Oktober 1973

Ein eifriger, linientreuer Student der TH Ilmenau, 22, floh auf unbekanntem Weg am 16.10.1973 in den Westen. Sein Vater war Direktor der Schuhfabrik Schwedt, seine Mutter machte 1971 einen Fluchtversuch und wurde 1972 durch Amnestie in den Westen ausgewiesen. Inzwischen hatte sich die Mutter mit dem Direktor eines Modeinstituts in Wiesbaden verheiratet und sich mehrmals mit ihrem Sohn in Bulgarien und in der ČSSR getroffen.

(Grenzkartei Stasi Suhl)

20. Oktober 1973

Ein Ehepaar aus Ilmenau, sie 38, er 39, wollte sich durch den Westberliner Menschenhändler „Dittmann" ausschleusen lassen. Die Frau stieg bei einem Waldstück in einen Westberliner Kleintransporter um. Dieser wurde jedoch schon seit dem 12.10.1973 wegen auffälligen Verhaltens beobachtet. Deshalb erfolgte am 20.10. 1973, um 18 Uhr, die Verhaftung des Ehepaars und des Schleusers. Das Ehepaar erhielt je 4 Jahre Freiheitsentzug. Der Trabant wurde eingezogen.

(Grenzkartei Stasi Suhl)

19. November 1973

J., eine in Meiningen wohnhafte Angehörige der Transportpolizei, 22, SED-Mitglied, ledig, sollte auf Grund von Strukturveränderungen und mangelnder Qualifikation, aber auch wegen bekannt gewordener nicht gemeldeter Westkontakte entlassen werden. J. lernte zu Pfingsten 1972 bei ihrer Tante in Magdeburg entfernte Verwandte aus Westberlin kennen und verliebte sich in den Sohn. Dieser fuhr seine Freundin am 19.11. zu einem präparierten Lkw, der von Hamburg nach Westberlin fuhr. In diesem Lkw überwand Juliane um 1.30 Uhr bei Drewitz die Grenze. Als ehemalige Transportpolizistin war sie natürlich für viele Geheimdienste interessant. Sie heiratete ihren Freund und arbeitete in der BEGASTRO-Versicherung in der Knesebeckstraße. Durch IMs wurde die Information gestreut, dass der Freund mehrere Tage in der Woche in einer Werkstatt am Umbau von Lkw für eine Schleusung arbeiten sollte, dafür auch Fahrer hatte. Ganz sicher war dies aber nicht. Jedenfalls ließ die Stasi im Verhör eines Westberliner Bürgers durchsickern, dass alle Angehörigen der Familie und alle, die mit der Werkstatt in Verbindung stehen, in der DDR zur Fahndung ausgeschrieben seien. Dies bewirkte, dass viele mutmaßliche Schleuser die DDR mieden.

(Grenzkartei Stasi Suhl)

6. Dezember 1973

Die Leiterin der Löwenapotheke in Wasungen, W., und ihr Mann, Dr. W., Tierarzt, stv. Direktor des Veterinär-Untersuchungs- und Tiergesundheitsamtes Meiningen, wollten sich mit ihren Kindern G. und C. über die GÜSt Wartha ausschleusen lassen. Unter Einschaltung ihres in der BRD lebenden Schwagers Dr. L. nahmen sie Verbindung zu der Menschenhändlerorganisation Mierendorf in Westberlin auf. Bei mehreren Treffs mit Mitgliedern dieser Gruppe nahmen sie Instruktionen und Anweisungen entgegen. So fuhren sie am 23.08.1973 mit ihren Kindern nach Berlin zum Treffen mit ihrem Schwager L., mit dem Ziel, sich dort ausschleusen zu lassen. L. teilte jedoch mit, die Ausschleusung sollte über die VR Ungarn erfolgen. Wegen fehlender Visa brachen die W. ihr Vorhaben ab, zumal auch die in der BRD lebenden Eltern W. davor warnten. Bei einem Besuch im Oktober 1973 durch Mutter und Schwester von Frau W. wurde jedoch weiter über die Ausschleusung gesprochen, und Frau W. gab ihrer Schwester ein Armband im Wert von 5.000 Mark zum Ausschleusen mit. Am 01.12. erfolgte schließlich der Besuch eines Kuriers der Menschenhändlerorganisation, mit welchem der konkrete Schleusungstermin, Treffort, Erkennungszeichen u. a. m. besprochen wurden. Am festgelegten Tag, 05.12.1973, trafen W. und ihre Kinder mit den vereinbarten Erkennungszeichen in Jena-Lobeda mit dem Schleuser und einer Begleiterin mit einem Opel Rekord zusammen. Mit der Begleiterin wurde das Umsteigen vereinbart. Die Kinder erhielten Beruhigungsspritzen durch die Kleidung und ohne vorherige Desinfektion. Dabei sah W., wie der Schleuser eine Pistole aus dem Kofferraum nahm und sie griffbereit am Körper versteckte. Im Raum Weimar stiegen W.'s während der Fahrt in den Kofferraum des Opels um. Bei ihrer Festnahme führten sie Sparbücher, Bargeld und Wertgegenstände in Höhe von 43.444 Mark mit sich.

Das Motiv des Fluchtversuchs war eine feindliche Einstellung und der Wunsch, mit der Verwandtschaft zusammen zu sein.

Das Urteil des Bezirksgerichts erfolgte am 13.05.1974 mit 5 Jahren Freiheitsstrafe, Einziehung der Konten, Bargeld, des Pkw mit Zubehör. Am 14.07.1976 wurden W's unter Aberkennung der Staatsbürgerschaft in die BRD ausgewiesen und eine Einreisesperre für die DDR verhängt.

11. Dezember 1973

Eine aus Hildburghausen stammende 22-jährige Medizinstudentin wurde am 11.12.1973 auf Veranlassung ihres 1972 republikflüchtig gewordenen Freundes K. von einem Hamburger Studenten, 24, mit einem Opel Commodore im Kofferraum über die Grenzübergangsstelle Horst nach Berlin ausgeschleust. Der Freund und Verwandte mussten dafür 10.000 DM bezahlen.

Der Student wurde am 13.04.1975 durch die Bezirksverwaltung Schwerin, Abt. IX verhaftet.

(Grenzkartei Stasi Suhl)

20. Dezember 1973

Ein ehemaliger Student der Humboldt-Universität Berlin, 22, war 1972 in den Westen geflohen. Ein Schleuser holte seine 22-jährige Freundin, ebenfalls Studentin, in den Westen.

(Grenzkartei Stasi Suhl)

15. September 1974

Eine Finanzbuchhalterin aus Schmalkalden, 36, erhielt von ihrem westdeutschen Freund einen finnischen Reisepass, mit dem sie zusammen mit ihrem 9-jährigen Sohn am 15.09.1974 von der ČSSR nach Österreich ausreisen wollte. Dabei wurde sie verhaftet, ihr Sohn kam in ein Kinderheim.
(Grkart MfS Tatb. 717)

15. Juli 1977

H., eine Ärztin der Landambulanz Schönbrunn, Krs. Hildburghausen, wurde am 15.07.1977 kurz vor Antritt einer Urlaubsreise in die Ungarische VR verhaftet. Sie hatte vor, auf dieser Reise mit Hilfe eines westdeutschen Reisepasses in den Westen zu gelangen. Ihre beiden Kontaktpartner, die Westberliner St. und S., waren zu diesem Zeitpunkt bereits in Ungarn. Als die Ärztin nicht in Ungarn eintraf, rief St. bei einem mit ihr befreundeten Arzt an, um sich nach H. zu erkundigen, bekam jedoch keine Auskunft. Die Westberliner zogen es daraufhin vor, bei ihrer Rückreise nicht mehr durch die DDR zu fahren. H. hatte eine Liebesbeziehung zu St., der 1976 die DDR verlassen hatte und jetzt in Westberlin wohnte. Bereits im Februar und Mai 1977 hatten sich Frau H. und St. in der ČSSR getroffen und waren im Juni 1977 an der Transitstrecke am Hermsdorfer Kreuz zusammengekommen. Dabei planten sie die Ausschleusung durch eine kriminelle Menschenhändlerbande, was jedoch am Geldmangel scheiterte. Deshalb sollte eine Westberliner Bürgerin ihren Reisepass zur Verfügung stellen. Die Initiative ging von der Frau aus, die alle Bedenken ihrer Freunde in den Wind schlug.
(XI/111/77; „Ambulanz"; AOP 622/77)

23. August 1981

Ein Augenarzt aus Sonneberg (?) verließ mit seinen 3 Söhnen ungesetzlich die DDR über die VR Bulgarien nach der Türkei. Die Schleusung wurde nach einem persönlichen Zusammentreffen mit einem Bekannten aus Hamburg vorbereitet. Unterstützung wurde durch türkische Staatsbürger gewährt, die die Schleusung von Bulgarien aus organisierten und durchführten. Am 23.08.1981 gegen 21.30 Uhr meldete sich der Mann telefonisch bei Verwandten in Dessau und teilte mit, dass er sich mit seinen drei Söhnen in Hamburg/BRD bei seiner Schwester befände.

Aktivitäten zur Aufnahme von Rückverbindungen zu Personen des medizinischen Bereichs wurden bisher nicht bekannt.

Geplante Maßnahmen im kommenden Berichtszeitraum

Auf der Grundlage des Operativplanes vom 20.08.1981 stehen vorrangig folgende Maßnahmen im Mittelpunkt der operativen Bearbeitung:
- Aufklärung des Weges des ungesetzlichen Verlassens der DDR und Feststellung der Organisatoren;
- Erarbeitung einer Übersicht über alle Ärzte, die Verbindung zur Familie N. hatten, mit dem Ziel der Verhinderung weiterer ungesetzlicher Grenzübertritte aus diesem Bereich;
- Einsatz von IM im Bereich Gesundheitswesen mit dem Ziel der Feststellung der Reaktionen des med. Personals zum ungesetzlichen Grenzübertritt des Dr. N. und der Feststellung von Rückverbindungen.
- Weiterführende op. Maßnahmen im Ergebnis der durch die Abt. IX erarbeiteten Informationen aus den Vernehmungen der Beschuldigten.[5]

April 1986

Ein 22-jähriger Bundesbürger, W., aus Dörfles-Esbach, Lkrs. Coburg, schmuggelte seine 17-jährige DDR-Braut A. aus Ilmenau mit dem Pass einer 20-jährigen Bekannten über den Grenzübergang Eisfeld – Rottenbach. Der Freund fuhr mit seinem Auto im kleinen Grenzverkehr in die DDR. In einem zweiten Auto fuhren zwei Frauen mit. In der DDR wurde dann F., eine der Frauen, gegen die 17-jährige DDR-Bürgerin ausgetauscht. Diese verschaffte sich mit der Perücke der 20-Jährigen ein anderes Aussehen. Die Grenzbehörden schöpften zwar Verdacht, ließen jedoch die Thüringerin mit dem Pass der Coburgerin passieren. Die Coburgerin meldete dann den Verlust ihres Personalausweises und wurde in Haft genommen. Ihr drohten 10 Jahre Haft wegen Beihilfe zur Republikflucht.
(CNP – Sammlung Zingel v. 20.06. und 01.12.1986)

Fluchthilfe – Gezielter Schlag

Der heimliche Transit von Ost nach West ist 1976 gefährlicher geworden: Unter die westlichen Fluchthelfer mischen sich zunehmend östliche Späher.

Wenn der Hamburger Fluchthelfer Siegfried Kluger am DDR-Grenzkontrollpunkt Marienborn vorfuhr und seinen Pass in die Baracke reichte, lag öfter mal ein Zettel darin, darauf drei Worte: „Herr Schrader, Potsdam."

Dorthin zog es ihn immer wieder, dort bekam er auch sein Erfolgshonorar, an die 2.000 Mark, vielleicht mehr, und hin und wieder auch ein paar Schnäpse – nur saßen dann Klugers Kunden, auf die da getrunken wurde, nicht im Westen, sondern in einem DDR-Gefängnis. Der Fluchthelfer war gar keiner, Kluger verriet die DDR-Bürger, die sich ihm anvertrauten, an den Staatssicherheitsdienst.

Wahrscheinlich ließ Kluger auf diese Weise acht Bürger aus der DDR und sechs aus der Bundesrepublik hochgehen. Dass es nicht noch mehr sind, ist einem Krach zwischen Kluger und dessen Freundin zu danken. Die ging Anfang des Jahres zum Chef der Fluchthelfer-Organisation, dem Hamburger Gebrauchtwagenhändler Julius Lampl, und erzählte ihm, was Kluger da so trieb und wer der Schrader eigentlich war: ein Offizier des Ministeriums für Staatssicherheit.

Am 13. Februar wurde Kluger von der Hamburger Polizei verhaftet, im Sommer fand vor dem Oberlandesgericht der Prozess statt – hinter verschlossenen Türen. Das mittlerweile rechtskräftige Urteil: dreieinhalb Jahre wegen geheimdienstlicher Tätigkeit für eine fremde Macht.

Was da im Gerichtssaal unter Ausschluss der Öffentlichkeit verhandelt wurde, die Unterwanderung und Ausspähung kommerzieller Fluchthilfe-Unternehmen durch bezahlte Zuträger oder gar eigene Agenten des SSD, ist beileibe kein Einzelfall. Denn längst schon mussten die westdeutschen Staatsschützer registrieren, dass das ohnedies riskante Geschäft der Fluchthilfe noch ein ganz spezielles Risiko barg.

Die „Frankfurter Allgemeine Zeitung" erschien am Mittwoch letzter Woche sogar mit der Schlagzeile „Die DDR betreibt Fluchthilfe in eigener Regie", Fluchthilfe als wohlorganisierte Abfangvorrichtung für Fluchtwillige – eine Version, die freilich vorerst nur mehr Vermutung ist.

Sicher hingegen ist, wie auch die Bundesregierung jetzt bestätigt, dass die DDR das Netz der westlichen Fluchthelfer von innen aufzudröseln sucht, insbesondere seit auf Transitstrecken zwischen West-Berlin und dem Bundesgebiet gemäß deutsch-deutscher Übereinkunft im Allgemeinen keine Fahrzeugüberprüfungen mehr stattfinden.

Die Staatssicherheitsdienstler benutzen dabei das ganze einschlägige Arsenal ihrer wohlerprobten Mittel: Da wird geschnappten Fluchthelfern Straferlass versprochen, wenn sie Flüchtlinge und Fluchthelfer verraten. Da werden Fluchthelfer mit ein paar extragroßen Scheinen zum Plaudern gebracht; sie stammen ohnehin meist aus Kreisen, in denen für Geld alles zu haben ist.

Und der SSD schlägt, um an die Adressen von Auswanderern heranzukommen, auch schon mal den „Menschenhändlerorganisationen" (SED-Bezeichnung) ein Geschäft auf Gegenseitigkeit vor, wie etwa einem Berliner Fluchthelfer-Boss: „Eine Fuhre geht durch, die andere fliegt auf."
DER SPIEGEL, Nr. 41/1976

Fluchtversuche über das sozialistische Ausland

Nein, einfach war es in den 70er Jahren nirgendwo, aus der DDR in den Westen zu gelangen, auch nicht über das sozialistische Ausland. Wer da gedacht hatte, die Tschechoslowaken, die Ungarn, die Bulgaren oder Rumänen würden ein Auge zudrücken und ihre DDR-Gäste in die Westrichtung ausreisen lassen, sah sich nur allzu oft getäuscht. Vielleicht war die Unterstützung der Grenzorgane durch die Grenzbevölkerung nicht so einheitlich positiv wie in der DDR, vielleicht waren die Sperranlagen nicht so perfekt wie daheim, doch dafür war die fremde Sprache genauso ein Handicap wie die fremde Gegend. Einige Beispiele:

20. September 1972
Der Oberarzt am Bezirkskrankenhaus Meiningen, Dr. T., 43, floh mit seiner 39-jährigen Frau und drei Söhnen A., S. und C. im Alter von 15, 13 und 7 Jahren am 20.09.1972 über das sozialistische

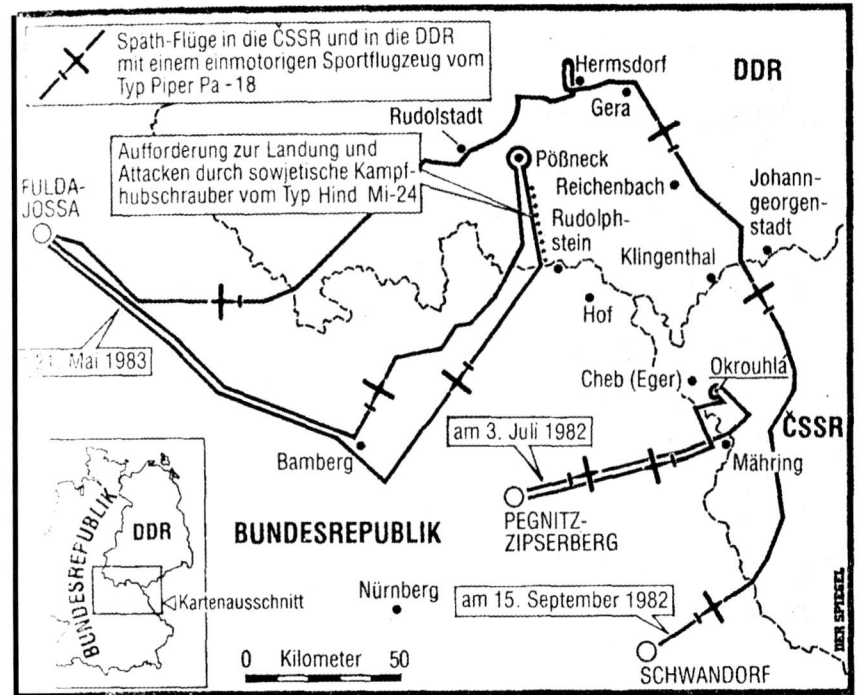

Spath-Flüge in die ČSSR und in die DDR mit einem einmotorigen Sportflugzeug vom Typ Piper Pa-18

Aufforderung zur Landung und Attacken durch sowjetische Kampfhubschrauber vom Typ Hind Mi-24

FULDA-JOSSA

DDR

Hermsdorf
Gera
Rudolstadt
Pößneck
Reichenbach
Rudolph-stein
Klingenthal
Hof
Cheb (Eger)
Okrouhlá
Mähring

Johann-georgen-stadt

ČSSR

am 3. Juli 1982

21. Mai 1983

Bamberg

BUNDESREPUBLIK
DDR
Kartenausschnitt

PEGNITZ-ZIPSERBERG

Nürnberg

am 15. September 1982

SCHWANDORF

0 Kilometer 50

Mit spektakulären Flügen über die DDR und ČSSR erregte Friedemann Späth bundesweites Aufsehen. Der Fall wird im Band IV dokumentiert.
Karte: Der Spiegel

Ausland in die Bundesrepublik. Seine Bundes-Anschrift war Halle/Westfalen.
(Grenzkartei Stasi Suhl)

23. April 1973

Ein 23-jähriger Buchverkäufer aus Lichte und seine Freundin, eine 22-jährige Studentin für Kunstwissenschaft an der Humboldt-Universität Berlin, aus Neuhaus/Rwg. hatten sich entschlossen, in den Westen zu gehen. Sie glaubten, dort mehr Entwicklungsmöglichkeiten zu haben, bessere Lebensbedingungen und hinsichtlich Mode, Kunst und Reisen mehr geboten zu bekommen. Dabei wurden sie aktiv vom Cousin der Studentin und weiteren BRD-Bürgern unterstützt.

Die beiden reisten also in die Ungarische VR, wo sie sich in Budapest mit ihren Bekannten aus der BRD trafen. Diese brachten die Fluchtwilligen an die Grenze nach Österreich, wo der Buchverkäufer und die Studentin getrennt die Grenze zu überwinden versuchten. Beide wurden jedoch von ungarischen Grenzsoldaten am 23.04.1973 festgenommen, in beiden Fällen unter Abgabe von Warn-und Zielschüssen, wobei die beiden anscheinend unverletzt blieben.

Durch das Kreisgericht Neuhaus wurden die Flüchtlinge zu je zwei Jahren Freiheitsentzug verurteilt und mit unbegrenztem Aufenthaltsverbot für das Grenzgebiet zur BRD und Westberlin sowie für den ganzen Kreis Neuhaus/Rwg. belegt.[9]

24. August 1973

Ein 28-jähriger Hochbau-Ingenieur bei der BDP (Bezirksdirektion Deutsche Post) Suhl, Sitz Meiningen, aus Meiningen hatte, wie der Stasi inoffiziell bekannt wurde, die Absicht, die DDR ungesetzlich zu verlassen. Er hatte vor, nach Ungarn einzureisen und dort bei einem befreundeten Arzt unterzukommen, erhielt jedoch kein Visum. Deshalb wollte er in die ČSSR fahren und von dort aus illegal nach Ungarn. Es hielt ihn hier nichts mehr, er wollte nur so schnell wie möglich weg, zusammen mit seiner 22-jährigen Verlobten aus Suhl.

Am 09.08.1973 fuhren der Ingenieur und seine Verlobte mit dem Auto eines Freundes P. und dessen Freundin in die ČSSR, besichtigten Prag und fuhren nach Brno weiter, übernachteten dort und fuhren anderntags Richtung Bratislava, wo sie 200 m vom Kontrollpunkt entfernt die Grenze nach Ungarn illegal überschritten. Vom 10. bis 24.

August hielten sich alle vier am Balaton auf. Auf der Rückreise wurden der Ing. und seine Freundin 500 m vor der Grenze verhaftet.

Die Freundin sagte später aus, die Verärgerung sei durch ihren Vater entstanden, der Kaderleiter bei der Post war.

Der Mann erhielt aufgrund der §§ 213 (1) i. V. m 80 (2) 2 Jahre Haft mit Bewährung.

(AOP 244/74)

28. September 1973

Eine 22-jährige Werkstattschreiberin im VEB Porzellanwerk Stadtlengsfeld aus Dorndorf versuchte am 28.09.1973 bei Kuty/ČSSR die Grenze nach Österreich zu überwinden und wurde dabei um 7 Uhr von ČSSR-Grenzern gestellt. Sie hatte bis 1961 jährlich ihre Verwandten in Westdeutschland besucht und danach die Verbindung weiter aufrecht erhalten. Sie sah die Verhältnisse in Westdeutschland erstrebenswert an und fühlte sich in ihrer Freizügigkeit eingeengt. Sie glaubte, in der ČSSR leichter über die Grenze kommen zu können und überschritt in der Nacht vom 26. zum 27.09.1973 illegal die Grenze in die ČSSR bei Zinnwald. Per Anhalter kam sie über Mudejovece nach Breslav und lief dann nach Kuty. Von Kuty aus bewegte sie sich entlang dem Lauf der Morawa in Richtung tschechisch-österreichischer Grenze. In Grenznähe wurde sie von tschechischen Grenzsoldaten festgenommen.

Sie erhielt 1 Jahr und 10 Monate Freiheitsentzug sowie unbefristetes Aufenthaltsverbot für alle Grenzkreise.

(Grenzkartei Stasi Suhl)

Stasi-Information über einen verhinderten ungesetzlichen Grenzübertritt ČSSR – BRD

Am 10.7.1989 gegen 5.15 Uhr wurden die DDR-Bürger Jutta S, 32, aus Suhl, Kantinenleiterin, geschieden, Mitglied des DFD und der Volkssolidarität, Georg-Friedrich A., 47, Meiningen, Funkmechaniker, geschieden und mehrfach vorbestraft, sowie das Ehepaar Gabriele C., Tochter von Jutta S., 21, aus Suhl, Sachbearbeiterin in einem VEB, Mitglied des FDGB, der FDJ und der DSF, Ehemann Andre C., 21, Rundfunk- und Fernsehmechaniker, Mitglied des FDGB, der FDJ und der DSF in der ČSSR im Raum Domazlice im engen Zusammenwirken mit den Sicherheitsorganen der ČSSR beim Versuch des ungesetzlichen Grenzübertritts ČSSR – BRD festgenommen. Gegen die Festgenommenen wurden Ermittlungsverfahren gemäß § 213 Abs. 2, 3 Ziff. 5 Abs. 4 StGB mit Haft eingeleitet, nur Ehefrau Gabriele C. blieb aufgrund ihrer Schwangerschaft ohne Haft.

Die bisherigen Untersuchungen ergaben: Die S. lernte 1983 in der ČSSR einen BRD-Bürger, selbständiger Gastwirt eines Cafés, kennen. Nachdem zwischen beiden die Verbindung über mehrere Jahre unterbrochen war, entwickelte sich seit 1988 auf Initiative der S. ein Liebesverhältnis. Der Gastwirt überreichte der S. bei seinen Besuchen in der DDR eine Vielzahl von Geschenken. Beeinflußt durch das Liebesverhältnis zu diesem BRD-Bürger, entschloß sich die S. zu dem Mann in die BRD zu gelangen und dort künftig zu leben. Im Juni 1989 beantragte sie eine Besuchsreise zu einer in der BRD lebenden Tante. Diese Reise wollte die Frau nutzen, um rechtswidrig in der BRD zu verbleiben. Aufgrund der vorliegenden Verdachtshinweise wurde die Reise durch die zuständigen Organe abgelehnt.

Eine durch die S. und den BRD-Bürger in Erwägung gezogene Schleusung in die BRD wurde durch die Absage des Gastwirts wieder verworfen. Daraufhin beantragte die Schmidt gemeinsam mit ihrer Tochter sowie deren Ehemann im Juni 1989 eine Reise in die UVR, um von dort aus weiter in die BRD zu gelangen. Diese Reise wurde ebenfalls nicht genehmigt.

Das Ehepaar C. beschäftigte sich seit 1988 ebenfalls mit Überlegungen über ein mögliches Leben in der BRD. In Erwartung besserer Reisemöglichkeiten und um sich nicht von der Mutter zu trennen, entschlossen sie sich nach der Ablehnung der Auslandsreisen der Schmidt, ungesetzlich in die BRD zu gelangen.

Da sie ihr Vorhaben nicht allein durchführen wollten, faßten sie Ende Juni 1989 auf Vorschlag der Jutta S. den Entschluß, gemeinsam in die ČSSR zu reisen und dort zu versuchen, die Staatsgrenze der ČSSR zur BRD ungesetzlich zu überschreiten. Zur Vorbereitung der Straftat führten sie seit dem 30. 6. 1989 täglich Absprachen durch.

Aufgrund der vermuteten günstigeren Annäherungsmöglichkeiten an die Staatsgrenze zur BRD wurde festgelegt, den ungesetzlichen Grenzübertritt im Böhmerwald zu realisieren.

Am 3. 7.1989 brachte der A. während eines Besuches in der Wohnung der Schmidt zum Ausdruck, daß bei ihm Kehlkopfkrebs diagnostiziert worden sei und er sich weiter in der BRD behandeln lassen wolle. Daraufhin wurde er durch die Schmidt über das gemeinsame Vorhaben in Kenntnis gesetzt, woraufhin sich A. zur Beteiligung an dem ungesetzlichen Grenzübertritt entschloß.

Im Ergebnis weiterer Absprachen tauschte Andre C. in der Filiale der Staatsbank in Suhl für Frau S., seine Frau und sich sowie der A. für sich für einen Aufenthalt von 10 Tagen Kronen der ČSSR ein. Er kaufte weiterhin ein Fernglas sowie einen Marschkompaß, um diese als Hilfsmittel beim ungesetzlichen Grenzübertritt zu nutzen. Unter Mitführung der genannten Hilfsmittel sowie eines von C. mitgebrachten Seitenschneiders zum Durchtrennen von möglichen Drahthindernissen an der Staatsgrenze der ČSSR zur BRD fuhren die vier am 7. 7. 1989 gemeinsam mit dem Zug nach Leipzig und von dort weiter nach Plzen. Hier verbrachten sie die Nacht vom 7. zum 8. 7. 1989 im Hotel „Škoda" und legten fest, ihr Vorhaben im Raum Domazlice zu realisieren. Am 8. 7. 1989 begaben sie sich weiter in die genannte Ortschaft und übernachteten in touristischen Unterkünften.

Am 9. 7.1989 fuhren sie mit dem Bus nach C. Kubice und gingen gemeinsam in ein Waldgebiet. Hier entledigten sie sich überflüssigen Gepäcks und liefen nach Einbruch der Dunkelheit in Richtung der Staatsgrenze der ČSSR zur BRD. Nach Überwindung von zwei Grenzsicherungszäunen erfolgte gegen 5.15 Uhr am 10. 7. 1989 die Festnahme.

Der 1. Sekretär der Kreisleitung Suhl der SED wird gleichlautend informiert.

Lange Generalmajor

Mit den Waffen einer Frau – 23. August 1981

Eine angehende Studentin der Medizinischen Fachschule Suhl, 17, aus Steinach, hatte nach Erkenntnissen des MfS vom 27.08.1980 den „verfestigten" Willen, die DDR ungesetzlich zu verlassen. Das Mädchen hatte die Männer bei einem Aufenthalt in der ČSSR und in der UVR im Juli 1980 kennengelernt und hatte vor, zielgerichtete intime Kontakte als Gegenleistung für eine Ausschleusung einzusetzen. Ihre Freundin, 18, ebenfalls aus Steinach, war mit in die ČSSR gefahren. Sie war über die wahren Absichten des Mädchens nicht unterrichtet und musste wegen fehlender Dokumente in der ČSSR bleiben. In der Ungarischen VR versuchte das Mädchen nacheinander, einen Ungarn, einen Österreicher und einen Bundesdeutschen für eine Ausschleusung zu gewinnen, was diese aber ablehnten.

Unverdrossen beantragte das Mädchen im Juli 1981 eine Reise nach Bulgarien. Weil ihre Freundin und eine weitere Mitschülerin nicht mitgehen wollten, fuhr sie allein.

In Ungarn nahm das Mädchen zu mehreren Ausländern intime Kontakte auf, um diese für ihre Ausschleusung zu gewinnen. Bei einem Schäferstündchen mit einem Ungarn wurden ihr die persönlichen Dokumente gestohlen. Das Mädchen meldete den Diebstahl, gab sich aber als Bundesbürgerin aus, um so in die Bundesrepublik ausreisen zu dürfen. Am 23.08.1981 wurde sie von ungarischen Sicherheitsbehörden verhaftet, anschließend in die UHA Suhl verlegt. Das Mädchen, das bei seinen Eltern in Steinach wohnte, war eine gute Schülerin und erreichte in der Medizinischen Fachschule gute bis sehr gute Ergebnisse. In der Schulzeit war sie Mitglied bei den Jungen Pionieren, dann Verantwortliche für die Pionierarbeit und Mitglied der FDJ. In der Medizinischen Fachschule hatte das auffallend modisch gekleidete Mädchen mit einer „überbetonten" Ausdrucksweise die Aufgabe übernommen, ein Kulturprogramm ihrer Gruppe aufzubauen. Nach außen hin vertrat sie in offiziellen Veranstaltungen und im Marxismus-Leninismus-Unterricht ausgesprochen positive Meinungen, verherrlichte aber im internen Kreis die westliche Lebensweise und behauptete, dort ein

„besseres und freieres Leben" führen zu können. Das Pädagogenkollektiv und ihre Seminargruppe täuschte sie jedoch vollständig über ihre wahre Überzeugung. Sie äußerte am 22.12.1980 im Zusammenhang mit der Verhaftung von drei Studentinnen wegen § 213 sinngemäß. „Ich finde das blödsinnig, man weiß doch, was man hier in der DDR hat, wenn es auch manches nicht zu kaufen gibt."

Der 18-jährigen Freundin in Suhl, die ebenfalls aus Steinach stammte, konnte eine Beteiligung an den Ausschleusungsversuchen nicht nachgewiesen werden. Man wusste jedoch von einem persönlichen und postalischen Kontakt zu einem Bundesbürger, den das Mädchen auf einer Tramptour kennen gelernt hatte. Die Staatssicherheit wollte den Druck durch Verhöre und Enthüllungen auf das Mädchen dazu nutzen, sie als IM anzuwerben, die gezielte negativ-feindliche Handlungen unter den Studentinnen der Medizinischen Fachschule Suhl und unter den Schwestern des Bezirkskrankenhauses Suhl melden sollte.

(OV „Austria" – Reg. Nr. XI 1412/80)

GRENZÖFFNUNG IN UNGARN

Ungarn geht auf

4. September

In einer Erklärung gegenüber ADN stellte der Sprecher des DDR-Außenministeriums, Wolfgang Meyer, fest:

(...) *Die DDR hat gegenüber den DDR-Bürgern, die einen illegalen Grenzübertritt via UVR beabsichtigen, verbindlich zugesagt, daß sie nach Verlassen der diplomatischen Vertretungen beziehungsweise nach Rückkehr in die DDR keinerlei Strafverfolgung unterliegen." Ihnen werde auch rechtsanwaltschaftlicher Beistand zugesichert bei Antragstellung bzw. Wiederholung der Antragstellung auf ständige Ausreise. „Die DDR hat außerdem zugesichert, das sei unterstrichen, daß diese Bürger grundsätzlich in ihrem Beruf und an ihre Arbeitsstelle zurückkehren können. (...) Der Aufenthalt in diplomatischen Vertretungen oder an anderen Aufenthaltsorten außerhalb der DDR bringt keine Begünstigung und ist kein Weg zur Erreichung der ständigen Ausreise aus der DDR.*

(ND, 05.09.1989)

Am 28. Februar 1989 hatte das Politbüro der Volksrepublik Ungarn der Beschlussvorlage von Innenminister Horváth zugestimmt, die Grenzsperranlagen an der Grenze zu Österreich abzubauen. Hauptgründe:

* Mehr als 97 % der Grenzverletzer waren Nichtungarn gewesen. Die Ungarn selbst konnten seit dem 01.01.1988 ohne spezielle behördliche Genehmigung in alle Länder reisen.[12]

* Die bisherige Signalzaunanlage war nur noch bis etwa 1990 funktionsfähig. Eine Erneuerung hätte bis 560 Millionen Forint gekostet, eine neue Sperranlage nach dem Modell DDR bis 1.120 Millionen, während für einen Abbau nur knapp 200 Millionen Forint aufzuwenden wären.

* Ein Abbau, so hoffte die ungarische Regierung, würde die politischen und touristischen Beziehungen zum Westen positiv beeinflussen.

Der offizielle Beginn der Demontage wurde am 2. Mai 1989 von Oberst Nováky auf einer internationalen Pressekonferenz verkündet. An diesem Tag wurde die gesamte elektrische Signalanlage für immer ausgeschaltet.[13] Die Westmedien hatten in großer Aufmachung darüber berichtet, und so gab es kaum einen DDR-Bürger, der nicht davon gehört hätte.

Wer kein Visum für die Ungarische VR hatte, versuchte auf andere Weise, dorthin zu gelangen. Dies ging auch manchmal schief:

DER VERSUCH EINES GEWALTSAMEN GRENZDURCHBRUCHS ČSSR – UVR DURCH ZWEI FAMILIEN AUS DEM KREIS SONNEBERG[14]

Ein Straßenbauer der Bezirksdirektion Straßenwesen Suhl, Außenstelle Neuhaus/Rwg., seine im 6. Monat schwangere Frau, beide in Haselbach wohnhaft, ein Hausmeister im Konsumeinkaufszentrum Sonneberg aus Steinbach und dessen Frau, die als Veredlerin im VEB Glasschmuck in Steinach tätig war, fassten im September 1989 auf Initiative des Haselbachers den Entschluss, aus der

DDR herauszukommen. Da dessen Bruder, ebenfalls aus Haselbach, mit Familie und Pkw gewaltsam den Grenzübergang Komarno/ČSSR nach Ungarn gewaltsam durchbrochen hatte, fuhren die beiden Ehepaare mit ihren 1988 geborenen Kleinkindern über die Grenzübergangsstelle Oberwiesenthal in die ČSSR über Prag nach Bratislava. An der Grenzübergangsstelle Rusovce durchbrachen sie einen Schlagbaum, wurden dann jedoch von Grenzsicherungskräften der ČSSR gestoppt. Gegen die Männer wurden Haftbefehle gemäß § 213, Absatz 2, 3, Ziffer 2 und 5, Abs. 4 StGB erlassen.

REAKTIONEN DER BEVÖLKERUNG ZUM ABBAU DER GRENZSICHERUNGSANLAGEN DER UVR ZU ÖSTERREICH 17.05.1989

(AKG 33/3/217 FF.)

Am 17.05.1989 meldete die MfS-Bezirksverwaltung die durch ihre Informanten gesammelten Meinungsäußerungen zum Abbau der Grenzsicherungsanlagen in Ungarn.

Die von den BRD-Medien verbreiteten Meldungen über den Abbau der Grenzsicherungsanlagen der UVR zu Österreich würden von vielen Bürgern des Bezirkes überwiegend abwartend zur Kenntnis genommen. In Einrichtungen des Reisebüros der DDR häuften sich seitdem Anfragen, ob gebuchte Ungarnreisen oder Transitreisen mit Pkw durch Ungarn noch möglich seien.

Mit einer zunehmenden Isolierung der DDR von „West und Ost" würden daraus resultierend vor allem auch weitere Einschränkungen im Reiseverkehr erwartet.

Vermutlich seien für Reisen nach Ungarn ähnliche Bestimmungen wie für Reisen in die Volksrepublik Polen zu erwarten.

Bürger, die bereits in den vergangenen Jahren als Touristen mehrfach nach Ungarn reisten, befürchten, dass „nun auch dieses für DDR-Bürger einzige noch attraktive Reiseland tabu" sei. Der normale DDR-Bürger könne bald nicht mehr ins Ausland reisen, denn auch in der ČSSR gelte man aufgrund der neuen Zollbestimmungen als „unerwünscht".

In weiteren Diskussionen wird Unverständnis darüber zum Ausdruck gebracht, dass in der DDR noch keine Veröffentlichungen zur Reisetätigkeit nach Ungarn sowie zu dem Abbau der Grenzsicherungsanlagen erfolgten.

Unsere Medien würden nur Erfolgsmeldungen verbreiten, an die kaum jemand glaube. Über interessierende Fragen, wie z. B. zur Entwicklung in Ungarn, würde man kaum etwas erfahren oder müsse sich durch BRD-Medien informieren lassen. Die ungenügende Informationspolitik in der DDR schaffe auch in diesem Falle wieder Raum für alle möglichen Spekulationen und Gerüchte.

Vorrangig werden solche Meinungen geäußert, wie

- eine Veröffentlichung zu Ungarnreisen vor den Kommunalwahlen sei unterblieben, um das Wahlergebnis nicht durch zu erwartenden Unmut negativ zu belasten;
- nach den Wahlen würden alle Ungarnreisen verboten;
- bis zum Herbst seien Reisen nach Ungarn noch möglich, danach werde der Reiseverkehr völlig unterbunden;
- durch den Abbau der Grenzsicherungsanlagen in Ungarn würden auch Reisen nach Bulgarien und Rumänien eingeschränkt;
- Betriebsferienplätze in der UVR seien bereits aufgekündigt worden;
- die DDR-Bürger seien überall immer unwillkommener. Von einem einheitlichen sozialistischen Staatsgefüge könne nicht mehr gesprochen werden.

Insgesamt gibt es aus dem Umfang und den Inhalten von Diskussionen unter der Bevölkerung nicht wenig Hinweise auf eine gewisse Gleichgültigkeit, Resignation und Interesselosigkeit. Auffassungen, nichts ändern zu können bzw. als Bürger vom Staat nicht als mündig geachtet zu werden oder die Partei und der Staat sei nicht an der Wahrheit interessiert, bis hin zu abwertenden, diskriminierenden und zynischen Äußerungen, wurden bisher nur vereinzelt bekannt. So wurde z. B. dem Rat des Kreises Sonneberg folgendes pseudonymes Schreiben mit feindlich-negativem Inhalt zugesandt:

Rat des Kreises Sonneberg, d. 02.05.89
Amt für Arbeit Sonneberg
Werte Genossen!
Unsere Kolln. und Koll. im VEB Thuringia waren begeistert, als sie im Fernsehen sahen, daß unser

ungarisches Brudervolk die Schandbarrieren zu Österreich abreißen.

Wir nehmen stark an, daß auch die DDR dem guten Beispiel folgen will. An Arbeitskräften soll's nicht fehlen. Unsere Brigaden aus dem Musterbau, dem Materiallager und der mechanischen Fertigung würden an mehreren Samstagen unentgeltlich, im Sinne der Völkerverständigung, am Abriß im Kreis Sonneberg tatkräftig mitarbeiten. Wir sind sicher, die kluge und senile Politik von Partei und Regierung wird auch hier im Sinne der Mehrheit des Volkes wirksam werden.

Freundschaft!!!

Vertrauensmann SV-Bevollm. DSF-Organisator[15]

Am 19. August gelang 668 DDR-Urlaubern in Ungarn die Massenflucht nach Österreich. Am 11. September hatte die liberale Budapester KP-Regierung überraschend die Westgrenze geöffnet. Seither drängten durch das Loch im einstmals Eisernen Vorhang mehr und mehr Ungarn-Urlauber aus der DDR, allein im September über 20.000.

Am 28.08.1989 zeigte die MfS-Bezirksverwaltung Entwicklungstendenzen des ungesetzlichen Grenzübertrittes von Bürgern des Bezirkes über die Ungarische VR auf.[16]

Im Zeitraum vom 1.1. bis 24.8.89 wurden 16.237 Personen des Bezirkes Genehmigungen zum Aufenthalt in der UVR erteilt, davon für den Zeitraum vom 1.7. bis 25.8.89 7.447 Personen.

Vom 1.1.89 bis 25.8.89 haben 82 Personen (59 Erwachsene mit 23 Kindern) genehmigte Aufenthalte in der UVR zum ungesetzlichen Verlassen der DDR mißbraucht. Das sind 0,5 %.

Allein im Zeitraum vom 1.7. bis 25.8.89 waren es 80 Personen (58 Erwachsene mit 22 Kindern) = 1,1 %, darunter

* 10 Erwachsene
* 6 Familien mit einem Kind und
* 7 Familien mit zwei Kindern.

Schwerpunkte sind die Kreise Suhl, Hildburghausen, Ilmenau und Sonneberg. Die Personen waren wohnhaft in

Bad Salzungen	*7 Personen (5 Erwachsene/ 2 Kinder)*
Hildburghausen	*14 Personen (10 Erwachsene/ 4 Kinder)*
Ilmenau	*16 Personen (9 Erwachsene/ 7 Kinder)*
Meiningen	*10 Personen (8 Erwachsene/ 2 Kinder)*
Neuhaus	*1 Person (1 Erwachsener)*
Schmalkalden	*3 Personen (3 Erwachsene)*
Sonneberg	*11 Personen (11 Erwachsene)*
Suhl	*20 Personen (12 Erwachsene/ 8 Kinder).*

Die Altersstruktur der Erwachsenen liegt zwischen 18 und 40 Jahren.

18 bis 25 Jahre	*20 Personen*
25 bis 30 Jahre	*17 Personen*
30 bis 40 Jahre	*22 Personen*

Unter den 59 Erwachsenen, die die DDR ungesetzlich über die UVR verließen, befand sich eine Antragstellerin auf ständige Ausreise, die bereits vor dem 30.06.1989 die DDR ungesetzlich über die UVR verlassen hatte. Alle Familien/Ehepaare/Einzelpersonen lebten in gesicherten sozialen Verhältnissen und reisten zu 90 % mit Privat-Pkw in die UVR. Hinweise auf beabsichtigtes ungesetzliches Verlassen der DDR lagen nicht vor. Zu allen Reisen in die UVR gab es keine Versagungsgründe gemäß der Reiseverordnung.

An zwei Beispielen zeigte der Stasi-Chef die Einwirkung der Westmedien, insbesondere der Springer-Presse, auf die zunehmenden Fluchtfälle auf, sicher nicht ganz zu Unrecht, wenn man sich vor Augen hält, dass der DDR-Presse kein Glauben mehr geschenkt wurde, weil deren Unwahrheiten offensichtlich waren:

Die Familie Zwilling mißbrauchte eine Touristik-Reise in die VR Bulgarien vom 16.7. bis 15.8.89, um im Raum Sopron der UVR die DDR ungesetzlich zu verlassen. Nachdem dieser Versuch gescheitert war, suchte die Familie Zwilling die Botschaft der BRD in Budapest auf, um in erpresserischer Absicht die Ausreise in die BRD zu erlangen.

In einem reißerisch aufgemachten Artikel in der BRD-Zeitung „Welt am Sonntag" vom 20.8.89 wird das „Schicksal" der Familie Zwilling in der DDR bereits vermarktet. Darin wird durch Karl Zwilling geäußert: „Zurück gehen wir nie mehr, jedenfalls nicht freiwillig. Und wenn wir in Unterhosen rüber in den Westen müßten, frei wollen wir sein, nur frei. Alles andere wird sich dann finden."

Die Familie Zwilling lebte in überdurchschnittlich gesicherten materiellen und finanziellen Verhältnissen in Sonneberg. Über ihren derzeitigen Aufenthalt ist noch nichts bekannt.

In der BRD-Zeitung „Bild am Sonntag" vom 13.8.89 wird ebenfalls in einem sensationell aufgemachten Artikel die „Flucht der Familie Hellweg" ausführlich geschildert. Bei der genannten „Familie Hellweg" handelt es sich in Wirklichkeit um die Familie H. aus Diedorf.

Das zunehmende ungesetzliche Verlassen der DDR in die BRD von Bürgern des Bezirkes unter Mißbrauch von Reisen in die UVR ist auf die in den letzten Wochen verstärkt betriebene Hetzkampagne von Massenmedien, staatlichen Stellen und gesellschaftlichen Organisationen der BRD zurückzuführen.

Die permanent, gezielt und vielseitig durchgeführten politisch-ideologischen Angriffe und aktiven Handlungen der Einmischung in die inneren Angelegenheiten der DDR zeigten offensichtlich bei diesen Personen Wirkung.

Es kann geschlußfolgert werden, daß ein Teil der Personen die Reise in die UVR mit dem vorgefaßten Entschluß des ungesetzlichen Verlassens der DDR in die BRD antrat, während andere sich erst zum ungesetzlichen Verlassen unter dem Einfluß der vorgefundenen Situation in der UVR spontan entschlossen.

Durch die pausenlose Frontberichterstattung der BRD-Medien wurde „die letzte Chance, in die BRD zu gelangen", suggeriert. Die zwischen den Regierungen der UVR und der BRD in Verbindung mit dem Internationalen Roten Kreuz durchgeführte Ausschleusung von in der BRD-Botschaft in Budapest sich aufhaltenden DDR-Bürgern, die als „internationale Hilfsaktion" hochgespielt wurde, inspirierte auch viele DDR-Bürger zu dem Entschluß, jetzt die angebotene „beste Gelegenheit" zum ungesetzlichen Verlassen der DDR zu nutzen.

In einigen Fällen versuchten auch solche Bürger des Bezirkes, die nicht im Besitz eines Ausreise-Visums für die UVR waren, durch einen ungesetzlichen Grenzübertritt von der ČSSR in die UVR und von dort weiter in die BRD zu gelangen.

Begünstigend auf das ungesetzliche Verlassen wirkt sich zweifelsohne aus, daß ein Teil der Bürger auf die Unterstützung von Verwandten und Bekannten in der BRD bei der Beschaffung von Arbeit und Wohnung hofft. In dieser Hinsicht gibt es umfangreiche illusionäre Vorstellungen.

Bei den genannten Zahlen zum ungesetzlichen Verlassen der DDR durch Bürger des Bezirkes über die UVR ist zu beachten, daß sich gegenwärtig noch eine unbekannte Anzahl von Bürgern zum Urlaub in der UVR befindet.

Noch hoffte die DDR darauf, dass die Ungarn ihre Solidarität zum sozialistischen Brudervolk erfüllen würden.

Im Zuge des Abbaus der Grenzsperren häuften sich an der ungarischen Westgrenze die Versuche von DDR-Bürgern, über Ungarn in die Bundesrepublik Deutschland zu gelangen. Nachdem bereits am 10. Juni 1989 die geglückte Flucht von 20 Ostdeutschen bekannt geworden war, teilten österreichische Behörden am 17. Juli mit, dass seit Anfang Mai dieses Jahres über 100 DDR-Bürger Ungarn über die „grüne Grenze" verlassen hätten. Als die Anzahl der Fluchtversuche von DDR-Bürgern mit den Sommerferien in Ostdeutschland deutlich zu steigen begann, ließ das Innenministerium in Budapest am 26. Juli 1989 unter der Überschrift „Unsere Grenzen sind unverletzlich" eine Meldung veröffentlichen, in der darauf hingewiesen wurde, dass der Versuch, die ungarische Grenze illegal zu überschreiten, entsprechend der gültigen Gesetze als Straftat angesehen werde. In diesem Falle könne die Aufenthaltsgenehmigung der entsprechenden Person mit einem Stempel ungültig gemacht werden. Darüber hinaus wurde auch darauf aufmerksam gemacht, dass beim Einzug der Aufenthaltsgenehmigung eines DDR-Bürgers die Budapester Botschaft Ostberlins entsprechend des bilateralen Reiseverkehrsabkommens aus dem Jahre 1969 von dem Ereignis benachrichtigt werde.

Das NEUE DEUTSCHLAND meldete am 5. September 1989:

In Ungarn teilte Innenminister Horvath mit, die Lösung des Problems der DDR-Flüchtlinge werde noch ein bis zwei Monate Zeit in Anspruch nehmen, da zwischen DDR und BRD erst eine Lösung ausgehandelt werden müsse. Wie die BRD-Nachrichtenagentur dpa berichtet, sagte Horvath gegenüber dem Hamburger Magazin „Stern": „Eine Nacht- und Nebelaktion können wir und werden wir nicht zulassen. Die Erwartungen in der Bundesrepublik, daß in den nächsten Tagen 15.000 bis 20.000 Flüchtlinge auf einen Schlag Ungarn verlassen dürften, bezeichnet der Minister als falsch. Auf die Frage, ob die DDR-Bürger dann geordnet, Zug um Zug, ausreisen dürften, antwortete er: „Nein. Erst müssen sich die BRD und die DDR darüber einigen." (...) Der Schlüssel liege in Bonn und Ost-Berlin, sagte Horvath. „Zuerst muß die Bundesrepublik mit der DDR verhandeln und eine Einigung finden. Das ist nicht die Aufgabe Ungarns. Nicht wir sollen die DDR überreden, einer Lösung zuzustimmen, sondern die Bundesrepublik sollte das tun." Die Ausreise der DDR-Bürger mit bundesdeutschen Pässen, die von der Bonner Botschaft in Budapest ausgegeben werden, ist vorläufig nicht möglich. Denn dann würden wir anerkennen, daß Bonn die DDR-Bürger als eigene Staatsangehörige behandelt. Wir haben eine Vereinbarung mit der DDR. Für uns hat die DDR die Souveränität über ihre eigenen Staatsbürger." Auch die Ausreise mit Papieren des Roten Kreuzes, wie bei den 104 Besetzern der bundesdeutschen Botschaft in Budapest, stellt laut Horvath keine Lösung dar. Was sich bei zehn, zwanzig oder hundert Leuten bewährt, kann man nicht für Tausende oder Zehntausende anwenden.[17]

Am 10. September 1989 ließ die ungarische Regierung unter Ministerpräsident Miklós Németh ihren Beschluss verkünden, diejenigen DDR-Bürger, die sich in Ungarn aufhielten und nicht bereit waren, in ihr Heimatland zurückzukehren, ab Mitternacht in den Westen ausreisen zu lassen. Diese Entscheidung sollte nicht nur in den folgenden Wochen mehreren zehntausend Ostdeutschen die Möglichkeit eröffnen, ungehindert in die Bundesrepublik zu übersiedeln, sondern sie beschleunigte darüber hinaus zweifellos auch den Zusammenbruch des maroden Honecker-Regimes und die Schaffung der deutschen Einheit.

Flucht von Ostdeutschland nach Westdeutschland

Autor: Dipl.-Ing. Hans-Michael Fritz

Beweggründe:
Die politischen und gesellschaftlichen Verhältnisse sowie verschiedene Ereignisse, wie die Zwangskollektivierung des elterlichen Bauernhofes 1960, die Errichtung der Berliner Mauer im August 1961, der Einmarsch der Ostblockarmeen in die Tschechoslowakei im August 1968, Schikane bei der beruflichen Entwicklung, persönliche Einschränkungen der Meinungs- und Reisefreiheit sowie Observation der Familie durch den Staatssicherheitsdienst der DDR, waren die prägenden Einflüsse, die letztendlich zum Entstehen des konkreten Fluchtwillens im Januar 1999 führten.

Fluchtvorbereitung:
Mit Aufkommen des Fluchtgedankens kam zugleich die ernüchternde Erkenntnis, dass bei einer erfolgreichen Flucht die bisherigen intensiven Bindungen zur Familie, insbesondere zur Mutter, wegen des Eisernen Vorhangs eine empfindliche Einschränkung bekommen würden. An eine Besuchsreise war nicht zu denken! Auf das „ungenehmigte Verlassen der DDR" standen Zuchthausstrafen von mehreren Jahren sowie private und berufliche Benachteiligungen von Verwandten.

Zunächst wurde niemand über die Fluchtabsicht informiert, nicht einmal meine Gattin und Tochter. Es sollte im Fall eines Scheiterns niemand in Gewissensnot kommen.

Im Februar 1989 beantragte ich bei der zuständigen Behörde die erforderlichen Einreisepapiere für einen „14-tägigen Urlaub in Ungarn". Die Reisegenehmigung erhielt ich nach einer Bearbeitungszeit (Überprüfungszeit) von 3 Monaten im Mai 1989.

Jetzt war die Zeit reif, um auch meine Familie einzuweihen. Bedrückende Tage und schlaflose Nächte folgten, weil wir befürchteten, Freunde und Bekannte könnten unsere wahren Gedanken lesen. Die Furcht vor einer Aufdeckung blieb permanent, besonders nachdem wir einige wichtige persönliche Utensilien, wie z. B. Zeugnisse, Fotoalben und Tagebücher, in Paketen verstaut an Freunde übergaben. Unsere offizielle Begründung war, wir würden demnächst unsere Altbauwohnung sanieren und es wäre besser, wenn die wertvollen Familienstücke zeitweilig ausgelagert würden.

Als Reisegepäck wurde nur persönliche Wäsche für einen „14-tägigen Urlaub" ausgewählt. Kein Messtischblatt von der Grenzregion, wo die Flucht stattfinden sollte, kein Kompass. Es sollte keinen Hinweis auf die Flucht geben. Nur ein normaler Autoatlas war unsere Hilfe.

Hans-Michael Fritz suchte wenige Monate nach seiner Flucht die Stelle an der ungarisch-österreichischen Grenze auf, die er zusammen mit Frau und Tochter am 27.8.1989 überwand.

Fluchtdurchführung:

Eine sehr belastende Situation war am Abreisetag, als wir die Wohnungstür mit der Gewissheit abschlossen, wahrscheinlich nie wieder durch diese Tür gehen zu dürfen und niemals die gesamte Wohnungseinrichtung wiedersehen zu können. Ich spürte, wie schwer besonders meine Frau unter diesem Gedanken litt. Diese starke seelische Belastung wurde durch die Ängste einer möglichen Entdeckung während der 2-tägigen Pkw-Reise durch Polen, Tschechoslowakei nach Budapest noch zusätzlich überlagert.

In Ungarn, nördlich von Budapest, suchten wir eine Freundin auf und weihten sie kurzerhand ein. Spontane Freude und Hilfe war das Herausragende dieser Begegnung. Sie schrieb uns drei Nachrichten in ungarischer Sprache, die uns als hilfesuchende Flüchtlinge darstellten. Später sollten diese Zettel uns noch wertvolle Hilfe leisten.

Unser Ziel war eine romanische Kirche im Dörfchen JAK, ca. 4 km vom Eisernen Vorhang zum Südburgenland entfernt. Wir mussten uns während der Anreise zur Grenznähe als Touristen ausgeben, um nicht auffällig zu werden. Die Kontaktaufnahme zum Pfarrer der Kirche gelang uns, wobei auch hier die Angst ständig präsent war. Der Pfarrer

Frau Fritz auf österreichischem Boden, angelehnt an einen Grenzpfosten. In diesem Bereich überwand die Familie den Eisernen Vorhang zwischen Ungarn und Österreich.

gab uns bis zur völligen Dunkelheit Asyl und setzte uns dann am Dorfrand gegen 22.00 Uhr aus seinem Pkw ab.

Nun begann eine Odyssee über ca. 12 Stunden. Wir durchquerten insgesamt 5 Stacheldrahtverhaue, stießen auf eine Grenzkaserne, woraufhin uns die ungarischen Grenzer von zwei Seiten zu umzingeln suchten. Jedoch unser Glück war, dass die Grenzer in der Dunkelheit tiefen Morast scheuten, in dem wir steckten.

Später, nach Abzug der Soldaten, irrten wir daraufhin in der finsteren Nacht 2 x im Kreis, waren im Morgengrauen physisch und auch psychisch eigentlich am Ende und wollten uns den ungarischen Grenzern stellen.

Dann der plötzliche Gedanke: Niemals wieder zurück! Wieder ging es im Morgengrauen weiter, ohne in der Busch- und Weidelandschaft jemals die Grenze zu entdecken. Ein ungarischer Bauer half uns die letzten 200 m. Wir hetzten zum völlig im Dorngestrüpp verwachsenen Stacheldraht und krochen mit letzter Kraft hindurch. Niemand hinderte uns daran.

Verunsichert folgte ein vorsichtiger Marsch bis zum ca. 3 km entfernten Ort Oberbildein. Dort griff uns am Sonntagmorgen gegen 9.30 Uhr eine Streife der Zollwache auf. Wir fielen wegen unseres völlig verdreckten Aussehens natürlich auf. Nach kurzer Schilderung unserer Odyssee waren die beiden völlig aus dem Häuschen. Wir seien in ihrem Grenzabschnitt die ersten Ostdeutschen!

Langsam fiel von uns die Anspannung und sie wich der aufkommenden Freude über die gelungene Flucht. Trotzdem überkam uns erst in der sicheren Obhut der Zollwache und später bei der Bezirksstelle des Österreichischen Roten Kreuzes in Güssing das sichere Gefühl der Gewissheit, dass wir in der Freiheit angelangt waren.

Die weiteren Stationen sind schnell erzählt: Nach Erfassung der persönlichen Daten und einer überaus warmherzigen und großzügigen Unterstützung durch Angehörige des Österreichischen Roten Kreuz in Güssing gings mit einem Linienbus nach Wien. Am nächsten Tag Aufnahme in der Botschaft der Bundesrepublik Deutschland und am Abend Weiterreise mit einem D-Zug zum Durchgangslager Gießen im Bundesland Hessen. Dort folgte ein 2-tägiger Aufenthalt (Unterkunft in einer Turnhalle der Gemeinde Garbenheim bei Wetzlar). Unsere Odyssee endete glücklich nach 8 Tagen bei Verwandten in München.

Unser tiefer Dank gilt noch heute all denen, die uns in Ungarn, im Burgenland, in Wien und nicht zuletzt auch in Deutschland bei diesem schweren Weg halfen.

Erich Mielke über die Bürger der DDR – 31. August 1989[18]

[...] Warum, also sie [die Bürger der DDR] anerkennen die Vorzüge des Sozialismus und alles, was der Sozialismus bietet an Vorzügen, aber trotzdem wollen sie weg, weil, das betrachten sie als Selbstverständlichkeit [die sozialpolitischen Maßnahmen in der DDR, der Wohnungsbau u.a.] und gehen darüber hinweg und kommen dann mit allen möglichen anderen Gründen, die sie vorschieben; deshalb wollen sie weg. [...] Der Sozialismus ist so gut; da verlangen sie immer mehr und mehr. So ist die Sache. Ich denke immer daran, als wir erlebten, ich konnte auch keine Bananen essen und kaufen, nicht, weil es keine gab, sondern weil wir kein Geld hatten, sie zu kaufen. Ich meine, das soll man nicht so schlechthin nehmen; das soll man ideologisch nehmen, die Einwirkung auf die Menschen. [...]

Dienstbesprechung beim Minister für Staatssicherheit, 31. August 1989. In: Deutschland Archiv 4/1990, S. 614.

Das Politbüro diskutiert das Fluchtproblem – 12. September 1989

[Mittag]: Seit der letzten [Politbüro-]Sitzung gibt es eine Reihe von Veränderungen, insbesondere die Schleusungen von DDR-Bürgern aus Ungarn in die BRD. Es sind ca. 10.000. [...] Was Ungarn gemacht hat, ist der Bruch der Vereinbarungen mit der DDR unter dem Denkmantel des Humanismus. [...] Ungarn ist nicht mehr Ungarn wie vor zwei oder 10 Jahren. [...] Die erste Frage für mich ist, das Loch Ungarn zuzumachen, um keine neuen Sachen anlaufen zu lassen. [...] Wir sollten intern regeln, die Ausreisen nicht mehr so global durchzuführen wie bisher. Wieso müssen die wackligen Kandidaten fahren? Diese interne Regelung darf allerdings nicht unsere Partei und die Masse der Bevölkerung betreffen. Wir würden sie verärgern. [...] Da Ungarn Transitland ist, müssen wir das auch für Bulgarien und Rumänien prüfen. Wir müssen auch die Lage an der Grenze ČSSR/Ungarn prüfen. Denn die ČSSR brauchen wir unbedingt für den Reiseverkehr. [Für Verhandlungen über die Wirtschaftsbeziehungen] müssen [wir] prüfen, was sich aus der Kooperation mit Ungarn lösen läßt, denn der Kurs Ungarns geht in Richtung EG. [... Es] ist [jetzt] eine Weltkampagne geworden, die durch den Verrat der Ungarn noch erweitert wird. [...] Nach dem 40. Jahrestag der DDR müssen wir einiges analysieren, was mit der Weiterführung unserer Politik zusammenhängt. Bei uns sind natürlich Kräfte vorhanden, die jetzt aufgemöbelt werden.
[Hager]: Wir sollten den Reiseverkehr nach Ungarn so kontrollieren, daß nicht die Falschen fahren, ansonsten wäre ich für eine Suspendierung. [...] Es steht überhaupt die Frage, was wir mit diesem sogenannten Bruderland machen. Wir sollten unseren Botschafter zur Berichterstattung zurückrufen. [...]
[Stoph]: [...] Wir sollten [...] an die verantwortlichen Genossen in der ČSSR, Rumänien und Bulgarien herantreten, ob sie mehr Urlauber aus der DDR aufnehmen können. Den Botschafter aus Ungarn zurückzurufen, ist überlegenswert. [...] Wir

müssen [die BRD] immer wieder darauf verweisen: Wer Beziehungen zum Staat DDR hat, muß auch akzeptieren, daß dieser Staat Staatsbürger hat. Intern müssen wir analysieren, warum solche Menschen abhauen. Wir müssen noch mehr mit den Bürgern in ein vertrauensvolles Verhältnis kommen, denn es gibt Kritiken, Unzufriedenheit usw. Aber das kann ja nicht der Grund sein, warum man alles im Stich läßt. [...] [Keßler]: [...] Unseren Botschafter aus Ungarn dürfen wir nicht abberufen. Genau das wollen sie. [...]

[Axen]: [...] Den Botschafter sollten wir jetzt nicht zurückziehen. [...] [Hager, protestierend]: Ich bin doch nicht das Sprachrohr des Gegners. Ich habe mir doch den Vorschlag, den Botschafter zurückzurufen, gut überlegt. [Axen]: Das will ich Dir doch gar nicht unterstellen. Der Hauptfeind ist die BRD, nicht Ungarn. [...]

[Böhme]: Es ist richtig, die Reisen nach Ungarn dosiert zu behandeln, aber das darf sich nicht gegen die Masse der Bevölkerung richten. [...] Das würde sie gegen uns aufbringen. Wir sollten den Botschafter nicht zurückziehen. Die [Protest-]Note an Ungarn ist gut. [...] Aber wir brauchen auch eine staatsoffizielle Erklärung. Ich bin dafür, die Ursachen zu untersuchen, aber der größte Teil ist Opfer des ideologischen Klassenkampfes. [...] Ein großer Teil [der Fluchtwilligen] ist mit dem Kopf schon länger in der BRD. [...]

[Mielke]: [...] Der Vorschlag zur Kontrolle [der Reisen] nach Ungarn ist intern. [...] Die Sache mit der BRD-Botschaft in Prag soll nach dem Berlin-Beispiel geklärt werden. Der BRD-Botschafter wollte den ČSSR-Außenminister unter Druck setzen. Er hat das abgelehnt, [sie] [Die West-SPD ist] dabei, in der DDR eine SPD gründen zu wollen. [...] Die Hetze gegen Erich Honecker überschlägt sich. [...] Die entscheidende Frage ist: der Feind schlägt gegen die Partei. Auch bei Privatreisen [in dringenden Familienangelegenheiten] bleiben viele weg. Es entstehen zum Teil empfindliche Lücken [...].

[Sindermann]: [...] Ehmke hat mir heute früh mitteilen lassen, daß der Besuch [einer Delegation der Bundestagsfraktion bei der Volkskammer] für die SPD einen hohen Stellenwert hat. Er werde zeigen, daß man auch in schwierigen Zeiten mit der SED reden kann. Wir sollten das wahrnehmen und ihnen alles sagen, was wir zu sagen haben. Was sich der

Westen gegen Erich Honecker leistet, ist wie zur Zeit der faschistischen Judenpogromhetze. [...] [Tisch]: [...] Ich bin darauf eingestellt, daß es [bei meinem Besuch beim DGB in der BRD] zu Provokationen kommt. [...] Es gibt [...] keine Anzeichen für Streiks oder nach Forderungen nach neuen Gewerkschaften. Wir müssen aber darauf eingestellt sein.

[Hager]: [...] Was die Ursachen [der Republikflucht] betrifft, stehen wir vor der Notwendigkeit, in einer der nächsten Sitzungen die gesamte politische Situation einzuschätzen. Wo liegen die Ursachen, daß viele junge Leute die DDR verlassen. Wir müssen das mit konkreten Schlußfolgerungen analysieren, was sich verändern muß. Wir können den [XII.] Parteitag [1990] nicht nur mit Kontinuität vorbereiten, sondern auch mit Erneuerung. [...] Wir haben mittlerweile 250.000 Alkoholiker in der DDR. Ich habe Informationen von Schriftstellern, die regelrechte Hoffnungslosigkeit widerspiegeln. [...]

[Dohlus]: [...] Niemand darf nervös werden. Wir müssen Ruhe bewahren und das nach unten bis in die Grundorganisationen spüren lassen. [...] Die Entwicklungen in Polen, Ungarn und in der Sowjetunion haben eine große Wirkung und Unsicherheit in unserer Partei ausgelöst. [...] Viele Genossen sagen, man müsse die Ursachen auch im eigenen Land erforschen. Sie fragen, warum gehen so viele Jugendliche. Man muß die Arbeit unter der Jugend verbessern. Alle Massenorganisationen müssen Position beziehen. Wir haben bisher 270.000 Anträge an den Parteitag. An der Grundtendenz wird sich nichts ändern. [...]

[Mittag]: Es war wichtig, sich auszutauschen. Das war eine gute Aussprache, um zu einem Gesamtbild zu kommen. Wenn man bestimmte Sendungen sieht, muß man erst einmal Std. Luft holen. [...] Die Schritte gegenüber Ungarn müssen wir uns gut überlegen. Der Gegner will uns mit allen Mitteln gegeneinander aufbringen. [...] Die Note an Ungarn ist sofort zu übergeben und der Inhalt zu veröffentlichen. [...] Was die Ursachen [der Fluchtbewegung] anbetrifft und was wir verändern müssen, so sollte jeder in seinem Verantwortungsbereich schon beginnen. Dabei sollten wir aufpassen, daß wir nicht neue Dinge ins Spiel bringen. Der Alkoholismus ist wirklich ernst, aber wir sollten den Zeitpunkt überlegen, um nicht neue Angriffs-

punkte zu schaffen. Wir müssen sehen, was unsere Bevölkerung bewegt. Bei uns hungert und friert keiner. Was die Ausreisenden in Ungarn betrifft, so wollten sie schon immer raus. Was unsere Grenztruppen, Schutz- und Sicherheitsorgane leisten, ist enorm. Der mündige Bürger der DDR muß einen Paß haben und nicht Einlagen im Personalausweis. Das ist nicht richtig. [...]

Protokoll der Sitzung des Politbüros vom 12. September 1989. In: SAPMO-BArch, DY 30/IV 2/2039 (Büro Krenz)/77, Bl. 27 – 34.

Diskussion und Stimmungen der Bevölkerung des Bezirkes zu aktuellen Ereignissen (AKG 33/5/171) – 7. September 1989

Meinungsäußerungen zum Aufenthalt von DDR-Bürgern in der Ständigen Vertretung der BRD und in Botschaften der BRD sowie zum Mißbrauch von Aufenthalten im sozialistischen Ausland, insbesondere in der VR Ungarn, zum ungesetzlichen Verlassen der DDR stehen weiterhin im Mittelpunkt der Reaktionen der Bevölkerung des Territoriums.

Typisch für die Reaktionen des Großteils der Bevölkerung sind

- *die Verurteilung und Distanzierung vom Verhalten der DDR-Bürger, die diplomatische Einrichtungen der BRD oder Aufenthalte in der VR Ungarn zum ungesetzlichen Verlassen der DDR mißbrauchen;*
- *zunehmendes Unverständnis darüber, daß die Massenmedien der DDR nicht über „konkrete Zahlen und Fakten zu Botschaftsbesetzern" berichten bzw. Handlungen des ungesetzlichen Verlassens „totschweigen";*
- *Äußerungen zu möglichen Ursachen und Beweggründen für das feindlich-negative Verhalten dieser DDR-Bürger;*
- *Erwartungshaltungen und Spekulationen über gravierende Einschränkungen im Reiseverkehr in die VR Ungarn.*

Die Mehrheit der Bürger lehnt die Handlungsweise der über die VR Ungarn die DDR ungesetzlich verlassenden DDR-Bürger ab und spricht von einem massiven Vaterlandsverrat, wie er in der Geschichte der DDR nur in den 60er Jahren über

die damals offene Grenze zur BRD vorgekommen sei. Gegen „Botschaftsbesetzer" solle der Staat konsequenter vorgehen, denn durch derartige Aktionen werde den Rechtskräften in der BRD die Möglichkeit eröffnet, die DDR gezielt zu diskreditieren.

In vielen Gesprächen wird sich verstärkt mit den „Ursachen" für eine derartige „Massenflucht" beschäftigt.

Jugendliche des Kreises Suhl, die zu touristischen Aufenthalten in der VR Ungarn weilten, brachten zum Ausdruck, daß durch die massive Hetzkampagne westlicher Medien in der VR Ungarn mancher „schwankende DDR-Bürger" noch überredet worden und einfach mitgelaufen sei.

Viele DDR-Bürger wüßten eigentlich gar nicht, wie ihre „Flucht" erfolgen solle.

So habe beispielsweise der in Ungarn gut zu empfangene „Deutschlandfunk" alle halbe Stunde Meldungen über „DDR-Flüchtlinge" gebracht, genaue Fluchtwege beschrieben und Stellenangebote offeriert.

Dennoch seien sich beispielsweise alle 2.000 DDR-Bürger des Sammellagers in Buda, das sich auf dem Gelände einer Kirche befindet, einig, nicht in die DDR zurückzukehren. Wenn sie nicht in die BRD ausreisen dürften, blieben sie eben in Ungarn. Beschäftigte der GHG Technik/Kulturwaren/Sportartikel äußerten, die jetzige Situation resultiere aus „Fehlern der Vergangenheit".

Derartige „Fehler" hätten in der VR Polen dazu geführt, daß beispielsweise „Solidarnocz" die Macht bei der Regierungsbildung ergreifen konnte; in der DDR seien eben „Massenfluchten" die Folge. Die Regierung der DDR stehe diesen Aktionen quasi hilflos gegenüber. Um das Problem der Übersiedlungswilligen zu klären, sei es am besten, alle diejenigen DDR-Bürger weggehen zu lassen, nachdem sie die Kosten für die Ausbildung zurückerstattet hätten.

Lehrer und Erzieher der Kreise Suhl und Hildburghausen stellen die Frage, warum gerade so viele Jugendliche und Jungerwachsene die DDR ungesetzlich verlassen bzw. verlassen wollten. Nachdenklich stimme, daß diese Jugendlichen alle das sozialistische Bildungssystem der DDR durchlaufen und die staatliche Fürsorge für die junge Generation genossen hätten. Wenn Erziehung und Bildung so wenig nachhaltigen Einfluß hinterließen, könne doch etwas in der staatsbürgerlichen Erziehung nicht stimmen.

In Diskussionen älterer Arbeiter und Angestellter der VEB Kraftverkehr Neuhaus, Thüringer Behälterglas Schleusingen und BMK Zella-Mehlis sowie von Mitgliedern der befreundeten Parteien kommen Ratlosigkeit und Sorge über die gegenwärtige innenpolitische Lage in der DDR zum Ausdruck. Sie bewegende Fragen wie z.B.

- Wie soll der 40. Jahrestag der DDR würdig gefeiert werden, wenn viele DDR-Bürger dem Land den Rücken kehren und die DDR durch ihre „Stillhaltepolitik" internatonal so in Mißkredit gebracht wird?
- Warum wollen gerade so viele junge Menschen, denen in der DDR alle nur denkbare Möglichkeiten der persönlichen Entfaltung geboten werden, das Vaterland verlassen?

blieben meistens auch durch die unmittelbaren Vorgesetzten und Leiter unbeantwortet.

Arbeiter und Angestellte der VEB Feinmeßzeugfabrik Suhl, Schrauben- und Normteile Hildburghausen, Elektrogerätewerk Suhl sowie Pädagogen des Institutes für Lehrerbildung Meiningen heben hervor, daß Eltern gegenüber ihren minderjährigen Kindern unverantwortlich handelten, wenn sie diese zum Beispiel unter Druck und gegen ihren Willen aus der sozialen Geborgenheit der DDR herausreißen würden.

In Gesprächen unter Angestellten des Hotels „Panorama" Oberhof und Mitarbeitern des FDGB-Feriendienstes kommt zum Ausdruck, daß die mangelhafte Versorgung der DDR-Bürger mit Waren der 1000 kleinen Dinge, Kfz-Ersatzteilen, modischer Damen-, Herren- und Kinderbekleidung sowie mit jahreszeittypischem Obst und Gemüse eine Ursache für die derzeitige „Massenflucht" über die VR Ungarn und Österreich in die BRD sei. Insgesamt sei in der DDR nach 40 mehr oder weniger erfolgreichen Jahren das Bild des Sozialismus unattraktiv geworden.

Antragsteller auf ständige Ausreise aus der DDR und kirchliche Amtsträger des Kreises Bad Salzungen sehen auch in den gegnerischen Argumenten über eine angebliche „Entmündigung der DDR-Bürger", die „Einschränkung der Freizügigkeit der Gedanken und des Handels", sowie „die Reglementierung und Bevormundung in vielen Entscheidungen des täglichen Lebens" Gründe und Ursachen für die gegenwärtige Lage in der DDR.

Einzelmeinungen von Angehörigen der technischen und medizinischen Intelligenz des Bezirkes beinhalten, daß bei ernsthafter Betrachtung der zugespitzten „Ausreisesituation" und in einer breiten, offenen Diskussion über die reale Verwirklichung der Gesellschaftsstrategie von Partei und Regierung das Mißtrauen und die Ratlosigkeit vieler Bürger beseitigt werden könne.

In Gesprächen wird von Geschäftsleuten, Verkaufspersonal und Bürgern aus Mellrichstadt, Bad Neustadt und Ostheim/BRD die Meinung vertreten, daß in der DDR etwas nicht in Ordnung sein könne, wenn so viele Bürger „in den Westen abhauen" wollten. Immer wieder wird die Frage gestellt: „Was wollen die denn alle hier?" und betont: „Die denken wohl, sie kommen ins Schlaraffenland? Die werden sich munter umgucken; denn bei uns werden sie das Arbeiten lernen müssen, oder sie gehen unter. Die sollen bleiben wo sie sind, wir haben selbst genug eigene Probleme mit Arbeitslosen und Wohnungssuchenden."

Arbeitern und Angestellten aus Tann und Kleinfischbach/BRD ist völlig unverständlich, daß selbst „hochbegabte und intelligente Fachleute" in der DDR Familie, Bekannte, Haus, Hof und Auto sowie alles Hab und Gut zurücklassen, um in der BRD ein ungewisses und schwieriges Leben zu beginnen.

Die Ursache für diese „Massenflucht" wird in erster Linie in den gesellschaftlichen Verhältnissen in der DDR gesehen. Vereinzelt wird aber auch eingestanden, daß die BRD-Massenmedien offen und skrupellos DDR-Bürger inspirieren und direkt auffordern, ihr Land zu verlassen.

Es wird weiter eingeschätzt, daß die gegenwärtig auf der Tagesordnung stehenden ungesetzlichen Grenzübertritte von DDR-Bürgern über die VR Ungarn in erster Linie innenpolitische Ursachen hätten, die seitens der BRD-Regierung als Propaganda für die nächste Bundestagswahl und zum Erhalt von billigen, gut ausgebildeten Fachkräften auf dem Arbeitsmarkt mißbraucht würden. Der nicht mehr zu überbietende Rummel um die DDR-Flüchtlinge in der BRD füge sich nahtlos in die politischen Kampagnen der vergangenen Jahre ein, als es darum ging, die Anerkennung der DDR als selbständigen Staat zu verhindern, die DDR international zu isolieren und in Mißkredit zu bringen.

Teilnehmer einer Studiengruppe der VVN-BdA Hessen/BRD, die zum Tagesaufenthalt in der DDR weilten, sehen als Gründe der „Flüchtlingswelle" an, daß die DDR die Eigeninitiative der Bürger bremse, Entwicklungsmöglichkeiten nur für „politisch richtig liegende" Bürger bestünden und die DDR insgesamt nicht reformwillig sei.

DIE LAGE BIS ZUM 19. SEPTEMBER 1989

Über die Lage der Abwanderung aus der DDR berichtete die Bezirksverwaltung des MfS am 19. September 1989 dem Rat des Bezirkes:
Insbesondere die zeitweilige einseitige Außerkraftsetzung grundsätzlicher Bestimmungen des Abkommens zwischen der Regierung der DDR und der Regierung der UVR über den visafreien grenzüberschreitenden Verkehr vom 20.6.69 begünstigt solche Handlungen.

Ein sprunghafter Anstieg vollzieht sich seit dem 1.7.89 unter Mißbrauch genehmigter Reisen in die bzw. durch die UVR. Von 23.871 Personen, die vom 1.1.09 bis 15.9.89 in bzw. durch die UVR reisten, haben 215 Personen, darunter 46 Kinder, die DDR ungesetzlich verlassen, davon 213 Personen seit dem 1.7.89.
2,14 % der seit dem 1.7.89 genehmigten Reisen wurden zum ungesetzlichen Verlassen mißbraucht. 56 % dieser Straftaten begingen Familien und Ehepaare gemeinsam.
Aus den bisherigen Erkenntnissen lassen sich unter Berücksichtigung der Einwohnerzahlen der Kreise noch keine territorialen Schwerpunkte erkennen. Aufgeschlüsselt auf die Kreise ergibt sich folgender Anfall von Personen:

Bad Salzungen –	37	*Hildburghausen –*	22
Ilmenau –	27	*Meiningen –*	31
Neuhaus –	6	*Schmalkalden –*	19
Sonneberg –	28	*Suhl –*	45

In der Bezirksstadt Suhl, den Kreisstädten Sonneberg, Meiningen, Ilmenau, Bad Salzungen und der Stadt Bad Liebenstein ist der höchste Personenanfall zu verzeichnen.

Bezogen auf Bereiche sind Schwerpunkte Industrie, Gesundheitswesen, Volksbildung, Dienstleistung, Gastronomie, Bauwesen und Land-, Nahrungsgüterund Forstwirtschaft.

Konzentrationspunkte sind folgende Objekte und Berufsgruppen

- *BKH Suhl und BKH Meiningen - (Ärzte, Assistenten, Krankenschwestern)*
- *VEB Kalibetrieb „Werra", WfTG Ilmenau, Robotron Meiningen, RAW Meiningen, Fajas Suhl, Anlagenbau Suhl, EKS Sonneberg, WAB Sonneberg, Kaltwalzwerk Bad Salzungen,*
- *Mikroelektronik Ilmenau – (Arbeiter, Angestellte, technische Intelligenz)*
- *Dienstleistungswesen – (Friseure)*
- *Gastronomie und Handel – (Kellner, Köche, Gaststättenleiter, Verkäuferinnen)*
- *Volksbildung – (Lehrer, Erzieher)*
- *9 Studenten verschiedener Einrichtungen.*

Etwa 40 % der angefallenen Personen ist im Alter zwischen 25 und 40 Jahren und 30 % im Alter zwischen 18 und 25 Jahren.
Drei Personen waren Antragsteller auf ständige Ausreise aus der DDR.
Alle Personen lebten in gesicherten sozialen Verhältnissen und reisten überwiegend mit Privat-PKW.[19]

Das Fazit dieser Studie ist erschreckend und müsste den leitenden Herren des Bezirks wie ein Menetekel erschienen sein. Das MfS bilanzierte:

Nach der Mitte August von westlichen Massenmedien verstärkt propagierten „Ausreise-Flucht-Welle" zum ungesetzlichen Verlassen der DDR durch Bürger der DDR über die Staatsgrenzen der UVR, der ČSSR und zum Aufenthalt von mehreren hundert DDR-Bürgern in den Botschaften der BRD in der UVR, der ČSSR sowie der Ständigen Vertretung der BRD in Berlin wuchs das Interesse weiter Teile der Bevölkerung, mehr Informationen, seien es positive zur Argumentation oder negative für Erwartungen, Spekulationen oder Sensationen, zu erhalten.
Deshalb wurden verstärkt und gezielt Sendungen der Massenmedien der BRD verfolgt,

„ausgewertet", kommentarlos übernommen und in diesem Zusammenhang die Informationspolitik von Partei und Regierung kritisiert, die anscheinend unbeteiligt und machtlos dieser „Fluchtwelle" gegenübergestanden habe. Außer mehrfacher Wiederholung des Angebotes der Straffreiheit bei Rückkehr in die DDR seien keine Handlungen sichtbar gewesen.

Von Bürgern des Bezirkes, die Touristenreisen in die UVR durchführten, wird eingeschätzt, daß insbesondere die Jugendlichen und Jungerwachsenen aus der DDR den massiven Abwerbungsversuchen der BRD- und „westdeutschsprachigen" UVR-Massenmedien nicht gewachsen waren und sich von dem auf sie einströmenden „Schaufenstereffekt" und den versprochenen und auch von offiziellen Regierungsstellen der BRD zugesagten Möglichkeiten blenden ließen. Ideologisch gefestigte Bürger brachten ihre Empörung darüber zum Ausdruck, wie sich auch ungarische offizielle Stellen, Medien, Organisationen und Einzelpersonen als „Fluchthelfer" und „Kopfgeldjäger" an dieser stabsmäßig vorbereiteten Aktion beteiligten. Als begünstigende Bedingung wird die unmittelbare Konfrontation mit der Attraktivität des Tourismus für BRD-Bürger in der UVR (Rolle der BRD-Währung) und dem Widerspruch zwischen dem Angebot sowie den Konsumtionsmöglichkeiten von DDR-Bürgern in einem befreundeten sozialistischen Land trotz der täglichen Mitteilung der Staatsbank der DDR im ND über den amtlichen Umtauschsatz Mark der DDR – DM angesehen.

Aufgrund der fehlenden Hintergrundinformationen über die tatsächliche Lage in der UVR und der zu erwartenden Entwicklungen fiel die feindliche Beeinflussung bei vielen, insbesondere im Klassenkampf unerfahrenen DDR-Bürgern, auf fruchtbaren Boden. In diesem Zusammenhang wurden auch Rückschlüsse auf die Lage in der DDR abgeleitet und die Aufteilung der DDR-Bevölkerung nach Kreisen, die über BRD-Währung verfügen und solchen, die keine Kontakte bzw. Verbindung in das NSA haben, kritisiert. Durch diesen Umstand würde die Losung der Partei, für gutes Geld sich auch gute Ware leisten zu können, ins Gegenteil verkehrt.

Klassenbewußte Arbeiter schätzen ein, daß die Regierung der DDR zu lange zusehe, wie analog der Zeiten des „kalten Krieges" der Menschenhandel und das massierte Ausschleusen von DDR-Bürgern betrieben und die großangelegte Empfangsshow nicht aus Nächstenliebe, sondern aus eiskalter Berechnung seitens der BRD betrieben werde.

Neben der Besorgnis unserer Bevölkerung, wie die fehlenden, aber fest eingeplanten Arbeitskräfte zu ersetzen sind, wird mehr und mehr versucht, die Ursachen für eine solche „Massenflucht" zu finden. Produktionsarbeiter aus den VEB Kombinaten Fajas, KSGS, TGI, Henneberg-Porzellan Ilmenau, MSN vertraten den Standpunkt, daß unsere Partei- und Staatsführung durch die ständige Nachsicht, durch Zugeständnisse u.a. der Zusicherung von Straffreiheit, Botschaftsbesetzungen begünstigte und Bürger zu Antragstellungen auf ständige Ausreise ermutige.

Von den Arbeitern der genannten Kombinate gibt es u.a. Forderungen nach mehr Konsequenz bei der Durchsetzung von Ordnung und Disziplin und des sozialistischen Rechts. Für sie habe es den Anschein, daß es immer mehr Personen möglich wird, ihre Interessen durch Druck, Erpressung oder durch Beziehungen durchzusetzen.

Nach Auffassung der Arbeiter gäbe es zu viele Unzulänglichkeiten, Ungerechtigkeiten, aber auch Privilegien.

Arbeiter und Angestellte der VEB (K) EGS, Sportgeräte Schmalkalden, Kraftverkehr Suhl und Medizinmechanik Suhl, Mitarbeiter des Staatsapparates, Leitungskader aus Großbetrieben und ältere Genossen sind besorgt über die ihrer Meinung nach komplizierte innenpolitische Lage, erwarten, daß Veränderungen im Umgang von BRD und DDR die Folge des geschäftsmäßig aufgezogenen Spektakels sein müsse oder fordern eine sofortige Abgrenzung von der BRD. Es käme jetzt vor allem darauf an, etwas für die Attraktivität des Sozialismus in der DDR zu tun und nicht nur darüber zu reden.

Auf die Feststellungen, warum gerade so viele junge Bürger die Republik verlassen haben, suchen Pädagogen, aber auch ältere Bürger, eine Antwort zu finden. Als Ursachen werden Fehler, Schwächen und Mängel in der pädagogisch staatsbürgerlichen Arbeit angesehen.

Es gäbe in der DDR zu wenig streitbare Politiker, die junge Menschen begeistern und mitreißen können.

Soziale Geborgenheit, unser Bildungssystem und das Leben in Frieden werden als Selbstverständlichkeiten hingenommen und vom täglichen Einerlei, aber auch durch Erfahrungen in der Praxis verdrängt.

Durch Jugendliche und Jungerwachsene wird die Perspektivlosigkeit in der DDR unter anderem auch auf die langen Wartezeiten bei PKW und der für sie unerschwinglich erscheinenden Verkaufspreise des Wartburgs 1.3. und des Trabants 1.1. bezogen. Aus dem Bereich des Gesundheitswesens des Bezirkes gibt es wenige Reaktionen auf Mißbrauchshandlungen zum ungesetzlichen Verlassen der DDR oder auch auf ASTA, obwohl dadurch z.B. am Institut für Pathologie des BKH eine prekäre Arbeitskräftesituation eingetreten ist.

Es häuften sich Austrittserklärungen aus der SED, der DSF, dem FDGB und die Forderung nach strikter Abgrenzung der medizinischen Arbeit von ideologischen Problemen – also nur Arzt zu sein. Leitende Ärzte enthielten sich in geforderten Stellungnahmen zum ungesetzlichen Verlassen ihrer Mitarbeiter der Stimme und verwiesen darauf, Partei und Regierung sollten sich erst einmal dazu äußern. Sie ständen diesen Problemen ratlos gegenüber und äußerten sich verstärkt negativ zur medizinischen Grundversorgung, Einzelmeinungen der medizinischen Intelligenz beinhalten, daß bei ernsthafter Betrachtung der zugespitzten „Ausreisesituation" und in einer breiten, offenen Diskussion über die reale Verwirklichung der Gesellschaftsstrategie von Partei und Regierung das Mißtrauen und die Ratlosigkeit vieler Bürger beseitigt werden könne.

Mitglieder der Blockparteien verurteilen die initiierte Massenhysterie zur „Massenflucht in die Freiheit" und sind der Auffassung, daß der Sozialismus in der DDR durchaus große Vorzüge habe, es gegenwärtig jedoch so aussehe, als biete der Kapitalismus in der BRD den Menschen das, was sie in der DDR vermissen. Ursachen für das ungesetzliche Verlassen der DDR seien vor allem darin zu sehen, daß die Bürger „zu sehr kommandiert, bevormundet und gegängelt" würden. Die ständige „Besserwisserei von Funktionären" und die „Schwarz-Weiß-Malerei" in den DDR-Massenmedien führe eindeutig zu Verhärtungen im Stimmungsbild der Bevölkerung. Generell seien alle die genannten Probleme jedoch kein Grund, die DDR zu verlassen.

Kirchliche Amtsträger und kirchlich engagierte Personen sprechen sich gegen die Bestrebungen von Bürgern zum Verlassen der DDR aus.

Ihrer Meinung nach sollten in der DDR Veränderungen angestrebt werden.

Bürger der BRD bringen ihr Unverständnis über die Gelassenheit der DDR-Führung in dieser Frage zum Ausdruck. Man habe seit einiger Zeit das Gefühl, daß es keine DDR-Führung mehr gebe und vieles dem Selbstlauf überlassen wird.

Die „lenkende Hand", wie Erich Honecker in BRD-Kreisen genannt wird, wäre nicht spürbar. Erich Honecker würde Gefahr laufen, trotz seiner Verdienste und seines hohen persönlichen Einsatzes für die DDR dasselbe Schicksal zu erleiden wie Walter Ulbricht.

BRD-Bürger aus dem grenznahen Raum, so z.B. aus Königshofen, Coburg und Mellrichstadt, können nicht verstehen, warum so viele DDR-Bürger in ein Land der Ungewißheit und Unsicherheit gehen. Dies sei vielen BRD-Bürgern nicht recht, da Unsummen von Staatsgeldern ihnen verloren gingen.

Sie vertreten die Meinung, daß viele DDR-Bürger im kapitalistischen Wirtschaftsregime das Arbeiten erst einmal lernen und sich in punkto Disziplin und Auslastung der Arbeitszeit gewaltig umstellen müßten[20].

Die Grenzorgane in der Zeit des Umbruchs

VON DER WENDE BIS ZUM ENDE

Harald Hentschel,
Grenzkreiskommando Bad Salzungen

Vorbemerkung

Harald Hentschel, geboren am 9. Mai 1950 als erstes von 5 Kindern, wuchs in einem kleinen Dorf im Kreis Querfurt auf, lernte Schlosser nach dem Abitur und besuchte dann die Offiziershochschule der Grenztruppen in Plauen/Vogtl. Bei den Grenztruppen stieg er vom Zugführer bis zum Leiter der Politabteilung eines Grenzregiments und Stellvertreter des Regimentskommandeurs auf. Entlassen wurde er am 30.09.1990. Sein letzter Dienstgrad war Oberstleutnant. Die folgenden Seiten widmet er *all jenen, die als Grenzer treu und gewissenhaft ihre Pflicht erfüllt haben.*

Vom 9.11.1989 bis zum 30.09.1990 hat Harald Hentschel ein Tagebuch geführt. Die wesentlichen Ereignisse dieser Zeit sowie Harald Hentschels Gedanken und Gefühle dazu, sind hier so zu lesen wie er sie damals niedergeschrieben hat. Herr Hentschel, der diese Tagebucheintragungen freundlicherweise nach gründlicher Überlegung und auch aus Achtung vor der „Leistung der Grenzer", wie er sagte, zur Verfügung gestellt hat, *möchte damit einen kleinen Beitrag leisten, ein realeres Bild über die Grenze und die Grenztruppen zu schaffen.* Er möchte aber auch deutlich machen, dass alle Ereignisse und Entscheidungen immer in die jeweilige Zeit eingeordnet werden müssen und nur von daher richtig zu werten sind. Was nachfolgend zu lesen ist, sind Auffassungen, Ansichten und Überzeugungen aus der damaligen Zeit, ohne Kommentare und Zusätze aus heutiger Sicht. Da aus den Reihen der Grenztruppen kaum jemand Tagebuch geführt hat und alle dienstlichen Unterlagen befehlsgemäß geschreddert wurden, ist dieser Beitrag ein ungeheuer wertvolles Zeitdokument.

1. Teil des Tagebuches des Oberstleutnants Harald Hentschel

Ereignisse und Reflektionen bis Ende 1989

Von Mai 1989 bis 9.11.1989 gab es im Grenzkreiskommando Bad Salzungen (vorher Grenzregiment 3):

* 8 Parteiaustritte
* tiefer Einschnitt – Fahnenflucht eines Leutnants vom RMP (Regimentsmedpunkt)
* Anfang November erste Parteiaustritte von jungen Offizieren – ich konnte es nicht fassen, weil meine Überzeugung die ist, daß es gerade jetzt, in schwerer Zeit, wichtiger denn je ist, zum Staat, zur Partei zu stehen.
* 06.11.1989
Gespräch mit dem katholischen Pfarrer von Dermbach, Herrn Schollmeyer – bitte Einfluß nehmen bei der Predigt, daß sich die Leute vernünftig verhalten sollten. (Es gab Informationen über mögliche Übergriffe auf militärische Objekte)
* abends Forum mit Jugendlichen im Jugendclub Dermbach
* 07.11. 19.00 – 01.30 Uhr
Forum mit Bürgern in Oberalba – erste persönliche Angriffe: „Rote raus"; „Euch müßte man aufhängen!" (ca. 150 Teilnehmer)
* 09.11.1989
Forum in Unteralba, ca. 250 Teilnehmer. Ich sehe glückliche Gesichter – und sehe haßerfüllte – von Leuten, mit denen ich jahrelang im Elternaktiv gesessen habe, deren Kinder mit meinen gespielt haben, plötzlich Haß und Feindschaft. Was ist auf einmal passiert? Ich bin fassungslos, Wut kommt in mir hoch. Ich bin doch nicht anders als gestern oder vor einem Jahr. Warum dieser Haß?
* 09.11.1989
Schabowski verkündet Grenzöffnung – meine Notiz:
„Das Chaos nimmt seinen Lauf – das ist das Ende des Sozialismus, meiner militärischen Laufbahn – meine Welt bricht zusammen. Alles, wofür ich gedient habe – es ist vorbei!"

Handschlag an der innerdeutschen Grenze zwischen DDR-Grenzaufklärern und einem Beamten des Bundesgrenzschutzes, aufgenommen nach dem 9. November 1989.

* 11. zum 12.11.1989 – mein schlimmster Tag der gesamten Dienstzeit:
* 19.35 Uhr:
  Befehl vom Kommando der Grenztruppen. Es wurde gefordert, über Nacht die Grenzmauer an der Werrabrücke bei Vacha wegzureißen, eine Straße von ca. 3 km Länge samt Fußweg zu bauen.

  Die ganze Nacht über zig Telefonate: Befehl – Widerruf – Befehl – Widerruf – Als dann Heinz Schubert am Telefon war, war ich froh, denn er kannte als früherer Kommandeur den Abschnitt und wußte um die Realität. Die chaotischste Dienstnacht endete am Sonntag um 08.07 Uhr und Herr Bergmann, der Stellvertreter des Vorsitzenden des Rates des Kreises passierte als erster einer Schlange von Hunderten Fahrzeugen die Grenze.
* 12.11.1989 gegen 11 Uhr
  war ich nach über 30 Stunden Dienst zu Hause. Unsere erste Grenzübergangstelle (GÜST) war eröffnet. Bis dahin hatten wir keine einzige und wir waren auch das einzige Grenzregi-

ment, das nie eine Grenzübergangsstelle hatte. Das sollte sich in den nächsten Tagen ändern.
* 13.11.1989
  „Blitzartig" nach Geisa, angekündigt war die Stürmung der Grenzanlagen durch ca. 2.000 Personen.

  Ca. 25 Personen mit Kerzen kamen an das GSZ-Tor der Straße Geisa – Rasdorf, stellten Kerzen ab und verließen gegen 21.30 Uhr ohne irgendwelche Zwischenfälle den Abschnitt.

  Befehle seitens vorgesetzter Stäbe zu Verhaltensmaßnahmen unsererseits gab es nicht. Ich beschloß für mich, nach gesundem Menschenverstand zu handeln, was sicher das Beste war. Ich kam zur Überzeugung, jede Konfrontation möglichst zu vermeiden und die weiteren Grenzöffnungen nach Möglichkeit einigermaßen geordnet zu vollziehen.
* 14.11.1989
  Befehl von „oben": Einsatz der GT an den Grenzübergangsstellen ohne Waffen!
* 15.11.1989
  Beratung im Kulturhaus „Rudi Arnstadt", Gemeindeverband Geisa-Motzlar

Sie forderten die Eröffnung von weiteren Grenzübergangsstellen.

Wir, die Vertreter der Grenztruppen, versuchten unter Verweis darauf, daß Minen zwar geräumt, jedoch bei den schwierigen Geländebedingungen möglicherweise noch da und dort einzelne liegen könnten, die Eröffnung weiterer GÜST zu verzögern, weil wir einfach nicht die Kräfte und Mittel hatten, das zu bewerkstelligen.

Ich hatte aber auch tatsächlich Angst. Was wäre, wenn ein Bürger auf eine Mine träte? Wer wäre verantwortlich?

* 16.11.1989, 16.00 Uhr
Forum an der Straße 84 – Buttlar – Rasdorf mit ca. 500 Bürgern am Grenzsignalzauntor.

Ich ersuchte die Bürger, die Gefahr von Minen nicht zu unterschätzen, ließ aber dann doch das Tor öffnen und ließ dann die Bürger bis zum 6-m-Grenzkontrollstreifen. Alle verhielten sich sehr diszipliniert, keiner betrat den Kontrollstreifen. Auf der Westseite stand der Bürgermeister von Rasdorf mit Einwohnern aus seiner Gemeinde. Es wurden mehrere Kirchenlieder gesungen. Danach fragte der Bürgermeister von Buttlar, ob er mit seinem Rasdorfer Kollegen am Sperrzaun sprechen dürfe. Ich bejahte, ging mit dem Bürgermeister über den Kontrollstreifen und gab Herrn Jost, dem Bürgermeister von Rasdorf, zu verstehen, daß er herankommen kann. Es wurden mehrere Absprachen für die nächsten Tage getroffen, weitere geordnete Treffen am Zaun, ohne den Kontrollstreifen zu überschreiten.

* Gegen 21.30 war ich zu Hause. Die Menschen in Buttlar hatten sich sehr anständig verhalten. Mir wurde jedoch klar, daß die Grenze und wir Grenzer ausgedient haben. Mein Entschluß war gefaßt: Ich verabschiede mich anständig und werde überall, wo sich Leute an dieser Grenze versammeln, selbst hingehen und mit ihnen reden, damit es möglichst keine Zwischenfälle gibt. So habe ich es auch gehalten. Einer Reihe von Offizieren war es sehr recht, daß sie dies nicht zu machen brauchten.

* 16.11.1989, 15.00 Uhr
Von Buttlar kamen ca. 150 Bürger mit Sägen, Hacken, Äxten etc. Sie beseitigten entlang der F 84 Buschwerk und schafften Ordnung in Vorbereitung der Eröffnung der GÜST.

* 18.11.1989
Die GÜST Buttlar wurde eröffnet.

* Anläßlich dieser Eröffnung schlossen der Bürgermeister Leichsenring für den Rat der Gemeinde Buttlar und Oberstleutnant Hentschel für das Grenzregiment eine Vereinbarung: Wegen der bei der Vorbereitung und Durchführung der Grenzöffnung durch die Grenztruppen der DDR erwiesenen Hilfe und Unterstützung übernahm die Gemeinde ab sofort die Pflege und Instandhaltung der Gedenkstelle für Waldemar Estel an der Straße 84. Durch die Dienststelle der Grenztruppen wurde die weitere gute Zusammenarbeit mit der Gemeinde gewährleistet.

Ich empfand eine gewisse innere Freude, daß alles so gut gelaufen war, hoffte, daß die Leute überall so vernünftig sind und glaubte, wenn wir als Grenzer so sind, werden alle anderen auch so sein!

* 24.11.1989
Das Grenzkommando Süd (GKS) wurde aufgelöst (Appell) – das ist ein weiterer „Sargnagel".

* 27.11.1989
An der Grenze Andenhausen – Tann wurde das Grenzsignalzauntor aufgebrochen. Die Täter wurden offensichtlich gestört und verließen den Tatort, ohne in den Grenzabschnitt gelangt zu sein.

* 27.11.1989
In Empfertshausen Demo von ca. 300 Personen unter Anführung des Pfarrers. Vor den Wohnblöcken der Grenzer wurden Parolen gerufen: „Beseitigung der Grenzanlagen", einzelne Rufe „Aufhängen!"

* Angst und Sorge – wie ist es möglich, daß Menschen sich so aggressiv verhalten und Morddrohungen ausstoßen. Es werden Maßnahmen zum Schutz der Familien mit den Grenzern in Empfertshausen abgesprochen und abgestimmt.

* Seit 09.11. bis 30.11.1989
Entlassung mehrerer Fähnriche, mehrere Parteiaustritte.

Zerfallserscheinungen werden immer deutlicher. Ich habe für mich festgelegt, daß ich

Mit dem 9. November 1989 wurde das Verhältnis zwischen den Sicherheitsorganen Ost und West völlig entkrampft und freundschaftlich. Die Aufnahme zeigt den Grenzpolizeibeamten Willi Beetz von der Grenzpolizeistation Dietersdorf und DDR-Grenzaufklärer Walter Bauer aus Heldburg einträchtig beieinander.
Foto: Grenzpolizeistation Dietersdorf

meinen Fahneneid erfülle, solange die DDR existiert. Ein Parteiaustritt kommt für mich niemals in Frage, meine Partei ist nicht E. Honecker oder ...

Meine Partei, das sind meine Genossen, mit denen ich zusammen kämpfe!

* 28.11.1989

Festnahme eines Unteroffiziers des MSR-23 – Fahnenflucht verhindert im Grenzabschnitt II.

* 28.11.1989

Gegen 20.55 Uhr öffnete ich das GSZ-Tor an der Straße Andenhausen – Tann und ca. 1.500 Leute „stürmten" nach Theobaldshof
Vorgeschichte: Ca. 19.00 Uhr Demonstration von Andenhausen ... zum Katzenstein, große Angst, da mit Brandstiftung und Zerstörung gedroht wurde. Morddrohungen wurden gegen die Beschäftigten des Katzensteins ausgestoßen. Die Demonstranten liefen weiter zum Tor des Grenzsignalzauns an der Straße

Andenhausen – Tann. Die Menschenansammlung wurde immer größer. Ich hielt eine Ansprache, machte darauf aufmerksam, daß die Grenze in den nächsten Tagen hier geöffnet wird, es muß jedoch vorher noch eine Minensuche durchgeführt werden. Das wurde verstanden. Die ersten begaben sich auf den Rückweg. Plötzlich kam ein Bus, eine Blaskapelle stieg aus und spielte auf: „Muß i denn, muß i denn zum Städtele hinaus!"

Alles sammelte sich wieder, es wurde sehr lautstark gefordert, sofort die Grenze aufzumachen, die Situation drohte zu eskalieren. Vorsorglich hatte ich einem Postenpaar befohlen, am vorderen Zaun Streckmetallplatten so zu lockern, daß sofort ein Durchlaß geschaffen werden kann. Es waren weiter keine Posten im Abschnitt, obwohl festgelegt worden war: „Keine Grenzöffnung!" Die ganze Kompanie sollte dies verhindern. Mein Verstand sagte

Erstmalige Luftrettung in der DDR durch einen BGS-Hubschrauber. Das Foto entstand auf dem Sportplatz Eisenach, wo ein Hubschrauber ("Christoph") einen mit einem Krankenwagen der SMH transportierten Patienten übernimmt.
Foto: Zeitschrift des Bundesgrenzschutzes Nr. 4/1990

mir: Das geht nicht! Alles bleibt in der Kompanie! Es hätte sonst schlimme Folgen gehabt.

Stimmen aus der Masse: „Quetscht ihn durch den Zaun!" „Aufhängen!" usw.

Ich war bestürzt! Plötzlich waren ca. 5 – 10 Kinder um mich herum. Ich fragte sehr laut und deutlich die nächsten Erwachsenen, die am Zaun rüttelten und nach vorn drängten: „Wollt ihr eure Kinder zerquetschen?"

Gegen 20.55 Uhr war die Situation so, daß ich mich entschloß, das Tor zu öffnen und über Funk dem Postenpaar vorn den Befehl gab, die Streckmetallplatten abzunehmen und möglichst die Heranströmenden zu veranlassen, im Gänsemarsch durch die Gasse zu gehen. Ich hatte Angst, eine Mine könne hochgehen, das habe ich der Menschenmenge auch sehr laut und deutlich gesagt!

Die Öffnung des Tores und das, was sich dann abspielte, glich der Öffnung einer Schleuse! Wie eine Horde wildes Volk stürzten sie durch das Tor, nicht wenige zerrissen sich dabei die Anoraks oder blieben am Stacheldraht hängen, ich dachte, das kann es doch nicht geben! Ich war zutiefst erschüttert. Menschen – wie Vieh, das zur Tränke rast!!! Viele bekannte Gesichter sah ich, aus Dermbach, aus Unteralba, aus anderen Ortschaften, manche froh, viele, sehr viele mit Haß und Feindschaft in den Augen. Wieder und diesmal sehr schmerzlich kam mir die Frage: Warum? Ich fühlte mich sehr allein und sehr elend!

Ich erlebte das völlige Gegenteil von Buttlar, es war unfaßbar! Nachdem der erste Ansturm durch war, die Posten die Ankunft der „Spitzen" ca. einen km weiter vorn meldeten und mir mitteilten, daß der „Gänsemarsch" klappte, war ich etwas beruhigt.

Plötzlich stand Herr Eckhardt, Superintendent, neben mir – im Talar! Er sprach mich an, dankte mir und sagte, daß er eine Eskalation nicht zugelassen hätte. Er wäre dann vorgetreten und hätte mit erhobenem Kreuz die Massen von ihrem Vorhaben abgehalten.

Meine Gedanken: verlogen, Ausrede – nichts hätte er bezwecken können, will er sich rechtfertigen?

Ich sagte gar nichts dazu, deutete in Richtung Theobaldshof und bemerkte lediglich, er solle dorthin gehen, wohin alle gegangen sind!

In mir machte sich Verbitterung breit, gepaart mit einem mulmigen Gefühl, wie das wohl weitergehen würde. Die Rufe „Aufhängen!" und ähnliches hinterließen Wirkung. Ich dachte an meine Familie und stellte erste Überlegungen zum Selbstschutz an. Es waren keine Fremden, es waren Bekannte, die haßerfüllt in diesem sich wie ein Mob aufführenden Getümmel eintauchten. Auf dem Theobaldshof spielte sich, wie ich am nächsten Tag erfuhr, ein großes Besäufnis ab.

Alle kamen zurück, ein Bürger brach sich, völlig alkoholisiert, den Knöchel und wurde von uns mit dem Grenztrabi nach Kaltennordheim zum Arzt gebracht. Noch heute hinkt er. (Im Nachhinein glaube ich, daß diese gewaltsame Grenzöffnung vorbereitet und von beiden Seiten abgesprochen war. Wie sonst hätte ein Bus mit einer Blaskapelle bestellt und in Theobaldshof ein Festzelt aufgebaut sein können?)

Nachdem die ganze Flut weg war, befahl ich ein Postenpaar aus der Grenzkompanie zum Grenzsignalzaun mit der Aufgabe, die Rückkehrer durch den Grenzsignalzaun zu lassen, ohne Kontrolle, denn diese war sowieso nicht möglich und letztlich war durch Befragung zu erfahren, ob noch Leute in Theobaldshof sind.

Ich selbst begab mich zum Katzenstein und traf dort eine verängstigte „Besatzung" an, die froh war, daß nichts weiter passiert war.

Fußballspiele mit anschließendem gemütlichen Beisammensein gab es nach dem 9.11.1989 zwischen den Sicherungsorganen Ost und West sehr häufig. So spielten im Mai 1990 in Lindenau Angehörige der Grenzkompanie Heldburg/Einöd gegen die Bediensteten der Grenzpolizeistation Maroldsweisach.
Foto: Grenzpolizeistation Maroldsweisach

Wir tranken ein Bier, tauschten Gedanken aus, wie das wohl weitergehen wird, danach fuhr ich in den Stab nach Dermbach, um an das Grenzbezirkskommando zu melden, was sich in den letzten Stunden abgespielt hatte.

Am Telefon war ein Oberst, der mir sehr lautstark vorwarf, gegen seinen Befehl, niemand „passieren" zu lassen, verstoßen zu haben. Zu diesem Zeitpunkt war mir klar, daß man in den vorgesetzten Stäben wohl noch träumte, die Lage nicht real einschätzte, weit weg von der Basis war. Die Haßrufe „Aufhängen!", die durch Mark und Bein gingen, kannte dieser Oberst nicht. Angesichts der noch ganz frischen Erfahrungen sagte ich ihm nur, daß er mich mal „kann" und legte auf. Mir war zu diesem Zeitpunkt völlig egal, welche Folgen das haben konnte – es hatte keine – die Zeit und die Ereignisse waren schneller!

* 29.11.1989, 17.53 Uhr

Die Grenzsäule 1667 bei Vacha wurde durch drei Personen der BRD zerstört, ohne daß es

Möglichkeiten gab, dies zu verhindern.

* 01.12.1989

Tag der Grenztruppen der DDR. Erstmals fand keine Feier statt. Mir war auch nicht zum Feiern zumute, da täglich neue Hiobsbotschaften von den Grenzkompanien eingingen. An vielen Toren des GSSZ versammelten sich Leute und forderten dauerhafte Öffnung!

* 02.12.1989

Ab ca. 14.00 Uhr strömten immer mehr Leute zum Tor 56 Andenhausen – Tann, bis etwa 2.000 Menschen versammelt waren. Gegen 15.30 Uhr öffnete ich das Tor und damit gab es eine weitere ständige Grenzübergangsstelle. Abends gegen 21 Uhr war ich dann zu Hause – diesmal war ich richtig fix und fertig, da die verbalen Anfeindungen durch einige Bürger immer aggressiver wurden.

Ich spürte: Wir waren vollkommen machtlos! Überall, wo in Zukunft Leute an den Toren stehen, bleibt nichts weiter übrig, als aufzumachen.

Mir kam der Gedanke – erstmals so deutlich: Sollten wir nicht besser gleich alle Tore an geeigneten Stellen aufmachen, im vorderen Sperrelement die Gassen deutlich kennzeichnen, damit die Leute haben, was sie wollen?

Kann sich jemand vorstellen, wie das ist? Jahrzehntelang streng geregeltes Betreten und Befahren des Schutzstreifens in Verantwortung der Grenztruppen – und plötzlich kommt und geht jeder, wie er will? Als Grenzer stand man da, wie der allerletzte Nachtwächter!

* 04.12.1989, 08.30 – 12.00 Uhr
Beratung im Stab des Grenzkreiskommandos (GKK) Dermbach. Thema: Militärreform.

Innerlich fragte ich mich, was es da noch zu reformieren geben könne. Der Sozialismus geht den Bach runter, damit auch die sozialistischen Streitkräfte. Ich brauche nur in den Grenzabschnitt zu gehen, da sehe ich, was das Militär zu sagen hat. Es setzt sich bei mir der Gedanke durch: Jetzt muß die Vernunft das Sagen haben und nichts weiter!

Von 14.00 Uhr bis 14.35 Uhr führte ich Gespräche mit Superintendent Eckhardt und Pfarrer Schollmeyer. Ich bat sie, auf die Dermbacher Bürger über die „Kanzel" Einfluß zu nehmen, daß keine unbedachten Aktionen gegen die militärischen Objekte in Dermbach unternommen werden, da ich befürchtete, daß dann einige nicht mehr unter Kontrolle gehalten werden könnten. Ich erinnerte auch daran, daß die Grenztruppen bei der Sanierung der Figuren im Giebel der katholischen Kirche mit Technik und Personal geholfen hatten – kostenlos. Beide verstanden dies und handelten auch dementsprechend – die Bürger wurden zur Besonnenheit aufgerufen.

Ebenso nahmen in der Öffentlichkeit Beschimpfungen gegenüber Kindern der Grenzer unerträgliche Ausmaße an. Auch hier nahmen die Pfarrer Einfluß.

Friedensgebete endeten teilweise mit Krakelereien in der Nachtzeit, besonders vor den Wohnblöcken der Grenzer.

Fußballspiel zwischen Angehörigen der Grenzkompanie Gompertshausen und der Grenzpolizeistation Bad Königshofen im Mai 1990 in Großeibstadt.
Foto: Josef Kleinhenz

Manches war für die Frauen und Kinder – und ich muß gestehen auch für mich – beängstigend. Es erinnerte mich fatal an Filme über den Ku-Kux-Klan.

* 06.12.1989

Vier Entlassungsgesuche von Unteroffizieren aus Grenzkompanien gingen ein. Allen wurde stattgegeben.

* 08.12.1989, 09.00 Uhr

Gespräche mit beiden Pfarrern zur Situation. Insbesondere die „Montagsdemonstration" droht zu eskalieren. Neben vielen friedlichen Menschen gab es eine nicht zu überhörende Anzahl von Leuten, die vor den Wohnblöcken der Grenztruppen brüllten: „Stasi raus!", „Stasi in den Steinbruch!", „Euch hängen wir auf!", Rote raus!" etc.

Es war beängstigend! Ich durchdachte die Möglichkeiten, meine Familie zu schützen, falls in den Wohnblock eingedrungen wird und gewaltsam irgendwelche Handlungen vollzogen werden. Ich überlegte sehr genau, was ich tun kann, um Eindringlinge abzuwehren, ohne eine Schußwaffe zu gebrauchen. Das besprach ich auch mit einigen anderen Bewohnern. Die Kinder hatten große Angst, wenn die abendlichen „Demonstranten" auf Höhe unseres Hauses anlangten und ich selbst war froh, daß letztlich alles ohne Zwischenfälle ablief. Die Pfarrer hatten zwar, wie ich denke, zur Vernunft aufgerufen. Nur – in der konkreten Situation da waren auch sie machtlos.

„Tägliche Beurteilung der Lage im Grenzkreiskommando" – wie die Tage vorher – wir laufen den Ereignissen hinterher!

* 11.12.1989, 13.00 Uhr

Die Vorsitzenden der „Blockparteien" und die Führer des Bürgerforums Dermbach kamen in mein Dienstzimmer, um Vorschläge zu unterbreiten, wie es mit dem Objekt des Stabes und anderen Objekten weitergehen soll. Ich lehnte Aussagen dazu ab, weil ich keine machen konnte. Es fand dann noch eine kurze Besichtigung des Stabsgebäudes statt – mittelalterlich, ohne jeden Komfort.

Ich hatte das Gefühl, daß „Goldene Wasserhähne" gesucht wurden, obwohl alle jedes Jahr zum Tag der Grenztruppen am 01.12., dem Tag der Grenztruppen, im Objekt gewesen waren, also genau wußten, daß wir an primitiver Ausstattung nicht zu übertreffen waren.

* 15.12.1989, 05.30 Uhr

Abfahrt zum Sonderparteitag der SED bis 17.12., Rückkunft gegen 21 Uhr.

Was ich dabei erlebte, hatte mich sehr bewegt. Ich war „hin- und hergerissen". Wie geht es weiter? Gysi erhielt einen großen Besen als Symbol, das hieß, er sollte alles Überlebte, Hinderliche etc. auskehren. Das Gefühl eines Neuanfangs hatte ich nicht so richtig, denn:

* die Lehren der Klassiker werden nicht neu erfunden

* wir wissen überhaupt noch nicht genau, was wir, was die Partei falsch gemacht hat.

* Wie soll da neu angefangen werden?

Auf dem Sonderparteitag spreche ich mit Prof. Jürgen Kuczynski, Sigmund Jähn, Gregor Gysi, Hermann Kant, Werner Eberlein, Hans Modrow, Ruth Werner, Täve Schur. Ich lasse mir ihre Autogramme auf meine Delegiertenkarte geben.

Letzten Endes kann ich mich des Eindrucks nicht erwehren, daß eine „gute Sache", der Sozialismus, vor dem Ende steht.

Ich habe gesehen, daß die Gründung der PDS Leuten um Fritz Pleitgen – es war ein riesiger Medienrummel – nicht paßte. Diese hatten einen großen Sarg (aus Pappe?) vorbereitet, auf dem „SED" stand und den wollten sie in die Werner-Seelenbinder-Halle tragen, weil sie hofften, die SED würde sich auflösen und könne damit zu Grabe getragen werden. Die Mehrheit stimmte für die Gründung der PDS, ich auch, weil ich glaubte, retten zu müssen, was zu retten ist. Vor dem Parteitag hatten wir, die Delegierten der NVA und der Grenztruppen, uns zu einer Beratung unter anderem mit Heinz Kessler und Markus Wolf getroffen. Letzterer beeindruckte mich durch seine klare und deutliche Art, Heinz Kessler schien sehr bedrückt und motivierte auch nicht zum Weiterkämpfen.

Dieser Parteitag war für mich eine ganz neue Erfahrung. Er war sehr kontrovers, das hatte ich von Parteimaßnahmen bisher nicht gekannt. An einem Parteitag hatte ich jedoch vorher noch nie teilgenommen.

Auf diesem Parteitag, zur An- und Abfahrt saß ich neben unserem ehemaligen Kommandeur,

Was noch im Sommer 1989 unvorstellbar erschien, wurde nach dem 9.11.1989 Wirklichkeit: Ein bayerischer Grenzpolizeibeamter (Willi Beetz) und ein DDR-Grenzaufklärer (Manfred Schurg) tauschen an einem Grenztrabant hinter dem ehemaligen Eisernen Vorhang Erfahrungen aus, aufgenommen im Frühjahr 1990.
Foto: Grenzpolizeistation Dietersdorf

Generalmajor Heinz Janshen, der für mich immer ein guter und gerechter Vorgesetzter gewesen war. Wir unterhielten uns über sehr vieles. Ich kam mehr und mehr zur Überzeugung, daß alles, was wir verteidigten, wofür wir uns geschunden und gekämpft hatten, seinem bitteren Ende entgegenging. Ich spürte auch bei Heinz Janshen, einem sehr erfahrenen Mann, wenig Optimismus für die Zukunft nach unseren Vorstellungen.

* 18.12.1989, 16.15 – 18.00 Uhr
Ich nehme eine erste Auswertung des Parteitages mit den Sekretären der SED-Grundorganisationen und Interessenten vor. Vorher, ab 08.00 Uhr, habe ich in der PLA (Politabteilung) mit den anwesenden Offizieren beraten, was nach diesem Parteitag zu erwarten sei. Es gab die Meinung, daß der neue Name nichts ändern wird. Es zeichnete sich eine zunehmende Verurteilung der Politik der SED ab,

viele Mitglieder sahen sich als Opfer. Ich sehe schon voraus, daß den bisher 52 Parteiaustritten seit 09.11.1989 bald noch viele weitere folgen werden.
Aus den Reihen der FDJ-Sekretäre kommen Stimmen: „FDJ ist auch erledigt!" Sie fordern eine neue Jugendorganisation oder „Soldatenräte". Das waren Ideen, Vorschläge.
Mehr und mehr biedern sich einige Fähnriche/Grenzaufklärer beim BGS oder Grenzzolldienst der BRD an.
Die ganze Entwicklung ist nicht mehr führbar. Es festigt sich mehr und mehr meine Überzeugung, daß die Entwicklung ihren Lauf nimmt. Wir können machen, was wir wollen. Grundsätzlich und langfristig haben wir keinen Einfluß mehr darauf.
Heute entschied ich, daß die Schulung der Schulungsgruppenleiter Soldaten (Politunterricht) ab sofort abgesetzt und nicht mehr

durchgeführt wird. Ich wollte nicht zulassen, daß sich gestandene Leute vor den Soldaten in dieser Situation zum „Löffel" machen.

Die Nichtdurchführung wurde nicht an den Vorgesetzten gemeldet, weil dort das gleiche Chaos herrschte.

* 20.12.1989

Dienstberatung in der Politabteilung mit den Stellvertretern der Kompaniechefs für Politische Arbeit (STKCPA)

Tagesordnung:

1. Einschätzung des Stimmungs- und Meinungsbildes in den Einheiten und Ortschaften
2. Bisherige Ergebnisse und Aktivitäten zur Bildung des Verbandes der Soldaten
3. Aufgaben und Schlußfolgerungen zur geordneten Eingliederung der Mitglieder und Kandidaten der SED/PDS in die Grundorganisation ihrer Wohnorte (ab sofort erfolgt dies schrittweise)

Zu 1.:

Große Unsicherheit bei den Angehörigen der GT (AGT) besonders bei Unteroffizieren und Berufssoldaten, wie es weitergehen soll. Auflösungserscheinungen – zahlreiche Entlassungsgesuche, weil die Antragsteller befürchten, bei Bewerbungen im Zivilbereich zu spät zu kommen, wenn sie warten, bis die Truppe aufgelöst wird. Ich kann das verstehen. In der Beratung wird eindeutig gesagt, daß alle Gesuche ohne Nachteile für die Betreffenden genehmigt werden.

Weitere Austritte aus der SED/PDS sind erfolgt. Der Hauptgrund ist Angst! Ein Unteroffizier war im Urlaub in seinem früheren Betrieb und wurde dabei von einem ehemaligen Arbeitskollegen angespuckt. In den Grenzortschaften, in denen Grenzübergangsstellen eröffnet wurden, gibt es kaum Probleme. Diskussionen gibt es dahingehend, warum überhaupt noch Kontrollen notwendig sind. Viele Bürger fordern freies Passieren der Grenze.

Außerdem werden die Forderungen seitens der Bevölkerung lauter, daß alle Ortschaften im Grenzgebiet eine GÜST haben sollten.

Es gibt weitere unerlaubte Entfernungen von der Einheit durch Soldaten und Unteroffiziere. Das waren meist Tests: Wie reagieren die Offiziere?

Zunehmend gibt es Probleme mit einigen Grenzaufklärern (GAKL), die sich beim BGS anbiedern und anderen, die es zu bewußter verbaler Konfrontation mit BGS- und Zollangehörigen kommen lassen.

Zu 2.:

Kontroverse Diskussionen zur Bildung des Verbandes der Soldaten, bereits zum Namen des Verbandes:

- Verband der Soldaten?
- Verband der Berufssoldaten?
- Grenzschutzbund?
- Interessenverband der Berufssoldaten

usw.

Bis zum 28.12.1989 soll in jeder Einheit ein „Sprecher" gewählt werden – in geheimer Wahl! Das war etwas ganz Neues! Mir war bis dahin, was das Militär betraf, keine geheime Wahl bekannt. Eigentlich war es mir auch egal, ich sehe keine lange Perspektive mehr für die Grenztruppe, ich halte alle Maßnahmen für „letzte Zuckungen", die uns zwar beschäftigen, aber nichts am Entschluß zur Beseitigung der DDR und aller ihrer Institutionen, also auch der Grenztruppen ändern.

Ich nehme die Vorschläge entgegen, fasse sie zusammen und schicke sie per Fernschreiben an die vorgesetzte Dienststelle, das Grenzbezirkskommando Sonneberg.

Es gibt kein großes Interesse an der Militärreform, weil wohl die Mehrheit auch spürt, daß es nichts mehr zu reformieren gibt, daß alles nur noch Beschäftigungstheorie ist.

Ab 02.03.1990, so die Orientierung von „oben", soll für die Grenztruppen die 5-Tage-Woche eingeführt werden. Das wurde mit Beifall aufgenommen, doch erfahrene Grenzer, ältere Offiziere und Fähnriche sprachen es laut aus: „Vielleicht haben wir da schon ganz frei?!"

Es kommen Anfragen: „Welche Zeitungen der BRD können bei uns abonniert werden? Allein die Möglichkeit dieser Fragestellung machte deutlich, wohin wir geraten waren. Vor einiger Zeit war das vollkommen undenkbar!!

Es gibt allerhand Vorschläge zur Umstrukturierung bis hin zur Auflösung. Da nichts klar ist, gebe ich bekannt, daß alle Vorschläge erfaßt und weitergeleitet werden – so wie wir das

immer gemacht hatten. Dabei bin ich überzeugt, daß diese Vorschläge bedeutungslos
sind, weil längst irgendwo beschlossen wurde,
„wohin die Karre fährt".

Zu 3.:

Die Beteiligten an der Dienstberatung waren
überzeugt, daß die Mehrzahl der Soldaten und
Unteroffiziere, wie auch ein Großteil der
Berufskader aus der Partei austreten und sich
nicht in ihren Wohnorten anmelden wird. Dieses Gefühl hatte ich auch, zeigte doch die
gesamte Entwicklung, daß die Anfeindungen
immer größer wurden und sich zunehmend
auch gegen „einfache" Mitglieder richteten.

Nach Auskunft der Politoffiziere hatten einige
Parteimitglieder vor, in Zukunft bei den „Roten
Nelken" politisch aktiv zu werden, einer Mas-
senorganisation, die sich gerade im Aufbau
befand. Ich bin überzeugt, daß die „Roten Nelken" welken werden, bevor sie aufgeblüht
sind. Doch das sage ich nicht, ich denke es nur
für mich (Meines heutigen Wissens existierte
die Organisation keine 5 Monate).

Es wurde die Festlegung getroffen, daß jeder
Genosse sich selbst in seinem Wohnort anmel-
det, weil wir keine Möglichkeit sahen, dies
anders zu organisieren.

Was dabei herauskommt, ist mir klar: Die
Mehrzahl der Berufskader wird sich vielleicht
in den Grenzorten anmelden, weil das überprüfbar ist, jedoch wurde auch ganz klar
gesagt, daß jene, die austreten, keine Konsequenzen zu fürchten haben.

Nach Ende der Dienstberatung habe ich das
schon in den letzten Wochen immer wiederkehrende Gefühl der Ohnmacht – wir können
machen, was wir wollen, es geht zu Ende!

Da nutzte auch die Festnahme von drei
Rauschgiftbesitzern an der Grenzübergangsstelle Vacha nichts.

* 22.12.1989

Ein Unteroffizier der Grenzkompanie Räsa
stiehlt einem Bürger einen Kassettenrecorder
(BRD-Produktion). Er wird erwischt, degradiert und aus der Truppe entfernt.

Gegen Abend kommt die Information, daß im
VEB-Kraftverkehr Bad Salzungen Lohnforde-
rungen und Streik bevorstehen.

Meine Gedanken dazu: „Da ist mir egal, es
macht sowieso mittlerweile jeder, was er will!

* 27.12.1989

Erste Beratung im Grenzkreiskommando. Es
geht um die Bildung eines „Soldatenbundes".
Das könnte eine Art „Soldatengewerkschaft"
aller Uniformierten werden.

* 29.12.1989, 13,00 Uhr

Beratung mit den Delegierten zum Bund der
Berufssoldaten, wie der funktionieren soll, was
der Inhalt und das Ziel der Tätigkeit werden
soll. Trotz vieler ungeklärter Fragen soll zur
Gründung geschritten werden.

* 29.12.1989, 16.00 – 21.00 Uhr

Die Genossen der Politabteilung treffen sich
zur Jahresabschlußfeier in der Bibliothek im
Stab. Die Stimmung ist nicht optimistisch, ich
spüre, daß sich alle Sorgen um die Zukunft, um
ihre ganz persönliche Perspektive machen.
Ansatzweise gestellte Fragen wie: „Bleibt die
Grenztruppe?", „Was wird aus der Partei?",
kann ich nicht beantworten – vom Gefühl her
ja, doch das will ich heute niemandem antun.
Auch heute wird mir wieder klar: Es ist vorbei!
Nur der Zeitpunkt für das endgültige „Aus" ist
noch nicht klar, der Weg dorthin wurde jedoch
längst beschritten.

Im gesamten Verlauf des Monats Dezember
1989 wird sichtbar, daß die Disziplin und Ordnung mehr und mehr bröckelt:

* Fahrlässiger Schußwaffengebrauch eines
  Unteroffiziers – 4 Tage Arrest
* Alkohol im Wachdienst
* Verlust eines vollen MPi-Magazins, das
  später wieder gefunden wurde
* Verstöße reihenweise gegen Befehle im
  Grenzdienst, zahlreich gegen die Beklei-
  dungsordnung
* Kauf von Alkohol während des Wach-
  dienstes

Es gab eine Reihe weiterer Verstöße gegen die
Disziplin und Ordnung. Ich bin mir im klaren,
daß die „Dunkelziffer" noch größer ist. Das
kann ja auch gar nicht anders sein, wenn eine
Armee zerfällt – ich kenne das aus der
Geschichte – nehmen Anarchie und Gesetzlo-
sigkeit zu. Dies sind klar und eindeutig die Zerfallserscheinungen, die nicht aufzuhalten sind.

Unsere einzige Aufgabe, davon bin ich überzeugt, sollte darin bestehen, dafür zu sorgen, daß kein Schaden an Personen und noch weniger für Unbeteiligte entsteht. Ansonsten sollten wir die Dinge real einschätzen und uns nicht selbst zerfleischen. – Das fällt schwerer als man denkt, da wir alle Disziplin und Ordnung gewöhnt sind und dies auch vorgelebt haben. Tagtäglich wird deutlich, daß es geradlinige und treue Offiziere zunehmend schwerer haben, diese ganze Entwicklung zu verstehen.

* 30./31.12.1989, 01.01.1990: Jahreswechsel

Ich habe über den Jahreswechsel dienstfrei, wir verbringen Silvester zu Hause in Dermbach, Geisaer Straße 30. Am 30.12. sitze ich in der Garage oder im Keller. Ich will mich von den bohrenden Gedanken, die auf mich einstürmen, ablenken, mit Arbeiten am Auto oder mit Bastelarbeiten im Keller. Es gelingt nicht – zuviel ist in letzter Zeit passiert, woran niemand gedacht hätte.

Ich bin überzeugt, daß die DDR auf dem Papier bereits beseitigt ist, daß nur noch die praktische Umsetzung fehlt und die wird in nächster Zeit vorgenommen.

Wie wird der Prozeß der Beseitigung der DDR vonstatten gehen?

Mir geht vor allem durch den Kopf und das erstmals so deutlich, weil ich Zeit zum Nachdenken habe, was mit den Grenzern wird, die geschossen haben? Was wird mit den Vorgesetzten, die Befehle erarbeitet und erteilt haben? Was wird mit jenen, die die Gesetze und Vorschriften erlassen haben?

Ich vermutete, die „Sieger" würden nach eigenen Gesetzen verfahren. Ich rechnete fest damit, daß die „Guten" aus dem Westen die „Bösen" aus dem Osten bestrafen werden. Aus der bisherigen Praxis der Medien der BRD wußte ich, daß jeder Grenzverletzer ein „Held" war, mindestens jedoch ein „Verfolgter" und wir sind die „Todesschützen" oder schießwütige Grenzer.

Wie soll das erst werden, wenn es keine DDR mehr gibt, wie soll sich ein Grenzer gegen die Vorwürfe wehren?

Ich finde keine Antwort, ich sehe jedoch eine Lawine auf uns, auch auf mich zukommen und weiß nicht, ob ich nicht eines Tages im Knast

sitze. Ich spreche mit meiner Frau und auch mit der größeren Tochter darüber, ich rechne mit Gerichtsprozessen, die auch mich betreffen können. Beide meinten, ich würde „schwarz" sehen, ich hätte doch meinen Dienst stets nach Vorschriften und Gesetzen gemacht. Das stimmt zwar, geht mir durch den Kopf, aber ob die „Sieger" das auch so sehen? Ich zweifele das an.

Doch mich beruhigt etwas, daß ich in meiner gesamten Dienstzeit glücklicherweise nie in die Situation kam, die Schußwaffe anzuwenden.

Ich hatte jedoch immer, und das in allen Kompanien und im Stab vertreten, und so auch die Unterstellten erzogen, daß die Schußwaffe als allerletztes Mittel angewandt wird, wenn alle anderen Mittel ausgeschöpft sind.

Es ist kaum zu glauben, was einem alles durch den Kopf geht. Alle Befehle, die im Regiment erarbeitet wurden, beinhalten auch meine Zuarbeit. Die war immer eindeutig und klar, entsprechend der Vorschriften und Weisungen bzw. Befehle der Vorgesetzten. Sehen das andere später auch so?

An diesem Silvester/Jahreswechsel kommt keine Stimmung auf. Die Unsicherheit, was werden wird, überschattet alles. Die teilweise sehr aggressiven Äußerungen von Dermbacher Bürgern während der Demonstrationen und Kundgebungen sind vielleicht nur ein Vorgeschmack darauf, was uns noch erwartet.

Je mehr ich darüber nachdenke, desto überzeugter werde ich, daß viele Grenzer, einschließlich meiner Person, vor Gericht gezerrt werden. Wurden nicht immer in der Geschichte die Verlierer durch die Sieger gedemütigt?

Mit diesen Gedanken verging Silvester und der Jahreswechsel. Am 02.01.1990 gehe ich wieder zum Dienst und spreche mit einigen Offizieren der Politabteilung, jeweils allein, über meine Gedanken. An Gerichtsverfahren glaubte von jenen vier Offizieren niemand, da wir ja nicht gegen bestehende Gesetze verstoßen hätten. Es wurde das Beispiel des 2. Weltkriegs zitiert, wo ja auch nicht die Soldaten, Unteroffiziere oder Offiziere reihenweise vor Gericht gestellt wurden, nur weil sie ihren Eid erfüllt hatten.

Ich glaubte, daß dieser Vergleich so nicht stimmte, daß jetzt eine andere Situation war.

Eine von den Kapitalisten verhaßte Gesellschaft, die bewiesen hatte, daß es etwas Besseres geben konnte, wurde beseitigt und alle, die sich für diese Gesellschaft klar und deutlich eingesetzt hatten, würden dies zu spüren bekommen!

Gespräch mit Major a.D. Cristoph Baldrich über die Wende beim Grenzkreiskommando Hildburghausen

C. B. war bis 1974 auf der Offiziershochschule in Plauen.

Seine erste Dienststelle war Behrungen. In mehreren Grenzkompanien des GR 9 war er Zugführer, stv. Kompaniechef und Kompaniechef. Von seinen Vorgesetzten war er für die Stabsdienstlaufbahn vorgesehen und sollte nach Dresden auf die Militärakademie. Aus persönlichen Gründen versuchte er alles, um nicht dorthin zu müssen und wurde daraufhin zum Bataillonsstab nach Einöd b. Heldburg, Kreis Hildburghausen, versetzt. Dann kam er zum Bataillon nach Eishausen, von dort für zwei Jahre als Kompaniechef nach Steudach und danach wieder zurück nach Eishausen, wo er die Planstelle des Offiziers der Grenzaufklärung erhielt, zuletzt, 1990 im Rang eines Majors. Als Grenzaufklärer mußte er naturgemäß eng mit dem MfS zusammenarbeiten. Obwohl er kein IM im engeren Sinn war, hatte er alle Meldungen und Berichte immer mit Kopie zu fertigen, die Durchschrift war jeweils für die zuständige MfS-Dienststelle im Bataillon und im Regiment bestimmt. Weisungen hatte er jedoch vom MfS nicht auszuführen. Weisungen erhielt B. fachlich vom Oberoffizier des GBK, dienstlich war er dem Grenzkreiskommando unterstellt. Neben der Betreuung und Beaufsichtigung der Grenzaufklärer war eine der Hauptaufgaben des Oberoffiziers der Grenzaufklärer die Analyse der Hauptrichtung „feindlicher Angriffe" auf die Grenze für den Bereich des Grenzkreiskommandos (GKK). Danach wurden dann die Schwerpunkte der Postierung der Grenztruppen eingeteilt.

B. war ein loyaler Soldat. Er fühlte sich bis zum Schluß seinem Staat verpflichtet und damit auch, das war ja nicht zu trennen, der SED.

Durch den aufreibenden Dienst hatte er kaum einmal die Zeit, auf Veranstaltungen zu gehen und mit der übrigen Bevölkerung in Kontakt zu kommen, was bei den „normalen" Grenzaufklärungen zu den Dienstaufgaben gehörte.

So entging es ihm zwar nicht, daß in den letzten 5 Jahren vieles immer schlechter wurde. B. führt das – heute – darauf zurück, daß die Führung über die „soziale Komponente" die Bevölkerung bei der Stange halten wollte, vielleicht immer noch eine Folge der bitteren Erfahrungen des 17. Juni 1953. Dadurch, daß viele Sachen unter dem Herstellungspreis verkauft wurden, mußte der Staat immer tiefer in die roten Zahlen kommen. So war es beispielsweise auch mit den Mieten: B. selbst zahlte für eine Wohnung mit fast 90 m^2 78 Mark Miete. Diese Miete hatte er seit seinem Einzug zu zahlen. Sie wurde bis zum Ende der DDR nicht erhöht. B. hatte als Grenzsoldat ein überdurchschnittliches Einkommen. Durch die niedrig gehaltenen Kosten für alle Grundbedürfnisse blieb ihm viel Geld für andere Bedürfnisse, nur, da hatte die DDR bis zum Schluß zu wenig zu bieten. Es fiel schon auf, daß man sehr oft weite Wege gehen oder fahren mußte, um das zu erhalten, was man gerade brauchte. Auf ein neues Auto hätte B. wie alle anderen 10 Jahre warten müssen. Von all den Verschlechterungen, über die in der Bevölkerung mehr oder weniger offen gemurrt wurde, nahm man bei den Grenztruppen keine Notiz. Schließlich war man ja eine Elite, fast jeder Offizier Mitglied der Staatspartei. Auch in Parteiversammlungen, wo man in der Grundorganisation stets unter sich war, gab es prinzipiell keine Kritik am Staat oder an der Partei. Wenn einmal Selbstkritik geübt wurde, so betraf dies immer nur dienstliche Bereiche.

Nachdem man auch gesellschaftlich meist mit Angehörigen der Grenztruppen und deren Familien verkehrte und auch dort prinzipiell nicht über solche Dinge gesprochen wurde, nahm B., wie viele andere Grenzoffiziere aber auch wie andere Kader der SED nur wenig von dem wahr, was die Bevölkerung bewegte. Vieles wurde einfach weggedrängt, man wollte seine Ruhe, wollte aber auch nicht durch Kritik weg vom Fenster sein.

Erste und letzte gemeinsame Grenzbegehung der Sicherheitsorgane aus Ost und West im Bereich Mellrichstadt im Frühjahr 1990.
Foto: Erwin Ritter

So nahm es nicht wunder, daß B. gar nicht bemerkte, daß es auch in Eisfeld, wie anderwärts in der DDR rumorte, daß die Menschen in immer größerer Zahl sich zu Friedensgebeten zusammenfanden, daß schließlich auch in Eisfeld Hunderte zu Demonstrationen zusammenkamen. B. war dienstlich nicht damit befaßt, es ging ihn nichts an.

So war auch die Nacht vom 9. zum 10. November nichts ganz Besonderes. Die Grenztruppen waren nicht in Alarmbereitschaft versetzt, niemand spielte verrückt deshalb. Über den Sachverhalt waren die Grenztruppen wohl schon informiert worden, weshalb B. sich auch in der Nacht auf den Turm am „Amiblick" begab, um sich über das zu informieren, was vor sich ging: Erst kamen nur wenige Fahrzeuge, die auch im Lauf der Nacht nur langsam mehr wurden.

Dazu waren die Grenzsoldaten noch besser informiert als die Volkspolizisten am Kontrollpunkt der Volkspolizei. Die standen den ersten, die über die

Grenze wollten, hilflos und uninformiert gegenüber. Mehrmals mußten sie mit ihren Vorgesetzten telefonieren, bis sie den schimpfenden Leuten den Weg freigaben.

Den Druck mußten in den nächsten Tagen die dem GBK unterstehenden Grenzer an der Grenzübergangsstelle Eisfeld zusammen mit der PKE aushalten.

Für die Grenztruppe nahm der Druck erst zu, als die Bevölkerung immer nachdrücklicher die Öffnung von weiteren Grenzübergängen forderte. Die Entscheidungen darüber kamen von oben. Sicher berichteten die Kompanien und das Bataillon über die Lage nach oben. Aber sie warteten, wie es die Norm war, auf Befehle von oben. Im Gegensatz zu anderen Gegenden ging es bei den Grenzöffnungen im Bereich des GKK Hildburghausen recht friedlich und gesittet zu. Die Grenztruppe konnte sich auf die Aufgabe beschränken, an Brennpunkten einige Posten mehr aufzustellen.

Seit der Grenzöffnung kam schon bei B. und seinen Kollegen der Gedanke auf: „In dem Moment, wo die Grenzen offen sind, braucht man keine Grenztruppen mehr." Doch dieser Gedanke wurde bei all dem Ansturm von neuen Dingen erst einmal verdrängt.

Durch die Öffnung der Grenze blieb es nicht aus, daß man mit dem ehemaligen Gegner, den Grenzorganen von „drüben", in näheren Kontakt kam. Bei der Grenzöffnung von Adelhausen nach Rodach am 19.11.1989 hatte sich der Kontakt vorerst nur auf die Verantwortlichen für Pionierwesen beschränkt.

Der 9. November 1989 im Kommando Grenze

Erinnerungen von Heinz Schubert, Oberst a. D.[1]
Seit Mitte 1987 war ich Leiter einer Abteilung im Kommando der Grenztruppen der DDR, die sich mit Planung und Organisation des Schutzes der Staatsgrenze der DDR zur BRD und zu Berlin (West) befaßte. Diese Dienststellung brachte es mit sich, Einblicke in die Tätigkeit des Kommandos der Grenztruppen in seiner Gesamtheit zu erhalten.

Das Jahr 1989 war in vieler Hinsicht ein bedeutsames Jahr, wie sich an seinem Ende herausstellen sollte. Das waren in der ersten Hälfte des Jahres die Volkswahlen, deren veröffentlichte Ergebnisse immer wieder im Verlauf des Jahres Stimmen laut werden ließ, die von Wahlfälschung und Beschränkungen der politischen und persönlichen Freiheit der Bürger der DDR sprachen.

Zunehmend zeigte sich in allen Kreisen der Bevölkerung der DDR Unzufriedenheit über die unzureichende Versorgung mit allen Waren des täglichen Lebens.
Sichtbaren Ausdruck fand diese Unzufriedenheit in den immer größer werdenden Demonstrationen in Leipzig und in anderen Städten der DDR. Die Anzahl der Anträge zur Ausreise in die BRD und nach Berlin (West) nahm immer mehr zu.

Unmittelbare Wirkung auf die Grenztruppen der DDR hatte der Anstieg der Versuche von Bürgern der DDR, die DDR illegal über ihre Grenzen zu verlassen, auch, oder ganz besonders unter Ausnutzung des visafreien Reiseverkehrs in die damalige ČSSR.
Ernste Bedenken über diese Entwicklung veranlaßten die Führung der Grenztruppen, in Schreiben des Stellvertreters des Ministers und Chefs der Grenztruppen der DDR an 1. Sekretäre von Bezirksleitungen der SED auf Besorgnis über diesen Zustand aufmerksam zu machen. In diesen Schreiben wurde der Erwartung Ausdruck verliehen, daß durch geeignete Maßnahmen Bedingungen für das Verbleiben der Bürger der DDR in ihrer Heimat geschaffen werden. Wie sich zeigte, kamen solche Schritte zu spät.

Dessen ungeachtet konzentrierte sich die politische Führung der DDR auf die langfristige Vorbereitung des 40. Jahrestages der DDR, die jedoch von der Öffnung der Grenze von Ungarn zu Österreich und der damit verbundenen Zunahme der Widersprüche in der sozialistischen Staatengemeinschaft begleitet wurde.
Auch in den Tagen vor und nach dem 7. Oktober 1989 kam es zu zahlreichen Versuchen von Bürgern der DDR, die DDR zu verlassen. Das widerspiegelten die täglichen Beurteilungen der Lage im Kommando der Grenztruppen.

Bedenklich und immer mehr auf Unverständnis stoßend, waren die Sprachlosigkeit und die ausbleibende Reaktion der politischen Führung der DDR auf diese Entwicklung. Das blieb nicht ohne Wirkung auf die Grenztruppen der DDR. In allen Führungsebenen wurden Entscheidungen zu Veränderungen des Grenzregimes erwartet, die jedoch ausblieben. Einige Gedanken entstanden, sie konnten jedoch nicht verwirklicht werden. Es klingt nicht übertrieben, wenn ich feststelle, daß die tägliche Aufgabenerfüllung trotzdem fast routinemäßig ablief.
Das war auch so am 9. November 1989. Die tägliche Beurteilung der Lage im Kommando der Grenztruppen widerspiegelte die Lage an der Staatsgrenze der DDR, den Zustand der unterstellten Stäbe, Verbände und Einheiten. An diesem Tag erwartete die Führung der Grenztruppen, so denke ich heute, Entscheidungen der Partei- und Staatsführung, die Einfluß auf die Planung, Organisation und Durchführung des Schutzes der Staatsgrenze

der DDR haben würden. Am 9. November tagte bekanntlich das Zentralkomitee der SED und auch das Politbüro, die sich mit der Entwicklung der DDR beschäftigen sollten.

Bis in die Abendstunden brachte jedoch auch dieser Tag keine Veränderungen. Die Stabsarbeit verlief nahezu wie an jedem anderen Tag, obwohl eine gewisse Anspannung, Erwartung nicht geleugnet werden konnte.

Ich erinnere mich daran, daß ich nach Ende der Dienstzeit gemeinsam mit anderen Offizieren im Dienstzimmer des Stellvertreters des Chefs der Grenztruppen und Chefs des Stabes verblieb, um die Rückkehr des Chefs der Grenztruppen von der Tagung des Zentralkomitees der SED zu erwarten. Mit seiner Rückkehr wurden Aufgaben erwartet, die Einfluß auf die Aufgabenerfüllung der unterstellten Verbände hätten haben können.

Während dieser Zeit des Wartens nahmen die Anwesenden zwischen 19.30 Uhr und 20 Uhr den Auftritt des Mitglieds des Politbüros, Schabowski, in der „Aktuellen Kamera" des Fernsehens der DDR mit seinen Aussagen über die Aufhebung der Reisebeschränkungen der Bürger der DDR zur Kenntnis, ohne jedoch unmittelbare Folgen vorhersehen zu können. Wir waren uns jedoch klar darüber, daß diese Ankündigung in den folgenden Tagen Arbeit mit sich bringen würde.

Wenig später verließ ich die Dienststelle, da der Chef der Grenztruppen noch nicht zurückgekehrt war und der Zeitpunkt der Rückkehr nicht abzusehen war.

Gegen 22 Uhr des 9. November wurde ich in die Dienststelle zurückbefohlen. Wenn ich mich richtig erinnere, waren im Lagezentrum neben dem Chef der Grenztruppen seine Stellvertreter und andere Offiziere zugegen. Ich wurde darüber informiert, dass in der Zwischenzeit, also etwa in der Zeit zwischen 20 Uhr und 21.30 Uhr, Grenzübergangsstellen in Berlin, wie zum Beispiel die Grenzübergangsstellen Bornholmer Straße, Sonnenallee und Oberbaumbrücke für die kontrollierte Aus- und Einreise der Bürger der DDR nach Berlin (West) geöffnet waren. Das nahm ich mit Erstaunen zur Kenntnis, da es bis zum Zeitpunkt meines Verlassens der Dienststelle keine Weisung dazu gegeben hatte. Ohne eine weitere Erklärung zu erhalten oder abfordern zu können, wie es zur Öffnung der

Grenzübergangsstellen gekommen war, erhielt ich die Aufgabe, Informationen von den unterstellten Dienststellen über die Anzahl der aus- und einreisenden Bürger der DDR einzuholen. Diese Aufgabe erwies sich jedoch als schier unlösbar. In der Nacht vom 9. zum 10. November war es fast aussichtslos, aufgrund des hohen Andrangs, die Zahl der aus- und einreisenden Bürger der DDR auch nur auf 100 genau zu bestimmen. Wie ich mich genau erinnere, blieb der Strom der Bürger nach Westberlin und zurück gleich stark. Er wurde erst im Verlauf des 10. November kontrollier- und zählbar. Das zeigte sich dann auch im Zusammenhang mit der Öffnung der vorhandenen Grenzübergangsstellen der DDR zur BRD für die Aus- und Einreise aller Bürger der DDR.

Einige Zeit nach dem 9. November 1989 hatte ich die Aufgabe, gemeinsam mit einem Offizier einer Grenzübergangsstelle, der GÜST Sonnenallee, wie ich mich zu erinnern glaube, in einer Veranstaltung mit Bürgern der DDR auftreten. Man erwartete von uns eine Darstellung der Ereignisse um den 9. November. Bemerkenswert für mich war die Schilderung des Offiziers der Grenzübergangsstelle. Er schilderte aus eigenem Erleben, wie es letztendlich den in der Grenzübergangsstelle diensttuenden Angehörigen der Grenztruppen und des Ministeriums für Staatssicherheit oblag, die Entscheidung über das Öffnen der Grenzübergangsstelle zu treffen. In aller Regel war es die Reaktion auf die ständig zunehmende Anzahl der Bürger der DDR vor den Grenzübergangsstellen im Verlauf der Abendstunden des 9. November und die Absicht, schwerwiegende Folgen zu verhindern. Diese Schilderung wurde gedeckt durch meine Feststellungen in der Nacht vom 9. zum 10. November. Aus den Reaktionen und dem Auftreten meiner Vorgesetzten und den mir zugänglichen Informationen über die Reaktionen der politischen und militärischen Führung der DDR zum unmittelbaren Geschehen in den Abendstunden des 9. November war zu ersehen, daß alle von diesen Vorgängen überrascht wurden.

Weder die Grenztruppen, noch die anderen Schutz- und Sicherheitsorgane, waren auf die Bekanntgabe der Aufhebung der Reisebeschränkungen für alle Bürger der DDR vorbereitet. Umso beeindruckender ist es, daß es zu keinen unbesonnenen Handlungen durch Angehörige der Grenztruppen der DDR oder der Paßkontrolleinheiten des MfS kam.

Erst in den Tagen nach dem 9. November 1989 setzte eine intensive Arbeit der Stäbe der Schutz- und Sicherheitsorgane der DDR ein, um auf die neue Lage sachgerecht reagieren zu können. Das war deshalb von Bedeutung, da fast kein Tag verging, an dem nicht eine neue Forderung nach Öffnung von zusätzlichen Grenzübergangsstellen durch die örtlichen Staatsorgane der Grenzkreise und -bezirke gestellt wurden.

Mitunter erwies es sich auch als zweckmäßig, die direkte Verbindung zu den unterstellten Stäben und Einheiten zu nutzen, um fristgerechte Erfüllung von zu lösenden Aufgaben zu sichern. So war es auch, als im Grenzkreiskommando Dermbach eine Grenzübergangsstelle im Raum Vacha zu eröffnen war. Dieses Grenzkreiskommando war eines der Kommandos, das keine offizielle Grenzübergangsstelle hatte.

Wenngleich diese Schilderung einiger Ereignisse vor, am und nach dem 9. November 1989 nur eine ganz persönliche ist und nicht den Anspruch auf Vollständigkeit erhebt, soll sie auch eine Darstellung des selbstlosen Handelns vieler unbekannter Angehöriger der Grenztruppen und anderer Schutz- und Sicherheitsorgane der DDR sein, denen es zu danken ist, daß der 9. November 1989 und auch die Folgezeit einen friedlichen Verlauf nahmen.

Für mich persönlich war der 9. November 1989 nicht nur gefühlsmäßig der sichtbare Anfang vom Ende der DDR. Eine schmerzliche Erkenntnis, aber auch noch viel mehr eine Herausforderung, galt es doch, für die unterstellten Angehörigen der Grenztruppen und des späteren Grenzschutzes der DDR bis zum letzten Tag Verantwortung zu tragen.

FESTSTELLUNGEN DER WESTLICHEN GRENZORGANE[2] ÜBER DIE GRENZTRUPPEN DER DDR IM NOVEMBER UND DEZEMBER 1989

GSK Mitte, 11/89

Die Art und die Intensität der Überwachungstätigkeit der DDR-Grenztruppen waren bis November 1989 im wesentlichen unverändert.

Trotz des gewachsenen Ausreisedruckes der DDR-Bevölkerung, wie er sich seit Sommer 1989 insbesondere in den Botschaften der Bundesrepublik Deutschland in Ungarn, Polen und der ČSSR manifestierte, hatte die Zahl der Fluchtbewegungen über die Grenzsperranlagen in die Bundesrepublik Deutschland bis zum 9. November 1989 nur unwesentlich zugenommen. Vom 1. Januar bis Ende Oktober 1989 flüchteten 127 Personen auf diesem Wege aus der DDR. Dies waren gerade soviel Sperrbrecher wie im gesamten Vorjahr (125). In 29 weiteren Fällen scheiterten nach Beobachtungen eigener Grenzsicherungskräfte die Fluchtversuche von Einzelpersonen oder auch Personengruppen im Bereich der DDR-Sperranlagen. Dreimal wurde nach eigenen Beobachtungen von Angehörigen der DDR-Grenztruppe die Schußwaffe gegen Fluchtwillige eingesetzt; inwieweit dabei Personen zu Schaden kamen, ließ sich nicht eindeutig feststellen.

Nachdem die DDR am 9. November 1989 die Reisebeschränkungen für DDR-Bewohner aufgehoben hatte, veränderte sich die Situation an der innerdeutschen Grenze schlagartig und dramatisch. Bereits in der Nacht zum 10. November 1989 kam es an den wenigen bisher vorhandenen 20 Grenzübergängen zu einem Ansturm von Reisenden aus der DDR. Die DDR-Grenztruppen ließen Reisende entgegen den bisherigen sehr strengen Personenkontrollen praktisch ohne Formalitäten durchfahren. An den Übergängen spielten sich ergreifende Begrüßungsszenen ab.

Durch den Druck der Bevölkerung sahen sich die Grenzorgane der DDR gezwungen, in den nächsten Tagen an alten vorhandenen Straßen zwischen der DDR und der Bundesrepublik Deutschland die Grenzsperranlagen zu beseitigen und auch hier *einen grenzüberschreitenden Verkehr zuzulassen. Das Niederreißen der Grenzsperranlagen an den alten Verbindungsstraßen wurde regelmäßig begleitet von Freudensbekundungen der Bevölkerung beiderseits der Grenze. Die DDR-Grenztruppen suchten nun das Gespräch mit dem Bundesgrenzschutz. Die Angehörigen beider Organisationen sorgten sich gemeinsam um die Bewältigung des ankommenden Verkehrs. Grenzpolizeiliche Kontrollen fanden praktisch nicht mehr statt.*

Die Öffnung von Grenzübergängen durch die DDR-Organe erfolgte oft kurzfristig und ohne nähere Ankündigung; sie war oft das Ergebnis spontaner Forderungen der Grenzbevölkerung.

Bis zum Jahresende 1989 wurden insgesamt 139 neue Grenzübergänge/Grenzdurchlässe in den Sperranlagen eingerichtet und für den grenzüberschreitenden Verkehr frei gegeben. Heute sind praktisch alle früheren Straßenverbindungen vor der Teilung Deutschlands wieder offen. Von den 139 Grenzübergängen sind 65 ständig und 74 zeitweise geöffnet. Bei letzteren handelt es sich um bei Bedarf kurzfristig und kurzzeitig für den Besucherverkehr, insbesondere im Bereich grenznaher Ortschaften, geöffnete Übergänge. Mit den bisher 20 und den 139 neuen Grenzübergängen bestanden am 31. Dezember 1989 159 Grenzübergänge.

Mit Stand 23. Februar 1990 hat sich die Zahl auf 192 Grenzübergänge erhöht, davon sind 92 ständig und 90 zeitweise geöffnet. Der Grenzschutzeinzeldienst nimmt in Zusammenarbeit mit den GS-Verbänden und der Bundeszollverwaltung die grenzpolizeilichen Aufgaben an den neuen Übergängen wahr. Erstmals wurden im Freistaat Bayern Grenzübergangsstellen an der Grenze zur DDR durch den BGS auf Wunsch der Bayerischen Staatsregierung übernommen.

Nach Aufhebung der Sperrzone wurde das Grenzgebiet für die DDR-Bevölkerung frei zugänglich. Damit wurden offensichtlich auch aus Sicht der DDR-Grenztruppen Teile der Sperranlagen überflüssig.[3]

Die Grenzsicherung (oder bereits Grenzaufklärung?) hat sich verändert. Der Kräfteansatz scheint – nicht zuletzt wegen der vielen neuen Übergänge und dem Abzug von Fachpersonal in Zivilbereiche – deutlich verringert worden zu sein. Mehrere Offiziere machten deutlich, daß sie „keine

Kräfte mehr" hätten.

Nur noch wenige Fuß- und motorisierte Streifen sind zu beobachten, die Türme sind kaum noch besetzt. Die Bewaffnung besteht anstelle der obligatorischen Kalaschnikow in aller Regel nur noch aus der Pistole Makarov. Noch getragene AKM wurden damit begründet, daß nicht genügend PM zur Verfügung stünden.

An 5 Tagen führten zumeist Dreiertrupps jeweils 7 Grenzbegehungen und 7 Postierungen diesseits der Sperranlagen durch. Einige GAK waren zu Freischneidearbeiten eingeteilt, angeblich zur Vorbereitung landwirtschaftlicher Nutzung des Geländes diesseits eMGZ, aus ihrer Sicht aber eher zum Zeitvertreib. Die „Aufklärung" mit optischem Gerät hat deutlich nachgelassen. Von den Grenztruppen war zu erfahren, dass zumindest an dem Besucherschwerpunkt im Grenzabschnitt 40 (Günthers – Motzlar) in Vergangenheit Richtmikrofone eingesetzt waren. Zeitweise wurde auch aus Panzern ausgebautes IR-Gerät dort eingesetzt.

Seit dem 09.11.1989 sind keine Absperrmaßnahmen und größere Suchaktionen mehr beobachtet worden.

Auf Flüchtende soll nicht mehr geschossen werden.

Seit die 5-km-Sperrzone aufgehoben worden ist, können die DDR-Bewohner sich bis zum GSSZ frei bewegen. Im Zusammenhang mit Demonstrationen durften sie sogar örtlich bis an den eMGZ und selbst auf Bundesgebiet.

Die Masse der KPP ist bereits beseitigt, an anderen finden erkennbar keine Kontrollen mehr statt.

Im Grenzgebiet der DDR haben an mehreren Stellen die Bewohner für neue Übergänge und den Abbau der Grenzsperren demonstriert, einige Übergänge sind daraufhin bereits geschaffen worden, weitere werden möglicherweise folgen.

Mit mehreren Demonstrationen verliehen im Grenzabschnitt 40 Bewohner mehrerer DDR-Ortschaften ihrer Forderung Ausdruck, das „Haus Katzenstein" bei NB 765 140 nicht mehr als Erholungsheim für das MfS, jetzt „Amt für Nationale Sicherheit", zu nutzen. Die letztendliche Entscheidungslage ist noch nicht bekannt.

Die Grenzsicherung außerhalb der Grenzübergänge ist weiterhin nur äußerst gering, Beobachtungsanlagen werden kaum genutzt. Die Führungsstellen scheinen ausschließlich in die Kompanie Objekte verlegt worden zu sein. Die DDR-Grenzsoldaten aller Dienstgradgruppen sind unverändert freundlich und gesprächsbereit. Noch werden vereinzelt Langwaffen getragen.

Neben den zwanglosen Gesprächen vor Ort fanden auch zahlreiche offizielle Gespräche auf der Ebene GSA/GKK, GSK/GBK sowie GSST/GÜST statt. Dabei wurde eine Vielzahl von Erkenntnissen gewonnen:

Eine Umbenennung der Grenztruppen hat bisher noch nicht stattgefunden, ist jedoch mit der Verabschiedung eines neuen Grenzgesetzes durch die Volkskammer zu erwarten. Dann könnten sich auch das Unterstellungsverhältnis, die Dienstgradbezeichnungen und die Uniformen ändern. Mehrfach wurde „Grenzschutz der DDR" als neue Bezeichnung der Grenztruppen angegeben.

Die GAK Züge der Kompanien sind aufgelöst worden.

Polit-Offiziere bleiben in den Kompanien, werden jedoch zu taktischen Führern ausgebildet bzw. als solche eingesetzt.

Die Kompanieführung ist angewiesen, in sozialen Angelegenheiten großzügig zu verfahren (Personalerhaltung).

Im Frühjahr 1990 sollen in den Kompanien Vertrauensleute gewählt werden.

Ab 01.01.1990 sollen die Paßkontrolleinheiten den Grenztruppen unterstellt worden sein (GKK).

Wehrdienstzeitverkürzung von 15 auf 12 Monate, wobei Wehrpflichtige, die bereits 12 Monate Dienst geleistet haben, nach 15 Monaten und solche, die noch keine 12 Monate abgeleistet haben, nach einem Jahr entlassen werden.

Zeitsoldaten mit dreijähriger Dienstzeit würden bereits nach zwei Jahren entlassen.

Bei den Grenztruppen sei die 45-Stunden-/5-Tage-Woche eingeführt worden. Für Dienst am Wochenende werde Ausgleich gewährt. Über die Feiertage wären nur 50 % statt bisher 80 % des Personalbestandes anwesend gewesen.

Angehörige der mittleren und unteren Ebene des bisherigen MfS bzw. des Amtes für Nationale Sicherheit würden nunmehr an den GÜSt als Angehörige der Zollverwaltung oder der PKE Dienst verrichten.

Der hohe Personalbedarf der Grenztruppen an den neuen Grenzübergänge sei durch Zuordnung aus anderen Bereichen der DDR aufgefangen worden, insbesondere seien Stabs-Angehörige zum Grenzdienst versetzt worden.

Personal in Grenztruppen-Uniformen mit grünen Ärmelstreifen links seien Angehörige des Zolls, z.Zt. würden Uniformen fehlen.

Die Ist-Stärke (einer) Kompanie liege z.Zt. bei +/- 80 Mann.

Bis Februar sollen die Grenztruppen erneut umstrukturiert werden. Noch bestehen vier Züge in den Kompanien. Der Personalbestand werde jedoch weiter reduziert. Zurzeit würden keine neuen Wehrpflichtigen und auch keine Reservisten einberufen.[4]

Ein Kommentar äußert sich dazu:

Was war an der Meldung so ungewöhnlich?

Einmal natürlich, dass hier das Verteidigungsministerium der DDR gewissermaßen mit einem Federstrich wesentliche Bestandteile von Grenzgesetz, Grenzverordnung und Grenzordnung außer Kraft setzte, die erst am 25. März 1982, begleitet von beachtlicher Öffentlichkeitsarbeit, beschlossen worden waren. Die Zuständigkeit hatte damals beim Vorsitzenden des Staatsrates (Grenzgesetz), beim Ministerrat (Grenzverordnung) und beim Minister für Nationale Verteidigung sowie beim Minister des Innern und Chef der Volkspolizei (Grenzordnung) gelegen. Noch bemerkenswerter war natürlich der Inhalt der Mitteilung. Hier konnte festgestellt werden, dass mit der Aufhebung von Sperrzone und Schutzstreifen dem gesamten Sperrsystem die Grundpfeiler entzogen wurden. Ohne die Fülle der freiheitsbeschränkenden Maßnahmen für diese Teile des Grenzgebietes, ohne die Verbote und restriktiven Regelungen standen die Sperranlagen plötzlich im Gelände wie Zeugen aus einer anderen Zeit. ... Allein die entlang der Grenze festgelegte Sperrzone dürfte ein Gebiet von rund 6.000 Quadratkilometern umfasst haben. Und am 13. November 1989 verabschiedete sich nun die DDR mit einer kurzen Mitteilung des Verteidigungsministeriums von dieser Sperrdoktrin. Von einem Tag auf den anderen standen seither die Schlagbäume der vorher ständig besetzten Kontrollpassierpunkte zur Sperrzone offen.[5]

Dezember 1989

Änderung in der Bewaffnung der DDR-Grenztruppen

Die bereits erkannte Änderung in der Bewaffnung der Grenzstreifen (der DDR) bestätigte sich weiter. Einer Grenzsoldaten-Aussage zufolge sollen nur noch Pistolen mitgeführt werden.

Da Kurzwaffen nicht in ausreichender Menge zur Verfügung stünden, erfolge die Streifentätigkeit zum Teil aber noch mit Langwaffen. Lt. Mitteilung eines Oberstleutnants der DDR-Grenztruppen habe die Streifentätigkeit wegen der zahlreichen neu eröffneten Grenzübergänge aufgrund Personalmangels erheblich reduziert werden müssen; auch Beobachtungstürme sollen nicht mehr besetzt werden.

Nachdem schon seit Aufhebung der Sperrzone am 13.11.1989 verschiedene von der Volkspolizei besetzte Kontrollpassierpunkte unbesetzt gewesen waren, konnte mittlerweile bereits der Abbau einiger Schlagbäume erkannt werden.

(Bayerische Grenzpolizei)

Frank Meixner: Episoden, Erfahrungen und Geschichten bis zur Verkündung der Grenzöffnung durch Schabowski

Hauptmann Frank Meixner war seit 1988 Kompaniechef der 12. Grenzkompanie im GR-3 Stedtlingen. Nachdem er kein Tagebuch geführt hatte und die Unterlagen der GK befehlsgemäß vernichtet wurden, konnten den nachfolgenden Inhalten leider keine genauen Daten zu Grunde gelegt werden.

1. Ereignisse in den Sommermonaten und im Herbst 1989

Durch Informationen aus der Bevölkerung, über die nationalen Medien, Presse und Rundfunk sowie sehr spärlich über das Fernsehen sickerte durch, dass es zu Fluchten von DDR-Bürgern über Ungarn und Österreich in den Westen gekommen sei.

Erste Verunsicherung machte sich breit. Man überlegte: „Wie wird reagiert, wie geht es an der Grenze weiter?"

Wehrpflichtige, die aus dem Urlaub zurückkehrten, brachten auch zahlreiche Informationen mit, die natürlich in der Grenzkompanie ihre Auswertung fanden.

Eine gewisse, für die Disziplin negative Stimmung machte sich breit! Einige zum Wachdienst und Grenzdienst eingeteilten Soldaten und Unteroffiziere wollten keine Waffe mehr anfassen und verweigerten den Dienst.

Daraufhin erfolgte entweder die sofortige Versetzung in das Grenzbataillon oder das Grenzregiment oder der Einsatz im Innendienst der GK oder zum Grenzdienst außerhalb der Sperrelemente, wobei es hier nicht viele Möglichkeiten gab.

In der Folge wurden die Wehrpflichtigen nach und nach in die Reserve versetzt, die Grenze wurde immer mehr nur noch abgestreift.

Berufssoldaten, Berufsunteroffiziere, Fähnriche und Offiziere wurden zu so genannten Selbstfahrern ausgebildet.

Sie erhielten nach abgelegter Prüfung eine so genannte Typenberechtigung und waren so in der Lage, den kompanieeigenen Kfz-Park zum Grenzdienst zu nutzen, denn Kraftfahrer waren ja keine mehr verfügbar.

Vielleicht an der Stelle, eine kleine Episode aus der Zeit, als Soldaten immer mehr Informationen zu Fluchten von DDR-Bürgern in den Westen aus dem Urlaub mitbrachten:

Ich befand mich auf dem Weg zum Dienst, als ich an den ersten beiden Pappeln links des Wachhäuschens, unmittelbar im Zugangsbereich der Grenzkompanie ein weißes Bettlaken mit dem Spruch „Warum in Beelitz und nicht hier?" wahrnahm.

Der Wachposten machte Meldung: „.... während meiner Dienstzeit keine Vorkommnisse usw. ..."

Als ich ihn fragte, ob er etwas von dem Bettlaken neben ihm wüsste, sagte er, er hätte es auch eben erst bemerkt.

Ohne es weiter mit ihm auszudiskutieren, ging ich in mein Dienstzimmer und rief telefonisch den Unteroffizier vom Dienst. Auch ihm stellte ich die gleiche Frage wie dem Wachposten. Seine Antwort: „Das habe ich nicht bemerkt, ich weiß auch nicht, wer es aufgehängt hat."

Da der Posten- bzw. Wachbereich durch den UVD oder GUVD alle 2 Stunden zu kontrollieren war, dies auch dokumentiert war und der Torbereich ständig besetzt war, stellte sich die Frage, wer das Bettlaken angebracht hat?

Keiner hatte eine Antwort bzw. wollte eine Auskunft geben. Ich gab der alten Objektwache Zeit zum Nachdenken – solange musste er auch auf Wache bleiben – und der neu geplanten Wache vorerst frei.

Mitten im Nachdenken stellte sich heraus, dass ein Wachposten nach Dienst auf Urlaub geplant war und er natürlich seinen Zug nicht verpassen wollte. Nach ca. einer Stunde des Nachdenkens betrat der UVD mein Dienstzimmer und beichtete mir, dass das Laken während seiner Dienstzeit angebracht wurde, er aber nicht mehr wüsste, wer es war. Er fragte mich auch, ob der Soldat in den Urlaub wegtreten dürfte, da sein Zug in 30 Minuten in Meiningen abfahren würde.

Ich sah von Bestrafungen ab und fuhr dann den Soldaten selbst mit meinem Privat-Pkw nach Meiningen zum Bahnhof. Er erreichte den Zug noch pünktlich.

Am Tag der Mitteilung über die Grenzöffnung, dem 09.11.1989 war in Stedtlingen Beginn der jährlichen Kirmes. Dieses Wochenende hatte ich „Dienstfrei" geplant und Besuch war angekündigt. Ich kann nicht mehr genau sagen wann, auf alle Fälle wurde noch am Freitag von „Oben" befohlen, dass die Führung der Grenzkompanien aus dem Objekt nur durch Kompaniechefs erfolgen dürfe. Eine Führung durch den Stellvertreter oder andere Offiziere war nicht genehmigt. Das hieß, dass sich mein „Dienstfrei" erledigt hatte.

Meine Frau ging dann gemeinsam mit ihrem Besuch, einer Freundin, allein zur Kirmes. Das gleiche „Spiel" dann auch am folgenden Samstag. Es gab keine konkreten Befehle und Maßnahmen. Es herrschte absolute Unsicherheit oder besser gesagt Chaos. Auf alle Fälle kam im Verlaufe des Samstagabends die Genehmigung für die Fortsetzung meiner dienstfreien Zeit.

Die Folgezeit war dann von den bekannten „Sofortbesuchen" von DDR-Bürgern in den Westen geprägt, wo sie ihre 100,00 DM Begrüßungsgeld abholten. Angehörigen der Grenztruppen und auch anderer bewaffneter Organe waren diese Besuche am Anfang streng verboten, es kam bei bekannten Zuwiderhandlungen sogar zu Bestrafungen bis hin zu Degradierungen von Berufssoldaten.

Nach und nach wurden dann einzelne Gassentore (VSE) und GSSZ-Tore festgelegt und befohlen, an denen der seitens der Bevölkerung geforderte kleine Grenzverkehr stattfinden sollte. Die Absicherung erfolgte meist durch Grenzaufklärer und Offiziere, aber auch immer noch durch vereinzelt in der Grenzkompanie befindliche Soldaten und Unteroffiziere. Die Zeiten der Öffnungen wurden mit den Gemeinden und den Grenztruppen abgestimmt. In der Folgezeit gab es immer mehr so genannte „kleine Übergangsstellen", die ihrerseits immer weniger „Absicherung" erfuhren. Am Ende wurden überhaupt keine Kontrollen oder ähnliches mehr durchgeführt. Nach und nach kam es dann in der Folgezeit immer mehr zu Auflösungserscheinungen in den Einheiten.

Eine weitere Episode:

Als feststand, dass an den Grenzübergangsstellen (GÜST) grundsätzlich nur Mitarbeiter der Stasi in Grenztruppenuniformen im „Einsatz" waren, kam eines Tages, während dieser Zeit der Unsicherheit über Nacht der Befehl, dass die Grenzübergangsstellen von Angehörigen der Grenztruppen, vorwiegend Grenzaufklärern, zu besetzen seien.

Was genau in dieser Zeit an den GÜST vorgefallen war, kann ich nicht sagen. Auf alle Fälle hieß es auch von „Oben", die Stasi würde an allen GÜST über Nacht abgezogen.

Da der Grenzverkehr aber weiterlaufen musste, wurden aus sämtlichen Grenzkompanien Grenzaufklärer abgezogen, um Sicherungs- und Kontrollaufgaben zu übernehmen. Schon hier kam es dabei zu ersten Kontakten mit dem westdeutschen Grenzzolldienst bzw. der Bayerischen Grenzpolizei, zum Beispiel wurde an der GÜST – nicht immer mit Genehmigung – gemeinsam gegrillt.

Was mich betraf, so erhielt ich eines Tages vom Kommandeur des Grenzregiments Meiningen einen dienstlichen Anruf, verbunden mit dem Befehl, dass ich mich bei ihm im Stab melden soll. Ich fuhr also nach Meiningen. Neben mir war, was ich aber nicht wusste, auch der Kompaniechef der Grenzkompanie Schwickershausen in den Stab befohlen worden. Der Kommandeur stellte uns frei, wer als Erster „rein durfte". Da es dem anderen Kompaniechef egal war, betrat ich als Erster das Dienstzimmer.

Nach einigen allgemeinen Dingen, sagte mir der Kommandeur, dass an der GÜST Henneberg diensthabende Offiziere kurzfristig benötigt würden und ob ich mir vorstellen könne, diesen Dienst zu übernehmen.

Auf meine Frage, was dies bedeute, auch vom zeitlichen Ablauf her, sagte er: „Sie übergeben kurz Ihre Einheit an den den noch draußen sitzenden KC und beginnen Ihren Dienst ab übermorgen!"

Da gab es für mich nichts zu überlegen, ich entschied mich sofort für den Dienst als DHO, dies auch vor dem Hintergrund, dass in dieser Zeit der absoluten Verunsicherung niemand wusste, wie es in den GK weiter geht und was den nahenden Übergaben der Einheiten wird.

Jetzt kam das Problem der Übergabe auf mich zu: „Was ist, wenn z. B. erfasste Bekleidungsgegenstände plötzlich verschwunden sind oder plötzlich verschwinden, aber trotzdem als Kompaniebestand übergeben werden müssen? Wer kommt für den Schaden auf? Wer konnte wissen, ob nicht schon etwas geklaut wurde?"

Die Übergabe an sich verlief dann jedoch relativ reibungslos.

Einen Tag nach der Übergabe begann ich dann meinen Dienst als DHO an der GÜST. Aufgabe war, den grenzüberschreitenden Verkehr mit den zur Verfügung stehenden Mitteln zu überwachen und zu dokumentieren, die Technik (Fernschreiber, Videoüberwachung, Telefone) zu überwachen und zu bedienen, sowie die eingesetzten Sicherungskräfte (GAK) zu führen, und, man höre und staune, im Endstadium der Überwachung an der GÜST, das „Zusammenwirken" mit den Grenzüberwachungsorganen der Bundesrepublik zu „pflegen".

Noch eine Episode:
Ich kann nicht mehr genau sagen, wann und in welchem Zusammenhang, auf alle Fälle erhielten ich und ein weiterer an der GÜST tätiger Offizier eine Einladung vom „benachbarten" Grenzzolldienst (GZD). Es war eine offizielle Einladung, die den Vorgesetzten auch gemeldet war. Ein Vertreter des Stabes nahm auch an dem Besuch teil. Der Besuch fand in Uniform im Objekt des GZD unmittelbar an der Grenze im Bayrischen statt. Es ging um die Kontaktpflege und um ein „besseres" Kennenlernen.

Es war ganz nett und zeigte, dass die Uniformierten auf der Gegenseite auch ganz normale Menschen waren.

Es wurde viel über alles mögliche gesprochen, gegessen und getrunken.

Am Ende wurde ich dann mit einem VW-Bus des Grenzzolldienstes nach Hause nach Stedtlingen gefahren. Es war zwar dunkel, aber einige Stedtlinger hatten es doch mitbekommen. Ich konnte mir gut ausmalen, was fast ganz Stedtlingen gedacht hat, besonders als am nächsten Tag bei hellstem Tageslicht mein liegengebliebener Pullover ebenfalls durch einen VW-Bus des GZD bei mir zu Hause vorbei gebracht wurde. Noch heute wird mitunter davon gesprochen.

Bis Ende September 1990 versah ich meinen Dienst an der GÜST.

Am 1. Oktober schied ich dann aus den bewaffneten Organen aus und meldete mich arbeitslos.

DAS JAHR 1990 AUS DER SICHT DER GRENZTRUPPEN

Bericht von Major Christoph Baldrich, Grenzkreiskommando Hildburghausen

Anfang 1990 bestand noch Hoffnung auf gemeinsame Überwachung, denn die Notwendigkeit einer Überwachung der Grenze bestand nach wie vor. Teilweise wurde Schmuggelgut unkontrolliert sogar mit Lkw verschoben. Für lange Zeit herrschte absolute Ungewissheit und Unsicherheit, wie es weitergehen sollte. Als Erste waren Versicherungsbetriebe da, machten Hurra-Veranstaltungen in den Kasernen und holten sich Kader für ihre Versicherungen – Vermögensberatungen (Deutsche Vermögensberatung – Strukturvertrieb der Aachener-Münchener).

1989 gingen erste Wehrpflichtige weg. Ein Politoffizier von der Politabteilung Meiningen, seinerzeit größter Hurra-Schreier, hatte sich gleich in den Westen abgesetzt, der Vorfall lief noch als „Fahnenflucht" (evtl. Herbst 89/Anfang 90). Die Sache schlug hohe Wellen, wurde aber bei weitem nicht so untersucht wie sonst üblich. Vorzeitig wurden

Gemeinsame Grenzbegehung im Frühjahr 1990 im Bereich Haßberge – Landkreis Hildburghausen mit Angehörigen der DDR-Grenztruppen, des Bundesgrenzschutzes, des Zollgrenzdienstes, amerikanischen Armeeangehörigen sowie der Bayer. Grenzpolizei.

Soldaten auf Zeit entlassen, sie sollten sich arbeitslos melden. Es gab nichts mehr zu tun. Befehle und Dienstvorschriften waren bis 1990 nicht aufgehoben, doch in der Praxis war eine absolute Grauzone entstanden. So wurden keine Schüsse auf Grenzverletzer vom Westen mehr abgegeben.

Zwischen den Übergängen wurden anfangs noch die Grenzen gesichert, um möglichen Schmuggel zu verhindern. An den Übergangsstellen wurde nach wie vor kontrolliert, doch dann war dies kräftemäßig zu aufwändig. Die Kontrolle an den Grenzübergängen wurde am 01.07.1990 eingestellt.

B. fuhr nun, wie auch die übrigen Grenzsoldaten, in Zivil zum Dienst, zog sich in der in Kaserne um, saß dort den ganzen Tag herum. Geld gab es noch, Alkohol, auch nach Rodach mit Privat-Pkw zu Edeka, nach Rodach Frühstück besorgt. Viele hatten schon die Schrott-Autos. Alle hofften, auch die Zöllner und Grenzschützer der alten BRD, auf ihre Arbeitsplätze. Wunschtraum war: Alles so lange hinziehen, eine Art Pflicht bis zum Ende erfüllt.

Übernahmen ehemaliger Kader und Berufssoldaten der Grenztruppen erfolgten überwiegend in die neu aufzustellenden Einsatzabeilungen: Tschechengrenze, Polengrenze, Ostsee, Flughäfen. B. wurde nicht übernommen, da bei Grenzaufklärern offensichtlich Stasikontakte eine Rolle spielten.

2. Teil des Tagebuchs von Oberstleutnant Harald Hentschel

Ereignisse und Reflektionen des Jahres 1990
* 04.01.1990
* Letzte PDS-Mitgliederversammlung der Grundorganisation I des Stabes des GR 3; bis auf zwei Mitglieder waren alle anwesend. Die Atmosphäre war gedrückt, es stand die Frage im Raum: Wie wird es weitergehen? Alle sollten, so die Festlegung, in den Grundorganisationen ihrer Wohnorte tätig werden. Ich zweifle, ob das überhaupt noch einen Sinn hat, angesichts der zahlreichen Anfeindungen,

denen die Genossen ausgesetzt sind. Nach ca. 45 Minuten ist die letzte Versammlung beendet.

Ich fühle mich sauschlecht. War es doch meine jahrzehntelange erstrangige Aufgabe, mich um die Grundorganisationen zu kümmern – meine eigene, in der ich 8 Jahre tätig war – gab es nicht mehr. Wohin soll das alles noch gehen? Die in meinem Kopf fest verankerte führende Rolle der Partei gibt es ab sofort nicht mehr! Wie soll das gehen, ohne Führung durch die Partei? Ich weiß noch keine Antwort.

* 12.01.1990
* Beratung in meinem Stellvertreterbereich zu Strukturvorschlägen. Täglich gab es neue. Niemand weiß, ob es noch Sinn hat oder nicht: Von Grenzwachen, Grenzübergangsstellen-Bereichen, Kontrollkommandos und ähnlichem ist die Rede. Lassen wir es auf uns zukommen! Alles hat Vorschlags- und Entwurfscharakter. Ich glaube es wird wohl kaum etwas, egal wie es heißt langlebig sein!

* 14.01.1990, Sonntag
Die CDU führt eine Wahlkundgebung auf dem Schulhof der Dermbacher Polytechnischen Oberschule durch. 1.200 Teilnehmer waren gekommen. Ich bin in Uniform dabei.

Massive Angriffe auf SED/PDS, was zu erwarten war. Was ich nicht glauben wollte: Eine solche Aggressivität und Feindseligkeit gegenüber SED/PDS und Grenztruppen – „Rote Schweine" wurde zigmal lautstark aus der Menge gerufen, „... sollten aufgehängt werden" – das geht mir durch Mark und Bein. Da ich in meiner grünen Uniform nicht zu übersehen war und auf einige wohl wie ein Magnet wirkte, gab es auch direkte verbale Angriffe gegen mich.

In mir keimte eine ungeheure Wut auf und ich durchdachte auch mögliche Abwehrmaßnahmen, wenn mir einige Schreihälse auf dem Heimweg zu nahe kommen sollten.

Bitter enttäuscht war ich, dass keiner der Redner, die durchweg noch vor kurzem zu jedem 1.12., zum Tag der Grenztruppen, bei uns im Stab oder in den Kompanien zu Gast waren, sich bewirten ließen – einzelne mußten sturzbesoffen jedes Jahr nach Hause gefahren werden – zu Sachlichkeit oder Anstand aufrief,

geschweige denn die Schreihälse in die Schranken wies. Ich kam ohne Zwischenfälle nach Hause, innerlich zutiefst enttäuscht von Menschen, die ich als anständige Bürger eingeschätzt hatte.

* 15.01.1990
Schreiben vom Bürgermeister der Gemeinde Wiesenfeld geht ein. Darin wird die Beseitigung der Schrifttafel am Rudi-Arnstadt-Gedenkstein gefordert:

* *An das Grenzkreiskommando*
Kommandeur
Herr Oberstleutnant Weile
Sehr geehrter Herr Weile!
Die Bürger unserer Gemeinde fordern die Beseitigung der Schrifttafel an der Rudi-Arn-stadt-Gedenkstätte.
Als Grund geben sie an, daß die Beschriftung der Tafel unzeitgemäß ist und der damalige Hauptmann Rudi Arnstadt als erster zur Waffe gegriffen hat. Somit kann von einer Ermordung keine Rede mehr sein. Wir bitten Sie, diese Angelegenheit in Ihrem Stab auszuwerten und somit die Beseitigung der Schrifttafel zu veranlassen.
Busch, Bürgermeister

* Der Bürgermeister erhielt mit 19.01.1990 eine Antwort:

... wurde das Militärobergericht Leipzig beauftragt, eine gerichtsnotorische Aussage über den Sachverhalt/Inhalt der Tafel zu treffen.

Dies ist nicht mehr möglich, da die Gerichtsakten entsprechend gesetzlicher Festlegungen nach 25 Jahren vernichtet werden. Nach weiterer Konsultation mit jenem Militärstaatsanwalt, der seinerzeit die Untersuchung der Umstände der Ermordung des Hauptmanns Rudi Arnstadt führte, wurde ausdrücklich die Richtigkeit der Aussagen auf der Gedenktafel bestätigt.

Hauptmann Rudi Arnstadt wurde durch einen BGS-Angehörigen im Zuge einer gezielten Provokation ermordet.

Hentschel, Oberstleutnant
Kenntnisnahme: Busch Bürgermeister

* 16.01.1990, 16.30 Uhr
* Beratung mit Bürgerforum Dermbach
Ich sagte insbesondere meine Meinung zur letzten Wahlkundgebung der CDU und

forderte die Anwesenden auf, doch dafür zu sorgen, dass ein einigermaßen erträgliches Zusammenleben möglich ist, was auch von allen zugesichert wurde. Mir ging durch den Kopf: Einige sprechen mit zwei Zungen, ich habe es vor zwei Tagen erlebt, und sagte: „Die Botschaft hört ich wohl, allein mir fehlt der Glaube."

Das wurde als Provokation aufgefasst. Innerlich habe ich mich gefreut, denn ich sagte mir: Nun müssen sie wohl doch beweisen, dass sie für ein vernünftiges Zusammenleben sind!

* 23.01.1990, gegen 9.45 Uhr

erhalte ich den Befehl Nr. 06/90 des MfNV über die Auflösung der Politorgane mit Wirkung vom 15.02.1990. Von 10.30 bis 12.00 Uhr sitzen wir in der Politabteilung zusammen. Ich stelle allen Offizieren frei, sich Arbeit zu suchen oder in andere Breiche gemäß der Strukturvorschläge zu wechseln.

Für mich – Gedanke – das ist die letzte Phase der Demontage, da der Teil der Truppe, der nachweislich für den Zusammenhalt der militärischen Einheiten, für den politisch-moralischen Zustand und für die Lösung zahlloser, auch persönlicher Probleme verantwortlich war, aufgelöst wird. Es ist für mich unfassbar!!!

* Ab 24.01.1990
* räume ich „Papier" aus. Alles, was über Jahre an Dokumenten erarbeitet wurde, außer meinen persönlichen – die habe ich privat eingelagert – vielleicht brauche ich sie eines Tages, gelangte in die Papierbottiche nach Wernshausen und wurde Klopapier! Grausam, dieser Gedanke!

* 26.01.1990

Auf mein Gesuch hin wird die angestrebte Versetzung zur Grenzbrigade Pirna (ČSSR) rückgängig gemacht und ich erhalte die Bestätigung, ab 25.02.1990 als Stellvertreter des Kommandos für Grenzschutz im Grenzkreiskommando 401 Dermbach eingesetzt zu werden.

* 29.01.1990

Dienstbesprechung im Grenzbezirkskommando 4 – Sonneberg. Die Vorlage Nr. 01/90 des Militärrates der Grenztruppen, einen Dislozierungsvorschlag, der bis zum 12.02. disku-

tiert und dann als verbindliche Struktur realisiert werden soll.

Ich bin nicht nur skeptisch, es interessiert mich kaum noch, welche Strukturen es geben soll. Mich interessiert, daß diejenigen, mit denen ich jahrelang gekämpft habe, eine Perspektive bekommen. Da ich für mich keine sehe, habe ich auch Schwierigkeiten, für alle anderen eine zu sehen. Wo ist sie denn? Nach und nach wird alles demontiert. Wer wird ab, wann nicht mehr gebraucht? Es ist daher nur noch eine Frage der Zeit und wir sitzen und quatschen über etwas, was meines Erachtens nicht Wahrheit wird.

* 01.01. bis 31.01.1990
- Alle Grenzsäulen wurden beschädigt, da alle Staatsembleme gewaltsam entfernt und gestohlen wurden.
- Zahlreiche Streckmetallfelder im vorderen Sperrelement wurden von westlicher Seite entfernt und als Durchschlupfe genutzt, ebenso im Grenzsignalzaun. Die Situation war nicht mehr zu beherrschen, da die Kräfte fehlten.
- 15 Entlassungsgesuche von Berufskadern, allen wurde stattgegeben, sie fanden alle Arbeit.

* 01.02.1990

Grenzkreiskommando Meiningen. Beratung zu Strukturvorschlägen. Ich höre zu, habe auch einige Vorschläge in meinem Arbeitsbuch, beteilige mich an der Diskussion nicht, außer daß ich mich äußere, daß ich diese ganze Arbeit – manche haben sich sehr viel Mühe gemacht – als völlig sinnlos erachte. Es wird festgelegt, weiter an den Vorschlägen zu arbeiten – das lässt du sein, kümmere dich lieber um deine Leute, dachte ich mir.

* 05.02.1990
* Dienstbesprechung in Sonneberg für das GKK 401, Bad Salzungen, Sitz Dermbach wird eine Stärke von 82 Offizieren, 239 Fähnrichen, 11 Berufsunteroffizieren und 6 Zivilbeschäftigten festgelegt mit entsprechenden Aufgaben.

Es geht sehr militärisch zu, man könnte denken, eine Neugeburt habe stattgefunden.

Ein Oberst macht sich besonders wichtig: „... Das GKK hat viel zu viel Offiziersplanstellen. Nach konkreter, nochmaliger Berechnung müssen diese reduziert werden ..."

Der Grenzverlauf wurde überprüft – Grenzbegehung im Frühjahr 1990.
Foto: Michael Dros

Ich denke so, berechne und reduziere selber, wir behalten so viele, wie bis zum Abgesang dableiben wollen. Es ist sowieso nur noch ein Hinausschieben des Endes möglich, diese Überzeugung habe ich heute noch mal so richtig gewonnen. Ich weiß nicht, wollten das einige nicht wahrhaben oder schauspielerten sie???

* 05.02.1990
Demonstration in Wenigentaft zur Eröffnung des Grenzpassierpunkts in Richtung Grüsselbach, Tor 33 wurde gewaltsam geöffnet. Die anwesenden Grenzer verhielten sich völlig richtig und zurückhaltend. Es war klar, Vernunft walten lassen ist besser, als sich gegen den „unaufhaltsamen Strom" zu stellen.

* 12.02.1990, 17.00 – 19.00 Uhr
Die letzte Zusammenkunft aller Politoffiziere, wir nannten es Arbeitsessen. Alle empfanden es als „Henkersmahlzeit".
Wir sprachen zwanglos über die Zukunft. Einige hatten konkrete Vorstellungen und waren bereits auf Arbeitssuche. Ich forderte alle auf, möglichst schnell und intensiv sich um die eigene Perspektive zu kümmern, da es mit zunehmender Zeit wohl doch immer mehr werden.

Mein Standpunkt war: Wer zuerst kommt, mahlt zuerst, deshalb sollte niemand aus Treue zum „Zu Ende gehenden" zögern!
Die Mehrheit verstand das. Einzelne wunderten sich, daß ich solch eine Auffassung hatte und nicht bis zur letzten Sekunde zum Kampf aufrief. Mal sehen, wie später darüber gedacht wird?

* 15.02.1990, 19.00 Uhr
* Gemeindevertretersitzung – öffentlich – im Rhönglaswerk.
Neben sehr sachlichen Diskussionen verantwortungsvoller Bürger, besonders aus dem Bereich der beiden LPG (T und P) gab es die üblichen Anfeindungen. Vielleicht bin ich selbst schuld, da ich konsequent in Uniform gehe, so wie ich es immer gemacht habe. Ich sehe keinen Grund, mich zu verstecken!

Es wird alles Mögliche diskutiert, es ist bald so wie mit unserer Strukturdiskussion: Alles redet, keiner weiß, was wird. Einige tun sich jedoch sehr hervor, so daß man meinen könnte, sie wüßten bereits, was wird. Es fielen Bemerkungen wie: Wohnblöcke der GT, Objekte der GT, teilweise Objekte der LPG etc. gehören dem Volk!

* 20.02.1990
* Im GBK Sonneberg zur Dienstbesprechung. Dort wird uns die „Regierungskommission für die GT" vorgestellt. Mir ist das ziemlich egal, ob ein Oberkonsistorialrat – ich weiß überhaupt nicht, was das ist – oder ein Regierungsbeauftragter etwas zu sagen hat. Bald gibt es zur GT nichts mehr zu befehlen, weil die GT nicht mehr da sein werden!

Wir erhalten den Befehl Nr. 10/90 über die Formierung des Stellvertreterbereiches Grenzschutz.

Ab sofort bin ich nun regierungsoffiziell Stellvertreter des Kommandeurs für Grenzschutz, 5 Tage früher als vorher festgelegt. Meine Hauptaufgabe besteht darin, zunächst weitere Strukturvorschläge zu unterbreiten. Meine Einstellung dazu ist klar: Ich tue es, um Vorgesetzte mit dem Papier zu befriedigen, auslösen wird es nichts, beschlossen wird auf ganz anderer Ebene, was zu geschehen hat, das ist meine Überzeugung.

* 22.02.1990, 16.00 Uhr
Treffen mit unseren Freunden aus dem sowjetischen Panzerbataillon in Meiningen.

Bis um 20 Uhr sitzen wir zusammen und kommen zu dem gleichen Schluß: Unsere Tage guter Zusammenarbeit und freundschaftlicher Begegnungen sind gezählt. Ich war gern mit Sascha, Politstellvertreter, und seiner Familie zusammen, einfachen, freundlichen und sehr hilfsbereiten Menschen. Wie wird es eines Tages bei ihnen weitergehen? Ich weiß es nicht.

Am Vorabend des 72. Jahrestages (23.02.) der Sowjetarmee sieht deren Zukunft eher düster aus. Sie haben angefangen, die Politorgane abzuschaffen – wir zogen nach!

Manche meinen (auch Sascha) im Gespräch unter vier Augen, Gorbatschow sei ein Verräter. Ich denke das auch. Sprechen kann man

darüber nicht, er wird ja weltweit als Held gefeiert, der die Grenzöffnung ermöglichte, der die Mauer beseitigte! Wer weiß, was er noch alles beseitigen wird, um welchen Preis? Darüber kann ich mit Sascha sehr gut sprechen, wenn wir allein sind.

* 26.02.1990, 9.30 Uhr
Der Stellvertreterbereich Grenzschutz ist formiert, ebenso die GÜST-Bereiche. In einer Dienstversammlung wird das bekannt gegeben.

* 09.03.1990
* Dienstbesprechung im GBK Sonneberg.

Es werden zahlreiche Festlegungen zur Organisation der Grenzüberwachung und zur Kontrolle an den Grenzübergangsstellen getroffen, ebenso eine Meldeordnung, auch Ausbildungsmaßnahmen werden festgelegt. Wieder kommt der Eindruck auf, die Neugeburt der Grenztruppe sei in vollem Gange, so als ob sich in der Gesellschaft überhaupt nichts verändert hätte. Ich frage mich: Welche Bedeutung hat denn diese Grenze noch, daß so ein Aufwand betrieben wird? Ich frage es jedoch nur mich, niemand anders.

* ab 13.03.1990
Forcierung des Abbaus aller Wassersperren
* 13.03.1990
* Beurteilung der Lage im Grenzkreiskommando „Tausend" Details, von Anzahl der Person und Kraftfahrzeuge, welche die GÜSt passiert haben, Anzahl von gestohlenen Streckmetallplatten, etc. spielten eine große Rolle. Alle Offiziere, die etwas vorzutragen hatten, ich selbst auch, gaben sich die größte Mühe, mit vielen Details und Fakten die Entwicklung darzustellen. Das gelang im Wesentlichen. Daß wir am Absterben sind, darüber wurde nichts gesagt – ich habe mich auch nicht geäußert. Ich denke, daß jeder mit seinem Beitrag sagen wollte, er sei wichtig, er werde noch gebraucht. Wohin sollte auch ein alter Kämpfer, der mit Leib und Seele Grenzer ist, gehen?

* 15.03.1990
* Treffen mit Herrn Korus vom BGS, den ich schon lange von der Kontrolle der Grenzmarkierung „kenne", als wir oftmals über längere Strecken parallel und wortlos nebeneinander herliefen. Jetzt lernte ich ihn als freundlichen,

gebildeten und sehr sachlichen Offizier persönlich kennen. Es war eine angenehme Begegnung, gegenseitige Achtung und Verständnis waren spürbar! Wir sprachen ab, wie sich Grenzer und BGS-Beamte insbesondere bei den Kontrollen und beim Eindämmen illegaler Grenzübertritte unterstützen sollten.

Auch ein paar „Streiche", die wir uns früher gegenseitig gespielt hatten, kamen zur Sprache.

* 16.03.1990
* Beratung im Rat des Kreises Bad Salzungen
  Hauptinhalte:
  o Öffnungszeiten der Grenzübergangsstellen;
  o Eröffnung weiterer und entsprechende Baumaßnahmen dazu;
  o Aus der BRD wurden über 705 Kfz aus der Bundesrepublik eingeführt und zugelassen, weiterer starker Anstieg ist zu erwarten;
  o Zerstörung von Grenzanlagen haben ein beträchtliches Ausmaß angenommen;
  o Vom 12. bis 16.3.1990 haben 125 Bürger im Arbeitsamt vorgesprochen
  o Für mich die „Krönung" der Sitzung, als mich ein führender Genosse fragte, ob ich nicht einige Embleme von Grenzsäulen beschaffen könnte, da er diese zu seinem Osterbesuch in die BRD mitnehmen möchte. Ich lehnte dieses Ansinnen ab.

* 21.03.1990
* Sitzung des Rates des Kreises Bad Salzungen
  o Vorbereitung Kommunalwahlen
  o 191 Arbeitsuchende, davon 95 Frauen
  o Aufarbeitung der Vergangenheit – die Evakuierungen der 50er, 60er und 70er Jahre
  o Beschluß zur Aufhebung der Verpflichtung als IM, Aufhebung der Schweigepflicht, sofern sie sich offenbaren wollen
  o zu fördernde Objekte: Kali-Betrieb Werra 1,2 Millionen DM
    Weißendiez – Erschließung als Bungalowdorf
    Schönsee – verkehrsmäßige Erschließung
  o Vermutlich auf Höhe Wildprechtroda 2 Wölfe gesichtet (8 Stück sind irgendwo in die BRD ausgebrochen) dazu werden 2 ABV eingesetzt, die das Territorium 3 Tage verstärkt beobachten sollen. (Ich

muß schmunzeln – aus der BRD sind garantiert Tausende von Wölfen ausgebrochen, die in der DDR ungestraft wildern!)

* 24.03.1990
* Gründung des Beamtenbundes (mal sehen, wie lange er existiert)
* 03.04.1990
* Beratung im Hauptzollamt (HZA) Buttlar über das Zusammenwirken der Zollkontrolleure und den GT an den GÜST.
* 13.04.1990
* Eröffnung Grenzübergang Oberzella – Thalhausen
  Artikel aus der Zeitung: „Weihnachten Wunsch – Ostern Wirklichkeit"
  o ein von einem Bürger erhaltenes Gartentor diente als Durchlaß
  o ein Stuhl und ein Tisch unter freiem Himmel und zeitweilig ein Grenzer zur Kontrolle. Hier gab es keine Probleme.
* 24.04.1990
* Dienstbesprechung im GKK Dermbach
  Neben den üblichen organisatorischen und meldetechnischen Dingen gab es eine „bemerkenswerte Mitteilung": „Für die nächsten Jahre stehen an der MAFE (Militärakademie Friedrich Engels) keine Studienplätze zur Verfügung!"
* 02.05.1990 Rat des Kreises Bad Salzungen
  o 361 Ausreisen
  o 1.300 Kfz zugelassen
  o rapider Anstieg der Arbeitslosen
  o Einberufung am 08.05. ist gefährdet, da sich viele vor der Einberufung in die BRD absetzen, in Andenhausen verweigerten alle drei Einberufenen die Annahme des Bescheides.
    Es wurde betont, die Gesetze der DDR hätten volle Gültigkeit und sind durchzusetzen!
    Ich erlaubte mir die Frage: Wie? Diese Frage konnte nicht beantwortet werden.
* 04.05.1990
* Dienstversammlung
  Anwesend und Hauptredner war ein Oberst aus Sonneberg.
  Auswertung:
  o Regierungserklärung ist Grundrichtung der politischen Arbeit

- o weltpolitische Situation richtig einschätzen
- o Aufrechterhaltung und Vertiefung der Beziehungen zur Sowjetarmee
- o Feindbilder überwinden
- o Amnestie für Fahnenflüchtige

Ich schrieb auf: Rosarote Pfarrstunde ohne jeglichen Bezug zur Realität

* 08.05.1990
* Anarchie im Bereich Ketten

An allen möglichen Stellen wird die Grenze passiert, nur nicht an den GÜST. Es ist jedoch nicht zu verhindern.

* 12.05.1990, 09.00 Uhr

Wir trafen uns mit unseren sowjetischen Freunden und deren Familien in Dermbach und wanderten zum Katzenstein. Es war ein schöner Tag, den wir gemeinsam verbrachten, vielleicht der letzte?

* 25.05.1990, 21.50 Uhr

Einem Angehörigen der GT, der im Bereich „Bildtanne" Dienst verrichtete, wurde im Gedränge einer Veranstaltung die Pistole entwendet. Täter war ein Bürger der BRD. Die Pistole wurde im Zusammenwirken mit dem BGS gegen 4.20 Uhr sichergestellt.

* 27.03. – 25.05.1990

In diesem Zeitraum wurden beim Kreiskriminalamt Bad Salzungen 65 Anzeigen über Diebstähle, Beschädigungen und Beschimpfungen erstattet:

- o 97 Fälle: Diebstähle von Streckmetallplatten
- o 11 Fälle: Diebstahl von Stacheldraht
- o 6 Fälle: Diebstahl von Energieanlagen
- o 6 Fälle: Beschädigung von Objekten
- o 3 Fälle: Beschädigung bzw. Diebstahl von Betonzaunsäulen
- o 3 Fälle: Beschädigung bzw. Diebstahl von Toren und Türen
- o 3 Fälle: Bedrohung/Beschimpfung/Körperverletzung in Tateinheit mit Sachbeschädigung (alle namentlich bekannt)

Besonders schwerwiegend und aus meiner Sicht kriminell:

- o 08.04.1990 gegen 21.45 Uhr räumt ein Bürger aus Geismar von einem gesperrten Weg die Sperreinrichtung weg und verletzt einen Paßkontrolleur.

- o 21.05.1990, 00.02 Uhr.
- o Ein Bürger aus Spahl öffnet ein Gassentor, erzwingt mit seinem Pkw die Durchfahrt und bedroht die Kontrollkräfte: „Der Baum, an dem ihr hängen werdet, steht schon bereit!"
- o 24.05.1990
  Ca. 15 Bürger aus Spahl reißen mit Stricken das nicht besetzte Holzkontrollhäuschen um.
- o 25.05.1990 gegen 17.30 Uhr
  Zwei Bürger aus Spahl erzwangen mit Pkw die Durchfahrt, versuchten einen Paßkontrolleur zu überfahren und drohten: „Wenn du gestern hier gewesen wärst, hätten wir dich aufgehängt!"

Besonders die letzten Attacken machten mich betroffen. Es gab keinen Grund für derlei Aggressivität, es waren genügend Grenzübergangsstellen da, die ohne Probleme passiert werden konnten, warum also solch brutale Auswüchse?

* 26.05.1990

Ich war den ganzen Tag in Spahl, und es wurde auch eine Beratung mit dem Bürgermeister und dem Pfarrer durchgeführt, in der das oben genannte Verhalten der namentlich bekannten Bürger besprochen wurde. Ich ersuchte beide, dieser Entwicklung energisch entgegenzutreten, was mir zugesichert wurde.

Gleichzeitig wurde mit den Paßkontrolleuren und Kontrollkräften geklärt, daß sich niemand zur Erfüllung seiner Pflichten Gefahren für Leib und Leben aussetzen soll. „Laßt sie gewähren, wenn mit Worten nichts zu erreichen ist!"

Spahl blieb die extremste Ausnahme.

Bis 30.05.1990 wurde eine Reihe von Offizieren auf deren Gesuch hin entlassen. Die meisten hatten über Bekannte Arbeit gefunden oder hatten sie in Aussicht.

* 05.06.1990

Dienstbesprechung im Grenzkreiskommando
Es gab zunehmend Verstöße im Dienst:

- o Schlafen auf Posten
- o Nichtdurchführung von Kontrollen (Durchwinken)
- o Ablegen von Waffen
- o Nichteinhalten der Wege/Zeit-Vorgaben

All diese Tendenzen machten deutlich, daß es keine Möglichkeiten mehr gibt, Disziplin und Ordnung aufrecht zu erhalten, weil ganz offensichtlich keine Motivation mehr da ist. Das wollen einige Vorgesetzte „oben" nicht wahrhaben, jedoch ohne Kampfmoral, das war meine Überzeugung, kann es keine Disziplin und Ordnung geben, woraus sollen diese denn sonst erwachsen?

Ich sehe darin die Quittung für die Beseitigung der Politorgane, der Partei und FDJ-Organisationen, das sind die unaufhaltsamen Zerfallserscheinungen.

* 18.06.1990
  Dienstbesprechung im Grenzkreiskommando
  o Es werden Ausführungen zur Versorgungsordnung und zu den Ansprüchen bei Entlassung gemacht. Alle sind sehr skeptisch, ob das tatsächlich auch eingehalten wird.
  o 75 % des GSSZ sind abgebaut oder an Nutzer übergeben
  o Mit großem Personal- und Kraftaufwand, bei vorhandener spärlicher Technik, erfolgt der Abbau von Grenzsicherungsanlagen. Täglich werden die Arbeitsleistungen dokumentiert, Material wird oft gleich an Ort und Stelle verkauft. Belege werden ausgeschrieben und genau abgerechnet.
* 19.06.1990
* Dienstbesprechung durch einen Oberst vom Stab.
  Bekanntgabe:
  o Bis 31.12. wird der Grenzschutz formiert
  o Bewerbungen können nach Ausschreibung der Stellen abgegeben werden. Bis dahin alle in Rückbaukommandos beschäftigen
  o Umschulungsmaßnahmen nutzen
* 30.06.1990, 24.00 Uhr
  Alle Kontrollen an Grenzübergangsstellen (Paßkontrolle) werden eingestellt.
* 04.07.1990, 9.00 Uhr
  Im ehemaligen Lagezimmer des Regiments erfolgt eine Information über den Beruf des Vermögensberaters. Ich nehme nicht daran teil. Anschließend individuelles Gespräch mit dem Durchführenden – es interessiert mich.
* 17.07.1990
  Ich bekomme mein erstes Gehalt in DM: 1.914,70 DM – ein etwas eigentümliches Gefühl!

* Kokardentausch
  Es wurde festgelegt, daß ab 19.07.1990 an Mützen das DDR-Emblem entfernt, das BRD-Emblem angebracht wird.
* 19.07.1990 Dienstbesprechung im Grenzkreiskommando
  o Es wurde eine Reihe von Angeboten für Umschulungen unterbreitet
  o in den Monaten September/Oktober werden die meisten entlassen
  o es wurde empfohlen, sofort Kontakt mit dem Arbeitsamt aufzunehmen
  o bis 31.12.1990 werden alle Berufskader entlassen, die keine Planstelle haben
  o Höchstalter für Umschulungen 50 Jahre
  o alle Angebote, besonders Sicherheitsdienst etc. sollten genutzt werden, auch Zeitungsanzeigen sollte nachgegangen werden.

Ich höre die Totenglocke für den Abgang deutlich lauter läuten. Der Ausverkauf des Personals beginnt – zum billigsten Preis! Ein guter Offizier kann auch ein guter Pförtner werden. Dieser Umgang, dieses Verhökern kotzt mich an!

* Am 20.07.1990 werden alle Angehörigen des Stabes vereidigt.

Ich nahm weder am Kokardentausch, noch am Appell teil. Weil ich das einfach nicht wollte, plante ich mich auf Kontrolle in den Abbauabschnitten ein. Es war eigentümlich – als ich in den Stab zurückkomme, sieht jeder so anders aus in der Schirmmütze mit neuer Kokarde. Ab sofort gehe ich ohne Mütze, weil das Tragen der Mütze auch nicht mehr vorgeschrieben ist.

Ich beschließe, mich mit dem Beruf des Vermögensberaters näher zu beschäftigen, obwohl alle guten Freunde der Meinung sind, daß das nichts für mich ist. Ich weiß jedenfalls bis jetzt nichts besseres. „Wachmann" oder Diener eines neuen Dienstherrn kommt keinesfalls in Frage.

In mir reift der Entschluß, das, was mir seitens der Truppe angeboten wird, auf keinen Fall anzunehmen. Ich suche mir selbst etwas – die Würde lasse ich mir nicht nehmen!

* 26.07.1990
* Dienstbesprechung im Grenzkreiskommando.
  Es wird bekannt gegeben:

- o Ab sofort ist der Militärstaatsanwalt nicht mehr berechtigt, Untersuchungen zu führen
- o Bis 31.10.1990 ist das äußerliche Bild der Grenztruppe zu beseitigen (Mot-Schützen oder schwarze Uniform).
- o Bis 31.12. werden die Offiziershochschulen aufgelöst
- o Bis 31.08. Aussprachen mit allen 50-jährigen, um deren kurzfristige Entlassung vorzubereiten.

Wieder Mosaiksteine für das „Abschiedsbild".

* 31.08.1990, 08.00 Uhr
* Dienstversammlung mit Wahl eines Wahlvorstandes für den Personalrat. Letztmaliger Dienst in Uniform, ab 01.09.1990 in Zivil. – Und da haben wir uns „vorgestern" noch aufgeregt, wenn die Anzugsordnung nicht eingehalten worden ist!
* Ab 01.09.1990 sickert so langsam bei mir durch, daß ab 03.10. die DDR nicht mehr als Staat existieren wird. Sie existiert ja jetzt schon nicht mehr!

Viele Spekulationen machen die Runde, manche hoffen auf weitere Beschäftigung ähnlich der früheren Tätigkeit. Die meisten wissen, daß das Ende kurz bevorsteht, berufliche Neuorientierung oder Arbeitslosenamt?

Jene, die sich gut verstehen, sprechen darüber. Viele sagen, sie lassen es auf sich zukommen.

Ich komme zu folgenden Entschlüssen:

- o Ich reiche mein Entlassungsgesuch ein. Entlassung per 30.09. Das steht fest!
- o Wenn ich am 01.10. zum Arbeitsamt gehe, lachen sich diejenigen ins Fäustchen, die der Meinung sind, daß die Offiziere zu faul sind, um zu arbeiten und außer befehlen sowieso nichts können. Was also tun? Ich habe noch keine Antwort, ich weiß nur ganz genau, daß ich nicht zum Arbeitsamt gehe, obwohl ich ein beachtliches Arbeitslosengeld bekommen könnte. Ich will es aber nicht, das steht fest.

* 17.09.1990
* Abgabe des Entlassungsgesuchs

* 28.09.1990, 07.15 Uhr
Meine letzte Teilnahme an einer Dienstbesprechung

* 15.00 Uhr
Ich verlasse die Dienststelle und bin nach mehr als 22 Dienstjahren entlassen.
* 29./30.09.1990
Zwei Tage, in denen ich mir das Gehirn zermartere, was ich ab Montag anfangen soll.

- o Frau und Kinder raten: Mache ab 1. Oktober Vermögensberater. Du kannst das!
- o Andere sagen, gehe zum Arbeitsamt, nimm das Arbeitslosengeld solange mit, bis du in einem anderen Beruf Fuß gefaßt hast!
- o Was sollte ich machen? Ich wog ab, hin und her und her und hin. Es ist unvorstellbar, was einem alles durch den Kopf geht. Plötzlich ist man ganz allein!

* 30.09.1990
* Nach dem Mittagessen ist klar:

- o Am 01.09. gehe ich zum Gewerbeamt und melde das Gewerbe als Vermögensberater an.
- o Zum Arbeitslosenamt, wie das bei mir heißt, gehe ich niemals als Bittsteller. Ich werde so arbeiten, daß ich deren Almosen nicht nehmen muß!
- o Jener, der mir den Beruf des Vermögensberaters nahe gebracht hatte, war vorher Kellner gewesen. Danach war er 9 Jahre bei der Bundeswehr und war nun erfolgreicher Vermögensberater. Er hat das gepackt, warum soll ich es nicht packen?

Mein Befehl an mich: Das hast du zu schaffen, du läßt dich nicht unterkriegen und gibst schon gar nicht einigen Dermbachern Gelegenheit zu einer Begegnung auf dem Arbeitsamt und nachfolgendem Getratsche.

Am 01.10.1990 realisierte ich mein Vorhaben und begann eine neue berufliche Entwicklung. Ich schwor mir, nur noch auf meine innere Stimme zu hören, alles kritisch zu prüfen, bevor ich mich engagiere und immer zu dem zu stehen, bei allem Für und Wider, was ich in meiner Dienstzeit zu verantworten hatte.

Nachbetrachtung von Harald Hentschel:

Mancher Leser wird sich in den Ereignissen und Gedanken wiederfinden, obwohl er – absichtlich – nicht namentlich erwähnt wurde. Manches, was ich damals nur vermutete, ist eingetreten, manches schlimmer, manches anders.

Ich bedaure es, daß durch diese Grenze zwischen den mächtigsten Militärblöcken der Welt Menschen unverschuldet persönliches Leid erfuhren und teilweise sogar mehrere Generationen betroffen sind.

Wie viele materielle, finanzielle, geistige und menschliche Opfer hat nicht dieser Machtkampf der beiden Weltsysteme gekostet? Zu bedauern ist, daß bis heute keine Lehren daraus gezogen werden, daß bis heute Feindbilder aufgebaut werden, welche man dann propagandistisch und militärisch bekämpft.

Möge sich jeder aus seiner Sicht sein Bild machen!

KONTAKTE

Schon immer hatten Grenzaufklärer durch ihren Einsatz direkt an der Grenzlinie den intimsten Kontakt zu westlichen Grenzorganen. Als sich nach dem 09.11.1989 die Verhältnisse und die Stimmungen änderten, waren die Grenzaufklärer die Ersten, die Kontakte zu ihren Gegenüber anknüpften, was ja die Stabsoffiziere weiter hinten teils zu bissigen Kommentaren veranlasste. Einer der Grenzaufklärer hat über seine Kontakte zum BGS Buch geführt.

Christoph Baldrich: Chronik der Begegnungen 1990[GS1]

06.02.1990, 12.30 Uhr
Major Baldrich trifft sich erstmals mit PHK i. BGS Manto Graf zu Castell-Rüdenhausen an der Straße Rieth – Zimmerau, mit Stabsfähnrich Mühlenberg und POM i. BGS Erwin Ritter.

22.02.1990, 10.00 Uhr
Treffen Major Baldrichs mit PHK i. BGS Graf zu Castell-Rüdenhausen an der Straße Rieth – Zimmerau, mit Stabsfähnrich Mühlenberg.

01.03.1990, 12.00 Uhr
1. Besuch einer Abordnung des Grenzkreiskommandos Hildburghausen in der Grenzschutzabteilung S 1 Oerlenbach mit Major Leopold, dem Kommandeur des Grenzkreiskommandos 403 Hildburghausen, Major Baldrich und Hauptmann Hölzel, dem Pressesprecher des Grenzkreiskommandos. Abholung durch Manto Graf zu Castell-Rüdenhausen und Erwin Ritter mit VW-Transporter am Grenzübergang Eicha – Trappstadt

09.03.1990, 10.00Uhr
Major Baldrich spricht mit POK Tessmer vom BGS Coburg im Auftrag von Polizeihauptkommissar Kilian an der Straße Adelhausen – Rodach einen Besuchstermin in der Grenzschutzabteilung S 2 Coburg für Major Leopold ab.

13.03.1990, 13.00 Uhr
Bei einem Treffen Major Baldrichs mit Manto Graf zu Castell-Rüdenhausen an der Straße Rieth – Zimmerau stellt dieser Polizeihauptkommissar Kilian von der Grenzschutzabteilung S 2 Coburg vor.

15.03.1990, 10.00 Uhr
Bei einem Treffen Major Baldrichs und Stabsfähnrich Mühlenbergs mit PHK Graf zu Castell-Rüdenhausen an der Straße Mendhausen – Irmelshausen stellt Baldrich Hauptmann König vom Grenzkreiskommando Meiningen vor.

15.03.1990, 14.00 Uhr
Major Leopold, der Kommandeur des Grenzkreiskommandos Hildburghausen, und Major Baldrich besuchen erstmals die Grenzschutzabteilung S 2 Coburg. Die Abordnung wird am Grenzübergang Straße Adelhausen – Rodach durch Polizeihauptkommissar Kilian abgeholt.

19.03.1990, 09.00 – 17.00 Uhr
Gemeinsame Filmaufnahmen mit der Grenzschutzabteilung S 1 (Sachgebiet I/S) in den Grenzabschnitten 2 bis 5, Teilnehmer: Manto Graf zu Castell-Rüdenhausen, Erwin Ritter, Be-Do-Trupp (Beweissicherungs- und Dokumentationstrupp)

20.03.1990, 10.00 Uhr
Gemeinsame Ermittlungen an der Grenze in den Grenzabschnitten 1 und 2 (Raum Käßlitz und Bayerischer Grund) durch Stabsfähnrich Mühlenberg und I/S wegen beschädigter Grenzsäulen.

03.04.1990, 10.00 Uhr
Major Baldrich nimmt an einem Treffen an der Bezirksgrenze Suhl/Gera mit Polizeihauptkommissar Kilian, dem Oberoffizier Grenzaufklärung des

Grenzbezirkskommandos Sonneberg, dem Oberoffizier Grenzaufklärung im Grenzkreiskommando 404 Sonneberg teil. Zweck des Treffens ist die Bildung einer Arbeitsgruppe für Grenzangelegenheiten (AGA)

05.04.1990, 12.00 Uhr

Einweisung einer französischen Schulklasse an der Straße Breitensee – Trappstadt durch Erwin Ritter in Anwesenheit von Major Baldrich, Stabsfähnrich Berneck, Stabsfähnrich Krämer und Stabsfähnrich Mühlenberg.

07.04.1990, 11.00 Uhr

Einweisung von Angehörigen des 2./Pionierbataillons 320 der Bundeswehr und Angehörigen einer Pioniereinheit der US Airforce aus Texas an der Straße Alsleben – Gompertshausen durch Christoph Baldrich und Erwin Ritter, die Angehörigen der US-Luftwaffe (USAF) betreten erstmalig Gebiet der DDR bis zum Kolonnenweg.

23. – 25.04.1990, jeweils 08.00 bis 14.00 Uhr

Die ersten und letzten gemeinsamen Grenzbegänge von der Landwehr bis Straße Hindfeld – Breitensee mit Grenzschutzabteilung S 1, Zoll, Bayerischer Grenzpolizei, US-Army, Grenzkreiskommando 403

08.05.1990, 10.00 Uhr

Major Baldrichs 2. Teilnahme am Arbeitstreffen Grenzangelegenheiten (AGA) in der Grenzschutzabteilung S 2 Coburg, zusammen mit Stabsfähnrich Mühlenberg

16.05.1990, 10.00 Uhr

Angehörige des Grenzkreiskommandos 403 zeigen „Bergführern" des BGS die Bezirkshauptstadt Suhl.

17.05.1990, 11.00 Uhr

Einweisung der „Bergführer" des BGS an der Straße Breitensee – Trappstadt, mit Hubschrauberlandung, mit Stabsfähnrich Mühlenberg, Rene und Michael

24.05.1990, 11.00 Uhr

Major Baldrich und Stabsfähnrich Mühlenberg nehmen gemeinsam mit Erwin Ritter am Deutsch-Amerikanischen Freundschaftstreffen im „Camp Lee" (Grenzlager des 2./11. Panzeraufkärungsregiment/V.AK) in Wollbach teil.

27.05.1990, 10.00 Uhr

Besuch der Polizeiausstellung Unterfranken in Schweinfurt mit Erwin Ritter und Stabsfähnrich Mühlenberg

29.05.1990, 10.00 Uhr

Christoph Baldrichs Besuch in der Grenzschutzabteilung S 1 Oerlenbach mit Stabsfähnrich Mühlenberg, Abholung am Grenzübergang Straße Eicha – Trappstadt

31.05.1990, 10.00 Uhr

Christoph Baldrichs 3. Teilnahme am Arbeitstreffen Grenzangelegenheiten (AGA) im Stab des Grenzkreiskommandos 404 Sonneberg

13.06.1990, 10.00 Uhr

1. Besuch von Polizeioberrat Krampe von der Grenzschutzabteilung S 1 im Stab des Grenzkreiskommando 403 Hildburghausen in Begleitung von Manto Graf zu Castell-Rüdenhausen, Abholung am Grenzübergang Eicha – Trappstadt, Teilnahme auch von Hauptmann Hölzel (Pressesprecher)

21.06.1990, 10.00 Uhr

Besuch des Kommandeurs des Grenzschutzabteilung S 1 im Stab des Grenzkreiskommando 403 Hildburghausen; Fahrer: Erwin Ritter

22.06.1990, 15.00 Uhr

Pressetermin mit Bayerischem Rundfunk am Grenzübergang Straße Eicha – Trappstadt, Abholung durch PHK Graf zu Castell-Rüdenhausen und Beamte vom Sachgebiet I/S, mit Hauptmann Hölzel (Pressesprecher)

27.06.1990, 09.00 Uhr

Übergabe einer Grenzsäule an der Straße Poppenhausen – Gleismuthhausen an Warrent-Officer Counly von der MI Coburg der US-Army, mit Stabsfähnrich Mühlenberg und Stabsfähnrich Krauser (Kraftfahrer LO)

28.06.1990, 10.00 Uhr

Filmaufnahmen mit dem Bayerischen Rundfunk an den Sperranlagen im Grenzabschnitt 3

01.07.1990

Beendigung aller Maßnahmen nach § 2 BGS-Gesetz

31.07.1990, 10.00 Uhr

Besuch im Stab der Grenzschutzabteilung S 1 Oerlenbach

01.08.1990, 14.00 Uhr

Arbeitsbesuch im Stab der Grenzschutzabteilung S 2 Coburg bei Polizeihauptkommissar Kilian, Thema unter anderem Arbeitsbeschaffung nach Auflösung der GT

03.08.1990, 11.00 Uhr

Besuch von PHK Graf zu Castell-Rüdenhausen mit Polizeioberrat Krampe im Stab Grenzkreiskommando 403 Hildburghausen

07.08.1990, 10.00 Uhr
Begleitung bei der Besichtigung und Fotoaufnahmen am Spanshügel durch Graf zu Castell-Rüdenhausen und „Andreas" wegen abgegangener Minen
13.08.1990, 14.00 Uhr
Einweisung von Offizieren des Stabes des Grenzschutzkommandos Süd an der Straße Eicha – Trappstadt bis Grenzabschnitt 3 durch Polizeidirektor Meier (Kfz-Wesen)
14.081990, 10.00 Uhr
Filmaufnahmen durch Bayerischen Rundfunk am Spanshügel mit Manto Graf zu Castell-Rüdenhausen und „Andreas"
27.09.1990, 13.00 Uhr
Major Baldrichs offizieller Abschiedsbesuch im Stab der Grenzschutzabteilung S 1 Oerlenbach
30.09.1990
Christoph Baldrichs letzter Tag in der Grenztruppe
02.11.1990, 10.00 Uhr
Christoph Baldrichs Besuch im Stab der Grenzschutzabteilung S 1 Oerlenbach, Übergabe der Presseverbindungen für die Kreise Suhl, Meiningen und Hildburghausen

FESTSTELLUNGEN DER WESTLICHEN GRENZORGANE[6] ÜBER DIE GRENZTRUPPEN DER DDR AB JANUAR 1990

Januar 1990

Der Einsatz von DDR-Grenzsoldaten zur Grenzsicherung außerhalb der Grenzübergänge war anhaltend gering. An drei Tagen wurden zwei Postierungen und zwei Grenzbegehungen diesseits des eMGZ beobachtet. Die Beobachtungstürme werden nur noch in wenigen Ausnahmefällen und nur in der Nähe von Grenzübergängen besetzt.
In zahlreichen zwanglosen Gesprächen zwischen eigenen Kräften und DDR-Grenzsoldaten konnten folgende Erkenntnisse gewonnen werden:
-   Die 4. Grenzkompanie Geisa soll nach Aussagen des Kompanie-Chefs z. Zt. eine Ist-Stärke von 30 DDR-Grenzsoldaten haben. Eine Auffüllung war für den 24.01.1990 vorgesehen, ist aber bisher noch nicht erfolgt.

-   Der Grenzabschnitt der Grenzkompanie Frankenheim ist 13 km breit. Die Ist-Stärke beträgt derzeit 82 DDR-Grenzsoldaten, ein Teil der Wehrpflichtigen wurde vorzeitig in die Produktion entlassen.
-   Im aufgelösten Bataillons-Stab in Sünna sollen nur noch 4 – 6 Soldaten den FM-Betrieb aufrecht erhalten.
-   Die tägliche Dienstzeit der Grenztruppen (vermutlich nur Sicherungspersonal, kein Kontrollpersonal) beträgt derzeit 24 Stunden, anschl. soll 3 Tage Dienstausgleich gewährt werden. Es gibt bereits mehrere Hinweise, daß die DDR-Grenzsoldaten im 24-Stunden-Rhythmus eingesetzt sind.
-   Widersprüchlich sind die Angaben zu den Passkontrolleinheiten. Während ein Stabsfeldwebel erklärte, die PKE seien nicht den Grenztruppen unterstellt und trage daher auch die grünen Ärmelstreifen an der Uniform, berichteten andere, die PKE seien aufgelöst bzw. ausnahmslos von den Grenzübergängen abgezogen. Wieder andere DDR-Grenzsoldaten berichteten, die PKE seien den Grenztruppen unterstellt.[7]

Möglicherweise gibt es nur in diesem Bereich die Anordnung, Gespräche mit dem BGS und GZD restriktiv zu handhaben, um zu vermeiden, dass nicht kompetente Personen Auskünfte über Vermutungen und Gerüchte über die Entwicklung in den Grenztruppen und der DDR geben, die ohne Grundlage sind.
In allen übrigen Abschnitten hatten DDR-Grenzsoldaten – darunter auch Stabsoffiziere – keine Kenntnis von einer solchen Anordnung. Es herrscht weiterhin ein freundlicher Umgangston.[8]
Ein 23-jähriger und ein 25-jähriger aktiver NVA-Soldat reisten unabhängig voneinander ein – einer von ihnen kehrte wieder zurück in die DDR.

Nach dessen Angaben können NVA-Angehörige mit Genehmigung des Kompanie-Chefs ihren einbehaltenen Personalausweis bekommen und ein Visum erhalten. In Belehrungen sei darauf hingewiesen worden, dass Soldaten, die nicht in die DDR zurückkehren, die Ständige Vertretung der DDR in Bonn benachrichtigen sollen. Es sei deutlich gemacht worden, dass sie bis zum evtl. Erlass einer Amnestie als Deserteure gelten (das Wegbleiben wird offensichtlich in Kauf genommen).

Der Ausgang in Uniform sei neuerdings untersagt worden, um „Reibereien" mit der Bevölkerung zu vermeiden.

Von Grenztruppen-Angehörigen war zu erfahren, dass die Annahme von Geschenken, Büchern und Zeitschriften aus der Bundesrepublik und dem westlichen Ausland – zuvor verboten – nunmehr gestattet sei.

Mehrere auswärtige DDR-Grenzsoldaten seien nicht zum Dienst erschienen, weil ihre Ehefrauen Morddrohungen erhalten hätten.[9]

Februar 1990

Streifen-/Postierungstätigkeit

Die Streifentätigkeit der DDR-Grenztruppen verminderte sich zugunsten der Postierungen am unmittelbaren Grenzverlauf. Teilweise waren Einzelposten mit Hunden am Grenzverlauf zu beobachten.

Das Verhalten der DDR-Grenztruppen kann als überaus freundlich bezeichnet werden. Dies gilt seit 18.02.1990 auch wieder im Bereich des GBK Suhl.

Anmerkung: Aus den Bereichen der Grenzabschnitte 45 und 46 (GBK Suhl) war in mehreren Fällen kurzfristig eine „Abkühlung" des Verhältnisses zu eigenen Kräften festzustellen. Den Aussagen von Grenzaufklärern zufolge befürchtete die Führung einen zu regen Austausch von „Internas".

Nach vorliegenden Erkenntnissen soll DDR-Grenzsoldaten mit einer 3-jährigen Verpflichtungszeit die Möglichkeit der Dienstzeitverkürzung gegeben worden sein. Außerdem wurden zum Jahresende 1989 zahlreiche Wehrpflichtige aus der DDR-Grenztruppe entlassen. Die Grenzkompanien weisen z. Zt. einen derart geringen Personalstand auf, dass mehrere Grenzkompanien aufgelöst werden mussten; Erkenntnisse über aufgelösten Grenzkompanien liegen für die Grenzkompanien Gompertshausen, Ummerstadt (stimmt nicht, kommentiert die GSA Oerlenbach), Lehesten und Brennersgrün vor. Die Grenzkompanie Brennersgrün soll zuletzt einen Personalstand von ca. 15 DDR-Grenzsoldaten aufgewiesen haben. Die

Grenzüberwachung der aufgelösten Grenzkompanie soll durch die ohnehin schon schwach besetzten Nachbar-Kompanie wahrgenommen werden. Dies führte zu einer erheblichen Reduzierung der Überwachungstätigkeit im DDR-Hinterland. Zahlreiche Streifen bzw. Posten jenseits des eMGZ befanden sich zum Teil mit Hunden allein im Einsatz.

Nach Aussage von Generalmajor Teichmann, Chef des Stabes der DDR-Grenztruppen, soll die Stärke der Grenztruppe 15.000 bis 20.000 Mann umfassen und dem Innenministerium unterstellt werden.[10]

März 1990

Die Überwachungstätigkeit durch die DDR-Grenztruppe hat sich gegenüber dem Vormonat verringert. Wesentliche Veränderungen in Stärke, Bewaffnung oder Verhalten wurden nicht registriert. Soweit ein nicht vorgesehener Grenzverkehr sowohl von West nach Ost als auch umgekehrt stattgefunden hat, verhielten sich anwesende DDR-Grenzsoldaten meist passiv.

Nach der Wahl am 18.03. war bei vielen DDR-Grenzsoldaten eine Niedergeschlagenheit festzustellen. Sie hatten mit einem besseren Abschneiden der „PDS", was mit einem besser gesicherten beruflichen Werdegang verbunden gewesen wäre, gerechnet.

Bei Kontaktgesprächen mit Offizieren der DDR-Grenztruppen wurde auch bekannt, dass Offiziere ohne Hochschulabschluss mit einer Rückstufung in die Fähnrichlaufbahn rechnen müssen. Offiziere, die ihre Entlassung aus dem aktiven Dienst beantragen, sollen 50 % ihres zustehenden Ruhegehaltes erhalten.[11]

Der Einsatz von Posten und Streifen zur Grenzüberwachung im März war gering. Wie im Vormonat auch hatten die meisten Grenzstreifen einen konkreten Auftrag, wie z. B. die Überprüfung der Grenzsäulen. An 5 Tagen wurden lediglich 5 Streifen beobachtet.

Die Umstrukturierung der DDR-Grenztruppen ist offensichtlich abgeschlossen. Bis auf die Dislozierung der Grenzwachen will man auch keine weiteren Veränderungen mehr vornehmen. Bezüglich der Grenzwachen könnte es zu einer weiteren Verringerung kommen, wenn 2 Grenzwachen in einem Objekt zusammengelegt werden. Innerhalb der

<table>
<tr><th colspan="4">Neustrukurierung der Grenztruppen im Bezirk Suhl seit 16.6.1989</th></tr>
</table>

GBK 4 Suhl, Sitz Sonneberg			
SK 411	Sonneberg	NaW	Sonneberg
StKp	Sonneberg	KfzW	Sonneberg
VNZ 412	Sonneberg	WaffenW	Sonneberg
Pik 415	Römhild		
Pik 414	Pferdsdorf		
Pik 413	Rotheul		
BauKp 419	Kaltennordheim		

GKK 401	Bad Salzungen / Sitz Dermbach	GKK 402	Meiningen
KpSst	Geisa	KpSst	Meiningen
NaK	Dermbach	NaK	Meiningen
1. GK	Kirstingshof	1. GK	Kaltenwestheim
2. GK	Vacha	2. GK	Frankenheim
3. GK	Unterbreizbach	3. GK	Erbenhausen
4. GK	Geisa	4. GK	Stedtlingen
5. GK	Spahl	5. GK	Schwickershsn.
6. GK	Andenhausen	6. GK	Behrungen
7. RGK	Buttlar	7. GK	Mendhausen
		8. GK	Hindfeld
		9. RGK	Hermannsfeld
		GÜSt	Meiningen
		SiZ GÜSt	Schwickershausen
PiKdo 401	Dermbach	PiKdo 402	Hildburghausen
Pi-Gerätelager		Pi-Gerätelager	Hildburghausen
Med.-Punkt	Dermbach	Med.-Punkt	Meiningen

GKK 403	Hildburghausen / Sitz Eishausen	GKK 404	Sonneberg
KpSst	Hildburghausen	KpSst	Sonnebrg
NaK	Hildburghausen	Nak	Sonneberg
1. GK	Gompertshausen	1. GK	Schalkau
2. GK	Einöd	2. GK	Rückerswind
3. GK	Ummerstadt	3. GK	Hönbach
4. GK	Holzhausen	4. GK	Oerlsdorf
5. GK	Streufdorf	5. GK	Neuh.-Schirschnitz
6. GK	Veilsdorf	6. GK	Heinersdorf
7. GK	Steudach	7. GK	Neuenbau
8. RGK	Einöd	8. GK	Lichtenhain
		9. RGK	Schichtshöhn
GÜSt	Eisfeld		
SiZ GÜSt	Steudach	PiKdo 404	Sonneberg
PiKdo 403	Eishausen	Pi-Gerätelager	Sonneberg
Pi-Gerätelager	Hildburghausen	Med.-Punkt	Sonneberg

Nicht dem GBK 4 unterstellte Einheiten der Grenztruppe im Bezirk Suhl 1989/1990			
Landeplatz Meiningen/Rohr		Hubschrauberstaffel 16 Nordhausen	
OHS "Rosa Luxemburg" GT		Suhl/Friedberg	
STÜP Hildburghausen		OHS Suhl der GT	
Fähnrich-/GAK-Schule		Suhl/Friedberg	
5/27 SIK??	Dermbach??	6/27 SIK??	Römhild
SIK 27	Neustädt/Eisenach		
Funkaufklärungszentrale 16 Pätz		Funkaufklärungs-Trupp 6 Römhild	
Funkaufklärungszentrale 16 Pätz		Funkaufklärungs-Trupp 7 Sonneberg	
STÜP Meiningen/Rohrer Grund		GBK Suhl	
7/27 SIK??	Hildburghausen	8/27 SIK??	Sonneberg

Worterklärungen			
BauKp	Bau-Kompanie	OHS	Offiziershochschule
GAK	Grenzaufklärer	Pi	Pionier
GBK	Grenzbezirkskommando	Pik	Pionierkompanie
GK	Grenzkompanie	PiKdo	Pionierkommando
GKK	Grenzkreiskommando	RGK	Reservegrenzkompanie
GÜSt	Grenzübergangstelle	SIK	Sicherungskompanie
HS	Hubschrauberstaffel	SiZ GÜSt	Sicherungszug der Grenzübergangstelle
KfzW	Kfz-Werkstatt	SK	Sicherungskompanie
KpSst	Kompanie zur Sicherstellung	StKp	Stabskompanie
Med.-Punkt	Medizinischer Punkt (Krankenstation)	STÜP	Standortübungsplatz
NaK	Nachrichtenkompanie	VNZ	Verbandsnachrichtenzentrale
NaW	Nachrichtenwerkstatt	WaffenW	Waffen-Werkstatt

Grenzkreiskommandos wurden so genannte „Grenzübergangsstellenbereiche" (zuständig für die Grenzübergänge) und „Grenzwachen" (zuständig für die Grenzüberwachung) eingerichtet.

Die Grenzübergangsstellenbereiche für den Bezirk Suhl sind:

- Vacha mit den GÜST Unterbreizbach, Pferdsdorf und Wenigentaft
- Geisa mit den GÜST Buttlar, Geisa, Wiesenfeld, Spahl, Ketten, Motzlar und Andenhausen
- Melpers mit den GÜSt Unterweid, Oberweid, Frankenheim und Birx.

Bei Gesprächen mit Grenztruppenangehörigen konnten einige neue Informationen gewonnen werden.

* Unter anderem teilte man mit, dass die Grenztruppen-Unterkünfte Vacha aufgelöst worden sind. Die Grenzwache Räsa ist wieder voll belegt, da neue Wehrpflichtige eingezogen wurden. Wehrpflichtige sollen noch bis Mai 1990 eingezogen werden.

* Die PKE ist aufgelöst. Die Angehörigen der PKE wurden von der Grenztruppe (pro forma) übernommen. Verbunden mit der Übernahme war eine Rückstufung in den Laufbahnen, da sie die entsprechenden Positionen ohne die erforderlichen Qualifikationen erreicht hatten. Eine Kommission unter Leitung eines Generalmajors Fritsch soll die Richtlinien für diese „Personalmaßnahmen" erarbeitet haben.

* Das Verhältnis zur Bevölkerung hat sich erheblich verschlechtert.[12]

Grenzöffnungen 1989/90

Hönebach – Großensee
Dankmarshausen – Widdershausen
Oberzella – Philippsthal
Vacha – Philippsthal
Buttlar – Rasdorf
Motzlar – Günthers
Ketten – Gotthards
Andenhausen – Theobaldshof/Tann
Oberweid – Simmershausen
Birx – Seiferts
Frankenheim – Hilders
Frankenheim – Leubach
Melpers – Fladungen
Schafhausen – Brüchs
Gerthausen – Weimarschmieden
Hermannsfeld – Völkershausen
Helmershausen – Filke
Stedtlingen – Willmars
Nordheim/Grabfeld – Nordheim/Rhön
Henneberg – Eußenhausen
Schwickershausen – Mühlfeld
Berkach – Sondheim im Grabfeld
Behrungen – Rappershausen
Mendhausen – Irmelshausen
Römhild – Bad Königshofen
Hindfeld – Breitensee
Eicha – Trappstadt
Gleichamberg – Trappstadt
Gompertshausen – Alsleben
Rieth – Zimmerau
Schweickershausen – Ermershausen
Hellingen – Allertshausen
Käßlitz – Eckartshausen
Käßlitz – Wasmuthhausen
Käßlitz – Dürrenried
Poppenhausen – Gleismuthhausen
Lindenau – Autenhausen
Ummerstadt – Gemünda
Ummerstadt – Weitramsdorf
Bad Colberg – Sülzfeld
Holzhausen – Rodach
Streufdorf – Rodach
Adelhausen – Rodach
Hetschbach – Heldritt
Hetschbach – Grattstadt

Veilsdorf – Grattstadt
Harras – Grattstadt
Eisfeld – Rottenbach
Görsdorf – Tremersdorf
Emstadt – Neukirchen
Almerswind – Weißenbrunn
Rückerswind – Höhn
Effelder – Meilschnitz
Mürschnitz – Meilschnitz
Bettelhecken – Wildenheid
Heubisch – Neustadt b. Coburg
Sonneberg/Hönbach – Neustadt b. Coburg
Unterlind – Ebersdorf
Mupperg – Fürth
Rotheul – Mitwitz
Sichelreuth – Mitwitz
Neuhaus–Schierschnitz – Burggrub
Heinersdorf – Welitsch
Spechtsbrunn – Tettau
Probstzella – Ludwigsstadt

DIE HESSISCH-THÜRINGISCHE GRENZE IM NOVEMBER 1989

Der Polizeihauptmeister im Bundesgrenzschutz, Troll, schrieb in der Zeitschrift des Bundesgrenzschutzes, 17. Jahrgang, Nr. 5, Mai 1990 eine zusammenfassende Darstellung zu den Ereignissen an der Grenze Hessen – Thüringen im November 1989:

Dieser Monat mit seinen stürmischen Veränderungen sprengte die Vorstellungskraft vieler. Bis zum 9. November 1989 um Mitternacht gab es noch „Konstanten" – so war die Arbeitstätigkeit im Bereich der Sperranlagen nur gering

- *wurden eine Hundesperranlage und der Grenzsicherungs- und Signalzaun verlängert,*
- *eine Übung und einmal verstärkter Kräfteeinsatz registriert,*
- *zeigten Grenzsoldaten und insbesondere Grenzaufklärer die kalte Schulter,*
- *wurde der ehemalige DDR-Liedermacher Stefan Krawczyk zurückgewiesen,*

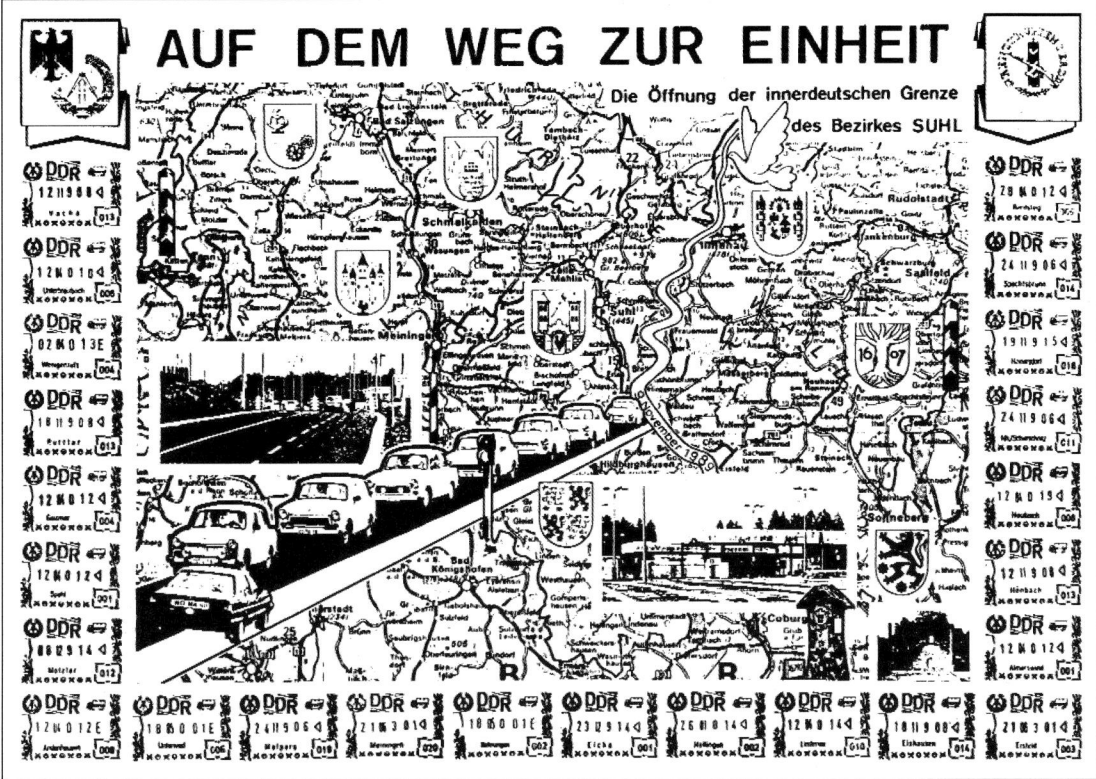

Skizze der Grenzöffnungen im Bezirk Suhl.
Sammlung: Rainer Nedbal

- scheiterte ein Fluchtversuch.

Doch es war bereits zu ahnen, dass der Exodus und insbesondere die Ausreisemöglichkeit über die ČSSR Wirkung zeigten: Die Personenkontrollen waren seit 5. November 1989 längst nicht mehr so intensiv wie zuvor. Und schließlich der Paukenschlag am 9. November 1989: Öffnung der Grenze zum Westen! Seit diesem Tage wurden Vortagesmeldungen zu Makulatur, denn die Ereignisse überschlugen sich:

- In der Nacht zum 10. November 1989 ständig steigende Einreisezahlen, zunächst noch ausschließlich über die Grenzübergänge,
- Visum für nahezu jedermann – verbunden mit der neuen Freizügigkeit aber auch Tausende Übersiedler,
- teils chaotische Verkehrsverhältnisse in der sonst so ruhigen Grenzregion,
- in der Nacht zum 12. November 1989 dann die tatsächliche Grenzöffnung durch die Einrich-

tung von neuen Übergängen an bereits ehemals wichtigen Verkehrsadern, Eröffnung weiterer Straßen- bzw. Fußgängerübergänge, zum Teil auf Druck der Bevölkerung, immer neue Hinweise und Gerüchte auf weitere Übergänge, eine Vielzahl von Demonstrationen für neue Übergänge durch die Bewohner grenznaher Ortschaften, gute Zusammenarbeit der örtlichen kommunalen und kirchlichen Kräfte beider Seiten, zunächst pragmatische, später bereits fast „kollegiale" Zusammenarbeit zwischen den DDR-Grenztruppen und Bundesgrenzschutz/Grenzzolldienst; technische Hilfeleistung, Verlagerung des Einsatzschwerpunktes auf beiden Seiten aus dem Zwischengelände in den Bereich der neuen Übergänge, mehr Offenheit, zahlreiche Gespräche, freundliches Verhalten, Veränderung in der Bewaffnung beiderseits, Ausbau der Übergänge durch Straßenbauämter und hessische

Firmen bis weit in die DDR. Während der Öffnung der Übergänge gab es z. T. herzzerreißende Szenen nach den Jahrzehnten der Trennung und in aller Regel ungehinderte Einreise von West nach Ost; Volksfeststimmung – zunächst ungewohnt – die Einreise von Grenztruppen-Angehörigen, Deserteure der Nationalen Volksarmee, hohe Zahl von Emblem-Demontagen und Diebstähle von Grenzschildern des BGS, Ausweitung der Nutzung der Grenzinformationspunkte über die Anwendungsrichtlinien hinaus, Abzug von Fachkräften aus den Grenztruppen in den zivilen Bereich, statt der bisherigen Bewacher bei Arbeiten – auch diesseits – wenn überhaupt, nur noch „Aufsichtspersonen", hohe Dienstbelastung, aber auch große Motivation der auf beiden Seiten der Grenze eingesetzten uniformierten Kräfte.

Die Grenzsicherung hat sich verändert. Nur noch wenige Fuß- und motorisierte Streifen sind zu beobachten, die Türme sind kaum noch besetzt. Die Bewaffnung besteht anstelle der obligatorischen Kalaschnikow in aller Regel nur noch aus der Pistole Makarov. Einige Grenzaufklärer waren zu Freischneidearbeiten eingeteilt, angeblich zur Vorbereitung landwirtschaftlicher Nutzung des Geländes diesseits des Metallgitterzaunes. Seit die 5-km-Sperrzone aufgehoben worden ist, können die DDR-Bewohner sich bis zum Grenzsicherungs- und Signalzaun frei bewegen. Im Zusammenhang mit Demonstrationen durften sie sogar örtlich bis an den einreihigen Metallgitterzaun und selbst auf Bundesgebiet. Mehrmals landeten Hubschrauber im Bereich der neuen Grenzübergänge mit anschließender Inspektion durch hohe Grenztruppen-Offiziere. Die Bevölkerung im eigenen Grenzgebiet nahm und nimmt regen Anteil an den Ereignissen, Tausende begrüßten die einreisenden Deutschen aus der DDR. Die Bewohner grenznaher Ortschaften solidarisierten sich stets mit den Bewohnern der DDR-Ortschaften, um Forderungen nach neuen Übergängen zu unterstützen. Mitunter war die Stimmung gereizt, stets konnte jedoch beruhigend auf die Menge eingewirkt werden, und sei es, dass die Grenztruppen nachgaben und den Zaun öffneten.

Im Zusammenhang mit der Öffnung der Übergänge ist die Benutzung des Grenzinformationspunktes 9 bei der Grenzschutzstelle Herleshausen neben den unzähligen Kontakten vor Ort zu einer der wichtigsten Verbindungen ausgeweitet worden.

Längst entsprechen die Informationen vom Inhalt her nicht mehr den engen Auslegungen der Anwendungsrichtlinien. So hat die DDR z. B. eine Halterteststellung durchgeführt und die Anfrage nach einem aufgefundenen Personalausweis beantwortet. Die ersten neuen Übergänge entstanden völlig überraschend – Grenztruppen-Offiziere erklärten noch in den Nachtstunden vor Ort, dass „hier ein Übergang errichtet" werde. In Zusammenarbeit mit eigenen Kräften und unter Bereitstellung technischer Hilfe - auch aus der Bevölkerung – wurden von den Grenzsoldaten Zäune und Mauern beseitigt.

Nach Bekanntwerden der neuen Reisebestimmungen der DDR gingen am 9. November 1989 unzählige Anrufe von Medien und Bürgern zum Reiseverkehr ein. Bis gegen 1.00 Uhr war am Grenzübergang Wartha – Herleshausen das Verkehrsaufkommen noch normal. Kurz darauf reiste der erste Deutsche aus der DDR mit Pkw ohne Visum, nur mit Personalausweis, ein. Danach stieg das Verkehrsaufkommen ständig und es bildeten sich lange Staus.

Viele DDR-Bewohner „probierten" die neue Regelung „nur mal aus" und kehrten sogleich wieder zurück. An den ersten Tagen der Öffnung der Übergänge fanden keine oder nur großzügige Kontrollen statt, später waren die DDR-Organe konsequenter. An einigen Übergängen wurden und werden zeitweise Tagesvisa gegen Zahlung von DM 5,- ausgestellt. Die Übergänge sind zum größten Teil unter erheblicher Unterstützung der Hessischen Landesregierung ausgebaut worden. Dabei verlor die Grenze ihre Bedeutung, gearbeitet wurde bis weit auf DDR-Gebiet. Zwischenzeitlich haben sich aus den Provisorien bereits „ansehnliche Übergänge" entwickelt.

Hönebach – Großensee

Am 21. Januar 1990 nutzten etwa 80 Personen aus der Bundesrepublik Deutschland die Öffnung der Zäune im Baustellenbereich des vorgesehenen Grenzübergangs Hönebach - Großensee, um in die

Öffnung der Grenze an der Straße von Hönebach nach Großensee am 2.2.1990.
Foto: Hans-Karl Gliem

DDR zu gelangen, obwohl das offiziell noch nicht möglich war. Zwei Grenzsoldaten duldeten die Einreise und untersagten erst am Nachmittag die Reisebewegung.[1]

Dankmarshausen – Widdershausen

Öffnung der innerdeutschen Grenze zwischen Widdershausen und Dankmarshausen.
Foto: Sammlung Rainer Krebs

Oberzella – Philippsthal

Im Grenzabschnitt 37 fand nahe des Grenzübergangs vor der Werrabrücke Philippsthal – Vacha am 16. Dezember 1989 eine deutschlandpolitische Veranstaltung mit Kundgebungen, Diskussionen, Gottesdienst und Disco-Party statt. Das vom Veranstalter (CDU) erwartete Besucheraufkommen wurde weit überschritten, teilweise herrschten chaotische Verkehrsverhältnisse, zu Zwischenfällen kam es jedoch nicht. Bis 21.00 Uhr waren ca. 46.000 Personen aus der DDR eingereist.[2]

Straßenbau am Grenzübergang Philippsthal – Vacha nach der Grenzöffnung am 21.11.1989.
Foto: Hans-Karl Gliem

Straße Vacha – Philippsthal mit DDR-Beobachtungsturm.
Foto: Gerhard Schätzlein

Buttlar – Rasdorf

Im hessisch-thüringischen Grenzbereich hoffte man auf eine baldige Öffnung eines Grenzübergangs auf der B 84 zwischen Buttlar und Rasdorf. Hier führte die Straße beiderseits bis direkt an den Metallgitterzaun heran. Gerüchte kursierten, dass an einem Sonntag Mitte November 1989 geöffnet werde. Jugendliche schlugen dort schon abends ein Lager auf, um am nächsten Morgen die Ersten zu sein – aber vergebens. Die Eiterfelder Musikkapelle war am Sonntag gleichfalls umsonst angereist. Am Montag waren zweihundert Menschen von Buttlar aus durch den Schutzstreifen bis zum Metallgitterzaun gezogen, der aber verschlossen blieb. „Großer Gott, wir loben dich, morgens sind wir in Grüsselbach" wurde angestimmt. Auch zwischen Rasdorf

Offenes Tor im einst nahezu undurchdringlichen Hinterlandsicherungszaun.

Demonstration der Rasdorfer am 13.11.1989 am Grenzzaun oberhalb von Geisa.
Foto: W. Möller

und Geisa sollte es am Montag zur Verbindung kommen. Man wollte sich nach dem Montagsgebet am Zaun treffen. Zwar zogen die Rasdorfer mit Fackeln zur Grenze hinauf, aber die Geisaer waren vor dem Schutzstreifenzaun abgewiesen worden. Noch wagte man nicht, gegen die Grenztruppen vorzugehen. An noch zwei anderen günstigen Stellen wurden immer dringender Übergänge gewünscht, von Theobaldshof nach Andenhausen und von Günthers nach Motzlar, wo die Straße allerdings auf 900 m neu angelegt werden musste. DDR-Grenztruppen und BGS standen deswegen in Verbindung.

Aber die Sache zog sich hin. Bundesrepublik und DDR waren ja nach wie vor zwei selbstständige souveräne Staaten. Die DDR hatte nur ihre Grenze für die Ausreise geöffnet. Ihre umständliche Handhabung beim Grenzübertritt wollte sie nicht aufge-

ben. So mussten die Westbesucher ein Visum beantragen, die Gebühr dafür entrichten und den Zwangsumtausch über sich ergehen lassen. Nur in den ersten Stunden war dies bei Vacha vergessen worden.

Nun aber sollte wieder Ordnung einkehren. Kombiwagen und Tische wurden zunächst provisorisch aufgestellt, wo die Stempelei und Kontrolle vor sich ging. Bei Regen verzog man sich in die Fahrzeuge. Auch der westdeutsche Zoll baute entsprechende Stellen auf, um die Waren zu prüfen, während der Grenzschutz die Passkontrolle übernommen hatte. Hier ging es ebenso primitiv zu, bis Bauwagen oder Container angefahren wurden und man Telefonanschluss hatte. An Wiedervereinigung dachte zunächst noch niemand.

Endlich konnte der BGS bekannt geben, dass am nächsten Morgen das Tor an der B 84 geöffnet werde. Baufahrzeuge von West und Ost rückten an, schütteten den Sperrgraben zu und räumten die Barrieren weg. Rasdorf bereitete sich auf den Besucherstrom vor und richtete einige Zahlstellen für das Begrüßungsgeld ein. Noch bei Dunkelheit sammelten sich dann immer mehr Menschen vor dem Zaun, um dabei zu sein, wenn das Tor sich öffnete. Dies war zwar auf 8 Uhr angesetzt, aber kurz nach sechs war die Menge nicht mehr zu bändigen. Manche hatten dort sogar die Nacht verbracht. Schnell wurden nun die Begrüßungsansprachen der beiden Bürgermeister abgewickelt, dann setzte sich der Doppelstrom in Bewegung. Die Eiterfelder Kapelle spielte, hupend rollte ein Auto nach dem anderen durch die Menschenreihen auf beide Seiten der Straße. Informationsblätter, Einladungen, Zei-

Grenzübergang an der B 84 Rasdorf – Buttlar.
Foto: W. Möller

Grenzöffnung an der B 84, aufgenommen am 18.11.1989.
Foto: W. Möller

Geisa grüßt seine Gäste.
Foto: W. Möller

In der Nähe von Rasdorf lag der US-Stützpunkt Point Alpha,
fotografiert von einem DDR-Unterstand aus.
Foto: W. Möller

Anschlag an der Kirche von Geisa mit verschiedenen Forderungen an die DDR-Machthaber.
Foto: W. Möller

B 84 mit Blick auf Buttlar.
Foto: W. Möller

tungen, Schokolade wurden hineingereicht, die Zuschauer klopften mit den Händen auf die Autodächer, die Fahrer drückten auf die Hupe. Das Bild wurde immer bunter. Unter die Autos mischten sich Fahrräder und Motorräder ... Die meisten waren ohne ein Ziel losgefahren, viele steuerten Hünfeld und Fulda an, andere wollten Verwandte und Freunde im Grenzgebiet besuchen.[3]

Etwa 120 Personen folgten am 26. November 1989 der Aufforderung eines CDU-Ortsverbandes zu einer „Menschenkette" von Rasdorf über die Grenze nach Buttlar/DDR. Die Grenztruppen der DDR gestatteten jedoch am Grenzübergang Rasdorf – Buttlar den Teilnehmern nicht, DDR-Gebiet zu betreten. Diese Veranstaltung sollte eine Ergänzung zu der „Menschenkette" in der DDR sein.[4]

Ostern 1990 führten Deutsche aus Ost und West nordöstlich Rasdorf einen Ostermarsch zum US-Camp Alpha durch. Ca. 50 Demonstranten kamen aus der Bundesrepublik und 150 aus der DDR sowie ca. 200 Schaulustige. Von 13.30 bis 15.30 Uhr fand eine Kundgebung mit Ansprachen u. a. auch von Petra Kelly (Die Grünen) statt. Ab 15.30 Uhr wurde von Teilnehmern auf DDR-Gebiet ein Monument in Form eines Schneckenhauses aufgestellt (11 Holzpfähle mit Tüchern verbunden). Diese Aktion wurde durch den Einsatzleiter der DDR-Kräfte nicht gestattet, die Ausführung allerdings auch nicht unterbunden. Während der gesamten Kundgebung kam es zu keinerlei Störungen.[5]

Vom 2. bis 4. Juni 1990 fand nordöstlich Rasdorf das 20. Treffen des Heimatkreises „Thüringische Rhön" – eine Gedenkfeier des sog. „Geisaer Amtes" – mit ca. 300 Teilnehmern statt. Für die Teilnehmer des Treffens bestand an allen Veranstaltungstagen die Möglichkeit des kostenlosen Bustransfers von Rasdorf nach Geisa/DDR über den Grenzübergang Rasdorf – Buttlar.[6]

Motzlar – Günthers

Bei Günthers waren die Menschen am letzten Wochenende im November 1989 vergeblich an die Barriere gekommen. Aber für den 2. Dezember 1989 wurde die Öffnung des Übergangs versprochen. Mit den Arbeiten hierfür war bereits am 24. November 1989 begonnen worden.

Zu den Grenzübergangsstellen und zum Reiseverkehr im hessischen Bereich schrieb der Bundesgrenzschutz damals: „Beim Ausbau der GÜG wurde die DDR fortgesetzt massiv durch hessische Firmen unterstützt. Die Bevölkerung beider Seiten hat nach den ersten zehn GÜG weitere Übergänge durch Gespräche, Demonstrationen und mitunter auch ultimativ erreicht. So entstanden im Dezem-

ber 1989 drei zusätzliche Kfz-Übergänge und vier Fußgänger-Übergänge. Darüber hinaus wurden 13 Bedarfs-GÜG eingerichtet und rege genutzt. In absehbarer Zeit entstehen zehn weitere GÜG der verschiedenen Kategorien; über zu öffnende Bahnstrecken wird noch verhandelt. Im Zusammenhang mit den Grenzöffnungen, aber auch durch zahlreiche Besucher, kam es zu einer hohen Zahl von Nichtbeachtungen des Grenzverlaufes: etwa 2000! Nur in einem Fall sind zwei Personen vorübergehend festgehalten worden. Über die nunmehr insgesamt 32 ständig, periodisch oder nach Bedarf geöffneten GÜG reisten zu Spitzenzeiten bis zu 140.000 Deutsche aus der DDR ein. Der Reisenden-Strom in die DDR durch Deutsche aus der Bundesrepublik begann bereits am 23.12.1989 vor dem eigentlich erst am 24.12. geltenden visafreien Reiseverkehr.

Die Zusammenarbeit mit den DDR-Grenztruppen entwickelt sich auf allen Ebenen im Bewusstsein, eine gemeinsame Aufgabe bewältigen zu müssen, gut. Es fanden bereits mehrere Besprechungen statt mit interessanten Informationen und pragmatischen Lösungen."

Ketten – Gotthards

Am 7. Dezember 1989 wurde in der Fuldaer Zeitung mitgeteilt, wann die einzelnen Übergangsstellen am folgenden Wochenende geöffnet waren. Vier waren es nun, denn neben Oberweid, Birx und Andenhausen konnten auch die Bewohner von Ketten auf einen Besuch in Gotthards hoffen. Bei der Bildtanne schraubten DDR-Soldaten zwei Matten des Sperrzauns ab und bogen sie zur Seite. Auf die „Westler" wartete aber eine Enttäuschung, denn vor dem Ort Ketten war eine Kontrollstelle aufgeschlagen, die Visumsgebühr und Zwangsumtausch verlangte. Viele kehrten deshalb wieder um. Am nächsten Sonntag war noch der Übergang von Mittelaschenbach nach Spahl hinzugekommen, hier brauchte man kein Visum zu erstehen. Vor Weihnachten entstand noch ein Fußgängerüberweg von Rasdorf nach Geisa.[7]

In den Grenzabschnitten 39 und 41 wurden vermutlich am Nachmittag des 31. Dezember 1989 die beiden Bedarfs-Grenzübergänge Gotthards – Ketten und Simmershausen – Oberweid vom Bundesgebiet aus gewaltsam geöffnet – die Sicherung bestand aus Ketten. An der Sperre Gotthards – Ketten wiesen zwei DDR-Grenztruppenangehörige zudem auf ein ca. 50 x 70 cm großes Loch im eMGZ hin, das augenscheinlich von einem Bolzenschneider herrührte. Ob dort jemand durchgestiegen war oder ob es sich um einen „Souvenirjäger" handelte, blieb unbekannt.[8]

Am 1. Mai 1990 fand südöstlich Hünfeld die Einweihung einer Mariengrotte unmittelbar am Kolonnenweg am GüG Gotthard - Ketten durch Einwohner aus Gotthards statt. Die Veranstaltung begann vormittags mit einem Einweihungsgottesdienst unter Beteiligung von ca. 600 Personen aus Ost und West, anschließend herrschte Volksfeststimmung. DDR-Grenzsoldaten waren nicht vor Ort. Der eMGZ in diesem Bereich war einschließlich der Betonpfähle durch Unbekannte auf 25 m Länge geöffnet worden. Der Kommandant des GüG erstattete gegen diese Maßnahme in der DDR Anzeige gegen Unbekannt.[9]

Andenhausen – Theobaldshof/Tann

Junge Leute aus Theobaldshof hatten mit Bekannten aus Andenhausen und Empfertshausen für den Montagabend Ende November 1989 eine gemeinsame Demonstration am Zaun abgesprochen. Er sollte endlich geöffnet werden. Trotz schlechten Wetters zogen ungefähr 100 Personen, geführt von der Feuerwehr, um sechs Uhr mit Fackeln an die Straßensperre, um die Andenhäuser zu erwarten. Aber nichts tat sich, der Osten war in Nebel gehüllt. Die Bratwürstchen und der Glühwein waren umsonst vorbereitet worden.
Resigniert zogen sich immer mehr zurück, um sich in der „Schönen Aussicht" aufzuwärmen. Die Stimmung war gedrückt. Da wurde plötzlich gegen 22 Uhr vom Zollkommissariat angerufen: „Sie kommen!" Jetzt ging es wieder hinaus! Offenbar hatte die Verständigung nicht recht geklappt. Jedenfalls waren die Andenhäuser und Empfertshäuser nach dem Friedensgebet erst gegen neun Uhr mit Fackeln und Transparenten zum Metallgitterzaun aufgebrochen, wo sie aber von den Grenzsoldaten abgewiesen wurden.

Das ließen sich die 300 Demonstranten aber nicht gefallen. Mit lautstarken Rufen „Tor auf – Grenze auf" drückten sie immer stärker gegen den Zaun, bis es dem DDR-Offizier bedenklich wurde. Es kam zu Verhandlungen, die ein ganz eigentümliches Resultat brachten: Den Demonstranten sollte das Tor geöffnet werden, wenn sie auf Ehrenwort versprachen, bis 24 Uhr wieder zurück zu sein. Nun ging es im Triumphzug in Richtung Andenhausen, unterwegs traf man zusammen.
Zwar gab es keine Begrüßungsreden, aber die Freude über die gelungene Durchsetzung förderte die Stimmung. In der überfüllten Schönen Aussicht war bald das Bier ausgegangen. Neue Kästen wurden einfach über die Köpfe der dicht an dicht Sitzenden und Stehenden hinweggereicht. Aus der Umgegend rückten auf die Nachricht hin noch weitere Besucher an. Man stand schließlich im Flur und auf dem Hof, alles feierte. Als um elf Uhr einige vorsorgliche Grenzer von drüben auftauchten, wurden sie kurzerhand eingeladen und tranken mit.
Pünktlich um halb zwölf leerte sich jedoch das Lokal, um Mitternacht war das Tor wieder geschlossen. Als der Wirt aufräumte, musste er feststellen, dass sehr viele Bierflaschen verschwunden waren. Sie waren nicht etwa zerschlagen, sondern als Beweis für den gelungenen Ausflug in den Westen mit in die DDR genommen worden – das war die Tradition der „Bierholer".
Am Sonntag darauf, am 3. Dezember 1989, zog wieder ein Demonstrationszug zum Tor, und wieder blieb es vom Nachmittag bis um 22 Uhr geöffnet, 2.500 Besucher strömten in den Westen.[10]

Am 22. Dezember 1989 wurde der Fußgängerüberweg Andenhausen – Theobaldshof bei Tann offiziell eröffnet. Ganz Andenhausen und Hunderte Menschen aus den umliegenden Rhönorten Thüringens und Hessens waren auf den Beinen. Trotz Regenwetters war die Freude natürlich groß: Blasmusik und Chorgesang erklang und in den beiden Rhöndörfern lud man zu Volksfesten ein. Der neue Übergang hatte fortan an Wochenenden und Feiertagen geöffnet. In der vorausgegangenen Woche errichteten hessische Straßenbaufirmen ca. 1.000 Meter Fußgänger-Straße auf thüringischer Seite. Wie Hessens Wirtschaftsminister Alfred Schmidt zur Eröffnung versicherte, sei das Bundesland zu weiterer Hilfe für die drei Thüringer Bezirke bereit. Ein Hilfsprogramm über 250 Millionen DM sei beschlossen worden. Ferner würden Fahrzeuge aus der hessischen Straßenbauverwaltung – vor allem für den Wintereinsatz – an den Kreis Bad Salzungen abgegeben.[11]

Am Fußgänger-Grenzübergang Theobaldshof – Andenhausen herrschte am 1. Mai 1990 lebhafter Besucher-/Grenzverkehr. Gegen 14 Uhr kamen ca. 50 Pkw aus Richtung Andenhausen zum GüG mit dem Ziel, für die Öffnung des GüG auch für Autos zu demonstrieren. Nach heftigen Diskussionen gestatteten Angehörige der Grenztruppen um 14.50 Uhr, dass die Kraftfahrzeuge bis Theobaldshof fahren und bis 16 Uhr wieder zurückkehren. Die Demonstration verlief ohne Vorkommnisse.[12]

Oberweid – Simmershausen

Ebenfalls zwischen Oberweid und Simmershausen blieb das Tor am ersten Sonntag im Dezember 1989 für 14 Stunden geöffnet. Nach einem Zeitungsbericht vom 4. Dezember 1989 musste sich wohl der evangelische Pfarrer von Oberweid dafür eingesetzt haben. Jedenfalls war alles gut vorbereitet. In Simmershausen wurden die 1.500 Ankömmlinge aus dem Osten empfangen, die Bürgermeister sprachen, die Gesangvereine beider Orte sangen gemeinsam, dann ging es unter Musikbegleitung hinüber nach Oberweid zum Mittagessen. Dort wurde die Öffnung ein wenig anders geschildert. Man habe am Zaun demonstriert, drei Offiziere und einige Soldaten hätten sich aber geweigert, das Tor zu öffnen. Es sei fast zu Handgreiflichkeiten gekommen, dann seien die Soldaten abgezogen. Die Oberweider aber hätten sich einen Schlepper geholt und mit Hilfe einer Kette das Tor gewaltsam aufgerissen.[13]

Am 16. Januar 1990 informierte eine Zivilperson den BGS, dass sich in der Nähe des Grenzkontrollpunkts Simmershausen – Oberweid gegen 22.25 Uhr ca. 100 Personen am Durchlass im Metallgitterzaun zu schaffen machten, um nach Oberweid/DDR zu gelangen. Beim Eintreffen von BGS-Beamten war niemand mehr vor Ort. Ein Stabsfeldwebel aus Kaltenwestheim/DDR erklärte, dass ca. 100 Einwohner aus Simmershausen – darunter auch der Ortsvorsteher – einer Einladung folgend, die Ortschaft Oberweid besuchen wollten. Sie wurden von Angehörigen der DDR-Grenztruppen zurückgewiesen und kehrten friedlich auf Bundesgebiet zurück. Neben Unmutsäußerungen kündigten sie auch an, dass es das nächste Mal nicht ohne Gewalt abgehen würde. Zum gleichen Zeitpunkt hielten sich am Hinterlandsicherungszaun Bürger aus Oberweid auf, die die westdeutschen Gäste empfangen wollten.[14]

Am 25. Mai 1990 kamen 45 Personen mit 15 Kraftfahrzeugen und zwei Traktoren aus Richtung Oberweid zum Bedarfs-GüG Simmershausen – Oberweid. Mit den Traktoren und Drahtseilen rissen sie die Pfosten des Durchlasses im Metallgitterzaun und zwei Zaunfelder rechts und links des Tores nieder. Anschließend passierten sie die Lücke in Richtung Simmershausen. Den bundesdeutschen Grenzüberwachungskräften teilten sie mit, dass am 25. Mai 1990 in Oberweid Plakate mit dem Aufruf zur Teilnahme an der Aktion „Freie Fahrt am GüG Oberweid" aushingen. Während der Aktion kamen zwei DDR-Grenzsoldaten mit einem Trabant zum GüG, schritten aber nicht ein, sondern entfernten sich umgehend. Am nächsten Tag transportierten vier Grenzsoldaten die abgerissenen Flügel, Betonpfosten und Metallgittermatten ab. Nach Aussage des Leiters des Grenzkommandos Geisa sei der ständig geöffnete GüG Oberweid – Simmershausen von den DDR-Grenztruppen wegen Personalmangels in der Zeit von 13 – 14.30 Uhr und von 22 – 08 Uhr grundsätzlich nicht besetzt (Ausnahme: Samstag und Sonntag). Dies habe sich schnell herumgesprochen. So seien in dieser Zeit mehrfach Polen mit ihren Kfz angetroffen worden, die über den GüG unkontrolliert in die Bundesrepublik einreisen wollten.[15]

Birx – Seiferts

An der Sperre Seiferts – Birx wurde am 3. Dezember 1989 eine Öffnung im eMGZ festgestellt. Ein Trampelpfad führte vom Bundesgebiet zu dieser Stelle. Ein DDR-Grenzsoldat bestätigte einem bundesdeutschen Zollbeamten, dass Deutsche aus der Bundesrepublik die Grenze überschritten hatten. Er bezeichnete das Ganze als unerfreulichen und bedauerlichen Akt. Später wurde in Erfahrung gebracht, dass etwa 70 Personen gegen 14.45 Uhr eine Metallgittermatte mit Schraubenschlüssel gelöst hatten und sich über diesen „unkonventionellen GÜG" nach Birx/DDR begaben. Ob auch Deutsche aus der DDR den Weg ins Bundesgebiet nutzten, wurde nicht bekannt. Gegen 16.30 Uhr seien die Deutschen aus der Bundesrepublik durch Grenztruppen-Angehörige ausgesprochen höflich zur Rückkehr ins Bundesgebiet aufgefordert worden. Zwei weibliche Personen wurden sogar bis an den eMGZ-Durchschlupf gefahren, der anschließend wieder verschlossen wurde.[16]

So ging es nun viele Wochenenden hindurch. Die Regelung mit abendlichem Verschließen wurde noch im Februar 1990 praktiziert. Zwei Birxer waren damals in Wüstensachsen auf einer Faschingsveranstaltung gewesen, bei der Rückkehr fanden sie den Zaun jedoch geschlossen, worauf sie wieder nach Wüstensachsen hinuntergelaufen sind.[17]

Offene Grenze bei Seiferts – Birx zu Ostern 1990.
Foto: Kurt Bender

Die Kinder kennen keine Berührungsängste an der DDR-Grenze zwischen Seiferts und Birx.
Foto: Kurt Bender

Frankenheim – Hilders

An der Straßensperre Hilders – Frankenheim/DDR drückten am 6. Januar 1990 gegen 16.30 Uhr ca. 200 – 250 Bewohner aus Frankenheim das Tor im GSSZ ein und liefen zum vorderen Sperrzaun. Dort lösten sie die Metallgittermatten und begaben sich anschließend nach Hilders. Eigenen Aussagen zufolge vereinbarten sie mit Angehörigen der DDR-Grenztruppen, bis 24.00 Uhr wieder zurückzukehren. DDR-Grenzsoldaten beobachteten die Aktion, ohne einzugreifen und sorgten später sogar für Beleuchtung an der Übertrittsstelle. Am nächsten Tag war der Zaun an gleicher Stelle von 9 bis 16 Uhr geöffnet, und ca. 550 Deutsche aus der DDR nutzten die Öffnung für einen Besuch im Westen.

Ein Offizier der DDR-Grenztruppen beklagte sich beim BGS über das Verhalten der Bevölkerung aus der DDR. Sie hätten den Durchlass gewaltsam geöffnet, Grenzorgane der DDR beschimpft und angerempelt, nur weil die Behörden in der DDR zu träge seien. Ferner erklärte er, dass ihm der gegenwärtige Zustand der Grenztruppen Sorge bereite, weil sie „ausblute", insbesondere wegen der beschlossenen Wehrzeitverkürzung und der Perspektivlosigkeit in der Truppe.[18]

Im Mai 1990 postierte des Öfteren ein DDR-Grenzsoldat gedeckt am Waldrand in der Nähe des Grenzübergangs Hilders – Frankenheim. Eine Verbindungsaufnahme des BGS mit einem am 16. Mai 1990 gedeckt eingesetzten Unteroffizier (mit Hund) ergab, dass der Bedarfs-GüG außerhalb der Öffnungszeiten im 8-Stunden-Rhythmus überwacht wird, um ein unkontrolliertes Passieren der Grenze zu verhindern. Der eingesetzte Unteroffizier reagierte ausgesprochen unfreundlich auf die Verbindungsaufnahme.[19]

Anfang Juni 1990 entfernten Bewohner aus Frankenheim am Bedarfsübergang nach Hilders den Metallgitterzaun auf einer Länge von ca. 20 m, um hier die Möglichkeit zum Passieren der Grenze mit Kfz zu schaffen. Angehörige der DDR-Grenztruppen waren nicht vor Ort.[20]

GEMEINSAMER MONATSBERICHT ZOLL/BGS/GRENZPOLIZEI ÜBER DIE LAGE AN DER GRENZE ZUR DDR IM NOVEMBER 1989

Bevor die einzelnen Grenzöffnungen an der thüringisch-bayerischen Grenze geschildert werden, wird zunächst ein zusammenfassender Bericht der bundesdeutschen Sicherheitsorgane über die Ereignisse im November 1989 an der Grenze Bayern – DDR vorangestellt, der im Dezember 1989 verfasst wurde.

1.1 Zusammenfassende Darstellung

Durch die Öffnung der Grenzen zur DDR am 09.11.1989 hat sich die bisherige Lage grundsätzlich verändert. Durch den starken Einreisestrom wurde im Laufe des Monats die Zahl der Grenzübergänge von bisher 5 auf nunmehr 15 verdreifacht. Mit der Öffnung von weiteren Grenzübergängen ist zu rechnen. Das Verhalten der Grenzsoldaten der DDR-GrTr gegenüber den eigenen Grenzsicherungsorganen ist äußerst freundlich. In den meisten Fällen folgen nach Grußerwiderungen Gespräche über die unterschiedlichsten Themen, meist jedoch über die derzeitige politische Lageentwicklung in der DDR.

Im Bereich der bisherigen und neu eingerichteten Grenzübergänge fanden bis zuletzt Ausbauarbeiten statt. Hiermit verbunden wurden auch einige Sperranlagen beseitigt. Jedoch ist bisher noch nicht mit dem von mehreren Stellen angekündigten Abbau der Grenzsperranlagen begonnen worden.

Da im Verhalten örtlich bedingt noch Unterschiede bestehen, dürfte innerhalb der DDR-GrTr noch keine einheitliche Weisung über das Verhalten gegenüber den eigenen Kräften ergangen sein.

6.3 Beschädigung von DDR-Grenzsäulen

Aufgrund der zahlreichen Grenzbesucher (s. Ziff. 6.2 und 11.) stieg die Anzahl der entwendeten Embleme der DDR-Grenzsäulen drastisch an. Die DDR-Grenzsäulen tragen die Farben schwarz, rot, gold, sind aus Beton und ca. 2 m hoch. Sie befinden sich ca. 5 m jenseits der Grenzlinie und weisen die Grenzbesucher auf den nahen Grenzverlauf hin.

Diese Embleme (schätzungsweise befinden sich gegenüber Bayerns Landesgrenze zur DDR 6000 – 7000 Stück) stellen seit Jahren ein begehrtes Souvenir für die Grenzbesucher dar. Die Anzahl der im Monatsschnitt entwendeten Embleme dürfte bei einem halben Dutzend liegen. Im November dagegen fehlten in fast allen Grenzabschnitten 52 Embleme, in drei Fällen blieb es beim Versuch. Lediglich in einem Fall konnte der Verursacher festgestellt werden; gegen ihn wurde Anzeige erstattet.

11. Grenzübergänge - siehe auch Anlage 1 –

Nach der Grenzöffnung und dem damit verbundenen starken Besucherstrom in die Bundesrepublik Deutschland kam es an den bestehenden Grenzübergängen (3 x Straße und 2 x Schiene) zu erheblichen Stauungen. Obwohl die Fahrzeuge auf beiden Seiten fast ausnahmslos „durchgewunken" wurden, kam der Grenzverkehr an den Wochenenden fast zum Erliegen.

Beiderseits der Grenzlinie formierten sich in zahlreichen Fällen unzählige Grenzbesucher, die z.T. in Sprechchören und mit Transparenten die Öffnung von Durchlässen in den Grenzsperranlagen forderten.

Unter diesem politischen Druck öffnete die DDR zur Bewältigung des Besucheraufkommens allein gegenüber Bayern bis zum Monatsende 10 weitere Grenzübergangsstellen. Die Öffnung erfolgte in drei Etappen wie folgt:

1. Am 12.11. die GÜG
- *GA 51, Neustadt b. Coburg – Sonneberg/DDR s. Anlage A*
- *GA 54, Ludwigsstadt – Probstzella/DDR s. Anlage B*
- *GA 57/58, Hof/Ullitz – Blosenberg/DDR, s. Anlage C*

2. Am 18. bzw. 19.11. die GÜG
- *GA 49, Rodach – Eishausen/DDR, s. Anlage D*
- *GA 52/53, Welitsch – Heinersdorf/DDR (nur Fußgänger), s. Anlage E*
- *GA 55, Nordhalben – Lobenstein/DDR, s. Anlage F*
- *GA 57, ehem. AB Hof – Plauen/DDR, s. Anlage G*

3. Am 24.11. die GÜG
- GA 42, Fladungen – Melpers/DDR, s. Anlage H
- GA 52, Burggrub – Neuhaus-Schierschnitz/ DDR, s. Anlage I
- GA 53, Tettau – Spechtsbrunn/DDR, s. Anlage K.

Die Kontrolltätigkeit an den Grenzübergangsstellen wurde weitgehend eingeschränkt, auf einen Einsatz von Suchhunden fast gänzlich verzichtet. Die Wartezeiten an den Grenzübergängen reduzierten sich dadurch erheblich.

Zum Ende des Berichtszeitraumes wurden wieder intensivere Fahrzeugkontrollen durchgeführt, die jedoch hauptsächlich auf die Einhaltung zollrechtlicher Bestimmungen ausgerichtet waren.
Bei einer Reisendenbefragung wurde bekannt, daß dt. Sta. aus der DDR bei der Ausreise einen Höchstbetrag von 300,- DM Ost mitführen dürfen.

An der GÜSt Sonneberg/DDR wurde am 26.11. einem dt. Sta., der ein defektes Fahrzeug aus der DDR auf seinem Anhänger transportierte, die Einreise mit BPA und 5,- DM Visumgebühr gestattet. Zwangsumtausch wurde nicht gefordert.

November 1989:

1. Lage
1.1 Zusammenfassende Darstellung
Die Lage hat sich im Sinne der schon im November festgestellten Veränderungen weiterentwickelt. Wegen der anhaltend hohen Zahl von Ein- und Ausreisen wurden im Berichtszeitraum weitere -8- Grenzübergänge eröffnet. Bis zum Jahresende 1989 sind somit -18- offizielle Übergänge neu geschaffen worden. Zusätzlich wurden für die grenznahe Bevölkerung sog. zeitweilige Grenzkontrollpunkte eingerichtet.
Die jeweiligen Öffnungstage und -zeiten (nur an Wochenenden und Feiertagen) wurden durch die DDR-Grenzbehörden jeweils kurzfristig mitgeteilt. Insgesamt 30 Grenzkontrollpunkte waren für die Dauer von einem bis zu 11 Tagen geöffnet.
Aufgrund zusätzlicher Forderungen der Bevölkerung wurden an manchen Stellen die Grenzsperranlagen kurzerhand geöffnet und zeitweise Besucherverkehr gestattet.

Das Verhalten der Grenzsoldaten (GrSo) der DDR-GrTr gegenüber eigenen Grenzsicherungsorganen ist weiter meist freundlich; bei nahezu allen Begegnungen gibt es neben Grußerwiderungen auch Gespräche über aktuelles Geschehen.
Die statistische Erfassung der Veränderungen an der Grenze außerhalb der Grenzübergänge gestaltet sich für die eigenen Grenzsicherungsorgane immer schwieriger, da die DDR-GrTr im gesamten Grenzabschnitt verschiedene Teile der Grenzsperranlagen „unsystematisch" abbaut.

1.2 Beurteilung
Die Lage an der Grenze hat sich wesentlich entspannt. Aufgrund der ständigen Fortentwicklung kann derzeit über langfristige Veränderungen noch keine Aussage gemacht werden.

7.1.1 Streifen-/Postierungstätigkeit
Die Streifen- und Postierungstätigkeit der DDR-GrTr stellt sich weitgehend unverändert dar, wenngleich erstmals auch Einzelstreifen erkannt wurden und Aussagen von Angehörigen der DDR-GrTr eine Änderung im Streifensystem erkennen lassen.
Das Verhalten der GrSo eigenen Streifen gegenüber nahm an Freundlichkeit zu. Grußerwiderungen und nachfolgende Gespräche über die verschiedensten Themen prägen mittlerweile das Zusammentreffen von Angehörigen der Grenzorgane beider Seiten.

Frankenheim – Leubach

Im obersten Zipfel des Landkreises Rhön-Grabfeld liegt Fladungens Stadtteil Leubach – zwei Kilometer davon entfernt auf einem weithin einsehbaren Rhönplateau das knapp 1.500 Einwohner zählende Dorf Frankenheim in Thüringen. Ein Dorf mit Kleinindustrie, ein Dorf, das Jahrzehnte im Sperrgebiet der DDR ein abgekapseltes Leben führte. Seit dem 2. Dezember 1989 aber auch ein Dorf, das schnell gewachsenes Demokratiebewusstsein und erwachten Entfaltungsdrang demonstrierte – und dies im wahrsten Sinne des Wortes. Gegen 13 Uhr waren es 50, meist jüngere Einwohner, die gen Grenzzaun marschierten und die Öffnung Richtung Nachbardorf Leubach forderten. Um 15 Uhr waren es Hunderte und Bürgermeisterin Ingrid Städler

Besucher bahnen sich einen Weg durch das sog. Niemandsland zwischen Frankenheim und Leubach.
Foto: Sammlung Gerhard Scheidl

Grenze bei Frankenheim im Frühjahr 1990.
Foto: Gerhard Schätzlein

Ein DDR-Grenzsoldat hält im Frühjahr 1990 Ausschau nach einem Pkw-Trabant, der auf Sightseeing-Tour auf dem Kolonnenweg bei Frankenheim ist.
Foto: Gerhard Schätzlein

übermittelte die lautstarke Forderung an die in Frankenheim stationierte Grenzkompanie. Das zuvor nicht Vorstellbare geschah: Um 16.05 Uhr wurde eine Art genehmigtes „Schlupfloch" in den Zaun geschnitten und das wurde bis 24 Uhr zum begehrtesten Weg in Frankenheims Umgebung.

In Leubach war man in keiner Weise auf diesen Besuch vorbereitet. Ungläubiges Kopfschütteln war die erste Reaktion, die sich schnell in jubelnde Umarmung wandelte. In kürzester Zeit war die Mehrzweckhalle geöffnet. Bockwürste, Bier, Sprudel, Brötchen – es fehlte an nichts. Ob Feuerwehr, Angelsportverein, alle machten sich mit vielen freiwilligen Helfern aus der Leubacher Bevölkerung um einen Empfang von etwa tausend Frankenheimern verdient, der wohl niemals vergessen wird.

Der Gastgeber, Fladungens Stadtoberhaupt Raimund Goldbach, gab der Hoffnung Ausdruck, dass aus der spontanen Handlung bald Regelmäßigkeit werde. Und er hatte damit schon am nächsten Tag Recht. Am Sonntag, 3. Dezember 1989, durften die Frankenheimer von 12 bis 18 Uhr wieder in den Westen.

Am 8. Dezember 1989, um 20 Uhr öffnete im Rhöndorf Frankenheim, DDR, ein bundesrepublikanischer Nikolaus seinen Sack. Heraus kam an diesem denkwürdigen Tag aber keine Rute – vielmehr hatten Hunderte von Leubachern dafür gesorgt, dass der Nikolaussack mit Geschenken für die Kinder des Nachbardorfes jenseits der Grenze gut gefüllt war. In einer schriftlichen Protestaktion hatten die Frankenheimer die Behörden in Meiningen aufgefordert, den Grenzzaun zwischen den nur zwei Kilometer auseinander liegenden Orten zumindest zeitweise zu öffnen und den Visazwang abzuschaffen. Auslöser der spontanen Aktion war ihr Besuch eine Woche zuvor in Leubach. Ergebnis war die Öffnung des Zauns in der bayerischen Rhön nahe der hessischen Landesgrenze von 16 bis 24 Uhr für die Leubacher. – Ohne Visum und ohne Zwangsumtausch[21]

Melpers – Fladungen

Am 17. November 1989 öffnete sich um 8.30 Uhr an der Grenze zwischen Oberfladungen und dem thüringischen Melpers die verrostete Gittertür und

Besprechung zwischen Grenzsicherungsorganen aus Ost und West an der Wegesperre Oberladungen/Melpers im November 1989.
Foto: Horst Böhm

zwei Offiziere der DDR-Grenztruppen betraten den Freiraum zwischen Sperranlage und bundesrepublikanischem Schlagbaum. Es war mehr als eine Inspektion der Grenzbefestigungen zwischen den beiden Rhöndörfern, die zwar immer Blickverbindung miteinander hatten, aber nicht zueinander finden durften. Es war die erste Streckenerkundung im Vorfeld der bevorstehenden Grenzöffnung an dieser Stelle. Eine Grenzöffnung, die fast ‚herbeigeredet' wurde, denn seit Bekanntwerden der DDR-Bereitschaft, weitere ehemalige Verkehrswege zwischen Bayern und der DDR zu öffnen, hieß es nicht nur in Oberfladungen: „Bald könne die Malperser rü!"

Das Gerücht über die Einrichtung eines Grenzübergangs verbreitete sich in Windeseile und Autoschlangen bewegten sich in Richtung Grenze – der geschichtliche Moment sollte auf keinen Fall verpasst werden. Unter ‚Bravo-Rufen' und Beifall der zahlreichen Grenzgäste hatte um 10 Uhr ein Offizier der DDR-Grenztruppen das nun bald ausgediente Gittertor ein zweites Mal geöffnet und einer Art ‚Planungskommission' Austritt gen Westen gewährt. Offiziere wünschten einen freundlichen ‚Guten Morgen' und das anschließend lockere Gespräch der DDR-Beauftragten mit ihren westlichen Kollegen und den Schaulustigen unterstrich die, für viele noch unbegreiflich, entspannte, ja freundschaftliche Atmosphäre zwischen hüben und drüben.[22]

Bratwürste, Freudentränen und höfliche DDR-Grenzer: Ein Dorf marschiert geschlossen über die

Grenze – Das ist wie die erste Mondlandung. So lauteten die Schlagzeilen über die am 24. November 1989 erfolgte Eröffnung des in Unterfranken zweiten Übergangs zur DDR.[23] Ein Zeitzeuge hielt fest:

Der Freistaat Bayern sagt auf einem Transparent bereits ‚Herzlich willkommen', als über der Rhön noch Nacht und Kälte liegen. In der Nähe stehen fünf Fladunger im Scheinwerferlicht provisorischer Grenzanlagen. Sie möchten auf keinen Fall etwas versäumen. Sie haben sich weit vor vier Uhr morgens hinter jenen Barrieren eingerichtet, die am Übergang im Streutal, zwischen Oberfladungen (Lkr. Rhön-Grabfeld) und Melpers, das zu Tausenden erwartete Publikum noch zurückhalten sollen.

‚Damit wir ihnen gleich guten Morgen sagen können' und ‚Darauf haben wir jetzt lange genug gewartet', sagen sie. Immerhin ist die Öffnung des neuen Übergangs, des zweiten in Unterfranken, einem von rund 60 zwischen DDR und Bundesrepublik, erst für sechs Uhr morgens angesagt. Noch einer erscheint sehr frühzeitig – mit mehr als 600 Thüringer Bratwürsten. Ein Schild verkündet, wer: ‚Ob im Osten oder Westen, Fritzchens Würstchen sind die besten.' Fritzchen heizt den Grill an. Fünf Uhr. So langsam sammeln sich Menschen. Sie kommen fast alle aus Fladungen oder den nahegelegenen Dörfern: Hausen, Heufurt, Stetten oder Nordheim.

Andreas (14) und ein paar Mitschüler aus der Fladunger Volksschule sind um 5.20 Uhr ebenfalls zur Stelle. Wie alle Rhöner wissen sie um die Bedeutung, die man einem jeden zusätzlichen innerdeutschen Durchlass für ihr Grenzland beimisst. Als ‚historische Momente' kennzeichnet ihr Rektor den

Künftiger Grenzübergang Fladungen – Melpers am 19.11.1989.

Zahlreiche Besucher waren zur Grenzöffnung zwischen Oberfladungen und Melpers gekommen, die die Gäste aus Thüringen herzlich willkommen hießen.
Foto: Gerhard Scheidl

ersten Baggerstich für die nach mehr als zwei Jahrzehnten wieder hergestellte Verbindungsstraße und die sehnlich erwartete Grenzöffnung. Deshalb hat er für neun Uhr gleich die ganze Schule zum Übergang bestellt.

,Bald ist die Rhön kein Notstandsgebiet mehr', prophezeit ein 46-jähriger Fladunger, der als Bub drüben noch Fußball gespielt hat. ,Das ist so einmalig wie die erste Mondlandung', kommentiert ein weiterer Zaungast. Und die Blaskapelle Heufurt, die sich kurz hinter dem Grenzstrich einrichtet, verleiht dieser Aussage Gewicht. Es geht schon auf sechs Uhr zu. Annähernd tausend Menschen formieren sich auf bundesdeutscher Seite. Mit bloßem Auge kann man dort, wohin Bundesgrenzschützer ihre Feldstecher richten, in rund 200 Metern Entfernung am Ortsrand von Melpers, ebenfalls eine stattliche Menschengruppe ausmachen.

Es geht pünktlich los. Der grenznahe Westen hat seine Erwartungen auf Transparenten entfaltet: ,Oberfladungen im Herzen von Deutschland grüßt seine Gäste.' – ,Sie kommen!', rufen jene Fünf ganz vorne an der Grenzlinie und winken mit weißen Tüchern: ,Damit sie wissen, dass wir uns freuen.' Das beruht erwartungsgemäß auf Gegenseitigkeit. Tatsächlich marschieren die 130 Einwohner von Melpers geschlossen und unüberhörbar hinter einer Blaskapelle auf neuer Fahrbahn westwärts.

Ein Empfangskomitee, bestehend aus Regierungspräsident Dr. Franz Vogt, Rhön-Grabfeld, Landrat Dr. Fritz Steigerwald, Bürgermeistern, Grenzoffizieren, Journalisten und Kameraleuten, strebt den

,Brüdern und Schwestern' vom Gebiet des Freistaats entgegen. In ihrem Rücken ruft ein Scherzbold: ,Ist auch der Erich, der Honi, dabei?' Natürlich nicht. Gerade deshalb ist alles bestens fürs Rhöner Geschichtsbuch inszeniert. Dem Volk ist es egal, dass im allgemeinen Trubel der offizielle Teil, bestehend aus einem zerschnittenen Baustellenband, Blumen und spontanen Reden, nur in Wortfetzen ankommt: ,Alte Freundschaften beleben', ,Brücken bauen, Verpflichtungen, Verwandtschaft.' Dem Regierungspräsidenten bringt er immerhin noch die Erkenntnis, dass er Melpers als ,Malpers' aussprechen müsse, bevor die in Scheinwerferlicht getauchte Szenerie in Applaus, Blasmusik, Umarmungen, Tränen, Sekt und Glühwein zerfließt.

Als eine Viertelstunde nach Öffnung im Schritttempo die unvermeidliche Kolonne der Zweitakter unbehelligt Richtung Fladungen durchgewinkt wird, gibt es für sie wenige Meter hinter der Grenzlinie fast kein Weiterkommen mehr. Dort schunkelt man zur Blasmusik. Sogar der einstige Todesstreifen lebt: Bis 150 Meter hinein ins DDR-Territorium wird gefeiert. Erst dann stoppt ein NVA-Major bundesdeutsche Beteiligte: ,Bitte haben Sie Verständnis, und seien Sie vernünftig.' – Sie sind es, stellen aber an junge DDR-Grenzsoldaten per Schnapsflasche schwere Anforderungen. Die Uniformierten bleiben hart, sagen erst beim lauwarmen Glühwein nicht mehr nein. ,Der Alte kommt', warnt ein Kamerad vor dem nahenden Major, und das aufkommende Trinkgelage endet abrupt.

Der Grenzzaun verliert endgültig seine Schrecken.

Beamte der Bayer. Grenzpolizei und des Zollgrenzdienstes übernahmen auf westlicher Seite die Abfertigung an der Grenze bei Fladungen – Melpers.
Foto: Detlef Deutsch

Ein Gruppenbild mit jungen Damen entsteht an seiner Ostseite – seitenverkehrt – mit Bundesgrenzschützern. ‚Wahnsinn', ‚Unglaublich', ‚nicht zu fassen'. Es wiederholt sich, was die Gäste aus Melpers, Erbenhausen, Schafhausen oder Kaltensundheim sagen. Besonders gastfreundliche Bundesbürger lassen sich weder am Glühweinstand noch am Grill lumpen. Mehr als 200 Würste hat Fritzchen in weniger als einer Stunde verkauft, und dazu gibt es heiße politische Diskussionen. Euphorie und Freude dominieren, dazu ein einzelner Schatten der Vergangenheit, weil ein großmütiger Herr beharrlich Getränke für die Leute aus der ‚Ostzone' ordert.

Die so Eingeordneten machen ihrerseits artig Komplimente für die Leistungen unserer Begrüßungsgeld-Behörden, ärgern sich über unverändert real existierende sozialistische Schlampereien, geben Krenz wenig Chancen, wünschen sich statt der Trabis richtige Autos und fürchten weder Kapitalismus noch Aids. Es ist darüber Tag geworden. Die meisten DDR-Werktätigen können ihren freien Tag zu Ausflügen in die Bayerische Rhön nutzen. Zurück bleiben Fritzchen, der aufgehört hat, seine verkauften Würstchen zu zählen, und ein aus Melpers herübergetragenes Transparent, das vorläufig noch Probleme bereiten muss: ‚Zaungäste sollt ihr nicht mehr sein, drum laden wir euch herzlichst zu uns nach Melpers ein.'[24]

Grenzübergangsstelle Melpers im Dezember 1989.
Foto: Erwin Ritter

Und auch die Suhler Tageszeitung „Freies Wort" schickte am 27. November 1989 ein „Redaktionskollektiv der Kreisredaktion" vor Ort. Sie fassten ihre Eindrücke, die allerdings weit weniger euphorisch klingen, unter der Überschrift „Herzlich, aber ohne Euphorie" wie folgt zusammen:

Da sich's im Dunkeln nicht besonders gut fotografieren lässt, machte sich die Lokalredaktion Freies Wort erst gegen 9 Uhr am vergangenen Freitag auf die ‚Socken', um vor Ort zu erleben, wie der seit 6 Uhr dieses Tages geöffnete Grenzübergang Melpers in der Rhön nach Oberfladungen genutzt wird und um Meinungen einzufangen. Herzlich willkommen hieß es bereits in Melpers. Der Erste, dem wir hier begegneten, war der Bürgermeister von Kaltensundheim, Armin Rauch, der sich mit einem Teil seines Ratskollektivs schon in den frühen Morgenstunden aufgemacht hatte. ‚Viele Leute auf beiden Seiten. Blaskapellen, auch unsere Rhöncombo,

spielten auf. Herzlicher Empfang hüben wie drüben.' Oberstleutnant Wilfried Zehner von den Grenztruppen sagte uns: ‚Ohne Zwischenfälle und Schwierigkeiten lief hier auch in den frühen Morgenstunden alles ab. Die Beamten beider Seiten gingen aufeinander zu, um dafür zu sorgen, dass es auch weiter so bleibt.' Direkt an der Grenze erfahren wir: Von 6 Uhr bis gegen inzwischen fast 9.30 Uhr haben 783 Personen mit Pkw und 596 Fußgänger die Grenze hier passiert.'[25]

Schafhausen – Brüchs

Am Samstag, dem 13. Januar 1990, war erstmalig der Zaun zwischen Brüchs und Schafhausen durchlässig, für die Schafhäuser Anlass, ein Freudenfest zu organisieren, um die Brüchser gebührend zu empfangen. Dabei war früher der Kontakt zwischen den Dörfern nicht so eng, erinnerte sich Anna Kneitschel aus Schafhausen. Konfessionelle Verschiedenheit verhinderte das Heiraten, darin sei man damals noch sehr streng gewesen. Sie selbst habe im Brüchser Wald als Kind Blaubeeren gepflückt. Zwischen den Dörfern habe es aber gar keinen richtigen Weg gegeben, da sei Fladungen viel leichter zu erreichen gewesen, sagte sie.

Die Schafhäuserin Waltraud Thomas weiß noch genau, wie die Konfirmationsgeschenke für sie in Fladungen gekauft worden sind. Auch sie selbst sei oft in Fladungen gewesen. Verwandte habe sie aber keine in den grenznahen Dörfern. Trotzdem würde sie sich über die engen Beziehungen freuen, die jetzt angestrebt würden. Schließlich habe sich in den vergangenen Jahren viel geändert. Lothar Dressler, ebenfalls aus Schafhausen, weiß zu berichten, dass er früher seinen Vater im Brüchser Wald bei Holzarbeiten begleitete. Da habe er schon mal im Gasthof in Brüchs Bier holen müssen. Das seien die einzigen Begegnungen mit den Brüchsern gewesen. Nach der Grenzziehung seien aber die Gedanken schon öfters Richtung Grenze gegangen, besonders, weil man durch das Sperrgebiet gar nicht wusste, wie es da nun eigentlich aussieht. „Viele meiner Schulkameraden sind 1960 weg." Jetzt habe er sie endlich besuchen können. Als er gesehen habe, was sie alles erreicht haben, sei ihm doch klar geworden, dass er ganz schön betrogen worden sei. Die große Herzlichkeit, mit der sich die Menschen aus Ost und West seit der Grenzöffnung begegnen, sei nach Meinung von Lothar Dressler echt und die Grundlage für ein gutes Miteinander in der Zukunft.[26]

Gerthausen – Weimarschmieden

Es war nasskalt und es schneite dicke Flocken, als sich Anfang Dezember 1989 drüben am bereits geöffneten Zaun zwischen Weimarschmieden und Gerthausen zwei Offiziere Richtung Grenze in Bewegung setzten. Der bundesdeutsche Zöllner Günther Raab und Hauptmann Andreas König von den DDR-Grenztruppen tauschten einen herzlichen Händedruck, so als kannten sie sich schon lange. Dann kamen sie, zuerst die Leute aus Helmershausen und Wohlmuthhausen. Sie konnten es noch immer nicht fassen, dass sie nun praktisch von heute auf morgen das erhalten, was sie so lange und

Besucher aus Weimarschmieden und Umgebung warten am 9.12.1989 auf die Besucher aus Gerthausen.
Foto: Detlef Deutsch

Sie kommen – die Besucher aus Gerthausen auf ihrem Weg nach Weimarschmieden.
Foto: Detlef Deutsch

so heiß gewünscht hatten. Seit Tagen hatten sie gehört, dass sich hier was tun könnte, aber so richtig daran glauben, das wagten sie nicht. Von der Geba aus war die ganzen Jahre ihr Blick sehnsüchtig hinübergegangen nach dem Nachbardorf, das so nahe und doch so unerreichbar fern lag, und nun war der Zaun auf und sie durften hinüber. Unfassbar, man hörte es immer wieder. Nun soll es so bleiben, sagten sie, „wir waren lange genug eingesperrt!"

Bis die Gerthäuser, die um 13 Uhr in ihrem Heimatort losgelaufen waren, eintrafen, pflegte man freundschaftliche Unterhaltung mit den aufgeschlossenen und gar nicht abweisenden Soldaten der DDR-Grenztruppen, politisierte sogar ein bisschen und konnte über das, was sich in der DDR abspielte, offen mit ihnen sprechen. Endlich Marschmusik, die rasch näher kam. Und da waren sie, die Gerthäuser, strahlende Gesichter, winkend und jubelnd, es gab ergreifende Szenen, Wildfremde umarmten sich, drückten sich die Hand und die Tränen flossen. Es ging unter die Haut. „Es ist wunderbar", sagte eine Frau, „dass das Zusammengehörigkeitsgefühl noch da ist. Das konnte der Zaun halt doch nicht kaputtmachen". Eugen Hübner, Weimarschmiedens Ortssprecher, hieß die Nachbarn willkommen, die, ebenso wie die Frankenheimer einen ständigen Fußweg über die Grenze verlangten. Durch ein Spalier jubelnder Menschen kamen sie herüber nach Bayern.

Dann aber der Marsch ins Dorf, an der Spitze Monika Anding, Bürgermeisterin aus Wohlmuthhausen, ihrem Kollegen Rolf Weber von Gerthausen, Fladungens Bürgermeister Raimund Goldbach und sein Vize Anton Kirchner. Ziel war die Weimarschmiedener „Jazzscheune". Im Hof rauchte der Grill. Die Gäste begrüßte Dieter Horsch, der feststellte, die Adventszeit 1989 werde in die Geschichte eingehen. Die Gerthäuser Musik spielte fleißig und alles war fast wie einst. Es wurde ein wunderschöner Tag, der die zurückliegenden 40 Jahre zwar nicht vergessen machte, an dem aber die große Freude über alle Bitterkeit siegte.[27]

Anfang Januar waren die Weimarschmiedener dann zu Gast in Gerthausen. Hunderte zogen hinauf zur hochgelegenen Kirche zum Dankgottesdienst und hörten eine zu Herzen gehende Predigt von Pfarrer Paul Greßler aus Metzels. Es sei ein bewegender Tag, eine bewegende Stunde, sagte er und das alles ist immer noch ein Traum. Eine Jubelpredigt könne er allerdings nicht halten, es seien zu viele Schatten vorhanden. Zuviel Unrecht sei an den Menschen begangen worden, das nicht wieder gutgemacht werden könne. „Ohne meinen Glauben", sagte Pfarrer Greßler von sich selber, „hätte ich die vergangenen 40 Jahre in diesem Lande nicht überstanden." Er und seine Familie hatten unter dem Regime zu leiden.

Fladungens Bürgermeister Raimund Goldbach sagte bei der Begrüßung: „Wohl selten haben wir ein Jahrzehnt mit soviel Optimismus begonnen." Er hoffe, so Goldbach, dass an seinem Ende der Grenzzaun verschwunden und alle Barrieren abgebaut sein mögen. Dann aber gehörte der Tag unbeschwerter Freude. In der Festhalle hätte keine Maus mehr einen Platz gefunden. [28]

Blumen und Geschenke von Fladungens Bürgermeister Raimund Goldbach für die Ortsoberhäupter von Wohlmuthhausen, Monika Anding und Gerthausen, Rolf Weber.
Foto: Hubert Geier

Hermannsfeld – Völkershausen

War es auf Einladung der Hermannsfelder eine kleine Abordnung aus Völkershausen, die am Gottesdienst am Heiligen Abend teilnahm, so kamen am 2. Weihnachtsfeiertag und zu Silvester 1989

schon mehrere Hermannsfelder nach Völkershausen zum Gottesdienst. Am Sonntag, 14. Januar 1990, machten sich ganze Scharen auf den Weg nach Völkershausen. An der Grenze wurden sie von Bürgermeister Gerhard Schätzlein begrüßt. Im langen Zug ging es unter flotter Marschmusik der „Sülztaler Blaskapelle" gen Völkershausen, wo sie schon erwartet wurden. Nach einem kurzen Umblick im Dorf war der erste Weg in die Kirche. Pfarrer Günther Eckert begrüßte die Brüder und Schwestern nach vier Jahrzehnten der Trennung. Pfarrer Dr. Martin Heinze, Hermannsfeld, sagte, dass für ihn der Gang durch das Grenztor ein wahres Stück Evangelium, ein großes Geschenk, sei. Darum sollte man diese Stunde und diesen Tag, der so fröhlich stimme, bewusst als Erfahrung der Gnade Gottes hinnehmen. Nach dem Gottesdienst fand wie allerorten eine große Feier statt.

Helmershausen – Filke

Auch Anfang Januar 1990 ließ der Wille zur Begegnung zwischen Deutschen aus Ost und West nicht nach. Die einstigen Nachbarn wollen sich ganz einfach sehen, miteinander sprechen und sich gegenseitig erkundigen, wie es denn nun gehe, nach den vielen Jahren der Trennung. Alte Erinnerungen wollten sie wieder aufleben lassen. Dazu war ihnen keine Mühe zuviel und kein Weg zu weit. Helmershausen hatte eingeladen. Sie wollten die alten Beziehungen mit Filke wieder auffrischen. Aber nicht nur sie, sondern auch Willmars, Sands, Weimarschmieden und sogar Fladungen,

Bei der Grenzöffnung Filke – Helmershausen im Dezember 1989 wurde ebenso wie andernorts "So ein Tag, so wunderschön, wie heute ..." gesungen.
Foto: Walter Landgraf

denn bis dorthin reichten die Beziehungen einst, waren eingeladen, zu kommen und zu feiern.

Mit einer schnell zusammengestellten Musikkapelle aus Mitgliedern der Ostheimer Stadtkapelle unter der Leitung des 3. Bürgermeisters Burkhard Wohlmacher, die vorausmarschierte, wurde dem Grenzstreifen entlang gezogen und mit Marschmusik das Kommen angekündigt. „Drüben" auf der anderen Seite, hinter dem zweiten Zaun, auf der Straße von Stedtlingen nach Helmershausen, die ja sonst gesperrt war, warteten die Freunde, Bekannten und Verwandten aus Helmershausen und den umliegenden Ortschaften. Doch dann, als es nur noch ein paar Meter waren, war die Menge nicht mehr zu halten. Ost und West lagen sich in den Armen. Sektflaschen machten die Runde und Wiedersehenstränen flossen dazu. Ein Aufschrei ging durch die Menge. Ein Bild, eine Begebenheit, die immer wieder zu Herzen ging, die zeigte, dass die Menschen zusammengehörten und dass sie zusammen sein und sich begegnen wollten. Mit flotter Marschmusik ging es ins Dorf, begleitet von Fah-

nen und Spruchbändern und von den Bewohnern an den Haustüren und Straßen herzlich winkend begrüßt. Dabei kam es nicht selten vor, dass sich aus dem Zug heraus Menschen wiedersahen und in die Arme fielen. Bewegende Szenen, die man nicht vergisst.

Das erste Ziel war auch hier das Gotteshaus. Hier warteten schon viele, um gemeinsam auch dem zu danken, der das alles so wunderbar zusammengefügt hat, nämlich Gott, wie der Ortspfarrer in seiner Ansprache hervorhob. Das viel gesungene Lied zu Weihnachten „Macht hoch die Tür, die Tor macht weit" sei mit der Öffnung der Grenzen Wirklichkeit geworden. Die Bürgermeister Gerhard Schätzlein und Wachenbrunner erinnerten im Kulturhaus nochmals daran, dass es fast nicht zu verstehen sei, was hier nach fast 40-jähriger Trennung geschehen sei. Nun aber sei man da und das sei eine Freude, die man auch genießen wolle.[29]

Stedtlingen – Willmars

800 DDR-Bürger aus dem thüringischen Stedtlingen, Kreis Meiningen, machten sich am Sonntag, 17. Dezember 1989, auf den Fußweg ins 5 km entfernte Willmars im Landkreis Rhön-Grabfeld. „Ich kann es noch gar nicht richtig fassen, dass wir jetzt im Osten unserer Gemeinde auch Nachbarn haben und nicht nur Grenzzäune." Als der Willmarser Bürgermeister Gerhard Schätzlein diesen Satz aussprach, war die nachbarschaftliche Begegnung zwischen Willmarser und Stedtlinger Bürgern bereits

Ein provisorischer Holzsteg führte durch das bisherige sog. Niemandsland in Richtung Helmershausen.
Foto: Rudi Hack

Im Dezember 1989 besuchten die Bewohner von Stedtlingen und Umgebung erstmals Willmars, ihre Nachbargemeinde im Westen.
Foto: Walter Landgraf

„Stedtlingen grüßt Willmars" stand auf einem der von Thüringer Nachbarn mitgeführten Plakaten.
Foto: Horst Böhm

„Wir freuen uns" – Hauptschüler aus Ostheim vor der Rhön begrüßen die DDR-Nachbarn aus Stedtlingen und Umgebung.
Foto: Rudi Hack

in vollem Gang. Dicht gedrängt saß man in der Willmarser Turnhalle und feierte gemeinsam den Tag, an dem mit einem weiteren „Loch" im einst unüberwindbaren Grenzzaun die Wende in der Beziehung beider deutscher Staaten erlebbar wurde. Es war nicht mehr die große Euphorie, die in den Novembertagen 1989 der historischen Grenzöffnung vorherrschte, sondern eher tief empfundene Freude und Erleichterung darüber, dass jetzt auch im Kleinen mit Taten belegt würde, was als neue Freiheit propagiert wird.

Warum den Umweg über die bestehenden offiziellen Grenzübergänge wählen, wo die beiden Orte Willmars und Stedtlingen doch nur einen Fußmarsch voneinander liegen? Stedtlinger Jugendliche, die auf ihren ersten Erkundungsfahrten in den Westen in der Willmarser Gastwirtschaft gelandet

waren, stellten sich diese Frage und starteten spontan eine Unterschriftenaktion, mit der sie für die Öffnung des alten Verbindungsweges zwischen den beiden Ortschaften eintraten. Ihr Engagement führte dann tatsächlich zum Erfolg.

Unter den über 800 Gästen, die die Willmarser an diesem historischen Tag begrüßen konnten, waren auch viele Bürger aus den anderen Grenzorten. Aus Bettenhausen, Sülzfeld, Hermannsfeld und Helmershausen waren sie gekommen, um die alten Beziehungen wieder aufzufrischen.

Bürgermeisterin Ulrike Spiegel aus Stedtlingen überbrachte die Grüße ihrer Mitbürger, die sich genauso wie sie selbst freuten, in Willmars zu sein und mit ihnen gemeinsam diesen Tag festlich begehen zu können. Namens der Kirchengemeinde begrüßte Pfarrer Günther Eckert die Stedtlinger als Brüder und Schwestern. Er erinnerte sich seiner Ankunft vor neun Jahren, wo sein erster Weg zur Grenze führte. 200 Meter Luftlinie seien es von seiner Wohnung zum DDR-Wachturm gewesen, das Pfarrhaus in Filke sei damit das bewachteste in ganz Bayern gewesen. In das Gebiet des Neu- und Hutsberges wäre er gerne gegangen, aber es war unerreichbar. Die Verhältnisse waren von der unseligen und unmenschlichen Grenze und vor allem von den ideologischen Unterschieden beider Systeme bestimmt. Um so erfreulicher sei es nun, dass der Zaun durchlässiger und eine Begegnung zwischen den Menschen möglich geworden ist, zwischen den Menschen und dem Gebiet, das schon seit alters her zusammengehört. Das spreche schon daraus, dass Willmars einmal 158 Jahre lang

Die Willmarser mit Bürgermeister Gerhard Schätzlein (links im Bild) auf dem Weg zum Gegenbesuch in Stedtlingen.
Foto: Rudi Hack

Mit Musik begrüßten die Stedtlinger die Willmarser.
Foto: Walter Landgraf

kirchlich von Stedtlingen mitversehen wurde, wie er in Kirchenbüchern nachlesen konnte.

In der Gemeinde Willmars selbst war den ganzen Nachmittag über ein Kommen und Gehen. So an die 1.000 Personen dürften sich hier bewegt haben. Die Autos standen bis spät abends dicht an dicht an der Stedtlinger Straße und viele aus den angrenzenden Ortschaften und darüber hinaus nahmen die Gelegenheit zu einem Gang nach Stedtlingen wahr.

Nordheim/Grabfeld – Nordheim/Rhön

Es ist nur ein ‚Katzensprung‘ von Nordheim in der Rhön bis nach Nordheim im Grabfeld – ein Sprung allerdings, der noch bis November 1989 in gefährlichster Zone geendet hätte – im Sperrgebiet der DDR. Unerreichbar für Bundesbürger – für die DDR-Bevölkerung nur unter Einhaltung schikanöser Auflagen, wenn überhaupt. Die große Wende öffnete nicht nur die Grenzen gen Westen, sie befreite auch Nordheim im Grabfeld aus der Isolation. Und die 300 Einwohner des Dorfes nutzten die so plötzlich gekommene Selbstständigkeit zu grenzüberschreitenden Aktivitäten.

Eine der ersten Freundschaft und Kontakt suchenden Handlungen war der Besuch von Bürgermeister Ernst Hein in der (Namens-)Schwestergemeinde Nordheim v. d. Rhön, herzlichst empfangen von Amtsbruder Rudi Dietz, der bei einem Gegenbesuch die Einladung der ‚Rhön-Nordheimer‘ mit nach Hause nahm. Der freundlichen Einladung wurde Mitte Januar 1990 gefolgt – ein voll besetz-

ter Reisebus fuhr von Nordheim in der Rhön gen Nordheim im Grabfeld.

Und, wie es bei Besuchen ‚drüben‘ schon an der Tagesordnung war, der Empfang war von besonderer Herzlichkeit. Da stimmte jedes Detail, um den Freunden aus dem nahen Westen den Aufenthalt so angenehm wie möglich zu machen. Im ehemaligen Kulturraum sprach der Gastgeber, Bürgermeister Ernst Hein, dann auch von dem Bedürfnis, unseren Dank für das, was sie für die DDR-Besucher alles getan haben, in besonderer Weise abzustatten.

Ein Rundgang durch das schmucke Grabfelddorf schloss sich an. Ein gemütlicher Abend mit dem ‚Beschnuppern‘ der Nordheimer von hüben und drüben beendete die Informationstour bei bisher unerreichbaren Freunden. Gastbürgermeister Rudi Dietz dankte für die herzliche Aufnahme und die offene Diskussion. Dann stellte er sein Nordheim vor.[30]

Henneberg – Eußenhausen

Am Abend des 9. November 1989 gab Günter Schabowski die Maueröffnung bekannt. Wenige Stunden später trafen die ersten Trabis in Unterfranken ein. Bedienstete der Grenzübergangsstellen aus Ost und West erinnern sich:[31]

Die ersten riefen ‚Frei, endlich frei!‘ und knieten nieder, um den Boden zu küssen.“ Klaus Sill, Beamter der Bayerischen Grenzpolizei, kann sich

Die ersten Trabis wagten sich am frühen Morgen des 10. Novembers 1989 über den Grenzübergang Henneberg – Eußenhausen in den Westen.
Foto: Holger Welsch

Die Bayer. Grenzpolizeibeamten Hubert Habermann und German Schüler verteilten am Grenzübergang Eußenhausen Geschenke an Besucher aus der DDR.
Foto: Detlef Deutsch

noch genau an jene Nacht erinnern, die die Geschichte Deutschlands veränderte. Im Gegensatz zu Berlin, wo bereits am Abend des 9. November die Mauer fiel, hob sich der Eiserne Vorhang an der thüringisch-unterfränkischen Grenze bei Eußenhausen erst in den frühen Morgenstunden des 10. November.

Im Polizeibericht ist die Ankunft des ersten Trabis um 03.40 Uhr festgehalten, neugierige DDR-Fußgänger wagten bereits eine halbe Stunde früher den Schritt, der ihnen über 40 Jahre mit allen Mitteln verwehrt worden war, über jene Grenze. „Viele von ihnen konnten es gar nicht fassen", berichtete Klaus Sill, der zusammen mit einem Kollegen der Grenzpolizei wie gewohnt am 9. November um 19 Uhr seinen zwölfstündigen Dienst an der Kontrollstelle Eußenhausen antrat. Wenngleich die schlagartige Entwicklung auch ihn überraschte, so merkte er recht bald, dass „etwas in der Luft lag" an diesem Abend. Zuerst die Meldungen im Autoradio, dann „empfing" ihn bereits das Bayerische Fernsehen an seinem Arbeitsplatz.

„Doch da war noch alles ruhig." Als gegen 22 Uhr die ersten DDR-Besucher aus dem Westen, mit Tagesvisa ausgestattet, zurückkamen, berichteten sie von mehreren jungen Leuten, die an der Vorkontrolle zum DDR-Sperrgebiet in Sülzfeld mit den dortigen Volkspolizisten diskutierten. Spätere Rückkehrer hatten bereits am Grenzübergang Henneberg eine Menschenansammlung ausgemacht. Mittlerweile klingelte sich am Kontrollpunkt das Telefon heiß. „Die Leute wollten wissen, ob und

wie in Berlin die Grenze bereits offen ist." Doch noch konnte Klaus Sill den „Durchbruch" nicht vermelden. Auch das Präsidium der Bayerischen Grenzpolizei in München verfügte über keinerlei Informationen. Wie erwähnt, mussten sich Medienvertreter wie neugierige Passanten bis nach 3 Uhr gedulden, ehe die ersten DDR-Bürger unterfränkischen Boden betraten. Und als das geschah, womit Klaus Sill schon nicht mehr gerechnet hatte, machte sich auch bei ihm Unsicherheit breit. Was nun, wenn plötzlich Hunderte herüberstürmen, wenn Uniformierte kommen? Die Spannung legte sich nach ersten Gesprächen jedoch recht schnell. „Die wollten nur mal kurz in den Westen schauen, sie wollten sich überzeugen, dass es wahr ist",

Zeitungsanzeige im Rhön- und Streuboten (Mellrichstadt) vom 11.11.1989.

Mellrichstadt war in den ersten Tagen nach der Grenzöffnung das Ziel vieler DDR-Besucher.
Foto: Detlef Deutsch

erinnerte sich der Grenzbeamte. Zudem machten nur relativ wenige von ihrer neuen Freiheit Gebrauch. Bis gegen 7 Uhr morgens waren es weniger als hundert, die über die Grenze kamen.

„Wegen fehlender Weisungen von oben saßen wir wie auf Kohlen", berichteten Volkspolizisten aus Meiningen rückblickend. Jahrelang darauf gedrillt, an den sog. Vorkontrollstellen das „Einreisen" ihrer Landsleute in das ehemalige Sperrgebiet mit strenger Hand zu überwachen, waren in den Stunden der Grenzöffnung plötzlich eigene Entscheidungen gefordert. „Vom DDR-Staatsministerium des Innern gab es offiziell keinerlei Weisung", beschrieb der Leiter der Polizeiinspektion Meiningen, Polizeioberrat Manfred Däumler, die Situation. Über die Mitteilung bezüglich der neuen Reisefreiheit, die Pressesprecher Günter Schabowski am 9. November 1989 kurz vor 19 Uhr verkündet hatte, wussten die meisten Volkspolizisten Bescheid, doch als am frühen Abend des 9. November die ersten DDR-Bürger an der Kontrollstelle bei Sülzfeld auftauchten, warteten die Ordnungshüter vergeblich auf Weisungen „von oben". Auch der ständige Kontakt mit der nur wenige Kilometer entfernten Grenzübergangsstelle, wo die NVA-Grenztruppe, Angehörige des Ministeriums für Staatssicherheit und der Zoll ebenfalls „auf Kohlen saßen", brachte keine neuen Erkenntnisse.

Im Gegenteil: Als sich die Volkspolizisten Andreas Schauseil und Wolfgang Schadt sowie zwei weitere Kollegen dazu entschlossen, die drängenden Leute zum Grenzübergang vorzulassen, wurden sie von dort erst einmal zurückgeschickt. Erst um 2.30 Uhr traf ein Fernschreiben ein, wonach die Ausreisemöglichkeit per Visum bestätigt wurde. Doch die-

jenigen, die seit Stunden an der Kontrollstelle ausgeharrt hatten, durften dann in den frühen Morgenstunden auch ohne Stempel einen Blick in den Westen werfen. Sich überzeugen, dass alles wahr ist, war ohnehin das Hauptanliegen. So erinnert sich Andreas Schauseil an ein Ehepaar, das sich mit seinem Trabi nur bis zum Kontrollpunkt wagte, dort nachfragte, ob die Grenze offen sei und anschließend wieder gen Meiningen zurückfuhr. Dennoch: Schauseil war überrascht, wie wenige zur Kontrollstelle kamen.

Als dann bereits wenige Stunden später die Ausreisewelle per Visaerlaubnis anlief, wandelte sich das Bild recht schnell. Tausende aus der ganzen DDR suchten in Meiningen um ihre Stempel nach. Und diese Aufgabe oblag der Volkspolizei. „Ein Chaos", erinnert sich Manfred Däumler, „aber wir mussten mit dieser plötzlichen Situation fertig werden." Allein diese organisatorische Mammutaufgabe verhinderte ein großes Nachdenken über die Ereignisse. Spontan fällt den Polizisten lediglich ein: „Wir waren alle etwas schockiert, wir konnten uns das einfach nicht vorstellen!"

„Wahnsinn, unfassbar, das gibt's doch gar nicht!" – drei Aussagen, die das Glück von Menschen beschreiben, für die ein Traum in Erfüllung gegangen war. In Erfüllung gegangen durch ihre einfache Ausreise über den Grenzübergang Eußenhausen in der Zeit von 3.40 Uhr, als der erste Trabi über die thüringisch-bayerische Landesgrenze ohne Kontrollen rollte, bis um acht Uhr, als die DDR-Behörden den Reise-Gürtel wieder enger schnallten und zwischendurch wieder darauf achteten, dass die Formalitäten eingehalten wurden. Die Statistik von

Zahlreiche Bundesbürger erwarteten die DDR-Besucher bereits am Grenzübergang Eußenhausen.
Foto: Detlef Deutsch

Bundesfinanzminister Theo Waigel besuchte am 20. November 1989 den Grenzübergang Eußenhausen, um sich über die aktuelle Situation zu informieren.
Foto: Detlef Deutsch

Polizeihauptkommissar Berthold Braun, Leiter der Grenzpolizei-Inspektion Mellrichstadt, notierte um 7 Uhr: 80 Einreisende aus der DDR, 20 waren schon wieder zurück in die DDR gefahren. Von den 80 hatten sich Zehn als Übersiedler gemeldet, der Rest war von Neugier gepackt: ‚Nur mal schauen, wie es bei euch ist, dann geht's wieder heim.'
In der Zeit von 7 bis 9.30 Uhr zählten die Beamten weitere 500 Reisende aus der DDR. Unter diesen Neuankömmlingen waren nur drei, die als Übersiedler nicht wieder zurück Richtung DDR wollten. Eine neue Welle registrierten die Grenzbeamten ab 10.30 Uhr, da erreichten die ersten DDR-Bürger mit freigestellten Visa in Pass und Personalausweis bayerischen Boden. Insgesamt hatten die Beamten bis kurz nach Mitternacht 800 DDR-Bürger und 300 Trabants gezählt.
Früh schon, gegen 6.30 Uhr, war Rhön-Grabfelds Landrat Dr. Fritz Steigerwald an der Grenzkontrollstelle Eußenhausen, um sich über den Stand der Dinge zu informieren. Gespräche in aller Freundschaft und ungezwungener Herzlichkeit zwischen Bürgern aus Ost und West – am Grenzübergang Eußenhausen gab's keine Scheu.
Gelegenheit, die Gastfreundschaft der Landsleute zu genießen, gab es reichlich und für viele Besucher unerwartet. Ein Schluck zum Aufwärmen im Café Moritz in Mellrichstadt. Kaffee und Teilchen im Schlosskeller der Verwaltungsgemeinschaft und Bratwürste der Werbegemeinschaft auf dem Marktplatz. Der Freudenstrom floss von Ost nach West. Wie aber hielt es die DDR mit der Einreise von
Bundesbürgern. Mellrichstadts Bürgermeister Oskar Herbig, sein Stellvertreter Ferdinand Müller und VG-Geschäftsstellenleiter Hubert Storath machten die Probe aufs Exempel und wollten in die DDR einreisen. Bis zum zweiten Kontrollpunkt ging ihre Fahrt, dann hieß es: Stopp! Für Bundesbürger blieb es bei Visapflicht und Zwangsumtausch. Doch wurde diese Entscheidung höflich, ja freundschaftlich mitgeteilt, ganz anders als im früheren DDR-Grenzjargon. 10. November 1989 – ein Tag, auf den wir hier schon lange gewartet haben. Diesem Satz von Ferdinand Müller war nichts hinzuzufügen.[32]

Allein 44.000 kamen am ersten Wochenende über den Grenzübergang Henneberg – Eußenhausen. Die Zahl der Reisenden schnellte in die Höhe. Zwischen 6.152 (Februar) und 23.197 (Mai) schwankte sie bis in den deutsch-deutschen Herbst. Dann ging es steil aufwärts: Über 657.000 Menschen passierten die Grenze im November, fast eine Million waren es im Dezember 1989. Ein Grund, in den Westen zu reisen, war für Tausende von DDR-Bürgern auch das Begrüßungsgeld. Täglich bildeten sich lange Schlangen vor den Auszahlungsstellen. Dennoch musste keiner länger als einige Stunden warten, dank des unermüdlichen Einsatzes von rund 80 ständigen und etwa 220 zeitweise eingesetzten Helfern, die im Landkreis Rhön-Grabfeld insgesamt fast 29 Millionen DM auszahlten.
Hilmar Wagner aus Melpers erinnerte sich an den historischen Tag:[33] „Kein Laut durchdringt die

Ab 19.1.1990 durften auch Lkw bis zu 18 t den Grenzübergang Eußenhausen – Henneberg passieren. Darüber freuten sich von links der Leiter der Grenzpolizeiinspektion Mellrichstadt Berthold Braun, ein Lkw-Fahrer, Landrat Dr. Fritz Steigerwald, Zolloberinspektor Winkler, Zollbetriebsinspektor Mitnacht und Oberregierungsrat Künzle vom Hauptzollamt Schweinfurt.
Foto: Detlef Deutsch

Neubau eines Abfertigungsgebäudes an der Grenzübergangsstelle Henneberg 1989.
Foto: Bayerische Grenzpolizei

Ruhe, die über dem verschlafenen Dorf liegt. Der ganz normale Alltag im thüringischen Melpers. Nur 300 Meter von der Grenze zum Feindesland gelegen, verirrt sich nur selten jemand hierher. Nur hin und wieder fegt eine Grenzstreife auf ihrem Motorrad durch den Ort. Um zu sehen, ob alles in Ordnung ist. ‚Meine damaligen Arbeitskollegen konnten sich nicht vorstellen, wie das so war an der Grenze', erinnert sich Hilmar Wagner. Auf Fragen allerdings habe er nur allgemein erzählt, um keine Schwierigkeiten zu bekommen. Hin und wieder gezeigtes Interesse an den Grenzanlagen wurde ignoriert. Sie alle kamen aus dem Werratal und kaum einer wusste, wo Melpers eigentlich liegt. Wie so viele andere, denen es nur mit einem Passierschein erlaubt war, das Grenzgebiet zu besuchen. Das alles sollte sich schlagartig ändern. Just an dem Abend, als in Melpers eine Einwohnerversammlung zur geforderten Auflösung des Grenzgebietes angesetzt war. ‚Als ich mit der Neuigkeit in die Versammlung kam, hat mir keiner geglaubt.' Bis nach Mitternacht lag Hilmar Wagner noch vor dem Fernseher, ließ die noch immer unfassbaren Bilder auf sich einströmen. Und dann war es beschlossene Sache: Morgen nach Feierabend fahren wir in den Westen.

‚Ob die wohl ahnen, dass die Sprechstunde heute auf dem Volkspolizei-Kreisamt ist', schoss ihm noch durch den Kopf, als er sich am frühen Vormittag des 10. November wegen eines dringenden Arztbesuches auf der Arbeitsstelle abmeldete. ‚Schlange stehen, das kannten wir ja. Aber hier lag etwas Knisterndes in der Luft.' Erst nach zwei Stunden ließ die Spannung etwas nach. ‚Um 11 Uhr hatte ich dann endlich meinen Pass, den sie mir so lange verwehrt hatten.'

In einer Wolke von stinkenden Abgasen krochen sie der Henneburg entgegen und waren bereit, bis in die Nacht dieses Spektakel mitzuerleben. Fast zwölf Stunden nach seiner Verabschiedung von den Arbeitskollegen hatte Hilmar Wagner die Schanz erklommen.

‚So gewaltig hatte ich mir diesen Grenzübergang nicht vorgestellt, diese vielen Lichter, irgendwie gespenstisch. Aber doch Realität.' Minuten später grüßten aus dem Dunkel der angehenden Nacht jubelnde Bayern. Und er war endlich dort, wo ‚ich nach sozialistischem Plan erst im Jahre 2004 als Rentner hätte sein dürfen.' Am nächsten Tag hieß es wieder Schlange stehen, nach dem Begrüßungsgeld, das sich so ganz anders anfasste. Ein bisschen habe er sich geschämt, dann aber doch die großzügige Gabe angenommen. ‚Weil wir es gebraucht haben.'

Als den schönsten Tag hat Hilmar Wagner den 12. November in Erinnerung, als um 10 Uhr unterhalb des Dorfes am Grenzzaun plötzlich wildfremde Menschen hin und her rannten. Das Grenzgebiet war gefallen. ‚Wir sind frei, wir sind frei', brach die Freude aus ihm heraus. Endlich war sein Heimatdorf für Fremde wieder erreichbar. ‚Und uns standen die Tränen in den Augen.' Danach war nichts mehr, wie es einmal war. Statt der alles einhüllenden Stille drängten sich Trabis und Wartburgs über den zwei Wochen später geöffneten Übergang. Alle genossen die wieder gewonnene Freiheit in vollen Zügen. Bei jedem Besuch im Westen war der Rhöner immer wieder überrascht von der Freundlichkeit. ‚Das haben wir so nicht gekannt. Und auch nicht erwartet.“

Der mittlerweile verstorbene Dirigent des berühmten Meininger Theaters, Wolfgang Hocke, erinnerte sich:[34]

Wir blieben in der Nacht des 9. November 1989 sehr lange wach. Über alle uns zur Verfügung stehenden Fernseh- und Radiokanäle versuchten wir Näheres in den Nachrichten zu erfahren. Es konnte doch sein, dass die für offen erklärte Grenze schnell wieder geschlossen würde. Sollten wir doch noch rasch nach Henneberg fahren?

Aus Berlin sahen wir über die ARD erste Bilder von Menschenansammlungen am Grenzübergang Friedrichstraße – Checkpoint Charly. Unser Telefon lief heiß: „Habt ihr gehört, die Grenze ist offen!" Bis gegen 3 Uhr verfolgten wir die Nachrichten und bangten, dass die DDR-Führung mit militärischen Mitteln alles wieder rückgängig machen würde. Ich glaube, viele haben wie wir vor Freude geweint. Wir konnten einfach nicht einschlafen. Wo fahren wir morgen nach meiner Orchesterprobe hin? Hoffentlich stehen nicht so viele Menschen am Volkspolizeimeldeamt. Benötigten wir überhaupt ein Visum? Reicht ein voller Benzintank aus? Vielleicht nehmen wir noch etwas zu essen mit? Fragen über Fragen.

Als wir am nächsten Morgen aufstanden, kam unser Nachbar Reiner Häublein freudestrahlend auf uns zu: „Ich komme gerade aus Mellrichstadt. Wir haben mit unseren Arbeitskollegen drüben zusammen gefrühstückt! Wirklich! Es war ein Freudenfest!" Die DDR-Grenzpolizisten sahen sich einer unvorstellbaren Situation gegenüber. Sie hatten keinen Befehl zur Grenzöffnung erhalten. Aber die Menschenansammlung auf der DDR-Seite des Henneberger Übergangs war so groß geworden, dass sie die Schlagbäume unweigerlich öffnen mussten und sich damit wegen ihres eigenmächtigen Handelns schuldig machten.

Als ich zur Probe in das Theater fuhr, sah ich vor der Polizeibehörde eine lange Schlange von Leuten stehen, die sich ein Visum für den Grenzübertritt holen wollten. Meinen Orchesterkollegen sagte ich beiläufig, dass ich als Erstes das Theater in Coburg besuchen wolle. Die Cellistin Ulrike Kober borgte mir für unverhoffte Situationen 20 DM West. Ich selbst besaß keinen Pfennig. Unser Sohn Michael wollte, wie jeden Freitag, übers Wochenende nach Hause kommen. Er studierte in Jena Medizin. Wir hatten ihm auf ein großes Blatt „Wir sind im Westen!" geschrieben und es mitten in den Flur gelegt.

Die zehn Kilometer bis Henneberg waren schnell durchfahren. Der Stau vor der Grenzübergangsstelle war noch sehr human. Freundliche DDR-Grenzsoldaten drückten ihre Stempel auf unseren alten Reisepass. Dann näherten wir uns einem völlig unbekannten Land: Freistaat Bayern. Dort empfingen uns die Menschen auf „Grüß Gott" und „Gute Fahrt", winkten und klopften liebevoll auf das Auto. Bei offenem Fenster mussten wir viele Hände drücken. Das war ein Empfang, den man so schnell nicht vergessen wird. Jedes Auto, das uns entgegenkam, blinkte. Wir betätigten ständig die Lichthupe.

In Mellrichstadt waren Hunderte von Menschen auf der Straße. Die Trabis und Wartburgs parkten an den verbotensten Stellen. Nach langer Fahrt stellte ich meinen LADA in Coburg an einer Bushaltestelle am Markt regelwidrig ab. Wir suchten das Theater. Doch Intendant und Chefdirigent waren nicht erreichbar. Eigentlich wollten wir sie nur an unserer Freude teilhaben lassen. Die Straßen säumten Verkaufsbuden, es roch nach Pfefferkuchen, Nüssen und Bratwürsten.

„Haben Sie sich schon das Begrüßungsgeld geholt?", fragte eine freundliche Frau. „Nein! Deshalb sind wir nicht hier!" – Oder doch? 100 Mark West? Für uns beide wären das ja 200 DM. „Wo gibt es denn das Geld?" „Dort im Rathaus. Sie stehen direkt mit dem Auto davor!" – Sollten wir oder sollten wir nicht? „Kommen Sie", sagte eine Sonnebergerin, „wir holen uns das Geld auch!" Mutig gingen wir hinter ihr her, stellten uns ebenfalls an, aber wurden ein ungutes Gefühl nicht los. Wir kamen uns wie Bettler vor.

Wie schnell war die Zeit verflogen und es war dunkel geworden. Wir mussten wieder über Königshofen und Mellrichstadt zurück. Eine Straßenkarte dieser Gegend besaßen wir nicht. Aus Sicherheitsgründen hatte die DDR das Kartenmaterial des Grenzgebietes grundsätzlich ausgespart. So

Verteilung von Infomaterial an Besucher aus der DDR.
Foto: Michael Wolf

landeten wir ungewollt vor dem Ortseingangsschild Schweinfurt. Ich fuhr zunächst geradeaus und hielt wegen meiner Orientierungslosigkeit wahrscheinlich verkehrswidrig an einer Kreuzung an, um in meinem DDR-Autoatlas nach Schweinfurt zu suchen. Vergeblich! Sofort war ich von mehreren Autos umringt, darunter auch von einem Polizeiwagen. Meine Frau fragte einen hilfsbereiten Mercedesfahrer, der ausgestiegen war und an unser Fenster kam: „Wo geht es, bitte schön, nach Meiningen? Wir haben uns verfahren." Der Polizist rief von der anderen Seite: „Was hat er denn?" „Nichts weiter, ich habe das schon erledigt!", antwortete der Mercedesfahrer. Ein drittes Auto hielt hinter uns. Ein Herr stieg aus: „Wenn Sie in das Aufnahmelager wollen, fahren Sie bitte hinter mir her, ich arbeite dort und muss jetzt sowieso dahin!" „Nein!", wehrte ich ab, „wir wollen wieder heim nach Meiningen. Ich habe mich doch nur verfahren!"

Jetzt erklärte mir der Mercedesfahrer den Weg und empfahl uns, in Bad Neustadt noch zu Abend zu essen. „Wir wollen nur wieder zurück", sagte ich, „außerdem ist uns das Geld dafür zu schade." Die eben erworbenen 200 DM waren uns so kostbar, dass wir dafür lieber etwas Bleibendes kaufen würden. Der Mercedesfahrer hielt einen 100-DM-Schein zum Fenster herein und meinte: „Hier, für das Abendessen!" „Nein, danke", sagte meine Frau, „das nehmen wir nicht!" Ich gab ihr einen Stoß und hoffte, er würde den Geldschein trotzdem da lassen. Das tat er auch, stieg in sein Auto und war verschwunden. – Auf der Fahrt nach Bad Neustadt bedauerten wir, uns nicht richtig bedankt zu haben, und überlegten, wie wir an seine Adresse kommen könnten. Zunächst erreichten wir Bad Neustadt, stellten unser Auto bestimmt wieder verkehrswidrig in die kleine Stadtmitte und liefen durch einen verschlafenen Ort. Eigentlich nur, um die Schaufenster zu betrachten. Menschen waren kaum zu sehen. Die Autouhr zeigte bereits 22 Uhr. Bad Neustadt im Nachtschlaf, aber ein brodelndes Mellrichstadt. Auf der einzigen Straße tummelten sich Männer, Frauen und Kinder und drückten sich die Nasen an den Schaufenstern platt, darunter viele bekannte Gesichter aus Meiningen. Die Mellrichstädter hatten, das Ladenschlussgesetz missachtend, gleich ihre Geschäfte bis Mitternacht geöffnet. Es lohnte sich für sie, denn das gerade

erworbene Begrüßungsgeld konnte doch nur im Westen wieder umgesetzt werden. Viele DDR-Bürger trauten der neuen Situation nicht. Wie oft wurden Verordnungen und Gesetze wieder zurückgenommen. Das jahrzehntelang geübte Kaufverhalten tat sein Übriges: schnell zugreifen, ehe alles verkauft ist.

Als wir gegen 23 Uhr unsere Wohnung in Meiningen wieder erreichten, empfing uns ein völlig niedergeschlagener Sohn. Er hatte den Zettel „Wir sind im Westen" so interpretiert, als hätten wir Meiningen Hals über Kopf, wie die vielen anderen, für immer verlassen. Der Schock saß bei ihm noch lange tief.

Betriebsausflug in den Westen

Wäre am Freitag, 10. November 1989, alles nach Plan gelaufen, hätte Dieter Schön mit seinem Turmdrehkran auf der Schanz bei Henneberg, unmittelbar an der deutsch-deutschen Grenze zusammen mit seinen Kollegen gearbeitet. Dort waren sie im Auftrag der DDR-Grenztruppen damit beschäftigt, das ‚Loch im Zaun', die DDR-Grenzübergangsstelle Henneberg, protzig auszubauen.

Nun war dieser Freitag kein Tag wie jeder andere. Schuld war nicht zuletzt Günter Schabowski. Als Mitglied des SED-Politbüros hatte er am Vorabend, dem 9. November 1989, mit einer stammelnd vorgetragenen Mitteilung die Welt überrascht und die „ostdeutsche Nation" glücklich gemacht. Trotz des grenzenlosen Jubels herrschte Skepsis vor. Auch bei den Arbeitern des Kreisbaubetriebes, die sich am zeitigen Freitagmorgen vor dem Bahnhof in Meiningen trafen. Doch schnell herrschte Einigkeit im Bus, der sie tagtäglich zur GÜST-Baustelle brachte. Heute geht es rüber! Dem Busfahrer war die Sache nicht einerlei. Auf die Forderung der Bauarbeiter, gleich bis auf die Schanz zum Übergang durchzufahren, ließ er sich nicht ein. Wie an ‚normalen Tagen' setzte er die entschlossenen ‚Grenzgänger' an der in gebührendem Abstand zur Kontrollstelle eigens errichteten Wendeschleife ab. Nicht alle, ein Arbeiter hatte am Gruppenposten Sülzfeld, wo sich Tag für Tag ein peinlich genaues Kontrollszenario abspielte, aussteigen müssen. In der Aufregung des besonderen Tages hatte er seine Papiere vergessen.

‚Wir sind dann sofort alle in Richtung Grenze gegangen, um zu Fuß rüber zu gehen. Oben wurden

608

wir von vier Offizieren mit Kalaschnikow im Anschlag empfangen. Sie erklärten uns in barschem Ton, dass Fußgänger den Übergang nicht passieren dürften ...', so Dieter Schön. Ohne großen Zeitverzug forderten die Abgewiesenen einen Lkw vom Kreisbaubetrieb an, mit dem man sich zurück zum Meininger Bahnhof fahren ließ. Dort hatten alle ihre Privatautos abgestellt. Mit vier voll besetzten Pkws ging es dann wieder nach Henneberg zurück, das Ziel Mellrichstadt im Visier. ‚Ich hab natürlich vorher unseren Chef angerufen und gesagt, dass heute nicht gearbeitet wird.'

Noch herrschte am Grenzübergang die Ruhe vor dem ganz großen Sturm, als Dieter Schön mit seinem Trabi-Kombi um 07.50 Uhr die ‚Demarkationslinie' zwischen zwei völlig verschiedenen Welten passierte. 20 bis 40 Autos, mehr standen noch nicht an. Ohne große Wartezeit und ohne Visum-Stempel im Personalausweis kamen alle in den Westen. Beides änderte sich bald darauf, und das auch nur für kurze Zeit. In Eußenhausen wurden alle herzlich willkommen geheißen. Besonders groß war die Freude bei den ‚Bundes-Grenzern', als sie hörten, wen sie gerade begrüßen durften – die Erbauer des neuen DDR-Grenzgebäudes.

‚In Mellrichstadt sind wir dann rumgelaufen wie Falschgeld. Und als uns ein altes Mütterchen sagte, wir sollten doch nicht vergessen, unser Begrüßungsgeld abzuholen, wollten wir das fast nicht glauben ...' Natürlich gab es 100 D-Mark, natürlich mussten sich die Arbeiter als die ersten in das Mellrichstädter Besucherbuch eintragen, und, nicht ganz so natürlich, wurden sie dabei von der ‚West-Presse' abgelichtet.

Dieter Schön berichtet über die Baustelle auf der Schanz. Das Provisorium von 1973, bestehend aus einer Barackenanhäufung, sollte durch massive Bauten ersetzt werden. Den Anfang machte man mit einem neuen Hauptgebäude für Staatssicherheit, Zoll und Grenztruppen. Im Keller waren die Zentrale für das GÜST-Überwachungs- und Alarmierungssystem sowie einem Zellentrakt für Grenzverletzer und andere Staatsfeinde vorgesehen. Folgen sollten später eine Krankenstation und eine neue Toilette, eigens für Benutzer mit Westgeld reserviert. Von den Bauarbeitern wurde das Projekt daher scherzhaft ‚Interpiss' genannt.

Schon vor dem eigentlichen Baustart begannen die Probleme für den VEB Kreisbaubetrieb. Nur ausgesuchte Bauleute sollten an ‚vorderster Front' zum Einsatz kommen. Um auch wirklich von allen Gewerken jemanden dabei zu haben, beantragte der Betrieb die Zulassung aller etwa 360 Mitarbeiter. Rund 60 erschienen Volkspolizei und Stasi zuverlässig genug. Schön berichtet: ‚Ich war erst nicht dabei, doch war ich der einzige, der den Turmdrehkran bedienen durfte ...' Im März 1989 war Baubeginn. Ab Anfang Juli 1989 wurde der Kran gebraucht. Mit 27 Metern überragte er jeden Grenzturm. ‚Ein hoher Offizier musste vor mir die Kabine besteigen, um zu überprüfen, was ich alles sehen kann. Mit schlotternden Knien und Schweiß auf der Stirn kam er wieder runter!' Viel zu erspähen gab es von oben nicht. Dieter Schön durfte seinen Arbeitsplatz fortan erklimmen. Eine Stasi-Kamera begleitete allerdings jeden Aufstieg.

Doch es gab noch andere Probleme. Der Schatten beispielsweise, den der Kran warf. Flüchtlinge hätten sich in diesem verstecken können, fürchteten die besorgten Grenzschützer. Bis die GÜST-Flutlichtlampen verändert wurden, mussten daher nachts alle Arbeitsscheinwerfer am Kran anbleiben – gegen jede Vorschrift am Bau.

Normal war auf dieser Baustelle überhaupt sehr wenig. Materialprobleme waren unbekannt, hohe Sicherheitsstufen mit Kontrollen und Belehrungen sowie damit verbundenen zahlreichen Behinderungen hingegen nicht. Täglich wurden alle Arbeiter von immer den gleichen Posten wie beim ersten Mal kontrolliert. Nur in Kolonne durfte die Baustelle betreten werden. Ein Lichtbildausweis musste gut sichtbar an einer Kette am Arbeitsanzug baumeln. Jeden Monat wiederholte sich zudem eine wichtige Belehrung. Über Tonband abgespielt, verleitete sie jedoch eher zum Einschlafen als zur verlangten Aufmerksamkeit.

Überstunden und Sonderschichten waren ebenso passè. Nach 15 Uhr ging nichts mehr. Da kam der diensthabende Offizier, um die Baustelle auf ihre Sicherheit zu überprüfen. Alle Arbeitsgeräte mussten verschlossen sein, leere Flaschen – möglicherweise als Waffe verwendbar – durften nicht herumliegen. Holzpaletten, die potentielle Flüchtlinge als Leiter hätten verwenden können, mussten in gebührendem Abstand von der Baustelleneinzäunung gelagert werden. Selbstverständlich mit Kette und Vorhängeschloss gesichert. Sicher ist sicher, hieß es dann auch, wenn Nebel die Schanz eingehüllt hatte. Weiterarbeiten war da strikt verboten. Auch als im Spätsommer der einzige ‚Grenz-Durchbruch' mit einer Kehrmaschine gelang, war sofort Feierabend."[35]

Erster Ausflug nach Würzburg

Ein Ehepaar aus der DDR erlebte den ersten Ausflug in den Westen wie im Märchen:[36]

„Ich wollte doch der Erste sein, der von der Familie in den Westen fährt!", sagte Georg T. bei seiner Ankunft in Würzburg sichtlich enttäuscht darüber, dass ihm seine Tochter Korina den Rang abgelaufen hatte. Die gab nämlich gleich nach Bekanntwerden der Sensation von der offenen DDR-Grenze listig ihrer Mutter den Enkel zur „Aufbewahrung" und fuhr gen Mellrichstadt, so dass der Vater erst mit zwei Tagen Verspätung starten konnte. Dann allerdings ging die kleine Enttäuschung in einem riesigen Jubel unter, als er und seine Frau Heidrun die Verwandten in Stadtlauringen und dann in Würzburg in die Arme schließen konnten. Zuvor musste sich das Ehepaar aus der Gegend von Kaltennordheim/Rhön für die rund 80 Kilometer lange Fahrt sechs Stunden Zeit nehmen, weil sich die Trabis am Grenzübergang Eußenhausen bis Meiningen zurückstauten. Aber als sie dann „den Berg runter" in den Westen rollten, kamen beiden die Tränen der Rührung und Freude. Für Heidrun T. war es das erste Mal in ihrem Leben, dass sie in den Westen fahren durfte, ihr Mann bekam schon einmal zu einem Familienereignis eine Ausreisegenehmigung.

„Zwick mich doch mal", sagte Heidrun beim Einkaufsbummel durch Würzburg zu ihrer Cousine aus dem Westen, „ich kann noch gar nicht glauben, dass das alles hier wahr ist." Mit Augen wie die der Kinder bei der Weihnachtsbescherung bestaunte sie „all die Pracht in den Geschäften", wo man unentwegt kaufen könnte, wenn halt das Begrüßungsgeld reichen würde. Das hatte das DDR-Paar ohne Probleme im Rathaus abholen können und sich dann in den Einkaufstaumel gestürzt. Vom Weihnachtsbasar in einem Würzburger Kaufhaus konnten sie sich gar nicht losreißen, und der „Schorsch" konnte nicht widerstehen und kaufte sich einen elektrischen Adventsschmuck mit vielen bunten Glühbirnchen, deren Licht in rhythmischen Intervallen demnächst von seinem Wohnzimmerfenster in die frostige Vorderrhön-Nacht scheinen wird. „Das hat

bei uns doch keiner", erklärt er seinen überraschenden Entschluss. Die praktischen Dinge wie ein Anorak oder Süßigkeiten nahmen die erste Stelle bei den Käufen ein. Auf dem Markt erspähte Heidrun Erdnüsse für zehn Mark das Kilo. Und weil man die „drüben" wie so Vieles nicht kaufen kann, langte sie zu. Als die gleichen Erdnüsse später in einem Supermarkt für die Hälfte angeboten wurden, hat sie sich nachts noch geärgert, keinen Preisvergleich vorher gemacht zu haben. „Aber", erklärt sie ihr Verhalten, „bei uns gibt es – wenn es etwas gibt – von Stralsund bis Meiningen nur Einheitspreise, da braucht man nicht zu vergleichen."

Und immer wieder staunen die Besucher über „die tolle Aufmachung" des Warenangebots und die Sauberkeit in den Geschäften. Nach einem nächtlichen Stadtbummel korrigieren sie die ihnen in der DDR eingetrichterte Meinung über die öffentliche Sicherheit: „Wir hatten erwartet, dass sich hinter jeder Straßenecke ein Rauschgiftsüchtiger den ‚Goldenen Schuss' setzt, Frauen reihenweise vergewaltigt werden oder dass dich ein wilder Kapitalist mit Haut und Haaren auffrisst", sagt Schorsch T. ironisch, und seine Frau fügt hinzu, sie habe sich ganz sicher auf Würzburgs Straßen gefühlt.

Natürlich kommt die Diskussion auch auf die privaten Verhältnisse zu Hause. Sohn René hatte seine ersten Schwierigkeiten mit dem System. Nach dem Abitur wollte er Elektronik studieren. Vor Erteilung des Studienplatzes wurde er zu einem Gespräch gebeten, in dem er aufgefordert wurde, der SED beizutreten. Nachdem René T. das rundweg ablehnte, war es mit dem Studium aus. Und der Vater berichtete, dass er nach 15-jähriger Wartezeit endlich einen fabrikneuen Trabant – „meine überdachte Zündkerze" – sein eigen nenne.

Immer wieder spürt man in den langen Gesprächen über das deutsch-deutsche Verhältnis heraus, wie enttäuscht und verärgert Heidrun und Georg T. angesichts des immens hohen Lebensstandards in der Bundesrepublik darüber sind, dass sie sich so wenig leisten können. Die Schuld daran geben sie dem System mit seinen absurden Missständen in der Planwirtschaft, für die sie viele Beispiele anführen können. Umso großzügiger empfinden sie das Begrüßungsgeld in der Bundesrepublik, das beim derzeitigen Kurs einen Monatsgehalt gelernten Tischlers und jetzigen Bergmanns entspricht.

Fröhliche Weihnacht am Grenzübergang Eußenhausen – Henneberg

Ein Freudentaumel herrschte nach Abschaffung von Visums- und Umtauschpflicht und daher lautete die friedliche Parole der Stunde am Weihnachtsabend: „Let's go Ost". Die „Invasion aus dem Westen" überraschte am Grenzübergang Eußenhausen – Henneberg vielleicht in der Stärke, mehreren tausend „Wessis" stand ein Superempfang bevor. „Thüringen grüßt Bayern und Hessen", „Herzlich willkommen, Landsleute". Nach Jahrzehnten der Trennung schlossen sich in dieser Nacht Nachbarn in die Arme, Junge und Alte, Bekannte und Unbekannte. Und sie machten diese Nacht, als Visumspflicht und Zwangsumtausch nicht mehr galten, zum Tag der grenzenlosen Freude.

Stationen der Verbrüderung kennzeichneten das Geschehen an der Schanz in der Nacht zum 24. Dezember 1989. Und wollte die Musikkapelle aus dem Dorf an der Schanz, aus Eußenhausen, ursprünglich nur Begleiter bis zur Meininger Kontrollstelle sein, so konnte sie gar nicht anders als weiterzulaufen, zu marschieren bis nach Henneberg, wo das Fest der Wiedersehensfreude zu einem „Riesen-Happening" wurde. „Ihr habt uns so nett im Westen empfangen, da mussten wir uns einfach revanchieren." Liebe Freunde, das ist eindrucksvoll gelungen! Wie sagte doch ein alter Henneberger nicht ohne Stolz: „Die arm' DDR biet' doch auch noch was!"

Allen Vorhersagen zum Trotz kamen die Bundesbürger in unerwarteten Scharen, zeigten auf diese Weise reges Interesse am Schicksal der Landsleute in der DDR. Der Empfang, der ihnen bereitet wurde, überwältigte viele. Die Belegschaften der Betriebe hatten gesammelt und mit privaten Mitteln ein Willkommensfest auf die Beine gestellt, das dem im Westen in nichts nachstand. Mit Thüringer Bratwürsten, Bier und Glühwein wurden die Westler bewirtet. Geschenkpäckchen in die Autos gereicht, Sekt machte die Runde, Straßenmusikanten spielten auf. Die Mitarbeiter eines Meininger Fotogeschäftes überreichten gar Umschläge mit symbolischen zwei Mark „Ost-Begrüßungsgeld als Starthilfe in der DDR".

Es schien, als sei die gesamte Bevölkerung des DDR-Grenzgebietes auf den Beinen, für die die Jahre der Trennung durch die Lage im Sperrgebiet noch beklemmender waren als für die Anwohner im Westen.[37]

Drei Bäume am 17. Juni

„Man kann den Menschen die Freiheit eine Zeit lang vorenthalten, doch irgendwann bricht sie den Bann". Landrat Dr. Fritz Steigerwald eröffnete die Gedenkveranstaltung der CSU Mellrichstadt zum „Tag der Deutschen Einheit" am 17. Juni 1990 auf der „Schanz" bei Eußenhausen mit einem Bekenntnis zur deutschen Einheit. Als Symbol des nunmehr überwundenen „Todesstreifens" wurden mitten im „Niemandsland" drei Bäume gepflanzt als Symbol für die Hoffnung auf einen fruchtbaren Neubeginn. Der stellvertretende Meininger Landrat Horst Strohbusch berichtete, seine Generation hätte nur von Eltern und Großeltern die Wahrheit über die Hintergründe des Volksaufstandes von 1953 erfahren. Zu groß seien die Verzerrungen im Geschichtsbild des Schulunterrichtes gewesen. Erst jetzt aber könnten sie ermessen, was es heißt, sich gegen ein „diktatorisches Unrechtsregime" aufzulehnen. Die Menschen in der DDR bezeichnete der Landtagsabgeordnete Johann Böhm als Vorbilder. Sie hätten getan, was in der Bundesrepublik schon vielerorts verlernt worden sei, nämlich für die Freiheit zu kämpfen und sie sich zu erobern.

Das Ende des Grenzübergangs

Ohne irgendwelche Behinderungen, ohne Aufenthalt fährt eine Journalistin des im Landkreis erscheinenden Rhön-Grabfeld-Anzeigers Ende Juni 1990 auf der falschen Spur – für Lkw und Busse – in die sterbende Überwachungsstation eines alten Regimes ein. Sie parkt ihren Wagen nach dieser Unerhörtheit im engeren Grenzbereich, keiner der herumstehenden DDR-Zöllner interessiert sich nur im geringsten dafür. Sie geht auf die letzten Regulierer zu, ist sofort mit ihnen im Gespräch, fotografiert, was sie will. Nebenan winkt der DDR-Zöllner die Wagen durch, die in schier endlos scheinender Reihe von Ost nach West fahren. Manche schon souverän, ohne den Blick zu wenden, aber viele immer noch ängstlich, den Pass vorzeigebereit in der Hand, das Tempo automatisch mindernd und staunend, dass keiner sie mehr auf- oder anhält. Bereitwillig spricht ein junger DDR-Zöllner über seine Probleme: 28 Jahre, Abitur,

Russisch-Studium, Familie, jetzt Entlassung in den Händen. Er wird nicht mehr benötigt. Jetzt steht er da, hat eigentlich nichts gelernt und wird nicht mehr gebraucht. Aber auch er hofft, denn er hat sich vielseitig beworben, und warum sollte es nicht irgendwo klappen. Sein älterer Kollege tritt hinzu, er will immer noch Ordnung haben im Bereich.[38]

Schwickershausen – Mühlfeld

Die Öffnung der Grenze zwischen Schwickershausen und Mühlfeld am 22. Januar 1990 dürfte eine der letzten gewesen sein, trotzdem oder gerade weil man so lange warten musste, war die Freude auf beiden Seiten überaus groß. Mühlfelder lösten damals ihre Wettschulden (50 Liter Bier) ein. Noch zwei Tage vor der Grenzöffnung im November war

Bevor sich die Nachbarn aus Mühlfeld und Schwickershausen besuchen konnten, musste erst einmal ein provisorischer Weg geschaffen werden.
Foto: Pfarrarchiv Mühlfeld

Der provisorische Grenzübergang Schwickershausen – Mühlfeld.
Foto: Pfarrarchiv Mühlfeld

Was niemand je im Leben für möglich hielt, geschah 1989. Der "Eiserne Vorhang" fiel. Die Mühlfelder konnten endlich wieder ihre Nachbarorte in Thüringen besuchen und umgekehrt.
Foto: Pfarrarchiv Mühlfeld

man im Dorf felsenfest überzeugt, dass ein Zusammentreffen mit den Nachbarn in Schwickershausen vollkommen unmöglich sei. Die jedoch – noch im Rahmen des kleinen Grenzverkehrs zum Verwandtenbesuch im Westen – hielten schon damals in weiser Voraussicht dagegen und bereiteten jetzt den glücklichen Verlierern einen herzlichen Empfang. Am Zaun an der alten Verbindungsstraße trafen sie aufeinander. Erst scheu, das erste Winken, Verwandte und Bekannte fielen sich um den Hals und damit war das Eis schon gebrochen.

Mit großem Applaus wurde der Vorschlag des Bürgermeisters von Schwickershausen, Ingo Hein, aufgenommen, jedes Jahr am 20. und 21. Januar ein Fest zu feiern, damit dieses Datum nicht vergessen wird. Mellrichstadts Bürgermeister Oskar Herbig, Landrat Dr. Fritz Steigerwald, Senator Karl Groenen sowie Ortssprecher Gerhard Schneider sprachen die Hoffnung auf ein gutes Miteinander für die Zukunft aus. 8.300 Mark hatte die 360-Seelengemeinde Schwickershausen in einer Spendenaktion gesammelt, denn die Verköstigung ging allein auf Kosten der Schwickershäuser, die wirklich gute Gastgeber waren. Der Gegenbesuch ließ nicht lange auf sich warten. Die Mühlfelder revanchierten sich ausgiebig für die herzliche Gastfreundschaft.

Gerade in Mühlfeld gab es noch viele Bürger, die sich noch sehr gut an die Vorkriegszeit erinnern konnten. Die Verbindungen gingen damals fast ausschließlich nach Meiningen und Suhl und die umliegenden Ortschaften, nur die jungen Burschen zog es schon mal nach Mellrichstadt. Beim Tanzen und beim Theaterspielen traf man sich auf den

An der Grenze wurden die Gäste aus Schwickershausen und Umgebung herzlich von den Mühlfeldern begrüßt.
Foto: Pfarrarchiv Mühlfeld

Auch zwischen Mühlfeld und Schwickershausen war ein nicht enden wollender Zug von Menschen auf Besuch im Nachbardorf.
Foto: Pfarrarchiv Mühlfeld

Dörfern. Schließlich kannte man sich von der Arbeit – die Arbeitsstellen waren ja in Meiningen und in Suhl. Allein in Mühlfeld lebten fünf ehemalige Schwickershäuser und über 20 aus den umliegenden Ortschaften, die mit Mühlfeldern den Bund fürs Leben geschlossen hatten und aus Nordheim, Berkach, Einödhausen und Oberharles gebürtig waren. Die verwandtschaftlichen Beziehungen waren also noch sehr eng und beim Gang durch Schwickershausen begegnete man Bekannten zuhauf, auch wenn inzwischen die Jahre vergangen waren und es leichte Erinnerungslücken gab.

Doch an eines erinnerte sich eine Mühlfelderin noch ganz genau: Sie war das letzte Mal an Pfingsten 1938 zum Kirmestanz in Berkach, dann musste sie in „Stellung". Von dort kam sie erst 1945 wieder zurück und da war die Grenze dicht. Andere Erinnerungen hingen am Zug, den die Schwickershäuser in Mühlfeld bestiegen, um nach Meiningen zu kommen. Bahnhofsvorsteher Paul kannte anscheinend seine Fahrgäste, denn schon, wenn der Zug auf Mühlfeld zufuhr, ließ er als Vorwarnung das Signal ertönen, damit die Schwickershäuser den Arbeiterzug nicht verpassten.[39]

Berkach – Sondheim

Zu einer Besprechung über das erste Treffen der Berkacher und Behringer mit Sondheim und Roßrieth am 6. Januar 1990 in Sondheim trafen sich am 28. Dezember 1989 an der Grenze Vertreter der beteiligten Gemeinden. Alfred Schwamm aus Sondheim berichtet, dass es aber bereits vor dem vereinbarten Termin zu einem Zusammentreffen zwischen den Nachbargemeinden aus Ost und West kam. Er notierte:

Nicht nur in Berlin herrschte zu Silvester 1989 große Freude über die Öffnung der Grenze zwischen der Bundesrepublik und der DDR, auch in Sondheim im Grabfeld. Als um Mitternacht die Glocken das neue Jahr einläuteten, setzte ein großes Feuerwerk mit Raketen und ein Knallen und Krachen ein, viel stärker als in den zurückliegenden Jahren. Überall herrschte große Freude. Nachdem das Glockengeläut verklungen war, beschlossen die Jugend und viele Sondheimer Bürgerinnen und Bürger zur Grenze zu gehen, um dort vielleicht Berkacher zu treffen. Offiziell sollte ja hier der Eiserne Vorhang für Fußgänger erst am 6. Januar 1990 für einige Stunden geöffnet werden. Nachdem die Sondheimer die Landesgrenze erreicht hatten, gingen sie schnurstracks weiter bis zum ersten Zaun, in der Hoffnung, dort Bürger aus Berkach zu treffen und ihnen ein gutes neues Jahr zu wünschen. Es war aber nichts zu sehen. Junge Leute öffneten das nur provisorisch verschlossene Tor und es ging weiter bis zum Tor des zweiten Zaunes. Hier hatte sich schon die Jugend aus Berkach versammelt und forderte von den DDR-Grenz-

Grenzöffnung Sondheim im Grabfeld – Behrungen/Berkach.
Foto: Rudi Hack

Grenzöffnung Sondheim im Grabfeld – Behrungen/Berkach.
Foto: Rudi Hack

zum benachbarten Behrungen schon immer sehr gute Beziehungen bestanden, war auch die dortige Bevölkerung in das frohe Wiedersehensfest mit einbezogen. Zunächst luden die Sondheimer, die sich mit den Roßriethern als Gastgeber zusammengeschlossen hatten, die Berkacher und Behrunger für einen Tag in den Westen ein.

Schon lange vor 9 Uhr machten sich auf westlicher Seite die Sondheimer und Roßriether sowie weitere Bürger aus den umliegenden Gemeinden in Richtung Grenzzaun in der Berkacher Straße, während auf östlicher Seite die Berkacher und Behrunger anrückten und auf das Öffnen der Sperrtore warteten. Auf beiden Seiten waren Musikkapellen vertreten und natürlich auch politische Prominenz (vor allem bundesrepublikanische), Sondheimer Kinder hatten ein Plakat mit der Aufschrift Herzlich willkommen in Sondheim/Gr. und Luftballons zur Begrüßung mitgebracht.

Mellrichstadts Bürgermeister Oskar Herbig und Rhön-Grabfeld-Landrat Dr. Fritz Steigerwald zeigten sich überglücklich, dass man nun auch an dieser Stelle der Grenze eine Begegnung der Menschen von Ost und West erleben könne. Was vor wenigen Monaten noch unmöglich erschien, sei jetzt möglich geworden, und zwar deshalb, weil sich die Menschen ihre Sehnsucht bewahrt hätten. „Unsere Gemeinden erleben heute einen historischen Augenblick, was vor einem Vierteljahr noch nicht vorstellbar war", freute sich Berkachs Bürgermeis-

truppen die Öffnung des Tores, was dann auch geschah. Nun war es nach dieser langen Trennung endlich so weit. Es war ein Erlebnis, wie sich die Menschen freuten, wie sich so lange getrennte Leute die Hände schüttelten und sich ein gutes friedfertiges neues Jahr wünschten. Dann gings hinein nach Berkach, um dort ein frohes neues Jahr zu wünschen. Etliche Berkacher Jugendliche fanden auch den Weg nach Sondheim, einen Weg, den sie noch nie gegangen waren. Die Sondheimer feierten noch lange in dieser Neujahrsnacht in Berkach, bis sie gegen Morgen wieder den Heimweg antraten.

Für 13 Stunden öffnete sich am Dreikönigstag 1990 der Grenzzaun für den Fußgänger- und Radfahrerverkehr von Sondheim im Grabfeld in die Nachbargemeinde Berkach. Und nachdem auch

Die Berkacher und Behrunger besuchten Anfang Januar 1990 ihre Nachbarn in Sondheim im Grabfeld. Landrat Dr. Fritz Steigerwald begrüßte insbesondere den Berkacher Pfarrer Johann Schönfeld sowie die Bürgermeister aus Behrungen und Berkach, Horst Trautwein und Walter Fickel.
Foto: Christine Halbig-Hölzer

ter Walter Fickel. Für die Behrunger bedankte sich Bürgermeister Horst Trautwein. Nach 40 Jahren am Ende der Welt sei man jetzt in den Mittelpunkt des Geschehens gerückt.[40]

Am Samstag, 13. Januar 1990, luden die Berkacher dann die Gemeinden Sondheim im Grabfeld, Mühlfeld und Umgebung zum Gegenbesuch ein. Viele neue Freundschaften waren bereits im Grenzgebiet entstanden, wo sich früher die Menschen noch so nahe waren. Ein kurioses Beispiel, wie man miteinander Freundschaft schließen kann: Bei einer Fahrt nach Henneberg am vorausgegangenen Wochenende hatte ein Westdeutscher einen kleinen Autounfall mit einem Fahrer aus der DDR. Statt sich zu beschimpfen, kam man gut ins Gespräch, der Mann aus der DDR schrieb sogar eine Karte. Nunmehr nutzte der Westbürger die Grenzöffnung, um seine Antwortkarte in der DDR in den Briefkasten einzuwerfen, „... weil das schneller geht!"[41]

Behrungen – Rappershausen

Auf dem Weg zum Grenzzaun erinnerte sich Hendungens Bürgermeister Gebhard Hartung: „Der Sitz des Amtskellers, der auch für Hendungen zuständig war, war in Behrungen. Aber das ist lange her!" An diesem 16. Dezember 1989 sollte das rostige Tor endlich geöffnet werden, wollten der Hendunger und Behrunger „Schulz", wie er seinen Amtskollegen titulierte, aufeinander zugehen. Ganz Rappershausen, die Behrunger Nachbargemeinde in unmittelbarer Nähe des neuen Durch-

Kaffee und Kuchen aus Rappershausen für die DDR-Grenzsoldaten, die sich bei der nasskalten Witterung für diese Geste der Freundschaft und Verbundenheit anlässlich der Grenzöffnungen zwischen Behrungen und Rappershausen sehr freuten.
Foto: Christine Halbig-Hölzer

Deutsch-deutsche Premiere: Der Gesangverein Rappershausen und der Kirchenchor Behrungen sangen bei der Grenzöffnung gemeinsam „Großer Gott, wir loben dich".
Foto: Christine Halbig-Hölzer

Behrunger Fotografen halten das Ereignis aus luftiger Höhe fest.
Foto: Christine Halbig-Hölzer

Fröhliches Beisammensein in Behrungen.
Foto: Christine Halbig-Hölzer

Zahlreiche Bürger aus Rappershausen, Hendungen und
Umgebung füllten die Dorfstraßen von Behrungen.
Foto: Christine Halbig-Hölzer

gangs, war auf den Beinen. Gemeinderat Edgar Günther aus Rappershausen hatte das Treffen beider Gemeinden zusammen mit der Verwaltung in Behrungen organisiert. Um 9 Uhr warteten bereits einige hundert Menschen auf westlicher Seite auf dem aufgeweichten Damm, über den früher die Straße verlief, allen voran der Hendunger Gemeinderat und die Musikkapelle. Dann schwang das Tor auf, es folgte die offizielle Begrüßung durch Horst Trautwein, den Bürgermeister von Behrungen. Geschenke wurden ausgetauscht, man sprach von Hoffnung, von Neubeginn und guter Nachbarschaft. Die Pfarrer Claus Deininger und Johann Schönfeld luden zum Gottesdienst in die Behrunger Kirche ein.

Dann setzte sich der Zug von der Grenze in Richtung Dorf in Bewegung. Auf dem asphaltierten Weg durch den ehemaligen Todesstreifen zwischen den Grenzzäunen führte die Hendunger Kapelle,

die Behrunger schlossen sich an. Der Weg führte hinunter ins Bahratal, die ersten Häuser des Dorfes tauchten auf. „Da steht noch die alte ‚Kraft-Villa‘, da hammse jetzt einen Kindergarten drin", erzählt ein Mann, der Behrungen noch aus der Zeit vor dem Krieg kennt. „Der Obstgarten ist auch noch da. Rechts standen früher Baracken, da gab's öfter Feste."

Wer ein ärmliches Dorfbild erwartet hatte, wurde enttäuscht. Unter dem Schild „Herzlich willkommen" erstreckte sich eine breit ausgebaute Dorfstraße. Die Häuser waren groß, meist Fachwerk und vorbildlich restauriert. Die Behrunger waren stolz auf ihr Dorf. Und sie hatten allen Grund dazu. Nichts erinnerte daran, dass bis vor wenigen Wochen auch von DDR-Seite aus nur Besucher mit einem besonderen Visum den Ort im „Sperrgebiet" besuchen durften. Lagen die Grenzorte im Westen schon am Rande der Republik, so war man hier praktisch von zwei Seiten abgeschnitten.

Die Besucher erwartete eine fürstliche Bewirtung – und das zum Nulltarif. Alle öffentlichen Einrichtungen standen zur Besichtigung offen, einschließlich Polytechnischer Oberschule und Kirche. Das Gotteshaus hatte allerdings auch schon bessere Tage gesehen, es wirkte renovierungsbedürftig.[42]

Rund 6.500 Besucher insgesamt wechselten am genannten Wochenende ‚rüber und nüber‘, besichtigten zu Fuß die etwa drei Kilometer auseinander liegenden Gemeinden. Christine Halbig-Hölzer aus Rappershausen erinnert sich:

Am 12. Mai 1990 wurde der Grenzübergang zwischen Rappershausen und Behrungen eröffnet. Im Hintergrund das Abfertigungshäuschen für das DDR-Grenzpersonal.
Foto: Christine Halbig-Hölzer

Der erste Pkw passiert den neuen Grenzübergang zwischen Rappershausen und Behrungen.
Foto: Christine Halbig-Hölzer

Dieses dritte Adventswochenende 1989 werden die Rappershäuser und Behrunger sicher in ihrem ganzen Leben nicht vergessen. Sie erlebten zwei Tage des unbeschreiblichen Glücks, der überschwänglichen Freude, die eigentlich nur dann entstehen kann, wenn sich zwei alte Bekannte oder Freunde nach langer Zeit wieder einmal in den Armen liegen können. Und so war es an dem mittlerweile legendären Wochenende auch in den beiden Nachbardörfern, die nach über 40 Jahren Trennung endlich wieder zueinander finden konnten. Das waren Freudentage, wie man sie nur selten erleben kann, die in die Geschichte der beiden Dörfer eingingen.

Am 12. April 1990 (Gründonnerstag) wurde dann ein Grenzübergang zwischen Behrungen und Rappershausen eröffnet. Die Passkontrolle übernahm auf östlicher Seite das Grenzwachkommando, für das als Unterkunft ein kleiner Holzbungalow aufgestellt wurde. Die westlichen Grenzorgange fanden Schutz in einem bauwagenähnlichen Fahrzeug. Der neue Übergang wurde donnerstags von 15 bis 24 Uhr sowie samstags und sonntags geöffnet. Bei größeren Veranstaltungen in den beiden Dörfern unter der Woche konnte zudem nach Bedarf geöffnet werden.

Mendhausen – Irmelshausen

Höchheims Bürgermeister Werner Steinschauer war mehr als überrascht. Am 6. Dezember 1989 gegen 14 Uhr stand seine DDR-Kollegin Gisela Klebenow aus Mendhausen plötzlich in seinem Dienstzimmer und verkündete, dass am kommenden Samstag und Sonntag der Grenzübergang Irmelshausen - Mendhausen für Fußgänger und Radfahrer geöffnet wird, und zwar von 8 bis 22 Uhr. Von Ost nach West war dann der Zaun an der innerdeutschen Grenze zwischen Mendhausen und Irmelshausen am 9. Dezember 1989 offen.

Als um zwei Minuten nach 8 Uhr das Signal zur Grenzöffnung kam, durften zuerst einmal nur die Deutschen Ost die beiden Zäune und den Todesstreifen passieren. Zum Stau kam es dann an der eigentlichen Grenze mit den schwarz-rot-goldenen Grenzpfählen. Wie nicht anders zu erwarten, waren dorthin von der Westseite aus viele Menschen gekommen, um den historischen Moment der Öffnung der DDR-Grenze an dieser Stelle nicht zu

Viele Menschen aus Ost und West kamen zur Grenzöffnung zwischen Irmelshausen und Mendhausen.
Foto: Udo Drozd

Bürgermeister Werner Steinschauer aus Irmelshausen überreichte seiner Kollegin aus Mendhausen Blumen als Willkommensgruß.
Foto: Hanns Friedrich

Öffnungszeiten an einem Übergang für Fußgänger zwischen Irmelshausen und Mendhausen.
Foto: Josef Kleinhenz

verpassen und die Landsleute von drüben willkommen zu heißen.

Reden wurden gehalten, während sich die Deutschen Ost und West erwartungsvoll gegenüberstanden. Auf der Westseite spielte die Rothäuser Kapelle und auf der Ostseite intonierte der Männerchor Haina ein Danklied. Sektkorken knallten hüben und drüben, so langsam mischten sich ,Ossis und Wessis', und ein langer Zug brach auf in Richtung Irmelshausen (Lkrs. Rhön-Grabfeld, dem kleinen Ort an der Grenze, der nun ein solches Ereignis erlebte).

Während sich dieser Trupp Richtung Westen in Bewegung setzte, versuchten 50 bis 100 Westdeutsche, nach Mendhausen zu kommen. Noch

während der Begrüßungsworte machten sich einige auf, um den Chef der Volkspolizei und einige DDR-Grenzer zu fragen, ob man denn nun nach Mendhausen kommen könne. Noch war auf Ostseite Abwarten die Devise. Dass es aber in ein paar Stunden wohl gehen würde – mit Reisepass – davon ging man schon aus. Doch dann ging alles viel schneller als erwartet. Die Westler versuchten, nach drüben zu kommen. Doch die paar DDR-Grenzer am etwa zwei bis drei Meter breiten Durchlass im ersten Zaun verwiesen höflich auf die offiziellen Bestimmungen, die es Westdeutschen ohne Visum und Pass noch bis zum Januar verbieten, einzureisen.

Doch offizielle Bestimmungen hin oder her, ein paar Rufe ,Zaun auf, Zaun auf' und wohl auch die Anwesenheit der Mendhäuser Bürgermeisterin Gisela Klebenow hatten schon nach wenigen Augenblicken zur Folge, dass die Grenzsoldaten von drüben das Loch in der Grenze frei machten und damit ungehinderten Zugang nach drüben gewährten. Jubel brach aus, als die Ersten durch durften – vorbei an den freundlich lächelnden Grenzern, die noch vor ein paar Wochen mit stoischer Miene am Zaun entlang patrouillierten und kein Wort mit wem auch immer im Westen wechseln durften.

Jetzt war alles ganz anders. Statt eines Reisepasses mit Visum genügte plötzlich ein Händedruck. Unzählige Hände waren es, die die DDR-Soldaten all denjenigen aus dem Westen drücken mussten, die ihnen erfreut über das, was sich da abspielte, die Hände entgegenstreckten und ihnen einen freundlichen Gruß entgegenbrachten, der ebenso freundlich erwidert wurde. Und es blieb nicht bei Gruß und Händedruck. Manch einer hatte Nelken mitgebracht und überreichte sie den Männern in

Am „Eisernen Vorhang" zwischen Irmelshausen und Mendhausen wurden die Ausweise kontrolliert, bevor die Irmelshäuser weiter nach Mendhausen konnten.
Foto: Manfred Reuter

Wie zumeist allerorten in der DDR befand sich auch das Kriegerdenkmal für die Gefallenen des Ersten Weltkriegs in Mendhausen in einem bejammernswerten Zustand.
Foto: Manfred Reuter

Dankgottesdienst in der Kirche von Mendhausen.
Foto: Hanns Friedrich

schen angeboten wurden. Für manch einen gab es sogar eine Zigarre, westdeutsches Fabrikat, sozusagen die Friedenspfeife.

Als sich der Ansturm gelegt hatte und die ‚DDR-Grenzer der ersten Stunde' abgelöst wurden, war es nicht mehr möglich, ohne Ausweis nach drüben zu kommen. Aber auch dann noch reichte einfach ein Reisepass.

Am ebenfalls offenen Grenzübergang Trappstadt – Eicha waren die DDR-Grenzer nicht so entgegenkommend. Dort kam man nur mit Pass und Visum von West nach Ost. Zwischen Alsleben und Gompertshausen ging es dagegen später auch einfach mit einem Pass. Bis 17 Uhr, so schätzte ein Beamter des Bundesgrenzschutzes, waren an diesem Tag etwa 3.000 Bundesbürger in Mendhausen – eine wahre Völkerwanderung.[43]

Ein besonderes Erlebnis für alle Beteiligten war schließlich der Auftritt der „Milzer Dorfmusikanten" beim traditionellen Heimatabend des Rhönklub-Zweigvereins Milzgrund in Irmelshausen in der Adventszeit 1989.

Am 4. Juni 1990 wurde schließlich noch schnell eine Grenzübergangsstelle Mendhausen – Irmelshausen eingerichtet und vom Landrat Dr. Fritz Steigerwald, Rhön-Grabfeld, vom Vorsitzenden des Rates des Kreises, Dr. Eberhard Schiffner, Meiningen, dem Bundestagsabgeordneten Eduard Lintner sowie den Bürgermeistern Helmut Kürschner, Höchheim, und Götz Tuchenhagen, Mendhausen, offiziell eröffnet. Das Ereignis wurde mit einem

Ein Kommen und Gehen herrschte in Mendhausen ebenso wie in anderen Grenzortschaften in diesen legendären Tagen im November/Dezember 1989.
Foto: Udo Drozd

Uniform – Symbol der Freude, das die Uniformtaschen zierte. Sekt werden die DDR-Soldaten wohl kaum während ihrer bisherigen Dienstzeit zu trinken bekommen haben, doch an diesem historischen Tag tranken sie gerne, als ihnen von Westlern Fla-

Erstmals spielten die Milzer Musikanten bei einem Heimatabend im benachbarten Irmelshausen im Dezember 1989 auf.
Foto: Hanns Friedrich

Freudenfest mitten auf der ehemaligen Grenze bei herrlichem Wetter gefeiert. Der bisher nur zeitweilige und für den „kleinen Grenzverkehr" geöffnete Übergang Mendhausen – Irmelshausen hatte nunmehr den Rang eines ständigen Grenzübergangs – jedenfalls so lange es „GÜSts" überhaupt gab. Damit ging ein lang gehegter Wunsch der Bevölkerung aus dem Römhilder Raum in Erfüllung.[44]

Römhild – Bad Königshofen

„Wir nehmen gerne die ausgestreckte Hand Bad Königshofens an und reichen unsere Hand zur Partnerschaft", sagte Römhilds Bürgermeisterin Wanda Hofmann zur Begrüßung der Vielzahl von Bürgern Bad Königshofens, die der Einladung der Römhilder zum Begegnungstag zwischen den Men-

Eine Schulklasse aus Bad Königshofen unternahm im Frühjahr 1990 eine Radtour nach Römhild. Die Aufnahme zeigt die Abfertigung an der Grenze zwischen Breitensee und Milz.
Foto: Hanns Friedrich

schen der beiden Partnerstädte am Sonntag, 7. Januar 1990, gefolgt waren. Im Saal des Kulturhauses der Stadt und im Festsaal der Landwirtschaftlichen Produktionsgenossenschaft spielten und sangen den ganzen Sonntag über Musikvereine und -gruppen aus den beiden Städten. Die Gottesdienste in den beiden Kirchen, die mit zum Programmangebot des Begegnungstags gehörten, wurden musikalisch vom Sängerkranz Eyershausen und von der Stadtkapelle Bad Königshofen mitgestaltet.[45]

Als Erinnerung an den Begegnungstag überreichte Wanda Hofmann Bürgermeister Wolfgang Mack ein Relief von Römhild. Sie drückte den Wunsch aus, dass dieses Relief der Ausgangspunkt für eine freundschaftliche Nachbarschaft zwischen den beiden Städten sein möge. Mack stellte in seiner Begrüßungsansprache fest: „Ich war tief bewegt, als wir durch Römhild hierher marschiert sind. Unsere nun schon seit sechs Jahren laufenden Bemühungen um eine Partnerschaft mit Römhild gingen mir dabei noch einmal durch den Kopf. Jetzt ist sie plötzlich und friedlich zustande gekommen, das hat mich besonders tief bewegt."

Im Anschluss an die Begrüßungsreden zogen die Menschen aus den beiden Partnerstädten, zu denen sich viele Bürger aus den umliegenden Gemeinden Römhilds und Bad Königshofens gesellt hatten, in den Saal des Kulturhauses ein, um sich näher kennen zu lernen.

Vorausgegangen war dem festlichen Empfang am Sonntag die Teilnahme von Bürgern aus Bad Königshofen und Umgebung beim Friedensgebet in der Römhilder Stiftskirche am Vortag. „Es ist mir zumute, als wenn heute Weihnachten wäre, wenn wir aus Bad Königshofen und Römhild zusammen sind. Das hat es bisher noch nicht gegeben", so die freudigen Begrüßungsworte des evangelischen Pfarrers von Römhild, Klaus Dette, die er zum Beginn des Friedensgebetes an die Bürger aus beiden Partnerstädten richtete, die die Stiftskirche bis auf den letzten Sitzplatz füllten. Nach der Lesung des Evangeliums verlas Pfarrer Dette das Neujahrswort des evangelischen Landesbischofs von Thüringen, Leicht. Eine lang ersehnte Veränderung habe in den letzten zwei Monaten des Jahres 1989 stattgefunden. In friedlicher Revolution sei das Volk aufgebrochen. „Wir danken Gott für den Aufbruch", so die Worte des Landesbischofs. Das Ziel sei die Freiheit. Nur in Versöhnung und

Bäckermeister Günter Stegner aus Bad Königshofen stärkte Gäste aus der Partnerstadt Römhild mit seinen köstlichen Backwaren.
Foto: Hanns Friedrich

Gewaltlosigkeit könne der Aufbruch gelingen, zitierte Klaus Dette Bischof Leicht.

Hindfeld, Milz – Breitensee

An der Landesgrenze bei Breitensee öffnete sich am Samstag, 13. Januar 1990, offiziell der Schlagbaum. Gegen 9 Uhr hatten sich trotz klirrender Kälte zahlreiche Menschen aus Ost und West versammelt, um beim historischen Ereignis dabei zu sein. Allerdings war der Schlagbaum bereits inoffiziell in der Silvester- und Neujahrsnacht beiseite geräumt worden, um den Weg nach Hindfeld und Milz bzw. umgekehrt nach Breitensee frei zu

Die Milzer und Hindfelder besuchten im Januar 1990 ihre Nachbarn in Breitensee und Herbstadt. Sie wurden wie allerorten herzlich aufgenommen.
Foto: Chronik von Herbstadt

Der Beamte der Bayerischen Grenzpolizei, Fritz Lang, erwartet einen Bus aus Thüringen am provisorischen Grenzübergang Breitensee/Hindfeld.
Foto: Walter Herold

machen. Jetzt musste symbolisch nur noch ein Plastikband durchschnitten werden. Herbstadts Bürgermeister Klemens Ditterich und sein Amtskollege Werner Langkönig, Milz, ließen im Beisein von Landrat Dr. Fritz Steigerwald die Sektkorken knallen. Die Milzer Dorfmusikanten, der Männerchor Milz und die Breitenseer Musikkapelle zeigten sich von ihrer besten Seite. Der 86-jährige Breitenseer Kapellmeister Otto Krampf durfte nach den Darbietungen an der Landesgrenze mit dem Auto auf dem Fußweg in Richtung Milz fahren, nachdem ihm Tage zuvor hierfür eine Ausnahmegenehmigung erteilt worden war. In Milz wurde dann groß gefeiert. Leben kehrte auch in Hindfeld ein. Hier wurden die Gäste aus Breitensee, Herbstadt, Ottelmannshausen und dem übrigen Königshöfer Grabfeld ebenso herzlich aufgenommen. Am Sonntag, 21. Januar 1990, fand der Gegenbesuch statt.[46]

Theresia Breun aus Breitensee hat ihre Erinnerungen an die Öffnung der innerdeutschen Grenze in Gedichtform zusammengefasst.

Die Grenzöffnung

Es ging a Grenz quer durch unner Land
un hat so getält, was uns amal verband.
Mer konnt nur nuch hinüber seh',
a die vo düm durft'n net zu uns geh'.

Nun sen die Tore geöffnet weit –
Nach a langa, langa Zeit.
Mir dürfn widder Freunde sei –
Die Händ uns reich' un uns verein.

Am zwäten Dezember ham sa düm demonschtriert
Un sin geschlossen zum Grenzzaun marschiert.
Der Zaun muss wag – war ihr Parole,
da musst'n die Vopos bei die Stasis die Schlüssel
          hol'.

Durch's Drächer Hölzla kama sa ogegrocha
un so woar für sie die Freiheit ogebrocha!
In Schar'n liefa sa uf Trappstadt nei,
der Erhard's Max mit sei 90 woar a dabbei.

Die Leut' worn erschrocka und guckta sich oh!
Ja woher künnt denn mitta im Winter a Wallfahrt
          oh?
Wohar wir komma! Tut uns duch nett fräch?
Ja kennt Ihr uns nix mer! Wir sen duch vo Dräch.

Iß denn dös möchlich? Die Leut worn ganz paff –
Do muss unner Bürchermäster gleich Freibier har
schaff.
Mer dürfa ner a poor Schtunn bei Euch blei –
owed's müßa mer wieder düwa sei.

Vor lauter Fräd hömsa gelacht und a gflend!
So moncher hot en anerra nix mer gekennt.
Die schöna Mädlich vo süßt, ja is den dos wor –
Die höm jetzt a scho groa Hoar.

Lang woarn sa ei'gschpärrt – duch jetzt ist vorbei.
Und der Werners Erich, der Bürchermäster,
setzt sich a gleich für en Übergang ei.
A Stroß wurd gebaut, es ging alles in trapp, und
          scho
knattern vollgestopfta Trappis üf Brätsää un uf
          Trappscht.

Sie foarn uf Künshofa und hola ihr Begrüßungs-
          geld,
oh wie schöö is duch do hüwa die Welt.
Stundalang gucka sa die Schaufenster oh,
wos kommer duch alles do hüwa bloß ko?

Ach wir Westler foarhn ins grüne Herz nei, un so
moncher käft beim Gleicherberger Tip-Top größa
Würscht ei,
un lässt erst amol en Summer komm,
do tut so monch Auto dowa en Rennsteich röm-
          brumm.

Sie komma gern in unser schöns Frankenland,
vielen is es noch vo früher bekannt.
Un so oft hört mer sochen – oh wie is die Welt
so schöö, nett bloß in Milz, Römeld und Hee!

Eicha – Trappstadt

Vor Freude tränenüberströmte Gesichter, jubelnde
Menschen, die sich begeistert begrüßten, prägten
am Samstagnachmittag, 2. Dezember 1989, das
Bild, das sich in Trappstadt bot. Mehr als 40 Jahre,
nachdem die direkte Verbindung zwischen Trappstadt und Thüringen durch den Grenzzaun zur DDR
unterbrochen worden war, lagen sich das thüringische und das fränkische Grabfeld in Trappstadt in
den Armen. Wahrhaft grenzenlose Freude und

Wegesperre Trappstadt – Eicha wenige Tage vor der Grenzöffnung im November 1989.
Foto: Manfred Reuter

Überraschender Besuch in Trappstadt durch Bürger der
benachbarten DDR-Orte am 2. Dezember 1989. Sie erzwangen die Öffnung der Tore an der Wegesperre Eicha – Trappstadt.
Foto: Reinhold Albert

Der Einzug der DDR-Besucher in Trappstadt Anfang
Dezember 1989.
Foto: Sammlung Detlef Deutsch

Besprechung wegen der Eröffnung einer Grenzübergangsstelle
Trappstadt – Eicha Ende November 1989 mit v. l. Major Peter
Leopold, Ratsvorsitzender Müller (Hildburghausen), seinem
Sekretär, Bürgermeister Erich Werner (Trappstadt) und Landrat
Dr. Fritz Steigerwald (Rhön – Grabfeld).
Foto: Reinhold Albert

Begeisterung herrschte auf den Straßen des Marktes an der bis vor wenigen Wochen noch fast unüberwindlich scheinenden Grenze. Südthüringer und
Unterfranken erlebten einmalige historische Stunden. Möglich gemacht hatten dies die Bewohner
des DDR-Teils des Grabfeldes.
Um 13 Uhr hatte in Eicha eine Demonstration
begonnen, die von den DDR-Bürgern aus dem
ganzen thüringischen Grabfeld getragen war und
der Forderung nach der baldigen Öffnung eines
Grenzübergangs zwischen Eicha und Trappstadt
Nachdruck verleihen sollte. Daraus entwickelte
sich ein Zug der Südthüringer bis zur bisher noch
geschlossenen Grenze. Man wollte sich an diesem

Samstag nicht mit dem Hinweis der offiziellen
Stellen in der DDR zufrieden geben, dass der
Grenzübergang mit Sicherheit am 9. Dezember
offiziell eröffnet werde. Diesem Ausdruck des
Volkswillens gaben dann die DDR-Grenzer nach
und öffneten gegen 13.30 Uhr die Tore im Grenzzaun, und die Grabfelder aus Thüringen schlängel-
ten sich über den baumbestandenen Straßenab-
schnitt an der Grenze und zogen jubelnd die seit
über vierzig Jahren kaum benutzte Straße entlang
in das völlig überraschte Trappstadt.
„Zuerst dachte ich, da kommt eine Flurprozession,
von der ich nichts gewusst habe, ins Dorf gewallt",
sagte einer der so überraschten Trappstädter, als er
seine Eindrücke von dem „gutnachbarlichen Über-
fall" der DDR-Grabfelder schilderte. Wie ein Lauffeuer verbreitete sich die Nachricht von der
Ankunft der Südthüringer. Innerhalb weniger
Minuten waren die Straßen und Plätze des Dorfes
von Einheimischen und ca. 500 bis 600 Thüringern
gefüllt. Die anfängliche totale Überraschung
machte binnen Sekunden einer unbeschreiblichen
Begeisterung über diesen Besuch aus der nächsten,
aber bisher doch so unendlich entfernten Nachbarschaft Platz.
Nach kurzer Zeit war ein Tisch im Ort aufgebaut
und einige rasch herbeigeschaffte Fässer Bier wurden zur Begrüßung der unverhofften Gäste aus
Thüringen angezapft. Die Menschen aus beiden
deutschen Staaten stießen gemeinsam zu einem
Prosit auf diesen historischen Tag an und viele tranken auf die neue, wieder entstandene Brüderschaft
zwischen den beiden Teilen des Grabfeldes.
Wie kam es nun zu diesem überraschenden Besuch:
Ein Bürger aus dem thüringischen Milz berichtete,

Neubau der Straße von Trappstadt nach Eicha im
Dezember 1989.
Foto: Hanns Friedrich

Landrat Dr. Fritz Steigerwald und der Vorsitzende des Rates des Kreises Hildburghausen, Johann Müller, bei der Eröffnung des Grenzübergangs Trappstadt – Eicha.
Foto: Kurt Mauer

Aus dem gesamten Grabfeld kamen Besucher zur Eröffnung des neuen Grenzübergangs Trappstadt – Eicha am 23.12.1989.
Foto: Kurt Mauer

informiert wurde. Wie ein Lauffeuer sei der Termin der Demonstration von Mund zu Mund gegangen. Bei einem Disko-Abend in Linden am Freitag wurde noch einmal vom Podium herab zur Teilnahme an dieser Demonstration aufgerufen.

Am Samstag, 2. Dezember 1989, um 13 Uhr waren dann Hunderte Einwohner aus Eicha, Milz, Gleichamberg, Hindfeld, Haina, Simmershausen, Jüchsen, Römhild und aus anderen Dörfern des südthüringischen Grabfeldes in Eicha zusammengekommen. Die Teilnehmer der Demonstration gingen schon bald einfach in Richtung der nahen Grenze. Am Hinterlandsicherungszaun wurden sie von einem Vertreter der Grenztruppen der DDR erwartet, der den Demonstranten erklärte, dass der Übergang zwischen Eicha und Trappstadt erst am 9. Dezember 1989 geöffnet werde. Jetzt forderten die Leute, die Grenze unverzüglich zu öffnen. Zuerst ließen die Grenzer nur Leute, die Visa dabei hatten, hinüber nach Trappstadt. Doch dann hätten die Angehörigen der DDR-Grenztruppen das Tor im Zaun aufgemacht und alle seien hinüber nach Bayern gelaufen. Auflage war lediglich, dass sie bis etwa 15.30 Uhr wieder über die Grenze in die DDR zurückkehren sollten.

Trappstadts Bürgermeister Erich Werner erfuhr telefonisch von der Ankunft der thüringischen Nachbarn und hielt die Nachricht zunächst für einen „verfrühten Aprilscherz". Gegen 15.15 Uhr formierte sich dann der Zug der Hunderte von Thüringern erneut, nur diesmal in Richtung Heimat. Vorneweg marschierte die Trappstädter Blas-

dass einige Einwohner des Dorfes am vorausgegangenen Donnerstag privat bei den zuständigen Behörden des Kreises Hildburghausen eine Demonstration für Samstag, 2. Dezember, angemeldet hätten, die am Dorfplatz von Eicha geplant war. Diese Demonstration sollte den Wunsch der Bürger des thüringischen Grabfelds bekräftigen, dass die Grenze, die nach umherschwirrenden Gerüchten am 9. Dezember hier geöffnet werden sollte, auch wirklich so bald aufgemacht würde. Die Demonstration sei problemlos genehmigt worden und schon am Donnerstagnachmittag seien daraufhin in allen Dörfern des thüringischen Grabfelds Plakate aufgehängt worden, auf denen zur Demonstration eingeladen und über ihr Anliegen

Ein Freudenfest für den gesamten Grabfeldgau – die Eröffnung des Grenzübergangs Trappstadt – Eicha.
Foto: Hanns Friedrich

Zwischen freudig erregten Menschen, DDR-Grenzabfertigung am Grenzübergang Trappstadt – Eicha.
Foto: Hanns Friedrich

Der Grenzübergang Trappstadt – Eicha kurz vor seiner Auflösung im Sommer 1990.
Foto: Helmut Fluck

kapelle und geleitete die thüringischen Nachbarn, die von zahlreichen Trappstädtern und anderen aus dem bayerischen Grabfeld begleitet wurden, mit klingendem Spiel und munteren Weisen auf ihrem Weg zum noch bestehenden Schlagbaum. Tränenreiche Abschiedsszenen spielten sich nun gegen 16 bis 16.30 Uhr am Schlagbaum ab. Aber es waren Tränen der Freude und der Hoffnung.[47]

Bereits am 4. Dezember 1989 wurde vereinbart, dass in den kommenden Tagen drei neue Grenzübergänge zur DDR entstünden. Es werde begonnen mit den Arbeiten bei Trappstadt, Lkrs. Rhön-Grabfeld, und Allertshausen, Lkrs. Haßberge, informierte Hauptmann Hölzel von den DDR-Grenztruppen. Bei einem Treffen zwischen Landrat Dr. Fritz Steigerwald, Rhön-Grabfeld, und dem Vorsitzenden des Rates des Kreises Hildburghausen, Hans Müller, sicherte der Landkreis Rhön-Grabfeld Unterstützung beim Bau des neuen Übergangs zu, der mit 350.000 DM veranschlagt war.

Am Samstag, 23. Dezember 1989, wurde der Grenzübergang zwischen Trappstadt und Eicha u. a. im Beisein von Landrat Dr. Steigerwald, MdB Eduard Lintner, MdL Johann Böhm, Bürgermeister Erich Werner und Ratsvorsitzenden Hans Müller eröffnet. „Das Grabfeld kann wieder zusammen wachsen", hatte Landrat Steigerwald gesagt – dem stand jetzt nichts mehr im Wege.

Gleichamberg – Trappstadt

Fußballer aus Gleichamberg marschierten am Samstag, dem 9. Dezember 1989, nach Trappstadt. Es war neun Uhr morgens: Eine bunte Schar von Trappstädtern versammelte sich an der Grenze. Von drüben sah man eine Gruppe von DDR-Bürgern kommen. Zwischendurch blitzten Musikinstrumente. Die Ersten erreichten den Zaun mit Fahrrädern, dahinter die Kapelle und Menschen aus den umliegenden Dörfern. Trappstädter Frauen hatten Körbe voll mit Bonbons und Apfelsinen dabei, die sie an die Besucher von drüben verteilten. Nun kam auch schon die Fußballmannschaft aus Gleichamberg mit ihrer Vereinsfahne und wieder eine Musikkapelle. Bürgermeister Erich Werner begrüßte alle auf das Herzlichste und sprach von einem großen Tag. In Scharen zogen dann alle Richtung Trappstadt. Vor dem Dorf hatte man ein Schild mit „Herzlich willkommen" aufgehängt. Heiße Getränke wurden zur Verfügung gestellt, dann ging's weiter ins Gästehaus und zum Bierzelt, das man zusätzlich aufgestellt hatte. Bratwürste wurden ausgegeben und die Besucher versorgt.

Die Gleichamberger besuchten am 9.12.1989 ihre Nachbarn in Trappstadt. Mit Blasmusik an der Spitze näherten sich die Gleichamberger der provisorischen Übergangsstelle.
Foto: Manfred Reuter

Die Gleichamberger führten ihre Vereinsfahne mit.
Foto: Kurt Mauer

An der Wegesperre Trappstadt – Eicha empfingen die Trappstädter ihre Gäste aus Gleichamberg.
Foto: Manfred Reuter

Aber nicht nur junge Leute waren mal eben rüber-
gekommen, auch der 91-jährige Max Erhard aus
Eicha war in strammen Schritten mitmarschiert.
Mit der Bundeswehr in Ebern setzte man sich in
Verbindung. Dort wurden zwei Schweine
geschlachtet und verarbeitet. Eintopf wurde dann
im Gästehaus verteilt. Bevor die Crew am Nachmittag wieder gen Heimat zog, sang man gemeinsam „Nun danket alle Gott".

Gompertshausen – Alsleben

Nahezu alle Einwohner der benachbarten Orte Alsleben und Gompertshausen schienen am Nachmittag des Samstags, 9. Dezember 1989, auf den Beinen zu sein, als es hieß, erstmals seit Errichtung der

Grenzsperranlagen wird die deutsch-deutsche
Grenze zwischen den beiden Orten von 13 bis
17 Uhr für den Fußgängerverkehr von Ost nach
West geöffnet. Ihre Forderungen für die Zukunft
brachten die Menschen aus Gompertshausen auch
gleich mit einer Plakataufschrift zum Ausdruck: Wir
hoffen, dass sie (die Grenze) aufbleibt. Ein weiteres
Plakat drückte ebenfalls die jahrzehntelange Sehnsucht der Menschen aus. Sie lautete: Vier Stunden
Grenze auf – Wir warten schon lange darauf!
Bürgermeister Erich Götz aus Gompertshausen und
sein Amtskollege Erich Werner begrüßten sich als
die Ersten am weiß-blauen Grenzpfahl, tauschten
Geschenke aus und stießen mit Sekt auf eine begin-
nende und langandauernde Freundschaft zwischen
beiden Nachbargemeinden an. Dann geleiteten

Gespanntes Warten im Westen auf die Gompertshäuser Nachbarn. Selbst der Bus der Fa. Menzel wurde wegen der besseren Aussicht bestiegen.
Foto: Kurt Mauer

Die Gompertshäuser passieren das Tor im Metallgitterzaun.
Foto: Reinhold Albert

Musikkapellen aus Alsleben und Gompertshausen umrahmen die Begrüßungszeremonie an der Grenze.
Foto: Reinhold Albert

Die Bürgermeister Kurt Mauer (Alsleben), Rudi Götz (Gompertshausen) und Erich Werner aus Trappstadt (vorne rechts), freuten sich mit ihren Bürgern über die Grenzöffnung.
Foto: Reinhold Albert

DDR-Grenzer alle Besucher in vorbildlicher Manier über den doch sehr glitschigen Trampelpfad bis an den Schlagbaum, wo sich dann alte Bekannte aus Gompertshausen und Alsleben weinend und lachend in den Armen lagen. Auf diesen Tag hatten viele 40 Jahre sehnlichst gewartet! Die Saalequelle-Musikanten spielten zur Begrüßung flotte, herzerfrischende Weisen.

Nach dieser ersten Begrüßung setzte sich dann der Besucherstrom in Richtung Alsleben in Bewegung, aber auch in die Gegenrichtung, nach Gompertshausen, liefen Bundesbürger, obwohl das von DDR-Seite zuerst gar nicht vorgesehen und gestattet war. Aber guter Wille versetzt Berge und DDR-Grenzsoldaten waren auch nur Menschen und keine Felsbrocken wie in der Vergangenheit! So kam ein Teil Bundesbürger ohne große Formalitäten und sogar ohne Ausweis zu einer kurzen Stippvisite in die schöne Grenzgemeinde mit ihren zum

größten Teil schön zurecht gemachten Häusern.

Ein Teil der Besucher aus der DDR nutzte den kostenlosen Bus-Pendeldienst der Firma Menzel, ein Service, der ein besonderes Lob verdiente! Am Ortseingang von Alsleben kam es zu einer zweiten Begrüßung: Die Alslebener brachten heiße und hochprozentige Getränke, für die Kinder begehrte Naschereien. Dann setzte sich ein Zug von mindestens 1.000 Menschen durch das schmucke Dorf in Bewegung. Die Alslebener tafelten auf und zeigten sich von ihrer besten Seite: 500 Bratwürste wurden gebraten, es gab belegte Brötchen, Kaffee und Kuchen, Freibier und für die Kinder wieder die begehrten West-Süßigkeiten, also alles, was das Herz begehrte. Viele Besucher hatten noch die herzlichen Dankesworte des Alslebener 2. Bürgermeisters Kurt Mauer in den Ohren, der sich im Namen seiner Bürger für die netten kleinen Gastgeschenke der Gompertshäuser bedankte und allen wünschte, dass diesem ersten Schritt noch viele weitere in Richtung Normalisierung und gutnachbarlicher Zusammenarbeit folgen.[48]

Bei diesem Zusammentreffen kamen die Alslebener auf die Idee, den Nachbarn eine Freude zu bereiten und die Kinder zu Weihnachten zu beschenken. Im Dorf wurde eine Sammlung durchgeführt, wobei kräftig gespendet wurde. Von den Gompertshäusern erhielt man eine Liste der Kinder und deren Alter. Am Samstag, 23. Dezember 1989, um 13 Uhr war es dann soweit. Die Alslebener Kinder kamen zum vereinbarten Treffpunkt zum Schlagbaum. Die Geschenke hatten sie sorgfältig

Die Besucher aus Gompertshausen führten bei ihrem Zug durch Alsleben zahlreiche Plakate mit.
Foto: Reinhold Albert

Anfang Januar 1990 besuchten die Alslebener Gompertshausen. Die Aufnahme entstand beim Passieren des Tores im Grenzzaun.
Foto: Reinhold Albert

Empfang der Alslebener in Gompertshausen am 6. Januar 1990.

Die Besucher aus Alsleben konnten erstmals den Beobachtungsturm vor Gompertshausen aus der Nähe betrachten.
Foto: Bruno Schubarth

verpackt, mit Süßigkeiten, Gebrauchsgegenständen und Spielzeug – je nach Alter. Mit Pauken und Trompeten rückten die Gompertshäuser dann an, die Geschenke wurden übergeben. Doch auch die DDR-Kinder hatten sich etwas für ihre Freunde aus Alsleben ausgedacht. Sie hatten riesige Wannen voll mit Plätzchen mitgebracht, die nun verteilt wurden. Aber die Kinder behielten nicht alles für sich, sondern verteilten das süße Gebäck unter den Spendern in Alsleben. Doch damit war der Tag für die beiden Dörfer noch nicht beendet. Die Alslebener durften mit „nach drüben" und wurden herzlich aufgenommen und bewirtet. Bis in die Abendstunden wurde gefeiert.

Der Gegenbesuch der Alslebener in Gompertshausen fand dann am Dreikönigstag des Jahres 1990 statt. Die Blaskapelle Gompertshausen begrüßte ihre Gäste an der Grenze, von wo aus sich dann ein langer Zug in Bewegung setzte. Bereits am Freitagabend, 5. Januar 1990, war die Grenze für Fußgänger kurzzeitig geöffnet worden, denn in Alsleben war Tanz, wozu die Gemeinde ihre Nachbarn eingeladen hatte. Zusätzlich organisierten die Alslebener rund 60 Übernachtungsmöglichkeiten für ihre Gäste. Am Samstagnachmittag machten sie sich dann gemeinsam auf den Weg. In Gompertshausen wurden die Besucher von Bürgermeister Erich Götz begrüßt. Er freute sich auf einen frohen Tag, an dem die bereits geschlossenen persönlichen Kontakte vertieft werden könnten, um so einen Zusammenhalt für die nächsten Jahre zu schaffen. Gleiches hoffte Bürgermeister Erich Werner aus Trappstadt. In Gesprächen mit den Landräten beider Seiten der Grenze habe er versucht, den Übergang für Fußgänger und Radfahrer in Zukunft wenigstens einmal pro Woche zu öffnen. An Sonn- und Feiertagen könne so ein reger Besucherverkehr entstehen. Für den 27. Januar 1990 wurde ein Fußballspiel vereinbart und die Alslebener Musikanten wurden eingeladen, beim traditionellen Weinbergfest zu Pfingsten aufzuspielen. Die Gompertshäuser gaben sich alle Mühe, die Besucher genauso herzlich zu empfangen, wie sie zuvor in Alsleben.

Rieth/Albingshausen – Zimmerau/Sternberg

In der in Würzburg erscheinenden Tageszeitung Main-Post vom 12. April 1989 war auf der Titelseite zu lesen:

Ein langer Zug aus den Unterlandgemeinden Rieth und Albingshausen näherte sich der Grenze.
Foto: Reinhold Albert

Landtagsabgeordneter Johann Böhm begrüßte die Thüringer Nachbarn. Mit im Bild die Bürgermeister Lorenz Albert, Detlef Pappe und Hermann Dengl.
Foto: Reinhold Albert

Rentner will in die Heimat – Noch einmal in seinem Leben möchte der 86-jährige Heinrich Götz aus Zimmerau sein Elternhaus im Heimatort Rieth in der DDR sehen. Wegen der Sperrzone im DDR-Grenzgebiet durfte er bislang nicht dorthin fahren. Über den Abgeordneten Hans Böhm und den bayerischen Innenminister Dr. Edmund Stoiber wurde der Wunsch Götz' an die Staatskanzlei weitergeleitet. Nur sie kann über Verhandlungen mit DDR-Behörden Hilfe bringen. Zimmerau und das thüringische Rieth liegen – vom Stacheldraht getrennt – zwei Kilometer voneinander entfernt.

Der Herzenswunsch von Heinrich Götz sollte sich schneller erfüllen als erwartet.
Ein kleines Schild war am Eingang des Bayernturms in Zimmerau am Samstag, 18., und Sonntag, 19. November 1989, angebracht. Es lud alle Besu-

cher aus dem östlichen Teil Deutschlands zu Tee, Kaffee und Kuchen ein. Frauen aus Zimmerau und Sternberg bewirteten die Besucher auf dem Parkplatz. Der überwiegende Teil der Besucher kam aus den benachbarten Ortschaften. Immer wieder bildeten sich Gruppen interessierter Einheimischer und freudestrahlender Thüringer und diskutierten. Nicht für möglich gehalten hätte man diese völlig überraschende Entwicklung. Die Feststellung: „Die ham ja den gleichen Dialekt wie mir!" zeigte, dass trotz über vier Jahrzehnte währender Trennung noch sehr viele Gemeinsamkeiten bestanden.

Der Bayernturm, der Thüringer Blick, wie er hinter dem Eisernen Vorhang genannt wurde, stand für nahezu alle Besucher aus dem Heldburger Unterland auf dem Besuchsprogramm obenan. Sie interessiere zunächst weniger München, Frankfurt oder Nürnberg als vielmehr der Aussichtsturm auf dem Büchelberg bei Zimmerau, Coburg oder die Grenzorte, die man täglich sehen konnte, und von denen bis vor wenigen Wochen noch glaubte, sie niemals im Leben besuchen zu können.
Am 16. Dezember 1989 öffnete sich erstmals wieder seit vielen Jahrzehnten schmerzlicher Trennung die Grenze an der Sperre Zimmerau – Rieth. Auf westlicher Seite hatte sich eine große Menschenmenge aus Zimmerau und Umgebung eingefunden, um Zeuge dieses historischen Ereignisses zu werden. Die Bürger der Gemeinde Sulzdorf an der Lederhecke gaben sich große Mühe, den Empfang so schön wie möglich zu gestalten. Angeführt

Symbolisch durchtrennten die Bürgermeister Lorenz Albert und Detlef Pappe die überflüssig gewordene Wegesperre mit einer Zimmermannssäge.
Foto: Reinhold Albert

Wie allerorten wurde auch in Zimmerau groß gefeiert. Die Aufnahme entstand in der Gaststätte „Zum Bayernturm".
Foto: Reinhold Albert

Vor dem ersten Besuch im Nachbarort Rieth am 16. Dezember 1989 musste erst einmal das Tor im Grenzsignalzaun passiert werden.
Foto: Reinhold Albert

Zimmermannssäge durchtrennten, um damit das Ende dieser unnatürlichen Trennung symbolisch darzustellen. Die Menge brach in begeisterten Jubel aus. Anschließend wurde in der ehemaligen Zimmerauer Schule sowie im Gasthof „Bayernturm" Wiedersehen gefeiert.

Am Nachmittag konnte die Gelegenheit wahrgenommen werden, die Nachbarorte in Thüringen zu besuchen, was für jeden zu einem großen Erlebnis wurde. Viele Bundesbürger hatten doch lange geglaubt, sie würden eher einmal nach Paris oder New York kommen als nach Rieth in Thüringen, das im undurchdringlichen Sperrgebiet lag. Eine wahre Völkerwanderung setzte an diesem Nachmittag von Zimmerau in Richtung Rieth ein. Dabei störte nicht einmal der mitunter knöcheltiefe Schlamm auf der drei Kilometer langen unbefestigten Straße. Freudige und ausgelassene Stimmung herrschte, als der Ortseingang Rieths erreicht war. In dem Dorf mit seinen rund 500 Einwohnern drängten sich zahlreiche neugierige Bundesbürger. Sie waren erstaunt über die größtenteils prächtig hergerichteten Häuser und vor allem über die weitgehend unverändert erhalten gebliebene historische Bausubstanz. Der Besucher fühlte sich unweigerlich in die „gute alte Zeit" zurückversetzt.

Besonders die Riether Dorfwirtschaft Beyersdorfer, die an jenem Tag ob des Besucheransturms schier aus den Nähten zu platzen drohte, war ein Schmuckstück. Ein Kachelofen, daneben ein Klavier und die übrigen Einrichtungsgegenstände verbreiteten eine heimelige Atmosphäre. Die Riether überboten sich an Freundlichkeiten und Hilfsbereitschaft. Oft wurden ganze Besuchergruppen in

wurden die etwa 500 Menschen aus Rieth, Albingshausen und Schweickershausen von der Musikkapelle Rieth. Im Zug wurden Plakate mit der Aufschrift Auf allzeit gute Nachbarschaft oder Grüß Gott Zimmerau – die Riether sind da! mitgeführt. Am Schlagbaum fand der offizielle Empfang statt, an dem auch der Landtagsabgeordnete des Wahlkreises Rhön-Grabfeld, Johann Böhm, teilnahm. Die Musikkapelle Sternberg – Zimmerau und der Posaunenchor Sulzdorf spielten ebenso wie die Jagdhornbläser aus Rieth. Pfarrer Gerhard Voltz, Sulzdorf, sprach ein Gebet und dankte Gott, dass er den Menschen diese Trennung überwinden half. Der Höhepunkt der Feier war gekommen, als die beiden Bürgermeister Lorenz Albert, Sulzdorf, und Detlef Pappe, Rieth, den Schlagbaum mit einer

Der Gegenbesuch die Sulzdorfer in Rieth und Albingshausen am 30. Dezember 1989.
Foto: Reinhold Albert

Landrat Dr. Fritz Steigerwald zeigte sich bei seiner Ansprache in Rieth ebenso hocherfreut über die Grenzöffnung, wie die Bürgermeister Pappe und Albert, die Bundestagsabgeordnete Susanne Kastner sowie der Vorsitzende des Rates des Kreises Hildburghausen, Hans Müller.
Foto: Reinhold Albert

Die Feier im Gasthaus Beyersdorfer in Rieth wird allen unvergesslich bleiben.
Foto: Reinhold Albert

die Häuser zu einem Umtrunk eingeladen. Überall herrschte Jubelstimmung.

Spontane Freundschaften entstanden an diesem denkwürdigen Tag, und man versprach, sich noch im Jahr 1989 wiederzusehen. Sehr schnell wurde dann die Gegeneinladung in die Tat umgesetzt. Das Fest der Feste des unvergesslichen Jahres 1989 wurde dann am Tag vor Silvester in Rieth und Albingshausen gefeiert, wo die Bürger der Gemeinde Sulzdorf und Umgebung herzlich aufgenommen wurden. Ein Baum wurde am Riether Berg im Beisein von Landrat Dr. Fritz Steigerwald, Rhön-Grabfeld, und der Bundestagsabgeordneten Susanne Kastner, Maroldsweisach, sowie des Vorsitzenden des Rates des Kreises Hildburghausen, Johannes Müller, zur Erinnerung an diese histori-

schen Tage gepflanzt. Die Bewirtung in Rieth und Albingshausen war großartig. Am Nachmittag wurde in der Riether Kirche ein Dankgottesdienst gefeiert. Prächtige Stimmung herrschte im Saal der Gaststätte Beyersdorfer, bevor sich der Sperrzaun an der Grenze gegen 17 Uhr – vorläufig – wieder schloss.

Einen Tag vor dem „Tag der Deutschen Einheit" – dem 17. Juni, an dem bisher in der Bundesrepublik des gescheiterten Volksaufstands in der DDR 1953 gedacht wurde – öffnete sich für immer der Eiserne Vorhang. Insgesamt 22 Grenztore wurden allein im unterfränkischen Grenzgebiet von Leubach in der Rhön bis Käßlitz in den Haßbergen, darunter das Tor an der Sperre Zimmerau – Rieth, aus den Angeln gehoben und abtransportiert.

Das Wallfahrerkreuz
Erstmals öffnete sich im Frühjahr 1990 für eine Wallfahrergruppe aus dem Fränkischen der Eiserne Vorhang, und zwar an der Wegesperre Zimmerau – Rieth. Am 28. Mai 1990 durchquerten rund 200 Wallfahrer aus dem Grabfeld die Grenzsperranlagen in Richtung Vierzehnheiligen und dankten Gott auf ihre Weise für die glückliche Fügung des Schicksals, das die Menschen wieder zueinander führte.
„Schön ist es geworden – unser Kreuz", sagte Wallfahrtspfarrer Josef Treutlein genau ein Jahr später an der ehemaligen Wegesperre Zimmerau – Rieth bei der zusammen mit Pfarrer Jürgen Fritsch, Rieth,

Die Wallfahrer aus Bad Königshofen und dem Grabfeld im Frühjahr 1990 auf ihrem Weg nach Vierzehnheiligen kurz vor Passieren des Tores im Grenzzaun.
Foto: Reinhold Albert

Zur Erinnerung an die historische Wallfahrt des Jahres 1990 wurde im darauf folgenden Jahr an der ehemaligen Wegesperre Zimmerau/Rieth ein von Hubert Knobling geschaffenes Wallfahrerkreuz errichtet und eingeweiht.
Foto: Reinhold Albert

vorgenommenen Einweihung eines von den Teilnehmern der Männerwallfahrt Bad Königshofen – Vierzehnheiligen gestifteten Kreuzes. Es soll an die historische Wallfahrt des Jahres 1990 erinnern. Das Kreuz, dessen Korpus Hubert Knobling aus Großeibstadt schnitzte, möge die Menschen beim Passieren dieser Stelle auffordern, Gott zu danken für die Überwindung eines gottlosen Systems und dazu auffordern, für die Probleme der Gegenwart zu beten, war der Grundgedanke der Stifter.[49]

Schweickershausen – Ermershausen

Schweickershausens Bürgermeister Ulrich Klette erinnert sich:

Der 9. November 1989, die Bilder im Fernsehen, die Trabis im Westen. Ach Gott, was wird jetzt passieren? Ob bei uns an der Grenze die Panzer aufgefahren sind? Ist das Dorf vom Militär umstellt? Aber nichts, alles ruhig. Ich ging in mein Amt, wie sonst auch. Auf der Dorfstraße fragten mich die Leute: ‚Uli, wie geht es weiter, wann können wir nach Ermershausen, wann fällt der Zaun?' Ich berief für den Abend eine Gemeinderatssitzung ein. Die Leute kauften den Konsum leer, aus Angst, dass sie den Winter nicht überstehen, alles zusammenbricht und es Versorgungsengpässe geben könnte. Im Gemeinderat waren wir einer Meinung. Erste Aufgabe ist es, das öffentliche Leben aufrecht

zu erhalten, Ruhe zu bewahren, mit den Bürgern zu reden, mit Offizieren der Grenztruppen das Gespräch zu suchen und öffentliche Veranstaltungen zu organisieren. In der Bevölkerung war die Stimmung verhalten positiv.[50]

In Ermershausen fand am 19. November 1989 ein „Sonntag der Begegnung" statt. Kostenlos gab es auf Initiative der Ortsvereine für Besucher aus der DDR Kuchen, Kaffee, Glühwein und Würstchen.
Eisiger Wind trieb über die deutsch-deutsche Grenze am Übergang zwischen Ermershausen und Schweickershausen, als sich CSU-Prominente am Sonntagnachmittag, 26. November 1989, einfanden, um mit Vertretern der DDR über eine Öffnung

Noch ist das Tor im Zaun verschlossen. Ermershäuser und Schweickershäuser Bürgervertreter verhandeln am Metallgitterzaun über die Grenzöffnung.
Foto: Gerhard Schmidt

Waldweihnacht feierten im Dezember 1989 die Ermershäuser zusammen mit den Schweickershäusern.
Foto: Gerhard Schmidt

Die Ermershäuser warten am 2. Weihnachtsfeiertag 1989 auf die offizielle Öffnung der Grenze zu ihrer Nachbargemeinde Schweickershausen.
Foto: Gerhard Schmidt

Bilder aus der Gemeindechronik über die Grenzöffnung zwischen Schweickershausen und Ermershausen.
Fotos: Gemeinde Ermershausen

der CDU/CSU-Fraktion im Bundestag, Eduard Lintner. Auf ostdeutscher Seite führte das Mitglied des Rates des Kreises Hildburghausen, Gerd Grützner, die Delegation an. Neben zahlreichen Besuchern und lokaler CSU-Prominenz waren auch Ermershausens Bürgersprecher Adolf Höhn sowie Bürgermeister Ulrich Klette aus Schweickershausen mit einigen Bürgern gekommen. CSU-Ortsvorsitzender Hans-Jürgen Küchle forderte einen Grenzübergang in diesem Bereich. Die östliche Seite sicherte Unterstützung zu. Anschließend besichtigte die westdeutsche Delegation noch die Grenzsperre Allertshausen – Hellingen, wo allerdings von östlicher Seite niemand erschien.[51]

Am 23. Dezember 1989 fand eine Veranstaltung der besonderen Art statt. Zu einem einmaligen Erlebnis für die Teilnehmer aus Ost und West wurde die Feier der Waldweihnacht am Grenzzaun zwischen Ermershausen und Schweickershausen. Annähernd 1.000 Menschen von beiden Seiten der Grenze nahmen teil. Die Pfarrer Martin Meiser aus Ermershausen und Jürgen Fritsch aus Rieth führten durch die Feier, die vom Posaunenchor Ermershausen und dem Singkreis der ELJ Ermershausen musikalisch gestaltet wurde. Bürgersprecher Adolf Höhn, Ermershausen, und Bürgermeister Ulrich Klette, Schweickershausen, sprachen namens ihrer Bürger Willkommensgrüße. Mit großer Unterstützung der Steinbruchbetriebe Maroldsweisach sowie den Firmen aus Ermershausen gelang es in kürzester Zeit, die ehemalige Gemeindeverbindungsstraße so herzurichten, dass man trockenen

Die Ermershäuser werden auf dem Weg nach Schweickershausen am Sperrzaun kontrolliert.
Foto: Gerhard Schmidt

zu sprechen. Angeführt wurde die westdeutsche Delegation vom deutschlandpolitischen Sprecher

Ein Plakat am Grenzsignalzaun mahnt zur Einhaltung der Grenzöffnungszeiten zwischen Ermershausen und Schweickershausen.
Foto: Gerhard Schmidt

Fußes die Grenze überschreiten konnte. Zuerst wurde über den tiefen Graben ein Holzsteg errichtet, der symbolisch einen Brückenschlag darstellte. Sieben Meter Betonrohre mit zwei Böschungsköpfen garantierten die Sicherheit des Übergangs.

Am 26. Dezember 1989 war die Wegesperre Ermershausen – Schweickershausen tagsüber geöffnet. In der Kirche von Schweickershausen wurde im Beisein der bayerischen Nachbarn ein eindrucksvoller Gottesdienst gehalten, den der Posaunenchor Ermershausen musikalisch gestaltete. Am Dreikönigstag 1990 war die Sperre Ermershausen – Schweickershausen erneut geöffnet, um einen Konzertbesuch in Ermershausen zu ermöglichen.

Hellingen – Allertshausen

Für den 9. November 1989 plante Pfarrer Helmut Kastner aus Maroldsweisach einen Seniorenausflug seiner Pfarrgemeinde nach Eisfeld und Hildburghausen. Dies war im August 1989 mit Pfarrer Färber aus Ummerstadt abgesprochen worden. Die Senioren aus Maroldsweisach und Eckartshausen wollten den Kontakt zu ihren Nachbarn in Käßlitz pflegen, der seit dem Spätherbst 1989 wieder neu geknüpft worden war. Um nicht viel Aufsehen zu erregen, fuhren sie nicht mit einem Reisebus, sondern mit zwei Pkws und zwei Kleinbussen. Die Gruppe aus Maroldsweisach und Eckartshausen traf sich auf dem Parkplatz nahe dem Grenzüber-

gang Eisfeld mit Gemeindegliedern aus Käßlitz sowie Pfarrer Färber mit Ehefrau. In Eisfeld besichtigten sie gemeinsam das Heimatmuseum im Schloss. Dann ging es weiter nach Hildburghausen, wo man im Saal des Gemeindehauses einen gemeinsamen Nachmittag verbrachte. Anhand von Bildern aus dem Gemeindeleben wurden Erinnerungen ausgetauscht und so konnte auch der Kronleuchter in der renovierten Kirche von Käßlitz betrachtet werden, der ein Jahr zuvor gemeinsam von der Marktgemeinde Maroldsweisach und der Kirche gespendet worden war. Die Nachbarn aus Käßlitz bewirteten die Gäste aus Unterfranken mit Kaffee und Kuchen, später gab es auch noch Bratwürste vom Grill. Alles hatte man aus Käßlitz mitgebracht. Als es ans Abschiednehmen ging, meinte Herr Fenzlein, der Vertrauensmann des Kirchengemeinderates aus Käßlitz: ‚Gott wird es fügen, dass

Gespanntes Warten auf westlicher Seite am 2.12.1989 an der Wegesperre Allertshausen – Hellingen.
Foto: Manfred Reuter

Sie kommen – Bürger aus Hellingen und Umgebung erreichen den Eisernen Vorhang.
Foto: Manfred Reuter

Niemand bleibt mehr an seinem Platz. Alles stürmt Richtung Metallgitterzaun.
Foto: Manfred Reuter

Die Bürger in Ost und West fordern „Macht das Tor auf!"
Foto: Manfred Reuter

wir uns irgendwann einmal auch in Käßlitz und Eckartshausen treffen können!' Pfarrer Kastner erinnert sich in einem Beitrag in der Tageszeitung Fränkischer Tag vom 09.11.1995:

Keiner von uns ahnte, wie bald sich diese Hoffnung erfüllen sollte. Immerhin hatten wir schon ein nächstes Treffen vereinbart. Die Kantorei Maroldsweisach und der Kirchenchor aus Käßlitz wollten ein Singen am 19.11.1989 in der Kirche zu Bedheim veranstalten. So haben wir uns am Abend getrennt mit dem Wissen, dass wir uns bald wieder sehen.

Am Grenzübergang Rottenbach waren die vier Fahrzeuge aus Maroldsweisach die einzigen, die abzufertigen waren, und das geschah auch in jener schikanösen Art, die man als DDR-Besucher ja öfters erfuhr. Als sie ziemlich genervt auf bayeri-

scher Seite ankamen, mussten sie noch auf einen der Kleinbusse warten, weil die Bänke bei der Kontrolle ausgebaut worden waren. Die Beamten der Bayerischen Grenzpolizei befragten die Maroldsweisacher, wie es ihnen ergangen sei und meinten dann, ob sie nicht wüssten, dass die Grenze offen sei? Nun davon hatten sie nichts gemerkt. Erst zu Hause erfuhren sie in den Nachrichten, was sich in Berlin zugetragen hatte. Aber das Chortreffen am 19.11.1989 musste nun nicht mehr außerhalb des Sperrgebietes stattfinden. Sie trafen sich natürlich erstmals in Käßlitz und feierten den Gottesdienst gemeinsam in der renovierten Kirche.

Bereits am 13. November 1989 richtete die Marktgemeindeverwaltung Maroldsweisach ein Bittschreiben mit dem Betreff „Überprüfen der Möglichkeit eines Grenzüberganges bei Allertshausen" an Bayerns Ministerpräsident Max Streibl sowie DDR-Staats- und Parteichef Egon Krenz. Auch bei einer Kreistagssitzung in Haßfurt wurde ein solcher Wunsch quer durch alle Fraktionen laut. Landrat Walter Keller wurde zur Aufnahme von Kontakten zum Nachbarlandkreis Hildburghausen ermächtigt. Mit Fackelzügen und einem Marsch in Richtung Grenze bei Allertshausen demonstrierten am 2. Dezember 1989 zahlreiche Bürger aus dem Raum Hellingen und Hildburghausen für den Bau eines weiteren Grenzübergangs. Gerhard Schmidt aus Ermershausen war Augenzeuge der überraschenden Grenzöffnung zwischen Allertshausen und Hellingen am 2. Dezember 1989. Er schildert seine Erlebnisse wie folgt:

An diesem denkwürdigen Samstag strömten bei eisigem Wetter Tausende Menschen von Hellingen

Unglaubliche Freudenszenen spielen sich ab, nachdem das Tor im Grenzzaun geöffnet ist.
Foto: Manfred Reuter

Die Menschen feiern Wiedersehen.
Foto: Manfred Reuter

Wer dabei war, wird die Grenzöffnung zwischen Allertshausen und Hellingen am 2.12.1989 zeitlebens nicht vergessen.
Foto: Gerhard Schmidt

und Allertshausen Richtung „Eiserner Vorhang", denn es hatte sich wie ein Lauffeuer herumgesprochen, dass der Zaun fällt. Schon um die Mittagszeit marschierten einige ‚hinter zur Grenze', denn die Chance, einmal im Leben nach Thüringen zu dürfen, war zu verlockend, ebenso war es umgekehrt. Obwohl die Sonne am Himmel lachte, war die Erde knochenhart gefroren. Aber keiner spürte die Kälte, jeder schielte nur auf das seitlich im Niemandsland stehende eiserne Tor im Grenzzaun. Dieses zu durchschreiten, war das Ziel. Mittlerweile waren auf bayerischer Seite Bundesgrenzschutz und Grenzpolizei aufgezogen, denn man vermutete, dass die friedliche Demonstration zu einer Grenzverletzung ausarten könnte. Rot-weiße Leinen wurden entlang der DDR-Grenze gezogen, damit diese niemand unabsichtlich überschritt. Auf östlicher Seite öffnete sich plötzlich das eiserne Tor und eine

Handvoll Grenzsoldaten betraten unbewaffnet das sog. Niemandsland.

Die Atmosphäre wurde immer freundlicher und einige Grenzsicherungsposten gesellten sich in die Nähe der Besucher aus dem Westen. Jetzt hielt mich niemand mehr zurück und ich betrat das Gebiet der DDR, um zu erfahren, wie weit man seitens der DDR gewillt sei, die Menschen zueinander kommen zu lassen. Zu diesem Zeitpunkt wollte man von DDR-Seite noch wenig von einem Treffen der Bürger von hüben und drüben im Niemandsland wissen. ‚Eine Abordnung von sieben Leuten aus Hellingen darf bis zur BRD-Grenze, um sich informieren zu können!', so die unbefriedigende Antwort eines Feldwebels der DDR-Grenztruppen. Mittlerweile hatten sich schätzungsweise einige Tausend Menschen aus dem Heldburger Unterland bei der Ortschaft Hellingen versammelt und begehrten massiv Zugang zum Grenzgebiet. Ein Betreten des ‚Niemandslandes' wurde erneut verneint und den Demonstranten mitgeteilt, dass sie nur bis zum Tor am Hinterlandsicherungszaun gehen dürften. Heftiger Protest und starkes Drängen veranlassten die Sicherungsposten, schließlich nachzugeben, so dass die Hellinger, Riether, Schweickershäuser, Heldburger und Poppenhäuser in Richtung Bundesrepublik ziehen durften.

Nach 14 Uhr hörte man auf bayerischer Seite plötzlich aus vielen Kehlen gesungen ‚So ein Tag, so wunderschön wie heute'. Wenig später tauchten auch schon die ersten DDR-Demonstranten am Waldrand auf. ‚Sie kommen', rief man auf westlicher Seite. Dies wirkte wie ein Signal. Durch die

Provisorisch wurde eine Bewirtungsmöglichkeit für die Gäste eingerichtet.
Foto: Gerhard Schmidt

Ein Angehöriger der DDR-Grenztruppen übergibt im Beisein eines bundesdeutschen Zollbeamten den Grenzübergangs-Vertrag zwischen dem Rat des Kreises Hildburghausen und dem Landratsamt Haßberge an den Leiter der Grenzpolizeistation Maroldsweisach, Polizeihauptkommissar Rüdiger Kuhn.
Foto: Michael Dros

Reihen in Ost und West löste sich ein Aufschrei nach Öffnung des Zauns. Plakate mit der Aufschrift ‚Weg mit dem Zaun zwischen Hellingen und Maro' oder ‚Krenz! Mach die Grenze auf!' wurden hoch gehoben. Doch zunächst blieben die DDR-Sicherungskräfte hart und verweigerten das Öffnen des Tores. Im Nu aber drückte die Masse der Leute auf beiden Seiten gegen den Metallgitterzaun, so dass dieser ins Wanken geriet und einzustürzen drohte. Erst jetzt wurde der Befehl zum Öffnen des Tores gegeben. Schluchzend und mit Freudentränen in den Augen lagen sich die Menschen in den Armen. Keiner schämte sich in diesem Augenblick seiner Freudentränen. Jetzt war kein Halten mehr.

Die Journalistin der Eberner Lokalredaktion des Fränkischen Tags, Simone Bastian, erinnert sich an dieses Ereignis:

Fahr mal nach Allertshausen an die Grenz' am Samstag, da ist irgendwas geplant, und mach' ein paar Bilder", hatte der Redakteur gesagt. Ein Wochenendtermin mehr, wahrscheinlich wieder so eine Grenzdemo wie in den Tagen zuvor schon bei

Schweickershausen und in vielen anderen Dörfern entlang der Grenze.

Die vielen Autos, die entlang der ganzen Straße vom Waldrand an geparkt waren, überraschten mich zwar, doch erwartete ich nichts Besonderes. Es war ein kalter, sonniger Spätherbsttag, und die Menschen froren im Schatten an der Barriere, die etwa einen Meter vor dem eigentlichen Grenzverlauf das Ende des Freistaates Bayern markierte. Einen Schritt weiter, nämlich am Rand des Grenzgrabens, war schon Politprominenz. Man wollte sich mit Vertretern der Gemeinde Hellingen treffen, Geschenke austauschen und den Startschuss für den Bau des Grenzübergangs geben. Denn wenige Stunden zuvor war aus Berlin mitgeteilt worden, dass alle früheren Staatsstraßen, und damit auch die zwischen Allertshausen und Hellingen, wieder freigegeben werden sollten.

Die Zeit wurde lang. Immer mehr Menschen sammelten sich an der Barriere, immer mehr kamen bis an den Graben, um zu fotografieren. Motive gab es genug: die wartenden Menschen, die Grenzpolizisten aus Ost und West einträchtig nebeneinander, dem von der Sonne beschienenen Grenzstreifen. Dann war endlich von der anderen Seite des Zaunes her Musik zu hören, und schließlich kam auch der Zug der Hellinger und übrigen Heldburger Unterländer in Sicht. Sie hatten gar nicht so weit kommen sollen, nur das Treffen der beiden Delegationen sollte am Zaun stattfinden. Mittlerweile stand auch auf westlicher Seite niemand mehr hinter der Barriere. Schon als die Musik zu hören war,

Der Landrat des Landkreises Haßberge, Walter Keller, besichtigte Anfang Januar 1990 die Straßenbaustelle zwischen Allertshausen und Hellingen.
Foto: Gerhard Schmidt

Eröffnung des Grenzübergangs Allertshausen – Hellingen am 26. Januar 1990. Am Rednerpult Landrat Walter Keller.
Foto: Grenzpolizeistation Maroldsweisach

Ortsschild von Hellingen mit dem Hinweis auf den Grenzübergang.
Foto: Manfred Reuter

Wie es die Grenzsoldaten in dem Getümmel schafften, das Tor zu öffnen, ist mir immer noch ein Rätsel, doch auf einmal stand es offen, die Musik spielte, Menschen fielen sich in die Arme, schluchzten, jubelten. An ein offizielles Programm war in dem Trubel nicht mehr zu denken. Susanne Kastner brachte nur noch ‚Wahnsinn, Wahnsinn!‘ hervor. ‚Das ist sicher der schönste Moment, über den Sie je berichtet haben‘, sagte Maroldsweisachs Bürgermeister Ottomar Welz zu mir, als ich ihn wiederfand. Die Szene hatte etwas Gespenstisches: Da, wo sonst niemand seinen Fuß hinsetzen durfte, feierten Menschen, die sich nicht kannten, ein Ereignis, das niemand mehr erwartet hatte. Die Grenzsoldaten taten ihren Dienst, nicht mehr unnahbar und voll Strenge, sondern nachsichtig, umgänglich, mit Lächeln.

Es solle doch bitteschön niemand nach Hellingen hinuntergehen, das sei verboten (einige gingen aber doch). Ein Armeehubschrauber flog von westlicher Seite heran, es müssen Amerikaner gewesen sein, ging so tief wie möglich, und die Insassen winkten herunter. Auf dem Weg zum Auto begegneten mir Menschen, die Kartons voller Lebensmittel schleppten. Sie hatten für die DDRler im Lebensmittelladen Freß in Allertshausen eingekauft.

Der spätere Bürgermeister Hellingens, Robert Beyer, erinnert sich:
Die Öffnung der Grenze gehörte zu den eindrucksvollsten Erlebnissen meines ganzen Lebens. In der gesamten Bevölkerung war eine riesige Euphorie. Als es losging, dass man in die damalige Bundesrepublik über bestimmte Übergänge fahren konnte – bei uns war der nächste in Eishausen – Rodach – entstand auch bei uns der Gedanke, die doch relativ breite Straße zwischen Hellingen und Allertshausen zu einem Übergang zu nutzen. Auch in Bayern gab es solche Bestrebungen schon seit längerer

waren schlagartig alle bis an den Graben aufgerückt, und als dann die Menschen von drüben am Zaun zu sehen waren, gab es kein Halten mehr. Ich fand mich auf einmal unmittelbar am Zaun wieder, vorwärtsgeschoben von den Leuten, hörte die Jubelrufe und immer wieder: ‚Macht das Tor auf ...!‘

Die Grenzübergangsstellen Allertshausen – Hellingen in West und Ost im Frühjahr 1990.
Foto: Manfred Reuter

Groß war das Medieninteresse 1989/90 an der Entwicklung an der innerdeutschen Grenze. So sendete der Bayerische Rundfunk im Frühsommer 1990 live vom Grenzübergang Allertshausen – Hellingen.
Foto: Benno Kälber

Zeit, da die Entfernung zu den nächsten Übergängen zu weit war. Die DDR-Behörden haben das aus ihrer Sicht wegen der großen Tiefe der 5-km-Sperrzone zunächst abgelehnt. Als das Sperrgebiet im November 1989 wegfiel, hat sich diese Lösung ganz natürlich angeboten. Dass es aber dann so schnell ging, war einigen günstigen Umständen zu verdanken. Vor allem hing es auch damit zusammen, dass die Straße relativ leicht gebaut werden konnte.

Nach dem 9. November 1989 wurde bei uns in Hellingen z. B. im Brauhaus darüber diskutiert, einen Übergang zu fordern. Spontan fanden sich auch einige Bürger, die das in die Hand genommen haben. Wir meinten ganz logisch, dass der Weg auch aus wirtschaftlichen Erwartungen über Eishausen – Rodach in den Westen einfach zu weit sei. Um unserem Willen Nachdruck zu verleihen, wurde für den 1. Dezember eine friedliche Demonstration mit Kerzen in Richtung Grenzzaun organisiert. Wir gelangten dabei zum ersten Zaun, der den sog. Schutzstreifen abgrenzte und von dem es bei uns noch 2 km bis zur eigentlichen Grenze waren. Dort wurden wir aber nicht weiter gelassen und mussten umkehren. Es kam dann ins Gespräch, dass wir am 2. Dezember 1989 bis an die Grenze direkt herangelassen werden würden, was auf der anderen Seite, in Maroldsweisach und Umgebung auch bekannt wurde. Daraufhin wurde eine Blaskapelle organisiert, die Bevölkerung selber brauchte nicht aufgerufen zu werden, die Menschen kamen von selbst.

Es war festgelegt, dass die Grenze lediglich sechs Personen aus Hellingen bzw. Maroldsweisach in gegenseitiger Richtung überschreiten durften. Als aber dann das Grenztor aufgeschlossen wurde, standen auf beiden Seite der Grenze jeweils ca. 2.000 Menschen, die sich von den Grenzern nicht mehr aufhalten ließen und nach Thüringen bzw. Bayern drängten. Gefeiert wurde an diesem historischen Tag hauptsächlich im Hartleb-Saal in Maroldsweisach.

Bereits am Montag, 4. Dezember 1989, fand ein Treffen zahlreicher Behördenvertreter aus den Landkreisen Hildburghausen und Haßberge, unter ihnen die Landräte Walter Keller und Johannes Müller, statt. Es wurde die Öffnung eines Grenzübergangs zwischen Allertshausen und Hellingen besprochen und vereinbart, baldmöglichst damit zu beginnen. Landrat Walter Keller und der Vorsitzende des Rates des Kreises Hildburghausen, Johannes Müller, unterzeichneten eine Vereinbarung über den Ausbau der Straße von Allertshausen nach Hellingen. Bürgermeister Ottomar Welz bezeichnete diesen Verwaltungsakt als „... historische Stunde, wie sie die Marktgemeinde noch nicht erlebt hat!"

Die Straße wurde ab 7. Dezember 1989 von einer westdeutschen Firma auf 3,8 km Länge auf DDR-Gebiet gebaut. Der entsprechende Vertrag wurde von einem DDR-Grenzsoldaten an der Grenze bei Allertshausen an den Leiter der Grenzpolizeistation Maroldsweisach, Polizeihauptkommissar Rüdiger Kuhn, weitergegeben, der ihn an das Landratsamt Haßberge zum Gegenzeichnen weiterleitete.

Sperrangelweit stand das Tor in der Grenze zwischen Allertshausen und Hellingen am Sonntag, 10. Dezember 1989, in der Zeit von 9 bis 17 Uhr offen – für Bürger aus dem Osten und aus dem Westen. Für acht Stunden wurde Wirklichkeit, wovon man in den Orten beiderseits des Eisernen Vorhangs 40 Jahre lang geträumt hatte: Die Besucherwelle konnte ungehindert über die Grenze rollen. Es werden wohl einige tausend Menschen gewesen sein, schätzte die Grenzpolizei. Ursprünglich war nur eine Grenzöffnung von Ost nach West vorgesehen. Doch Bürger aus der Bundesrepublik forderten einen Übertritt in die DDR – und setzten sich durch. Es musste lediglich ein Ausweis vorgezeigt werden.

In Hellingen im Heldburger Unterland fand im Frühjahr 1990 eine Begegnung mit den Namensvettern aus dem Königsberger Stadtteil Hellingen statt.
Foto: Gerhard Schmidt

Noch vor der offiziellen Eröffnung des neuen Grenzübergangs war die Grenze dann noch mehrfach für Besucher aus Ost und West geöffnet, so z. B. am 12. Januar 1990 für eine Theatergruppe, die mit ca. 20 Personen zu einem Gastspiel in Käßlitz/DDR eingeladen war. Am 1. Weihnachtsfeiertag 1989 gab es gar eine Premiere: Ein Pendelverkehr mit Bussen erleichterte den Besuchertransfer zwischen Ost und West. Am 23. Dezember 1989 kam es zu einem „Hellinger Treffen" zwischen Hellingen/Thüringen und Hellingen bei Königsberg, Lkrs. Haßberge. Auf Initiative von Helmut Wirsing, Walter Winkler und Walter Angermüller kamen ungefähr 50 Hellinger aus dem Frankenland zu ihren Namensvettern nach Thüringen. Bürgermeister Karl-Heinz Schieler hieß die Gäste willkommen. Als Überraschung hatten die Hellinger bei Königsberg i. Fr. einen Kleinbus voll Weihnachtspäckchen mitgebracht, die der Nikolaus an die Kinder verteilte. Am Übergang hatten sich die Grenzsicherungsorgane sprichwörtlich aufgeschlossen gezeigt und das Fahrzeug passieren lassen, obwohl der Übergang nur für Fußgänger geöffnet war. Mädchen trugen Weihnachtsgedichte vor und die Riether Blaskapelle spielte zur Unterhaltung auf. Gemeinsame fröhliche Stunden verbrachten die Hellinger, bevor am Abend wieder die Rückreise angetreten wurde.

Der neue Grenzübergang Allertshausen – Hellingen wurde am Freitag, 26. Januar 1990, im Beisein von ca. 2.500 Menschen eröffnet. Ein großes Bürgerfest

schloss sich an. Rund 600.000 DM hatte der Freistaat Bayern für die Bauarbeiten bereitgestellt. Auf DDR-Gebiet entstand eine völlig neue Straße, auf der Westseite wurde die bestehende Fahrbahn verbreitert und ausgebessert.

Bis 30. April 1990 wurden von der Grenzpolizei Maroldsweisach und dem Zollgrenzdienst am Grenzübergang zwischen Allertshausen – Hellingen 290.011 Personen registriert. Sie reisten in 81.333 Personenwagen und 200 Bussen. Die Statistik im Einzelnen:

Vom	Bis	Personen	Pkw	Busse
26.01.	31.01.	24.843	3.368	38
01.02.	28.02.	87.803	26.698	29
01.03.	31.03.	80.489	21.800	71
01.04.	30.04.	96.876	29.467	62
26.01.	**30.04.**	**290.011**	**81.333**	**200**

Am Sonntag, 18. Februar 1990, zogen die Hellinger eine große Feier für ihre Nachbarn aus dem Westen auf. Bei einem wahren „Volksfest" sagten sie Danke. Ein enormer Ansturm von Gästen aus dem Westen – die Autos stauten sich von Allertshausen bis über die Grenze hinaus – war zu verzeichnen. Der Tag wurde mit einem Gottesdienst in der Ortskirche von Hellingen eröffnet. Die Pfarrer Harald Färber aus Ummerstadt und Helmut Kastner aus Maroldsweisach sowie Vikar Michael Zippel aus Hellingen feierten den Gottesdienst, der musikalisch von der Kantorei Maroldsweisach, dem Posaunenchor Ditterswind, der Jugendjagdhornbläsergruppe Rieth und dem Gemeindechor Hellingen gestaltet wurde.

Beim Fest in Hellingen spielte auch das Wetter mit und so konnten sich die vielen Gäste auch im Freien aufhalten. Lehrer Waldemar Gafka hieß im Auftrag des erkrankten Bürgermeisters Schieler die zahlreichen Gäste willkommen. Er verwies auf die gute Partnerschaft und bat, diese in Zukunft noch zu verstärken. An die Besucher wurden Gutscheine für Essen und Trinken verteilt. In der Konsumgaststätte, im Jugendclub, in der Turnhalle und im Speiseraum der Schule herrschte ein reges Kommen und Gehen. Am Dorfplatz wurde Wildschweingulasch gereicht, das reißenden Absatz fand. In den Kaffeestuben gab es Kuchen und Torten. Die Hellinger Hausfrauen hatten keine Mühen gescheut, um ihre Gäste zu bewirten. Wer sich dann die Füße vertreten wollte, konnte die Schule, den Kindergarten, die Kirche und das Dorfmuseum besichtigen.

Käßlitz – Eckartshausen

Die Fa. Heß aus Eckartshausen leistete Nachbarschaftshilfe, damit die Nachbarn aus Käßlitz und Eckartshausen wieder zueinander finden konnten.
Foto: Reinhold Albert

Grenzöffnung zwischen Eckartshausen (Kreis Haßberge) und Käßlitz (Kreis Hildburghausen) im Januar 1990.
Foto: Gerhard Schmidt

Platten im Metallgitterzaun wurden abgeschraubt, um den Eckartshäusern einen Besuch in Käßlitz zu ermöglichen.
Foto: Gerhard Schmidt

Käßlitz – Wasmuthhausen

Großer Empfang für die Gäste aus Käßlitz in Wasmuthhausen im Dezember 1989. Mit dem Marsch Mein Heimatland wurden die Käßlitzer von den Alstertaler Musikanten aus Wasmuthhausen am Ortseingang abgeholt und zum Feuerwehrgerätehaus begleitet, wo sie von Ortssprecher Fritz

Provisorischer Übergang zwischen Eckartshausen und Käßlitz, aufgenommen im Frühjahr 1990.
Foto: Detlef Deutsch

Schmaus willkommen geheißen wurden. Bürgermeisterin Ilse Steinert aus Käßlitz sagte: „Dieser Tag wird Geschichte machen, was wir auch noch unseren Enkeln erzählen werden!" Die Vereinsvor-

Die Käßlitzer wurden im Dezember 1989 von der Musikkapelle Wasmuthhausen empfangen.
Foto: Gerhard Schmidt

Ein herzliches Willkommen entbieten die Wasmuthhäuser ihren Käßlitzer Nachbarn. Ortssprecher Fritz Schmaus (Wasmuthhausen) und Bürgermeisterin Ilse Steinert (Käßlitz) sprachen namens ihrer Bürger.
Foto: Gerhard Schmidt

 stände tauschten Geschenke aus und wünschten sich gute nachbarschaftliche Zusammenarbeit. Anschließend machte man es sich im Feuerwehrhaus gemütlich, wo die Wasmuthhäuser Bevölkerung alles aufbot, um ihren Gästen aus der Nachbargemeinde Käßlitz frohe Stunden zu bereiten.

Käßlitz – Dürrenried

Am Sonntag, dem 17. Dezember 1989, wurde der Fußweg zwischen Dürrenried und Käßlitz erstmals zwischen 9 und 17 Uhr freigegeben. Manche Einheimische waren über den Ansturm gar nicht so erfreut, weil die Kontakte der Nachbardörfer untereinander litten. Das kleine Grenzdorf Käßlitz

wurde zum Wallfahrtsort. Schon am Morgen waren die Wiesen zwischen Dürrenried und Grenzzaun mit Autos zugeparkt. Trotz schlechten Wetters und matschiger Wiesen nahmen Tausende die Gelegenheit wahr, in den Nachbarort zu pilgern, der jahrzehntelang nicht erreichbar war, obwohl die ersten Häuser nur wenige Meter hinter der Grenze liegen. Ein noch größerer Ansturm setzte am Nachmittag ein, als die Sonne hervorlugte. Von Uniformierten wurden die BRD-Bürger freundlich empfangen. Zwar war ein Schild provisorisch aufgebaut worden, auf dem zu lesen stand, dass man seine Papiere bereithalten solle, das wars dann auch. Richtige Kontrollen wurden in der Zeit des Grenzbesuches nicht vorgenommen. Im Gegenteil: Die Grenzschützer plauschten mit ihren westlichen Kollegen oder unterhielten sich mit Besuchern, die sich den Weg über den Behelfspfad bahnten. Auf

Öffnung der Grenze für einen Tag an der Wegesperre Dürrenried – Käßlitz für Fußgänger am 17.12.1989. Auf westlicher Seite hatten sich zahlreiche Besucher aus Dürrenried und Umgebung eingefunden.
Foto: Siegfried Bachmann

Erste Neugierige wagten sich zwischen Dürrenried und Käßlitz auf DDR-Gebiet vor.
Foto: Siegfried Bachmann

Die Käßlitzer kommen – aufgenommen am 17.12.1989.
Foto: Siegfried Bachmann

der Westseite erwartete die Besucher eine Imbiss-bude, wo Glühwein kredenzt und Gespräche geführt wurden.

„Jetzt sind wir tatsächlich drüben", seufzte eine Westbesucherin, als ob sie es trotz der üppigen Berichterstattung der letzten Tage nicht hat glauben wollen. Andere Besucher verrieten, dass sie noch nie den Grenzzaun gesehen hätten. Erst die Öffnung weckte ihr Interesse. So staunten viele Besucher über die Breite des sog. Niemandslandes.

Simone Bastian aus Ebern war damals dabei und hielt fest:
Einen Steinwurf hinter der Grenze beginnt eine ‚unbekannte Welt' – Stippvisite in Käßlitz: Sie liegen teilweise nur wenige hundert Meter hinter der Grenze und waren doch jahrelang weiter entfernt als der Mond. Dörfer und kleine Städte mit Namen wie Eicha und Linden, Albingshausen, Rieth und Schweickershausen, Käßlitz, Poppenhausen, Lindenau und Ummerstadt. Die Verbindungen zu diesen Dörfern waren gekappt, die Trappstädter, Breitenseer, die Sternberger, die Allertshäuser, die Dürrenrieder, die Autenhäuser mussten sich umorientieren, aus blühenden Orten wurden verschlafene Dörfer in nahezu vergessenen Winkeln der Haßberge. Jahrelang durfte man die Orte im Grenzgebiet der DDR nicht einmal mit gültigem Einreisevisum besuchen, sie lagen im Sperrgebiet, zu dem nicht einmal DDR-Bürger ohne weiteres Zutritt hatten. Diese Sperrgebietsregelung war im November 1989 aufgehoben worden.
Die Dörfer auf beiden Seiten entlang der Grenze waren für die Öffentlichkeit nicht interessant. Was gab es da schon zu sehen? Hundert Meter hinterm Dorf hört die Welt auf, da ist der Zaun, wen interessiert das schon? Ab und zu an den Sonntagen fuhren vereinzelt Autos auf den Straßen bis zu den Schildern: ‚Halt! Hier Grenze!', manchmal stieg auch jemand aus, dann wendete man wieder und fuhr zurück. Und die, die wussten, wie es früher war, als man noch zu Fuß von Allertshausen nach Hellingen, von Ermershausen nach Schweickershausen, von Autenhausen nach Ummerstadt und von Dürrenried nach Käßlitz gehen konnte, die wurden immer weniger, und keiner wusste zu sagen, ob das, an was die Alten sich erinnern, drüben überhaupt noch existiert.

Und nun wurden die Grenzen aufgemacht; am dritten Adventssonntag war die zwischen Dürrenried und Käßlitz an der Reihe, und nicht nur die Dürrenrieder begaben sich über nasse Wiesen und rutschige Behelfsstege in ein unbekanntes Land. Dass Feste – und ein Volksfest war es an diesem Wochenende allemal – in der Region immer auch mit Gaumenfreuden verbunden sind und sich wahre Gastfreundschaft in der großzügigen Bewirtung äußert, demonstrierte man auch bei dieser Gelegenheit: Spontan hatte man alles vorbereitet, um die Besucher kostenlos zu bewirten. Sicher mehr als nur eine nette Geste für die dankbaren Gäste. So, wie die Bürger nach Öffnung der Grenzen hinüberströmten, eigentlich nur, um mal zu gucken und mal da gewesen zu sein, so pilgerten seit Öffnung des Grenzübergangs Allertshausen – Hellingen viele hinüber, um mal zu sehen, wie es da ist.
Und weil der Übergang bei Allertshausen an diesem Sonntag geschlossen bleiben musste, wurde das andere Tor zu den Nachbarn geöffnet. Willkommene Gelegenheit für einen Sonntagsspaziergang, weil auch die Entfernung passte: Sein Auto stellte man an der Grenze ab, bis Käßlitz waren es dann nur noch zehn Minuten zu Fuß, da konnte man auch das bisschen Matsch in Kauf nehmen, denn die Straße, die von bundesdeutscher Seite zum Tor in der Grenze führt, endet hier. Auf der anderen Seite gibt es nur noch Wiesen, auf denen eindeutige Spuren zeigen, dass sie von Schafen beweidet wurden. Dann kommt ein zweiter Zaun mit einem zweiten Tor, und danach beginnt ein Feldweg nach Käßlitz. Über eine Wiese erreicht man die Straße nach Poppenhausen, die einzige, die von Käßlitz ins Hinterland führt, denn auf der anderen Seite des Dorfes, in etwa einem Kilometer Entfernung, verläuft wieder die Grenze. Käßlitz

Besucher aus dem Markt Maroldsweisach und dem gesamten Landkreis Haßberge ließen sich die Gelegenheit nicht entgehen, den südlichsten Ort der DDR, Käßlitz, zu besuchen.
Foto: Siegfried Bachmann

liegt einsam in einem Zipfel, der an seinem südlichsten Punkt beinahe die Verbindungsstraße von Eckartshausen nach Wasmuthhausen berührt.

Das Ortsschild lautet auf ‚Käßlitz, Kreis Hildburghausen, Bezirk Suhl', ist gelb und hat das vertraute rechteckige Format. Dahinter beginnt das Dorf, die Häuser zeigen sowohl fränkisches Fachwerk als auch thüringische Schieferbeplätterung. Arm waren die Bauern hier früher nicht, die Gehöfte sind relativ groß und teilweise aufwändig restauriert. Im Laden, gut 200 Meter hinter dem Dorfeingang, herrscht Hochbetrieb. Westdeutsche drängen sich darin, wollen sehen, was es in der ‚Zone' so zu kaufen gibt. Preise werden verglichen und auch die Verpackungen. Im Fenster kleben drei goldfarbige Sterne, aus Papier ausgeschnitten – das ist alles an Weihnachtsdekoration.

Die Straße führt weiter, am Kindergarten mit Spielplatz und Friedensplakat vorbei und weitet sich vor der Gastwirtschaft des Dorfes zu einem kleinen Platz. Die Dorfkneipe ist überfüllt, der Wirt auf einen solchen Ansturm nicht eingerichtet gewesen, heißt es später. Über dem kleinen Schankraum befindet sich das ‚Sportlerzentrum', ein Veranstaltungsraum, in dem Versammlungen und Feiern stattfinden.

Unmittelbar nach dem Gasthaus führt die Straße rechts zur Kirche hoch, einem kleinen, gedrungenen Bau mit einem massiven Turm und barocken Fenstereinfassungen. Die Ausgestaltung des Kirchenraumes ist protestantisch nüchtern, im Altarraum einige moderne Glasbilder, eine barocke Kanzel, ein kleiner Adventskranz. Im Kirchhof ein Gefallenendenkmal.

Die Straße führt weiter zur LPG-Brigade ‚Thomas Müntzer', auch sie ist Gegenstand des Interesses der Wessis. Der meiste Andrang herrscht in der Garage, wo die Zugmaschinen stehen. Einheimische sieht man kaum auf der Straße. ‚Die sind alle drüben in Dürrenried', erzählen zwei Frauen, die mit ihren Familien zu Hause sind, weil sie Verwandte aus Ebern zu Besuch beim Kaffee haben.

Eine Käßlitzerin erzählt: ‚Also, ich war am Montag mit meiner Tochter in Maro drüben. Sie hat Schokolade und solche Sachen gekauft, das kennen die Kinder bei uns aus dem Fernsehen, und für die ist das das Höchste. – Aber was wollt denn ihr eure Kinner noch schenk?' Eine Frage, vor der in diesen Tagen viele kapitulierten inmitten des Warenangebots bundesdeutscher Kaufhäuser. Auf dem Weg hinaus aus Käßlitz kommt man am Brauhaus vorbei. Jeder darf brauen, erklärt ein junger Mann. Und auf ihr Selbstgebrautes sind die Käßlitzer stolz. Als dem Wirt das Bier ausging, ob des Durstes aus dem Westen, ließ er welches bei seiner Nachbarin holen. Ein extra ‚Festbier zu Weihnachten'? Wir haben immer Festbier, meint der junge Mann lachend.

Nach einer halben Stunde Rundgang durch das Dorf verlassen die meisten Besucher Käßlitz wieder. Die wenigsten haben Verbindungen zum Dorf. Die Sprache, der Dialekt, ist der gleiche beiderseits der Grenze. In Kleinigkeiten zeigt sich in dem DDR-Dorf Vertrautes neben völlig Vertrautem. Da sind königlich-bayerische Versicherungsschilder an einem Haus zu sehen, deuten auf eine gemeinsame Vergangenheit, so wie es in allen Grenzgebieten ist.

Der Wald der Käßlitzer in Bayern

Dürfen die Käßlitzer Bürger ihren einstigen Gemeindeforst erst nach einer Wiedervereinigung wieder nutzen, lautete die Frage, die sich in den ersten Monaten nach der Grenzöffnung viele Käßlitzer stellten. Sie durften trotz des neuen Grenzübergangs einen rund 70 ha großen Wald bei Maroldsweisach – Allertshausen auf Westgebiet, der ihnen vor der Grenzziehung gehörte, nicht nutzen.

Im Sommer/Herbst 1988 wurde dieses Kuriosum bekannt, als Käßlitzer Bürger in Maroldsweisach und Umgebung um Unterstützung gebeten hatten. Nachdem sie bislang aus dem Gemeindewald keinen Nutzen ziehen konnten, weil sie nicht in den

Noch ist das Tor im Metallgitterzaun zwischen Dürrenried und Käßlitz geschlossen. Am 16. Juni 1990 wurden dann alle DDR-Grenztore geöffnet.
Foto: Franz Vollkommer

Westen gelangten, hatten sie wegen einer finanziellen Unterstützung beim Kauf eines neuen Kronleuchters für die Dorfkirche bei Bundesbehörden vergeblich angeklopft. Deswegen waren Marktgemeinde und Maroldsweisacher Bürger eingesprungen. Als die Summe aufgetrieben worden war, reiste eine Delegation 1988 in den Osten und übergab einen nagelneuen Kronleuchter.

Obwohl nach der Grenzöffnung von November 1989 die Möglichkeit bestand, durften die Käßlitzer ihren Wald zumindest in naher Zukunft nicht bewirtschaften. Aufgrund einer Vereinbarung mit der DDR, die selbst in Bundesgesetzen ihren Niederschlag fand, wurden die Arbeiten im DDR-Wald von der Reußenberg'schen Forstverwaltung durchgeführt, die die Bundeswälder in der Region betreut. Die Gewinne aus den Holzverkäufen verwaltete die Oberfinanzdirektion (OFD) in Nürnberg als Treuhänder. Die OFD tat dies für ‚Rechtsträger von außen', so der Behördenjargon, die Vermögenswerte in der Bundesrepublik besitzen.
Der Gruppenleiter der OFD, Dr. Fichtel, sah trotz der Öffnung der Grenzen zunächst keinen Handlungsbedarf, seiner Einschätzung nach waren die Vereinbarungen mit der DDR und der ČSSR so abgefasst, dass Änderungen erst nach Abschluss eines Friedensvertrages (mit der ČSFR) bzw. im Falle der Wiedervereinigung (mit der DDR) einträten. So lange blieben die Treuhänder-Verhältnisse bestehen. Der Regierungsdirektor bedauerte, dass bei der Anfrage wegen des Käßlitzer Kronleuchters

damals nicht geholfen werden konnte. „Wir verwalten das Geld ja nur, und Bundesmittel dürfen wir nicht hinzuschießen." Er verwies darauf, dass ein Wald nicht nur Gewinne abwerfe. Es müssten auch Summen für den Wegebau, Forstarbeiten etc. aufgebracht werden. Außerdem sei umstritten, ob der Wald der Gemeinde Käßlitz gehöre oder dem Arbeiter-und-Bauern-Staat. „Es kann durchaus sein, dass die Gemeinde in diesem Fall enteignet wurde." Ein VEB-Wald sozusagen. Dies sei aber Sache der DDR, auf Westseite sehe man derzeit keine Veranlassung, etwas zu ändern, so die im Januar 1990 abgegebene Stellungnahme.[52]

Poppenhausen – Gleismuthhausen

Gäste aus Poppenhausen besuchen am 14.1.1990 Gleismuthhausen und die Stadt Seßlach.
Foto: Willi Beetz

Grenzabfertigung (Verteilung von Zählkarten) am 14.1.1990 anlässlich der Grenzöffnung zwischen Poppenhausen und Gleismuthhausen.
Foto: Willi Beetz

Herzlicher Empfang auch zwischen den Bürgern von Gleismuthhausen und Poppenhausen am 14.1.1990.
Foto: Willi Beetz

Die Freude über die Grenzöffnung war den Menschen anzusehen, aufgenommen bei der Öffnung der Grenze zwischen Poppenhausen und Gleismuthhausen.
Foto: Willi Beetz

Zusammen mit Einwohnern der Umgebung nahmen die 120 Einwohner von Poppenhausen, DDR, am Sonntag, 14. Januar 1990, die Gelegenheit wahr, die Grenzöffnung zwischen ihrer Ortschaft und dem Seßlacher Stadtteil Gleismuthhausen zu einem Besuch in Ober- und Unterfranken zu nutzen. Pünktlich um 10 Uhr öffneten zwei Angehörige der DDR-Grenztruppen das extra eingebaute Tor im Grenzzaun, und Seßlachs Bürgermeister Hendrik Dressel nahm die Gelegenheit wahr und bedankte sich mit einem Seßlacher Kupferstich beim zuständigen Kommandeur der Grenztruppen, Hauptmann Uwe Fröhlich. Einen gleichen Stich erhielt auch der Bürgermeister von Poppenhausen, Jürgen Fiedler, in der Festhalle von Gleismuthhausen. Dorthin hatten sich Gäste und Gastgeber nach der Grenzöffnung zusammen mit der

Stadtkapelle Seßlach begeben. Die Glocken der Kirche von Gleismuthhausen läuteten, als der Zug von mehreren hundert Personen die Ortsgrenze erreicht hatte. An der Festhalle wurden bereits Bratwürste gebraten, die genauso wie die Getränke für die Gäste aus der DDR kostenlos waren. Die örtlichen Vereine hatten die Bewirtung übernommen.

In seinem herzlichen Willkommensgruß stellte Seßlachs Bürgermeister Hendrik Dressel fest, dass der Eiserne Vorhang seinen Schrecken verloren habe. Auch die erste Euphorie über die Grenzöffnung habe sich gelegt, geblieben sei aber die Freude darüber, dass man sich nun wieder regelmäßig gegenseitig besuchen könne. Der Bürgermeister von Poppenhausen, Jürgen Fiedler, bedankte sich für die Ausrichtung des ersten Treffens in Gleismuthhausen und lud alle zu einem Gegenbesuch am 28. Januar 1990 nach Poppenhausen ein. Als Gastgeschenk hatte er neben einem Krug und Wandteller auch einen Erntekranz aus Poppenhausen mitgebracht.[53]

Beim Gegenbesuch kamen zwischen 10 und 18 Uhr rund 1.000 Bürgerinnen und Bürger aus den westlichen Stadtteilen von Seßlach. In Poppenhausen konnten sie sich von der gut erhaltenen Bausubstanz des von Fachwerkhäusern geprägten Ortsbildes überzeugen, das durch den Zusammenhalt der Bewohner und durch die Eigeninitiative erreicht wurde.

Die Einwohner Gleismuthhausens und Umgebung auf dem Weg zum Gegenbesuch in Poppenhausen am 28.1.1990.
Foto: Willi Beetz

Lindenau – Autenhausen

In der Coburger Neuen Presse war am 30. November 1989 folgender Aufruf zu lesen:

Hilferuf von drüben an die Bürger von Seßlach – Einen Hilferuf erhielt am Mittwoch der Bürgermeister von Seßlach aus der DDR-Grenzgemeinde Lindenau. In dem Schreiben werden die Seßlacher aufgefordert, heute um 19 Uhr eine Demonstration der Bürger von Lindenau zu unterstützen, die sich dort für die Öffnung eines weiteren Übergangs nach Bayern einsetzen wollen. ‚Bisher haben wir uns vergeblich mit allen Mitteln für die Öffnung des Grenzüberganges Lindenau – Autenhausen eingesetzt', heißt es in einem Schreiben von drüben, ‚sehen aber zum gegenwärtigen Zeitpunkt keine andere Möglichkeit, als durch gemeinsames Handeln unserem Wunsche Nachdruck zu verleihen'. Dabei legen die Bürger von Lindenau Wert auf die Feststellung, nicht nur in ihrem Namen zu handeln, sondern auch im Sinne der Bürger des ganzen Heldburger Unterlandes.

In der gemeinsamen Grenzlagemeldung der bundesdeutschen Grenzorgane heißt es über die Demonstration:

Autenhausen, Lkr. Coburg. Auf Bundesgebiet befanden sich etwa 1.000 Teilnehmer, die entlang der Grenzlinie gingen. Auf DDR-Gebiet etwa 800 Personen am GSSZ-DuL. Sie schwenkten Fackeln und

Demonstration für die Schaffung eines Grenzübergangs zwischen Autenhausen und Lindenau am 30.11.1989. Lindenauer und Ummerstädter Bürger mit Fackeln hinter dem Signalzaun an der Straße Lindenau/Ummerstadt, aufgenommen von der thüringisch – bayerischen Landesgrenze aus.
Foto: Willi Beetz

Der Coburger Landrat Knauer sprach am 30.11.1989 über ein Außenbordmikrofon eines Fahrzeugs des Bundesgrenzschutzes zu den Menschen, die sich bei Lindenau/DDR zu einer Demonstration für die Öffnung der Grenze zusammengefunden hatten.
Foto: Willi Beetz

riefen lautstark ‚Macht das Tor auf, Zaun weg und Freiheit'. Die Demonstration verlief friedlich und endete gegen 21.00 Uhr auf beiden Seiten.

Ein Zeitzeuge erinnert sich:

Obwohl am 30.11.1989 auf beiden Seiten entlang des Grenzzaunes zwischen Autenhausen und dem DDR-Nachbardorf Lindenau Tausende von Fackelträgern eine friedliche Demonstration abhielten, wurde den ‚Tor-Auf'-Rufen von den Verantwortlichen auf beiden Seiten nicht gefolgt. Bis weit in die Nacht ließen sich die Menschen beiderseits der Grenze trotz Kälte nicht davon abhalten, mit brennenden Fackeln auf die Zusammengehörigkeit der Nachbarorte aufmerksam zu machen. Um wenigstens Sichtkontakt mit den Bürgern jenseits des Zaunes zu bekommen, setzte sich die Menschenmasse auf Autenhausener Seite schnell, entlang des Grenzweges, zu einer Anhöhe in Bewegung. Von dort aus bot sich ein imposantes Bild: Etwa zwei Kilometer entfernt, hinter dem zweiten Grenzzaun, zog sich ein etwa ein Kilometer langer ‚Faden' aus Menschen mit Fackeln in der Hand. Seßlachs Bürgermeister Hendrik Dressel sprach über ein Mikrofon und eine Lautsprecheranlage von einem BGS-Fahrzeug aus zu den Bürgern beider Seiten. ‚Wenn ihr mich hört, dann winkt mit den Fackeln!', rief er die Menschenschar auf DDR-Seite auf. Winkende Fackeln und laute Rufe bestätigten dann tatsächlich den Empfang der Worte des Bürgermeisters. Er

Lindenauer und Ummerstädter zogen am 2.12.1989 in Richtung Autenhausen. Da an der Sperre Autenhausen/Lindenau kein Tor im Metallgitterzaun war, musste man über Feld- und Waldwege zur sogen. Ententeichspitze gehen, um dort das Tor in Richtung Westen zu durchschreiten.
Foto: Willi Beetz

Ca. 2.000 Besucher aus Lindenau, Heldburg und dem Unterland nutzten am 2.12.1989 die Gelegenheit zu einem Besuch in ihren westlichen Nachbargemeinden.
Foto: Willi Beetz

wieder waren Sprechchöre ‚Freiheit – Tor auf!' aus der Entfernung zu hören. Landrat Helmut Knauer richtete ebenfalls Grußworte über den Grenzstreifen. Pfarrer Rudolf Steinert (Gemünda) und Pastoral-Assistent Harald Ulbrich sprachen Fürbitten.

Am 2. Dezember 1989 war es dann so weit: Nach vier Jahrzehnten schmerzlicher Trennung öffnete sich erstmals wieder der Eiserne Vorhang zwischen Lindenau und Autenhausen.

Steigender Druck ‚durchlöcherter' Zaun und die Lindenauer Bürger durften für dreieinhalb Stunden in den Westen. Ursprünglich war für 14 Uhr eine Solidaritätsdemonstration der Bewohner aus Autenhausen vorgesehen, denn zum gleichen Zeitpunkt gingen die Lindenauer erneut auf die Straße. Gegen 14.15 Uhr sickerte dann beim Bundesgrenzschutz die Meldung durch, dass Pioniere der DDR-Grenztruppen von 14.30 Uhr an eine provisorische Übergangsstelle errichten, die gegen 15 Uhr von DDR-Bürgern zu einem Kurzbesuch in Autenhausen genutzt werden könne. Bürgermeister Hendrik Dressel, Seßlach, schritt ohne zu zögern auf den Zaun zu und besprach mit einem DDR-Grenzhauptmann Einzelheiten. Dabei machte der Offizier deutlich, daß pünktlich um 18.30 Uhr die Tore bei Autenhausen wieder geschlossen werden.
Per Megaphon erläuterte Kommandeur Heiko Ritschel den Ablauf der Grenzöffnung. Nach kurzem Zögern gestattete der Soldat auch Bundesbürgern

meinte, dass viele hundert Menschen, unter ihnen zahlreiche Personen des öffentlichen Lebens, gekommen waren, um den Willen zur Grenzöffnung deutlich zu machen. Hendrik Dressel erinnerte an den 13. November 1989, als bei einer Bürgerversammlung in Autenhausen gefordert wurde, den Grenzübergang nach Lindenau zu öffnen. Bereits einen Tag später beschloss der Stadtrat von Seßlach einstimmig, auf die Öffnung hinzuwirken. Die Rede des Bürgermeisters wurde von DDR-Seite mit viel Beifall und Jubelrufen bedacht und immer

Die Besucher aus Lindenau trugen am 2.12.1989 bei ihrem Besuch in Autenhausen u. a. Plakate mit, in denen sie ihrer Forderung nach dem Wegfall des unseligen Eisernen Vorhangs bekundeten.
Foto: Willi Beetz

den Übertritt Richtung Lindenau oder Heldburg. Zusammen mit den Autenhausener Musikanten spielten Mitglieder des Lindenauer Musikvereins ‚So ein Tag, so wunderschön wie heute!' Danach marschierten etliche DDR-Bürger zusammen mit Bürgern des Dorfes nach Autenhausen, um alte Freundschaften aufzufrischen oder neu zu gründen.

In einem Flugblatt anlässlich des zehnten Jahrestages der Grenzöffnung zwischen Autenhausen und Lindenau blickte Bürgermeister Hendrik Dressel am 2. Dezember 1999 zurück:

Liebe Bürgerinnen, liebe Bürger, erinnern wir uns: vor 10 Jahren demonstrierten die Lindenauer auf DDR-Seite und forderten zum wiederholten Male die Öffnung der Grenze nach Autenhausen. Hauptmann Heiko Ritschel hatte an diesem kalten Samstagnachmittag einen schweren Stand. Zum gleichen Zeitpunkt fanden sich in Autenhausen einige Hundert Bürgerinnen und Bürger zusammen, um gemeinsam mit dem stellvertretenden Landrat Ferdinand Fischer zur Grenze zu gehen und die Öffnung einzufordern. Der Bundesgrenzschutz teilte vielversprechend mit, dass sie aus Funksprüchen erfahren haben, dass mit einer Grenzöffnung auf der Erlebacher Höhe gerechnet werden kann. Am Grenzzaun angekommen, wollte Hauptmann Ritschel noch über die Modalitäten einer Grenzöffnung mit mir reden. Seiner Ansicht nach sollten nur die Lindenauer nach Autenhausen gehen dürfen. Ein Grenzübertritt von Bundesbürgern in die DDR – noch dazu ohne Ausweiskontrolle – war ihm unmöglich. Weit gefehlt! Noch während wir verhandelten, drängten die ersten Lindenauer durch das zwischenzeitlich geöffnete Tor auf Bundesgebiet und Autenhausener, Gemündaer und Merlacher waren auf dem Weg nach Lindenau und Ummerstadt. Schnell hatte sich die Grenzöffnung herumgesprochen. Die offizielle Eröffnung des Seßlacher Weihnachtsmarktes fiel aus.

Damals zwängten sich ca. 2.000 Besucher aus dem Heldburger Unterland durch das Grenztor in Richtung Westen. Punkt 14 Uhr öffnete sich erstmals der Grenzzaun. Die Glocken von Lindenau läuteten zu dieser historischen Stunde für zehn Minuten. Anschließend hörte man Musik von drüben. Ein vielköpfiger Zug bewegte sich durch den Ort und

Eine große Menschenmenge aus Seßlach und Umgebung hatte sich an der Grenze bei Lindenau versammelt – ein Traum wurde wahr. Am 17.12.1989 zogen sie nach Lindenau. Erwartungsvoll überschritt die Menschenmenge den provisorischen Grenzübergang zwischen Autenhausen und Lindenau. Letzter Halt am Tor im Signalzaun vor Friedrichshall.
Foto: Willi Beetz

am Altenheim Friedrichshall fand eine Kundgebung statt. Harald Amend vom Neuen Forum war bruchstückweise zu hören. „Wir sind das Volk" vernahm man auf bayerischer Seite - und wenig später war „das Volk" da. Zwischen Lindenau und Ummerstadt hatten die Grenztruppen der DDR ein Tor geöffnet und auf offenem Feld spielten sich herzzerreißende Szenen der Begrüßung ab. 40 Jahre am Arsch der Welt, Weg mit dem Signalzaun standen auf den von den DDR-Bürgern mitgeführten Transparenten. Selbst der Schäfer, der das Grenzgebiet abweidete, hatte seine Herde eingepfercht und war mit nach Autenhausen gekommen.
Der Gegenbesuch ließ nicht lange auf sich warten. Bürgermeister Hendrik Dressel aus Seßlach verfasste folgenden Aufruf:

Liebe Bürgerinnen und Bürger, am Sonntag, dem 17. Dezember 1989, wird die Grenze zwischen Autenhausen und Lindenau von 10.15 Uhr bis 17.00 Uhr für Fußgänger in beiden Richtungen offen sein. Die Bürgerschaft aus Lindenau lädt uns herzlich nach Lindenau ein. Die Blaskapelle Heldburg holt uns um 10.15 Uhr an der Grenze ab. Gemeinsam wollen wir nach Lindenau gehen. Die gesamte Bevölkerung Lindenaus hat sich auf unseren Besuch vorbereitet. Wir sind ihre Gäste! Aufgrund dieser Grenzöffnung sind folgende Terminänderungen erforderlich ... Das geplante

Ein langer Zug von Bürgern aus Seßlach und Umgebung auf dem Weg in Richtung Lindenau.
Foto: Willi Beetz

Adventskonzert in der Kirche Autenhausen findet um 14 Uhr in Lindenau in der Kirche statt. Für Gehbehinderte richten unsere Freunde aus Lindenau einen kleinen Fahrdienst vom Zaun bis Lindenau ein. Bitte Personalausweis oder Reisepass nicht vergessen. Visum ist nicht erforderlich.

In tadellosem Zustand brachten Vertreter des Seßlacher Stadtrats und Mitglieder der Heldburger Bürgerinitiative den provisorischen Grenzübergang Autenhausen – Lindenau. Rund 3.000 Besucher, die vornehmlich aus dem Seßlacher Raum kamen, nutzten den dritten Adventssonntag 1989 für einen Besuch in Heldburg und Lindenau. Der 86-jährige Josef Eideloth aus Autenhausen passierte als Erster das Grenztor in Richtung Lindenau. Auch am ersten Weihnachtsfeiertag pilgerten wiederum Tausende über die Grenze.

Um Weihnachten 1989 machte folgendes Flugblatt der Bürgerinitiative in Lindenau die Runde:

Willenserklärung – Wir, Bürger von Lindenau, fordern an der Grenze nach Autenhausen am 25.12.89 ab 10.00 Uhr bis 26.12.89, 22.00 Uhr und am 2.12.89, 14.00 Uhr bis 1.1.1990 22.00 Uhr einen Fußübergang für Lindenauer, Autenhausener und der Gemeinden der Stadt Seßlach zugehörenden Bürger einzurichten. Wir, Bürger von Lindenau, verpflichten uns, am 16. u. 17.12.89 die nötigen Aufräumungsarbeiten durchzuführen, um ein sicheres Überschreiten der Grenze zu ermöglichen.

Wir schlagen vor, das Tor vom 500-m-Signalzaun an die Grenze zu verlegen.
Lindenau, den 7.12.1989.
Es folgen die Unterschriften von etwa 200 Lindenauern.

Nun galt es, als nächstes wieder die jahrhundertealte Straßenverbindung zwischen Autenhausen und Lindenau ordentlich herzurichten, die bereits am 16. Dezember 1989 provisorisch instand gesetzt worden war. So wurde Anfang Februar 1990 folgender Aufruf der Bürgerinitiative Heldburg veröffentlicht:

Aufruf
Bürger des Heldburger und Seßlacher Landes!
Die Bürgerinitiative Heldburger Land ruft Euch zur Demonstration mit Kundgebung am 3.2.1990 um 14.00 Uhr nach Lindenau – Friedrichshall auf, um folgende Forderungen Nachdruck zu verleihen:
- ständige Öffnung des Grenzüberganges Autenhausen – Lindenau für Fußgänger und Kfz.
- Konsequente Durchsetzung von Rechtsstaatlichkeit, Demokratie und Offenheit.
- Offenlegung der tatsächlichen Struktur zwischen SED-PDS, MfS, MdI und NVA.
- Aufhebung der Schweigepflicht für Mitarbeiter des MfS.

Die Autenhausener und Seßlacher wurden am 17.12.1989 in Lindenau herzlich willkommen geheißen. Begrüßung mit v. l. MdB Otto Regenspurger, 2. Bürgermeister Schleifenheimer, Hauptmann Heiko Ritschel, Forumssprecher Harald Amend, Stadtrat Gütlein, Bürgermeister Hendrik Dressel aus Seßlach, Bürgermeister Pförtner aus Heldburg und Bürgermeister Mayer aus Lindenau.
Foto: Willi Beetz

- Schnellstmögliche Einführung der sozialen Marktwirtschaft.
- Für die Beseitigung und Verhinderung ökologischer Schäden und gegen die geplante Giftmülldeponie in Muggenbach.
- Für die Einheit der beiden deutschen Staaten in geordneten Bahnen.

Alle Redner dieser von etwa 200 Menschen besuchten Kundgebung waren sich einig, der Grenzübergang Autenhausen – Lindenau muss ständig aufgemacht und auch für den Kraftfahrzeugverkehr freigegeben werden. Die Demonstranten trugen Plakate mit, die u. a. die Aufschrift trugen: Wir Lindenauer wollen nicht von der SED regiert werden! Bürgermeister für die Bürger, nicht gegen sie. Alle Macht dem Volk, nicht der SED! Stasi raus aus Lindenau!

Zu Ostern 1990 wurde dann eine Grenzübergangsstelle Lindenau – Autenhausen eröffnet. Anfang Mai 1990 begann der Bau der Straße Lindenau – Autenhausen. Der Freistaat Bayern übernahm die Materialkosten in Höhe von etwa 600.000 DM für das rund 1,3 km lange Straßenstück Lindenau – Autenhausen, der Landkreis Coburg stellte Baumaschinen samt Personal zur Verfügung, von DDR-Seite wurden die Bauarbeiter abgestellt.[54]

Ummerstadt - Gemünda

Am 4.2.1990 fand ein nachbarliches Treffen zwischen Ummerstadt und Gemünda statt. Die Aufnahme entstand an der Gehegsmühle.
Foto: Willi Beetz

Grenzübergang Gehegsmühle bei Gemünda am 4.2.1990. Zur Eröffnung begrüßten die Autenhausener Musikanten die Bürger aus der DDR mit einem Marsch.
Foto: Willi Beetz

Wie fast allerorten marschierte auch bei den Treffen zwischen Ummerstadt und Gemünda eine Musikkapelle voraus.
Foto: Sammlung Rainer Krebs

Der Grenzübergang zwischen Ummerstadt und der Gehegsmühle wurde am Sonntag, 4. Februar 1990, um 9 Uhr offiziell für Fußgänger und Radfahrer geöffnet. In einer Ansprache auf dem Marktplatz von Gemünda meinte Seßlachs Bürgermeister Hendrik Dressel, die Geschichte werde zeigen, dass die 40-jährige Trennung nur eine Episode gewesen sei. Ummerstadts Bürgermeister Heinz Büttner rief dazu auf, kommende Aufgaben gemeinsam und ohne Vorurteile zu lösen. Der Vorsitzende des Thüringerwald-Vereins, Wolfgang Süße, überreichte dem Ummerstädter Pfarrer Harald Färber einen Scheck über 2.000 DM, die er beim Empfang der Weitramsdorfer Bürger in Ummerstadt, zu der rund 100 ehemalige Ummerstädter eingeladen waren, die nun in der Bundesrepublik leben, gesammelt hatte.

Ummerstadt – Weitramsdorf

Ummerstädter und Weitramsdorfer feierten nach 40 Jahren Trennung am Sonntag, 10. Dezember 1989, Wiedersehen. – Unbeschreiblicher Jubel brach diesseits und jenseits der Demarkationslinie aus, als Soldaten der Grenztruppen der DDR gemeinsam mit Beamten der Bayerischen Grenzpolizei das Tor öffneten, das bisher den Weg zwischen Ummerstadt in Thüringen und Weitramsdorf im Coburger Land versperrte. Die Musikkapelle aus Rieth im Heldburger Unterland spielte „So ein Tag, so wunderschön wie heute", und die Neundorfer Blaskapelle intonierte auf westdeutscher Seite „Nun danket alle Gott".

Tränen flossen, Sektkorken knallten, Menschen fielen sich in die Arme. Weitramsdorfs Bürgermeister Hermann Lankl hakte sich bei Hauptmann Heiko Ritschel von den DDR-Grenztruppen ein, Beifall brandete immer wieder auf, Bravo-Rufe ertönten und die Neundorfer Dorfgemeinschaft verteilte Geschenkpäckchen an die Besucher aus der DDR: Die Freude über den durchlässig gewordenen Metallgitterzaun war grenzenlos. Fast 40 Jahre hatten Weitramsdorfer und Ummerstädter auf diesen Tag gewartet, hatten sich weder von Stacheldraht, Minenfeld, Sperrzone, Selbstschussanlage und

Mit Plakaten taten die DDR-Bürger ihren Willen kund.
Foto: Sammlung Rainer Krebs

Streckmetall die Hoffnung auf ein Wiedersehen nehmen lassen. Jetzt konnte es endlich gefeiert werden; kein Wunder, dass die Bürgermeister Heinz Büttner und Hermann Lankl von einem historischen Tag für beide Orte sprachen, die über Jahrhunderte hinweg enge Beziehungen unterhalten hatten. Die uralten Verbindungen waren nach Kriegsende gekappt worden. Dass die Ummerstädter am Sonntagvormittag über die Grenze kamen, bezeichnete Landrat Helmut Knauer als den besten Streich, den sie den Weitramsdorfern jemals gespielt hätten. Als der lange Zug das Rathaus von Weitramsdorf erreicht hatte, läuteten die Glocken der nahen Kirche. Auf dem Dorfplatz wurde bei Freibier und Bratwürsten, die die Gemeinde spendierte, Wiedersehen gefeiert.

Tausende Bürger aus dem Landkreis Coburg weilten am 17. Dezember 1989 zwischen 9 und 17 Uhr in Ummerstadt, um dort gemeinsam mit den Bewohnern der kleinsten Stadt der DDR (539 Einwohner) zu feiern. Auch Coburgs Oberbürgermeister Karl-Heinz Höhn ließ es sich nicht nehmen, durch den Wald hinter Gersbach die etwa drei Kilometer bis Ummerstadt zu wandern. Vor dem Rathaus tauschte er mit Bürgermeister Heinz Büttner Geschenke aus.

Schwarz vor Menschen war der Marktplatz in Ummerstadt und noch einmal am 13. Januar 1990, als die Weitramsdorfer unter Vorantritt der Neundorfer Blaskapelle und mit drei riesigen Großtransparenten ausgerüstet, der Einladung ihrer Nachbargemeinde in der DDR folgten. Die 539 Einwohner

Am 10.12.1989 besuchten die Bürger der kleinsten Stadt der DDR, Ummerstadt, ihre westliche Nachbargemeinde Weitramsdorf. Angehörige der Bayer. Grenzpolizei und der DDR-Grenztruppen öffneten gemeinsam das Tor im Grenzzaun.
Foto: Willi Beetz

Ummerstadts hatten alles aufgeboten, was Küche und Keller hergaben, um den Weitramsdorfern den Tagesausflug so gemütlich wie möglich zu machen. Die Pfarrer Harald Färber und Rainer Axmann aus Weitramsdorf hielten vor dem Rathaus Ummerstadt eine kurze Andacht, in der sie zusammen mit den vielen Gästen und Einheimischen Gott dafür dankten, dass es allen vergönnt ist, die Öffnung der innerdeutschen Grenze miterleben zu dürfen. Bevor sich Gäste und Einheimische zu den Bewirtungsstellen begaben, spielten die Neundorfer und die in schmucken Uniformen steckenden Musiker des Fanfarenzuges Ummerstadt zur Unterhaltung auf. In der kleinsten Stadt der DDR war man an diesem Sonntag auf einen starken Ansturm von Gästen gerüstet. Es wurden aus Weitramsdorf, aber auch aus dem Coburger Raum etwa 4.000 bis 5.000 Besucher erwartet.

Bürgermeister Heinz Büttner zeigte sich stolz auf sein Ummerstadt. Der Besucher, der von anderen Orten ein teilweise katastrophales Aussehen gewohnt ist, kann nur staunen. Fachwerkhaus reiht sich an Fachwerkhaus, alles wunderbar gepflegt. Nicht umsonst trägt Ummerstadt auch den Namen „Thüringisches Rothenburg". Ummerstadt erhielt in den zurückliegenden 20 Jahren keine sog. Eigentum-Kennziffern, was bedeutet, dass keine Wohnungsnot wie in den großen Städten existierte. Der Kern konnte außerdem erhalten werden, weil keine Neubauten entstanden sind.[55]

Die Ummerstädter auf dem Weg in Richtung Weitramsdorf. Ca. 1 km lang war der Zug der Menschen.
Foto: Willi Beetz

Die Ummerstädter in Weitramsdorf am 10.12.1989.
Foto: Willi Beetz

Herzlicher Empfang auch zwischen Weitramsdorf und Ummerstadt am Eisernen Vorhang. Die Weitramsdorfer holten ihre Gäste ab.
Foto: Willi Beetz

Das letzte sog. Ummerstädter Treffen im September 1991 begann mit einem Paukenschlag. Die Wiederherstellung ihrer Ehre forderten neun Ummerstädter Familien, die vor knapp 40 Jahren ihre Heimatstadt mit Schimpf und Schande verlassen mussten, sie waren zwangsausgesiedelt worden. Viele von ihnen verließen ihre Heimat und bauten im Westen eine neue Existenz auf. 1963 fanden sie sich auf der anderen Seite des Zaunes zum ersten Mal wieder. Die „Ummerstädter Kirchweih" hieß fortan eine regelmäßig wiederkehrende Veranstaltung, die in Gemünda, Weidach, Autenhausen oder Meschenbach im Coburger Land organisiert wurde. In der Gemündaer Flur „Am Eichenbühl", nur wenige hundert Meter vom Stadtkern Ummerstadts entfernt, wurde 1963 das

Am 14.1.1990 starteten rund 2.000 Bürger aus Weitramsdorf über Gersbach zum Gegenbesuch nach Ummerstadt
Foto: Willi Beetz

„Ummerstädter Kreuz" errichtet. Dorthin pilgerten die Zwangsdeportierten nicht nur, wenn Kirchweih gefeiert wurde. Beim vorerst letzten Ummerstädter Treffen im Rathaussaal forderte ihr Sprecher, Wolfgang Süße, Coburg, Rehabilitation. An die Adresse des Stadtrates und an Bürgermeister Gerhard Berghold gerichtet, machte Süße deutlich: „Wir haben damals nicht schwarz geschlachtet und wir sind keine Revanchisten." Etwa 250 Ummerstädter, darunter die Betroffenen, unterstützten die Forderung mit anhaltendem Beifall. Bürgermeister Berghold gab dazu anschließend eine Erklärung ab: „Die neun ausgewiesenen Familien sind aus der Sicht des Stadtrates ehrenwerte und gleichwertige Bürger." Das verbrecherische Vorgehen des damaligen SED-Regimes müsse verurteilt werden, hieß es.[56]

Bad Colberg – Sülzfeld

„Bad Colberg lädt ein", lautete die Devise am 17. Dezember 1989 am Übergang Sülzfeld – Bad Colberg, der vorerst nur für einen Tag öffnete. Die Bad Colberger Musikanten spielten unmittelbar am Zaun ein Stückchen, als sich Landrat Helmut Knauer und der Bad Colberger Bürgermeister die Hände schüttelten. Spalier standen die Bürger der DDR-Nachbargemeinde und begrüßten die Westbesucher per Handschlag. Zusammen mit der Blaskapelle ging es auf einem befestigten Weg in den Sülzfelder Nachbarort.

Der Literaturwissenschaftler, Schriftsteller und Chefredakteur Dr. Jörg-Bernhard Bilke, heute wohnhaft in Bad Rodach, schilderte die Grenzöffnung in der Vorweihnachtszeit und seine Wiederbegegnung mit Südthüringen:[57]

Am 25. August 1964 bin ich, bevor die Berliner Mauer 1989 niedergerissen wurde, das letzte Mal durch Thüringen gefahren. Vier Tage zuvor waren wir, eine Gruppe von zwei Dutzend Häftlingen, aus dem Zuchthaus Waldheim in Sachsen, in den Ostberliner Stadtteil Hohenschönhausen verbracht worden und hatten am Morgen eines strahlend schönen Hochsommertages zwei Busse im Gefängnishof Magdalenenstraße bestiegen, die uns an den Grenzübergang Wartha – Herleshausen, an die hessisch-thüringische Grenze, fahren sollten, Offiziere des ,Ministeriums für Staatssicherheit' begleiteten uns.
Wir fuhren dieselbe Strecke zurück, auf der ich drei Jahre zuvor eingereist war: an Leipzig vorbei zum Hermsdorfer Kreuz und dann westwärts. Und dann tauchten die Ortsnamen rechts und links der Auto-

Grenzübergang von Sülzfeld nach Bad Colberg, aufgenommen am 1.2.1990. Die Tore im einreihigen Metallgitterzaun und im Grenzsignalzaun wurden am Samstag, 16.12.1989, vorerst nur für einen Tag geöffnet.
Foto: Sammlung Rainer Krebs

Die Veste Heldburg, aufgenommen im Frühjahr 1990. Die Veste befand sich in einem bedauernswerten Zustand.
Foto: Reinhold Albert

bahn auf, die thüringischen Städte, die ich liebte, ehe ich sie besucht und erkundet hatte: Jena zuerst, die Universitätsstadt, wo der Schwabe Friedrich Schiller Professor für Geschichte gewesen war, dann Weimar, die Stadt der deutschen Klassik, an der Ilm gelegen, an deren Ufer der Hesse Johann Wolfgang Goethe den Mond bedichtet hatte („Füllest wieder Busch und Tal still mit Nebelglanz ..."), und dann kam Erfurt, die Landeshauptstadt nach 1990. Die mitteldeutschen Länder wurden 1952 aufgelöst und in Bezirke zerlegt. Erfurt also, wurde die heimliche Hauptstadt eines nicht mehr existierenden Landes Thüringen mit einer seltsamen Geschichte, kurmainzisch und preußisch und unverkennbar thüringisch.

Die Stimmung, die mich in dieser Stunde erfüllte, war freudig erregt, mit leichter Trauer untermischt, weil ich nicht wusste, wann endlich ich diese Städte würde erleben können. Die Ortsschilder auf der Autobahn wiesen auf kleinere Städte: Apolda, Rudolstadt, Saalfeld, Arnstadt, ein unerforschter Kontinent tat sich meinem Blick auf. Und dann folgten Gotha, zwischen Hainich und Thüringer Wald gelegen, von 1826 bis 1918 mit Coburg in einem Doppelherzogtum, und Eisenach mit der Wartburg, die ich 1955 bestiegen hatte und 1990 wiedersehen sollte. Dann kam die Grenze, wir waren frei!

Nie hätte ich gedacht, dass ich ein Vierteljahrhundert warten musste, bis Thüringen wieder offenes, von allen Seiten zugängliches Land würde. Der Tag kam am dritten Advent 1989, am 17. Dezember, als in Rodach ,Fränkische Weihnacht' gefeiert wurde.

Ich fahre jedes Jahr in meine Heimatstadt am dritten Advent, seit dieses Fest besteht, 1989 aber, als ich unversehens auf die Veste Heldburg geriet, war alles anders als sonst. Fünf Wochen zuvor, am 9. November, war in Berlin die Mauer gefallen. Der Sonntag des 17. Dezember war ungewöhnlich warm, die Rodach, in deren Nähe ich ein Hotelzimmer bewohnte, war gelb angeschwollen vom Hochwasser, von Weihnachtsstimmung war nichts zu spüren.

Am Tag zuvor hatte ich im ‚Coburger Tageblatt' gelesen, dass die Grenze zwischen dem Rodacher Stadtteil Sülzfeld, wo ich noch nie im Leben gewesen war, und dem südthüringischen Kurort Bad Colberg für acht Stunden geöffnet werden sollte. Bekannte hatten mir gesagt, es wäre ratsam, eine Stunde früher dort zu sein, der Andrang wäre vermutlich ungeheuerlich. Allerdings war mir Bad Colberg weniger wichtig als die Veste Heldburg, die man, wenn man im Rodacher Stadtwald wanderte, immer mit ihren Türmen und Zinnen durch die Bäume schimmern sah, die aber, da sie nicht nur im für mich verschlossenen Thüringen, sondern zudem noch im Sperrgebiet lag, doppelt unerreichbar war.

Auf dem Straufhain immerhin war ich während des Krieges als kleiner Junge schon gewesen. Auf diese Weise wurde im Lauf der Jahre die Veste Heldburg, auf der der Meininger Theaterherzog Georg II. (Regierungszeit: 1866 bis 1914) seine Geliebte und spätere Frau, die Schauspielerin Ellen Franz, untergebracht hatte, zu einem von Geheimnissen umwitterten Ort, wenn ich auf meinen Waldwande-

Der sog. Französische Bau der Heldburg war 1983 ein Raub der Flammen geworden. Das Wahrzeichen des Heldburger Unterlandes war zu DDR-Zeiten dem Verfall preisgegeben.
Foto: Reinhold Albert

rungen die Umrisse der Burg zwischen den Baumwipfeln erblickte. Dorthin, dachte ich, der seit 1964 nicht mehr einreisen durfte, wirst du in deinem ganzen Leben nicht kommen.

Am 18. November 1989 aber, als die innerdeutsche Grenze zwischen Rodach und Hildburghausen geöffnet wurde, schöpfte ich neue Hoffnung. Was war das für ein herrliches Bild im Fernsehen, als in der Morgendämmerung ein Trompeter aus Adelhausen, den ich dann am Vorabend des dritten Advents in Rodach kennen lernen sollte, das schottische Volkslied ‚Amazing Grace' in den Himmel blies. Sollte es, so dachte ich, doch einmal möglich sein, auf der Veste Heldburg, der ‚Fränkischen Leuchte', zu stehen und Rodach von der anderen Seite zu sehen?

Als ich am 17. Dezember 1989 gegen 9.00 Uhr nach Sülzfeld kam, standen die Rodacher schon dicht gedrängt. Links und rechts der Straße zur Grenze waren Autos geparkt. Drei Grenzsoldaten ‚von drüben' waren auf bayerischem Gebiet in ein freundschaftliches Gespräch mit Bayerischen Grenzpolizisten vertieft: ein Bild, das vor dem 9. November, der die politische Umwälzung auslöste, schier unvorstellbar erschien. Auf dieser und der anderen Seite des Zauns, in den ein Loch geschnitten war, standen die Rodacher und unsere thüringischen Landsleute und schauten einander erwartungsvoll, aufgeregt und etwas ängstlich wie Kinder vor der Bescherung entgegen.

Dann rückte auf der anderen Seite die Blasmusik aus Westhausen an, während auf dieser der Coburger Landrat Helmut Knauer eintraf. Es herrschte gespannte Stille, irgendwie war man sich bewusst, dass diese Begegnung zwischen vier Jahrzehnten getrennten Landsleuten ein historischer Augenblick war. Jetzt kam ‚von drüben' eine Delegation, die ein Blumengebinde überreichte, dann ging der Landrat zum Tor, um mit den wartenden Thüringern zu sprechen. Dort stand ein Mann, dem die Tränen übers Gesicht liefen. Der Boden war matschig, kniehohes Gras wuchs am Zaun, das zwischen zwei roten Seilen, die den Weg markieren sollten, niedergetreten war.

Nur mit Mühe kam man zu Fuß über die Grenze, am Zaun war der Personalausweis vorzuzeigen, wer einen Reisepass hatte, bekam einen Stempel hineingedrückt. Bis 17.00 Uhr sollte man, so war auf einem Schild zu lesen, wieder auf der westlichen Seite eingetroffen sein oder auf der östlichen, denn auch die Thüringer durften für acht Stunden nach Rodach fahren.

Der thüringische Grenzkommandant, so hörte man, hatte ohne Absprache mit Berlin den ‚Kleinen Grenzverkehr' ermöglicht. Aber was sich dann ereignete, war weit mehr als das Überschreiten einer Grenze. Wir Rodacher, die wir durch ein Spalier von Thüringern schritten, wurden mit Beifall begrüßt, viele wischten sich die Tränen weg, und auch mir stand das Wasser in den Augen. Als wir über die Rodach-Brücke kamen, sagte einer von uns, als begrüße er eine alte Freundin: ‚Guck mal, die Rodach!'

Dieser unruhige Fluss wechselt, man kann es auf der Landkarte nachvollziehen, mehrmals die Grenze zwischen Franken und Thüringen. Hinter mir sagte eine ältere Frau einen Satz, der mir das Herz aufriss: ‚Vierzig Jahr' war'n doch a weng arch lang!'

In Bad Colberg gab es Bratwürste und Freibier. Die Gauerstädter und Mährenhausener hatten Transparente dabei, mit denen die Landsleute auf der anderen Seite begrüßt wurden, sie verteilten auch Apfelsinen und Bananen an die Kinder, ich aber versuchte, irgendwie auf die sechs Kilometer entfernte Veste Heldburg zu kommen. Schließlich traf ich den Fahrer des Westhäuser Blasorchesters, der mich bis Heldburg und dann noch den halben Berg hinaufbrachte.

Da stand ich nun unter Thüringer Buchen am Burgberg, erreichte das Burgtor und machte die Bekanntschaft der schönen Schlossverwalterin Birgit, die gerade ihren Hund ausführen wollte und mich freundlich hineinbat. Die Veste war in einem jämmerlichen Zustand, im Schlosshof waren Seile gespannt, damit die Besucher nicht von herabfallenden Mauerstücken verletzt wurden. Wer die herrlich eingerichtete Veste Coburg, die nachts, von Scheinwerfern angestrahlt, weit ins Land leuchtet, kennt, dem blutete das Herz, wenn er die Veste Heldburg sah.

Ich hatte eigentlich zum Mittagessen wieder in Gauerstadt sein wollen, nun aber blieb ich vier Stunden auf der Veste Heldburg. Der Französische Bau, das Glanzstück der Anlage, der 1982 abgebrannt war, war damals noch nicht renoviert. Wie man inzwischen weiß, war für die zahlreichen SED-Paläste im Land immer genug Baumaterial vorhanden.

DDR-Journalisten waren in den letzten Wochen vor der Wende sehr mutig geworden und griffen zahlreiche Missstände auf. So stand in der Suhler SED-Zeitung ‚Freies Wort' ein kritischer Artikel über die ‚erschreckenden Verfallszustände' nach der Brandkatastrophe vor fast acht Jahren.

Beobachten konnte man das alles vom Turm aus, wo man einen einzigartigen Rundblick über die waldreiche Gegend Südthüringens hatte, auch die ‚Henneberger Warte' auf dem St.-Georgen-Berg in Rodach war deutlich zu erkennen. Mir ging das Herz auf, als mir Birgit die Namen der umliegenden Städte und Dörfer nannte. Völkershausen? Bin ich nicht während des Krieges einmal mit meiner Mutter dort gewesen?

Abends, als die ‚Fränkische Weihnacht' in Rodach beendet war, lag ich in meinem Hotelbett und hörte die Rodach rauschen. Und wie immer bei meinen Besuchen stellte ich um Mitternacht das Radio an, um drei deutsche Nationalhymnen nacheinander zu hören: die „Bayernhymne" und das bekannte „Deutschlandlied" sowie im DDR-Rundfunk danach den SED-Song „Auferstanden aus Ruinen und der Zukunft zugewandt", dessen 1949 von Staatsdichter Johannes Robert Becher geschriebener Text seit 1971 nicht mehr gesungen werden durfte wegen der offensichtlich „entspannungsfeindlichen" Zeile „Deutschland einig Vaterland". Das Abhören dieser drei Hymnen versagte ich mir nie, wenn ich in Rodach war, sie waren nur hier gleichzeitig zu hören, und alle drei spiegelten deutsche Geschichte wider.

Als ich am Montagmorgen aus dem stillen Rodach, das am dritten Advent von Thüringern überlaufen war, nach Bonn zurückfuhr, meinte ich, meinen Besuch auf der Veste Heldburg nur geträumt zu haben. Gab es sie wirklich, die hübsche Schlossverwalterin Birgit, die mich so reich beschenkt hatte mit ihren Erzählungen? Auf dem Weg nach Coburg fuhr ich noch einmal an Sülzfeld vorbei. Der Zaun war geschlossen, weit und breit war kein Mensch zu sehen, die Dörfer auf beiden Seiten lagen wie ausgestorben. Aber der zertrampelte Boden am Zaun und die roten Seile im Gras zeugten noch von dem, was am Tag zuvor geschehen war, und in mein Herz kehrte große Freude ein.

Wie hatte doch Wolfgang von Goethe am 19. September 1792 nach der Kanonade von Valmy in sein Tagebuch notiert: ‚Von hier und heute geht eine neue Epoche der Weltgeschichte aus, und ihr könnt sagen, ihr seid dabei gewesen!'

Holzhausen – Rodach

Beschwerlich war im Dezember 1989 der Weg für die Holzhäuser ihre Nachbarn im bayerischen Rodach zu besuchen.
Foto: Sammlung Rainer Krebs

Zahlreiche Menschen aus Rodach und Umgebung erwarteten an der Wegesperre Rodach – Holzhausen die Nachbarn aus Thüringen.
Foto: Sammlung Rainer Krebs

Rodachs Bürgermeister Ernst Englmaier begrüßte die Thüringer Nachbarn am 10.12.1989 an der Grenze bei Holzhausen.
Foto: Sammlung Rainer Krebs

Mitte Dezember 1989 begannen die Bauarbeiten am provisorischen Grenzübergang Holzhausen – Rodach. Holzhäuser Bürger, welche die Arbeiten durchführten, standen zunächst jedoch vor dem am Ortsende verlaufenden verschlossenen Tor des Schutzstreifenzauns.
Foto: Sammlung Rainer Krebs

Holzhausen im Heldburger Unterland grüßte die Gäste aus der Bundesrepublik und hatte Festschmuck angelegt.
Foto: Sammlung Rainer Krebs

Bewohner Holzhausens und Soldaten der DDR-Grenztruppen räumten mit sichtlicher Freude einen Weg in Richtung Bayern frei und legten einen provisorischen Steg an.
Foto: Sammlung Rainer Krebs

Streufdorf – Rodach

Die Gemeinde Streufdorf revanchierte sich am 30. Dezember 1989 mit einem gelungenen Fest bei den Bürgern ihrer bayerischen Nachbargemeinden für ihre Gastfreundschaft. Ein DDR-Bürgermeister an der E-Gitarre – die Grenzöffnung macht's möglich, was noch vor wenigen Wochen undenkbar schien. Johann Kaiser, Bürgermeister von Streufdorf, spielte am Samstag, 30. Dezember 1989, mit seinem „Kollektiv", wie er scherzhaft seine Band nannte, die eigentlich „Amigos" heißt. Bei einer Feier im neu erbauten Jugendclub wollte sich die DDR-Gemeinde mit Bratwürsten, belegten Broten, Kuchen und Bier nach Kräften für die herzliche Aufnahme in Rodach und das Begrüßungsgeld revanchieren. Am Fußgängergrenzübergang nach Roßfeld, der früh um 9 Uhr geöffnet wurde, herrschte am Vormittag noch wenig Betrieb.[58]

Ab dem 24.12.1989 konnten Bürger der Bundesrepublik Deutschland nach nahezu 40-jähriger Trennung wieder nach Holzhausen, das bisher in der DDR-Sperrzone lag. Statt eines Begrüßungsgeldes spendierten die Holzhäuser einen Imbiss in Form von Thüringer Bratwürsten.
Foto: Sammlung Rainer Krebs

Adelhausen – Rodach

Am 21. November 1989 berichtete die Tageszeitung Freies Wort, Suhl, dass binnen 24 Stunden ein neuer Grenzübergang zwischen Adelhausen und Rodach entstehe. In angestrengter und fieberhafter Arbeit waren ab 8 Uhr die Voraussetzungen geschaffen, damit an dem genannten Tag der neue Grenzübergang Eishausen/Adelhausen – Rodach, Bundesrepublik, seine Pforten öffnen konnte. Über

Vorarbeiten zur Eröffnung des Grenzübergangs Rodach – Eishausen.
Foto: Rainer Krebs

Bauarbeiten am künftigen Grenzübergang Rodach – Eishausen am 17.11.1989.
Foto: Willi Beetz

150 Meter Straßenplatten verlegten die Arbeiter der Straßenmeisterei Hildburghausen. Kräftig unterstützt wurden sie mit Mann und Technik von den DDR-Grenztruppen, dem Kraftverkehr Hildburghausen und dem Baumaterialienkombinat Themar. Ferner wurden 600 Meter Schotterstraße ausgebes-

sert und von der Energiewirtschaft 25 Lichtmasten gesetzt. Auf der anderen Seite der Grenze schuf das Straßenbauamt Coburg die nötigen Bedingungen für den Reiseverkehr.

Der Schlagbaum auf bundesdeutscher Seite, von Grenzpolizisten, Zöllnern und Rodachern gemeinsam beiseite geräumt, wurde übrigens als „Relikt einer vergangenen Zeit" in das Rodacher Heimatmuseum transportiert. In Rodach hatte man eigentlich die Einrichtung eines Übergangs zwischen Roßfeld und Streufdorf erwartet. Auch die DDR hatte diese Lösung zunächst favorisiert. In einem Gespräch an der Demarkationslinie erfuhr Bürgermeister Ernst Englmaier jedoch von Major Auerswald, dass die Fahrbahn von Hildburghausen Richtung Rodach in besserem Zustand sei und die Anbindung an die Staatsstraße 2205 schneller erfolgen könne.

Am Samstag, 18. November 1989, wenige Minuten vor 7 Uhr, war es soweit: Eine Gruppe Männer, in der Mehrzahl in Uniform, ging schnellen Schrittes den Weg von Adelhausen herauf in Richtung Grenzübergang, wo sie erst einmal warten mussten. Sie verharrten schweigend vor dem weißen Strich auf der Straße, der zwischen der Stadt Rodach und Hildburghausen die innerdeutsche Grenze markierte. Auf der anderen Seite, der westdeutschen, erwartete man noch den Rodacher Bürgermeister Ernst Englmaier. Als er dann da war, ging alles sehr schnell. Ein junger DDR-Offizier, der Kommandeur des Grenzkreiskommandos Hildburghausen, Major Peter Leopold, trat einen Schritt vor, nahm

DDR-Grenzsoldaten bewachen die Bauarbeiter am 17.11.1989 am künftigen GüG Rodach – Eishausen.
Foto: Franz Vollkommer

Haltung an und erklärte den Grenzübergang für geöffnet. Die Rodacher hatten ein Band in den Farben der Stadt mitgebracht, das sie eilends über den Grenzstreifen spannten. Es wurde durchschnitten von Ernst Englmaier und seinem Bürgermeisterkollegen aus der Gemeinde Eishausen mit Steinfeld und Adelhausen, Dietmar Mühlfeld. Englmaier hängte dem Kollegen aus der DDR das Band um und dann tauschten die beiden Erinnerungsteller aus.

Trabi an Trabi am neuen GüG Eishausen – Rodach.
Foto: Rainer Nedbal

Das bedeutendste Ereignis für Rodach im Jahr 1989 – Die Öffnung des Grenzübergangs am Samstag, 18.11.1989, 7 Uhr. Der Kommandeur des Grenzkreiskommandos Hildburghausen, Major Peter Leopold, erklärte den GüG für eröffnet. Im Bild sind v. l. zu sehen Polizeidirektor Christian Hagen vom BGS, Stadtrat Helmut Reinhardt, Rodachs 2. Bürgermeister Heinz Morgenroth, Polizeihauptkommissar Uwe Konhäuser von der GPS Rodach, Zollbetriebsinspektor Eugen Palmer, Feuerwehrkommmandant Reinhold Möbus, der Zollbeamte Rüdiger Wiesert, Rodachs Bürgermeister Ernst Englmaier, Hauptmann Manfred Lutter, Major Wolfgang Heinze, Major Uwe Auerswald und Bürgermeister Dietmar Mühlfeld (Eishausen).
Foto: Sammlung Rainer Krebs

Die Trabi-Schlange am GüG Rodach – Eishausen wollte kein Ende nehmen.
Foto: Sammlung Rainer Krebs

18.11.1989, 7 Uhr – Die Grenze öffnete sich zwischen Adelhausen und Rodach. Fußgänger hatten sich an die Spitze der Kolonne gesetzt. Ihnen folgte der erste Trabi mit den Familien Sommer und Gärtner aus Eishausen.
Foto: Sammlung Rainer Krebs

In Adelhausen wurden in der Nacht zum Heiligabend die Besucher aus der Bundesrepublik willkommen geheißen. Sie durften erstmals wieder ohne Visum und Zwangsumtausch von Deutschland nach Deutschland reisen.
Foto: Bastian Salier

Und dann war es so weit: Ganz langsam näherte sich die Lichterkette der Trabis und Wartburgs dem Übergang. Besonders langsam deshalb, weil sich

PHM Siegfried Stephanek von der GPS Rodach beim Einrichten des Bürocontainers am Grenzübergang Rodach – Eishausen.
Foto: Sammlung Rainer Krebs

Hetschbach – Heldritt

Der neblig-kalte Neujahrsmorgen 1990 brachte in die Herzen der Heldritter und Hetschbacher symbolisch viel Sonne. Punkt 09.01 Uhr öffneten DDR-Grenzsoldaten das schwere Gittertor, hinter dem rund 150 Bürgerinnen und Bürger aus Hetschbach und Veilsdorf auf den „historischen Augenblick" warteten. Hetschbachs Bürgermeister Volker Koch hatte seinem Amtskollegen Heinz Morgenroth auf Heldritter Seite ein grünes Band „der Hoffnung" mitgebracht, das unter den Klängen der Rodacher Stadtkapelle und des Hetschbacher Männergesangvereins festlich durchtrennt wurde. Rodachs zweiter Bürgermeister Morgenroth betonte die engen nachbarschaftlichen und verwandtschaftlichen Bande. Beide Gemeinden waren auf den morgendlichen Ansturm bestens vorbereitet. Im Saal des Hetschbacher Dorfgasthauses war bereits gegen 09.30 Uhr Stimmung wie zu besten Kirmeszeiten und ein Neujahrstag, wie ihn sich viele ältere Heldritter Bürger nicht mehr erhofft hatten, zeigte sich im dortigen Gemeindezentrum an der Freude und Herzlichkeit wiedergewonnener Freundschaft.[60]

Fußgänger an die Spitze der Kolonne gesetzt hatten. Allen voran junge Männer aus Hildburghausen, Eishausen und Adelhausen. Sie hatten am Abend vorher in der „Jägersruh" in Adelhausen vereinbart, dass sie die Ersten sein wollten. An Schlaf war in der Nacht nicht zu denken und gegen die Kälte zündeten sie ein Lagerfeuer an. Auf einem Handwagen führten sie übrigens eine flüssige Stärkung mit sich. Ihnen folgte der erste Trabi. Aus den mühsam vom Eis freigekratzten Scheiben schauten die Familien Sommer und Gärtner und freuten sich sichtlich, dass sie mit Beifall im Westen empfangen wurden – mit Beifall und einem Elektrogerät als Begrüßungsgeschenk.[59]

Hetschbach – Grattstadt

Grenzübergang Grattstadt – Hetschbach, aufgenommen am 1.2.1990.
Foto: Sammlung Rainer Krebs

Veilsdorf – Grattstadt

Riesengroß war auch die Freude an der Wegesperre Grattstadt – Veilsdorf, als am Samstag, 16. Dezember 1989, um 08.45 Uhr der Eiserne Vorhang einen weiteren Riss bekam. Der provisorische Grenzübergang wurde zunächst am Samstag und Sonntag – der Fränkischen Weihnacht wegen – geöffnet. Auch Rodachs Bürgermeister Ernst Englmaier nahm die Gelegenheit zu einem Kurzbesuch in der DDR wahr, um sich „drüben" mit seinem Veilsdorfer Amtskollegen zu treffen. Bürgermeister Günter Mertz überraschte jedoch alle, als er aus westdeutscher Richtung über die Grenze kam.

Grenzöffnung Grattstadt – Veilsdorf am 16.12.1989.
Foto: Sammlung Rainer Krebs

Grenzübergang von Grattstadt nach Veilsdorf, aufgenommen am 1.2.1990. Am Samstag, 16.12.1989, 08.45 Uhr, wurde der Übergang erstmals geöffnet.
Foto: Sammlung Rainer Krebs

Harras – Grattstadt

Gefeiert wurde am 15. Januar 1990 auch in Grattstadt, denn dort öffnete sich zum ersten Mal für Fußgänger das Tor nach Harras/DDR. Um 8 Uhr wurde der Übergang freigegeben. Den ganzen Tag über herrschte dann großer Andrang. Nach Angaben der Grenzpolizei in Rodach dürften etwa 1.300 Personen den neuen Übergang passiert haben. Auf Initiative des Bürgervereins Grattstadt mit seinen beiden Vorsitzenden Roland Balzer und Erich Wüst an der Spitze war es den Politikern der Stadt Rodach nach zähen Verhandlungen gelungen, bei den zuständigen DDR-Behörden eine Öffnung der ehemaligen, vier Kilometer langen Ortsverbindungsstraße zwischen den seit 1952 getrennten Dörfern für Fußgänger durchzusetzen. Für Bürgermeister Englmaier, Rodach, seinen Amtskollegen Helmut Hofmann, Meeder, und Bürgermeisterin

Der provisorische Grenzübergang für Fußgänger zwischen Grattstadt und Hetschbach, aufgenommen am 1.2.1990.
Foto: Sammlung Rainer Krebs

Beate Kaiser, Harras, war es ein großer Tag. In ihren Reden drückten sie die Hoffnung aus, dass die Grenze Zug um Zug abgebaut werde, auch wenn dies als langwieriger Prozess zu sehen sei. Umrahmt wurde die Feierstunde am Schlagbaum von den Jagdhornbläsern Rodach und der Blaskapelle Harras.[61]

Eisfeld – Rottenbach

Ully Günther und Volker Friedrich erinnern sich an die Grenzöffnung am Grenzübergang Rottenbach – Eisfeld am 9./10.11.1989:[62]

Langes Warten vom 9. zum 10. November am Grenzübergang Eisfeld - Rottenbach. Endlich! Da kommt er! Vier lange Stunden haben wir gewartet mitten in der Nacht. Und dann, als keiner mehr daran glaubt, rufen die Grenzer in Rottenbach: „Er kommt!" Aus dem Osten holpern zwei dünne Lichter heran; der unverkennbare Zweitakter-Sound kündigt das historische Ereignis an, und plötzlich: ein mausgrauer Wartburg. Da steht er vorm Schlagbaum, der Erste! Ihn haben alle seit Stunden herbeigesehnt. Grenzübergang zwischen Eisfeld (DDR) und Rottenbach (BRD), die Nacht vom 9. zum 10. November 1989.

Schon drei Minuten vor Mitternacht kommt der Chefarzt einer Coburger Kinderklinik von Eisfeld zurück. Abgewiesen an der Grenze, die offen sein soll. Er gesellt sich zu einem Gymnasiallehrer aus Erlangen, der da war, wo der andere hin wollte –

Eine Tafel mahnt am „Eisfelder Blick" bei Rottenbach 1989/1990.

Die Grenzübergangsstelle Eisfeld nach dem 9.11.1989.
Foto: Freies Wort

drüben. Drüben, sagt der Lehrer, seien Menschen, die in den Westen möchten und nicht dürfen. Ein Bier zur Begrüßung hat er ihnen versprochen, er will warten.

00.30 Uhr: Eine Hand voll Schaulustiger, darunter der Lehrer, der Arzt und wir, feiern an der zwölf Meter langen Grenzlinie rund 150 Meter hinter der Grenzstation West. Eine Frau kommt dazu, schaut dorthin, wohin alle schauen. Sie kam vor ein paar Wochen über Budapest aus der DDR, hat dort alles zurückgelassen. Ein echter Flüchtling eben. „Komm, das hat damals keiner ahnen können", sagt eine Freundin und führt sie fort.

1 Uhr: Der Arzt ist weg, der Lehrer auch. Michael Donhauser hätte eigentlich längst Feierabend. Doch heute macht der Chef der bayerischen Grenzpolizeistation Rottenbach Überstunden. „Fahr mal auf Höhe 518", sagt er zu einem Kollegen, „und schau, ob sich drüben schon was tut." Der Lehrer hat die vier Männer von der 19-Uhr-Schicht neugierig gemacht. Elf Wagen würden drüben warten, hatte er erzählt. Von Höhe 518, nichts zu sehen. Donhauser ist nicht überrascht: „Ich erwarte keinen Menschenansturm. Vor acht Uhr tut sich nichts!"

01.30 Uhr: Der Fernschreiber tickert, wirkt einschläfernd. Auf dem Funkgerät Stimmengewirr, unbedeutend offenbar.

01.43 Uhr: Der Ticker meldet: „Der Grenzübergang Rudolphstein ist offen" – 1.000 Menschen sollen es sein.

02.00 Uhr: Das Radio bestätigt die Meldung. Unsere Geduld ist am Ende: Jetzt wollen wir wissen, was sich am Eisfelder Übergang tut, steigen in unseren alten Opel, ohne Reisepass, ohne Perso-

Der Grenzübergang Rottenbach – Eisfeld am 11.11.1989.
Foto: Sammlung Rainer Krebs

nalausweis, und machen uns auf den Weg in die DDR.

02.05 Uhr: Wir passieren die Grenze. Eine Ampel rot, dann grün. 100 Meter weiter eine zweite Ampel. Sie zeigt rot, bleibt rot. Der Grenzer winkt uns zum Häuschen. Die Begrüßung höflich. Was wir wollten. Wir erklären es ihm. Ein Telefonat, noch eines. Wir sollen warten. Ein Oberleutnant taucht auf – und lädt uns ein, in ein anderes Häuschen. 14 Quadratmeter, vier Stühle, ein Tisch: Er bietet Platz an, spendiert Zigaretten. Der Mann weiß nichts von den Vorgängen in Berlin, behauptet er. Und wenn schon! Eisfeld sei eben nicht Berlin und überhaupt – er habe sich an seine Vorschriften zu halten. Ohne Reisepass ginge nichts. Die Meldestellen, wo es Visa gibt, öffnen erst um 8 Uhr. Wie viele denn schon rüber wollten, fragen wir. „Niemand, wir haben keinen aufhalten müssen." Mit dem Tipp, unser Chef solle uns mal ein neues Auto kaufen, werden wir verabschiedet.

Zwölf Jahre später beschreibt Ully Günther diesen „Kurzbesuch in der DDR":

Wir hatten lange gewartet mit Blick in Richtung der fahlen Lichter. Mit Blick nach Osten. Oder nach Drüben, so hieß das damals. Drüben war jenseits des Horizontes, jedenfalls für uns beide, Baujahr 1960 und ohne Ost-Verwandtschaft groß geworden. Drüben war einfach ein weißer Fleck in unserem Gehirn, Tabula rasa sozusagen, bis zu jener Nacht, in der wir von Rottenbach aus in Richtung Osten spähten.

Aber es gab nichts Neues im Osten. Dort wo Eisfeld lag. Dabei hüpften quer durch die Republik längst alle über die Mauer, schlüpften durch den Zaun, feierten mit anarchischer Wollust eine Riesenparty – und Südthüringen verpennte die Weltgeschichte. 'Schlafmützen', sagte mein Kollege Volker Friedrich, als sich auch nach Stunden nichts tat: 'Los! Wir fahren rüber!'

Mitten in der Nacht, in die DDR, ohne Papiere? Liebe Güte. Ich kannte das von den Fahrten nach West-Berlin, die Staus am Grenzübergang, die Knaben, die einem einen Spiegel unters Auto schoben und sich ranziger benahmen als jedes Stück alte Butter. Die einem immer mit angestrengter Schärfe hinter die Stirn blickten, auf der Suche nach dem Verbrecher im Menschen. Dann, wenn sie dich schließlich ziehen ließen, holterdipolter, wartete das grausame Betonbett der Autobahn, holterdipolter, 40 Stundenkilometer vorgeschrieben über Strecken von 50 Kilometer bis weit hinter Hermsdorf, und wenn der ermüdete Fuß schließlich schwermütiger aufs Gaspedal sank, zockten sie einen trotzdem ab, die Vopos, welche versteckt in ihren Fuchsbauten die Transitstrecke heimtückisch belauerten.

Das war also drüben für uns: Unfreie Fahrt für unfreie Bürger und eingequetschte Familien, deren große Augen durch die kleinen Scheiben ihrer Trabis herüber schauten. Viele fanden wir später auf irgendeinem Parkplatz mit offener Kühlerhaube, unter der lediglich der Hintern der Fahrers einem entgegenblickte. Wir trauten uns nicht hin und sie trauten sich nicht her, die Staatsorgane der Deutschen Demokratischen Republik hatten es erstaunlich gut geschafft, uns voneinander zu isolieren.

Bis zu jener nächtlichen Stunde: Die erste Ampel am Grenzübergang Eisfeld – Rottenbach war grün, die zweite schaltete auf Rot. 2 Uhr. Wir warteten. Ein einziges Auto. Mutterseelenallein im November. Im Lieblingsmonat der Spionagefilme, es war ihr Licht, das von den Betonmasten auf uns herabsickerte – eindeutig: bleich und gelb, ein kaltes, undefinierbares Licht. Ebenso zweifelhaft wie unsere Mission.

Draußen fraß sich Väterchen Frost durch die Nacht. Wir schlotterten, als der Grenzer lange jenen geliebten Opel Rekord musterte, der wegen schwerer Rostschäden eigenhändig bemalt war mit einem herrlichen Blumenmuster, welche in jenem

Augenblick hoffentlich geeignet war, eine Botschaft des Friedens zu übermitteln.

Langsam trat der Posten näher. Sein Gesicht schälte sich mit jedem Schritt schärfer aus der gelblichen Brühe. Uns wuchs die Angst, uns wuchs der Mut, weil wir zuvor die Bilder gesehen hatten im Fernsehen: Berlin, der Grenzübergang Bornholmer Straße, überrannt in einem Augenblick, als die Geschichte nicht aufpasste, aber die Menschen dafür umso genauer. Und um 1.43 Uhr war der Grenzübergang Rudolphstein nicht mehr unter der Gesamtkontrolle der Staatsorgane.

Eine heilige Nacht war es, frostklirrend und heilig. Wir kurbelten die Scheibe herunter. 'Früh unterwegs'. Der Grenzer, ein Oberleutnant, grüßte knapp. Maßlos das Erstaunen bei uns. 'Verdammt, der spricht fränkisch.' Wir kannten bloß sächsisch. Sächsisch war DDR, aber Fränkisch, das war doch Heimat. Wir seien Journalisten aus Coburg, erklärten wir unserem Gegenüber. 'Warum haben Sie den Grenzübergang Eisfeld noch nicht aufgemacht? Alle anderen sind offen.' Er wisse von nichts, behauptete der Oberleutnant. Er verschlafe gerade die Weltgeschichte, behaupteten wir.

Trotz seiner Uniform schien sich der Mann seiner Sache nicht mehr sicher. Uniformen boten in jenen Tagen, in denen die alte Weltordnung dahinsank, ihren Trägern nicht mehr den gewohnten Schutz vor Körper und Geist. Vorher galten sie über Jahrzehnte als Rüstungen, in denen ein Mensch zu verweilen beliebte, der kraft seines Panzers aus Vorschriften und Dienstanweisungen zu der irrigen Überzeugung gelangt war, er könne bestimmen, wie die Welt sich zu drehen habe. In dieser Nacht drehte sich die Welt auf einmal in die Gegenrichtung; mit einem Schlag war die gute Uniform zu einem Lappen degradiert worden, der ziemlich orientierungslos im Starkwind der Geschichte hing.

Unser blasser Oberleutnant bot uns Platz an in seinem Grenzerhäuschen, spendierte Zigaretten, telefonierte zwei- oder dreimal. Natürlich war ihm klar, wie sehr sein antiimperialistischer Schutzwall bereits in den Seilen hing, landauf und landab. Oder hat sonst schon einmal ein Oberleutnant der DDR-Grenztruppen zwei ausweislos daherreisende Wessis, die ihm in einem verwesenden Opel Rekord nächtens vor die Stiefel wollten – also hat sonst schon einmal so ein Oberleutnant solchen Kerlen wie uns eine gute F6 spendiert bei diplomatischen

Ein DDR-Grenzsoldat verweist am 3.12.1989 vermeintliche BRD-Bürger (dabei handelte es sich zum Teil um Eisfelder Bürger) auf BRD-Gebiet zurück: „Wer hier rüber geht, bestimmen wir immer noch!", so seine Aussage.
Foto: Wilfried Leusenrink

Verhandlungen über die sofortige Auflösbarkeit seiner Landesgrenze?

Die Normalität war aufgehoben in dieser Nacht; alle wussten es. Zwar schickte uns der Oberleutnant zurück gen Westen. Wir drehten mitten auf der Fahrbahn. Aber zwei Stunden später war die Grenze offen: Eisfeld kapitulierte in der Nacht vom 9. zum 10. November um 4 Uhr morgens vor einer Handvoll Trabis. Wir waren dabei!"

02.30 Uhr: Zurück in der BRD. Im Aufenthaltsraum spielen fünf BGS-Beamte Karten. Was drüben los sei, fragen sie. „Nichts", müssen wir antworten und glauben langsam wirklich daran.

3 Uhr: „An den meisten innerdeutschen Grenzübergängen sind in den frühen Morgenstunden mehrere tausend DDR-Bürger ungehindert in den Westen gereist!" In Rottenbach ist es still. Wir nicken ein.

„Er kommt!", rufen die Grenzer: Der mausgraue Wartburg 353 S macht seine Aufwartung standesgemäß mit einem flachbrüstigen Hupkonzert – und passiert als Erster den Schlagbaum zum Westen. Eine Flasche „Goldbrand" – echt Ost – steckt den Hals aus der Tür. „Trinkt, trinkt 'n Schluck – endlich, endlich – und wir sind die Ersten."

Glück! Glück! Glück! So viel Glück! Der Freudentaumel der drei Schneekönige untermalt das Hupkonzert der nachkommenden Trabis. Zwei, drei, vier, fünf rollen wie die Gummibärchen an den Schlagbaum.

„Trinkt, trinkt doch erst einmal", fordert uns Achim auf. Vor Stunden stand er noch in Hildburghausen in der Kirche, setzte wie die anderen Gottesdienstbesucher seine Unterschrift unter einen Brief an den Bürgermeister, in dem die Zulassung des Neuen Forums gefordert wird, und zog danach mit 1.200 anderen Demonstranten durch seine Heimatstadt.

Und jetzt – nachts um 4 Uhr – ist passiert, worauf er 36 Jahre lang gewartet hat: Er steht im Westen – so plötzlich, dass er erst überlegen muss, wie es so weit kam: Ja, die letzten Nachrichten hat er gesehen – gegen 2 Uhr, im Westfernsehen natürlich: „Da war der Momper drauf und dann is da noch einer mit'm Fahrrädle rumgefahren – einfach so – über die Grenze." Und in dem Moment hat Achim ernst gemacht und seine Frau aus dem Bett geholt. „Jetzt is Schluss", hab ich zu ihr gesagt; „jetzt is Schluss ... los anziehen und ab." Ihre Kinder haben die beiden nicht geweckt, als sie gingen. Aber den Freund und Nachbarn Rainer Schmidt nahmen sie mit. Der saß noch vorm Fernseher.

„Weißte", sagt er, „jetzt bin ich 40 Jahre alt, und damals vor 28 Jahren saß ich mit meiner Mutter vorm Fernseher und wir ham Rotz und Wasser g'fletscht. Und so ging mirs heut wieder."

Es wird langsam festlich: Mario und Martina kommen aus Ilmenau mit Marios Privattaxi, Dieter und Ursula aus Gräfenroda. Die Trabi-Clique versammelt sich, die Grenzer bringen warmen Tee in Plastikbechern. 100 Mark West haben Martina und Mario zusammengekratzt, bevor sie mit einem Freund zur Grenze fuhren. Jetzt wollen die drei nach Ingolstadt – mal kurz Freunde besuchen. Mit 100 Mark? Mario grinst, deutet auf den Kofferraum: „Alles voller Spritkanister."

Die Trabi-Rallye nach Coburg beginnt: Stinkend und stotternd machen sich die Straßenflöhe davon – immer westwärts. Einmal Coburg, einmal Nürnberg, einmal Bamberg. An offenen Schlagbäumen herrscht Grenzkarneval. An den traditionellen Faschingsstart dachte am 11.11. um 11.11 Uhr zwischen Eisfeld und Coburg niemand. Was in der ersten Nacht begann, wuchs am nächsten Tag, einem Freitag, zu einem wahren Ansturm. Jeder wollte selbst ausprobieren, wovon andere berichten, musste die neue Freiheit sehen, hören, fühlen, riechen. Die amtliche DDR-Seite versuchte, Ordnung in den Ansturm zu bringen. Eilig wurden in

Polizei-Meldestellen und Volkspolizeikreisämtern zusätzliche Büros für Visaerteilung eingerichtet. Schlange stehen hieß es vor dem VPKA an der Suhler Hauptkirche. Die Menschen warteten in Dreier- und Viererreihen. Den ganzen Freitag, die Nacht darauf. Einige hatten Campingstühle, mancher Hochprozentiges dabei. Euphorie allein wärmte nicht durch die eisige Nacht.

Mehr als 100 Meter reihte sich die Menschentraube ab Freitag auch vor der Staatsbank in Suhl. Hier waren sonst nur Bundesbürger der Auflage zum Zwangsumtausch nachgekommen. Lediglich für Reisen in den Ostblockstaaten gab es Rubel, Forint, Zloty oder tschechische Kronen. Nun plötzlich 15 Mark West für jeden.

Bis zum Samstag, dem 11. November, zählte die Polizei bereits etwa 100.000 Menschen im Bezirk Suhl, die sich ein Visum für den Westen holten – etwa jeder Fünfte. Zu diesem Zeitpunkt reihte sich schier endlos Auto an Auto vor der Grenzübergangsstelle – kurz Güst Eisfeld - Rottenbach. Die Schlagbäume wurden gar nicht mehr heruntergeklappt. Schon mehr als zehn Kilometer davor, Ortseinfahrt Brünn, ging gar nichts mehr.

Erstmals durchfuhren die Menschen die Jahrzehnte lang tabu gehaltene Zone des besonders gesicherten 100-Meter-Streifens, sahen mit eigenen Augen den berüchtigten Todesstreifen. Und doch hatten diesen Blick nur wenige. Die Beklemmung der sonst hier herrschenden eisigen Atmosphäre war buntem Treiben gewichen. Gleich hinter dem weißen Strich auf dem Asphalt warteten auf bayerischer Seite jubelnde Menschen zur Begrüßung, wurden kleine Geschenke gereicht, Videoaufnahmen gemacht und die ersten „Westzeitungen" verteilt.

„Auf 'ne Stunde war ich gestern mal drüben, nur um zu gucken, wie das überhaupt abläuft. Ich konnt's gor nit glaube, dass ich überhaupt fahre kunnt!", meinte aus einem Auto heraus ein Mann aus Barchfeld im Sonneberger Dialekt. Die meisten Polizisten und DDR-Grenzer waren wie umgewandelt, freundlich, zuvorkommend. Manche allerdings konnten nicht ohne Weiteres umschalten, reagierten reserviert, erst recht verunsichert durch Blumensträuße und Kaffeepäckchen, die ihnen ausreisende DDR-Bürger als kleine Geschenke überreichten.

Seit dem Vortag wurde nicht mehr zur Uhr geschaut. Deshalb kam auch ein Volkspolizeileutnant erst beim Nachdenken darauf, schon 36 Stunden im Einsatz zu sein. „Kurzfristig wurden vier Meldestellen in Eisfeld eingerichtet. Und dann half uns auch der zusätzliche Einsatz von Genossen ganz vorn am Grenzübergang", berichtete er knapp. Noch waren es seine „Genossen", wie in den vergangenen 40 Jahren, noch wusste er nicht, dass auch er in naher Zukunft wieder mit „Herr" angesprochen wird. Ob er wusste, dass viele der Aushilfs-"Genossen" in den Uniformen der DDR-Grenzer in diesen Tagen aus den Reihen der noch existierenden Staatssicherheit kamen?

Coburg stand vor einem Verkehrskollaps. Schon die 15 Kilometer von der Grenze bis zur Stadt nur Stop and Go. Am Straßenrand in Tiefenlauter fasste sich ein Mann vor Staunen immer wieder an den Kopf: „Die haben ja viel mehr Autos als wir." In der Stadt dann drängten sich Zigtausende auf den Straßen, Plätzen, Gassen, in Läden und Kaufhäusern.

Vor allem die Einzelhändler versetzte der deutsch-deutsche Grenzkarneval in Hochstimmung. Über die Ladentische ging vor allem, was billig war und besonders lange entbehrt wurde im Osten. Bananen, Orangen, Kaffee, Kosmetik, Spielzeug und preisgünstige Radiorecorder. Lager wurden geräumt, die letzte Ecke durchsucht. Über Nacht rollten Transporter durchs ganze Bundesgebiet, schafften Bananen selbst aus dem Saarland heran. Und die gab es dann beim Optiker zu kaufen – ungewöhnliche Begebenheiten, die außergewöhnlichen Ereignissen geschuldet waren.

Die langen Autoschlangen rissen bis in den Abend hinein nicht ab. Am Grenzübergang Eisfeld – Rottenbach wurde auf DDR-Seite nur noch durchgewunken – nach Jahrzehnten der Abschottung.[63]

Ein „Grenzer" erinnert sich

Richard Schumann war 40 Jahre Zöllner im Coburger Land. Er erinnerte sich fünf Jahre nach der Grenzöffnung an das historische Ereignis:[64]

Dass die Lage in der damaligen DDR instabil geworden war, deutete sich schon im Frühjahr 1989 an. Reisende, so der Beamte im Rückblick, berichteten davon, dass kaum Rohstoffe und vor allem Dieselkraftstoff zu erhalten war. Das war für ihn aber auch das einzige Anzeichen. Im Kontakt zu den Kollegen jenseits der Grenze – wenn überhaupt vorhanden – war nichts weiter zu spüren. Am

Menschenkette am GüG Rottenbach – Eisfeld durch den Zaun von Ost nach West am 3.12.1989.
Foto: Wilfried Leusenrink

9. November 1989 schließlich hatte Richard Schumann keinen Dienst. Daheim in seinem Haus in Coburgs Innenstadt bekam er mit, was er eigentlich zunächst gar nicht so recht glauben wollte. Doch an dem Abend tat sich gar nichts, so Schumann. Erst am nächsten Tag setzte die Reiseflut über Rottenbach – Eisfeld so richtig ein. An eine Familie erinnert sich Richard Schumann noch besonders. Alle Insassen im Trabi weinten. Der Zöllner fragte warum. „Ja, wissen Sie denn nicht, dass wir jetzt rüberfahren dürfen?", war die Antwort. Eine immer stärker werdende Verkehrsflut setzte ein.

Die Menschen, die endlich die Freiheit genießen wollten, stellten nicht viele Fragen. Dafür waren die Gesten an der Grenzkontrollstelle um so eindrucksvoller. Ein junger Mann kniete sich unter dem Dach der Zollstelle nieder und küsste den Boden. Richard Schumann: „Wir verharrten in Schweigen!" Natürlich mussten auch die Beamten mit der neuen Situation fertig werden. Schließlich trafen hier Deutsche auf Deutsche.

Andererseits waren doch noch die Zollbestimmungen vorhanden. Von der vorgesetzten Direktion in Nürnberg ging daher die Anweisung raus, nur noch stichprobenartig Kontrollen vorzunehmen. Das Dienstliche rückte ins zweite Glied. Wichtig waren menschliche Kontakte. „Probieren Sie doch mal unsere Wurst, probieren Sie doch mal unser Bier!" Für Richard Schumann waren die Bemühungen der Noch-DDRler richtig liebevoll. Die reisesüchtig gewordenen Trabi- und Wartburgfahrer staunten derweil über den Überfluss im Westen: „Solche

Läden und solch eine Warenauswahl haben wir uns nicht vorgestellt!"

Für die Zollbeamten blieb da nur ein Achselzucken. Was sollten sie auch sagen? Da blieb nur stille Freude – auch über die kleinen Aufmerksamkeiten von Pfarrer Westphal aus Biberschlag im Kreis Hildburghausen, denn der Seelsorger hatte für sämtliche Grenzbeamte Hefte mit handgeschriebenen Karten „Nun danket alle Gott ..." mitgebracht.

Einer Frau, die zum 150. oder 200. Mal die Grenze überquerte, wurde ein Blumenstrauß überreicht. Auf die Dauer wurde dann der rege Grenzverkehr zur Routine, bis 1990 die Wiedervereinigung kam. Im nachhinein zieht der inzwischen pensionierte Zöllner die Bilanz, dass jeder Grenzbeamte das Richtige getan habe, nämlich sich still und bescheiden zu verhalten.

Grenzöffnung – unsere erste Fahrt nach Coburg
Wilfried Leusenrink erinnert sich an seine erste Fahrt nach Coburg:

Als ich am Donnerstagabend (es war der 9. November 1989) die Pressekonferenz mit Günter Schabowski im Fernsehen verfolgt hatte, sagte ich zu meiner Frau, die gerade ins Zimmer trat: „Wenn ich das jetzt richtig verstanden habe, könnten wir eigentlich jetzt sofort nach dem Westen fahren."

Am Freitagmorgen auf der Arbeit bestätigte sich das alles, denn die ersten Arbeitskollegen waren bereits auf dem Weg von Eisfeld nach Coburg, der nächsten Stadt im Westen. Es hieß, die Eisfelder Grenzübergangsstelle wäre erst gegen Morgen geöffnet worden, nachdem ein Trabi-Fahrer, der stundenlang davor gewartet hatte, damit drohte, seinen Trabi auf der Stelle anzuzünden. Unter den ersten Westfahrern war auch die Schwiegertochter des Parteisekretärs. Von vorgesetzter Stelle verlautete, dass alle, die unerlaubt der Arbeit ferngeblieben wären, einen Verweis bekommen sollten. Ich dachte mir, dass ja nichts zu versäumen sei und am morgigen Samstag war sowieso frei, um die Lage zu erkunden. Am Abend dieses Freitags stellte sich meine Tochter noch bei der VP-Meldestelle in Eisfeld mit in die Warteschlange, um für uns alle die Visum-Stempel in die Personalausweise zu erhalten. Als sie nach stundenlangem Warten endlich dran kam, sagte ihr die übereifrige VP-Angehörige (Person ist bekannt) allen Ernstes, dass sie für die

Eltern keinen Stempel bekäme, denn die hätten ja für den Geburtstag des Onkels in Kiel zu Weihnachten schon die Genehmigung beantragt. Nach hitziger Diskussion ließ sie sich aber dann zur Vergabe des Stempels bewegen.

Am Samstagmorgen, die Schlange vor der VP-Meldestelle war länger als am Tage vorher, obwohl im Rathaus eine zusätzliche Visumstelle eingerichtet worden war, peilten meine Tochter und ich erst einmal mit unseren Fahrrädern die Lage und fuhren zum Busplatz, weil es hieß, dass schon Busse nach Coburg fahren würden. Dort angekommen, war die Lage verworren, keiner wusste wann und wo, außerdem hätte es Geld gekostet. Also beschlossen wir, erst einmal in Richtung 5-km-Sperrzonen-Kontrollstelle hinter Eisfeld-Steudach zu radeln. Weiter durfte man zu DDR-Zeiten ohne Sondergenehmigung nicht. Deshalb fuhren wir schnell wieder nach Hause, um Bescheid zu sagen und um den kleinen Fotoapparat einzustecken, denn es galt, Neuland zu erkunden. Es war unklar, ob wir überhaupt am 5-km-Kontrollpunkt oder gar an der eigentlichen Grenze durchgelassen würden, denn es hätte sein können, die DDR fühlte sich „verunglimpft", wenn wir mit Fahrrädern daher kämen, statt mit dem „Wagen". Außerdem könnte man mit einem Rad schneller und unauffälliger die Grenzanlagen ausspionieren und unauffällig verschwinden. Die DDR bestand ja noch und an eine Wiedervereinigung war zu diesem Zeitpunkt noch nicht zu denken. Das waren unsere Gedanken, als wir in Richtung Steudach radelten, wir hatten an den beiden Tagen auch noch nichts davon gehört und auch nichts gesehen, dass Fußgänger oder Radfahrer über die Grenze gingen.

Schon von weitem sahen wir, dass die Ampel am 5-km-Kontrollpunkt auf Grün stand, mit den „Stop and Go" fahrenden Trabis pirschten wir uns heran, nach außen kühl, aber innerlich angespannt, und fuhren an der Ampel vorbei, jederzeit einen Anruf erwartend wie: „Bürger, kommen Sie mal zurück" oder den schrillen Pfiff einer Trillerpfeife. Nichts dergleichen geschah und wir erreichten unbehelligt den Übergang der Bahnlinie nach Sonneberg, das vermeintlich erste Hindernis war genommen. Jetzt war alles Neuland für uns, denn weiter waren wir noch nie gekommen und bis hierher reichte auch nur der Blick von Eisfeld aus. Ein Stück in den Wald hinein tauchte links die Baracke auf – heute steht dort das Waldhotel „Hubertus" –, in der die alten Leutchen sich beim Buswechsel aufhalten konnten, in der die 15,- Mark getauscht werden konnten und sich Toiletten befanden und wer weiß sonst noch was. Wir beschlossen, dort unsere 15,- Mark Ost in West zu tauschen, wenn wir nicht weiter kämen, hätten wir wenigstens 30,- DM mitgebracht. Vorher fuhr ich noch ein Stückchen weiter bis in die Nähe des eigentlichen Einganges zur Grenzübergangsstelle. Die Ampel am ersten Häuschen rechts stand zwar auf Rot, aber der Grenzwächter davor winkte die Autos zügig durch, wahrscheinlich war vergessen worden, die Ampel umzuschalten. Fußgänger oder Radfahrer waren allerdings keine zu sehen. Nach dem Geldumtausch fuhren wir behäbig zum ersten Kontrolleur am kleinen Häuschen, die Ausweise in den Händen. Der winkte uns weiter! Nach Passieren einer weiteren Schranke, den Kontrollhäuschen, eines Eisengitterzaunes, die genaue Reihenfolge und Anzahl der Schikanen und ob wir noch mal kontrolliert wurden, ist mir entfallen, Fakt ist, dass wir dann über quer zur Fahrbahn führende Feldbahngeleise fuhren. Ein Blick nach rechts zeigte, dass hier bei Bedarf ein „Rammbock" herausgefahren werden konnte, der durchbrechende Autos aufhalten würde oder gar zermalmte. Nach wohl einer weiteren Schranke kam eine Strecke Niemandsland, der Blick wurde frei und weiter vorne führte eine leicht schräg verlaufende, durchgehende weiße Linie über die B 4, die Grenze zwischen den Kreisen Hildburghausen und Coburg, zwischen dem Thüringer Bezirk Suhl und Bayern, zwischen DDR und der Bundesrepublik, ja zwischen den Machtblöcken Sozialismus und Kapitalismus. Aber an all das dachten wir in diesem Augenblick nicht. Es kam die Rottenbacher Grenzkontrollstelle, wir waren drüben! In der nun folgenden Linkskurve, dort waren Parkplätze, standen BRD-Bürger, die das Geschehen verfolgten. Als sie uns sahen, rief einer: „Jetzt kommen sie gar schon mit Fahrrädern!" Das zeigte uns, dass wir zu den wenigen, wenn nicht gar zu den ersten Radfahrer gehörten, die die Grenze überquert hatten. Die Jahreszeit war auch nicht gerade zum Radfahren geeignet, aber die Sonne kam durch und die Straße war trocken. Wir wussten noch nicht, wie weit wir es schaffen würden, vielleicht bis zum nächsten Dorf, wahrscheinlich auch noch weiter. Zügig ging es abwärts

Selbst Coburgs Oberbürgermeister Höhn (Bildmitte) ließ es sich nicht nehmen, am 3.12.1989 Wiedersehen mit den Eisfeldern zu feiern.
Foto: Wilfried Leusenrink

an Rottenbach vorbei, durch Tremersdorf, berghoch und bergab nach Neukirchen hinein. Von den Schilderungen der „Alten", vom Hörensagen und von Landkarten wussten wir zwar von einigen Ortschaften und von Coburg, kannten in etwa auch die Entfernungen, aber diese Topographie, das für Radfahrer wichtige bergauf und -ab und den Straßenverlauf kannten wir überhaupt nicht, es war ja unsere erste Fahrt dort entlang.

Die Lauter floss in unserer Fahrtrichtung, also gings mehr bergab und wir kamen zügig voran, durch Tiefenlauter, nach Oberlauter hinein. Kurz vor dem Ortsende, Unterlauter schließt sich ja gleich an, hatte jemand am letzten Hause rechts einen Teeausschank auf seinen flächigen Gartenstöcken eingerichtet, wo wir uns erst einmal labten und aufwärmten. Ein Stückchen weiter tat die Lauterer Feuerwehr Gleiches. Im dortigen Bürgermeisteramt war ein riesiger Andrang, das Begrüßungsgeld wurde ausgegeben, wir fuhren nach kurzer Rast weiter.

Nicht allzu weit, hinter dem Ortsausgang nach einer Rechtskurve, sahen wir auf einmal in der fahlen Novembersonne die Veste Coburg vor uns liegen, ein erhabener, lang erwarteter Anblick und wir hielten erst einmal an. Das konnten die vielen Trabis, Wartburgs, Skodas und anderen Autos nicht so gut. Wir waren unterwegs mal langsamer, mal schneller als die Autos vorwärts gekommen, da wir bei Staus ja auch auf die Bürgersteige ausweichen konnten. Aus einigen Fahrzeugen heraus wurden wir herzlich gegrüßt.

Jetzt war es nur noch ein Katzensprung nach Coburg hinein. Am Ortseingangsschild machte ich erst einmal ein Foto von meiner Tochter, heute

10.11.1989 – Begeisterte Menschen winken hinter der Grenzübergangsstelle Eisfeld – Rottenbach im Lautertal den DDR-
Besuchern in ihren Trabis zu. Für viele westdeutsche Bürger
waren übrigens alle „Ost"-Autos „Trabis".
Foto: Frank Elsner

bedauere ich sehr, nicht auch unterwegs Fotos von
der Fahrzeugschlange und den begeisterten Menschen gemacht zu haben, aber in der Aufregung
dachte ich nicht daran.

Irgendwie kamen wir in der für uns neuen fremden
Stadt zum Spitaltor, wo wir in dem dort befindlichen Obst- und Gemüsegeschäft das Angebot
bestaunten. Die Mohrenstraße hinunter schiebend,
sahen wir von weitem das ALDI-Schild. Wir wussten, dass man dort preiswert einkaufen konnte und
beschlossen, etwas von unserem Geld auszugeben,
viel konnten wir ja auf unseren Rädern nicht transportieren. Süßigkeiten, etwas Obst, Getränke u. a.
packten wir in einen Karton und den in den Korb
auf dem Gepäckträger des Rades der Tochter. Auf
der Itz-Brücke in der Mohrenstraße machten wir
ein weiteres Foto mit der Veste im Hintergrund.

Da wir eigentlich gar nicht so lange von zu Hause
wegbleiben wollten und meine Frau sich sicher
schon langsam Sorgen machte, wo wir blieben,
machten wir uns wieder auf den Heimweg durch
die unbekannte Stadt. An der Abzweigung kurz vor
dem Bahnübergang der Bahnlinie nach Neustadt
entstanden die zwei letzten Fotos, eins mit der Veste
im Hintergrund. Wie an der Itz-Brücke ist auch hier
der Karton aus dem Aldi zu sehen. Wir tauschten
die Räder, da meines eine 3-Gang-Schaltung hatte
und meine Tochter mit diesem (ohne Gepäck) besser vorwärts kommen würde. Es sollte ja jetzt auch
mehr bergauf gehen.

*Kurz hinter Tiefenlauter, etwa auf halber Berges-
höhe, passierte es: Ich trat plötzlich ins Leere und
wäre beinahe gestürzt; die Kette war gerissen. Am
Straßenrand begutachteten wir den Schaden und
ich suchte schon nach passenden Steinen, um mit
dem Bordwerkzeug vielleicht die Kette zu repa-rie-
ren, als ein großer Mercedes anhielt und uns der
Fahrer fragte, was passiert sei. Nach kurzer
Erklärung bot er uns spontan an, die Fahrräder in
seinen Kofferraum zu legen und uns „hoch" zur
Grenze zu fahren, hinüber dürfe er aber nicht (Reisefreiheit auch für BRD-Bürger!). Nach kurzem
„Zieren" unsererseits, auch aus Platzgründen
einigten wir uns darauf, dass er meine Tochter mit
dem defekten Rad hochfuhr und ich wieder mit meinem Rad nachstrampelte. Zwischen Neukirchen
und Tremersdorf kam mir der Mercedes wieder entgegen, nach kurzem Bescheidsagen und Dankesbe-
zeugungen meinerseits, nach Bezwingung des Rottenbacher Berges erreichte ich am Grenzübergang
meine mit dem kaputten Rad wartende Tochter wieder. Uns kamen Bedenken, ob uns der DDR-Zoll
wohl ungeschoren mit unseren Westwaren durch-
lassen würde. Doch unsere Ängste waren unbegründet und wir zogen, teils „rollernd", teils schiebend zu Eisfeld rein. Erschöpft, aber glücklich und
stolz, dieses Abenteuer bestanden zu haben, nahm
uns meine Frau in Empfang. Am nächsten Tag ging
es dann mit dem Trabi nach Regensburg zu Verwandten.*

Ein „Grüß Gott" aus Eisfeld

Der Eisfelder Arzt Dr. med. Otto Armann veröffentlichte in den Tageszeitungen folgenden Aufruf:

*Liebe Landsleute im Coburger Land!
28 Jahre hat uns eine todbringende Grenze
getrennt. Wir alle – in Ost und West – haben uns in
diesen langen Jahren an diesen widersinnigen
Zustand gewöhnt, die unüberwindbaren Zäune
waren ein Teil unserer erlebten Realität. Noch vor
kurzem war es mein sehnlichster Wunsch, wenigstens einmal vor meinem Lebensende von der Veste
Coburg hinüber ins Land der jetzigen DDR zu
schauen. Mit dieser Sehnsucht lebte ich bisher,
meine Hoffnung setzte ich auf den 9. Mai 2009 –
meinen 65. Geburtstag –, um dann endlich als
Rentner den ersehnten Reisepass zu besitzen. Man
sehnte sich nach dem Altwerden – wie verrückt war*

doch unser Leben bis zu jenem 9. November 1989. Was ich, wie wir alle, kaum noch zu hoffen wagten, wurde plötzlich und nahezu über Nacht wahr. Man konnte sich „ganz einfach" ins Auto setzen und ins „Jenseits" fahren. Mit Tränen der Freude und noch mehr Tränen einer unsagbaren Wut über die Vergangenheit des Eingesperrtseins findet man sich „ganz einfach" auf der anderen Seite der Grenzzäune wieder. Jubel und Freude, Freundlichkeit und Hilfsbereitschaft, unvorstellbar großes Verständnis und Einfühlungsvermögen empfingen uns hinter dem Grenzstein. Meine Tränen sah ich plötzlich auch in Euren Augen wieder. Sogar die Tränen verbinden uns. Die Tränen und die Hoffnung konnte uns in den langen Jahren der Trennung niemand verbieten.

Auf diesem Wege möchte ich Euch allen ein ganz herzliches Danke sagen, Danke für das Für-uns-da-Sein in den Jahren vor dem 9. November 1989. Danke für alles nach dem 9. November 1989!

Ein ganz besonderes Dankeschön sage ich allen Beamten vom Grenzzollamt Rottenbach für ihren atem(be)raubenden Dienst inmitten der Trabi-Abgaswolken, den freundlichen und gebefreudigen Mitarbeitern in allen Gemeindeämtern und Rathäusern des Coburger Landes!

Ein herzliches Dankeschön gebührt den stets freundlichen und liebenswürdigen Verkäuferinnen und Verkäufern in allen Kaufhäusern und Einzelhandelsgeschäften, die mit bewundernswerter Geduld die Menschenlawine aus der DDR erleiden mussten. Ihr alle habt für uns auf den Feierabend verzichtet und manche Überstunden in Kauf genommen.

Danken möchte ich aber auch allen politisch Verantwortlichen von Bund, Ländern und Gemeinden, die uns allen ein großzügiges Begrüßungsgeld gewährten! Danke sage ich Euch allen, die Ihr als Steuerzahler die eigentlichen Geber seid!

Ihr werdet in den kommenden Wochen ganz gewiss auch manchmal stöhnen, wenn die vielen Besucher aus der DDR Euch aus dem gewohnten Lebensrhythmus bringen. Bitte, habt trotz aller Belastungen und Belästigungen Verständnis für uns! Irgendwann werden Euer und unser Leben und Alltag wieder ruhiger werden. Wir werden es bald erleben, dass unser Frankenland plötzlich wieder im Zentrum Europas liegt, kein „Grenzland" mehr ist – ohne Zäune, ohne Mauern, ohne „hüben" und „drüben"!

Unsere Friedensgebete in allen Kirchen der DDR, unsere Schweigemärsche und unsere brennenden Kerzen haben ein einziges Ziel: Ein Leben in Wahrheit und Wahrhaftigkeit und Freiheit – im „gemeinsamen Haus" Europa ohne trennende Grenzen. Coburg und Eisfeld liegen in der Mitte dieses Hauses! Wir werden die entsetzliche Zeit der furchtbaren Zäune Vergangenheit werden lassen. Aber: Lasst uns gemeinsam diese Zeit nie vergessen, als bleibende Mahnung für unsere Kinder und Kindeskinder!

Das alles sage ich Euch allen in Dankbarkeit. Ich sage es Euch in der Gewissheit, da ich mich in meinen Gefühlen und Gedanken mit all meinen Patienten, Freunden und Bekannten wohl nahezu allen Menschen in dieser DDR verbunden weiß.

Ein herzliches „Grüß Gott" ins Coburger Land!

Die erste Fahrt nach Coburg

„Grüß Gott – wenn d'n siehst!" überschrieb Margarete Braungart 1991 ihren Beitrag über ihre erste Fahrt nach Coburg.[65] Sie hielt fest:

Erinnern Sie sich noch? Zwei Jahre ist das nun schon wieder her, ach ja. Mit den guten alten DDR-Träumen muss man beginnen, wenn man von seiner ersten Fahrt nach Coburg berichten will, denn da gab es noch schöne, richtig echte und schier unerfüllbare Träume, nicht solche, die jeden Augenblick in Erfüllung gehen können, wenn man nur das nötige Geld oder den nötigen Dusel hat. Nein, da gab es die Träume von Wien und Venedig, den Traum vom Kudamm oder der Reeperbahn oder auch den Fünfsekundentraum, auf der Fahrt nach Budapest die nötigen Forint eintauschen zu können, um dort endlich mal im Restaurant essen zu können.

Bei guter Sicht träumte man auf dem Simmersberg oder der Steinsburg gesamtdeutsch, denn tatsächlich konnte es passieren, dass sich Vierzehnheiligen oder die Veste Coburg dem Wandersmann am Horizont zeigten, sogar regenbogenfarbig schillernd und in den Wolken schwebend, wenn er seinen Durst unterwegs mit dem guten einheimischen Bier gelöscht hatte. Solche Träume gab es!

Auf einmal gingen sie in Erfüllung. Wie, weiß jeder, ob es Dusel war, wird sich zeigen. Ich selbst erlebte die Erfüllung meines Coburg-Reisetraumes folgendermaßen: Drei Wochen nach der Grenzöffnung hatte ich endlich Zeit für die Fahrt nach dem nahen und doch kurz zuvor noch in unerreichbarer Ferne liegenden Coburg. In diesen drei Wochen war in mir ein Entschluss gereift: Ich wollte mich nie und nimmer vom Kaufrausch anstecken lassen.

Deshalb würde ich mein Begrüßungsgeld erst beim übernächsten Besuch abholen. Zehn DM hatte ich noch von einem nicht abgebrochenen Westkontakt (Tante) in der Tasche. Das müsste reichen. An einem Wintermorgen, der verzaubert mit Raureif und Morgenrot sein sollte, würde ich zur Veste Coburg empor schreiten. Schreiten; nicht einfach gehen. Erhabene Gefühle würden mich meiner bemächtigen, jene gesamtdeutschen Gefühle, die sich auf der Steinsburg angesichts der Veste am Horizont eingestellt hatten.

Das Leben ist anders, mein regenbogenfarbiger Traum missriet. Der Morgen des bewussten Tages zeigte sich nasskalt und regnerisch, Nebel erlaubte gerade noch die Sicht auf die längste Menschenschlange, die Hildburghausen in den letzten vierzig Jahren gesehen hatte. Fünf Schlenkerbusse voller Menschen fuhren in Richtung Coburg davon, ehe ich endlich völlig durchgefroren einsteigen konnte. Eingekeilt in eine Menschenmasse, in der alle Altersgruppen vom neugeborenen Baby bis zur Urgroßmutter vertreten waren, hörte ich den Gesprächen um mich herum zu, in denen es hauptsächlich darum ging, was man mit 100,-, 200,- oder gar 600,- DM alles anstellen könne. Vorbei die guten Vorsätze, mit 10,- DM auskommen zu wollen, denn ich wusste ja nicht einmal, ob der Schein für einen Grog reichen würde, den ich nun unbedingt brauchte (alles was recht ist – das Geld hätte für zwei gereicht). Ich stand auf einmal wieder in einer Schlange.

An die regenbogenfarbige Veste in Raureif und Morgenrot dachte ich längst nicht mehr. Meine gesamtdeutschen Gefühle erstreckten sich vorerst auf die 100,- DM, die mich begrüßen sollten. Das war einmal unheimlich viel Geld für die meisten von uns. Erinnern Sie sich?

Daher stand auch auf den Autonummern südlich des Rennsteiges damals noch ein O, was wohl soviel hieß wie Ostgeldbesitzer. Inzwischen wird mancherorts das nunmehr für das O eingetretene HBN als Bezeichnung für Habenichts gedeutet. Ob berechtigt oder unberechtigt, sei dahingestellt.

Das Einzige, was mich von den längst im Kauffieber dahintaumelnden Menschen unterschied, war vielleicht noch, dass ich registrierte, in welch ordentlichem Zustand sich Dachrinnen, Dächer und die Baulichkeiten überhaupt befanden. Die alte Bürgerschule von Hildburghausen kam mir in den Sinn, über deren wundervollen doppelten Laubengang die Dachrinnen teils spitzenartig durchlöchert, teils in Fetzen herabhingen. Das Rot von Coburgs Dächern, das nur noch von den wenigen noch erhaltenen Alt-Hildburghäuser Ziegeldächern übertroffen werden konnte, der prachtvolle Stuck, die liebevoll erhaltenen Gässchen bemerkte ich kaum noch. Der schlicht ordinäre Kaufrausch hatte auch mich gepackt.

In fränkischen Städtchen weiß man nach der Ankunft gleich, was man sich kaufen soll: eine Bratwurst. In Coburg steht sogar einer auf dem Markt und hält ein Bratwurstmaß in der Hand. Wer hat ihn schon gesehen?

Eine Menschenmenge wälzte sich durch die Stadt, Taschen voller Südfrüchte und Kartons mit Fernsehern schleppend, DM zählend, Kinder und Oma suchend. Ich flüchtete mich in ein Kaufhaus und staunte über die ungeheure Warenfülle. Ich freute mich über eine junge Verkäuferin, die mit einem lieben Lächeln einer nicht sehr eleganten Ostkundin einen billigen Pullover aus dem Lager holte, der fast genau so aussah wie der teure, den sie nicht hatte bezahlen können. In einem anderen Geschäft war zwar die Ware weitaus exquisiter, aber der Ladendame fehlte es an Größe. Eine Ostkundin probierte einfach mal so eine Jacke an, denn das machen die meisten Damen gern, und bekam zu hören: „Verschenken können wir unsere Sachen aber nicht, gute Frau!" Die gute Frau beschloss, nie mehr diesen Laden zu betreten, selbst wenn sie mal Millionärin werden sollte und geschenkt hätte sie die Jacke sowieso nicht genommen (mit der Millionärin würde es sowieso noch ein bisschen dauern).

Aber was ist ein Modegeschäft gegen eine Buchhandlung! Und schon im Schaufenster lauter „Rosinen"! Werke von Dichtern, die entweder unter Ladentischen oder in Westpäckchen besonders lieber Tanten gelegen hatten; Günter Grass, Max Frisch, Erich Loest und Wolf Biermann, endlich, endlich konnte man diese Bücher kaufen. Und dann kaufte man sie doch nicht, weil sie ein bisschen teuer waren, den Inhalt kannte man ja schon durch die Flüsterpropaganda, und sowieso hatte kein Mensch mehr Zeit zu lesen. So ein buntes Frauenjournal und ein Basteiroman taten es auch, denn zwischen Bildung und Vergnügen gibt es gewisse Unterschiede, und die DM sollte wenigstens anfangs ein bisschen Vergnügen bereiten. Statt regenbogenfarbener Veste die Regenbogenpresse.

Aber später war die Wirklichkeit doch manchmal sehr schön und kam dem einstigen Traum ziemlich nahe – mit einem lieben Menschen auf der Terrasse der Veste an einem Sommerabend sitzen bei Bier oder Frankenwein; die Füße an einem Herbstmorgen im goldenen Kastanienlaub des Weges zur Veste rascheln lassen; griechisch oder chinesisch oder Bratwurst auf dem Markt essen, nun endlich in Ruhe in Buchhandlungen stöbern, ein Bild von Cranach in den Sammlungen lange anschauen; ein kleines Museum voller herrlicher Puppen entdecken, mit einer alten Frau schwatzen, die sich kaum von einer Oma in Eisfeld und Ummerstadt unterscheidet und andächtige Gefühle stellen sich noch manchmal auf dem Ausguck der Veste ein, wenn sich am Horizont bei guter Sicht der Bleß und die Gleichberge zeigen.

Und wenn aus dem HBN für Habenichts ein „Haben-noch-ganz-schön-aufgeholt" werden sollte, wäre es auch nicht schlecht.

Beeindruckende Demonstrationen

Grenzlagemeldungen bundesdeutscher Grenzsicherungsorgane aus jenen Tagen:

* Am 11.11. gegen 14.00 Uhr begaben sich im GA 49/50, auf der B 4/F 4 des GÜG Rottenbach – Eisfeld/DDR ca. 300 Personen etwa 300 m weit auf DDR-Gebiet. Die Grenzbesucher kehrten nach Aufforderung wieder auf Bundesgebiet zurück.

* Am 03.12. bildeten im GA 50 am GÜG Rottenbach - Eisfeld/DDR; PA 366 838, um 12.00 Uhr ca. 100 Bundesbürger vom Abfertigungsgebäude des GÜG bis zu 200 m Tiefe auf DDR-Gebiet eine Menschenkette. Beteiligt waren auch Vertreter von Grenzgemeinden, Pfarreien und Medien. Auf DDR-Seite wurde Kontakt mit einer organisierten Menschenkette aufgenommen, die lt. Reisendenmitteilung

über Eisfeld bis nach Erfurt/DDR geschlossen worden sein soll.

* Am 31.12. wurde im GA 50, am GÜG Rottenbach – Eisfeld/DDR von 23.00 – 01.01.90, 01.30 Uhr, auf der F 4 eine Lichterkette von Eisfeld/DDR bis zum GÜG durch die DDR/CDU-Ortsgruppe Eisfeld gebildet. 1.500 Teilnehmer aus Eisfeld und 500 Bundesbürger waren an dieser Aktion für „Brot für die Welt" beteiligt.

Mehr als 2.000 Menschen gestalteten 1989 bei Rottenbach eine unvergessliche Silvesterfeier und rutschten mit Freudentränen ins neue Jahr. Mitorganisator Dr. Otto Armann, Eisfeld, sagte: „Der glücklichste Tag in meinem Leben!", zumal er sich am Silvesterabend auch mit einem Spaziergang rund um die beleuchtete Veste Coburg einen Lebenswunsch erfüllte. 1.500 Feiernde kamen aus der DDR. Was für eine Feier! Zur Jahreswende wurde am Grenzübergang Rottenbach – Eisfeld nicht nur der Wechsel in ein neues Jahr bejubelt, sondern man hatte den Eindruck, dass die Menschen den Schatten und die ganze Last von 40 Jahren Unterdrückung und Trennung endlich abwarfen. Unbeschreibliche Szenen der Freude spielten sich zwischen 23 Uhr und 2 Uhr morgens an einem Grenzkontrollpunkt ab, der vor wenigen Wochen von einer Seite nur mit Visum, von der anderen so gut wie gar nicht passiert werden durfte. Das Motto der vom Eisfelder „Kreis des Friedensgebetes" organisierten Veranstaltung hieß: „Keine Knallkörper, sondern eine Lichterkette mit Kerzen – Das Geld für UNICEF und Rumänien."[66]

Das Ende des Grenzübergangs Rottenbach – Eisfeld

17 Jahre nach deren Errichtung waren die Kontrollstellen Rottenbach und Eisfeld überflüssig geworden. Endzeitstimmung herrschte am Grenzübergang Rottenbach – Eisfeld am Wochenende vor der Währungsunion.[67] Eine Ära ging zu Ende. Nach gut 17 Jahren existierte der 1973 durch die Brandtsche Ost- und Entspannungspolitik eingeleitete „Kleine Grenzverkehr" nicht mehr. Die Grenzkontrollen waren überflüssig geworden, obwohl eine deutsche Einheit auf politischem Gebiet noch nicht erfolgt war. Aber der am 1. Juli geschaffene wirtschaftliche Verbund zwischen der Bundesrepublik und der

DDR machte ein „Abschotten der sozialistischen Planwirtschaft" gegenüber dem „kapitalistischen System" hinfällig.

An der Grenzübergangsstelle Eisfeld, offiziell eröffnet am 17. Juni 1973, herrschte Endzeitstimmung. Vereint winkten die DDR-Grenzer und Zöllner den anlaufenden Verkehr durch. „Weiter, weiter! Fahren Sie einfach durch!", unterstrich Dietlinde Dressel von den DDR-Grenztruppen. Auch die Stoppschilder am DDR-Kontrollpunkt waren verschwunden. Unterdessen waren schon die Aufräumarbeiten im vollen Gange. Von ursprünglich 70 Beschäftigten an der Eisfelder Grenze blieben noch 20. Sie beschäftigten sich mit dem Abbau der Grenzanlagen, die bis 1993 verschwunden sein sollen.

Die einstigen Grenzabfertiger am Übergang Eisfeld waren auch ein wenig neidisch auf ihre westlichen Kollegen. „Die Beamten da drüben haben wenigstens einen sicheren Arbeitsplatz", sagte einer. „Klar, dass die auch persönliche Schwierigkeiten in Kauf nehmen müssen, sollten sie versetzt werden. Aber wir, wir sind doch die Verarschten!" Jahrelang, so schimpfte der DDR-Grenzer weiter, sei man „Staatsdiener" gewesen, habe den Kopf herhalten müssen für die „oben", obwohl man ja nicht selbst die Grenze gemacht hätte, sei auch bestraft worden, wenn an einem Wochenende nach mehreren Millionen Visa-Einnahmen einmal fünf Mark gefehlt hätten, habe sich nach der Grenzöffnung anpöbeln lassen müssen und nun stehe man vor dem Nichts.

Doch so unsicher die Zukunft vor allem auf Ost-aber auch auf Westseite für die Grenzer sein mochte, nach einigen Feiern stieß man gemeinsam am Sonntag morgen 0 Uhr nach der letzten offiziellen Kontrolle mit einem Gläschen Sekt unter den Kollegen – Ost und West – am Grenzstreifen auf die „getane Arbeit" und vielleicht auch insgeheim auf die eigene und gemeinsame – wenn auch ungewisse – Zukunft an.

Wie Oberstleutnant Vogt und Polizeihauptkommissar Donhauser, Leiter der Grenzdienststellen in Ost und West, die Grenze abwickelten, erinnern sie sich fünf Jahre später in einem Gespräch mit dem Eisfelder Journalisten Hans-Hermann Langguth von Freies Wort, heute ist er Regierungssprecher von Bündnis 90/Die Grünen:[68]

Jeden Tag nach der Grenzöffnung trafen sich Donhauser und Vogt, um die Lage zu besprechen. Und natürlich haben sie auch über den weiteren Gang der Dinge spekuliert. „Dass die Einheit nicht mehr aufzuhalten war, das war Fakt. Aber wir haben geglaubt, dass es noch Jahre dauert. Mit dem Saarland, das war immer unser Beispiel, hat es ja auch 10 Jahre bis zur wirtschaftlichen Einheit gedauert", blickt Heinz Vogt zurück. Auch Michael Donhauser ging noch von einer länger bleibenden Wirtschafts- und damit auch Zollgrenze aus: „Dass sich NATO oder Warschauer Pakt über Nacht auflösen würden, war unvorstellbar." Derweil war man mit den Nebeneffekten der offenen Grenzen beschäftigt. Zum Beispiel mit Schmuggel und Schieberei. Soweit es eben ging, wurde Einhalt geboten. Es war eine Zeit, in der Autohändler und Brauereien sich eine goldene Nase verdienten. Michael Donhausers ironisches Fazit: „Die ersten Wochen hatten wir den Eindruck, die Bürger der DDR brauchen außer Bier, Pkw und Bananen nichts, sie sind sonst glücklich."

Mit der Währungsunion am 1. Juli 1990 waren die Kontrollen an der sich auflösenden Grenze eingestellt worden. Da war klar, dass es einen Grenzübergang Eisfeld – Rottenbach nicht mehr lange geben würde. Schließlich wurden sie noch schneller als gedacht „übrig", wie es Michael Donhauser nennt. Am 28. September 1990 machte Heinz Vogt am Übergang Eisfeld das Licht aus, zwei Tage später wurde er in den Ruhestand versetzt. Michael Donhauser tat noch in Lichtenfels in einer anderen Polizeieinheit seinen Dienst, im Mai 1991 ließ er sich in den Ruhestand schicken.

Was ist geblieben von all den Jahren an einer Grenze, die es nicht mehr gibt? Eine Mischung aus Genugtuung, Verständnis und wohl auch ein bisschen Wehmut. Genugtuung, weil man bei einem Jahrhundertereignis wie dem Fall der innerdeutschen Grenze dabei gewesen ist. „Das wir das so gut hingekriegt haben ...", meint Heinz Vogt nicht ohne Stolz. Und Michael Donhauser: „So was erlebt man nur einmal in seiner Laufbahn, das vergisst man nie."

Verständnis, das wohl nur richtig ergründen und begreifen kann, wer die Psyche von Militärs durchdringt. Und das Feindbild? „Wir Uniformierten haben untereinander ein ganz besonderes Verständnis. Wir sind auch viel unverkrampfter aufeinander zugegangen als die Politiker", versucht Michael Donhauser zu erklären, was dem Außenstehenden eher suspekt erscheint. Fast ein wenig seltsam mutet die Übereinstimmung an, mit der Michael Donhauser und Heinz Vogt die Jahre vor der Wende interpretieren. Kein Zweifel: Hier haben zwei in allem Respekt voreinander ihren Frieden gemacht, wenn sie überhaupt jemals Unfrieden miteinander hatten.

Schikanen gegenüber westdeutschen Transit-Reisenden, Schießbefehl und verhinderte „Republik-Fluchten" – all das hat es an der innerdeutschen Grenze gegeben. „Mein Gott, das kann man ja nicht tolerieren", sagt Michael Donhauser heute, aber auch: „Man muss auch sehen, dass die Grenz-truppen der DDR nur Vollzugsorgan waren. Der einzelne konnte nur ja sagen, ich mach` das nicht mehr mit". Das aber hatte Konsequenzen, und die kannte Heinz Vogt nur zu gut. Dass sein Telefon überwacht wurde, hat er gewusst. Auch dass bei einer geglückten „Republikflucht" die Stasi-Son-derkommission aus Suhl kam und peinlichst genau untersuchte, ob die Flucht nicht hätte verhindert werden können. Die Posten, denen das nachgewie-sen wurde, kamen nicht mehr zurück zur Einheit ...

Der Übergang Eisfeld – Rottenbach zählte zu den 18 Grenzinformationspunkten, die nach dem Grundlagenvertrag 1974 aufgebaut worden waren. Alle Zwischenfälle wurden dort besprochen. Dar-unter manche paradoxe Begebenheit. Zwei Kinder aus Leipzig zum Beispiel hatten das Rottenbacher Dienstgebäude für eine Tankstelle gehalten und waren drauflos gegangen. Michael Donhauser durfte sie nicht die 50 Meter in die DDR zurück-bringen. Statt dessen Zuführung zum Jugendamt, danach zur Ständigen Vertretung in Bonn, von dort drei Tage später zurück nach Rottenbach und dann erst in die DDR. Die innerdeutsche Wirklichkeit konnte ganz schön kompliziert sein.

Jeden Vormittag um dreiviertel neun telefonierten Vogt und Donhauser oder ihre Vertreter miteinan-der, um die Leitung zu testen. Und wenn sie sich trafen, da wurde auch über Privates gesprochen. Dass sie sich von ihrer Weltanschauung nicht gegenseitig überzeugen konnten, das haben beide gewusst. Michael Donhauser hält nichts von Geg-nerschaft, von Feindschaft gar: „Er ist doch nicht als Kommunist geboren und ich nicht als Kapitalist

Ein ungewöhnlicher Ausflug: Frl. Leusenrink an der Itzbrücke in Coburg am 11.11.1989.
Foto: Wilfried Leusenrink

oder Demokrat. Wir sind beide zum Staat gegan-gen, um dem Staat zu dienen. Und beide haben wir geglaubt, wir sind schon bei der richtigen Institu-tion. Wenn ich in Eisfeld gewesen wäre, wären die Rollen heute vielleicht vertauscht."

Seit 1958 hat Heinz Vogt im Grunde immer an der Grenze gestanden. Immer ganz vorne: „Wenn man diesen Beruf aufnimmt, dann muss man die Aufga-ben erfüllen, da gibt es keine Diskussionen mehr. Man musste schon für die Sache stehen. Und man musste in diesem System mitlaufen." So ist es Heinz Vogt vor dem Herbst 1989 nicht in den Sinn gekommen, die innerdeutsche Grenze in Frage zu stellen. Und für Michael Donhauser stand fest, dass die Anerkennung der DDR durch die Bundesrepu-blik nur noch eine Frage der Zeit war.

Donhauser, der sich als ehemaliger Polizeibeamter gut versorgt fühlt, kann nicht verstehen, dass man seinem einstigen Gegenüber Vogt keine dem Dienstgrad entsprechende Versorgung gewährt: Die Bundesrepublik habe den Staat DDR übernommen, und da müsse so was eigentlich selbstverständlich sein. Wenn die Möglichkeit bestanden hätte, Heinz Vogt hätte in der Bundeswehr gerne noch einige Jahre gedient: „Wenn man 33 Jahre die Stiefel an den Fersen hat, das ist doch im Grunde das ganze Leben. Aber es wurden ja alle über einen Kamm geschert. Und die Staatstreuen, die werden besonders kurz gehalten – da bekommt die PDS ja so viele Stimmen her." So mischt sich doch auch etwas Wehmut in das Resümee. Ein bisschen Wehmut auch über die verblichene DDR. Heinz Vogt vermisst die soziale Sicherheit, aber auch den Zusammenhalt. Diese Gemeinschaft hat auch Michael Donhauser in den Wendetagen positiv empfunden, weil es das im Westen so schon lange nicht mehr gab. Ein bisschen schade sei es, dass nun auch im Osten die Gesellschaft immer mehr auseinanderdrifte. „Jeder ist sich selbst der nächste", bringt es Heinz Vogt auf einen Nenner.

Görsdorf – Tremersdorf

Letzte Platten werden im Metallgitterzaun entfernt, bevor der Weg zwischen Tremersdorf und Görsdorf freigegeben wird.
Foto: Sammlung Rainer Krebs

Das Tor im GSSZ vor Görsdorf, Gemeinde Emstadt, Kreis Sonneberg, ist offen, aufgenommen im Juni 1990.
Foto: Eduard Zingel

Grenzmauer bei Görsdorf nach der Grenzöffnung.
Foto: Rainer Krebs

An der Grenzübergangsstelle Tremersdorf – Görsdorf bot sich am Sonntag, 10. Dezember 1989, das gewohnte Grenzöffnungsbild: Blasmusikgruppen aus beiden Teilen Deutschlands, die sich in gemeinsamem Spiel vereinten. Menschen, die sich in die Arme fielen und Besucherverkehr in beiden Richtungen. Auch hier dem Eindruck nach ein Übergewicht an Besuchern aus dem Westen. Einige nutzten das schöne Wetter für eine Wanderung von Görsdorf nach Almerswind durch das ehemalige Sperrgebiet.
Am 27. Juni 1990 berichtete das Coburger Tageblatt:

Görsdorfer Mauer hat ein 20 Meter breites Loch. Pioniere der Brigade der DDR-Volksarmee von Rotheul rückten gestern dem unrühmlichen Bauwerk an der Grenze zur DDR zu Leibe. Nach harter Arbeit bescherten sie den Görsdorfern wieder den Blick in den Westen. Aber nicht nur das Auge konnte schweifen. Die ersten ‚Grenzgänger' benutzten den Durchgang zu einem Besuch ohne Umwege in Lautertal oder in Görsdorf.

Emstadt – Neukirchen

Am Sonntag, 4. März 1990, wurde ein neuer Grenzübergang zwischen Neukirchen, Lkrs. Coburg, und Emstadt, Kreis Sonneberg, eröffnet. Zahlreiche Besucher waren zwischen den Nachbardörfern auf den Beinen. Nach fast vier Jahrzehnten war erstmals wieder eine Stippvisite von „hüben" nach „drüben" und umgekehrt ohne Umwege möglich. Die Wiedersehensfreude auf beiden Seiten der

Grenze war groß. Der Durchlass bei Emstadt ersetzte die Übergangsstelle zwischen Görsdorf und Neukirchen und konnte von Fußgängern und Radfahrern benutzt werden.

Am 12. April 1990 war in der Coburger Neuen Presse nachzulesen, dass die 170 Einwohner zählende Gemeinde Emstadt, die ehemals im DDR-Sperrgebiet lag, genug von der „Buckelpiste" hätte und deshalb ihren Austritt aus dem Kreis Sonneberg androhte. Für eine Strecke von zwei Kilometern brauchte man über sechs Minuten, weil man maximal nur 20 km/h fahren könne. Stoßdämpfer, Traggelenke und Spurstangenköpfe gingen zu Bruch und Busfahrer weigerten sich, diese Linie zu befahren. Die Emstädter und ihre Nachbarn aus Truckendorf und Görsdorf beklagten, dass sie sich bereits seit 1978 (!) mit dieser Buckelpiste herumplagen müssten. Damals sollte die Straße Görsdorf – Truckendorf, wie im „Staatsplan" festgeschrieben, grundlegend erneuert werden, doch Jahr für Jahr wurde diese Maßnahme hinausgezögert. Ungefähr zum gleichen Zeitpunkt wurde auch die Ortsverbindungsstraße Truckendorf – Emstadt, die nun die Gemüter besonders erregte, „von ihrer Teerdecke befreit" und mit „Kamsdorfer Beton" versehen, der jedoch nur eine maximale Haltbarkeit von einem halben Jahre habe.

Almerswind – Weißenbrunn vorm Wald

Der frühere Kirchweg zwischen Almerswind und Weißenbrunn vorm Wald, durch die Grenze jahrzehntelang unpassierbar geworden, diente am Samstag, 3. Dezember 1989, zum ersten Mal wieder als Verbindung zwischen den beiden Orten, die früher zum gleichen Kirchspiel gehörten. Bürgermeister Dietmar Bauersachs, Almerswind, in Weißenbrunn traf am Tag zuvor mit seinem Amtskollegen Gerhard Preß, Rödental, zusammen. Um die Bürger diesseits der Grenze nicht völlig zu überraschen, hatte sich der Bürgermeister entschlossen, Kontakt mit dem Ortssprecher von Weißenbrunn, Eberhard Liebig, aufzunehmen. Dieser hatte dann den Bürgermeister der Stadt Rödental informiert, der alle anderen Termine absagte, um bei der Grenzöffnung dabei sein zu können. Dietmar Bauersachs hatte im Einvernehmen mit dem Kompaniechef der Sicherungskräfte eine

rasche Öffnung des Weges erwirkt, um möglichen gewaltsamen Ausschreitungen zuvorzukommen. Bürger hatten auf Almerswinder Seite beschlossen, die Sperranlagen niederzureißen, teilte der Bürgermeister mit. Der Zeitpunkt der Öffnung wurde auf 10.30 Uhr festgelegt, unmittelbar nach dem Kirchgang in Weißenbrunn. Kurz vor dem Eintreffen der Nachbarn aus der DDR wurden auf bundesrepublikanischer Seite ein Grill angeschürt und Gläser bereitgestellt. Bier und Bratwürste sollten aus Almerswind geliefert werden. So war dann auch ein Fass Bier der erste „Grenzgänger".

Gemeinsam durchtrennten die beiden Bürgermeister der Nachbarorte ein symbolisches Band. Der Begrüßungsschluck wurde auf einem Hinweisschild überreicht, das auf das Ende der Straße nach Schalkau hinwies. Nicht nur an der Übergangsstelle selbst, sondern auch in Weißenbrunn wurden die Gäste aus dem Osten bewirtet. Die Stadt Rödental spendierte Speis und Trank für den denkwürdigen Anlass. Das Loch im Zaun schloss sich am Abend wieder, da noch keine Genehmigung für einen endgültigen Grenzübergang vorlag. Einer der Ersten, die in Almerswind erlaubten Zutritt erhielten, war übrigens der Bürgermeister aus Ebersdorf bei Coburg, Günter Seiler. Er konnte auf diesem Weg sein Geburtshaus aufsuchen, das so lange unerreichbar im Sperrgebiet gelegen hatte. Am 9. Dezember 1989 fand dann der Gegenbesuch der Weißenbrunner in Almerswind statt.

Rückerswind – Höhn

Am Samstag, 13. Januar 1990, war der Übergang von Höhn zum thüringischen Dorf Rückerswind zum ersten Male seit 40 Jahren wieder stundenweise zugänglich. Rückerswind, das Dorf an der thüringisch-coburgischen Grenze, stand am zweiten Weihnachtsfeiertag des Jahres 1989 im Licht der Öffentlichkeit, als der Bethlehemstern von Höhns Bergkirche in das grüne Herz Deutschlands hinüberleuchtete, während Württembergs evangelischer Landesbischof Theo Sorg die traditionelle „Bergpredigt" hielt. Es erschien fast wie ein von niemand vorausgesehenes Fanal, dass ein Jahr zuvor Thüringens Landesbischof Dr. Werner Leich, Eisenach, dort oben predigte und elf Monate später sich die Grenze zu Thüringen erstmals seit vier Jahrzehnten öffnete.

In dem nur etwa 1.300 Meter Luftlinie entfernten Rückerswind war der riesige sechseckige Stern so klar wie nirgendwo anders zu sehen. So benutzte der Sportverein Bergdorf-Höhn diesen Tag, um durch eine bayerisch-thüringische Grenzwanderung die Verbundenheit des Coburger Landes mit Thüringen zu unterstreichen. Zu Tausenden strömten die Wanderer durch das malerisch gelegene Dorf jenseits der weißblauen Grenze. In der Mitte des Dorfes hatten die Rückerswinder einen Empfang mit Bratwürsten und Kaffee vorbereitet, an dem sich die Wanderer gern erfreuten. Ungefragt sprudelte es aus einem Rückerswinder heraus:

Erinnerungsbild mit DDR-Grenzsoldaten am provisorischen Grenzübergang zwischen Brüx und der zu DDR-Zeiten geschleiften Gemeinde Korberoth.
Foto: Sammlung Rainer Krebs

Rückerswind grüßte die Teilnehmer einer Volkswanderung im Winter 1989/90 am Ortseingang mit einem Willkommensschild.
Foto: Sammlung Rainer Krebs

„Wo ein Wille ist, da ist auch ein Weg!", fotografiert am provisorischen Grenzübergang zwischen Brüx und Rückerswind/Korberoth.
Foto: Sammlung Rainer Krebs

Die Wanderfreunde aus Effelder grüßten die Wanderfreunde des SV Höhn am Grenzsignalzaun.
Foto: Sammlung Rainer Krebs

„Seit 20 Jahren erfreuen wir uns jeden Dezember an dem riesigen Stern an eurer Höhner Kirche. Dieser war für uns immer ein Sinnbild der Hoffnung, dass es wieder einmal anders werden könnte, und dass wir dann auch einmal zu euch herüberkommen dürfen. Lasst diesen Gottesdienst auch weiterhin bestehen, auch wenn wir wieder frei sind! Denn euch und uns verbindet doch eine jahrhundertelange gemeinsame Geschichte."

Wie sehr Rückerswind am Rande des Geschehens lag, das vermochte jeder zu erkennen, der sich die Mühe machte, von dem im Oberen Itzgrund gelegenen Dörflein Fischbach aus nach Rückerswind zu wandern. Solange eine etwa 3,20 Meter breite

Straße in Coburger Flur verlief, war sie gut geteert. Dann aber begannen tiefe Rinnen, die selbst bei Trockenheit ein Gehen nur sehr schwer ermöglichten. Kein Feldweg im ganzen Coburger Land sah so trostlos aus wie diese Straße, die hinauf nach Rückerswind führt.[69]

Effelder – Meilschnitz

Öffnung der innerdeutschen Grenze am sog. Krummen Stein zwischen Meilschnitz und Effelder am 3.12.1989. Nach 40 Jahren konnten die Einwohner Effelders und Schichtshöhner Bürger endlich wieder einen Blick auf den legendären Krummen Stein werfen.
Foto: Sammlung Rainer Krebs

Der Grenzübergang Meilschnitz – Effelder mit dem Krummen Stein (rechts), aufgenommen am 8.8.1990. Der legendäre Stein wird bereits als Grenzmarkierung im 14. Jahrhundert erwähnt.
Foto: Sammlung Rainer Krebs

Grenze im Sonneberger Land im Winter 1989/90. Die Tore waren zwar noch verschlossen, aber der Eiserne Vorhang hatte seinen Schrecken verloren.
Foto: Heinz Kühn

In Meilschnitz ging das Wochenende vom 2. auf den 3. Dezember 1989 in die Geschichte ein. 580 Menschen waren es, die allein am Samstag bis 20 Uhr die Gelegenheit beim Schopf packten und auf dem vereisten Pfad nach Meilschnitz pilgerten. Einige verbrachten die Nacht zum Sonntag in einem westlichen Bett, denn die Tatsache, dass am Sonntag abermals geöffnet wurde, hatte sich schnell herumgesprochen und musste natürlich ausgenutzt werden.

„Noch ist eine ausreichende Sicherheit auf beiden Seiten für einen ständigen Übergang nicht hergestellt, doch für eine Öffnung an Wochenenden und Feiertagen reicht es", meinte Major Lutz Krause vom Grenzkommando Sonneberg.

Mürschnitz – Meilschnitz

Ungeduldig und voller Erwartung standen am Samstagvormittag, 27. Januar 1990, rund 200 Meilschnitzer hinter dem rot-weißen Band, das wenige Minuten später, wie so oft in den letzten Wochen zuvor einer Schere zum Opfer fiel. Es war auch alles bestens vorbereitet. Eine deutsch-deutsche Bläsergruppe stand bereit, Kinder hielten Blumensträuße für ihre Gäste in den Händen, das wärmende Lagerfeuer vor der Waldbar brannte auf Sparflamme, doch das Wichtigste fehlte noch – die Mürschnitzer. „Jetzt haben wir 40 Jahre warten müssen, da kommt es auf ein paar Minuten auch nicht mehr an", rief ein Rentner und beruhigte für

Die Grenzöffnung zwischen Meilschnitz und Mürschnitz am 27.1.1990.
Foto: Sammlung Rainer Krebs

Selbst der Leiter der Grenzpolizeiinspektion Coburg, Leonhard Weitz, war sich nicht zu schade, bei der Grenzöffnung zwischen Meilschnitz und Mürschnitz dafür zu sorgen, dass diese in geordneten Bahnen verlief.
Foto: Sammlung Rainer Krebs

einen Augenblick die Menge. Doch dann plötzlich „Land in Sicht". Hinter dem Grenzzaun kam ein Transparent zum Vorschein mit der Aufschrift Mürschnitz grüßt Meilschnitz!

Fast die Hälfte der rund 400-Seelengemeinde Mürschnitz hatte den rund drei Kilometer langen Fußmarsch in den Westen auf sich genommen, um die siebte Grenzöffnung Neustadt – Sonneberg hautnah miterleben zu können. Doch noch war es nicht so weit, denn vorerst blieben die Metallgittertore für die Mürschnitzer und auch Sonnebergs Bürgermeister Klaus Oberender verschlossen. Die Jagdhornbläser leiteten den offiziellen Teil der Grenzöffnung mit vier Liedern ein. Danach, sieben Minuten vor halb elf, war es so weit und zwei Grenzsoldaten öffneten die Tore. Der Jubel auf bei-

den Seiten war groß. Menschen, die sich vorher nie gesehen hatten, fielen sich in die Arme.

Mehr Applaus als die obligatorischen Begrüßungsreden der beiden Bürgermeister Hellmut Grempel und Klaus Oberender erhielt ein junges Meilschnitzer Mädchen, das extra für diesen Tag ein Gedicht gelernt hatte und es auch fehlerfrei zum Besten gab. Ihr war es dann auch vergönnt, gemeinsam mit einem Mürschnitzer Mädchen das Band in zwei Hälften zu trennen. „Steck das Band ein, Carsten, das hat später einmal Museumscharakter", erklärte ein Mürschnitzer seinem Sohn, der den rot-weißen Fetzen schnell in seiner Jacke verschwinden ließ. Einen wahren Ansturm erlebte danach die provisorisch errichtete Waldbar der Meilschnitzer, die mit dem Nachfüllen der kleinen Gläser gar nicht nachkam. Auch in Meilschnitz war alles auf die friedliche Invasion vorbereitet. Die ehemalige Dorfschule wurde zu einem Café umgerüstet, in der der selbst gebackene Kuchen schnell zahlreiche Abnehmer fand.[70]

Bettelhecken – Wildenheid

Bettelheckener und Wildenheidener waren über die Jahreswende 1989/90 ebenfalls im Freudentaumel. Die spontanen und fast schon überstürzten Grenzöffnungen zwischen Thüringen und Franken rissen im Landkreis Coburg nach wie vor nicht ab. Am vorletzten Tag des Jahre 1989 wurden die rund 500 Einwohner von Bettelhecken für ihre vorausgegangenen Bürgerinitiativen belohnt. Genau um 12.53 Uhr war der Weg zwischen dem Sonneberger

Inmitten der beiden Bürgermeister, Klaus Oberender aus Sonneberg und Hellmut Grempel aus Neustadt, der 95-jährige Max Deininger aus Wildenheid.
Foto: Sammlung Rainer Krebs

Zeitweiliger Grenzpassierpunkt Hallstraße zwischen Wildenheid und Bettelhecken, aufgenommen am 6.1.1990.
Foto: Sammlung Rainer Krebs

Grenzöffnung zwischen Wildenheid und Bettelhecken am 20.1.1990.
Foto: Sammlung Rainer Krebs

Offene Grenze zwischen Wildenheid und Bettelhecken.
Foto: Sammlung Rainer Krebs

Wandergruppe beim Durchschreiten des Grenzzauns am Friedhof Hönbach im Frühsommer 1990.
Foto: Sammlung Rainer Krebs

Das Foto, aufgenommen vom DDR-Beobachtungsturm am 20.1.1990, zeigt die große Beteiligung der Bevölkerung bei der Grenzöffnung zwischen Wildenheid und Hönbach.
Foto: Sammlung Rainer Krebs

schen den rund 1.000 sehnsüchtig wartenden Menschen aus Ost und West durchschneiden. Inmitten der beiden Bürgermeister, Klaus Oberender aus Sonneberg und Hellmut Grempel aus Neustadt, rief der kleine alte, aber dennoch rüstige Mann: „Däss ich des noch dolaab, hätt ich net godacht!"[71]
Die sonst so gesprächigen Stadtoberhäupter hatten es an diesem Nachmittag nicht einfach, denn schließlich wusste Max Deininger so viel aus vergangenen Tagen zu berichten, dass er damit ein ganzes Buch hätte füllen können. „Über Baatlecken hou iich ümmer ougokörzt, wenn ich meine Körb auf Sumbarch vokäfft hou", erzählte der wohl glücklichste Mensch an diesem Tag. Dank sagte OB Grempel vor allem der beauftragten Firma, der es quasi in einer „Nacht- und Nebelaktion" gelungen war, den Weg vom Wildenheider Ortsausgang bis zum Grenzzaun so zu schottern, dass Fußgänger und Radfahrer problemlos darauf gehen bzw. fahren konnten.

Stadtteil und Wildenheid, Stadtteil von Neustadt bei Coburg, frei. Max Deininger, mit 95 Jahren Wildenheids ältester Bürger, durfte das Band zwi-

Ein originelles Geschenk hatte Sonnebergs Bürgermeister Klaus Oberender dabei. Die Schere, die Notarzt Dr. Beyer am 12. November 1989 am Grenzübergang an der „Gebrannten Brücke" zur Verfügung stellte, als dort das obligatorische Band zerschnitten wurde, überreichte er an Horst Möhring, Vorsitzender des Wildenheider Bürgervereins. Geöffnet war der Grenzübergang zwischen 13 und 20 Uhr und an Silvester von 17 Uhr bis in die Morgenstunden des neuen Jahres, um 3 Uhr früh.

Heubisch – Neustadt bei Coburg

Nachdem die Grenze zwischen Sonneberg und Hönbach offen war, hörte man die Forderung „Aufmachen" im November 1989 auch immer mehr in Heubisch. Der Grenzverkehr über Hönbach war in Gang gekommen, es gab auch schon eine ganze Reihe Ortsverbindungen zwischen den Orten beiderseits der Grenze. „Wir haben noch von früher eine Straße zwischen Heubisch und Neustadt, warum soll die nicht auch schnellstens geöffnet werden?" Diese Frage wurde immer nachhaltiger gestellt. Schließlich kam es zu einer Demonstration am Tor Richtung Neustadt, der Kompaniechef in Oerlsdorf wurde offiziell darüber informiert.

Am Samstag, dem 25. November 1989, um 13 Uhr war es dann so weit. Unter den Demonstranten waren auch Schüler der oberen Klassen. „Wir fordern einen Grenzübergang" oder „Friedliche Nachbarschaft zwischen Heubisch und Neustadt" war auf den Transparenten zu lesen. „Aufmachen, aufmachen!", im Sprechchor wurde die Forderung unmissverständlich vorgebracht, die Stimmung war friedlich. Ein Offizier der DDR-Grenzer versuchte zu erläutern, dass es einen Dienstweg gebe und ein Antrag in Berlin gestellt werden müsse. Bürgermeister Walter Greiner, ebenfalls unter den Demonstranten, meldete sich zu Wort und verlas den Antrag, der bereits seit einiger Zeit unterwegs nach Berlin sei. Dies wurde mit Beifall quittiert.

Es wurde sichtbar, dass zunächst am Neustadter Tor kein Fortschritt zu erzielen war, und so zog die ganze Schar Richtung Bergmühle, weitere Einwohner schlossen sich an. Oben am Tor angekommen, erschallte immer wieder der Ruf „Aufmachen". Karl Horner war mit seinem Akkordeon ebenfalls unter den Demonstranten. „Leute", sagte er, „jetzt wird gesungen!" Im Nu sang ein gewaltiger Chor: „So ein Tag, so wunderschön wie heute!" Überall hörte man dieses Lied in jenen Tagen an der Grenze.

Hautnah wurde mit den Grenzern diskutiert, es war nunmehr ihre Sache, die Angelegenheit zu einem guten Ende zu bringen. Der Vorschlag eines Offiziers, in den nächsten Tagen für einen Grenzübergang zu sorgen, wurde abgewiesen. Er ging zu seinem Fahrzeug zurück, telefonierte. „Beeilung, Beeilung", wurde ihm hinterhergerufen. Nach kurzer Zeit kam er zurück und verkündete: „Die Grenze nach Neustadt wird heute noch für drei Stunden geöffnet, Zeitpunkt: 16.15 Uhr." Nun war die Freude riesengroß. Inzwischen war es 15.30 Uhr geworden. Wie ein Lauffeuer hatte sich die Nachricht im Ort verbreitet.

Pünktlich um 16.15 Uhr versammelten sich zirka 150 Bürger am Neustadter Tor. Pioniere hatten bereits draußen an der Grenze ein Loch in den Zaun geschnitten. Dann erhielt ein Grenzer den Befehl, das Tor zu öffnen. Groß war der Jubel, man fiel sich in die Arme und Tränen flossen. Ein etwa 100 m langer Zug begab sich auf der alten Straße nach Neustadt. Alle Altersklassen waren vertreten. In bester Stimmung gelangte der Zug bis zur Grenze. Mit gegenseitiger Hilfe – die Grenzer packten mit an – musste zunächst der Graben überwunden werden. Schließlich eine Pro-forma-Ausweiskontrolle und der Weg von Heubisch nach Neustadt, zunächst provisorisch, war nach 45 Jahren wieder frei.

Auf bayerischer Seite wurden die ‚Grenzgänger' vom BGS freundlich empfangen. Die Beamten hatten die Aktion den ganzen Nachmittag über vom Hubschrauber aus beobachtet. Wohin jetzt, war die Frage. Einige liefen die Grenze entlang zur Bergmühle, der größte Teil jedoch zog nach Neustadt. „Seid pünktlich wieder zurück!", mahnten die DDR-Grenzer. „Wer nicht pünktlich ist, muss über Hönbach zurück!"

Einige suchten in Neustadt ihre Verwandten auf, die meisten strebten der Gaststätte „Friedrichshöh" zu. Wirt und Neustadter Gäste waren natürlich total überrascht über diesen Ansturm. Im Nu war das Lokal überfüllt. Viele Fragen mussten beantwortet werden: „Geht hoch zum Grünthal, dort ist bestimmt noch genug Platz für euch!", sagte der

Wirt und so war es auch. Es gab einige Maß Freibier, die der Wirt und Neustadter Gäste spendierten, und dabei musste die ganze Geschichte des Tages immer und immer wieder erzählt werden. Die Zeit verging wie im Flug.

Kurz vor 20 Uhr machte sich die Wandergruppe wieder auf den Heimweg, und von weitem sah man bereits, dass der notdürftige Grenzübergang hell beleuchtet war. Der BGS hatte ausgeholfen und auch heißen Tee gereicht. Grenzer von beiden Seiten standen beieinander und unterhielten sich. Der Neustadter Oberbürgermeister Hellmut Grempel und der Heubischer Bürgermeister Walter Greiner improvisierten eine kleine offizielle Begrüßung. Dann machten sich die Grenzgänger wieder auf den Rückweg. Die Barrieren waren schnell überwunden, die Ost-Grenzer leuchteten mit Fackeln und Autoscheinwerfern. „War es ein Traum oder doch Wirklichkeit?" So mag es manchem auf dem Heimweg durch den Kopf gegangen sein.[72]

Die offizielle Öffnung der Grenze für den Fußgängerverkehr zwischen Heubisch und Neustadt erfolgte am 17. Dezember 1989. Heubisch hatte sich auf diesen Tag gut vorbereitet. Eine Geldsammlung brachte eine beträchtliche Summe zusammen und in vielen Häusern wurden Kuchen gebacken, die im Kulturhaus von vielen freiwilligen Helfern – auch Kinder unterstützten die Aktion – den Gästen gereicht wurden.

Sonneberg/Hönbach – Neustadt bei Coburg

Nach 37 Jahren war die innerdeutsche Grenze zwischen Neustadt bei Coburg und seiner thüringischen Nachbarstadt Sonneberg wieder für den direkten Grenzverkehr zwischen der Bundesrepublik Deutschland und der DDR geöffnet! Am Sonntag, 12. November 1989, um 4.48 Uhr fiel der Schlagbaum an der „Gebrannten Brücke". Um 8 Uhr setzte sich ein schier endloser Strom von Reisenden zu Fuß, per Fahrrad, Motorrad und Pkw in Richtung Neustadt in Bewegung, umjubelt von einer Menschenmenge, die teils die ganze Nacht über für diesen historischen Moment vor Ort ausgeharrt haben.

Warten auf die Grenzöffnung an der „Gebrannten Brücke" zwischen Sonneberg und Neustadt am 11.11.1989.
Foto: Sammlung Rainer Krebs

Rainer Krebs – Warten auf die Grenzöffnung am 11.11.1989 an der „Gebrannten Brücke" zwischen Sonneberg und Neustadt.
Foto: Sammlung Rainer Krebs

Am Samstag, 11. November 1989, noch warteten die Menschen diesseits und jenseits der „Gebrannten Brücke" vergeblich auf die Wiedereröffnung des im Mai 1952 geschlossenen Grenzübergangs, der die Verbindung von Neustadt nach Sonneberg urplötzlich auf etwa 50 Kilometer anwachsen ließ. Der Wunsch auf eine baldige Grenzöffnung wurde am Samstag überdeutlich. Mit einem Transparent am Grenzpfahl wurde bereits gegen 10 Uhr signalisiert, wo es hingehen soll. Doch Beamte der Grenzpolizei ließen es wieder abnehmen. Noch waren es nur wenige, die am Schlagbaum ausharrten, doch minütlich wurden es mehr. Das Gerücht, die Grenze würde am Mittag geöffnet, hatte Magnetfunktion. Bereits seit den frühen Morgenstunden standen jenseits der Metallgitterzäune über 100 DDR-Bürger und blicken hoffnungsvoll und sehnsüchtig gen Neustadt.

Samstag, 10 Uhr: Neustadts OB Hellmut Grempel bat in einem dringenden Telegramm an DDR-

Grenzöffnung am 11.11.1989 zwischen Neustadt bei Coburg und Sonneberg. Im Bild sind v. l. zu sehen Leonhard Weitz, Leiter der Grenzpolizeiinspektion Coburg, Hellmut Grempel, Oberbürgermeister von Neustadt, Polizeidirektor Hagen, Kommandeur des BGS Coburg, MdL Walter Knauer sowie Rainer Krause, Oberstleutnant der DDR-Grenztruppen.
Foto: Sammlung Rainer Krebs

Die ersten Trabis rollen zwischen Sonneberg und Neustadt in Richtung Westen.
Foto: Sammlung Rainer Krebs

Staats- und Parteichef Egon Krenz die DDR-Spitze, im Interesse der wirtschaftlichen, menschlichen und familiären Einheit mit den Bürgern der in Sichtweite hinter der Grenze liegenden Stadt Sonneberg, einen Grenzübergang zu schaffen.

12.15 Uhr: Der weiße Holzpfahl mit der Aufschrift Landesgrenze fiel und blieb unbeachtet neben dem Schlagbaum liegen. Die wartenden Menschen hielten nicht mehr hinter der Demarkationslinie zurück. Polizeikräfte mussten sie des Öfteren auf bundesdeutsches Gebiet zurückschicken.

12.48 Uhr: Durch den Außenlautsprecher der Feuerwehr kam die Durchsage, dass es nach Mitteilung des Grenzübergangs Rottenbach zwar Verhandlun-

gen über eine Grenzöffnung an der Gebrannten Brücke gebe, eine solche jedoch an diesem Wochenende nicht stattfinden werde. Enttäuschung machte sich breit und bewegte einen Teil der Zaungäste zur Umkehr. Doch ihnen sollten weitere Hunderte von Menschen aus West und bereits über Rottenbach Zugereiste aus Ost folgen. Der Verkehr in der zuführenden Sonneberger Straße geriet ins Stocken, und am Schlagbaum wuchs die Euphorie, die zu eskalieren drohte.

15.30 Uhr: Ungeahnt brach eine etwa 100 Personen umfassende Gruppe zum Metallgitterzaun durch und versuchte, begleitet von Sprechchören „Kommt rüber!", das verschlossene Eisentor gewaltsam zu öffnen. Mahnende Worte von Ordnungskräften aus Ost und West bewegten sie letztlich doch dazu, von ihrem geplanten Tun abzuhalten. Derartige Provokationen seien den offiziellen Gesprächen über die Grenzöffnung nicht dienlich, hieß es von drüben. Unterdessen ging der Besucherstrom zur Gebrannten Brücke unaufhaltsam weiter. Privaten Informationen aus Sonneberg zufolge, so ging die Kunde um, werde auf DDR-Gebiet nämlich doch bereits auf eine baldige Grenzöffnung hingearbeitet.

20 Uhr: Die Verhältnisse an der Gebrannten Brücke hatten sich weitgehend normalisiert.

22.30 Uhr: Es kam die Kunde, dass jenseits des Metallgitterzaunes schweres Arbeitsgerät auffahre. Die Hoffnung wuchs. Die nach wie vor Ausharrenden brachen teilweise in Euphorie aus. Sprechchöre wurden laut: „Macht das Tor auf, Freiheit,

Grenzöffnung zwischen Sonneberg und Neustadt – Eine riesige Menschenmenge begrüßte am Grenzübergang an der „Gebrannten Brücke" die Nachbarn aus Thüringen.
Foto: Sammlung Rainer Krebs

Aufmachen" hallte es immer wieder hinüber. Immer mehr Menschen aus Ost und West drängten sich durch die Sonneberger Straße zum Ort des Geschehens. Die Leute blieben nicht hinter dem Schlagbaum zurück. Teils standen sie auf ihm, um die Geschehnisse hinter dem Zaun besser verfolgen zu können. Ein Großteil der Ausharrenden stand bereits auf DDR-Gebiet. Die Polizeibeamten mussten erneut einschreiten, um die Ruhe wieder herzustellen.

Kurz vor 24 Uhr: Peter Gehrlicher rief: „Um 6 Uhr wird geöffnet!" Woher er die Information habe, wurde er gefragt. Er hatte sich unbemerkt an den Metallgitterzaun herangeschlichen und am verschlossenen Tor gerüttelt. DDR-Grenzer ermahnten ihn zur Ruhe und teilten ihm die „6-Uhr-Öffnung" mit. Auch die Zollbeamten verfügten über entsprechende Informationen, mitgeteilt aus Privatgesprächen mit Bekannten in Sonneberg.

Sonntag, 0.20 Uhr: Die Euphorie wuchs. Eine Gruppe junger Männer schlich sich ebenfalls an den Metallgitterzaun, rüttelte am Tor. Und wieder erklangen die Sprechchöre „Aufmachen". Polizeibeamte holten die jungen Männer zurück und versuchten, auch die anderen Zaun-Gäste auf bundesdeutsches Territorium zu drängen.

Gegen 1 Uhr: Die Grenzpolizeistreife erhält per Funkspruch vor Ort die offizielle Mitteilung, dass laut Bundesfinanzministerium die Öffnung des Grenzübergangs Neustadt – Sonneberg an der Gebrannten Brücke auf 6 Uhr angesetzt ist. Jubelschreie ertönen. Sprechchöre folgten und einige stimmten das Deutschlandlied an. Angesichts der nun vorhandenen Gewissheit kehrte allmählich

Grenzübergang Neustadt bei Coburg – Sonneberg am 17.11.1989, von einem Hubschrauber aus fotografiert.
Foto: Willi Beetz

wieder Ruhe ein. Ein Großteil zog sich schließlich nach und nach zurück. 50 Personen blieben, wollten das Geschehen bis zur Grenzöffnung live mitverfolgen. Proviant, meist flüssiger, alkoholischer Art, hatten sie dabei. Die Befürchtungen der Polizei, durch übermäßigen Alkoholgenuss könne es zu möglichen Eskalationen kommen, bewahrheitete sich zum Glück nicht.

2.30 Uhr: Das anwesende Personal von Polizei, Zoll und Bundesgrenzschutz erhielt Verstärkung. Auch die US-Army rückte mit einer Besatzung an.

4 Uhr: Die Bereitschaft des Neustadter Roten Kreuzes wurde per Funkwecker alarmiert. Die Feuerwehr war an Ort und Stelle, gewappnet, den Schlagbaum zu entfernen. Zwischenzeitlich bewegten sich Straßenbaufahrzeuge der DDR bereits vor dem letzten Metallgitterzaun auf den Schlagbaum, Richtung Westen zu. Es galt, das in

Eröffnung des GüG Neustadt/Coburg – Sonneberg/Hönbach am 17.11.1989.
Foto: Heinz Kühn

Nach 38 Jahren Unterbrechung nimmt ein Linienbus zwischen Neuhaus am Rennweg und Coburg wieder den Fahrbetrieb auf. Das Foto entstand am 17.11.1989 am Grenzübergang Sonneberg – Neustadt.
Foto: Sammlung Rainer Krebs

Blick vom DDR-Beobachtungsturm auf die Grenzkontrollstelle „Gebrannte Brücke" bei Neustadt/Sonneberg.
Foto: Sammlung Rainer Krebs

all den Jahren der Trennung zugewachsene Straßenstück im so genannten Niemandsland frei zu machen.

4.15 Uhr: Die Blickkontakte zwischen hüben und drüben nahmen zu. Es kam zu ersten Shakehands zwischen Führungskräften der Ordnungshüter beider deutscher Staaten. Die ersten Wortwechsel verliefen überraschend freundlich. In allen Gesprächen spiegelten sich Zufriedenheit und Freude wider. Der Major der DDR-Grenztruppen, Ulrich Schmidt, meinte zum Leiter der Grenzpolizeiinspektion Coburg, Leonhardt Weitz, Neustadt, man sei optimistisch, was die termingerechte Grenzöffnung betrifft. Und er gab zu verstehen, dass es sich hier vorerst nur um ein Provisorium handele, um den Menschen die Möglichkeiten zu geben, ohne große Bürokratie reisen zu können. Dann besprachen Weitz und Schmidt den Abwicklungsmodus des neuen Grenzverkehrs.

4.30 Uhr: Bundesdeutsche Ordnungskräfte machten den Schlagbaum frei, um ihn gefahrlos für die Zuschauer entfernen zu können.

4.48 Uhr: DDR-Grenzer standen nur vier oder fünf Meter entfernt, als unter Jubelschreien und knallenden Sektkorken Beamte des Bundesgrenzschutzes und Feuerwehrmänner den Schlagbaum aus seiner Verankerung hoben, ihn wegtrugen und etwas abseits niederlegten und damit den Durchgang freimachten.

Kurz nach 5 Uhr: Der erst in der Nacht zum neuen Kommandanten für den neuen Grenzübergang

Der erste Linienbus des VEB Kraftverkehr Sonneberg von Sonneberg nach Neustadt passierte am 2.12.1989 den Grenzübergang an der „Gebrannten Brücke".
Foto: Sammlung Rainer Krebs

Grenzübergang Sonneberg – Neustadt an der „Gebrannten Brücke" am 23.12.1989. Ein herzliches Willkommen allen Besuchern aus Neustadt und Umgebung. Sie konnten an diesem Tag erstmals seit der Grenzziehung ohne Visum und ohne Zwangsumtausch in die DDR einreisen.
Foto: Sammlung Rainer Krebs

Deftig herzlich willkommen hießen sich die lange getrennten Nachbarn aus Neustadt und Sonneberg am 23.12.1989.
Foto: Sammlung Rainer Krebs

ernannte Oberstleutnant Rainer Krause begrüßte Leonhardt Weitz. Aus seinem Munde ist zu hören, dass jetzt nur noch schönes Wetter fehle. Gemeinsam verlautete: „Es hat so lange gedauert, jetzt sollten wir nichts übertreiben." Besonnenheit auf beiden Seiten, erst für geregelte Verhältnisse zu sorgen. Auf DDR-Seite neigten sich die Straßenbauarbeiten ihrem Abschluss zu. Die angepeilte 6-Uhr-Öffnung würde, so zeigte es sich, nicht einzuhalten sein. Doch das störte jetzt niemanden mehr.
8 Uhr: Offizielle Vertreter der Grenzpolizei, des Zolls und Bundesgrenzschutzes sowie der Stadt Neustadt gingen ihren Gegenüber entgegen. Man traf sich auf DDR-Gebiet. Der Kommandeur sprach die Hoffnung aus, dass für alle Zukunft Frieden herrschen möge in beiden Staaten. Neustadts OB Hellmut Grempel sprach von einem stolzen Tag für Neustadt und Sonneberg und wünschte ein „Glückauf".

Zur gleichen Zeit scharten sich hinter den Offiziellen die Bewohner der benachbarten DDR-Grenzorte, warteten auf den Zeig nach Westen. Immer wiederkehrende Jubelschreie klangen ihnen entgegen. Dann brach der Reisestrom los. Sie kamen zu Fuß, mit dem Fahrrad, dem Moped, dem Auto. Sie reckten die Hände in die Höhe, winkten, zeigten das Victory-Zeichen und bahnten sich ihren Weg durch die jubelnde, applaudierende und Grüße erwidernde Menschenmenge, die so lange auf diesen Moment gewartet hat.

Kurz nach 8 Uhr: Verwandte fielen sich in die Arme, Tränen flossen. Helfer von BRK und ASB waren einsatzbereit vor Ort. Es wurde heißer Tee gereicht zum Aufwärmen in der Kälte. Viele der Nachbarn harrten bereits Stunden drüben aus. Der Zustrom war schier unendlich und begleitet von einem ständigen Hup-Konzert der Trabis und Wartburgs auf Neustadts Straßen. 10.000 bis 20.000 DDR-Reisende lautete die Schätzung von Polizeihauptkommissar Pyka.[73]

Die Grenzöffnung bescherte der bayerischen Puppenstadt bis Mitternacht ein Verkehrschaos. Sämtliche Zufahrten waren durch Rückstaus der heimfahrenden DDR-Bürger blockiert. Neustadter Bürger versorgten die oft stundenlang wartenden Nachbarn aus dem Osten Deutschlands mit Bonbons, Plätzchen und anderem mehr. Neustadts ASB hat sogar zusätzlich auf der Südumgehung eine weitere nächtliche Verpflegungsstation eingerichtet.

Plakate in Sonneberg hießen die Nachbarn aus Bayern willkommen.
Foto: Sammlung Rainer Krebs

Ganz ohne Kontrolle ging es nicht – fotografiert am Grenzübergang Neustadt – Sonneberg im November 1989.
Foto: Sammlung Rainer Krebs

Am 1.7.1989 wurde zwischen Neustadt und Sonneberg der
deutsch-deutsche Staatsvertrag unterzeichnet. BGS-Hubschrauber brachte die prominenten Politiker nach Neustadt –
Sonneberg.
Foto: Sammlung Rainer Krebs

Freiwillige Helfer und Stadträte betätigten sich
zudem als Verkehrsregler, um zumindest den Ver-
kehrsfluss in etwas geordnete Bahnen zu bringen.
Die Besucher kamen insbesondere aus Sonneberg,
Heubisch, Lindenberg, Hönbach, Ober- und Unterlind, um mit ihren Verwandten und Bekannten aus
Meilschnitz, Ketschenbach und all den anderen
Stadtteilen Neustadts ihre Wiedervereinigung zu
feiern. Der Andrang auf das Neustadter Rathaus
war enorm, rund 20.000 Menschen holten sich ihr
Begrüßungsgeld ab. Oberbürgermeister Hellmut
Grempel machte alles mobil, was greifbar war, um
im Rathaus möglichst schnell und unkomplizierte
Anlaufstellen einzurichten. Zwar bildeten sich
immer wieder Menschenschlangen, doch am Ende
kamen die geduldigen Besucher alle an ihr
Begrüßungsgeld. Allein im Coburger Land wurden

an dem genannten Wochenende 5,5 Millionen DM
Begrüßungsgeld ausgezahlt. Die Grenzpolizei re-
gistrierte an diesem Wochenende allein in Rotten-
bach 116.520 Pkw mit 65.515 Personen aus der
DDR.
Am 17. November 1989 besuchte Bundesfinanzminister und CSU-Vorsitzender Dr. Theo Waigel in
Neustadt bei Coburg den Grenzübergang. Am
26. November 1989 hielt der Pfarrer von Neuhaus-
Schierschnitz/DDR vor ca. 50 Personen am Grenzverlauf auf Bundesgebiet einen Gottesdienst ab.
Nach Beendigung legte ein Teilnehmer neben einer
Grenzhinweissäule ein kleines Eisenkreuz und
einen Kranz „Zum Gedenken der Opfer dieser
Grenze" ab. Beides wurde von Grenzsoldaten an
eine BGS-Streife übergeben. Ursprünglich sollte
der Gottesdienst zwischen den beiden Kontrollstellen auf DDR-Gebiet abgehalten werden, DDR-
Behörden stimmten dem jedoch nicht zu.[74]
Sonneberger Alleingang – Während es offiziell am
24. Dezember 1989 für die Bundesbürger zum
Wegfall von Visumspflicht und Zwangsumtausch
kam, war es in Sonneberg auf Initiative des Sonneberger Bürgermeisters Klaus Oberender, der sich
über alle Verordnungen von „oben" hinweg setzte,
möglich, dass die Grenze in West-Ost-Richtung
bereits einen Tag vorher geöffnet wurde.
In den frühen Morgenstunden des 23. knallten
unzählige Sektkorken, der Fahrzeugstrom schwoll
bereits nach Mitternacht an, Bekannte und Unbekannte lagen einander in den Armen. Im Grenzort
Hönbach gab es den ersten Proviant für die Gäste,
Die Jazz-Optimisten und Jagdhornbläser spielten
auf. Unzählige Versorgungsstellen hatten Bürgeri-

Ein unübersehbare Menschenmenge hatte sich an diesem
historischen Tag an der „Gebrannten Brücke" bei Neustadt versammelt.
Foto: Sammlung Rainer Krebs

nitiativen, Vereine, Straßengemeinschaften aufgebaut. Die Oberlinder Kirche hielt alle zwei Stunden Andachten ab. Das Oberlinder Feuerwehrdepot verwandelte sich in ein riesiges Gasthaus. Das Spielzeugmuseum ließ seine Besucher kostenlos ein. 29.871 Grenzgänger hatten sich an diesem Tag nach Sonneberg auf den Weg gemacht. Weitere 19.610 Besucher strömten über den ebenfalls geöffneten Grenzübergang Neuhaus-Schierschnitz nach Sonneberg und in die Umgebung.

Gegen 14 Uhr holte der Sonneberger Bürgermeister seinen Neustadter Kollegen mit der Pferdekutsche ab und fuhr, eskortiert von Reitsportlern, ins Sonneberger Rathaus. Dort wehte erstmals nach 50 Jahren die schwarz-gelbe Stadtfahne.[75]

Nach der Unterzeichnung des Staatsvertrags zwischen den Beauftragten der beiden deutschen Staaten freuten sich die Politiker mit den zahlreichen Gästen über die nie für möglich gehaltenen Fortschritten im deutsch/deutschen Miteinander.
Foto: Sammlung Rainer Krebs

Unterzeichnung des Staatsvertrags am 1.7.1990 mit (sitzend v. l.) Bayerns Innenminister Dr. Edmund Stoiber, Bundesinnenminister Dr. Wolfgang Schäuble und DDR-Innenminister Peter Michael Diestel.

Die Lokalzeitung „Freies Wort" berichtete:
In Oberlind kümmerten sich Freiwillige Feuerwehr und das Deutsche Rote Kreuz um die Besucher, der ADMV sorgte für Freibier und besagte Extrawürste. Kurz nach 14 Uhr dann ein historischer Augenblick: Sonnebergs Bürgermeister Klaus Oberender empfing den Amtskollegen seiner künftigen Partnerstadt Neustadt, Hellmut Grempel, an der Übergangsstelle. Im Blitzlichtgewitter durchschritten beide das „Niemandsland" bis zum Hönbacher Ortsschild, wo sie unter großem Hallo eine Pferdekutsche bestiegen und zum Sonneberger Rathaus fuhren. An diesem prangten erstmals seit 40 Jahren wieder die schwarz-gelben Stadtfahnen der Spielzeugmetropole. Ein Sonneberger Stadtschreier in originalgetreuer Kluft begrüßte die Gäste, Jugendchöre sangen Weihnachtslieder. Und niemand im oder vorm Rathaus schämte sich in diesen Minuten seiner Tränen. Auch nicht eine ältere Frau neben mir. Sie murmelte fortlaufend: „Das schönste Weihnachtsfest seit Kriegsende ...!"[76]

Am 1. Juli 1989 wurde zwischen Neustadt und Sonneberg der deutsch-deutsche Staatsvertrag von den beiden Innenministern Wolfgang Schäuble und Peter Michael Diestel unterzeichnet.

Demo gegen das Ex-DDR-Regime am Rand der Großveranstaltung vom 1.7.1990.
Foto: Sammlung Rainer Krebs

Unterlind – Ebersdorf

Vorbereitung zur Grenzöffnung zwischen Unterlind und Ebersdorf am 30.4.1990.
Foto: Sammlung Rainer Krebs

Grenzöffnung zwischen Unterlind und Ebersdorf am 5.5.1990.
Foto: Sammlung Rainer Krebs

Weit angenehmere Temperaturen herrschten bei den Grenzöffnung im Frühjahr 1990. Die Aufnahme entstand zwischen Ebersdorf und Unterlind.
Foto: Sammlung Rainer Krebs

Mupperg – Fürth am Berg

Wie ein Lauffeuer ging es in Mupperg und Oerlsdorf am Vormittag des Samstags, 2. Dezember 1989, um, dass um 14 Uhr der Zaun in Fürth am Berg durchgängig wird. Um 13.45 Uhr herrschte dann die endgültige Gewissheit: Für zehn Minuten läuteten die Glocken der Heilig-Geist-Kirche in Mupperg. Die Blaskapelle spielte „Macht hoch die Tür", und tatsächlich – der Traum wurde zur Realität. In der ersten Stunde waren es nicht weniger als rund 400 Menschen, die bei Blasmusik über die Grenze in ihr Nachbardorf Fürth am Berg zogen.

Die Fürther wussten teilweise gar nicht, wie ihnen geschah, sollte etwa der Schützenumzug im Dezember stattfinden? Doch schnell war jedem klar, was es zu bedeuten hatte. Die meisten

Am 2.12.1989, 14 Uhr, wurde der Grenzübergang Mupperg – Fürth am Berg geöffnet. Die Staatsstraße 2208 erwachte aus ihrem 40-jährigen Dornröschenschlaf.
Foto: Sammlung: Rainer Krebs

Neustadts Oberbürgermeister Hellmut Grempel durchschnitt am 16.6.1990 das Trennungsband zur Eröffnung der Straße zwischen Fürth am Berg und Mogger.
Foto: Sammlung: Rainer Krebs

Straße von Wörlsdorf in das zu DDR-Zeiten geschleifte Dorf Liebau, aufgenommen im April 1991.
Foto: Heinz Kühn

Mupperger vermuteten, dass ihre Unterschriftensammlung, die sie einige Tage zuvor an die Regierung in Ostberlin geschickt hatten, die ersten Früchte trug. Doch ganz so weit war es noch nicht, denn diesen begrenzten Kurzbesuch hatten sie ihrem Bürgermeister Gerhard Schramm und Hauptmann Andreas Kott, Kompaniechef von Oerlsdorf, zu verdanken. Sie waren es nämlich, die den herzlichen Akt auf „ihre Kappe" nahmen.[77]

Rotheul - Mitwitz

Am Samstag, 3. März 1990, wurde ein neuer Grenzübergang zwischen Mitwitz, Landkreis Kronach, und Rotheul, Kreis Sonneberg, eröffnet. Selbst die schlechte Witterung konnte viele Wanderer nicht davon abhalten, nach fast 40 Jahren von Mitwitz nach Rotheul zu marschieren. Bei Bächlein wurde der Zaun für Fußgänger und Radfahrer durchlässig. Dieses Ereignis nahmen die Rotheuler zum Anlass, die vielen Gäste aus Bayern zu bewirten. Armeeangehörige servierten in der Ortsmitte Gulasch aus dem „großen Topf" und die Bürger überraschten in der ehemaligen Schule mit Kaffee und Kuchen.

Über die erneute Öffnung eines Übergangs zeigte sich der Bundestagsabgeordnete Otto Regenspurger, Untersiemau, erfreut. Er erinnerte an seinen Wunsch, einmal als Abgeordneter in den Berliner Reichstag einziehen zu können. Mit der Durchlöcherung des Eisernen Vorhangs sei er diesem Ziel ein Stückchen näher gekommen. Das Mitwitzer

Gemeindeoberhaupt Dietmar Herrgesell wertete den großen Besucherandrang als Zeichen dafür, dass beide Seiten ein starkes Interesse an einer Wiedervereinigung besäßen. Außerdem biete die Grenzöffnung die einmalige Chance, das Wandernetz erheblich zu erweitern.

Der Europaabgeordnete und ehemalige Kronacher Landrat, Dr. Heinz Köhler, drückte in seiner Rede die Hoffnung aus, dass beide deutsche Staaten bald wieder eine Einheit in Europa werden, während der katholische Pfarrer von Mitwitz, Harald Gschwand, sich über die kleinen Schritte beim Zusammenwachsen freute. Endziel müsse aber auch für die Zukunft unumstritten das menschliche Zusammenleben sein.[78]

Sichelreuth - Mitwitz

Bereits der zehnte Grenzübergang in die DDR konnte Mitte Januar 1990 im Landkreis Kronach geöffnet werden. Der sonst stille und verlassene Wirtschaftsweg zwischen Schwärzdorf bei Mitwitz und Sichelreuth in der DDR stellte wohl den meistbesuchtesten Weg im Landkreis Kronach an dem genannten Wochenende dar. Unzählige Bürger aus Schwärzdorf und Umgebung warteten geduldig auf den Moment der Öffnung um 13 Uhr. Aus Sichelreuth stießen die Musikkapelle Neuhaus-Schierschnitz sowie die Bürger der Gemeinde mit Bürgermeister Frank Praß zum Treffpunkt am Grenzstein. Der Bürgermeister der Gemeinde Mitwitz, Dietmar Herrgesell, stellte fest, dass dieser Wirtschaftsweg wieder seine ursprüngliche Funktion als Verbindung zwischen Verwandten und Freunden aufgenommen hat. Frank Praß bemaß dem 9. November 1989, dem Tag der Grenzöffnung, eine große Bedeutung zu. Als einen Appell an das friedliche Miteinander in der Zukunft ließ der Sichelreuther Bürgermeister zwei Dutzend Friedenstauben aufsteigen. Weiterhin wohnten der Grenzöffnung prominente Ehrengäste, wie MdB Otto Regenspurger, Dr. Heinz Köhler (MdEP) und Polizeikommissar Günter Neubauer bei.

Der Landrat des Kreises Kronach, Dr. Werner Schnappauf, freute sich mit den Bürgern von Mitwitz und Umgebung über den neuen Übergang. Mit einem Gedicht der Mundartdichterin Rosa Sachs sowie einigen Stücken des Posaunenchors Mitwitz ging es dann zu den Klängen der Musikkapelle Neuhaus-Schierschnitz in Richtung Sichelreuth – Lindenberg, wo die dortige Bevölkerung die Gäste bereits erwartete.[79]

Neuhaus-Schierschnitz – Burggrub

Am 24. November 1989 öffneten sich in Neuhaus-Schierschnitz erstmals die Grenztore. Bürgermeister Karl-Heinz Kramß erinnert sich:

Nachdem die Grenze zwischen Hönbach und Neustadt geöffnet war, wurde auch über einen möglichen Übergang in unserer Gemeinde diskutiert. Den Ausschlag für die Grenzöffnung gab eine Bürgermeisterdienstbesprechung am 14. November 1989 im damaligen Rat des Kreises, wo ich die Öffnung forderte. Meine Forderung wurde abgelehnt. Hönbach sollte der einzige Übergang bleiben. Ich habe aber nicht locker gelassen und prophezeit, dass bei Nichtgenehmigung ein Durchbruch kommen würde. Am späten Abend wurde mir mitgeteilt, dass die Grenze am 24. November 1989 um 14 Uhr geöffnet wird. Der Tag der Grenzöffnung war unvergesslich. Das war für alle ein Gefühl der Erleichterung. Viele Neuhaus-Schierschnitzer haben Verwandte in Bruggrub, ja sogar bis Redwitz. Die fielen sich in die Arme. Der Empfang in Burggrub war sehr herzlich und freundlich. Zunächst durften nur die Neuhäuser rüber. Erst ab 15 Uhr wurde der Grenzübertritt auch den Burggrubern erlaubt.[80]

Tausende feierten damals die Öffnung des Grenzübergangs. Bereits eine Stunde vor dem offiziellen Eröffnungszeitpunkt konnte Stockheims Bürgermeister Albert Rubel die ersten Landsleute aus dem anderen Teil Deutschlands begrüßen. Die ankommenden Gäste aus der DDR bekamen Ablichtungen einer Urkunde, die an den historischen Tag erinnern soll. Beiderseits der Grenze wurde ausgelassen gefeiert.

An den Gegenbesuch der Burggruber erinnert sich Winfried Wagner:

Am frühen Morgen versammelten sich Einwohner aus Burggrub (Bundesrepublik) an der Grenze. Sie wollten an einem gemeinsamen Gottesdienst in Neuhaus-Schierschnitz teilnehmen. Unter den Klängen des Blasorchesters Neuhaus-Schierschnitz zogen die Burggruber über die Grenze. Etwa 700 waren gekommen. Sie wurden von der Visa-Pflicht befreit und konnten somit die Sperranlage der DDR ohne Kontrollen, aber mit viel Musik passieren. Auf dem Weg zur Dreifaltigkeitskirche wurden sie von zahlreichen Neuhäusern winkend begrüßt. Posaunenchor und Gesangverein aus Burggrub gaben dem Gottesdienst einen feierlichen Rahmen. Es gab nun reichlich Gelegenheit, alte Kontakte aufzunehmen, neue Bekanntschaften zu schließen und die Gäste aus dem Frankenwald zu bewirten. Gemeinsam wurde ein fröhlicher Adventssonntag verlebt. Gemeinsam ging es gegen 22.00 Uhr zurück an die Grenze. Der Blick auf die Ausweispapiere war für die Grenzsoldaten nur eine Formsache.[81]

Heinersdorf - Welitsch

Anfang November 1989 entstand diese Aufnahme an der Mauer zwischen Welitsch und Heinersdorf. Zu diesem Zeitpunkt rechnete noch niemand im Traum mit einer baldigen Grenzöffnung.
Foto: Reinhold Albert

Grenzöffnung zwischen Welitsch und Heinersdorf am 19.11.1989.
Foto: Zeitschrift des Bundesgrenzschutzes Nr. 4/1990

Zu einer spontanen Grenzöffnung zwischen Heinersdorf, Kreis Sonneberg, und Welitsch, Lkrs. Kronach, kam es am Sonntag, dem 19. November 1989. Am darauf folgenden Tag wurde der Grenzübergang für Fußgänger dann offiziell eröffnet. Vorausgegangen waren dieser „außerplanmäßigen" Öffnung dramatische Vorgänge am Sonntagnachmittag, als etwa 4.000 Menschen auf beiden Seiten der Mauer bei Heinersdorf lautstark die Öffnung des Übergangs forderten. Dies- und jenseits der Befestigungen wurden immer wieder Rufe wie „Öffnet das Tor!" laut. Wenige Minuten nach 15 Uhr leisteten die Grenztruppen der DDR auf Anweisung von Major Roland Jahn den Forderungen Folge. Die Menschen beiderseits der Grenze strömten aufeinander zu, lagen sich in den Armen und vergossen Freudentränen. Die jahrzehntelange Trennung von Nachbarn, die nur wenige hundert Meter voneinander entfernt lebten, hatte ein Ende.

Unter den Klängen der Musikkapellen aus Pressig, Rothenkirchen und Heinersdorf spazierten die Bürger aus beiden Teilen Deutschlands durch Heinersdorf zum Kulturhaus, wo man lange in gemütlicher Runde beisammen saß und die neu gewonnene Freiheit in vollen Zügen auskostete. Viele DDR-Bürger nutzten natürlich auch die erste sich bietende Möglichkeit zu einem Besuch bei Verwandten, Freunden und Bekannten in den benachbarten Gemeinden des Landkreises Kronach.

Ein Novum: Bis in die Nacht hinein gab es keine Grenze mehr: Ohne Pass oder Visum machten sich etwa 6.000 Bürger aus Thüringen und Bayern ungehindert auf den Weg von West nach Ost und von Ost nach West. Erste Gespräche zwischen Kommunalpolitikern und den Angehörigen der Grenzorgane beider Seiten fanden statt.

Der Polizeioberkommissar im Bundesgrenzschutz, Fischer, erinnert sich:

Die Öffnung der Grenze am 19. November 1989 zwischen Heinersdorf und Welitsch wird allen, die dabei gewesen sind, sicher unvergesslich bleiben. Zum einen, weil zwischen diesen beiden kleinen, nur 1 km auseinanderliegenden Ortschaften im Landkreis Kronach an der Grenze zwischen Thüringen und Bayern schon seit jeher besonders enge menschliche, familiäre und nachbarliche Verbindungen bestanden; zum anderen, weil die Grenzöffnung spontan von den Bürgern „erkämpft" wurde.

Begonnen hatte alles am Sonntagnachmittag mit einer Veranstaltung auf beiden Seiten der Mauer – zwischen Heinersdorf und Welitsch war seit Oktober 1982 eine 640 m lange Mauer errichtet, die das gesamte Tettautal vom Westen abtrennte. Die Musikvereine beider Orte sendeten sich durch abwechselndes Spielen alter Heimatlieder wie „Tief im Frankenwald" und das „Rennsteiglied" ihre Grüße zu und bekundeten damit die nach wie vor bestehende Verbundenheit, die auch nach jahrzehntelanger gewaltsamer Trennung nicht zerstört werden konnte.

Viele Menschen fanden sich ein, hüben wie drüben, insgeheim wohl ein bisschen hoffend, dass an diesem Tag vielleicht auch das ersehnte Wunder – wie

Noch provisorisch – der Grenzübergang Welitsch – Heinersdorf kurz nach der Öffnung.
Foto: Zeitschrift des Bundesgrenzschutzes Nr. 5/1990

eine Woche zuvor bei den ersten Grenzöffnungen zwischen Neustadt und Sonneberg sowie Falkenstein und Probstzella – geschah. Man stand sich im Abstand von 150 m gegenüber, winkte sich zu und sang kräftig mit. Irgendwann rannten die ersten Bundesbürger ungehindert bis zur Mauer vor und dann gab es praktisch kein Halten mehr: Um 15.08 Uhr öffneten die DDR-Grenzsoldaten zum ersten Mal nach 40 Jahren die Grenze. Was danach geschah, ist einfach unbeschreiblich: Menschen fielen sich in die Arme, grenzenloser Freudentaumel, viele Tränen; manche standen auch ganz stumm da und brachten vor Rührung kein Wort mehr hervor. Zuerst sollte der Übergang bis 18.00 Uhr geöffnet bleiben, dann bis 24.00 Uhr – ein BGS-Beamter gab über Megaphon jeweils die neueste Nachricht durch –, und dann wurde unter dem Jubel und Beifall der Menge verkündet, dass hier ein ständiger Fußgängerübergang errichtet werden soll. Einwohner brachten Kaffee, Kuchen und belegte Brote heran. Auf dem Schlagbaum wurde ein kaltes Büfett angerichtet, und etwas zum „Anstoßen" war auch schnell organisiert. Die bittere Kälte an diesem Tag konnte jedenfalls keinen von der „Grenzparty" abhalten. Und für so manchen Grenzsoldaten war dies alles ein wenig unfassbar. Der Technische Zug der Bundesgrenzschutzabteilung Süd 2 Coburg hatte inzwischen für Beleuchtung gesorgt, weil auch in den späten Abendstunden der Besucherstrom nicht abriss. Die Nachricht von der Grenzöffnung hatte sich schnell herumgesprochen und viele wollten einfach nur mal „rüberschaun" – ohne Ausweis, ohne Kontrolle, ohne Verbote.

Das einzige, was verboten werden musste, war die Fahrt eines Lkw einer Bierbrauerei über die Grenze bis zur Mauer; so musste man den „Stoff" für die Feier in Heinersdorf kurzerhand per Schubkarren dorthin transportieren. Bis zum frühen Morgen waren alle Welitscher in Heinersdorf und alle Heinersdorfer in Welitsch. Von den eigenen Beamten wollte diesmal keiner aus dem „Einsatz" entlassen werden. Für viele war dies das schönste Erlebnis ihrer bisherigen Dienstzeit. Und alle spürten, dass sie an diesem Abend ein kleines bisschen Weltgeschichte erlebt hatten.[82]

Am darauf folgenden Tag verlief alles wieder in geregelten Bahnen: Zu Fuß machten sich die Bewohner von Heinersdorf oder aus der Umgebung auf zu einem Besuch in den Westen. Zum Leidwesen der Bürger auf bayerischer Seite waren zum Passieren der Grenze von West nach Ost – wie anderswo auch – wieder Pass und Visum erforderlich.

Nachfolgend noch einige Meldungen aus den monatlichen Grenzlagemeldungen der bundesdeutschen Sicherheitsorgane:

*   Am 03.12. beging im GA 52/53, S Heinersdorf/DDR; PA 621 809, um 10.00 Uhr der Kompaniechef der Grenzkompanie Heinersdorf mit etwa 30 Bewohnern der Ortschaft Heinersdorf/DDR die Grenze.
*   Am 06.12. fand im GA 52/53, am GUG Welitsch - Heinersdorf/DDR, PA 621 809, um 14.00 Uhr, eine Nikolausbescherung für ca. 100 Kinder aus der DDR statt, die teilweise mit Eltern und einer Kindergärtnerin gekommen waren. Gegen 14.15 Uhr fuhr die Kutsche mit dem Nikolaus aus Welitsch zum Kindergarten nach Heinersdorf/DDR und kehrte um 14.35 Uhr wieder auf Bundesgebiet zurück.
*   Am 12.12. demonstrierten im GA 52/53, Heinersdorf/DDR, PA 621 809, von 19.00 – 19.50 Uhr ca. 500 dt. Sta. aus der DDR unmittelbar an der Grenzlinie gegen den Einsatz ehemaliger Angehöriger des Staatssicherheitsdienstes der DDR bei der Pass- und Zollabfertigung.
*   Am 31.12. fand im GA 52/53, am GÜG Welitsch – Heinersdorf/DDR, PA 621 809 unter Beteiligung von 450 Personen eine dt./dt. Silvester- und Neujahrsfeier statt, bei der ausgelassene Volksfeststimmung herrschte.
*   Am 29.03. wurde im GA 52/53, südlich Heinersdorf die im Jahre 1982 auf 640 m Länge errichtete Betonsperrmauer mittels Sandstrahlgebläse gesäubert.
*   Am Wochenende 31.03./01.04. wurde damit begonnen, die Mauer von Künstlern aus der DDR zu bemalen. Die Fortsetzung der Malaktion ist für das kommende Wochenende 07./08.04. geplant.

Im April 1990 wurde also, wie erwähnt, aus der tristen Betonmauer in Heinersdorf ein Schmuckstück. Ab 8. April 1991 wurde sie dann dem Erdboden gleich gemacht. Zumindest fast. Einige Frag-

Heinersdorf 1995, im Hintergrund neben Mauer und Bunker ein Gedenkstein mit der Aufschrift „Zum Gedenken an die friedlich erzwungene Grenzöffnung am 19.11.1989".
Foto: Heinz Kühn

mente sollten als Mahnmal erhalten bleiben. Gleich in den ersten Stunden nach der Grenzöffnung machten sich viele Bürger auf den Weg gen Westen. Für die meisten war es auch das erste Mal, dass sie ins ehemalige „Sperrgebiet" kamen. Eine Entdeckungsreise in ein bis dahin unbekanntes und zum Teil märchenhaft schönes Stück Heimat begann. Heinersdorf mit seiner malerischen Umgebung bildete dabei keine Ausnahme. Da erschien die triste graue Betonmauer, die sich wie ein hässlicher Lindwurm durchs Tal wand, erst recht als eine Barbarei. Ähnliche Gedanken hatten wohl auch die Spielzeuggestalterin Renate Müller und die Maler Bernd Rückert und Gerhard Renner.

So entstand die Idee, die Mauer zum Kunstwerk zu machen und ihr damit ihren Schrecken vollends zu nehmen. Die Malaktion am einstigen Symbol der Trennung sollte zu einem Anlass der Begegnung und des ersten Kennenlernens von Künstlern aus Thüringen und Franken werden. Dass daraus schließlich eine Aktion wurde, an der sich auch viele Kinder und Bürger aus Heinersdorf beteiligten, zeigt, welche Brisanz die Mauer für die heimische Bevölkerung hatte. So mancher befreite sich hier von in vielen Jahren angesammeltem Hass.

Bevor allerdings mit dem Malen begonnen werden konnte, gab es für die drei Initiatoren eine Menge Arbeit. Da musste zunächst das Einverständnis der Grenztruppen und der damaligen Bürgermeister eingeholt werden. Von den Kunstvereinen Coburg und Kronach erhielten die drei Thüringer Künstler

die Adressen ihrer fränkischen Kollegen, an die dann Einladungen zur Mauermalaktion geschickt wurden.

Der Inhaber der Neustadter Plastikfirma Sauer, Achim Sauer, Stadtrat und Kunstliebhaber, stiftete die in großen Mengen benötigte Farbe. Da aber Kinder mit dieser Art von Farbe nicht malen konnten, half der Vorsitzende des Coburger Kunstvereins, Dr. Rudolf Priesner, indem er Dispersionsfarben von einer Coburger Firma besorgte.

Schließlich war es soweit. Am 31. März 1990 trafen sich zum ersten Mal einige Künstler und Heinersdorfer, um bei herrlichem Sonnenschein der Mauer zu Leibe zu rücken. Der eigentliche Höhepunkt aber war der 7. April 1990. Trotz Wind und Kälte hatten sich viele Berufs- und Hobbymaler eingefunden, um ein riesiges Kunstwerk zu schaffen.

Die Sonneberger Jazz-Optimisten erwärmten mit ihrem temperamentvollen Spiel zumindest die Gemüter. Es war die Absicht der Initiatoren, Teile der Mauer zum Verkauf anzubieten. Das Geld sollte für kommunale Zwecke verwendet werden.

Das ehemalige Bezirksbüro des Verbandes Bildender Künstler hat einige Mauersegmente gekauft, die als eine Art Mahnmal an Ort und Stelle stehen bleiben sollen. Der Erlös aus diesem Verkauf wurde der Gemeinde Heinersdorf, der Ingenieurschule für Spielzeugformgestaltung und dem Reha-Zentrum Sonneberg zur Verfügung gestellt. Weitere Segmente wurden von den Stadtverwaltungen Sonneberg und Coburg, der Thüringisch-Fränkischen Begegnungsstätte und der Galerie am Herrenteich in Suhl erworben.[83]

Die Grenze bei Heinersdorf im Sommer 1990.
Foto: Sammlung Rainer Krebs

Am 17. Juni 1990 fanden zahlreiche Veranstaltungen auf beiden Seiten der Grenze statt. Besonders erwähnenswert war eine Großkundgebung im Bereich der ehemaligen Betonsperrmauer Heinersdorf. Bundesfinanzminister Dr. Theo Waigel war vor etwa 10.000 Besuchern aus Ost und West der Hauptredner.

Spechtsbrunn – Tettau

Am 24. November 1989 wurde zwischen Spechtsbrunn und Tettau der erste Grenzübergang im Kreis Neuhaus/Rwg. zur Bundesrepublik eröffnet. Bereits in der Ausgabe vom 17. November 1989 hatte Freies Wort berichtet, dass eine Öffnung der Grenze für den Fahrzeug- und Fußgängerverkehr erwogen werde und Verhandlungen zwischen dem

Endlich ist der Rennsteig wieder offen. Plakat am Rennsteig, aufgenommen im Juli 1990 im Bereich der sog. Wegespinne zwischen Glashügel bei Spechtsbrunn und Kuhwald/Kleintettau.
Foto: Hendrik Krümmer

Rat des Kreises Neuhaus/Rwg. und dem Landratsamt Kronach im Gange seien. Insbesondere ging es dabei darum, die etwa einen Kilometer lange Straße vom Abzweig Kalte Küche hinunter ins Tal einigermaßen in Ordnung zu bringen und einen provisorischen Gehweg für die Fußgänger zu schaffen. Am Grenzzaun selbst mussten Stellplätze für Campinganhänger geschoben werden. Diese in Schmiedefeld gebauten Hänger des Typs „QUECK Junior" dienten den Visa- und Passkontrolleuren der Grenztruppen, des Zolls und den hierher abkommandierten Stasi-Mitarbeitern als Unterkunft.

Am Freitag, dem 24. November 1989, war es dann so weit und der Eiserne Vorhang zwischen Thüringen und Oberfranken hob sich auch an diesem Abschnitt der „Staatsgrenze West", die Welten voneinander trennte. Von Spechtsbrunn herunter zogen Hunderte Bürger aus dem gesamten Kreis Neuhaus, denen die Freude ins Gesicht geschrieben stand. Hinter einem Transparent Spechtsbrunn grüßt Tettau marschierte die Spechtsbrunner Schalmeienkapelle. Auf Tettauer Seite hatten sich gleichfalls Hunderte eingefunden, um die DDR-Bürger zu begrüßen. Als der Kommandant der Grenzübergangsstelle, Major Meyer, um 15 Uhr per Megaphon die Straße freigab, gab es kein Halten mehr.
Wie schon so oft in den zurückliegenden Wochen stieg Herzlichkeit über alles Trennende hinweg. Ratsvorsitzender Erich Müller gab in seiner Ansprache dem Wunsch Ausdruck, dass diese Straße die Bürger in Freundschaft und allseitigem Frieden zusammenführe und verband damit Dank an die Mitarbeiter des Straßenbauamtes Kronach für die sehr gute Zusammenarbeit. Der Landrat des Landkreises Kronach, Dr. Werner Schnappauf, äußerte Freude darüber, dass kulturelle und wirtschaftliche Traditionen wiederbelebt werden. Zustimmung im weiten Rund fand seine Feststellung, dieses Zueinander könnte so zur Selbstverständlichkeit werden, wie es zwischen Bayern und Österreich bzw. der Schweiz üblich wäre. Sodann entbot der Bürgermeister der Gemeinde Tettau ein freundliches Willkommen zur Feier des Tages.
Der lange Zug der Bürger aus Ost und West, angeführt von der Politprominenz diesseits und jenseits der Grenze, setzte sich dann in Bewegung. Durch das fahnengeschmückte Tettau ging es zur

Historische Markierungen werden am Rennsteig wieder angebracht, aufgenommen im Juli 1990 im Bereich der sog. Wegespinne zwischen Glashügel bei Spechtsbrunn und Kuhwald/Kleintettau.
Foto: Hendrik Krümmer

Festhalle im Zentrum der 2.800 Einwohner zählenden Gemeinde. Für eine stimmungsvolle Atmosphäre – selbstverständlich bei Freibier – sorgte hier die Steinheider Folkloregruppe Keilspitzer, die eigens für diesen Abend nach Tettau gekommen war. Gemeinsam wurde das Rennsteiglied gesungen, und am Abend überbrachte das VdgB-BHG-Blasorchester Lichte musikalische Grüße.
Die Lichter Mundartdichterin Hildegard Heinert verfasste eigens ein Gedicht, in dem es hieß: „Hurra, de Tate un Spacksbarn, sinn heite wedder Nachbern warn. Was kä Mensch 40 Johr gedacht – es nunne Wohrhät ewer Nacht."[84]

Die neue Grenzübergangsstelle war fortan eine stark frequentierte Verbindung zwischen Thüringen und Oberfranken. Am 5. Januar 1990 konnten Bürger des Marktes Tettau anlässlich des Bürgerfests in Spechtsbrunn/DDR über den Grenzübergang unter Vorlage lediglich des Personalausweises in die DDR einreisen. Am 11. Januar 1990 trafen sich am gleichen GÜG zwei Schulklassen aus Tettau und Spechtsbrunn. Anschließend marschierten sie mit Transparenten in Richtung des Tettauer Sportplatzes.

Am 14. Februar 1990 wurden im Bereich des GÜG Tettau Spechtsbrunn/DDR und Tettau im beiderseitigen Einvernehmen zwei grenzüberschreitende Skiloipen gespurt, die am 17. und 18. Februar in Betrieb genommen wurden.

Probstzella – Ludwigsstadt

Zwar lag der Übergang Probstzella – Ludwigsstadt bereits im DDR-Bezirk Gera, doch hatte er für den Bezirk Suhl große Bedeutung, da an dieser Stelle die Bahnlinie in die Bundesrepublik Deutschland führte. Aus diesem Grund findet auch dieser Übergang in dieser Aufstellung Berücksichtigung.

Um 6 Uhr rollte am 13. November 1989 am Grenzübergang Ludwigsstadt – Probstzella der erste Trabi in die Bundesrepublik. Bis in den späten Nachmittag hinein folgten ihm jedoch kaum mehr als 300 Pkw. Bei einigen Grad unter Null passierten an dem Werktag insgesamt rund 1.000 DDR-Bürger den Grenzübergang. Obwohl es für Freudentränen zu kalt und von der Euphorie der Grenzöffnun-

Der Bahnübergang Gutenfürst – Probstzella im Frühjahr 1990.
Foto: Heinz Kühn

Schild mit geltenden DDR-Verkehrsvorschriften.
Foto: Heinz Kühn

gen der letzten Tage nicht viel zu spüren war, wurde dennoch unmissverständlich deutlich, dass es sich bei diesem Akt um ein historisches Ereignis handelte. Zu eindrucksvoll waren die Bilder, die sich vor den wenigen Schaulustigen abspielten. Eine junge Frau, die mit ihrem Freund zum ersten Mal in den Westen kam, wünschte sich „ein riesiges T-Bonesteak". Das Reiseziel war, wie für viele andere, die mit dem Auto gekommen waren, Coburg. Ein anderer, der zu Fuß den Weg zurückgelegt hatte, „köpfte" nach dem Grenzübertritt eine Flasche Sekt. Gleich darauf ging er wieder zurück, denn „drüben" wartete die Arbeit auf ihn. Im Arbeitsanzug kamen drei Handwerker über die Grenze. Sie hatten gegen 7 Uhr im Radio erstmals von der Öffnung des Übergangs gehört und sich spontan in den Kombi der Firma gesetzt, um Falkenstein einen Besuch abzustatten. Nach einem Abstecher nach Ludwigsstadt kehrten auch sie wieder an ihre Arbeitsplätze in Probstzella zurück.

Am 16. November 1989 übergab Bayerns Ministerpräsident Max Streibl offiziell den Grenzübergang Probstzella – Ludwigsstadt. Im grünen Herzen Europas herrschte großartige Volksfeststimmung. Schüler der Volksschule Ludwigsstadt hatten bunte Transparente zur Begrüßung der DDR-Gäste und des Ministerpräsidenten gemalt. Der Kronacher Landrat Dr. Werner Schnappauf sprach von einem großen Augenblick: „Wir sind heute zusammengekommen, um ein Jahrhundertereignis zu feiern!", meinte der CSU-Politiker an der traditionsreichen Stätte am Falkenstein.

Zusammmmenfassung

Den Schluss dieses Kapitels über die Grenzöffnungen bilden Auszüge aus dem Tätigkeitsbericht des Bundesgrenzschutzes (BGS) sowie der Bayerischen Grenzpolizei für das Jahr 1989:

Bericht des Bundesgrenzschutzes
Grenze zur DDR
Die Situation an der Grenze zur DDR zeigte bis November 1989 das seit Jahrzehnten gewohnte Bild. An der Perfektionierung der Grenzsperranlagen wurde weiter gearbeitet. Die Arbeiten konzentrierten sich auf die Installation zusätzlicher Sper-

Wiedervereinigungsfeier am 3.10.1990 an der Landesgrenze zwischen Rudelsdorf/Rodach und Seidingstadt/Streufdorf. Foto: Sammlung Rainer Krebs

Wiedervereinigungsfeier am ehemaligen Grenzübergang Rottenbach – Eisfeld in der Nacht vom 2. auf den 3.10.1990. Foto: Wilfried Leusenrink

ren an Durchlasstoren im Grenzsperr- und Signalzaun sowie den Ausbau weiterer Halogenstrahlersperren.
Die DDR-Grenzsperranlagen hatten am 9. November 1989 folgenden Ausbaustand erreicht:

Länge
- des Metallgitterzaunes (MGZ) 1.265,0 km
- des Schutzstreifenzaunes (SSZ) 1.189,9 km
  davon modifiziert mit vorgelagerter
  Hundefreilaufanlage 113,5 km
- Anzahl der Hunde 792
- der Betonsperrmauern 29,0 km
  des Metallgitterzaunes 2,0 km
- des Kraftfahrzeugsperrgrabens, 822,2 km
  davon befestigt 580,1 km
- des Kolonnen-/Streifenweges 1.336,7 km
  am MGZ 340,7 km
  am SSZ 340,7 km

- der Lichtsperren 228,2 km
- der Halogenstrahlersperren 82,2 km
- der Hundelaufanlagen 57,2 km
  Anzahl der Hunde 696

Anzahl
- der Erdbunker am MGZ 368
- der Erdbunker am SSZ 26
- der Beobachtungstürme am MGZ 513
  davon aus Beton 417
- der Beobachtungstürme am SSZ, 48
  davon aus Beton 36

Länge der Grenze DDR zu Bayern 422,0 km
Metallgitterzaun 376,8 km
Grenzsignalzaun 345,6 km
Betonsperrmauer an 7 Stellen 5,0 km
Beobachtungstürme 160
Führungspunkte 41
Beobachtungsstände 143
Hundefreilaufanlagen am GSSZ 29,1 km
Hundelaufanlagen 120,0 km
Lichtsperren an 30 Stellen 52,6 km
Halogenstrahlersperren 28,7 km

Auch die Art und die Intensität der Überwachungstätigkeit der DDR-Grenztruppen waren bis November 1989 im Wesentlichen unverändert.

Trotz des gewachsenen Ausreisedruckes der DDR-Bevölkerung, wie er sich seit Sommer 1989 insbesondere in den Botschaften der Bundesrepublik Deutschland in Ungarn, Polen und der ČSSR mani-

Ost und West feierten am 3.10.1990 im Festzelt am ehemaligen Grenzübergang Hellingen die Wiedervereinigung.
Foto: Manfred Reuter

Wie allerorten fanden sich auch zwischen den nahezu ein halbes Jahrhundert geteilten Dörfern Rieth/Albingshausen und Zimmerau/Sternberg am 3.10.1990 zahlreiche Menschen ein und feierten die Wiedervereinigung.
Foto: Reinhold Albert

Religiöse Feier anlässlich der Wiedervereinigung auf der Schanz zwischen Eußenhausen und Henneberg am 2.10.1990.
Main-Post vom 4.10.1990

festierte, hatte die Zahl der Fluchtbewegungen über die Grenzsperranlagen in die Bundesrepublik Deutschland bis zum 9. November 1989 nur unwesentlich zugenommen. Vom 1. Januar bis Ende Oktober 1989 flüchteten 127 Personen auf diesem Wege aus der DDR. Dies waren gerade so viele Sperrbrecher wie im gesamten Vorjahr (125). In 29 weiteren Fällen scheiterten nach Beobachtungen eigener Grenzsicherungskräfte die Fluchtversuche von Einzelpersonen oder auch Personengruppen im Bereich der DDR-Sperranlagen. Dreimal wurde nach eigenen Beobachtungen von Angehörigen der DDR-Grenztruppe die Schusswaffe gegen Fluchtwillige eingesetzt; inwieweit dabei Personen zu Schaden kamen, ließ sich nicht eindeutig feststellen.

Am Riether Berg wurde am Abend des 3.10.1990 ein Mahnfeuer entzündet.
Foto: Erwin Schmidt

Kommandoappell des Bundesgrenzschutzkommandos Mitte und Ökumenischer Gottesdienst bei Obersuhl aus Anlass der Vereinigung am 3.10.1990.
Foto: Hans-Karl Gliem

Nachdem die DDR am 9. November 1989 die Reisebeschränkungen für DDR-Bewohner aufgehoben hatte, veränderte sich die Situation an der innerdeutschen Grenze schlagartig und dramatisch. Bereits in der Nacht zum 10. November 1989 kam es an den wenigen bisher vorhandenen 20 Grenzübergängen zu einem Ansturm von Reisenden aus der DDR. Die DDR-Grenztruppen ließen Reisende entgegen den bisherigen sehr strengen Personenkontrollen praktisch ohne Formalitäten durchfahren. An den Übergängen spielten sich ergreifende Begrüßungsszenen ab.

Durch den Druck der Bevölkerung sahen sich die Grenzorgane der DDR gezwungen, in den nächsten Tagen an alten vorhandenen Straßen zwischen der DDR und der Bundesrepublik Deutschland die Grenzsperranlagen zu beseitigen und auch hier einen grenzüberschreitenden Verkehr zuzulassen. Das Niederreißen der Grenzsperranlagen an den alten Verbindungsstraßen wurde regelmäßig begleitet von Freudensbekundungen der Bevölkerung beiderseits der Grenze. Die DDR-Grenztruppen suchten nun das Gespräch mit dem Bundesgrenzschutz. Die Angehörigen beider Organisationen sorgten sich gemeinsam um die Bewältigung des ankommenden Verkehrs. Grenzpolizeiliche Kontrollen fanden praktisch nicht mehr statt.

Die Öffnung von Grenzübergängen durch die DDR-Organe erfolgte oft kurzfristig und ohne nähere Ankündigung; sie war oft das Ergebnis spontaner Forderungen der Grenzbevölkerung.

Bis zum Jahresende 1989 wurden insgesamt 139 neue Grenzübergänge/Grenzdurchlässe in den Sperranlagen eingerichtet und für den grenzüberschreitenden Verkehr frei gegeben. Heute sind praktisch alle früheren Straßenverbindungen vor der Teilung Deutschlands wieder offen. Von den 139 Grenzübergängen sind 65 ständig und 74 zeitweise geöffnet. Bei letzteren handelt es sich um bei Bedarf kurzfristig und kurzzeitig für den Besucherverkehr, insbesondere im Bereich grenznaher Ortschaften, geöffnete Übergänge. Mit den bisher 20 und den 139 neuen Grenzübergängen bestanden am 31. Dezember 1989 159 Grenzübergänge.

Mit Stand 23. Februar 1990 hat sich die Zahl auf 192 Grenzübergänge erhöht, davon sind 92 ständig und 90 zeitweise geöffnet. Der Grenzschutzeinzeldienst nimmt in Zusammenarbeit mit den GS-Verbänden und der Bundeszollverwaltung die grenzpolizeilichen Aufgaben an den neuen Übergängen wahr. Erstmals wurden im Freistaat Bayern

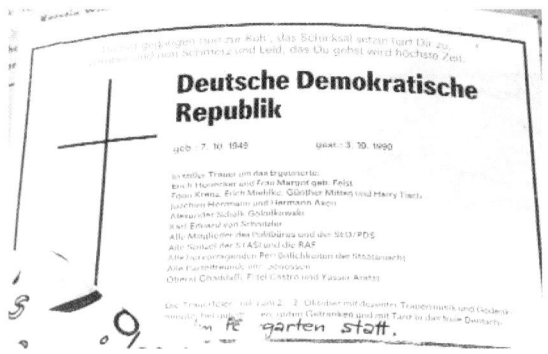

Anzeige, gesehen am 3.10.1990 in Rudolstadt/Th.
Sammlung Heinz Kühn

Pflanzen einer Friedenslinde zwischen Alsleben und Gompertshausen durch 2. Bürgermeister Kurt Mauer und Gompertshausens Bürgermeister Edgar Staudigel am Tag der Wiedervereinigung 1990.
Foto: Theo Albert

Grenzübergangsstellen an der Grenze zur DDR durch den BGS auf Wunsch der Bayerischen Staatsregierung übernommen.

Nach Aufhebung der Sperrzone wurde das Grenzgebiet für die DDR-Bevölkerung frei zugänglich. Damit wurden offensichtlich auch aus Sicht der DDR-Grenztruppen Teile der Sperranlagen überflüssig. So wurde als erste Maßnahme der Grenzsperr- und Signalzaun an den Grenzübergängen demontiert, die noch zuvor eingerichteten Durchlasssperren beseitigt und die Hunde aus den Hundelaufanlagen entfernt. Nach und nach wurden am Grenzsperr- und Signalzaun die Signaldrähte demontiert. Schließlich wurde gleichzeitig in verschiedenen Bereichen damit begonnen, die Metallgitterplatten aus den Zaunanlagen zu entfernen.[85]

Dezember 1989

Änderung in der Bewaffnung der DDR-Grenztruppen

Die bereits erkannte Änderung in der Bewaffnung der Grenzstreifen (der DDR) bestätigte sich weiter. Einer GrSo-Aussage zufolge sollen nur noch Pistolen mitgeführt werden.

Da Kurzwaffen nicht in ausreichender Menge zur Verfügung stünden, erfolge die Streifentätigkeit zum Teil aber noch mit Langwaffen. Lt. Mitteilung eines Oberstleutnants (OTL) der DDR-GrTr habe die Streifentätigkeit wegen der zahlreichen neu eröffneten Grenzübergänge aufgrund Personalmangels erheblich reduziert werden müssen; auch

Beobachtungstürme sollen nicht mehr besetzt werden.

Nachdem schon seit Aufhebung der Sperrzone am 13.11.1989 verschiedene von der Volkspolizei besetzte Kontrollpassierpunkte unbesetzt gewesen waren, konnte mittlerweile bereits der Abbau einiger Schlagbäume erkannt werden.

Auszug aus dem Monatsbericht der Bayerischen Grenzpolizei für Dezember 1989

B. Feststellungen im jenseitigen Grenzgebiet

8.1 Grenzsperranlagen

Wie schon im Vormonat wurden mit unterschiedlichen Schwerpunkten an zahlreichen Stellen Hundelauf- und -freilaufanlagen, Signalanlagen „R 67", Signaldrähte am GSSZ, S-Rollen- und Betonplattensperren sowie Seilsperren abgebaut. Zusätzliche Sicherungsmatten an eMGZ-Toren wurden entfernt und im GA 52/53, S HEINERSDORF/ DDR, PA 621 809 wurde die Flußsperre der „Tettau" abgebaut.

Insgesamt bis zu 30 dieser Übergänge waren bis zum Ende des Berichtszeitraumes an verschiedenen Tagen und zu verschiedenen Zeiten geöffnet.

Beiderseits der Grenze formierten sich vor allem in den ersten beiden Dezemberwochen unzählige Grenzbesucher, um für die Öffnung zusätzlicher Übergänge zu demonstrieren.

Bürgermeister Ulrich Klette und Bürgersprecher Adolf Höhn pflanzten 1990 zur Erinnerung an das historische Ereignis in Schweickershausen eine Linde.
Foto: Gerhard Schmidt

II. Personenverkehr über die nicht täglich geöffneten Grenzübergangsstellen (nur Fußgänger und Radfahrer)

Ort Personen

	West/Ost	Ost/West
Leubach	816	907
Weimarschmieden	458	458
Filke	723	141
Willmars	501	688
Rappershausen	4.350	3.350
Irmelshausen	5.337	5.074
Breitensee	291	326
Alsleben	450	430
Zimmerau	1.900	1.260
Ermershausen	2.640	2.650
Allertshausen	2.782	2.162
Dürrenried	2.500	500
Autenhausen	4.882	4.669
Weitramsdorf	3.700	3.700
Sülzfeld	2.950	2.900
Rodach	853	843
Rudelsdorf	685	460
Roßfeld	2.994	3.160
Grattstadt	2.478	2.390
Tremersdorf	1.000	500
Fischbach	10.545	9.689
Fischbach	1.503	1.552
Meilschnitz	7.297	6.148
Wildenheid	3.695	3.785
Neustadt b.Coburg	4.990	5.000
Fürth a.Berg	5.660	6.980
Schauberg	6	5
Tettau-Sattelpaß	2.149	2.334
Tschirn	3.487	3.440
Untertiefengrün	16.324	16.682

(Anm.: Die Tabelle wurde leicht bearbeitet.)

Die Wiedervereinigungsfeiern

Zahlreiche Wiedervereinigungsfeiern fanden am 2./3. Oktober 1990 entlang der ehemaligen Grenze statt. Von einigen kann in diesem Band nur exemplarisch berichtet werden. Als wachsendes Zeichen der neuen Verbindungen wurden an den Gemarkungsgrenzen von Trappstadt zu den befreundeten Gemeinden der ehemaligen DDR zur Erinnerung

Eine Linde in Hellingen soll an das historische Ereignis der Grenzöffnung erinnern. Sie wurde von den Bürgermeistern Robert Beyer (Hellingen) und Ottomar Welz (Maroldsweisach) 1990 gepflanzt.
Foto: Gerhard Schmidt

an diesen historischen Tag Bäume gepflanzt. In den Nachbargemeinden Sulzdorf und Rieth wurde dieser historische Tag mit einer Feierstunde an der ehemaligen Wegesperre Zimmerau – Rieth begangen, bei der eine Gedenkstätte übergeben wurde. Ein Gedenkstein trägt die Aufschrift Zur ewigen Mahnung an die Teilung unseres deutschen Vaterlandes. 1945 – 1990. Rieth – Zimmerau 3.10.1990. Mehr als tausend Menschen feierten an der ehemaligen Grenze zwischen Autenhausen und Lindenau die Wiedervereinigung mit einem ökumenischen Gottesdienst. Am Sperrzaun, der seine trennende Bedeutung verloren hatte, waren der Altar und ein Holzkreuz errichtet worden. Der 3. Oktober 1990 begann für Ummerstadt mit einem festlichen Glockengeläut. Der Vormittag war ebenfalls einem ökumenischen Gottesdienst vorbehalten, bei dem das renovierte Gotteshaus bis auf den letzten Platz mit Gläubigen aus den Kreisen Hildburghausen und Coburg gefüllt war. Für diejenigen, die keinen Platz gefunden hatten, diente die Lautsprecheranlage, die ehemals sozialistische Erfolge in die Welt posaunt hatte, als Medium, mit dem allen Einwohnern die in der Kirche gesprochenen Worte des Dankes und der Rückbesinnung übermittelt wurden.

FUSSNOTEN/ANMERKUNGEN

Abschnitt Leben im Grenzgebiet Ost

[1] BStU VII/897, KD Meiningen; BStU VII/901, KD Bad Salzungen;

[2] GE II, S.571: Die kontinuierliche Verbesserung der Arbeits- und Lebensbedingungen für die Bevölkerung des Grenzgebietes wirkt sich wesentlich auf die weitere Festigung der politisch-ideologischen Haltung des Bevölkerung aus.

[3] vgl. GE II, S. 562

[4] BStU VII/901 12/78, KD Bad Salzungen

[5] BStU VII/901 02/79, KD Bad Salzungen

[6] BStU VII/897 04/79, KD Meiningen

[7] BStU VII/901 05/78, KD Bad Salzungen

[8] BStU VII/901 09/79, KD Bad Salzungen

[9] BStU VII/901 11/80, KD Bad Salzungen

[10] BStU VII/901 01/81, KD Bad Salzungen

[11] BStU VII/901 07/81, KD Bad Salzungen

[12] BStU VII/901 07/81, KD Bad Salzungen

[13] BStU VII/897 08/81, KD Meiningen

[14] BStU VII/901 10/81, KD Bad Salzungen

[15] BStU VII/897 10/81, KD Meiningen

[16] BStU, MfS, BV Suhl, Abt. VII, VII/898, Bd. 4, 02/83

[17] BStU VII/897 04/83, KD Meiningen

[18] BStU, MfS, BV Suhl, Abt. VII, VII/898, Bd. 4, 05/83

[19] BStU, MfS, BV Suhl, Abt. VII, VII/898, Bd. 4, 06/83

[20] BV Suhl AKG/48 Bd. 2. Juni 87

[21] BStU VII/897 01/84, KD Meiningen

[22] BStU VII/897 08/77, KD Meiningen

[23] BStU VII/897 03/78, KD Meiningen

[24] BStU VII/897 01/79, KD Meiningen

[25] BStU VII/901 KD 05/78, Bad Salzungen, S. 123

[26] BStU VII/897 08/77, KD Meiningen

[27] BStU VII/897 03/78, KD Meiningen

[28] BStU VII/897 06/80, KD Meiningen

[29] BStU VII/901 10/81, KD Bad Salzungen

[30] BStU VII/897 04/83, KD Meiningen

[31] BStU VII/897 06/83, KD Meiningen

[32] BV Suhl AKG/48 Bd. 2, 29.07.1987

[33] BStU VII/901 11/79, KD Bad Salzungen

[34] BV Suhl AKG/48 Bd. 1, Parteiinformationen

[35] Information der Kreisdienststelle Hildburghausen des MfS vom 26. März 1987

[36] KD Hildburghausen: Über Stimmungen und Diskussionen unter der Bevölkerung unseres Kreises 1987, 1 - 20

[37] ThSTA Mgn Bd. VP Suhl (VA), Nr. 227

[38] VII/899 2, KD Sonneberg

[39] FW, 25.02.1982

[40] BStU VII/897 08/77, KD Meiningen

[41] BStU VII/901 05/78, KD Bad Salzungen

[42] BStU VII/901 04/79, KD Bad Salzungen

[43] BStU VII/901 06/79, KD Bad Salzungen

[44] BStU VII/897 08/79, KD Meiningen

[45] BStU VII/897 05/80, KD Meiningen

[46] BStU VII/897 08/81, KD Meiningen

[47] BStU VII/901 01/81, KD Bad Salzungen

[48] BStU VII/897 03/82, KD Meiningen

[49] BStU VII/897 12/81, KD Meiningen

[50] BStU VII/897 10/82, KD Meiningen

[51] BStU VII/897 04/83, KD Meiningen

[52] BStU VII/897 11/83, KD Meiningen

[53] BStU VII/897 04/84, KD Meiningen

[54] BStU, MfS, BV Suhl, Abt. VII, VII/898, Bd. 4, 03/83

[55] BStU, MfS, BV Suhl, Abt. VII, VII/898, Bd. 4, 05/83

[56] BStU, MfS, BV Suhl, Abt. VII, VII/898, Bd. 4, 08/83

[57] BStU, MfS, BV Suhl, Abt. VII, VII/898, Bd. 4, 01/84

[58] BStU, MfS, BV Suhl, Abt. VII, VII/898, Bd. 4, 03/84

[59] DER SPIEGEL 1990, Nr. 52, S. 41 ff.

[60] „Im Interesse eines guten Verhältnisses" II; Die Zusammenarbeit der Staatsorgane und des MfS gegenüber der Ev.-Luth. Landeskirche Thüringens, S. 80; vgl. Anm. 65

[61] Südthüringer Zeitung vom 18.09.2003

[62] BV Suhl AKG/48 Bd 1, Nr. 7 vom 19.01.1987

[63] Kopie im Bestand BStU

[64] BStU VII/897 08/77, KD Meiningen

[65] BStU VII/897 08/77, KD Meiningen

[66] BStU VII/897 03/78, KD Meiningen

[67] BStU VII/897 12/82, KD Meiningen

[68] BStU VII/901 12/78, KD Bad Salzungen

[69] BStU VII/901 07/81 KD Bad Salzungen

[70] BStU VII/897 03/79, KD Meiningen

[71] BStU VII/897 03/79, KD Meiningen

[72] BStU VII/901 04/79, KD Bad Salzungen

[73] BStU VII/897 04/79, KD Meiningen

[74] BStU VII/897 12/82, KD Meiningen

[75] BStU VII/897 12/82, KD Meiningen

[76] BStU, MfS, BV Suhl, Abt. VII, VII/898, Bd. 4, 02/83 Hildburghausen

[77] BStU, MfS, BV Suhl, Abt. VII, VII/898, Bd. 4, 02/84

[78] Kreisarchiv Meiningen, Rat des Kreises Nr. 2.1.14

[79] RdK Meiningen, 24.03.1988

[80] BV Suhl AKG/48, Bd. 1

[81] Monatsberichte des MfS, KD Hildburghausen

[82] KA Mgn Rat des Kreises Nr. 2.1.14, Abschluß der Karnevalssaison 1988/89

[83] AKG 33/1, Nr. 27/89

[84] MB KD Bad Salzungen, VII/901, Januar 1978

[85] Th StA Mgn, BdVP Suhl (VA) 277

[86] AKG 33/1 S. 157 ff., Nr. 27/89

[87] BKG 06

Abschnitt: Wirtschaftliche Lage

[1] Hermann Weber: DDR Grundriß der Geschichte 1945 bis 1990 S. 200 – 203

[2] BV Suhl VII/897, Bd. 2, Meiningen

[3] BV Suhl VII/897, Bd. 2, Meiningen

[4] BStU, MfS, BV Suhl, Abt. VII, VII/898, Bd. 4, 02/83

[5] Landolf Scherzer: Der Erste, S. 46

[6] BStU, MfS, BV Suhl, Abt. VII, VII/898, Bd. 4, 05/83

[7] Karl-Heinz Dörsmann

[8] Kreisarchiv Meiningen Rat des Kreises, Nr. 2.1.14

[9] Rat der Stadt Meiningen, Bilanz 1978

[10] Informationen und Unterlagen von Karl-Heinz Dörsmann

[11] Produktionsgenossenschaften des Handwerks

[12] Kreisarchiv Meiningen, Rat des Kreises, Nr. 2.1.12

[13] Landolf Scherzer: Der Erste. – Rudolstadt, 1988, S. 45

[14] Kraftfahrzeuginstandsetzungsleistungen

[15] Kreisarchiv Meiningen, Rat des Kreises, Nr. 2.1.12

[16] Matthias Judt (Hrsg.): DDR-Geschichte in Dokumenten. – Bonn, 1998, S. 145

[17] VVS u 200/172/89

[18] Statistik der Stadt Meiningen 1989, mitgeteilt von Karl-Heinz Dörsmann

[19] Schreiben des Amtierenden Vorsitzenden des Kreistags Meiningen an Ministerpräsident Modrow am 21. Dezember 1989

[20] BV Suhl AKG 33/1. S. 38 f.

[21] RdK Meiningen vom 24.03.1988

[22] Judt, Matthias (Hrsg.): DDR-Geschichte in Dokumenten. – Bonn, 1998, S. 145

[23] KD Hildburghausen

[24] Judt, Matthias (Hrsg.) DDR-Geschichte in Dokumenten. – Bonn, 1998, S. 145 ff.

[25] Judt, Matthias (Hrsg.) DDR-Geschichte in Dokumenten. – Bonn, 1998, S. 159 (Anlage 1 und Anlage 5 zum Politbüro-Beschluss zu den Vorschlägen für die Modernisierung der technischen Ausstattung des Bauwesens, einschl. der Baumaterialienindustrie, vom 12. Mai 1988. In: SAPMO-BArch, DY 30/JIV 2/2 (Politbüro)/2275, Bl. 226, 228, 253.)

[26] Dörsmann

[27] Kreisarchiv Meiningen - Rat des Kreises, Nr. 2.1.12

[28] Krug

[29] KD Hildburghausen

[30] Th StA Mgn, BdVP Suhl (VA), Nr. 77/89

[31] BV Suhl AKG/48 Bd 1 2808 vom 15.01.1988

[32] Schreiben des Amtierenden Vorsitzenden des Kreistags Meiningen an Ministerpräsident Modrow am 21. Dezember 1989

[33] Weber, Hermann: DDR Grundriß der Geschichte 1945 bis 1990. – S. 200 – 203

[34] Kreisarchiv Meiningen, Rat des Kreises Meiningen. VVS u 208/172/89

[35] Ingo Koschenz (Verfasser) – Internet

[36] Dossier der Wochenzeitung „Die Zeit" (Hamburg) aus dem Jahre 1990. – Es recherchierte Thomas Kleine-Brockhoff

[37] Bernd Langbein

[38] BStU, MfS, BV Suhl, Abt. VII. VII/898, Bd. 4, 07/83

[39] DLK = Dienstleistungskombinat.

[40] Scherzer, Landolf: Der Erste, S. 35

[42] Scherzer, Landolf: Der Erste, S. 9, der die gleiche Geschichte vom Vorgänger des 1. Sekretärs von Bad Salzungen, Hans-Dieter Fritschler, erzählte. - Zugetraut hatte man es anscheinend jedem.

[43] GSA II/3 Hünfeld – Befragungsbericht

[44] AKG 33/3/51/89

[45] AKG 33/5 S. 224 ff. (ohne Ausgangsnummer – nicht weggegangen)

Abschnitt: Besuche im Westen

[1] DDR-Handbuch. 1979, S. 202 f.

[2] StA Meiningen. VVS 57

[3] Deutschland Archiv. S. 8582

[4] Sammlung Strohbusch/1/74 BV Suhl Nr. 109/89

[5] AKG 33/5/211. 19.09.1989

[6] Hermann Weber: DDR 1945 – 1990. S. 208

[7] Dokumentation des Aktivs Staatssicherheit, S. 38

[8] BV Suhl AKG 33/1 S. 25 ff. – Der MfS-Bericht an den Bezirksvorstand enthält alle Namen der befragten BRD-Besucher. Sie wurden von der BStU geschwärzt.

[9] Den Brief stellte freundlicherweise Frau Herold, Roßrieth, zur Verfügung.

[10] AKG 33/5/9 ff. – 109/89

Abschnitt: Der Staatssicherheitsdienst der DDR

[1] Wurschi, Brigitta/Fahr, Hilmar/Geißler, Siegfried/Hübner, René/Montag, Martin/Schneider, Eberhard/Seifert, Peter/Sidlo, Vilmos: Genossen! Glaubts mich doch! Ich liebe Euch alle! – Dokumentation des Aktivs Staatssicherheit und der zeitweiligen Kommission „Amtsmißbrauch und Korruption" des Bezirkstages Suhl. – Suhl, 1990, S. 20 ff. (Kurzbezeichnungen: Genossen od. Dokumentation Staatssicherheit Suhl)

[2] Fricke: Stasi intern

[3] Fricke, Stasi intern

[4] Dokumentation Staatssicherheit Suhl, S. 49

[5] BStU-Website

[6] Judt: S. 12: GB1.1, Nr. 15 vom 21. Februar 1950, S. 95

[7] Statut des Ministeriums für Staatssicherheit der Deutschen Demokratischen Republik vom 30. Juli 1969. In: BStU, BF 26.

[8] Herz, Andrea: Das MfS in Thüringen. – Ein erster Überblick. 1994, S. 12

[9] Fricke: Stasi intern

[10] Unterlagen: Wer war wer im Ministerium für Staatssicherheit - Kurzbiographien des MfS-Leitungspersonals

[11] BStU, MfS-BV Suhl, Abt. VII, VII/897 – Meiningen, 898 - Hildburghausen, 899 – Sonneberg, 900 – Neuhaus, 901 – Bad Salzungen

[12] GT-TM 6391

[13] Anatomie der Staatssicherheit, S. 227

[14] BStU XI/684/82

[15] BStU XI/454/88

[16] BKG 06

[17] Lapp

[18] BStU Suhl, XII 474/70

[19] Genossen! S. 102 ff.

[20] Anatomie der Staatssicherheit. – S. 121 ff.

[21] Genossen. S. 52

[22] vgl. Abschnitt 4 b, aus DER SPIEGEL, Nr. 45 vom 05.11.90

[23] Anatomie der Staatssicherheit. – S. 234 ff.

[24] Genossen. – S. 52

[25] Anatomie der Staatssicherheit. – S. 252 ff.

[26] Stange, Lutz: Fachschulabschlussarbeit. Abt. VII des MfS vom 17.02.1983

[27] Genossen. – S. 52

[28] Anatomie der Staatssicherheit. – S. 257 ff.

[29] Genossen. – S. 53

[30] Anatomie der Staatssicherheit. – S. 131 ff.

[31] AKG 33/7/ 65 ff VVS-o00l 968/89

[32] MfS Thüringen. – S. 6

[33] MfS Thüringen. – S. 6, vgl. Anatomie der Staatssicherheit. – S. 54 ff.

[34] Anatomie der Staatssicherheit. – S. 138 ff.

[35] Nach: Behnke, Klaus/Trobisch, Jürgen: Panik und Bestürzung auslösen, Die Praxis der 'operativen Psychologie' des Staatssicherheitsdienstes und ihre traumatisierenden Folgen.

[36] Kleine-Brockhoff, Thomas: Dossier der Wochenzeitung „Die Zeit", Hamburg, 1990

[37] Anatomie der Staatssicherheit. – S. 172 ff.

[38] Genossen. – S. 54

[39] Albert, Reinhold: Die ungewöhnliche Lebensgeschichte des Helmut Heim aus Eishausen

[40] BStU XX/291/55

[41] BStU XX/291 und XX/623, vgl. den Abschnitt „Wende"

[42] DER SPIEGEL. – 1990, Nr. 52, S. 41 ff.

[43] BStU XX/291

[44] Kleine-Brockhoff, Thomas: Dossier der Wochenzeitung „Die Zeit", Hamburg, 1990

[45] Genossen. – S. 55

[46] vgl. den Abschnitt „Wende"

[47] Anatomie der Staatssicherheit. – S. 278 ff.

Abschnitt: Grenzgebiet West

[1] Die Zonenrandförderung im Bereich der Bundesrepublik, 1972

[2] Bericht darüber in Bote vom Grabfeld vom 16.08.1986

[3] DER SPIEGEL 1973, Nr. 51, S. 48

[4] Der junge Beamte, Magazin für junge Angestellte, Arbeiter und Beamte im öffentlichen Dienst, Sept. 1985

[5] Die innerdeutsche Grenze. Herausgeber Bundesministerium für innerdeutsche Beziehungen. – Coburg 1987, Druck Neue Presse Coburg 1989.

[6] Informationen über Bayerns Landesgrenze zur DDR, 1975 herausgegeben vom Bayer. Staatsministerium für Bundesangelegenheiten.

[7] Grenzkartei Stasi Suhl

[8] BV Suhl VII/901 Bd. 2, Bad Salzungen

[9] BV Suhl VII/901 Bd. 2, Bad Salzungen

[10] GSK M GLB 86 05

[11] GSK M GLB 90 06

[12] GVS Uul o026 345/85, Bl. 7

[13] Grenzkartei Stasi Suhl

[14] BStU, MfS, BV Suhl, Abt. VII, VII/898, Bd. 4, 05/83

[15] BStU, MfS, BV Suhl, Abt. VII, VII/898, Bd. 4, 05/83

[16] BStU, MfS, BV Suhl, Abt. VII, VII/898, Bd. 4, 04/84

[17] BV Suhl VII/899, Bd. 2

[18] BKG 6 vom 27.03.1987

[19] BKG 6 vom 02.09.1988

[20] GSK M

[21] Hessische/Niedersächsische Allgemeine

[22] Fuldaer Zeitung vom 26. Juni 1976

[23] GT-TM 6403

[24] GT-TM 6936

[25] GT-TM 008167

[26] GT-TM 008169

[27] GSK-M-GL

[28] GT-TM 009199

[29] GT-TM 009199

[30] GT-TM 009199

[31] GT-TM 009199

[32] GT-TM 010217

[33] GT-TM 010218

[34] GT-TM 01 0221/731155

[35] GT-TM 01 0222

[36] BGS Co GT-TM 01 1203

[37] BGS Co GT-TM 01 1203

[38] GT-TM 01 1736

[39] GT-TM 01 1736

[40] O.d.M., S. 18

[41] GT-TM 01 2450

[42] GT-TM 012452

[43] GT-TM 012452

[44] GT-TM 012454

[45] GT-TM 13454

[46] GT-TM 016403, BGS Co

[47] GT-TM v. 17.6.1988

[48] GT-TM 016406

[49] GT-TM 017187

[50] GT-TM 017187

[51] GT-TM 017187

[52] GT-TM 009199, Stasi AS 77/81

[53] SG 2 – 421/3 – 565/76 VS-NfD

[54] Klaus Hartwig Stoll: Das war die Grenze. - S. 132 f.

[55] Verfasser: Wilhelm Stehling, Gustav-Freitag-Straße 8, 35039 Marburg

[56] BStU, MfS, BV Suhl, Abt. VII, VII/898, Bd. 4, 05/83

[57] GT-TM 008167

[58] GSA M 2

[59] GT-TM 012451/S. 171 f.

[60] BKG 6

[61] Außenstelle des Bundesbeauftragten für die Unterlagen des Staatssicherheitsdienstes der ehemaligen Deutschen Demokratischen Republik Suhl, XI/ 584/84

[62] GVS Uul o026 345/85, Bl. 5 und 6

[63] BStU Suhl AFO 1/94, Bd. I, II, III

[64] Der Bundesbeauftragte für die Unterlagen des Staatssicherheitsdienstes der ehemaligen Demokratischen Republik: Abkürzungsverzeichnis der häufig verwendeten Abkürzungen und Begriffe des MfS. – Berlin, 1997.

[65] GVS Uul o026 345/85, Bl. 5

[66] Rinke, Regina: Feindobjekt „Silberdistel". In: Durch die Rhön, Hg. Rhönklub e.V. – Fulda 2001.

[67] GSK-M-V

[68] BGS Coburg

[69] BGS Coburg

[70] Nach einer Stasi-Richtlinie von 1958 wurde unter einer konspirativen Wohnung verstanden a) eine Wohnung mit mehreren Zimmern, ein Haus oder ein Objekt, die ausschließlich dem MfS „zur Durchführung operativer Aufgaben" zur Verfügung stand und gegenüber der Öffentlichkeit durch eine Legende gedeckt waren, b) ein Treffzimmer, das eine vom MfS geworbene Person zur Durchführung von Treffs zur Verfügung stellte. Abgelöst 1968 durch die differenzierendere Kategorie IMK. Dies war ein Inoffizieller Mitarbeiter zur Sicherung der Konspiration und des Verbindungswesens. Er war entweder a) Besitzer oder Verwalter konspirativer Wohnungen oder b) Deckadresse oder Decktelefon.

[71] Geheimer Mitarbeiter – 1950 eingeführte Kategorie eines Inoffiziellen Mitarbeiters, der dank „besonderer Verbindungen mit Personen, die eine feindliche Tätigkeit ausüben", in der Lage ist, den „Organen des MfS besonders wertvolle Angaben über deren Spionage- und andere illegale, antidemokratische Tätigkeit zu beschaffen". – Vorläufer der 1958 eingeführten Kategorien IMF und IMV.

[72] Container waren nach MfS-Sprachgebrauch Behältnisse, z. B. Aktentaschen, in denen Unterlagen meist in einem doppelten Boden transportiert wurden, vgl. Abschnitt: (Roski) An der Verbesserung solcher Con-

tainer wurde laufend gearbeitet. Waren sie erst mit Metall verarbeitet, wurde später auf Klettverschlüsse übergegangen, weil diese auch bei Durchleuchtung nicht erkannt wurden.

[73] vgl. GE II S. 589 f.; BStU Archiv Nr. AIM 832/94

[74] vgl. Band II, IM in Melpers

Abschnitt: Die Grenz- und Sicherheitsorgane der DDR

[1] GBl. I, Nr. 11 vom 24. Juni 1968; § 7 in Judt: DDR-Geschichte in Dokumenten. – S. 444 f.

[2] Schematisch, Grafik Gerhard Schätzlein

[3] = Volkspolizei-Gruppenposten

[4] BStU VII 897/2 06/82

[5] BStU VII/897 09/80, KD Meiningen

[6] BStU VII/897 04/81, KD Meiningen

[7] BV Suhl VII/897, KD Meiningen/2

[8] BStU VII/899 11/81, KD Sonneberg

[9] BStU, MfS, BV Suhl, Abt. VII, VII/898, Bd. 4, 01/83

[10] BStU, MfS, BV Suhl, Abt. VII, VII/898, Bd. 4, 01/83

[11] BStU BV Suhl Abt. VII/899 2

[12] BStU VII/897 03/80, KD Meiningen

[13] BStU VII/897 04/81, KD Meiningen

[14] Fachschulabschlußarbeit Oltn. Lutz Stange Abt. VII des MfS vom 17.02.1983 IHS 0001 – 883/83

[15] = Abschnittsbevollmächtigter der Volkspolizei, Ortspolizist, meist im Offiziersrang

[16] = Volkspolizei-Gruppenposten

[17] Dienstvorschrift

[18] Ministerium des Innern

[19] Volkspolizei-Gruppenposten im Grenzgebiet

[20] GT-TM 012 453

[21] GT-TM 736008

[22] GT-TM 736632

[23] GT-TM 738140

[24] GT 017185

[25] GT 739 581

[26] BStU, MfS, BV Suhl, Abt. VII, VII/898, Bd. 4, 09/84

[27] BStU VII/897 09/81 KD Meiningen

[28] BStU VII/897, 08/82, KD Meiningen

[29] BStU, MfS, BV Suhl, Abt. VII, VII/898, Bd. 4, 11/84

[30] BKG 6 vom 02.09.1988

[31] DDR-Handbuch 79, S. 1087

[32] DDR-Handbuch 79

[33] Olaf Freier: Wiederbewaffnung in der SBZ/DDR zwischen 1945 und 1955

[34] Deutschland Radio, 28.10.2000

[35] Freies Wort, 26.10.1985

[36] Transport-Polizei-Gruppenposten

[37] Im Original ist die Trapo nicht gesondert aufgeführt, da sie ja Teil der DVP ist. Zahlen im Abschnitt: Flucht

[38] GT-TM 737873

[39] StA Mgn, Transportpolizei, BdVP, Nr. 167

[40] StA Mgn, Transportpolizei, BdVP Suhl (VA) Nr. 227; GT 17184

[41] Uli Töpfer, Jugenddiakon der Superintendentur Meiningen war ein Mann der ersten Stunde in der Auseinandersetzung mit dem DDR-Regime, vgl. den Abschnitt „Die Wende"

[42] Aus einem Gespräch mit Uli Töpfer und Barbara Seifert

[43] Thür. Staatsarchiv Meiningen BdVP Nr. 167 Suhl

[44] Lange in „Genossen", S. 54, vgl. Anatomie der Staatssicherheit. – S. 186 f.

[45] Anatomie des Staatssicherheitsdienstes. – S. 186 ff.

Abschnitt: Die Grenztruppen der DDR

[1] Zusammenstellung durch Jürgen Ritter; Vorarbeiten durch Rudi Schott

[2] Chronik der Grenztruppen der DDR 1989

[3] Chronik der Grenztruppen der DDR 1989

Abschnitt: Flucht über die bestbewachte Grenze der Welt

[1] Fachschulabschlußarbeit Oltn. Lutz Stange Abt. VII des MfS vom 17.02.1983 IHS 0001 – 883/83

[2] BStU VII/897 05/79 KD Meiningen

[3] BStU VII/897 01/80 KD Meiningen

[4] BStU, Ablageakte AS 27/81

[5] GSA Mitte 4 I/S-Az.10/70/7506 vom 05.04.1982; GT-TM 01 0222/730167

[6] Stasi im Untersuchungsbericht Koch-Greifzu vom 10.0.19, GT-TM 012453, Main-Post, SZ, 18.7.84, M. Hildebrand-Schönherr im Mai 2002 in Meininger Tagelatt/Freies Wort/Saalezeitung

[7] GT-TM 012451, Bote vom Grabfeld, gekürzt

[8] SZ, 14./15.08.1984

[9] GT TM 013446

[10] GSA M 4 I/S Az. 10/70/7503

[11] GT-TM 013455, GSK M

[12] VVS MfS 0008-119/87 nicht zugeordnet

[13] GT-TM 014341

[14] GSA M 4 10/70/7504, GT-TM 736433

[15] AKG/33/1,05ff.; GT-TM 738861

[16] BV Suhl AKG 33/1/118 ff.

[17] GT 017189

[18] AKG 33/5, 128/89; Untersuchungsbericht zum GÜ vom 23.08.1989; Unterlagen Heiko Krieg

[19] Grenzkartei Stasi Suhl, GT-TM 6379

[20] GSK-M-GL

[21] GT-TM 008166, GSK M GLB

[22] GT-TM 01 1200/731004, FAZ, 09.11.1982; SZ, 10.11.1982, Mainpost, 09.11.1982

[23] GT-TM 731008

[24] Untersuchungsbericht der Bezirkskoordinierungsgruppe der BV des MfS vom 10.09.1984, GT-TM 012454; 2 Berichte von Hubert Geier in der Mainpost von 1984, ein Artikel von Dieter W. Rockenmaier in der Mainpost und der Schweinfurter Volkszeitung

[25] BV Suhl AOP „Delphin" XI/956/84, GT-TM 012455, BV Suhl AU 77/88

[26] GT-TM 013455; GSA M 4 10/70/7503; BV Suhl, AOP IX/XIV, UV 97/86, Grenzkartei Stasi

[27] GT-TM 014341

[28] Stasi Suhl UV 87/87 GT-TM 014345, Stasi Suhl UV 87/87

[29] GT-TM 014345

[30] GT-TM 014346; BV Suhl Abt. IX/XIV VK 101/87

[31] BD Suhl Abt. IX/02 GT-TM 016401

[32] GT-TM 016403, Stasiakte GA 19/91

[33] BV Suhl XI 755/88, BGS CO, SZ, 19.09.1988

[34] SZ vom 03.08.1989, MfS, Dokument Nr. 3757, dpa

[35] AKG 33/4/28 ff.

[36] Bericht des Ehepaars Blau und von Frau Ehrhardt

[37] BStU GA 21/91; GT 017186

[38] Lothar R. hatte nach W.s Flucht große Schwierigkeiten wegen dieser Befürwortung. Letzten Endes blieb es bei einem Verweis.

[39] GA 21/91, AZ 221/18/89

[40] GA 21/91 RS 26/89

[41] Als „Legende" bezeichnet das MfS, wenn sie für ihre inoffizielle Tätigkeit eine offizielle Begründung findet, beispielsweise, wie hier der IM als Beauftragter für Brandschutz auftritt.

[42] OV XI/53/89 „Ballon" AOPK 532/89

[43] BV Suhl Abt IX/XIV 57/83

[44] GT-TM 01 1736/732121

[45] Strelzyk, Doris und Peter: Schicksal Ballonflucht – der lange Arm der Stasi. – Berlin, 1999
Stern vom 27. September 1979, Heft 40, S. 22 ff.

[46] BGS Coburg, Sammlung Kilian

[47] GT 017187

[48] SZ, 30.06.1981

[49] BStU VII/901 10/81 KD, Bad Salzungen

[50] Grenzkartei

[51] Grenzkartei Stasi Suhl

[52] AKG Grenzkartei Stasi Suhl, GT-TM 6393, Coburger Tageblatt vom 20. Juli 1991

[53] GT-TM 012455

[54] GT-TM 014341, VVS MfS 0008-119/87

[55] DV über Aufnahme, Kontrolle und Eingliederung von R/Z (Rückkehrern/Zuziehenden) vom 20.12.1978, daraus auch die folgenden Zitate.

[56] MB KD Bad Salzungen, 112 f., BStU VII/901, GT-TM 008166

[58] GSK M

[59] ZAH = Zentrales Aufnahmeheim

[60] Stasi Suhl UV 87/87; GT-TM 014345, Stasi Suhl UV 87/87

[61] GT-TM 008166 v. 30.03.1978

[62] GT-TM 017186; AKG 33/3/150 ff.

[63] BKG 6

[64] BKG 6

[65] Peter Joachim Lapp: Gefechtsdienst im Frieden. - S. 86

[66] Statistisches Material der BV Suhl des MfS, leider unvollständig

Abschnitt: Übersiedlung und Ausreise

[1] BStU VII/897 04/83 KD Meiningen

[2] s. Abschnitt Besuchsreisen

[3] DDR-Handbuch. 1979

[4] Strafrecht der Deutschen Demokratischen Republik, Kommentar zum Strafgesetzbuch. – Staatsverlag der DDR 1987, S. 477, vgl. Strafgesetzbuch der DDR, Textausgabe von 1968 Staatsverlag der DDR. – 1968

[5] Deutsche Demokratische Republik, Kommentar zum Strafgesetzbuch. – Staatsverlag der DDR 1987, S. 520 ff.

[6] Th StA Mgn, Zweigst. Suhl BT/Rat d. Bez. Suhl

[7] Th StA Mgn, Zweigst. Suhl BT/Rat d. Bez. Suhl, Kartei, Entlassung Stabü

[8] Thür. Staatsarchiv Meiningen, Bestand Rat des Bezirkes Suhl Nr. K 2879, AKG 33/1/50 ff.

[9] BV Suhl AKG/48 Bd 1, Nr. 24 v. 16.03.1987

[10] AKG 33/5 130/89 vom 29.08.1989

[11] Th StA Mgn, Zweigst. Suhl BT/Rat d. Bez. Suhl, Kartei, Entlassung Stabü

[12] AKG 33/3, 78/89

[13] Thür. StA Meiningen, Rat des Bezirkes Suhl Nr. K 2879

[14] BstU A-OP 490/80 „Bandit", Brattendorf

[15] Grenzkartei Stasi, Suhl

[16] BStU, XI/ 454/88 – A-Op 46/89, Aufklärer (88)

[17] BStU, OV 665/86, „Angreifer"

[18] Th StA Mgn, Zweigst. Suhl BT/Rat d. Bez. Suhl, Kartei, Entlassung Stabü

[19] Thür. StA Meiningen, Rat des Bezirkes Suhl, Nr. 2869

[20] AKG 33/5/ 140/89, S. 211, 19.09.1989

[21] AKG 33/5 S. 224 ff. (ohne Ausgangsnummer – nicht weggegangen)

[22] BStU ZAIG MfS 7438

[23] Maßnahmenkatalog der Abteilung für Sicherheitsfragen der BL am 04.04.1988 in einem Maßnahmenkatalog zur Verhinderung und Zurückdrängung von Übersiedlungsersuchen ...: „Überzeugend sind die im Leben bestätigten Grundwahrheiten nachzuweisen, daß Frieden, soziale Sicherheit und Geborgenheit für die Menschen nur der Sozialismus hervorbringen und garantieren kann." (Thür. Staatsarchiv Meiningen, Bestand Rat des Bezirkes Suhl Nr. K 2879)

[24] vgl. S. 1

[25] Arbeitsmaterial für eine Arbeitsberatung mit den Stellvertretern des Vorsitzenden für Inneres des Bezirkes am 19.01.1989

[26] Thür. Staatsarchiv Meiningen, Bestand Rat des Bezirkes Suhl Nr. K 2890

[27] Ordnungswidrigkeitengesetz

Abschnitt: Kommunalwahlen

[1] Kirchner wurde nach der Friedlichen Revolution als langjähriger IM enttarnt.

[2] AKG 33/3 20/89

[3] Reaktion zu den Kommunalwahlen 140489 AKG 33/3/14 ff. + AKG 33/3/132 ff. + AKG 33/3/140 ff. Reaktion zu den Kommunalwahlen am 07.05.1989 AKG 33/3/185 ff. vom 09.05.1989; AKG 33/3/221 ff. vom 23.05.1989

[4] AKG 33/1

[5] GA S. 8618

[6] AKG 33/3 75/89

[7] Archiv der Gegenwart, Bd. 9, S. 8619

[8] AKG 33/4/44 ff. Text in KA SM Sa-Stro-2

Abschnitt: Botschaftsflüchtlinge

[1] Wolfgang Mayer: Flucht und Ausreise: Botschaftsbesetzungen als Form des Widerstandes gegen die politische Verfolgung in der DDR. – Anita Tykve Verlag; Erwähnung in AKG 33/4/ 86/89

[2] AKG 33/3 59/89

[3] Anfangsbuchstabe des Namens ist Pseudonym, da geschwärzt.

[4] Anfangsbuchstabe des Namens ist Pseudonym, da geschwärzt.

[5] AKG 33/4 86/89

[6] AKG 33/5 132/89

[7] K 2894 Liste über Bürger aus dem Bezirk Suhl, die am 01.10.1989 von Prag bzw. Warschau über die DDR in die BRD ausgereist waren.

[8] Gespräch mit Diana und Heiko Krieg; Stasiakte Heiko Krieg, Untersuchungsbericht zum ungesetzlichen Grenzübertritt am 23.08.1989, AKG 33/5 128/89

[9] DER SPIEGEL 39/1999

[10] DER SPIEGEL 40/99

[11] DER SPIEGEL 40/99

[12] JUNGE FREIHEIT Verlag GmbH & Co. www.jungefreiheit.de 44/02 25. Oktober 2002 (Internet)

Abschnitt: Die grenzen im sozialistischen Ausland werden löchrig

[1] AOP 1102/82, „Transport"

[2] VVS MfS 0008-119/87

[3] GT-TM 014341

[4] 30 Jahre Bayerische Grenzpolizei, sonst: Grenzkartei Stasi Suhl, Akten der Gauck-Behörde.

[5] OV „Touristik" – Reg. Nr. XI 567/81, BV Suhl, VII, 899, Sonneberg

[6] Der Spiegel, Nr. 49/1983

[7] DER SPIEGEL, Nr. 49/83

[8] GSA M 4

[9] Grenzkartei Stasi Suhl

[10] Grenzkartei Stasi Suhl

[11] Grenzkartei Stasi Suhl

[12] Andreas Schmidt-Schweizer: Die Öffnung der ungarischen Westgrenze für die DDR-Bürger im Sommer 1989. Vorgeschichte, Hintergründe und Schlussfolgerungen. – 1997

[13] Andreas Schmidt-Schweizer: a. a. O., S. 10

[14] AKG 33/6 151/89

[15] Aus AKG 33/3 Nr. 80/89

[16] AKG 33/5/146 ff.

[17] Neues Deutschland, 05.09. 1989

[18] Judt, Ausdrucksweise nach Original.

[19] AKG 33/5/211, 19.09.1989

[20] AKG 33/5/211, 19.09.1989

Abschnitt: Zeitleiste

[1] Artikel 29 der Verfassung der Deutschen Demokratischen Republik
Die Bürger der Deutschen Demokratischen Republik haben das Recht auf Vereinigung, um durch gemeinsames Handeln in politischen Parteien, gesellschaftlichen Organisationen, Vereinigungen und Kollektiven ihre Interessen in Übereinstimmung mit den Grundsätzen und Zielen der Verfassung zu verwirklichen.

[2] Exakte zeitliche Daten waren bei den nachfolgenden Fällen nicht zu ermitteln.

[3] Wende '89 im Bezirk Suhl. Gemeinsame Ausstellung des Thüringischen Staatsarchivs Meiningen, des Bundesbeauftragten für die Unterlagen des Staatssicherheitsdienstes der ehemaligen DDR und von Freies Wort. – 1999

[4] Der Arbeiter Harald Jäger erhielt trotz mehrerer Anträge keine Erlaubnis für eine Besuchsreise zu seiner in der Bundesrepublik lebenden Schwester. Wegen dieser Schikane kappte er am 01.05.1988, dem Internationalen Kampftag der Werktätigen, während einer Ansprache des 1. Sekretärs der Kreisleitung der SED, Herbert Lindenlaub, die Stromzuführung für das Mikrofon nahe dem Bahnhofsvorplatz. Jäger wurde zu einer Freiheitsstrafe von 4 Monaten verurteilt, die er auch verbüßen musste.

Abschnitt: Die Grenzorgane in der Zeit des Umbruchs

[1] Heinz Schubert, bis Mitte 1987 Regimentskommandeur des GR 3, hat freundlicherweise diese Erinnerungen für diesen Band geschrieben.

[2] BGS-Meldungen 89/11 und 89/12

[3] Aus: Zeitschrift des Bundesgrenzschutzes, 17. Jahrgang, Nr. 4 April, 1990

[4] GLB GSKM 12/89

[5] PHK Papenfuß. In: Zeitschrift des Bundesgrenzschutzes, 17. Jahrgang, Nr. 5, Mai 1990

[6] BGS-Meldungen 89/11 und 89/12

[7] GSK M GLB 90/1

[8] GSK M GLB 90/01

[9] GSK M GLB 90/01

[10] GM BY 90/02

[11] GSK GLB 90/3

[12] GSK M GLB 90/4

Abschnitt: Grenzöffnungen 1989/1990

[1] Grenzlagemeldung des Bundesgrenzschutzkommandos Mitte (Kassel) und der Oberfinanzdirektion Frankfurt/M. vom 12.02.1990

[2] Grenzlagemeldung des Bundesgrenzschutzkommandos Mitte (Kassel) und der Oberfinanzdirektion Frankfurt/M. vom 11.01.1990

[3] Stoll, Klaus Hartwig: Das war die Grenze – Erlebte Geschichte an der Zonengrenze im Fuldaer, Geisaer und Hünfelder Land von 1945 bis zu Grenzöffnung. – Fulda, 1997

[4] Grenzlagemeldung des Bundesgrenzschutzkommandos Mitte (Kassel) und der Oberfinanzdirektion Frankfurt/M. vom 14.12.1989

[5] Grenzlagemeldung des Bundesgrenzschutzkommandos Mitte (Kassel) und der Oberfinanzdirektion Frankfurt/M. vom 11.05.1989

[6] Grenzlagemeldung des Bundesgrenzschutzkommandos Mitte (Kassel) und der Oberfinanzdirektion Frankfurt/M. vom 11.07.1989

[7] Stoll, a. a. O.

[8] Grenzlagemeldung des Bundesgrenzschutzkommandos Mitte (Kassel) und der Oberfinanzdirektion Frankfurt/M. vom 11.01.1990

[9] Grenzlagemeldung des Bundesgrenzschutzkommandos Mitte (Kassel) und der Oberfinanzdirektion Frankfurt/M. vom 11.07.1990

[10] Stoll, a. a. O.

[11] Freies Wort, Suhl, 23.12.1989

[12] Grenzlagemeldung des Bundesgrenzschutzkommandos Mitte (Kassel) und der Oberfinanzdirektion Frankfurt/M. vom 11.06.1990

[13] Stoll, a. a. O., S. 199

[14] Grenzlagemeldung des Bundesgrenzschutzkommandos Mitte (Kassel) und der Oberfinanzdirektion Frankfurt/M. vom 11.02.1990

[15] Grenzlagemeldung des Bundesgrenzschutzkommandos Mitte (Kassel) und der Oberfinanzdirektion Frankfurt/M. vom 11.06.1990

[16] Grenzlagemeldung des Bundesgrenzschutzkommandos Mitte (Kassel) und der Oberfinanzdirektion Frankfurt/M. vom 11.01.1990

[17] Stoll a. a. O.

[18] Grenzlagemeldung des Bundesgrenzschutzkommandos Mitte (Kassel) und der Oberfinanzdirektion Frankfurt/M. vom 11.02.1990

[19] Grenzlagemeldung des Bundesgrenzschutzkommandos Mitte (Kassel) und der Oberfinanzdirektion Frankfurt/M. vom 11.06.1990

[20] Grenzlagemeldung des Bundesgrenzschutzkommandos Mitte (Kassel) und der Oberfinanzdirektion Frankfurt/M. vom 11.07.1990

[21] „Main-Post", Ausgabe Mellrichstadt, vom 11.12.1989

[22] Main-Post, Lokalausgabe Rhön – Grabfeld vom 18.11.1989 – Horst Böhm: Erster Grenzübergang in der Bayerischen Rhön bald offen – Freie Fahrt von Melpers nach Oberfladungen.

[23] Main-Post vom 23.11.1999

[24] Sahlender, Anton. In: Main-Post, 23.11.1999

[25] „Freies Wort", Suhl, 29.11.1989

[26] Main-Post, Lokalausgabe Rhön – Grabfeld vom 15.01.1990 – Bericht von Edeltraud von Schoen über die Grenzöffnung zwischen Brüchs und Schafhausen

[27] Rhön- und Streubote, Mellrichstadt, vom 11.12.1989 – Bericht von Hubert Geier über die Grenzöffnung Weimarschmieden/Gerthausen

[28] Rhön- und Streubote, Mellrichstadt, vom 10.1.1990 – Bericht von Hubert Geier über den Gegenbesuch

[29] Rhön- und Streubote, Mellrichstadt, vom 03.01.1990: Rudi Hack: So ein Tag, so wunderschön wie heute.

[30] „Main-Post", Lokalausgabe Rhön-Grabfeld vom 17.01.1990. Die „Rhön-Nordheimer" im Grabfeld – von Horst Böhm

[31] Main-Post, Lokalausgabe Rhön-Grabfeld vom 09.11.1990, Umfrage von Holger Welsch

[32] Main-Post, Lokalausgabe vom 11.11.1989, Beitrag von Georg Stock über die Grenzöffnung am GÜG Eußenhausen – Henneberg

[33] Main-Post, Lokalausgabe Rhön-Grabfeld, 24.11.1999:

[34] Hocke, Wolfgang: Die Grenze ist offen. In: Heimatjahrbuch 2003 des Landkreises Rhön-Grabfeld

[35] „Meininger Tagblatt" vom 09.11.1998: Betriebsausflug in den Westen. Erinnerungen eines Kranführers: GÜSt-Ausbau fand jähes Ende.

[36] Main-Post-Redakteur Steffen Maedler beschrieb am 16. November 1989 deren Erfahrungen beim Einkaufsbummel.

[37] Stock, Georg in der Tageszeitung „Main-Post", Lokalausgabe Mellrichstadt vom 27.12.1989

[38] Rhön-Grabfeldanzeiger vom 05.07.1990

[39] Albert, Reinhold: Chronik von Mühlfeld. – Mellrichstadt, 2001

[40] „Rhön- und Streubote" vom 08.01.1990 – Beitrag von Christine Halbig-Hölzer

[41] „Main-Post", Ausgabe Rhön-Grabfeld, Bericht von Dr. Bernd Weiß über den Gegenbesuch der Sondheimer in Berkach

[42] „Main-Post", Ausgabe Rhön-Grabfeld vom 18.12.1989 – Beitrag von Dr. Bernd Weiß über die Öffnung der Grenze zwischen Rappershausen und Behrungen:

[43] „Main-Post", Ausgabe Rhön-Grabfeld vom 30.11.1999. Beitrag von Hubert Herbert über die Grenzöffnung

[44] „Meininger Tageblatt" vom 05.06.1990

[45] „Bote vom Grabfeld" am 08.01.1990 – Franz Diem: „Begrüßungs- und Begegnungstag für Bad Königshofen in Römhild – Die Bürger beider Partnerstädte feierten ihre ‚Verlobung'"

[46] Albert, Reinhold: Chronik von Herbstadt, Breitensee und Ottelmannshausen. – 2001

[47] „Bote vom Grabfeld" vom 05.12.1989 – Bericht von Franz Diem

[48] Bote vom Grabfeld, Ausgabe v. 09.12.1989, Beitrag von Bruno Schubarth (Gellershausen)

[49] Albert, Reinhold: Chroniken der Gemeinden Sulzdorf a. d. L. und Rieth von 1994 und 2001

[50] „Freies Wort", Lokalausgabe Hildburghausen, 09.11.1999

[51] „Neue Presse" Coburg, Lokalausgabe Ebern, 28.11.1989

[52] Fränkischer Tag, Bamberg, Ausgabe Ebern vom 25.01.1990

[53] Neue Presse, Coburg, vom 15.01.1990

[54] Albert, Reinhold: Chronik der Gemeinde Lindenau mit Friedrichshall. – Stadt Bad Colberg-Heldburg u. Hildburghausen, 2000

[55] Berichterstattung in den Coburger Tageszeitungen Coburger Tageblatt und Neue Presse

[56] Coburger Tageblatt vom 21.09.1991

[57] Bilke, Jörg Bernhard: Der 17. Dezember 1989. In: Rodach – meine Pforte nach Thüringen. – Rodach, Schriftenreihe des Rodacher Rückert-Kreises, 1996

[58] Coburger Tageblatt vom 02.01.1990

[59] Berichterstattung in den Monaten November/Dezember 1989 in den Tageszeitungen Coburger Tageblatt, Neue Presse, Coburg, und Freies Wort, Suhl

[60] „Coburger Tageblatt" vom 02.01.1990.

[61] „Neue Presse", Coburg, vom 16.01.1990

[62] „Die Nacht, als Eisfeld kapituliert" – aufgeschrieben von Ully Günther und Volker Friedrich in den Tageszeitungen Neue Presse und Freies Wort.

[63] Michael Best, Lokalreporter der Suhler Tageszeitung „Freies Wort", November 1989

[64] Coburger Tageblatt vom 09.11.1994

[65] „Freies Wort" (Suhl) vom 20.12.1991

[66] Coburger Tageblatt vom 02.01.1990

[67] Bericht von Louay Yassin in der Coburger Neuen Presse vom 02.07.1990

[68] „Freies Wort", Suhl, vom 09.11.1994

[69] Coburger Tageblatt vom 15.01.1990

[70] „Neue Presse", Coburg, vom 29.01.1990

[71] „Coburger Tageblatt" vom 02.01.1990

[72] Helmut Roschlau in der Coburger Tageszeitung „Neue Presse" vom 28.11.1989

[73] „Coburger Tageblatt" vom 13.11.1989

[74] Gemeinsame Grenzlagemeldungen von BGS, ZGD und BGP vom 11.12.1989

[75] Nach: Wiegand I, 23.12.1994

[76] „Freies Wort", Suhl, Lokalausgabe Sonneberg, vom 27.12.1989

[77] Coburger Tageblatt vom 04.12.1989.

[78] „Neue Presse" vom 05.03.1990

[79] „Neue Presse" vom 16.01.1990

[80] Freies Wort, Suhl, vom 08.11.1999

[81] Nach: Wiegand I, 10.12.1994

[82] Zeitschrift des Bundesgrenzschutzes vom 05.05.1990

[83] Coburger Tageblatt vom 08.04.1991

[84] „Freies Wort", Suhl, vom 27.11.1989

[85] Aus: Zeitschrift des Bundesgrenzschutzes, 17. Jahrgang, Nr. 4, April 1990

Persönliche Angaben zu den Autoren

GERHARD SCHÄTZLEIN

Er wurde 1937 in Nürnberg geboren. Nach der Evakuierung in Gleisenau, im Landkreis Haßfurt, aufgewachsen, besuchte er das Gymnasium in Haßfurt, anschließend die Pädagogische Hochschule in Bamberg. 1959 trat er in den Volksschuldienst ein. Seit 1959 lebt er im damaligen Grenzort Filke, seinem ersten Dienstort. Zuletzt war er Konrektor an der Grundschule Ostheim v. d. Rhön.

Seit 2001 ist er pensioniert und arbeitet an den weiteren Bänden der Reihe Grenzerfahrungen.

Schätzlein hatte sich seine ersten Meriten mit Ortschroniken über Filke (1974) und Hermannsfeld (1994) verdient und neben weiteren heimatgeschichtlichen Veröffentlichungen das Buch Steinkreuze und Kreuzsteine im Landkreis Rhön-Grabfeld geschrieben.

Von 1980 bis 1996 war er als Bürgermeister der Grenzgemeinde Willmars (bis 1990) direkt mit den Problemen einer Grenzgemeinde betraut. Von 1972 bis 2001 war er Kreisrat im Kreistag Rhön-Grabfeld. 1992 erstellte er zusammen mit Bärbel Rösch und vielen Helfern die Fotoausstellung Grenzerfahrungen, die erstmals in Willmars, danach in Meiningen, Suhl, Eisfeld, Arnstadt und in drei weiteren Orten gezeigt wurde. Aus dieser Grenzausstellung erstand 1992 die erste Broschüre über die Grenze: Grenzerfahrungen 1945 bis 1990. 1997 und 1998 verfasste Schätzlein die Informationstafeln des „Friedensweges", eines Wanderweges entlang der ehemaligen deutsch-deutschen Grenze zwischen Eußenhausen – Henneberg und Birx – Hochrhön.

Im Jahr 2000 erschien Band I der Grenzerfahrungen, 2002 Band II. Neben der Vorarbeit zu weiteren Veröffentlichungen über die ehemalige Grenze zwischen Thüringen und Bayern/Hessen baut Schätzlein eine Datenbank über Ereignisse an der Grenze der ehemaligen DDR, vornehmlich im thüringischen Bereich auf, die bis jetzt ca. 10.000 Datensätze umfasst.

Daneben arbeitet er an weiteren historischen Themen.

Publikationen und Bücher (Auswahl):
- Gerhard Schätzlein: Filke, ein Ortsteil von Willmars. – Eigenverlag Willmars, 1972.
- Gerhard Schätzlein: Steinkreuze und Kreuzsteine im Landkreis Rhön-Grabfeld. – Mellrichstadt, 1985.
- Barbara Rösch und Gerhard Schätzlein: Grenzerfahrungen 1945 – 1990. – Willmars, 1992. Bildbearbeitung: Roland Reißig, Mitarbeit: Reinhold Albert, Hermann Landgraf, Adelheid und Werner Schumann.
- Gerhard Schätzlein, Dr. Günther Wölfing, Wilfried Büttner, Werner Scholz, Dr. phil. Norbert Moczarski, Angelika Hoyer, Christiane Vogtmann: Hermannsfeld und Umgebung – Geschichte und Geschichten. – Hermannsfeld/Meiningen, 1994.
- Gerhard Schätzlein/Reinhold Albert/Barbara Rösch: Grenzerfahrungen Bayern – Thüringen 1945 – 1971 (Teil I). – Hildburghausen, 2005 (8. Aufl.).
- Gerhard Schätzlein/Reinhold Albert (Mitarbeit: Hans-Jürgen Salier): Grenzerfahrungen Bezirk Suhl – Bayern/Hessen 1972 – 1988 (Teil II) – Hildburghausen, 2004 (2. Aufl.)
- Beiträge im Heimatjahrbuch Rhön-Grabfeld, der Zeitschrift Frankenland des Frankenbundes, der Zeitschrift Rhönwacht des Rhönklubs und weitere Publikationen.

Kontakte:
Gerhard Schätzlein, Dorfstraße 3, 97647 Willmars-Filke, **Telefon: 0 97 79/82 07, Fax: 0 97 79/82 09**
E-Mail: Thesaurus@t-online.de

REINHOLD ALBERT

Reinhold Albert wurde 1953 in dem kleinen Dorf Sternberg im Grabfeld, das unmittelbar an der thüringisch-bayerischen Landesgrenze bei
Bad Königshofen liegt, geboren. Nach Besuch der Volksschule Sternberg und der Realschule Bad Königshofen erfolgte die Berufsausbildung bei der Bayerischen Bereitschaftspolizei. Anschließend war
Albert bei der Bayerischen Landespolizei in Obernburg und in Bad
Kissingen tätig. Von 1977 bis zur Auflösung der Bayerischen Grenzpolizei nach der Wiedervereinigung war er Angehöriger der Grenzpolizeistation Maroldsweisach, wo insbesondere in der angegliederten
Grenzinformationsstelle Dürrenried sowie in der Grenzinformationsstelle Bad Königshofen von 1977 bis 1990 rund 30.000 Besucher an
die innerdeutsche Grenze geführt wurden. Er erlebte die Geschichte
der innerdeutschen Grenze von Kindheit an unmittelbar mit.

Seit Oktober 1990 ist Polizeihauptkommissar Reinhold Albert
Angehöriger der Polizeiinspektion Ebern. Er ist seit Oktober 1974
verheiratet und Vater dreier Kinder. Ehrenamtlich ist Reinhold Albert
u. a. tätig als Kreisheimatpfleger für den Altlandkreis Königshofen i. Gr. und Kreisarchivpfleger im Landkreis Rhön-Grabfeld, ferner als 2. Vorsitzender des Vereins für Heimatgeschichte im Grabfeld sowie als
CSU-Kreisrat im Kreistag Rhön-Grabfeld.

Publikationen und Bücher (Auswahl)
-   Chronik der Gemeinde Sulzdorf a. d. Lederhecke. 2 Bände. – Sulzdorf a.d.L./Hildburghausen, 1994.
-   Geschichte der Schranne in Bad Königshofen. – Bad Königshofen, 1993.
-   Die Kirchen von Alsleben. – Bad Königshofen, 1993.
-   Chronik der Gemeinde Gompertshausen zum 875jährigen Bestehen der Gemeinde. – Hildburghausen, 1994.
-   Chronik zur Wiedereinweihung der Kirche Schweickershausen. – Hildburghausen, 1995.
-   Festschrift: 100 Jahre Chor „Sängerkranz" Rieth. – Hildburghausen, 1997.
-   Festschrift: 50 Jahre VdK-Ortsverband Zimmerau – Zimmerau, 1998.
-   Festschriften zu Feuerwehrjubiläen in Trappstadt, Zimmerau, Schwanhausen und Sternberg.
-   Chronik von Rieth und Albingshausen. – Hildburghausen, 1999.
-   Streufdorf und Seidingstadt – Die Chronik. – Adelhausen, 2000.
-   Chronik von Mühlfeld bei Mellrichstadt. – Mellrichstadt, 2001.
-   Chronik von Westhausen und Haubinda. – Hildburghausen, 2001.
-   Chronik von Lindenau mit Friedrichshall. – Hildburghausen, 2002.
-   Chronik von Stockheim/Rhön. – Mellrichstadt, 2002.
-   Gemeinsam mit Elfriede Herda: Ostheim vor der Rhön in historischen Ansichtskarten und Fotos. – Ostheim und
    Hildburghausen, 2003.
-   Beiträge im Heimatjahrbuch Rhön-Grabfeld, im Fränkischen Heimatkalender Coburg, der Zeitschrift Frankenland
    des Frankenbundes, der Zeitschrift Rhönwacht des Rhönklubs, der Zeitschrift Die Haßberge des Haßbergvereins,
    dem Heimatblatt Das Grabfeld und weiteren Publikationen.

In der Schriftenreihe des Vereins für Heimatgeschichte im Grabfeld:
Heft 2:   Reinhold Albert: Geschichte der Juden im Grabfeld. – Kleineibstadt, 1990.
Heft 4:   Reinhold Albert: Geschichte der Wüstung Eschelhorn (Urselhorn) und der St.-Ursula-Kapelle bei Alsle-
           ben. – Kleineibstadt, 1992.
Heft 5:   Barbara Rösch/Gerhard Schätzlein/Hanns Friedrich/Reinhold Albert: Grenzerfahrungen 1945 – 1990. –
           Willmars/Mellrichstadt, 1993.

Heft 7:	Reinhold Albert: Kriegsende 1945 und Nachkriegszeit im Königshöfer Grabfeld. – Bad Königshofen, 1995.
Heft 8:	Klaus Reder/Reinhold Albert: Rhön-Grabfeld im Spiegel der Beschreibungen der Bezirksärzte Mitte des 19. Jahrhunderts. – Kleineibstadt, 1995.
Heft 12:	Reinhold Albert: Geschichte des Kapuzinerklosters und der Klosterkirche Bad Königshofen i. Gr. – Kleineibstadt, 1997.
Heft 15:	Reinhold Albert, Walter Jahn u. a.: VORZEIT-SPUREN in Rhön und Grabfeld. – Kleineibstadt, 1998.
Band 17:	Gerhard Schätzlein/Reinhold Albert/Barbara Rösch: Grenzerfahrungen Bayern – Thüringen 1945 – 1971 (Teil I). – Hildburghausen, 2005 (8. Aufl.).
Band 18:	Reinhold Albert: Chronik von Herbstadt mit seinen Gemeindeteilen Ottelmannshausen und Breitensee. – Kleineibstadt, 2001.
Band 19:	Gerhard Schätzlein/Reinhold Albert: Grenzerfahrungen Bezirk Suhl – Bayern/Hessen 1972 – 1988 (Teil II) – Hildburghausen, 2004 (2. Aufl.).
Band 21:	Reinhold Albert: Ipthausen – eine Chronik, erschienen zum 250. Jubiläum der Wallfahrtskirche Mariä Geburt. – Kleineibstadt, 2004.

Kontakte

Reinhold Albert, Schlossstraße 42, Sternberg im Grabfeld, 97528 Sulzdorf a. d. L.

Telefon: 0 97 63/17 57, Fax 0 97 63/9 30 00 05

E-Mail: reinholdalbert@t-online.de, Internet: www.reinhold-albert.de

HANS-JÜRGEN SALIER

* 02.04.1944, Hildburghausen (Halbwaise).
Seit 1965 verheiratet, 2 Söhne.
1950 – 1958, Grundschule, 1958 – 1960 Mittelschule II Hildburghausen.
1960 – 1962. Studium am Institut für Lehrerbildung Meiningen.
1962/63. Lehramtsanwärter und nach Fernstudium Abschluss als Unterstufenlehrer.
1962. Staatlich geprüfter Schwimm-Meister.
1966 – 1970. Fernstudent an der Pädagogischen Hochschule Erfurt/Mühlhausen, Abschluss als Diplom-Lehrer für Deutsche Sprache und Literatur.
1962 – 1965. Lehrer an der Polytechnischen Oberschule Hellingen.
1965 – 1987. Lehrer an der Zentralen Oberschule, der späteren „Joseph-Meyer-Oberschule" Hildburghausen, und in der Erwachsenenbildung
1987 – 1990. Buchlektor bei transpress VEB Verlag für Verkehrswesen Berlin für Philatelie, Postgeschichte, Numismatik und Nachrichtenverkehr.
01.06.1990. Gründung Verlag Frankenschwelle Hans J. Salier, seit Mai 1995 Verlag Frankenschwelle KG.
Seit 1993 Mitarbeiter im Druckhaus Offizin Hildburghausen GmbH.
Verlagsleiter des Verlags Frankenschwelle Hildburghausen und seit März 2002 des Hofmann-Verlags Augsburg (jetzt Hildburghausen).

1962 – 1967. Sektionsleiter Sportschwimmen der BSG Eintracht Hildburghausen.
1965 – 1990. Funktionen im Kulturbund:
Vorsitzender der Arbeitsgemeinschaft Philatelie Hildburghausen, Vorsitzender des Kreisvorstands, 1976 Gründer und Leiter des Arbeitskreises Postgeschichte Thüringen, Mitglied des Zentralvorstandes des Philatelistenverbandes im Kulturbund der DDR, 1987 – 1990 Vorsitzender der Zentralen Leitung der Arbeitskreise Postgeschichte der DDR.
Zur DDR-Zeit Herausgeber von zwei Schriftenreihen, Autor von Büchern und Broschüren zur Philatelie und Postgeschichte, Mitglied des Redaktionsbeirats der Fachzeitschrift sammler express.
Zwischen 1975 und 1988 eine Vielzahl Auszeichnungen von Silber- und Goldmedaillen sowie Großen Preisen für aerophilatelistische und postgeschichtliche Sammlungen bei nationalen, internationalen Ausstellungen sowie 6 Weltausstellungen.

Seit Herbst 1989 Mitglied des Neuen Forums, ab November 1989 der LDPD, 1990 – 2000 Kreisrat der FDP, ab November 2000 Mitglied der Kreistagsfraktion der CDU. Mitglied des Aufsichtsrates der Henneberg-Kliniken gGmbH
1997. Ehrenmitglied der Ingenieurverbindung Hildburgia. Seit 1999 Stadtrat in Hildburghausen. Ab 2004 Mitglied der CDU-Fraktion, stellv. Fraktionsvorsitzender und Vorsitzender des Kultur- und Sozialausschusses.
Seit 1990 Herausgabe, Mitarbeit, Lektorierung und Gestaltung von über 200 Büchern.

Publikationen und Bücher (Auswahl)
- Herausgeber der Schriftenreihe Beiträge zur postgeschichtlichen Forschung des Arbeitskreises Postgeschichte Thüringen (1976 – 1989).
- Aus der Postgeschichte von Hildburghausen. – Suhl/Hildburghausen, 1976.

- Gemeinsam mit Kurt Reum: Thurn und Taxissche Ortsaufgabestempel in Thüringen. – Suhl/Hildburghausen, 1977.
- Gemeinsam mit Wolfram Grallert: Daten zur deutschen Postgeschichte. – Berlin, 1989/90.
- Gemeinsam mit Wolfram Grallert: Philatelie und Postgeschichte in Übersichten (unveröffentlicht), 1989.
- Jahrbuch Die Postwertzeichen der Deutschen Post 1988 (Herausgegeben vom Ministerium für Post- und Fernmeldewesen der DDR).
- Gemeinsam mit Prof. Dr. Gerhard Steiner: Gedichte und Geschichten aus der Postkutschenzeit, 1988 (Manuskript).
- Gemeinsam mit Peter Fischer, Berlin: Klassische Briefmarken – Geschichten zum 150jährigen Jubiläum. – Berlin, 1989.
- Herausgeber der Schriftenreihe Beiträge zur Geschichte Südthüringens,
- Gemeinsam mit Heidi Moczarski: Kleine Landkreis-Chronik Hildburghausen. – Hildburghausen, 1997.
- Arbeitserinnerungen des Kupferstechers Karl Seizinger. – Hildburghausen, 1997.
- Gemeinsam mit Bastian Salier: Zunftliederbuch. Gesellige Lieder nach schönen Weisen für Buchdrucker, Buchbinder, Buchhändler und das ganze Buchgewerbe (Teilreprint). – Hildburghausen, 1997.
- Chronik der Stadt Hildburghausen. – Hildburghausen, 1999.
- Gemeinsam mit Bastian Salier: Hildburghäuser Lesebuch. – Hildburghausen, 1999.
- Gemeinsam mit Bastian Salier: Es ist Frühling, und wir sind so frei! Die 89er Revolution im Kreis Hildburghausen – Eine Dokumentation. Mit einem Vorwort von Bundesaußenminister a. D. Hans-Dietrich Genscher. – Hildburghausen, 2000.
- Gerhard Schätzlein, Reinhold Albert (Mitarbeit: Hans-Jürgen Salier): Grenzerfahrungen Bezirk Suhl – Bayern/Hessen 1972 – 1988. – Hildburghausen, 2002.
- Themar – 700 Jahre Stadt – 1303 bis 2003. Geschichte in Daten. – Themar/Hildburghausen, 2003.

In Vorbereitung:
- Gemeinsam mit Helga Rühle v. Lilienstern: Dunkelgräfin und Dunkelgraf – Das Rätsel und seine Lösung (Arbeitstitel).
- Herzliche Grüße aus Hildburghausen, 2005.
- Chronik der Stadt Hildburghausen in 5 Bänden, 2007 – 2009.

Kontakte
Hans-Jürgen Salier, Gerbergasse 19, 98646 Hildburghausen (privat) –
Geschwister-Scholl-Straße 26, 98646 Hildburghausen (geschäftlich)
Telefon (privat): 0 36 85/70 44 16, Telefon (geschäftlich): 0 36 85/79 06 17, Fax 0 36 85/79 06 28
E-Mail: hjsalier@aol.com oder info@frankenschwelle.de, Internet: www.frankenschwelle.de

Die Autoren Schätzlein, Albert und Salier (v. l.) bei einer Arbeitsberatung im Jahr 2004.

Die Grenzabschnitte Bezirk Suhl - Hessen, Bayern

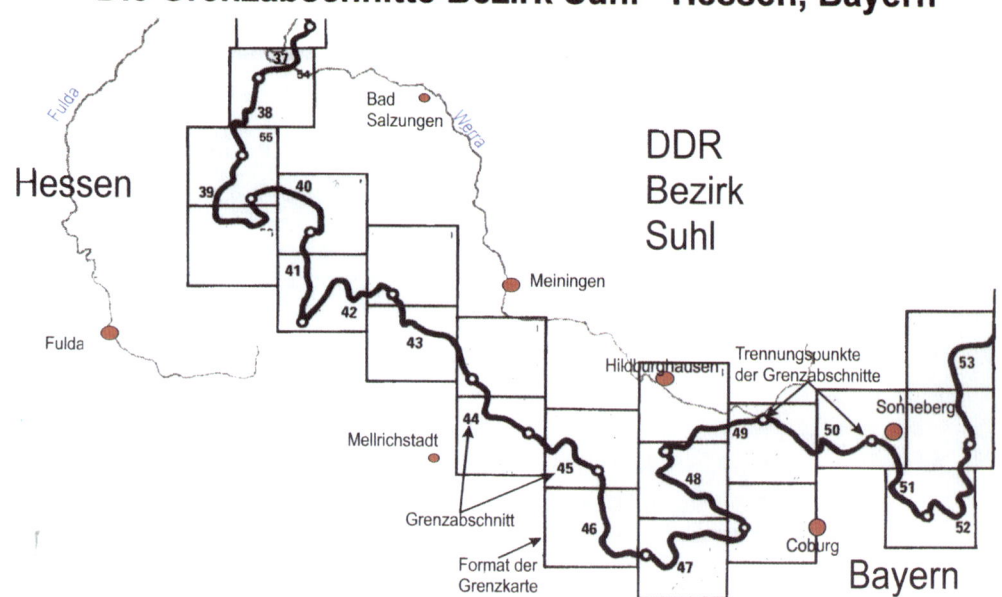

Hessen

DDR
Bezirk
Suhl

Bad
Salzungen

Meiningen

Fulda

Hildburghausen

Trennungspunkte
der Grenzabschnitte

Sonneberg

Mellrichstadt

Grenzabschnitt

Coburg

Format der
Grenzkarte

Bayern